KB210871

그랑호텔의 투숙객들

송복남 장편소설
그랑호텔의 투숙객들

1판 1쇄 2025년 2월 7일

지은이 송복남

펴낸곳 시방사유
펴낸이 송복남
책임편집 GYpeople
표지 및 본문 디자인 GYpeople

시방사유

주소 10909 경기도 파주시 하우2길 59-14 B동 402호
출판사 신고번호 제 2024-000129호(2024년 9월 23일)
전화 031 942 4041
인스타그램 sibangsa_u
전자우편 sbn111@hanmail.net

값 24,500원
ISBN 979-11-990418-0-6 03810

소설을 쓰는 동안 생을 달리 한

아버지 송석찬과 어머니 김기천에게 이 책을 바친다.

2025년 1월 21일

별이 빛나는 하늘이, 갈 수 있고 또 가야만 하는 길의 지도이던 시대.
그 별빛이 길을 밝혀 주던 시대는 얼마나 복되던가? – 지외르지 루카치

송복남 장편소설

그랑호텔의 투숙객들

시방사유

❙ 차례

프롤로그 9

1부 이청, 그랑호텔에 투숙하다 17
지배인 23
뉴욕 – 서울 41
사사 63
Soul Fund 76
인터뷰이 108
체크아웃 126
유령 131
출장 146

2부 제이콥 헨리 쉬프 154
자무엘 174

3부 무엇을 할 것인가 199
데이브와 나 206
나는 내가 필요해 235
이과수 249
애버리지니 필름 258
한스 화이트 272
구글링 281
불멸화위원회 292
브래디는 314
채석장 330
추적하는 사람들 333
눈물 361
도담삼봉 370
퀵 서비스 404

4부 특별행사 433
오해 452
할리우드 씬 461
성묘 474

5부 산하비에르 489
머피의 법칙 507
영혼과 형식 516
안녕, 당신의 이름은 526
최치영은 왜 546
종이인형 568
하정미 583
김학수 정위 604
강창섭 생각이 났다 631
탱고 바 '수르' 649
엽서 674
나그네 투숙객 691
마농 709
연극이 끝났다 720
이구아수 732

에필로그 748

작가의 말 767
힘이 되어 주신 분들 775

프롤로그

동해였다. 북태평양이거나 대서양이나 인도양이 아닌, 동해라고 가만히 말하자 이과수는 그 말이 더 친밀하게 와닿았다. 귀국이라는 말과 집이라는 두 단어가 겹쳐 그런 듯했다. 부에노스아이레스를 떠난 지 근 32시간 뒤였고, JFK 공항을 이륙한 지 14시간 40분쯤 뒤였다.

JFK 공항은 이과수가 처음 밟은 미국 땅이었다. 산하비에르에 오기 전이었다. 그 뒤 산하비에르에 오면서 거길 지났고, 그 하늘길을 이과수는 하정미와 거슬러 날았다. 하지만 JFK 공항에서 부에노스아이레스를 잇는 노선을 제외하면 나머지 하늘길은 같은 경로가 아니었다. 뉴욕을 출발한 여객기는 북극 항로나 캄차카 항로 대신 북태평양 항로를 날았고, 북극 항로는 우크라이나를 침공한 러시아 때문에 폐쇄된 항로였다. 게다가 북한의 미사일은 캄차카 항로의 자기네 영공 통과를 허락하지 않았다. 그 때문에 여객기는 제트기류를 거스르며 북태평양 항로를 평소보다 한 시간을 더 날아야 했고 일본 영공을 통과하느라 통행료를 더 지불해야 했다.

"어때?"

하정미 건너의 창을 보며 이과수가 물었다. 하늘이 보였다. 구름 하나 없는.

"좋아, 너무너무." 조금 전 잠에서 깬 하정미가 하품을 하느라 손바닥으로 입을 가리며 말했다.

"템플스테이 갈 거야?"

"당연하지."

한국에 있을 때 하정미의 취미 중 하나가 템플스테이였다. 휴일이면 절하고 폐사지 답사 프로그램을 따라다녔고, 그 때문에 산하비에르에 있는 동안 하정미가 가장 아쉬워한 게 템플스테이였다. 그 먼 부에노스아이레스에 있는 한국 선원에 들르곤 한 것도 템플스테이를 대신해 한 거였다. 물론 그와는 상관없지만 귀국이 삼 개월 당겨졌고 하정미는 귀국하면 템플스테이부터 갈 거라고 별렀다. 태호 선배가 이과수를 마중하고 이과수가 하정미를 마중한 게 엊그제 같은데 귀국이라니, 5월 초순이었고 산하비에르는 가을이었다.

예정보다 빨라진 귀국일이 설레기도 하고 홀가분하기도 했다. 기간을 정하고 간 건 아니었지만, 그간의 이국 생활이 준 이런저런 고단함 때문에 더 그런 것인지 몰랐다.

처음 산하비에르 생활은 많이 힘들었다. 하정미가 와 주지 않았다면 남미의 이국적인 정서와 고된 농장 생활은 더 길고 험난할 수도 있었다. 갑작스러운 아르헨티나행이 건넨 후유증이었다. 힘든 농장 일도 그렇지만 산하비에르의 농촌 일상은 사소한 것조차 적응하는 데 애를 먹였다. 시간이 지나면서 적응하기는 했지만 그 역시 하정미가 온 뒤의 일이었다. 하정미가 아니었다면 여전히 힘들고 고된 시간의 연속이었을 테고 어쩌면 그곳의 생활을 포기했을지도 몰랐다.

아르헨티나 초창기는 육체적인 피로보다 정신적인 피로가 더 힘들었다. 이과수의 그 고난에 비하면 하정미는 시작부터 달랐다. 성격 때문인지 뭔지 나중에 왔는데도 이과수보다 현지 적응이 빨랐고 이곳 사람들과의 친화력이 무슨 재능처럼 보였다. 얼마 뒤 하정미가 시작한 유튜브 채널은 그간 이국 생활에 변화와 활력을 줬다. 평생 한 번 있을까 싶은 외국 생활을 재미있게 해 보자며 시작한 일이 생활의 질을 바꿔 놓았던 것이다.

"혹시, 이구아수와 긴코너구리 운영자분 아니세요?"

알래스카 상공을 지날 즈음이었다. 조금 전 하정미가 주문한 생수를 건네며 승무원이 물었다. 그러고 보니 아까부터 자꾸 이쪽을 힐끗힐끗 보는 듯했다.

"네, 맞아요."

하정미가 환하게 웃으며 말했다.

"어머, 맞구나. 구독자예요. 실제로 뵈니까 더 예쁘세요." 승무원이 목소리를 낮춰 물었다.

"신기하다. 한국 비행기 타니까 한국인 구독자분을 만나네."

"제 친구도 구독자예요. 쟤요." 저쪽에서 승객과 얘기하고 있는 친구라는 사람을 가리키며 승무원이 말했다. "근데 그게 무슨 뜻이에요, 애별리고 그 말이요?"

"부처님 말씀이에요. 왜, 이상하세요?"

"아뇨. 많이 궁금했거든요."

애별리고愛別離苦 원증회고怨憎會苦, 그걸 아는 당신 무소의 뿔처럼 혼자서 가라.

하정미는 유튜브 채널을 소개하는 난에다 그 말을 적어놨다. 한국어와 영어, 스페인어를 사용했고 종종 뜻을 묻는 댓글이 올라오고는 했다.

"그럼 이구아수는……?" 승무원이 이과수와 하정미를 번갈아 봤다.

"맞아요. 제 남편 이구아수예요."

"봐주셔서 고맙습니다." 이과수가 말했다.

이과수의 말을 듣고 난 승무원은 자기도 부에노스아이레스에서 살아 보는 게 소원이라고 했다. 그런데 아직 하늘에서 살고 있다고. 그러며 하정미가 재치가 있고 콘텐츠도 재밌다고 말하곤 저쪽으로 갔다.

충청도나 경기도 상공 어디쯤인 듯했다. 창 아래는 선처럼 이어진 산과 산등성 그리고 정맥, 그 사이에 우물처럼 도시가 있었다. 기억은 풍경과 밀접했다. 인간의 인지능력 중 대부분을 차지하는 본다는 행위가 주는 선물이었다. 여정의 끝에서 만난 풍경은 그간의 시간을 제자리에 갖다 놓았고, 그 때문에 시간의 축은 낯익은 시공간을 체험하는 듯한 감회를 안겨 놓았다. 인천공항이 가까워지자 그 느낌이 더했다. 그리고 어쩔 수 없이 이과수는 기억 하나를 떠올리고 있었다.

아르헨티나에 가기로 마음을 먹었을 즈음이었다. 최치영이 연락을 해왔다. 뜻밖이었고 그가 자신의 사적인 일을 알고 있다는 게 놀라웠다.

"바람 좀 쐰다 생각하면 나쁠 것도 없지."

"네……?"

"나만 아니 그리 알게."

비밀로 하겠단 뜻 같았다. 하긴 그가 누구인가. 그랑호텔보다 더 그랑호텔스럽고 투숙객들보다 더 투숙객다운, 그라면 충분히 그럴 수 있었다.

산하비에르에 온 뒤로는 누구와도 연락하지 않았다. 딱히 연락할 일이 없었고 그러고 싶지도 않았다. 지배인은 물론 최치영도 마찬가지였다. 그 시간이 꽤 흘렀고 그 덕에 호텔에서의 일들 대부분을 잊고 지낼 수 있었다. 그러던 어느 날이었다. 이메일이 왔는데 최치영이었다. 다시는 볼 일이 없는 사람인 줄 알았는데, 그제야 출국 전 그가 한 말이 생각났다. 그 뒤였다. 최치영은 잊을 만하면 이메일을 보내왔다. 하지만 신경을 쓰지 않았고 읽지도 않았다. 그런데도 이메일이 멈추지 않았다. 그 시간이 좀 지나자 알게 모르게 이과수는 자신의 태도가 조금씩 바뀌고 있다는 것을 알았다. 일종의 호기심 같은 것이었다. 그러다 이메일을 읽었는데, 처음엔 이메일을 읽고도 왜 그가 연락을 하는지 알지 못했다. 그게 시작이었던 것 같다. 그 뒤론 자연스레 최치영의 이메일을 열었고 이과수는 꼬박꼬박 그의 이메일을 읽고 있는 자신을 볼 수 있었다. 그때 읽은 이메일에 이런 게 있었다.

투숙객들에게는 쉬쉬했네만, 자네한테만 말하는 것이니 그리 알게.

지배인을 두고 하는 말이었다. 그리고 얼마 뒤였다. 백지우가 이메일을 보내왔는데 제이콥 소식이 들어 있었다. 제이콥 얘기는 이과수도 알고 있었다. 브래디를 통해서였는데, 그가 보내온 이메일에 링크가 있었고 영문 기사가 연결돼 있었다. 기사에는 사진이 실려 있었다. 제이콥이었다. 사진 속에서 그가 웃고 있었다. 그런데 딕 코헨이라니, 처음엔 무슨 소리인가 했는데 기사를 읽고 나자 기가 막힌다는 말밖에 생각나지 않았다. 이과수는 이메일을 보냈다. 답장은 그때가 처음이었다. 그 뒤 최치영과 자주 이메일을 주고받기 시작했고, 모르긴 해도 그간 주고받은 이메일이 분량으로 치면 단행본 한 권 정도는 될 것도 같았다.

최치영에게 답장을 하는 일이 좀 자연스러워졌을 때였다. 그가 이메일에서 이런 말을 했다. 지배인 얘기도 그렇지만 이청이 펴낸 책 때문에 골머리를 앓고 있다는 내용이었는데, 예상한 일이었다.

자무엘이 제임스보다 한 수 위인 듯하네. 이 사람들은 햇꿀을 원해. 아카시아꽃이든 밤꽃이든. 제임스가 그걸 몰라. 그리고 이 얘기는 처음이네만, 이청의 책을 대하는 제임스가 어설퍼 고민이네. 난 아닌데 말일세. 긴 싸움이 될 수도 있어 그래. 이청 이 친구가 보통 악바리여야지. 알고 있으라고 적네.

이과수는 이메일을 보냈다. 최치영이 아니라 이청에게였다. 다른 사람은 몰라도 이청에게만은 그래야 했다. 별다른 말은 하지 않았다. 자신의 근황과 작금의 고민 같은 걸 상담하듯 적었고 노골적이지는 않지만, 요즘 자꾸 한국 생각이 자주 나더라고 적은 게 다였다. 이청이 답장을 보내왔는데 이과수의 입장을 아는 듯한 뉘앙스였고 그러자 마치 뭔가를 들킨 기분이었다.

…… 2천6백 년 전 이후 인간의 그 많은 사유는 과정이지 목적이 아니었네. 진리에 도달했다는 착각, 그런 건 없네. 왠지 아는가? 시간은 완성을 추구한 적도 요구한 적도 없지. 완성된 인간 역시 존재한 적이 없어. 갈라파고스 증후군이라고 하지 않던가. 혹 그런 인간이 있다면 역진화의 산물일 가능성이 크지. 자네 생각이 어딜 향하는지 궁금해 적는 거네…….

†

여객기가 인천공항 활주로를 미끄러지고 있었다. 이과수는 공항 청사 쪽을 봤다. 하정미도 그쪽을 봤다.

"우리 잘 산 거지, 과수 씨?"

"고향이잖아. 우리가 살 곳."

잘은 모르지만, 사람들은 누구나 돌아갈 고향 하나 정도는 있지 않을까. 자신의 몸이 쉬고 영혼이 돌아갈 곳, 그런데 다들 그걸 잊은 채 살고 있었다. 그 불온이 자신의 영혼을 시들게 하고 부순 것도 모른 채, 순수 말이다. 하지만 이과수는 알고 있었다. 그게 아니었다면 귀국은 생각하지도 않았을 터였다.

서쪽 하늘 야트막한 지평, 그 언저리에 하현달 모양의 붉은 해가 걸려 있었다. 여객기가 둥그스름한 곡선을 그리며 움직이는 동안 석양이 앞에서 눈을 찌르곤 지났다. 활주로에서 미끄러지던 여객기가 방향을 틀자 뭔가가 스멀스멀 몸을 건드리는 게 느껴졌다. 허공의 입자들이 서서히 몸 안으로 번지고 있었다. 기체 밖에서 들어온 입자들이었다. 낯설지 않았다.

1부

이청, 그랑호텔에 투숙하다

서울 어디서든 남산타워를 볼 수 있듯, 시내 어디에서든 그랑호텔을 볼 수 있었다. 통인동에서 태어나 줄곧 이곳에 살고 있는 이청에게 이 풍경은 누구보다 익숙했다. 자신이 원하든 원하지 않든 매일 호텔을 올려다봐야 했고, 인왕제색도를 무색하게 하는 이 물리적 풍경은 부조리감을 갖게 했다.

호텔의 본관은 그 느낌이 더했다. 중세 영주의 호화로운 성 같은 본관 건물과 병풍처럼 우뚝 선 유리 외장의 38층 객실은 어쩔 수 없이 인왕산과 함께 봐야 하는 건축물들이었다. 본관 건물은 '벽수산장'이라는 옛 이름이 있지만 지금은 객실과 함께 그랑호텔로 불렸다. 이 건축물의 가치를 모르는 사람은 없었다. 수백 년이라는 시간을 지나며 변화한 서양의 건축양식이 채 1세기도 되지 않는 두 건축물에 고스란히 담겨 있기 때문이었다. 르네상스 고전주의와 20세기 르코르뷔지에식 모더니즘 양식, 초기 포스트모더니즘 건축을 떠올리게 하는 두 건물의 건축사적 가치는 그쪽 사람들 사이에서는 중요한 유산이자 사건이었다. 하지만 호텔 자체의 사료와 미학적 가치가 주는 권위적인 외양은 그들 세계의 자긍심과 달리 많은 사람들에게는 그 존재 자체가 불편한 대상으로 인식되어 있기도 했다. 이청도 다르지 않았다. 거기다 막상 들어와 본 호텔의 인상은 평소 이청이 가지고 있던 거부감을 넘어 낭패감마저 느끼게 했다. 밖에서는 결코 알 수 없는, 낯설었다.

†

이청은 가만히 백지우를 봤다. 하도 단도직입적이어서 그의 질문이 몇 계단은 뛰어넘은 듯했기 때문이었다. 커피잔을 내려놓으며 이청이 말했다.

"난 데이행사만 보러 온 거야, 백지우." 이청은 초청받은 날로부터 이틀이나 지나 체크인을 하러 왔고 오래 있을 생각도 없었다.

백지우가 말했다. "다들 그렇게 얘기합니다, 선배님. 저 사람들도 투숙객들이거든요." 불편해 보였다. 그는 아까부터 그 표정을 짓고 있었다. 그가 손가락으로 저쪽 테이블을 가리켰다. "그게 다가 아닙니다. 이 사람들이 요구하는 게 뭔지 아십니까……?" 그가 말을 멈추었다. 사이가 좀 길었는데, 평소답지 않게 그의 말에 두서가 없어 보였다.

"계속해 보게." 이청이 말했다.

"투숙객 중에는 형이상학자들이 있습니다. 다 호텔 귀빈 아닙니까."

"사유하는 사람들 아닌가."

"지배인이 뭐라고 했는지 아세요, 선배님? 형이상학자 당신들의 사유 덕에 호텔이 한층 품위를 갖추게 됐다. 이건 돈으로 살 수 없을 만큼 소중한 것이다. 그러므로 호텔은 당신들이 어떤 사유를 하든 존중한다. 다만……." 말을 멈추곤 백지우가 피식 웃었다. "이 사람들 말이 형이상학자지 실은 이념가들입니다. 비난은 폭력적이고 주장은 훈계와 같지요."

"원래 그런 사람들이야, 알지 않은가."

"이 사람들 싸움이 좀 특이해서 그럽니다. 자기들끼리인데도 일관성이 없는 것은 물론, 어느 순간이 되면 다 잊고 서로 통정을 하지요. 논리적으로 보면 말이 안 됩니다. 호텔은 개의치 않지만요."

"이유가 뭔가?"

"다 그랑호텔의 투숙객들이라는 거지요."

백지우가 회전문 쪽으로 걸음을 옮겼다. 아까 이청이 들어온 문이었다. 이청이 손을 들어 보이자 회전문이 한 바퀴 돌았고 백지우가 보이지 않았다. 대신 한 무더기의 바람이 로비 쪽으로 밀려 들어왔고 바람이 찼다.

이청은 로비 안으로 걸음을 옮겼다. 저쪽에 통로가 있었다. 통로는 객실로 이어졌고 객실로 가는 중간에는 꽤 높은 궁륭이 있었다. 천장과 벽은 화려한 데다 웅장했고 적당한 크기의 벽감은 궁륭과 통로를 한층 품위 있게 만들고 있었다. 단색조의 벽 장식은 단출하지만 미래적인 분위기를 자아내 고답적이지 않았다. 거길 지나자 객실 로비가 나왔다. 로비가 하도 커 이청은 저절로 위압감을 느꼈다.

프런트 데스크가 보였다. 눈높이 바로 아래 지점에는 호텔 로고가 붙어 있었다.

Grand Hotel.

체크인을 한 이청이 승강기 쪽으로 막 걸음을 옮길 때였다.

"안녕하세요, 이청 선생님?"

호텔 여직원이었다. 이청 쪽으로 걸어오고 있었다. 키가 컸는데, 머리에 얹은 베레모가 깜찍했고 청록과 노랑이 섞인 스카프와 연록의 블라우스는 화사했다.

"환영합니다, 선생님."

이청이 같이 인사를 했다. "그래요, 고맙습니다."

"이한별이라고 합니다. 저와 같이 가시겠습니까, 이청 선생님?" 이한별의 얼굴에 미소가 가득했다.

"날 아시오, 이한별 씨?" 이청이 얼떨떨한 기분으로 물었다.

"선생님을 안내하라는 지시를 받고 이틀이나 기다렸습니다. 이렇게 안내할 수 있어 기쁩니다."

"고맙습니다, 이한별 씨."

그녀가 승강기 쪽을 가리키더니 앞장서 걸었다. 이청은 그녀를 따라 승강기 안으로 들어갔다. 승강기 문이 닫히자 이한별이 가만히 손을 앞에 모으곤 미소 지었다. 승강기가 움직이는 동안 이한별은 예의 미소 띤 얼굴로 이청을 보고 있었다. 이청이 미소로 화답했다.

"삼십이 층입니다, 선생님."

승강기 문이 열리고 그녀가 이청을 안내했다. 앞에서 그녀가 능숙하게 복도를 걸었고 객실 앞에서 걸음을 멈추었다. 객실 문을 열자 정면에 커다란 유리창이 보였다.

"제 임무는 여기까지입니다, 선생님. 부디 즐겁고 유익한 여행이 되길 바랍니다."

"고마워요, 이한별 씨."

"별말씀을요, 이청 선생님." 이청의 말이 끝나자 이한별이 깍듯이 인사를 하더니 복도 저쪽으로 걸어갔다.

이청은 목을 빼곤 잰걸음을 하는 그녀의 뒷모습을 봤다. 기분이 좀 묘했다. 어느 미래 도시의 고층 건물 복도에서 뜻하지 않게 마주한 여성, 알고 보니 사이보그더라는……, 그리고 아마 대략 그로부터 삼십 분 정도가 지난 뒤였을 것이다. 이청은 뜻하지 않게 웬 남자와 마주해야 했다. 소파에서 일어나 막 창가로 가려고 할 때였고 마침 벨 소리가 들렸다.

이청은 도어뷰로 밖을 봤다. 웬 남자가 서 있었다. 나비넥타이를 하고 덩치가 꽤 있는, 그렇다고 룸서비스를 하는 직원 같지는 않았다.

이청이 가만히 문을 열자 그가 대뜸 말했다.

"환영합니다, 이청 선생님." 목소리가 무척 과장돼 있었고 도어 뷰어로 봤을 때보다 큰 체구의 꽤 미남형의 중년이었다.

이청은 자기도 모르게 남자의 몸을 훑었다. 복장 때문이었다. 연미복 비슷했는데 연미복이라고 하기엔 어딘가 부족했고, 옆구리에는 19세기 유럽 귀족들이 즐겨 쓰던 탑햇을 끼고 한 손에는 지팡이를 들고 있었다.

"누구신지요……?" 이청이 물었다. 객실을 잘못 찾은 사람인지도 몰랐다.

"최치영 선생님께 말씀 많이 들었습니다." 남자의 입에서 최치영이란 이름이 나올 줄은 몰랐다. "우리 호텔은 이청 선생님을 모시게 된 걸 영광으로 생각하고 있습니다. 선생님 같은 시인을 후원하게 돼 자랑스럽기도 하고요."

"후원을 하다니요?" 이청이 정색을 했다. "난 최치영 선배의 초청으로 온 겁니다, 선생."

"알고 있습니다, 선생님. 그리고 노파심이지만 호텔은 투숙객들의 안전을 최우선으로 생각하고 있습니다. 특히 이청 선생님 같은 초청 투숙객의 안전을 누구보다 우선으로 생각하고 있지요."

"누가 저를 해치기라도 한다는 겁니까?" 이청은 그가 농담을 하고 있다고 생각했다.

"그럴 리가요. 저로선 이청 선생님의 여정이 평안하시길 바라는 뜻에서 드리는 말씀입니다." 그러곤 그가 큰 소리로 웃었다. 자신 역시 농담이었다는 듯.

"그래요……?" 무슨 소린지 모르겠다는 듯 이청이 혼잣말을 했다.

"전 이만 물러가도 되겠는지요?"

"물론이지요, 선생." 별걸 다 묻는다는 듯 이청이 말했다. 그러자 그가 꾸벅 고개를 숙여 인사를 하더니 옆구리에 끼고 있던 탑햇을 머리에 얹었다. 모자 하나 얹은 것뿐인데 그가 다른 사람처럼 보였다.

"그랑호텔 투숙객이 되신 것을 환영합니다, 이청 선생님."

그가 자세를 똑바로 하며 말했다. 마치 경례라도 붙일 것처럼. 이청은 자기도 모르게 몸을 곧추세웠다. 그가 절도 있게 목례를 했다. 이어 몸을 돌리더니 채플린처럼 지팡이를 빙빙 돌리며 복도 저쪽으로 걸어갔다. 휘파람 소리가 들렸다. 이청은 별 희한한 사람을 다 보겠다는 듯 고개를 갸웃하곤 천천히 문을 닫았다.

이청은 창밖을 봤다. 호텔에서 통인동 집까지 직선거리로 오륙백 미터, 저 아래 다닥다닥 붙은 옛 건물들 속에 자신의 집이 있었다. 가만히 생각해 보니 집 베란다에서 본 호텔과 호텔 객실에서 동네를 보는 이 간극의 차가 꽤 크게 느껴졌다. 밖에서 바라보는 시선에 익숙해 있던 몸이 갑자기 안에서 밖을 봐야 하는 시선의 전환을 미처 받아들이지 못했기 때문이었다. 단순히 고지대와 저지대의 차이가 주는 위압감이 아니라 시공간을 달리하는 듯 다른 차원의 현실을 보는 것 같은 괴리감 같은 것 말이다.

아무튼 호텔을 부정적으로 보는 사람은 많았다. 그렇다고 부정적으로 본다는 것만으로 호텔을 안다고 할 수는 없었다. 호텔의 꿈이 무엇인지, 그곳의 사람들이 무엇을 원하는지. 이 질문에 속 시원하게 대답할 수 있는 사람은 없었다. 호텔 특유의 프라이빗 시스템 때문일 수 있지만, 호텔은 생각 외로 긴 역사를 가지고 있었고 그만큼 이야기와 사건이 많아 그 내막을 모두 아는 것은 불가능했다. 게다가 비록 호텔을 비난한다고는 해도 사실 속은 달랐고, 대개의 사람들이 그 비슷한 위치에서 호텔을 선망하며 살았다. 이런 태도는 그랑호텔의 이면을 가리는데 도움을 줬고 호텔의 참모습을 알고 싶어하는 사람들을 방해하기도 했다. 호텔을 좀 안다는 사람들도 그와 다르지 않았다. 무관심 때문인지 몰랐다. 아니 무관심이 아니라 무력감이거나 허무 때문인지도 몰랐다. 그게 문제였다.

†

"이 대리님?"

이과수는 걸음을 멈추곤 뒤를 봤다. 하정미였다. 몸을 내밀곤 복도를 내다보고 있었다.

"지배인님이 갔다 왔냐고 물으세요."

"갔다 오다니, 어딜?" 이과수가 물었다.

"이청 선생님이요."

"이제 막 짐 푸셨을 텐데."

"아시잖아요. 지배인님 성질 급하신 거요."

지배인

리먼 브라더스의 몰락이 호텔에 직접 영향을 준 것은 없었다. 그 사건은 이 대리와 제이콥의 등장을 알리는 배경이었을 뿐, 사실 그 해 이후 벌어진 일련의 일들을 이해하기 위해서는 그 중심에 이 대리와 제이콥이 있었다는 것을 기억하는 것이 더 중요했다.

이 대리와 제이콥, 둘 중 누가 더 공로자일까. 시작이 반이라는데, 그런 면에서 제이콥이 먼저였고 그 없이 행사는 꿈도 꿀 수 없었을 것이었다. 그러나 이 대리의 노력 없이는 제이콥 역시 있을 수 없었고 지금의 이 일은 가능하지 않았다. 그런데 그게 좀 어긋나고 있었다. 제이콥 때문이었다.

지배인은 애써 여유를 보였다. 속으론 초조했지만 조급한 모습을 보이고 싶지 않았다. 수년을 그래 온 걸 생각하면 이 정도는 작은 일일 수 있었다. 제이콥이 약속만 지켜준다면, 하지만 그가 약속을 어기긴 힘들 터였다. 여러 번 다짐을 받았고 이 대리가 나서면서 제이콥의 태도가 달라졌기 때문이었다. 제이콥과 이 대리는 둘만의 관계가 있었다. 친분이었다. 제이콥이 서울에 왔을 때 그런 모양인데 그 덕을 톡톡히 본 셈이었다.

"제이콥이 한국에 온 게 그 해야."

지배인이 자리에서 일어나며 말했다. 손에는 조금 전 마신 빈 버번 잔이 들려 있었다. “윤년이었어, 그 해가. 삼백육십오 일이 아니라 삼백육십육 일이 되는 해, 그 바람에 하루를 더 살게 됐다며 농담들을 하고 그랬지.”

“이 대리 채용이 추석 전이었지, 제임스?” 차영한이었다.

물론이었다. 제이콥이 한국에 오기 전 이 대리의 채용이 있었고, 제이콥과의 통화는 추석이 지나고서였다. 그땐 그 얘기를 듣고도 긴가민가했는데 이 대리 설명을 듣고 나자 순간 명료하게 그 의미가 새겨졌다. 이 대리의 설명이 아니었다면 넘겨 버리고 말았을 터였다.

이 대리는 신중하다기보다 진중했다. 뭘 하든 잘 티가 나지 않게 행동을 했고, 무슨 의견이라도 물으면 표정 없이 고개만 끄덕였다. 그러다 나중에 설명회를 하듯 따로 보고를 했다. 꼼꼼하게 문서 작성까지 해서. 분석적이고 논리적인 데다 결론은 명료했다. 그 때문에 그가 무슨 생각을 하는지 지배인은 종종 알기 힘들 때가 있었다.

“면접 때 이 대리 기억나 제임스?” 이구민이었다. 지배인은 물론이라고 말했다. “그 자신감은 어디서 온 것일까.”

이구민도 그때 면접관 중 한 사람이었다. 하지만 모르고 하는 말이었다. 그건 자신감이 아니라 배짱이었다. 이 대리의 다른 모습 중 하나였다.

이 대리는 생각 외로 뻔뻔한 데가 있었다. 자세히 보지 않으면 알기 힘든 그의 성정중에 그런 특이함이 있었다. 겸손한 듯하면서 자신감이 있었고 나서지 않는 듯하다가 결정적일 때 자신을 드러냈다. 그런 면에서 이 대리는 좀 복잡한 인간형에 속했다. 어느 순간 옆을 보니 묵묵히 자기 길을 걷고 있는 인간들, 지독하게 현실적이고 실용적인. 그런 사람들의 대개는 냉엄한 현실성을 갖춘 이기주의자인 경우가 많았다. 하지만 이 대리는 그런 인간 유형과는 또 달랐다. 인간적인 데가 있었고 꿈과 현실을 섞을 줄 아는 이상주의자의 면모도 있었으니까. 지배인이 그걸 상기시키자 차영한과 이구민이 고개를 끄덕였다.

“하긴 이 대리가 찾은 사사 자료 좀 봐. 어디서 그걸 다 찾아냈는지.” 차영한이었다. “케빈 슈라이버 교수 노트야 제임스 자네 공이지만 자료는 이 대리 공이 크지.”

“이 대리가 사람을 편하게 해 주는 데가 있잖아. 제이콥 쉬프 그 양반 마음을 움직인 것도 그렇고.” 이구민이 거들 듯 말했다. 이 역시 잘 모르고 하는 소리였다.

잘 드러나지 않지만 이 대리는 사람을 불편하게 할 줄도 알았다. 뒤에서 일을 꾸미는 음흉함과는 거리가 있었고 자신의 생각을 표출하는 방식이 다른 것뿐이었다. 주도면밀함 같은 것 말이다. 그 세심함이 업무와 관련한 그의 일 처리에 완벽을 부여했을 터였다.

"이 대리님 오셨습니다, 지배인님." 비서실과 연결된 인터폰에서 나는 소리였다. 하정미였다.

"들어오라고 해."

노크 소리가 들리고 이과수가 들어왔다. 이과수가 꾸벅 인사를 하곤 차영한과 이구민을 번갈아 봤다.

"두 분 다 와 계셨군요." 이과수가 말했다.

"이 대리 면접 때 얘길 하고 있었어." 차영한이었다.

"저도 생생합니다."

"연준이 리먼 브라더스를 버릴 거라는 말 한마디가 이 대리 인생을 바꿔 놨잖아." 차영한이 마치 자기 일이라도 되는 양 말했다.

"운입니다, 교수님." 진심이었다. 세상의 모든 성공의 팔 할은 운이었다.

"그 아수라에 한국 애들이 한 짓을 봐. 한심한 것들." 지배인이 버번을 털어 넣으며 말했다. "걔들이 월 스트리트에서 사들인 채권이 얼마라고 했지, 이 대리?"

"칠십 년대부터 사들였으니까 꽤 됩니다, 지배인님. 한국은행은 국책기업 패니메이와 프레디맥을 상대했는데 거기서 모기지 채권을 산 게 삼백팔십억 달러 정도됩니다. 한국투자공사는 메릴린치한테 이십억 달러 정도 샀고요. 신한은행은 사천구백만 달러, 외환은행은 이천만 달러, 하나은행은 오백만 달러, 삼성생명과 우리은행이 각각 사억 달러와 삼억 칠백 달러 정도 되고 또 농협이 약 일억 달러 투자를 했습니다. 막판에 산업은행이 리먼 브라더스를 사들이려다 손발 들었지만요."

"그걸 다 기억하고 있는 거야, 이 대리?" 이구민이었다.

"어쨌거나……." 지배인이 버번을 따르며 말했다. "그 시대를 책임진 사람이 경제대통령 MB였잖아." 지배인이 갑자기 웃었다. 종종 그럴 때가 있었다. "그 친구들 몸부림이 우리한텐 교훈이 됐지. 그 작자들이 하자는 대로 했다간 나라가 육백 조가 넘는 빚더미 기업을 사들일 뻔했어. 끔찍하지 않아?" 망조가 든 리먼 브라더스를 인수하려고 달려든 이명박을 비롯한 측근들을 두고 하는 말이었다.

그땐 별별 소문이 다 돌았다. 갖은 뉴스와 출처를 알 수 없는 말과 글들이 지구를 덮을 때였고, 그중에는 주목받는 얘기가 있었다.

사실 리먼 브라더스의 몰락을 얘기한 사람은 이 대리가 처음이 아니었다. 사건의 중심지라고 할 수 있는 미합중국의 내로라하는 경제 전문 지식인 닥터 둠 누리엘 루비니와 폴 크루먼 같은 경제학자가 그들이었다. 하지만 그들의 타로 카드에 리먼 브라더스가 등장하긴 했어도 내놓고 단언하듯 그 거대 글로벌 금융기업의 몰락을 지적하는 일은 쉬운 게 아니었다. 하지만 그들은 해냈다. 그리고 우리에게도 그 두 사람 못지않은 예언자가 있었다. 미네르바란 닉네임으로 랜선을 달구던 디지털 리터러시 능력자가 그였다. 그는 경제학자가 아니었다. 그 어떤 학위도 없는, 굳이 말하자면 경제학도라고 해야 할까. 아무튼 그가 예언한 리먼 브라더스의 몰락은 적중했고 한미 통화 스와프까지 맞아떨어지자 정부는 그를 붙잡아 감옥에 가두어 버렸다. 언론은 그를 우스꽝스러운 전문대 출신이라고 비아냥댔고 그때 그 일을 사람들은 미네르바 사건이라고 불렀다. 내란범이라도 체포한 양 호들갑을 떨던 분위기와 달리 법원은 그를 풀어 줬다. 죄가 없었던 것은 물론 오히려 정부가 헌법을 어겼던 것이었다. 국가는 그 거대 권력을 디지털 리터러시 능력자 한 사람 잡아 가두는 데 다 써먹었고, 생각해 보면 그처럼 천하디천한 국가 권력도 없었다. 하지만 죄가 없다고는 해도 그땐 이미 미네르바의 심신은 만신창이가 돼 있었고 국가는 그에게 삶을 더 살아야 하는지 어떤지 별별 고민을 안기고 난 뒤였다.

이 대리와 미네르바의 차이는 컸다. 한 사람은 감옥으로 가고 한 사람은 취직을 했기 때문이었다. 이유는 명확했다. 미네르바는 대놓고 인터넷에 자기 생각을 글로 적었고, 이 대리는 호텔 면접 때 그 얘기를 한 것뿐이었다. 덕분에 미네르바의 얘기를 전 국민이 경청할 수 있었다. 이 대리는 지배인과 다른 면접관 셋이 들은 게 전부였다. 그리고 실은 이 대리의 가치는 다른 데 있었는데 그걸 알아본 사람이 지배인이었다.

"타이밍이 참, 그 어려울 때 제이콥이 나타날 줄이야. 안 그래, 제임스?" 차영한이었다.

지배인이 보기에 차영한의 말은 삼분의 일만 맞았다. 호텔이 그 해에 특별히 어려운 것은 없었다. 늘 그래왔듯 호텔은 각 시대의 변화에 민첩하게 대응을 해왔고 매번 성공적이었다. 당 시대의 상황을 앞서 대처해 온 선대의 지혜를 성실히 학습한 게 비기라면 비기였다. 다만 시대가 바뀌었다는 것. 그리하여 새로운 뭔가가 필요한 시대를 맞고 있다는 자각이 스스로의 책무를 다그치고 있었다. 투숙객들도 원했고 호텔 또한 벌써부터 고민해 온 것들이었다. 마침 그때 제이콥이 나타났고 이 대리의 채용 역시 같은 차원에서 이해가 가능할 터였다.

이 대리가 호텔에 입사한 뒤였다. 입사 초부터 이 대리는 두드러졌다. 호텔 적응도 그렇지만 시각이 남달랐고, 호텔의 상황을 적확하게 파악하고 실무적으로 도움을 준 사람이 그였기 때문이었다. 물론 최치영이 있었지만 그 못지않게 이 대리의 진단 또한 설득력이 있었다. 특히 실행이 가능한 현실적인 파일이란 면에서 도구적으로 유용했다. 한 예로 제이콥의 말에 별 기대를 하지 않았던 최치영과 다르게 이 대리는 그의 말을 흘려듣지 않았다. 그의 독특한 실무 감각이 준 소득이었다.

이 대리는 뭔가를 볼 땐 맥락부터 살폈다. 그게 몸에 밴 사람이었다. 지난 일이든 현재든 미래든, 그게 이 대리에게 꽤 설득력 있는 논리를 만들어 줬고 문제를 해결하는 데도 주효한 기능을 했다. 면접 때 리먼 브라더스의 몰락을 예언했듯 이 대리는 투숙객들의 심리를 꿰뚫고 호텔의 의제를 설정하는 데 그 방법을 썼다. 그렇게 도달한 그의 결론은 대개 명쾌했다. 그리고 지금 이 대리의 그 말들은 현실이 됐고 변하지 않았다.

입사하고 대리라는 직함을 단지 얼마 되지 않았을 때였다. 그의 능력을 안 지배인은 좀 일찍 대리라는 직함을 달아줬다.

"욕망이란 게 단순하잖습니까, 지배인님." 그가 말했다. 대리 직함을 달기는 했어도 입사한 지 얼마 되지 않은 때여서 뭘 안다고 저런 말을 할까 했는데 듣다 보니 일리가 있었다.

"계속해, 이 대리." 듣고 싶었다.

"토론이나 합의, 이런 걸로 여기까지 온 나라가 아니어서요." 지배인이 이과수를 쳐다보며 물었다. "그래서?"

"서구라는 성공 모델이 선물로 주어져 있고, 그게 협동보다는 독선적인 지도자를, 창의성보다는 근면 성실 따위를 우선하도록 했습니다. 그러니까 제 말씀은 의제를 던져주면 따라온다는 겁니다. 우리는 의제만 골라주면 되고요."
"그래……?" 지배인이 천천히 고개를 끄덕였다.
"외국 금융에 대한 거부감도 없습니다. 산업화 때도 그렇고 민간정부가 들어서고 새천년이 시작되면서 우리도 글로벌 금융시장의 공식적인 고객이 됐으니까요."
"맞아, 이 대리. OECD나 IMF, 금융위기도 그렇고 글로벌이라는 말이 우리를 이전과는 다른 세계로 데려갔지."
"한미 FTA와 신자유주의가 우리를 훈육한 겁니다. 몸과 정신까지 지배했고, 비로소 욕망이라는 단위를 화폐처럼 유통하기 시작한 겁니다. 욕망이야 인간 고유 권한이기는 하지만 그 전과 달리 목적이 분명하고 체계적인 데다 관념성까지 갖췄다는 면에서 차원이 달라진 겁니다. 그게 금융위기를 통해 불가역적으로 훈육됐고 지금은 우리 스스로 진화하고 있지요."
"훈육이라, 좋은 말이야 이 대리." 지배인이 엄지를 치켜세웠다.
"이 욕망이 변할 일은 없습니다." 강조하듯 이과수가 말했다.
"그런데, 이 대리?"
"네, 지배인님."
"그건 저 사람들 얘기고 투숙객들은 달라. 이 사람들은 욕망을 좇는 입장이 아니라 욕망을 생산하고 유포하는 사람들이라고."
"욕망이 매개란 측면에서 다를 게 없습니다, 지배인님. 식탐이란 게 그렇잖습니까. 먹고 싶으면 먹거든요. 제 말은 시키면 한다는 겁니다. 투숙객이든 아니든, 목숨이 걸린 일이 아닌 이상에는요."
지배인은 뚫어지게 이 대리를 봤다. 이 대리의 생각이 틀린 건 아니지만 꽤 거침이 없어서였다. 어디서 오는 것일까, 저 확신은. 면접 때의 이 대리 생각이 났다.
"그런데 이 사람들이 민주주의를 우습게 안다는 겁니다."
"민주주의? 나 참." 지배인이 헛웃음을 지었다. "여기서 민주주의가 왜 나와, 이 대리?"
"욕망의 단위를 조정하는 게 그 시스템이어서요. 자본주의는 욕망을 보장하지만 민주주의는 절제를 가르치지요. 그런데 민주주의에서 자유만 쏙 빼내 개인의 욕망을 충족하면서 그걸 자아실현 따위와 착각하는 행동을 하지요. 합리적이란 이름으로요. 성숙하지 못해 그런 것이지만, 실은 이게 다 훈육된 것들이기 때문입니다. 그만큼 탄탄하단 겁니다, 지배인님."

"탄탄해?"

"욕망과 소비, 그 질이요. 절제와 무관한 자기 추구의 극한, 그게 채워지지 않으면 불만을 드러내고 해소하기 위해선 가치와 관계없이 추종합니다. 추앙이라고 하는 게 더 적당할 겁니다. 자유와 방종을 구분하지 않으며 민주주의와 전제주의를 구분하지 않습니다. 아니 관심조차 없습니다."

"그래서 투숙객들의 욕망이 단순하다고 그런 거군."

"문제는 스스로 자신을 학대하고 있다는 걸 모른다는 겁니다. 인지부조화가 빈번하고 대처 능력은 빵점이지요. 이 역시 훈육의 결과입니다."

"내가 이 대리한테 훈육받는 느낌인데." 지배인이 웃었다. 박장대소하듯. 한참 웃고 난 지배인이 말했다.

"하지만 이 대리." 표정이 진지했다. "난 말이야. 그게 뭐든 앞으로도 이런 식으로 쭉 나가 준다면 우리가 뭐라고 할 건 없지 않겠냐는 생각이야. 어때, 이 대리?"

"전 아무래도 상관없습니다. 하지만……." 이과수가 말을 멈추었다. 작은 한숨을 흘리곤 그가 말했다.

"걱정이 되는 게 좀 있어서요. 요즘 세대 친구들이요."

"왜, 주변에 어려운 사람이라도 있어? 이 대리는 동생도 없잖아. 그 세대도 지났고."

"아직은 꼬리가 거기 얹힌 기분이어서요. 이 시대를 만든 세대가 앞 세대들 아닙니까."

"그렇긴 하지. 내 세대하고 육칠십 대, 이 사람들이 기성세대지. 그 사람들이 지금의 사회를 만들어 놨고 아직 퍼렇게 살아 이 나라를 움직이지. 그런데 그게 뭐 어때서 이 대리?"

"젊은 친구들의 대개가 알바 인생 아닙니까. 알바 공화국이라고 부를 정도이지요. 아직은 좋은 대학과 젊을 때 시험 한번 잘 본 걸로 인생을 보장받는 이 시스템에서 돈 없는 부모에게서 태어났다는 게 얼마나 지독한 불운인지, 말하자면 누군가에게 이 세상을 살아 보거나 살 만한 인생이라고 말하기에는 낯 뜨거운 세계가 아닌지 해서요."

"세계라……?" 지배인이 혼잣말을 하곤 웃었다. 아까처럼 박장대소를 했는데 그 시간이 좀 길었다. 이과수는 지배인이 웃음을 멈출 때까지 기다렸다. 잠시 뒤였다. 지배인이 말했다.

"왜, 이 세계를 구원이라도 해 주려고? 그런 거야, 이 대리?"

"그럴 리가요, 지배인님. 다만 MZ세대라는 사람들이 자신들이 사는 이 시대가 어디서 어떻게 왔으며, 누가 왜, 무엇 때문에 유지되고 있는지 맥락을 알았으면 해서요." 이과수의 목소리가 아까보다 올라갔다.

"5, 6, 70대는 자기들이 만든 이 체제를 바꿀 생각이 없거든요. 그 방식으로 먹고 살아왔고 그들에겐 익숙해 몸에 맞기 때문입니다. 이들은 절묘하게 50년대와 60, 70년대에 태어나 지금의 5, 6, 70대가 된 사람들입니다. 말 그대로 5670세대가 이들이지요. 이들의 생존법은 다분히 아날로그적입니다. 예를 들면 회화 능력보다는 문법 실력으로 자격과 차이를 가리는 자기 아집 같은 것 말입니다. 이유는 뻔합니다. 그래야 자기들끼리 잘 먹고 잘살 수 있을 테니까요."

지배인이 고개를 주억거리더니 물었다.

"그래서 애들보고 뭘 어쩌라고?" 좀 떨떠름해 보였다.

"분노하라는 겁니다."

"그래……?" 지배인의 표정이 뜨악했다.

"비록 훈육되긴 했지만 그걸 자각했을 때와 아닐 때는 다르거든요. 그걸 모르면 꿈과 상관없이 자기를 쭉 그쪽에 맡겨야 하기 때문입니다. 일종의 관성이나 모세관 현상처럼요. 꿈은 의지가 아니잖습니까."

"이 대리는 의지를 뭐라고 보는데?"

"행동이요." 지배인의 얼굴이 굳어졌다. 이어 골똘히 생각에 잠긴 듯 무슨 말인가를 입안에서 우물거렸다.

지배인은 이 대리가 좀 부조리한 사람이란 생각이 들었다. 저 말과 평소 보아온 이 대리의 행동, 이 둘은 어울리지 않았고 같은 사람에게서 나온 말과 행동이라고 보기도 어려웠다. 물론 이게 처음은 아니었다. 어쩌면 이 대리야말로 인지부조화의 전형인 인물이 아닐까. 자신의 명석함과 달리 욕심과 야심이 없었고, 평범하기

짝이 없는 현실 순응형의 인간에 속하는 사람이 그라고 해도 지나치지 않았다. 이해할 수 없을 정도로. 거기다 생각이 멈춘 듯 맹한 건지 뭔지 순한 모습을 보일 때는 갈피를 잡기 힘들었다. 그럴 땐 또 어김없이 면접 때의 이 대리가 떠올랐다. 언제였더라. 지배인의 혼란을 알고 있다는 듯 이 대리는 자기 입으로 고백 비슷한 말을 한 적이 있었다.

"전 지금처럼 일하고 아무 탈 없이 살면 됩니다. 정말입니다, 지배인님." 알다가도 모를 녀석이었다.

"그래……?"

"네, 지배인님." 그래도 이해가 가지 않아 지배인이 쳐다보자 이과수가 말했다. 좀 더 분명히 알려주겠다는 듯.

"그런 것까지 신경 쓰고 살면 행복하고 멀어질 것 같아서요." 이과수가 씩 웃었다.

지배인은 더 혼란스러워졌다. 솔직히 섬뜩했다. 솔직한 말 같기는 했지만 어딘가 개운치 않았다. 뭘까? 지배인은 이럴 땐 이 대리가 낯설었다. 안다는 듯 이 대리가 덧붙였다.

"전 누굴 구할 힘이 없는 사람입니다. 돈도 권력도 명예도요."

지배인은 고개를 끄덕였다. 지배인은 자연스레 자신의 지난 삶이 스쳤고, 이 대리의 말과 교차하고 있었다.

"운이 좋아 그랑호텔 같은 곳에서 일을 하게 됐지만 저 역시 남들이 말하는 어쩔 수 없는 흙수저니까요." 그리곤 이 자식이 또 씩 웃었다. 지배인은 멍하니 이 대리를 쳐다보다 이런 생각을 했다. 누구일까, 이 대리는……?

"자무엘 그 양반 배짱 하나는 알아줘야 하지 않아, 제임스?" 차영한이었다.

하지만 속단할 일이 아니었다. 그 일이라면 아직 절반밖에 모르고 있다는 게 지배인의 생각이었다. 아니 이제 맛을 봤다고 해야 할까. 그 맛을 보게 한 사람이 제이콥이었다. 문제는 그가 건넨 자료는 아직 초보적인 수준이었고 진짜는 아직 구경조차 한 적이 없다는 것이었다.

제이콥의 한국 체류기간은 길지 않았다. 제이콥은 내내 유쾌했고, 그래서인지 말을 많이 했다. 이과수의 친절 때문이었다는 걸 나중에 알았다. 그의 말은 별별 호기심과 상상을 불렀고 이런저런 질문을 하게 했다. 그중에 유독 귀에 와 박힌 말이 있었다. 그걸 새삼 곱씹은 건 제이콥이 한국에서 돌아가고 나서였다. 시간이 지날수록 자꾸 생생하게 되살아났고 의미 같은 것들을 찾도록 했다. 케빈 슈라이버 교수 얘기는 한껏 호기심을 부추겼다. 필름 얘기는 단연 호기심과 상상의 중심에 있었다. 섬뜩해 놀라기도 했다. 솔직히 갈피를 잡기 힘들었다.

지배인은 이 대리한테 그 얘기를 했다. 지배인의 얘기를 듣고 난 이 대리의 눈이 반짝 빛이 났다. 이 대리가 천천히 입을 열었다. 그가 추리한 얘기는 꽤 설득력이 있었다. 자신의 상상보다 더 나가 있었고, 듣다 보니 뭔가 확연해지는 느낌이었다. 지배인은 자기도 모르게 무릎을 쳤다. 제이콥이 보내준 소포를 읽은 뒤였고 그걸 통해 케빈 슈라이버 교수의 진면목도 알게 됐을 때였다. 이 대리의 추리가 무엇을 의미하는지, 그때부터 욕심이 생기기 시작했다.

지배인은 기다렸다. 그걸 견디도록 해 준 사람이 이 대리였다. 이 대리와 제이콥의 친분이 효력을 발휘하면서 제이콥의 변덕도 묵묵히 견딜 수 있었다. 그 인내가 지금 여기에 이르게 한 것이었다.

“장 선생은?” 이구민이었다. 그러고 보니 장진수가 보이지 않았다. 벌써 들어와 상황을 점검하고 있어야 할 사람이 그였다.

”왜 안 오는 거지……?” 이구민이 급하게 시계를 봤다.

“젠장. 뭘 하고 있는 거야, 장진수.” 지배인이 인터폰을 눌렀다. “장 교수 왔어, 안 왔어?”

“전송된 게 없습니다, 지배인님.” 하정미였다.

“당장 연락해.”

지배인의 안색이 변하고 있었다. 목소리가 가라앉았고 탁한 목청이 목울대를 건드렸다. 차영한과 이구민이 움찔했다. 그 때문에 실내의 공기가 한순간 싸늘하게 바뀌었다. 이럴 때의 지배인은 전혀 다른 사람이었다. 눈빛이 변했고 말투와 태도가 지극히 권위적으로 돌변했다.

“선이란 게 별 거 아니야.” 지배인이 읊조리듯 말했다. “반복이 만들어 줘. 무엇이든 반복되는 건 선이라는 뜻이지. 이미 악이라고 알려진 것들조차도. 무슨 얘기인 줄 알아, 이 대리?"

이과수는 안다고 말했다. 진심이었다. 그리고 그 말은 제이콥이 지배인에게 한 말과 같은 것이었다.

이과수가 입사하고 얼마 지나지 않았을 때였다. 지배인의 입이 들려준 첫 마디는 돈,이라는 단어였다. 지배인은 돈 앞에 몬스터라는 단어를 붙였다. 처음엔 생뚱맞고 낯설었는데 자주 듣다 보니 무뎌졌고 어느새 지배인의 말에 귀를 기울이고 있었다. 몬스터는 직역을 해선 뜻을 알기 어려웠다. 그 말은 괴물이 아니라 돈 너머의 의미를 가리키는 정관사 같은 것이었다. 돈만이 미래라는 논리가 어디서 온 것인지 알 수는 없었지만 좀 깊게 들어가면 몬스터의 의미는 기괴하다기보다 섬뜩했다. 지배인한테 처음 케빈 슈라이버 교수 얘기를 들었을 때와 비슷했다. 케빈 슈라이버 교수가 썼다는 노트는 세계의 이면을 기록한 백서 같았고 그 의미를 좀처럼 알기 힘들었다.

노트는 일부였다. 그만치 내용이 부실해 읽고도 잘 납득이 가지 않았다. 〈영화제작의 심리〉, 노트의 제목이었다. 호텔에서는 그걸 케빈 슈라이버 교수 노트 혹은 케빈 슈라이버 보고서,라고 불렀다.

"보고드릴 게 있습니다, 지배인님." 이과수가 지배인 앞에 서류철을 내려놓으며 말했다.

차영한과 이구민이 지배인과 이과수를 번갈아 봤다. 둘 다 자세가 어정쩡했다. 이과수는 슬쩍 차영한과 이구민을 봤다. 어색하게 굳은 분위기를 바꿀 필요가 있었다. 이과수가 눈치를 주자 차영한과 이구민이 고개를 까딱했다. 지배인은 일을 할 때 누군가 같이 있는 걸 병적으로 싫어했다. 그걸 아는 차영한과 이구민이 이때다 싶었는지 몸을 일으켰다.

"갈게, 제임스." 차영한이었다. 그는 내일 행사 일정을 점검할 거라고 했고, 이구민은 몸이 안 좋아 산책을 한 뒤 방에 가 잠시 쉬겠다고 했다.

"보고해, 이 대리."

지배인이 둘에게 시선도 주지 않고 물었다. 흔한 태도이자 풍경이었다. 차영한과 이구민, 두 사람은 지배인이 유학을 가기 전 한국에서 같은 대학을 다닌 대학 동창이자 유일하게 친하게 지내는 친구였다. 둘이야말로 측근 중 측근이었다. 지배인에게 친구는 그 둘과 가끔 만나는 서넛의 다른 친구, 그리고 뉴욕대 한국인 동문 몇이 있을 뿐이었다.

차영한과 이구민은 늘 지배인에게 눌려 지냈고 장진수도 마찬가지였다. 이들뿐 아니라 다른 지인들 역시 비슷한 지점에서 지배인과 소통했다. 지배인의 본명을 부르거나 야, 너, 같은 말 자체를 쓰지 않았는데 모두 지배인을 유학 시절 쓰던 제임스,라는 이름으로 불렀다. 지배인의 아버지와 같은 시대를 산 최치영조차 비슷한 위치에서 거리를 유지했다. 그는 호텔 고문이었고 공식적이지는 않지만 종신 고문이나 다름없는 사람이었다.

이과수는 서류를 펼쳐 보였다. 행사 일정이 담긴 A4 종이였다. 지배인이 '데이'라고 적힌 부분에서 눈을 멈추었다.

미정.

아직 영상 파일이 도착하지 않았다는 표시였다. 밑줄을 확인하며 지배인이 손바닥으로 빈 버번 잔을 뱅그르르 돌렸다.

"제이콥 이 자식이 또 변덕 부리는 건 아니겠지……." 이과수 보고 들으라는 소리였다. 다른 방법은 없었다. 지금까지 그래왔듯 또다시 믿고 기다리는 인내심 외에는.

"장진수 오면 잘 챙기라고 해. 제이콥 수시로 점검하라고 하고."

제이콥의 이메일을 챙기란 뜻이었다. 아직 시간이 남아 있기는 하지만 제이콥이 그간 보인 이런저런 실수를 생각하면 – 실수인지 고의인지 분간하기 힘들지만 – 안심할 일이 아니었다. 지배인이 말했다.

"왜 우리는 과거를 기억하면서 미래를 기억하지 못하는가…."

스티븐 호킹이 한 말이었다. 지배인은 그 말을 무슨 격언처럼 써먹었다. 그가 등받이에 몸을 기대며 말했다.

"스티븐 호킹 이 양반 참 재밌는 사람이야. 미래를 완료형으로 말할 줄 누가 알았어. 이거 알아, 이 대리?" 이과수는 지배인을 쳐다봤다. "세상은 물질이잖아. 나머진 다 부수적인 거고. 그게 없으면 아무것도 없는 거야. 안 그래, 이 대리?"

또 그 얘기였다. 어느 시대가 됐든, 물질은 진리였다고. 그런데 하나가 부족하다고. 물질이 물질에 머물면 소멸을 피할 수 없다는 말을 지배인은 습관처럼 했다. 그게 투숙객들을 외로움에 빠져 주체하지 못하게 한다고. 이거야말로 비극이 아니고 무엇이겠냐고. 지배인은 자신의 고뇌이자 호텔의 고뇌라고 했다. 지금 호텔이 그와 다르지 않다고. 이 위기는 고뇌와 상상력의 부족에서 왔으며 상상력의 결핍은 미래에 대한 불안을 더 부추긴다는 게 지배인의 생각이었다. 절박했다. 어떡하든 출구를 찾아야 했고 그래야 자신이 살고 호텔과 투숙객들이 살 수 있었다. 무엇보다 호텔과 투숙객들이 쌓은 그 많은 자산과 소유를 사라지게 놔둘 수는 없었다.

"천재가 왜 필요한지 알아, 이 대리?" 자리에서 일어난 지배인이 세차게 의자를 돌렸다. 의자가 서너 바퀴 빙그르르 돌았다. "상상력 때문이거든. 어떻게 미래를 보여 주고 약속할지, 꿈 말이야. 이젠 패러다임이 바뀌어야 해. 우리 의제 역시 달라야 하고. 그렇다고 개나 소나 다 그럴 순 없지. 가진 사람들이나 꿈을 꾸는 법이거든." 지배인의 얼굴에 미소가 번졌다.

이 위기를 가장 먼저 안 사람이 지배인이었다. 그걸 해결하겠다고 맨 처음 나선 사람 역시 그였다. 이과수의 얘기를 흘려듣지 않았고 거기에 유학 시절 대학에서 배운 경제학 지식과 자신의 꿈을 미래관으로 삼아 자신만의 세계를 그려 나갔다. 그런 면에서 지배인은 지도자의 자격을 갖춘 사람일 수 있었다. 그가 스티븐 호킹을 거론하는 것도 이런 세계관에서 온 것이었다. 인간의 뇌를 고장 난 컴퓨터와 비교한 스티븐 호킹의 비유는 적절하다고. 지배인은 영혼 얘기를 했다.

"천국도 없고 사후 세계도 없다는 스티븐 호킹의 막말을 무시하긴 힘들었지. 솔직히 나도 그게 두려웠거든. 기억나, 이 대리?"

이과수가 퍼뜩 자세를 바로 했다. 잠시 다른 생각을 하고 있었다. 영혼이라, 입사 이후 숱하게 들어온 말이었다. 컴퓨터와 인간의 차이. 그러므로 지배인이 뭘 묻는지, 무슨 답을 해야 하는지 이과수는 알고 있었다.

이과수가 말했다.

"죽음과 더불어 모든 것들이 사라진다면 부가 무슨 소용이 있겠습니까. 부가 여전히 의미를 갖기 위해선 여전히 소유하고 있어야 합니다. 그게 우리 고뇌이기도 하고요."

"이 대리는 역시 내 동지야." 지배인이 큰 소리로 웃었다. "킨포크라고 알아, 이 대리?" 처음 듣는 말이었다. "친척 같은 친구, 나한텐 이 대리가 그런 사람이야. 아니 난 친척이 없으니 이 대리가 내 친척이자 친구지." 지배인이 웃는 바람에 입안의 버번이 침처럼 허공에 뿌려졌다. 이과수는 미간을 찌푸렸다.

"사람들은 영적인 걸 좋아해. 그게 뭔지 알지도 못하고 본 적도 없으면서. 그렇다고 누구나 다 그런 건 아니지. 그게 필요하다는 걸 아는 사람들, 그런 사람들이 무서운 거야. 왠지 알아, 이 대리?"

이 얘기를 지배인은 장황하게 한 적이 있었다. 이과수는 어느 대목에서는 그럴듯하게 어느 대목에서는 황당하다는 생각을 했다. 결론은 복잡하지 않았다. 오래도록 잘 먹고 잘살자는 소리였으니까.

"그런데 말이야."

지배인이 조금 전 비운 잔에 새 버번을 따르며 말했다. "불안해…… 이건 내 문제가 아니라 이 세계의 문제야. 그런데도 사람들은 그런 세상을 잘도 따르면서 살아. 뭔 배짱인지 모르겠어. 신기하지 않아, 이 대리?"

지배인의 목소리가 딱딱했다. 긴장하고 있었다. 모르긴 해도 머릿속은 데이행사 생각으로 가득 차 있을 터였다. 그 부담이 오죽할까. 투숙객들의 기대를 한껏 고조시킨 호텔의 업무 방향이 스스로를 불편하게 만들어 놓은 셈이었다. 거기서 오는 부담이 지배인 역시 견디기 힘들었을 테고. 호텔이 보여주겠다는 필름을 호텔조차 보지 못했다니, 이거야말로 행사 진행에 있어서 가장 치명적인 오류였다.

지배인만이 아니었다. 호텔의 누구도 필름을 본 사람이 없었다. 케빈 슈라이버 교수가 노트에서 '애버리지니 필름'이라고 말한 영상이 구체적으로 어떤 내용을 담고 있는지. 아니 어떤 장면으로 드러날지 알 수 없다는 부담은 모두를 초조하게 했다. 필름이 월 스트리트가 추구한 가치와 비전을 담았을 것이라는 짐작을 하고 상상할 수 있다는 것 정도가 호텔이 아는 전부였고, 그 관념이 주는 추상성이 뜻하지 않게 투숙객들의 기대 심리를 한껏 부풀게 했다. 문제는 그 실체를 아무도 모른다는 것. 보이지 않아서 호기심이 컸고 알 수 없어서 상상이 가능했지만 그 장점은 단점이기도 했다. 그런 면에서 행사를 주최하는 호텔하고 투숙객의 입장은 다르지 않았다. 그럼에도 행사 전체를 '영혼'과 '불멸'이란 이름으로 해석해 상상하도록 할 수 있다는 점은 아무리 생각해도 매혹적이었고 그 유혹을 거부하기 힘들었다. 호기심과 상상, 그걸 믿지 않으면 낼 수 없는 용기였다. 이번 행사의 기획과 막연한 자신감이 거기서 온 것들이었다. 그 때문에 홍보가 과장되지 않았는지, 투숙객들에게 필요 이상의 기대를 갖게 한 것은 아닌지 우려가 있었지만, 이제 와 호텔이 할 수 있는 것은 없었다. 부닥쳐 보는 것밖에는.

지배인이 A4 종이에 적힌 성명서를 집어 들었다. 서류철에 들어 있던 거였다. 그제 투숙객 중 한 사람이 직접 지배인에게 들고 온 건데, 데이행사를 지지한다는 내용의 성명서에는 이름이 없었다. '그랑호텔 투숙객들', 이게 다였다.

"투숙객들이 왜 우릴 믿는 줄 알아, 이 대리?" 무슨 말을 하고 싶은 것일까……. "불확실해서 그래. 아이러니하지 않아?"

"그런가요……?"

"그렇다니까. 불안은 중독성이 강하거든. 불안은 불확실성이 준 선물이고, 그래서 거기서 벗어나질 못해."

†

이청은 고개를 갸웃하곤 재빠르게 그의 몸을 훑었다. 아까 본 중년 남자 생각이 났다. 이 사람도 호텔 직원 같지 않았는데 아마 제복을 입지 않아 그런 듯했다. 이청의 눈길을 느꼈는지 그가 옷매무새를 만졌다.

"호텔 직원입니다, 선생님."

"제복을 입지 않아서 그래요." 이청이 말했다.

"저는 백 오피스 직원입니다. 선생님 담당이고 그래서 이렇게 선생님을 뵈러 온 겁니다."

"그래요……. 그런데 얘기가 길까요, 젊은이?"

"길다면 길고, 짧다면 짧을 수도 있을 것 같습니다."

"재밌는 친구구먼. 손님을 밖에 세워 두는 건 예의가 아니지. 아무튼 들어와서 얘기하세요." 이청이 소파 쪽으로 가며 말했다. "일을 하는 중이었어요. 그 바람에 벨소리를 듣지 못했지요. 집에서도 종종 이런 경우가 있어요. 앉으세요, 젊은이. 하지만 대충 얼버무리고 갈 생각은 하지 않는 게 좋을 겁니다."

"무슨 말씀이신지요, 선생님?"

이과수가 뜨악해 물었다. 좀 조심스러웠다. 이청이 어딘지 예민해 보였다. 힐끗 보니 탁자에는 노트북이 켜있고 모니터에는 한글 문서가 펼쳐있었다.

"탑햇을 쓰고 있던데, 얼마나 우스꽝스러웠는지 아시오?" 이청이 고자질하듯 손짓하며 말했다. "그 때문에 기분이 어수선하고 그래요."

이과수가 슬며시 웃으며 말했다. 누굴 말하는지 알 것 같았다. "그분은 호텔 총지배인이십니다, 선생님." 이청이 놀란 표정을 지었다.

이청이 세미나에 초청됐다는 걸 안 건 세 달 전쯤이었다. 하정미의 연락을 받은 이과수는 본관 3층 지배인 방으로 올라갔다. 버번을 홀짝이던 지배인이 잔을 내려놓더니 종이 한 장을 내밀었다.

이청 – 시인.

이름만으로도 이과수는 그가 누구이며 뭘 하는 사람인지 알 수 있었다. 혹시 싶어 이과수는 자신이 알고 있는 시인 이청이 맞는지 확인하듯 물었다.

"시인 이청을 말씀하시는 건지요, 지배인님?"

"이 대리 국문과 출신이라고 했지?"

"아니 영문과입니다."

지배인이 잠깐 착각한 거 같다며 말했다. "이청……, 이 시대에 여전히 시인으로 존경받으며 살아간다는 건 대단한 일이지."

이과수는 살짝 흥분했다. 시인 이청이라, 그간 숱한 유명 인사가 머물렀어도 이런 기분은 아니었기 때문이었다.

"최치영 선생 후배야. 지금은 형이상학자지만 한 때 문학이론 수업을 한 적이 있어. 그 양반이 못하는 게 뭐 있어. 이청하곤 같은 문단 사람이고 그 인연으로 최치영 선생이 우리 행사에 이청 선생을 초청해 줬지."

이과수가 이청의 시를 처음 읽은 건 고등학교 때였다. 산문시였다. 〈그림자들의 춤〉과 〈향기가 말을 걸 때〉, 〈남극에서 만난 풍경〉과 〈소나무 집 주방장〉 같은 시들이 이청의 대표적인 작품들이었다. 기억에 남는 시는 〈그림자들의 춤〉이었다.

"이 대리가 맡아. 시인 이청, 귀빈이잖아."

호텔의 귀빈은 프런트 오피스 담당이 아니었다. 귀빈은 말 그대로 호텔이 소중하게 대해야 하는 인물을 의미했고 주의를 요하는 인물인 경우도 있었다. 의미는 달라도 호텔은 둘 다 귀빈으로 취급했다. 귀빈은 담당하는 부서가 달랐다. 객실 부서나 식음료 부서 같은 프런트 오피스는 멀찍이서 일반적인 서비스만 할 뿐 세부적인 밀착 서비스는 백 오피스의 몫이었다.

"이 자식 알아, 이 대리?"

지배인이 서류 한 장을 내밀며 물었다. 문서에는 시인 이청을 비롯한 초청할 인사들 이름 열댓 개가 나열돼 있었다. 그중에는 지배인이 모르는 사람이 있었다. 최치영이 초청한 명단에 그런 사람이 있었다.

"이과수 이과수, 이과수 대리라……."

명함을 들여다보며 이청이 중얼거렸다. "스페인식 발음을 따셨군. 포르투갈식으론 이구아수라고 하지, 과라니족은 으과수라고 하고. 으과수는 과라니족 말로 거대한 물이라는 뜻이에요. 그런데 다들 과라니족의 말을 쓰면서 정작 발음은 무시하고 있으니 딱한 노릇이지."

"아, 네……." 잘 몰랐다는 듯 이과수가 말했다.

"이구아수에 가본 적이 있어요, 으과수 씨?"

"아닙니다, 선생님. 하지만 그 근처에 선배가 살고 있습니다." 웃음이 나오는 걸 참으며 이과수가 말했다. 이청의 으과수라는 발음 때문이었다.

"지인이 있어요?"

"네, 선생님. 대학을 졸업한 뒤 아르헨티나로 가 사는 선배가 있습니다. 친척이 그곳에서 농장을 하는데, 잠깐 도우러 간다는 게 아예 눌러앉았습니다. 선배는 제 이름을 이구아수라고 씁니다."

영문학을 공부하기 위해 영국으로 가겠다던 이과수의 선배는 온통 스페인어뿐인 아르헨티나에서 살고 있었다. 그가 보내온 사진에는 이구아수 폭포가 있었다. 폭포 앞에서 그가 가족과 활짝 웃고 있었다. 이과수가 이구아수 폭포에 가보고 싶다고 하자 그렇지 않아도 일손이 부족해 죽겠다며 농담인지 진담인지 당장 오라며 잊을 만하면 그 얘기를 했다.

"이한별 씨인가, 그 여직원이 날 방까지 안내해 줬어요." 이청이 말했다. "어디서 본 사람 같다 싶었는데, 네 멋대로 해라의 진 세버그가 환생한 줄 알았지 뭡니까."

"이한별 씨는 아버지가 독일인입니다, 선생님."

"어쩐지, 그런데 지배인이란 사람은 왜 날 찾은 거지요?"

"선생님이 특별하셔서 그렇습니다."

"난 그저 글이나 쓰고 남의 글에 토나 다는 글쟁이일 뿐이에요." 이청이 정색을 했다. "내 친구는 날 앵앵이라고 불러요. 그래서 말입니다만, 나는 아직 내 일을 마치지 못했어요. 조금 전 막 호텔에 도착하기도 했고. 우선은 호텔이 제공한 탁자에 앉아 내 나머지 일을 하고 싶어요. 이 요청을 들어준다면 이 호텔에 대한 내 인상이 조금은 나아지지 않을까 싶기도 한데. 어떻습니까, 이과수 대리님?"

"죄송합니다, 선생님. 제가 폐를 끼친 듯합니다. 하지만 이건 드리고 가야 할 것 같습니다." 이과수가 서류철을 펼쳐 메뉴 보드와 쿠폰을 꺼내 노트북 옆에 내려놓았다. 이게 뭐냐는 듯 이청이 이과수를 봤다.

"프리 쿠폰입니다, 선생님."

프리 쿠폰은 호텔이 초청한 외부 손님에게 주어지는 일종의 특권이었다. 한식당과 중식당을 이용할 수 있고 프랑스 요리와 이태리식 바, 뷔페와 패스트푸드를 이용할 수 있었다. 언제든 사우나와 피트니스 클럽을 이용할 수도 있고 바와 라운지에서 커피나 음료, 맥주를 마실 수도 있었다. 각종 룸서비스는 물론이고 내선을 통한 국제전화도 가능했다.

"저녁 식사는 어떻게 할까요, 선생님?"

"무슨 소리지요, 그게?"

"만찬장에 자리가 마련돼 있어서요, 선생님. 최치영 선생님께서 기다리시겠다고 하셨고요."

뉴욕 - 서울

제임스가 귀국하기 얼마 전이었다. 마침 시험 기간이었고 제임스는 도서관에 가는 중이었다. 누군가 자신을 부르고 있었다. 제이콥이었다. 잰걸음으로 다가온 제이콥이 물었다.

"도서관에 가는 중이야, 제임스?" 얼굴이 데데했다. 옆구리의 책가방을 들어 보이며 제임스가 어깨를 으쓱했다.

"나랑 얘기 좀 할 수 있어, 제임스?"

목소리에 힘이 없었고 손에는 가방도 책도 없었다. 제임스는 그러라고 하곤 같이 도서관 쪽으로 걸었다. 제이콥은 입을 꾹 다물고 있었다. 도서관 계단에 먼저 자리를 잡은 제이콥이 앉으라는 듯 제임스를 봤다.

"무슨 일이야, 제이콥. 얼굴이 영 아니잖아."

"내가 고조부 얘기했어, 제임스?" 제이콥이 물었다. 물론이었다. 제이콥의 고조부 얘기는 하도 들어 외울 정도였다.

고조부의 이름은 제이콥 헨리 쉬프, 독일계 아슈케나지였고 그의 아버지 모세스 쉬프는 랍비였다. 유대교와 랍비 얘기 역시 귀가 닳도록 들었다. 모세스 쉬프는 로스차일드 가문과 같이 지냈는데 그 집안 돈 관리를 해준 사람이 그였다. 제이콥 말로는 고조부 제이콥 헨리 쉬프의 돈에 대한 철학은 아버지 모세스 쉬프한테 배운 거라고 했다. 고조부의 이민 역시 아버지의 영향이었다.

무사히 미국에 정착한 고조부 제이콥 헨리 쉬프는 쿤롭에서 일했다. 그 뒤로는 탄탄대로였다. 쿤롭사의 솔로몬 롭의 딸 테레사와 결혼을 했고 그곳 은행장이 됐다. 로스차일드라니! 제임스는 제이콥을 다시 봤다.

"내가 형 얘기했어, 제임스?" 제이콥이 허공을 보며 말했다.

"형이 있었어, 제이콥?"

"자무엘이라고. 배다른 형이야." 제이콥에 대해서는 어느 정도 안다고 생각했는데, 형 얘기는 처음이었다. 게다가 이복형제라니. 의외였다.

"하필 나한테 그 이름을 주다니……."

제이콥이 혼잣말을 했다. 이름 때문에 그가 곤욕스러워하는 걸 한두 번 본 게 아니었다. 제이콥의 이름은 고조부에게서 가져온 것이었다. 제이콥에 대한 기대를 부모가 그런 식으로 표현한 것 같았다. 그게 문제였다.

경영학 공부를 그만두고 영화 공부를 하는 제이콥을 집안 누구도 반기지 않았다. 제이콥은 자기 취향이 가문의 전통이나 성향 뭐 이런 것과는 거리가 있다는 걸 일찌감치 알았다고 했다. 형 자무엘 쉬프와도 그랬는데, 알고 보니 자무엘은 리먼 브라더스 중역이었다. 골드만 삭스에서 일하다 리먼 브라더스로 옮긴 할아버지와 뱅크 오브 아메리카에서 골드만 삭스로 자리를 옮긴 아버지와 달리 처음부터 리먼 브라더스가 터전인 사람이었다. 제이콥은 자기 취향이 식구들에게 그렇게 큰 짐이 될 줄 몰랐다고 했다.

"자무엘 때문에 미치겠어, 제임스." 꾹꾹 참았다는 듯 제이콥이 말했다.

"왜, 제이콥?"

"영화를 만든대."

"리먼 브라더스 중역이라면서?"

"자무엘한테 전화가 왔어. 케빈 슈라이버 교수 얘기를 하더라고."

케빈 슈라이버는 제이콥의 영화과 교수였다. 언젠가 교정에서 걸어가는 그를 케빈 슈라이버 교수라며 알려 줘 본 적이 있었다.

"난 자무엘이 싫어. 정말이야! 걔 때문에 내 삶이 이렇게 된 거라니까." 제이콥이 흥분하고 있었다.

"왜 그래, 애처럼. 니 삶이 어때서. 우리 같은 학생은 공부나 하면 돼. 거기다 넌 집안이 얼마나 빵빵해. 뭐가 걱정인데, 제이콥."

"젠장, 그게 다가 아니라고. 하루 종일, 일 년 삼백육십오 일 난 짓눌려 지내. 이게 다 자무엘 그 자식 때문이야."

제임스는 자기가 모르는 뭔가 있다는 생각이 들었다. 도서관으로 들어갈 시간이 늦어지고 있었지만 제임스는 좀 더 제이콥의 얘기를 듣기로 했다.

"하고 싶은 얘기가 뭐야, 제이콥?"

"젠장, 자격지심이라고 해도 어쩔 수 없어." 제이콥이 자기 머리를 뜯었다. "영화과에 들어갈 때부터 아니 그 전부터 나를 자무엘하고 비교하면서 얼마나 구박했는지 알아. 날 저능아 취급했다고. 그런데 자무엘 이 자식이 영화에 손을 대겠다는 거야. 그럼 난 뭐가 돼. 식구들은 날 더 멍청이로 볼 거 아니야. 영화와는 상관없는 자무엘이 영화까지 성공하면 내가 뭐가 되겠냐고. 날 엿 먹이려고 작정을 한 거잖아. 안 그래, 제임스?" 제이콥이 울먹였다.

제이콥을 처음 만났을 때였다. 경제사를 전공하는 제임스는 유럽 유이민사를 공부하는 연구 모임에 들어갔고 그곳에 제이콥이 있었다. 제이콥은 집안 얘기를 다큐멘터리로 만들어 보고 싶어 했다. 독일계 아슈케나짐의 이민사였고 고조부 제이콥 헨리 쉬프의 흔적을 역으로 거슬러 오른다는 구상이었다.

제이콥의 고조부가 뉴욕에 왔을 때는 무더운 여름이었다고 했다. 뉴욕엔 프로이센 다음으로 아일랜드 이민자가 많았다. 감자 마름병 때문이라고는 하지만 식민지 아일랜드의 영국인 지주와 본토 정치인들의 편견이 만들어 낸 정책 부재가 원인이었다. 아일랜드 사람들을 탐탁해 하지 않았고 굶주림을 외면했다. 가난이라는 측면에서 프로이센 이민자들도 그리 다르지 않았는데, 종교 때문이거나 징병을 피해 이민한 사람들도 있었지만 자선단체의 도움으로 살아가는 빈민들이 더 나은 삶을 찾아 배를 타는 경우가 많았다. 제이콥은 다큐멘터리를 만들기 위해 프로이센은 물론 유럽사와 뉴욕 향토사를 공부했고, 제임스는 그런 제이콥의 열정이 마음에 들었다. 자연스레 제이콥과 가까워졌고 유학 중 유일하게 속을 터놓은 사람이 제이콥이었다. 먼저 속을 털어놓은 쪽은 제이콥이었다.

"진정해, 제이콥. 그런데 니 형 자무엘은 왜 영화를 만드는 건데?"

"자기가 추진하는 프로덕션에 케빈 슈라이버 교수가 참여하기로 했다는 거야. 벌써 꽤 진행된 거 같더라고. 월 스트리트도 참여한다고 했어."

"월 스트리트가? 알 수가 없네. 거기다 뉴욕대 영화과 교수가 거들고……."

제이콥한테 그 얘기를 듣고 얼마 지나지 않아서였다. 새천년을 앞둔 겨울, 제임스에게 일이 생겼다. 아버지가 제임스를 한국으로 부른 것이었다. 아직 새 학기가 남아 있을 때였고 제임스는 보통 충격이 큰 게 아니었다. 그 얘기를 하자 제이콥이 놀랐다. 왜 이제 얘기하느냐고, 같이 방법을 찾아보자고. 제임스는 너무 갑작스러운 데다 자기가 어떻게 해 볼 수 있는 게 아니라고 말했다. 실제 그랬다. 아버지의 병환은 손을 쓰고 어쩌고 할 수준이 아니었다. 지병이 있기는 했지만 그간 꾸준히 관리를 해 별일 없이 지내왔는데, 무슨 일인지 급작스레 상태가 나빠졌다고 했다. 이게 불과 한 달이 채 되지 않은 기간에 벌어진 일이었다. 유학 비용의 전부가 그에게서 나왔고, 자신의 삶 자체가 그의 소유나 다름없었다. 낭패도 이런 낭패가 없었다. 제임스는 제이콥에게 그 얘기를 했다. 누구에게도 해 본 적이 없었다.

"다시 돌아오지 못할지도 몰라, 제이콥."

"무슨 소리야. 졸업은 해야지, 제임스. 넌 공부도 잘하잖아."

"지금 한국에 가면 어떤 일이 펼쳐질지 나도 모르거든……." 제임스의 얼굴을 빤히 들여다보며 제이콥이 물었다.

"내가 모르는 게 또 있는 거야?"

제임스는 잠깐 머뭇거리다 입을 열었다. "좋아, 말하지. 어쨌든 제이콥. 지금 내가 아버지라고 부르는 아버지는 내 친아버지가 아니야. 아니 친아버지는 맞아. 친아버지이자 양부야. 그리고 내 성은 김이 아니고 강이야, 제임스 강이지."

"무슨 말이 그래, 제임스……." 제이콥이 말을 잇지 못했다. 많이 놀란 것 같았다.

"내가 좀 복잡한 인간이거든. 그리고 난 형이 있어. 제이콥 너처럼 배다른 형이야."

"오우, 제임스." 제이콥이 제임스의 어깨를 감쌌다. "니네 엄마는?"

"죽었어. 내가 유학 오기 전에."

"젠장. 우린 둘 다 변방이잖아!"

제이콥은 제임스의 귀국을 아쉬워했다. 제임스는 더했다. 갑작스러운 귀국을 받아들이기 힘들었고 다시는 뉴욕으로 돌아오지 못할지도 모른다는 생각에 비참하기까지 했다. 그 충격에 화풀이라도 하듯 제임스는 한동안 미친 듯이 놀았다. 제이콥하고 첼시 쪽으로 신나게 스테이크를 먹으러 다니면서 팝아트를 하는 친구와 술과 약에 절어 지냈다.

제임스는 귀국 준비를 했다. 짐 정리와 은행 잔고 정리하면서 친구들과 작별 인사를 나눴다. 그런데 연말이 가기 전에 귀국하려던 일정이 두어 달 미뤄졌다. 그 바람에 제임스는 제이콥과 더 가까워졌다. 귀국만 아니었으면 졸업을 하고 그와 동업을 했을지도 몰랐다. 귀국 전날이었다.

"내 말 잘 들어, 제이콥."

제이콥은 약에 절어 있었다. 희끄무레한 눈으로 그가 제임스를 봤다.

"정신 차리고 내 말 잘 들으라고, 제이콥."

"알아. 난 멀쩡하니까 말해, 제임스."

"니 애를 생각해. 아들내미 이름이 뭐라고 했지, 제이콥?"

"데이브, 데이브 쉬프."

"그래 데이브를 생각해서라도 꿋꿋해야 해. 어쩌면 평생 니가 애를 데리고 살아야 할지도 모르잖아. 그러려면 감정을 낭비하면 안 돼. 징징대지 말라고, 제이콥."

"노력할게, 제임스."

"젠장, 노력은 무슨. 노력보다 더한 짓을 하라고."

"알아, 제임스. 자무엘보다 더한 놈이 되겠어."

귀국하던 날이었다. JFK 공항은 늘 복작였다. 탑승 수속을 마치고 난 제임스는 로비를 둘러봤다. 오기로 한 제이콥이 보이지 않았다. 수하물 수속을 마치고 게이트 로비로 올라갈 때까지도 제이콥은 보이지 않았다. 마음 약한 제이콥이 차마 배웅을 나오지 못한 듯했다. 아니면 약에 절어 있거나. 제임스는 핸드폰에다 음성 메시지를 남겼다.

"넌 착한 녀석이야, 제이콥. 그리고 난 널 이해해. 나중에 한국으로 초대할게. 그때 봐. 난 이제 뉴욕을 떠나. 굿 럭, 제이콥."

새천년 그해 3월, 제임스는 뉴욕을 떠났다. 예상대로 제임스는 다시 뉴욕으로 돌아가지 못했고 졸업도 할 수 없었다. 후회할 힘도 없었다. 한국에서 마주한 새천년의 현실은 후회를 하거나 다시 뉴욕으로 돌아갈 엄두를 낼 상황이 아니었다. 아버지의 몸은 생각보다 더 심각했는데, 거실은 병실로 꾸며져 있었고 간병인 둘이 상주하며 아버지를 돌봤다. 규칙적으로 간호사와 주치의가 들락거렸고 아버지는 뇌졸중과 심부전이 겹친 중환자였다. 엎친 데 덮친 격으로 신장 투석까지 해야 한다는 진단이 나오자 사정은 더 급박해졌다.

제임스를 알아본 아버지가 물었다.

"형한테는 가 봤냐?"

"형이요?" 발음이 부정확해 몇 번 더 묻고서야 알아들을 수 있었다. 귀국하자마자 강대식의 입에서 나온 첫 말은 강창섭이라는 이름이었다.

"그래, 창섭이……."

"귀국하자마자 아버지한테 먼저 온 거예요." 아버지라는 말을 입에 올린 게 언제였는지 기억도 나지 않았다.

"창섭이한테 가 봐. 니 형 아니냐."

강창섭을 찾은 건 이틀인가 뒤였다. 죽음인 듯한 그의 고요는 한국을 떠날 때 모습 그대로였다. 변한 거라고는 병원이 바뀌었다는 것과 그래도 좀 늙어 보인다는 것 정도, 창백한 얼굴과 손가락, 그리고 링거와 콧줄에 의지한 채 살아가는 그의 모습은 처절해 보이기도 했다.

"형……, 창섭이 형?"

아무 반응이 없었다. 감정도 느껴지지 않았다. 그런데 형,이라니. 대화는커녕 얼굴조차 제대로 마주한 적 없는 남과 다름없는 사람이었다. 제임스는 어쩔 수 없이 옛 기억 하나를 떠올려야 했다.

강대식은 좀처럼 강창섭을 포기하지 않았다. 사람들은 강대식을 이해했다. 그 얘기를 가장 잘 아는 사람이 최치영이었다. 최치영하고 강대식은 한 몸이나 다름없었다. 강대식 가문의 이력은 물론 그랑호텔의 부흥과 위기를 누구보다 잘 아는 사람이 그였다. 그는 호텔의 미래를 말할 때는 늘 호텔이 위기였을 때 얘기를 했다. 특히 군사정변 때 얘기는 그가 수시로 꺼내는 위기의 순간이자 교과서 같은 교훈이었다. 강창섭과 관련한 중요한 얘기들이 그때 얘기에 다 들어 있었다.

"강대식 어른은 정변 때 군인들에게 재산을 빼앗긴 이유가 그쪽에 사람이 없어서라고 생각했지." 그 얘기를 하는 최치영의 눈이 아련해 보였다. "그 어른이 그게 맺혔던 모양이야. 사실 강대식의 인맥이 유일하게 닿지 않은 곳이 군이기도 했고."

그 위기를 벗어나기 위해 강대식은 무슨 일이든 마다하지 않았다. 정변 공신들에게 돈세탁을 해주는 일은 강대식이 그들과 상부상조할 수 있는 유일한 통로였다. 지난 자유당 때와 비슷했다. 그게 밑 빠진 독에 물 붓기였다는 게 강대식의 고민이었다. 그 때문에 강대식은 보다 근본적인 고민을 해야 했다.

"장군까지 내다보고 추진한 일이었지. 장군 진급을 하면 제대를 시켜 호텔을 물려줄 생각이었으니까. 강대식의 계획대로 되는 듯했어. 광주만 아니었다면 말이야."

5·18 민주화운동을 말하는 거였다. 강창섭은 진압군이었다. 특전사 대위였던 강창섭은 현장 지휘관이었고 우연히 계엄군끼리 전투가 벌어졌는데 그때 상대 병력이 쏜 유탄을 맞아 부상을 입고 말았다. 처음엔 별일 아니던 게 증세가 악화하면서 강창섭은 식물인간으로 살아야 했고 꽤 오랫동안 그런 삶을 살고서야 생을 마치게 될 것이라는 진단이 나왔다. 강창섭 개인의 비극이자 강대식의 비극이었다. 그런 일이 벌어지고 나자 강대식은 강창섭에게 더 집착을 했다.

유학을 앞둔 어느 날이었다. 유학 절차도 마무리되고 출국 날짜만 기다리고 있을 때였다. 그때까지도 제임스는 오직 김철민으로만 불렸다. 김철민은 호텔에 갔다. 커피숍이었다. 호텔 커피숍은 그때가 처음이었다. 김철민은 함부로 강대식의 호텔을 드나들 수 없었다. 그를 부른 사람은 최치영이었다.

"치부이자 운명이라 생각하게."

그가 말했다. 잔뜩 주눅이 들어 있는 김철민을 향해 지그시 웃곤 그가 차 한 모금을 홀짝이더니 말했다. "내가 자네 삶을 쥐락펴락했어." 찻잔을 내려놓으며 그가 미소 지었다. "자네가 떠난다니까, 감회가 새로워. 내가 무슨 짓을 한 건지 싶기도 하고." 잔뜩 굳어 있던 김철민은 고개만 주억거렸다. 그 뒤 최치영이 들려준 얘기는 자신으로서는 생각할 수 없는 것들이었다.

"자넬 새 사람으로 만들어 주기로 했지." 그는 줄곧 김철민을 자네,라고 불렀다. 하지만 그때 만해도 그게 무슨 뜻인지 알지 못했다. "자네 부친 강대식은 욕망이 커. 선대를 통해 어떻게 시대에 편승하느냐가 부의 소유와 밀접하다는 걸 유전적으로 터득한 사람이니까. 이젠 자네가 그 역할을 해야 해. 호텔은 겉과 달리 흠이 있는 곳이야. 그 때문에 두고두고 시달릴 거고."

그 말 역시 무슨 뜻인지 김철민은 알지 못했다. 묻고 싶었지만 입이 떨어지지 않았다.

"그리고 이건 다 내가 시킨 일이네."

조금 전과 말투가 좀 달랐다. 고백하듯 그가 말했다. "아버지 강대식한테 자넬 불러올리라고 한 사람도 나고. 자네가 잘 따라 주더군. 머리도 좋고 뚝심도 있고." 김철민은 뚫어지게 그를 봤다.

그의 조언대로 김철민을 불러올린 강대식은 김철민을 공부시켰고, 고등학교에 가기엔 늦은 나이였던 그에게 개인 교습을 붙였다. 다행히 머리가 좋은 김철민은 짧은 시간에 검정고시는 물론 명문 대학을 마칠 수 있었고 유학을 가도 될 정도의 실력을 갖출 수 있었다. 시기도 적당했다.

"이제 알겠는가?" 최치영이 넌지시 말했다. 왜,라고 물어야 했지만 김철민은 말없이 고개만 끄덕였다.

김철민의 유학 결정이 나자 강대식이 김철민을 불렀다. 옆에는 최치영이 있었다.

"돈은 영혼하고 같아, 명심해라." 강대식이 말했다. 그 말 역시 무슨 뜻인지 알지 못했다. 그 후로도 한동안 그랬다. 그럼에도 김철민은 큰 소리로 말했다.

"명심하겠습니다, 아버지." 강대식이 씩 웃었다. 아버지라는 말 때문인 것 같았다.

유학을 떠나기 며칠 전이었다. 김철민은 최치영을 만났다. 그에게 그런 말을 한다는 것 자체가 용기였다. 그는 강대식과 동격의 사람이었다. 하지만 김철민은 궁금했다. 시골 촌구석에서 자라 여기까지 왔고, 어쩌면 미래를 보장받은 삶일 수도 있지만 지금 자신의 진로가 강창섭의 대타라는 걸 아는 김철민은 묻고 싶었다.

"제게 왜 이러시는 거죠?"

그가 웃었다. 의외로 편안해 보였다.

"나중에 고맙다고 할 걸세."

강대식이 간신히 눈을 떴다. 졸음 때문인지 힘이 들어서인지 알 수 없었다. 잠깐 숨을 돌리고 난 강대식이 작은 소리로 말했다. 무슨 말인지 알아들을 수 없었다.

"뭐라고요, 아버지?" 강대식의 입에 귀를 대곤 물었다.

"호텔에 가 봐……." 처음엔 그 말을 잘 알아듣기 힘들었다. 호텔,이라는 단어 외에는. 무슨 말인가 싶어 다시 물었다. "뭐라고 하신 거예요, 아버지?"

"호텔……."

"그랑호텔 말하시는 거예요?" 얼떨떨한 기분으로 제임스가 물었다. 강대식의 눈이 파르르 떨렸다.

"그래, 이놈아. 그랑호텔……."

그리고 얼마 후였다. 제임스는 호텔로 출근했다. 강대식의 뜻에 따라 호텔 경영에 참여한 제임스는 지배인이라는 직함을 얻었다. 백 오피스 쪽이었다.

†

귀국한 지 2년이 다 됐을 때였다. 제이콥이 연락을 해왔다. 제이콥은 할리우드에 있었다. 영화 일을 하고 있었고 자기 소원을 푼 셈이었다. 그는 한참 동안 자기 얘기를 무슨 무용담처럼 늘어놨다. 그러다 무슨 얘기 끝에 제이콥이 할리우드에서 알게 된 사람 중에 한국인이 있다며 그의 얘기를 했다. 이름이 브래디 선이라고 했다. 아는 이름이었다. 제이콥이 브래디를 알다니. 놀랍기도 했고 반갑기도 했다.

브래디 선은 지배인이 뉴욕대 시절 알고 지내던 한국인 교포였다. 제이콥은 우연히 같은 영화사에서 브래디 선을 만났고 제임스 얘기를 하자 그가 놀라더라고 했다. 제이콥에게 소식을 들은 뒤 지배인은 브래디와는 두어 번 연락을 한 적이 있었다. 다음 해 봄이었다. 제이콥이 다시 연락을 해 왔는데, 할리우드에 있어야 할 제이콥은 마이애미에 가 있었다. 영화 일을 그만둔 제이콥은 엉뚱하게도 모텔 사업을 하고 있었다. 제이콥의 얘기를 듣고 난 제임스가 말했다.

"니 말대로 넌 사업에 소질이 있는 것 같아, 제이콥." 위로이자 격려였다.

"고조부 피를 받긴 했나 봐, 제임스." 제이콥이 우쭐해 말했다. "지금은 욕심을 좀 내고 싶어. 내 스타일의 모텔 사업 말이야. 요샌 온통 그 생각뿐이야. 그건 그렇고 니 호텔 일은 잘돼, 제임스?"

호텔 얘기를 자세히 한 적은 없었다. 작지만 호텔 경영에 참여하고 있고 별 탈 없이 그럭저럭 굴러가고 있다고 말한 게 전부였다. 제이콥은 그게 다 운이라며 껄껄 웃었다. 자기도 제임스와 크게 다르지 않으며 그러므로 자신 역시 행운아라고. 화상으로 본 제이콥은 몸이 더 불어 있었다.

"인사해, 제임스." 제이콥은 아내를 소개했다. 뉴욕에 있을 때도 보지 못한 제이콥의 아내였다. 이름이 스칼렛이라고 했다.

그 뒤 제임스는 제이콥과 자주 통화를 했다. 제이콥은 주로 모텔 얘기를 했고 조언을 듣는답시고 제임스에게 이것저것 물었다. 통화 끝에 제이콥이 말했다.

"한국에 가보고 싶어, 제임스."

알고 보니 제이콥은 마이애미 말고 다른 곳에도 모텔이 있었다. 올랜도와 잭슨빌 그리고 LA와 시애틀, 일종의 모텔 체인업이었다. 동업자도 있는 것 같았다. 제이콥은 시범 삼아 캐나다 슈피리어 쪽에도 진출해 볼 생각이라며 들떠 있었다.

"언제든 오라고, 제이콥. 비용 걱정은 하지 말고."

"무슨 소리야, 제임스. 나도 돈이 있는 놈이야. 그리고 이건 놀러 가는 게 아니라 사업차 가겠단 거야."

"뭐 좋을 대로 해. 그런데 니 형 자무엘은 잘 있어?"

"자무엘은 더 잘 나가. 미국 집이란 집은 리먼 브라더스가 다 먹어 치운 거 같더라고. 자세히는 몰라. 자무엘 얼굴 본 지 꽤 됐으니까."

"형하곤 잘 지내는 게 좋아, 제이콥. 니 사업에 도움이 될 거야."

"젠장, 그 인간이 나한테 도움을 준다고? 차라리 조지 워커더러 이스라엘과 단교하라고 하는 게 더 빠를걸."

제이콥이 한국에 오겠다며 다시 연락이 온 건 그로부터 몇 년이 지나서였다. 2008년 9월, 전화기 속에서 제이콥은 리먼 브라더스 얘기를 했다.

"세상이 뒤집힐 일이 생겼어, 제임스." 목소리가 들떠 있었다. "자무엘 말이야. 그 인간이 연락을 해 왔어. 몇 년 만에 들어보는 목소리지, 그 바람에 누군가 했다니까." 제이콥이 갑자기 키득키득 웃었다. "그 인간이 뭐랬는 줄 알아. 내가 지 동생이어서 자랑스럽다는 거야. 그러면서 나한테 아쉬운 소리를 하더라고."

제이콥은 차 안에서 자무엘의 연락을 받은 모양이었다. 잭슨빌과 애틀랜타에 들렀다 85번 고속도로를 타고 몽고메리로 가던 중이었다고 했다. 몽고메리 조든호 홀트빌로드에다 모텔을 내겠다는 사람이 있어 상담차 가는 길이었다고.

자무엘을 확인한 제이콥은 처음엔 받을까 말까 망설였다. 그러는 사이 핸드폰이 끊겼고 잠시 후 다시 벨이 울렸다. 제이콥은 핸드폰을 받았다.

"바쁜 모양이구나. 제이콥." 자무엘의 목소리가 평소와 좀 달랐다. 제이콥은 좀 놀랐다. 목소리가 조곤조곤해서였다.

"아니야, 형. 근데 무슨 일이야?"

"좀 만날래, 제이콥? 니가 필요해서 그래."

"형 같은 사람이 내가 필요할 때가 다 있어? 취직시켜 달라는 건 아닐 테고. 요즘 리먼 브라더스 장난이 아니던데."

"너도 농담을 할 줄 아는구나. 그건 그렇고 언제 오니, 제이콥?"

제이콥이 긴 시간을 달려 모텔에 도착하자 자무엘은 방 하나를 차지하고 잠들어 있었다. 제이콥이 깨우자 자무엘은 뭐가 급한지 상자부터 내밀었다. 단단히 밀봉되어 있었고 제이콥을 찾아온 게 그 상자 때문인 듯했다.

"이게 다야, 형?" 이상해서였다.

"간단하지?" 자무엘이 제이콥에게 건넨 상자를 가리키며 말했다. 제이콥이 고개를 끄덕이며 중얼거렸다. "그렇긴 하네……."

"누군가 날 찾으면 모른다고 해. 상자도."

제이콥은 순간 머리가 복잡해졌다. 평생 아쉬운 소리라곤 하지 않을 것 같던 사람이 다른 누구도 아닌 자신을 찾아와 부탁을 하다니. 비록 자신의 능력과 상관없는 일이기는 해도 자무엘 같은 사람이 찾아와 부탁할 때는 결코 작은 일일 수 없었기 때문이었다. 제이콥은 불안했다.

"궁금해서 그러는데, 형……." 제이콥이 주뼛거리며 말했다. "이 상자, 별일 아니겠지? 형은 거물이잖아." 자무엘이 제이콥의 어깨를 다독였다.

"아무렴 내가 너한테 해가 될 일을 하겠니. 걱정 붙들어 매, 제이콥. 그리고 목숨 걸 생각 아니면 이거 열어 볼 생각은 하지 말고."

"무슨 말을 그렇게 험하게 해, 형."

"아무튼 내가 오면 그때 나한테 주면 돼. 이게 다야. 됐니, 제이콥?" 자무엘은 한동안 파리에 가 있을 거라고 했다.

†

제이콥 쉬프는 사진보다 더 랍비 같은 모습을 하고 있었다. 귀밑에서 시작한 구레나룻은 턱까지 이어졌고 턱 아래로는 수염이 한 뼘 정도 자라 있었다. 큰 덩치에다 조끼를 입은 회색 정장은 영락없는 월 스트리트 금융가 행장의 모습이었다. 그런데 반전이 있었다. 덩치에 어울리지 않게 그는 놀라울 정도로 목소리가 가늘었고 단 음식에 집착했다. 주머니에는 늘 추파춥스 같은 사탕류와 녹아 물컹물컹한 스니커즈 서너 개가 들어 있었는데 수시로 꺼내서 빨거나 질겅질겅 씹었다.

제이콥이 한국에 머문 기간은 일주일, 길지 않았다. 이과수는 지배인과 제이콥이 같이하지 않은 나머지 시간을 그와 보냈다.

제이콥을 무역센터에 데려다주고 돌아온 날이었다. 호텔에 막 도착했는데 지배인에게 호출이 왔다. 이과수는 지배인 방으로 올라갔다. 그가 벽에 걸린 커다란 달력을 보고 있었다.

"숫자를 보고 있으면 사는 게 느껴져……." 이과수는 보지도 않은 채 그가 말했다. "시간을 시각적으로 깨닫게 되는 거지. 어때, 이 대리?"

이과수는 그렇다고 말했다. 달력의 숫자를 볼 적마다 자신도 삶을 인수분해하는 기분이라고. 지배인이 무슨 뜻이냐고 물었다.

"하루하루를 숫자로 확인하게 되면 삶의 근본을 체감하는 기분이 들어서요."

"근본이라……?"

"더는 나뉘지 않는 삶의 바닥이요. 하루에 하루의 곱, 하루의 하루를 나눔, 이게 반복되면 더 이상 분해되지 않는 원소만 남지요. 그곳이 삶의 처음이자 끝입니다."

"재밌어, 이 대리. 내가 이래서 이 대리를 좋아한다니까. 오늘 나하고 인수분해 하나 해 보자고. 자리 하나 준비해. 큰 걸로."

제이콥의 눈이 교자상을 훑어보느라 바삐 움직였다. 호기심인지 식탐인지, 음식을 앞에 두고 보이는 그의 열정은 알아줘야 했다.

"이봐, 제임스. 이거 미친 거 아니야?"

지배인이 슬며시 웃었다. "놀랄 거 없어, 제이콥. 이 정도는 먹어 줘야 어디 가서 한국 음식 먹어 봤다고 큰 소리치지." 지배인은 제이콥 앞에다 구절판을 밀어 놓았다. "한국 궁중 음식에서 유래한 거야. 먹어봐, 제이콥."

제이콥은 이걸 다 먹는 사람이 있기는 하냐며 자기는 도무지 자신이 없다며 엄살을 부렸다. 제이콥이 서툰 젓가락질로 구절판의 석이버섯을 뒤적이며 물었다.

"메디슨가에서 본 홍보 사진 같아, 제임스. 이거 식물이야 동물이야?"

"식물도 동물도 아니야. 곰팡이지. 너 같은 패스트푸드 마니아한테는 버겁겠지만."

반찬으로 나온 불고기와 신선로의 쇠고기는 이미 비어 있었다. 지배인은 제이콥에게 쌈 싸는 법을 가르쳐 줬다.

"날 봐, 제이콥." 구절판의 밀전병을 집으며 지배인이 말했다. 쇠고기와 표고버섯, 호박, 당근, 죽순 같은 야채를 안에 넣고 쌈을 만든 뒤 보란 듯 씹었다.

"무슨 음식을 이렇게 복잡하게 먹어야 하는 거야." 제이콥이 지배인의 입을 보며 절레절레 고개를 흔들었다.

"복잡한 게 아니라 과학적인 거야."

지배인의 말에 제이콥이 밀전병을 집어 쌈을 만들었다. 터진 곳으로 야채가 비어져 나왔다. 그럼에도 쌈 비슷한 게 만들어졌다.

"지금이야, 제이콥. 입에다 넣어!"

"지금?"

"그래, 당장!"

제이콥이 야채를 입에 집어넣느라 낑낑댔다. 두툼한 밀전병을 입안으로 밀어 넣은 제이콥이 잔뜩 볼을 부풀려 씹었다. 우걱우걱 서너 번 씹고 난 제이콥이 엄지손가락을 치켜세웠다.

지배인은 안동소주를 따랐다. 제이콥은 덩치와 다르게 술이 약한 편이었다. 제이콥만큼 술에 맥을 못 추는 미국인도 드물 거였다. 그런데도 제이콥은 지배인의 술을 거절하지 않았다. 안동소주가 입에 맞는다며 되레 신기해했다.

"하이볼로 만들어 마셔도 좋을 것 같은데, 제임스."
"주량이 는 거 아니야, 제이콥?"
"아니야, 난 늘 그저 그래."
안동소주 몇 잔을 마시고 난 제이콥은 취기가 오르는지 숨이 거칠어졌다. 말도 꽤 많았는데, 처음 듣는 얘기였다. 상자 얘기가 그랬다. 제이콥은 자무엘이 맡겼다는 상자 얘기를 했다. 그게 다가 아니었다. 케빈 슈라이버 교수의 노트와 애버리지니 필름, 그것들과 얽힌 리먼 브라더스와 월 스트리트에 관한 이야기들이 있었다. 술기운이 돈 제이콥이 다 제 기분에 늘어놓은 것들이었다.
"그때 왜 자무엘이 그랬는지 알겠더라니까." 제이콥이 볼을 부풀려 쌈을 씹으며 말했다.
제이콥의 얘기를 듣고도 지배인은 잘 이해가 가지 않았다. 이야기의 내용 자체가 평범하지 않았고 그런 만치 현실성이 떨어져 보였다.
"이해가 안 가, 제이콥."
지배인의 말에 그가 빤히 보며 말했다. "니가 예전에 그랬잖아, 제임스. 돈은 영혼이라고." 혀가 약간 꼬여 있었다. "그거 비슷하더라니까. 밀레니엄 기억하지? 그때 자무엘이 찍겠다던 영화." 물론 기억하고 있었다. "상자에 있는 게 그거였다니까. 케빈 슈라이버 교수가 말한 애버리지니 필름이 거기에 고스란히 들어 있었다고."
"그걸 봤다는 거야, 제이콥?"
"궁금해서 배길 수가 있어야지. 자무엘이 이걸 알면 죽이려고 들걸. 다시 봉해 놓기는 했는데 내가 봐도 티가 나. 그런데 이상해, 제임스. 스토리지에 패스워드 같은 거 걸어 놓을 만하잖아. 그런데 그러지 않았어……." 제이콥이 말을 멈췄다 이었다. "케빈 슈라이버 교수 노트에 나오는 건데, 월 스트리트는 신흥 경제 강국으로 한국을 꼽았다고 했어. 마침 OECD 회원국으로 들어온 지 얼마 안 된 나라였고 월 스트리트가 신자유주의 금융시장에다 한국을 밀어 넣을 계획을 세웠다는 거야. 케빈 슈라이버 교수는 월 스트리트가 한국뿐 아니라 다른 아시아 국가에도 똑같이 관심을 가졌다고 했어."
"그게 다야?"
"노트가 꽤 분석적이었어. 케빈 슈라이버 교수 그 양반 글이 원래 그래. 제목이 그런 것뿐이지 사회학 책이나 다름없었으니까."

"케빈 슈라이버 교수 필름 얘기는 뭐야?"

"그 양반 노트에 나오는 얘긴데, 그가 찍은 현장 필름이란 게 있어. 거기 애버리지니 필름 현장에 참가한 사람들 얼굴이 나온다고 했거든. 사실 난 케빈 슈라이버 교수 노트보다 그 필름이 더 재밌겠더라고. 놀라지 마, 제임스. 거기 한국인이 나와."

"한국인이라니, 누군데?"

"나도 몰라. 아직 다 읽어 보지는 않았지만 케빈 슈라이버 교수 노트를 더 읽으면 알 수 있겠지. 뭐 읽어 볼 생각은 없어. 제임스 너도 알다시피 난 텍스트하곤 거리가 있는 놈이잖아."

"그런데 영혼 얘기는 뭐야, 도대체 뭘로 그게 가능하다는 거지?"

"돈이지 뭐. 그런 건 월 스트리트나 할 수 있는 일이잖아. 고조부도 그런 얘기를 했거든. 그래서 나도 너처럼 돈이 영혼이라는 걸 믿어. 영혼에 대한 월 스트리트의 생각도 이해가 가고."

지배인은 순간 복잡해졌다. 영혼을 보는 건 뭐고 한국인이 거기에 참여했다는 건 뭔지, 거기다 케빈 슈라이버의 현장 필름은 또 무엇을 말하는 것인지 알 수가 없었다.

"말이 돼, 제이콥?" 지배인이 말했다.

"정말이라니까." 제이콥이 취기와 달리 정색을 했다.

"그러니까 니 말은 인간이 자기 재산을 사후 세계로 가져간다, 뭐 그 뜻인 거잖아?" 제이콥이 낄낄 웃으며 말했다. "그렇다니까, 제임스."

별 얘기를 다 듣는다 싶기는 했지만 궁금해진 지배인이 다시 말했다. "제이콥. 돈이 영적이라는 말은 이해하겠는데…… 솔직히 영혼이 있는지 없는지는 모르는 거잖아."

"실험을 해 봤다니까."

"농담하는 거지, 제이콥?"

"생각해 봐, 제임스. 영혼이 있는지 없는지 우리만 궁금했겠어. 지구상의 그 많은 신부와 목사와 신자들, 우리 같은 랍비 집안도 뭐 실은 비슷하지."

생각에 잠긴 듯, 잠시 사이를 두고 난 지배인이 말했다.

“야, 제이콥?” 제이콥이 하나 남은 더덕구이를 입에 넣다 말고 지배인을 쳐다봤다. “케빈 슈라이버 교수 노트 말이야, 그것 좀 볼 수 있을까?” 서툴게 젓가락을 말아 쥔 제이콥의 손이 허공에 멈춰 있었다.

“노우!”

제이콥이 아까보다 더 정색을 했다. 순간 안동소주가 준 취기가 싹 사라진 듯 완강했다. “노트는 왜 보자는 거야, 제임스. 내가 얘기한 게 전부라니까. 빼고 어쩌고 할 것 없이 그대로라고. 난 노트를 읽은 것만으로도 버거워. 거기다 애버리지니 필름까지 봤다고.”

“그래서 하는 소리야, 제이콥. 애버리지니 필름을 보여 달란 말은 하지 않을게.”

“그만해, 제임스.” 제이콥이 씩씩거렸다. “내 말을 이해하지 못하는 것 같은데, 난 두 번이나 충격을 받았어. 차마 말하지 못한 것들도 있고…….”

지배인은 네 병의 안동소주에도 말짱했다. 제이콥은 술기운이 더 도는 것 같았다. 지배인이 마지막으로 따라 준 안동소주를 받아 마신 제이콥이 교자상 밑으로 길게 다리를 뻗었다. 좌식 의자 등받이에 기댄 제이콥의 항아리만 한 가슴이 들썩였다. 졸린지 제이콥이 눈을 감곤 잠든 듯했다. 술에 취하면 자곤 하는 게 제이콥의 술 습관이었다.

제이콥이 숨을 쉴 적마다 가슴이 크게 부풀었다. 지배인이 손을 뻗어 몸을 흔들자 제이콥이 겨우 눈을 뜨더니 거칠게 숨을 내뱉었다.

“이봐, 제이콥?”

“왜, 제임스…….” 말을 알아듣는 걸 보니 인사불성은 아닌 듯했다. “이거 진심인데 제이콥…….” 제이콥이 몸을 뒤척였다. “니 체인점 사업에 투자 좀 하면 안 될까?”

“…….”

“듣고 있는 거야, 제이콥?” 제이콥이 실눈을 뜬 채 헤벌쭉 웃었다. “젠장, 제이콥 너 취한 거 아니지?”

“아니야, 제임스. 난 취했어.”

“알았어, 낼 얘기하자고.” 지배인이 일어나려는데 제이콥이 물었다. 게슴츠레 뜬 눈이 동그래져 있었다.

"정말이야, 제임스?"
"뭐가?"
"나한테 투자하겠다는 거?"

제이콥이 출국하기 이틀 전이었다. 제이콥에겐 마지막 일정이었고 지배인의 지시대로 이과수는 그를 데리고 시내 관광을 했다. 경복궁이었다. 막 근정전 앞에 도착한 제이콥이 뚫어지게 처마를 보고 있었다.
"그분이 온 데가 여기가 아닌지 싶습니다……." 제이콥이 중얼거렸다. 무슨 말인가 싶어 이과수가 물었다.
"누굴 말씀하시는 건가요, 쉬프 씨?"
"내 고조부 말이오."
"그 옛날에 여길 찾았다면 평범한 분이 아니었을 것 같은데요, 쉬프 씨."
"쿤롭이라고 아시오?" 알고 있었다. "거기 행장이었어요."
이과수는 제이콥을 다시 봤다. 쿤롭이 어떤 기업인지 이과수는 알고 있었고, 한때 무직으로 지내며 웹 서핑으로 알게 된 월 스트리트 금융가의 굵직한 스토리에 쿤롭이 있었다.
경회루가 건너다보였다.
"이제 기억이 좀 나는군." 제이콥이 경회루를 가리키며 말했다. "고조부 사진 중에 저런 건물 모양이 있었어요."
이과수는 다른 건 기억나는 게 없느냐고 물었다.
"나무가 많았어요. 호수인가, 아마 연못 같은 게 있었을 것이오."
"그럼 이곳이 맞을 겁니다, 쉬프 씨."
"하지만 좀 달라요. 이렇듯 큰 호수를 본 것 같지 않아서요. 건물도 그렇고……."
"그렇다면 창덕궁인지도 모르겠네요, 쉬프 씨."
"신기해요. 고조부가 왔던 곳을 내가 오다니……."
제이콥은 감회에 젖은 듯 경회지 건너 경회루를 지그시 보고 있었다. 그렇게 가만히 좀 있더니 그가 자기 고조부 얘기를 했다. 고조부의 회고록에 있는 얘기라고 했다. 고조부는 미처 회고록에 적지 못한 이야기는 따로 노트에 메모로 남겼다고 했다. 그 시대에 한국의 궁에 오다니, 이과수는 궁금했다.

"고조부께서는 무슨 일로 이 먼 한국까지 오신 겁니까, 쉬프 씨?"

"여행이었소. 고조부가 머문 호텔이 손탁호텔이라고 했어요. 거기가 어딥니까, 이과수 씨?"

"지금은 없는 호텔입니다, 쉬프 씨."

제이콥이 돌아가던 날이었다. 이과수는 공항에서 그를 배웅했다. 제이콥은 또 고조부 얘기를 했다. 그 때문에 이과수는 탑승구를 통과하기 두 시간 남짓을 꼬박 그와 함께 있어야 했고 경복궁에서 듣지 못한 나머지 얘기를 들을 수 있었다.

"무당이라고 아시오?" 제이콥이 물었다. 이과수는 뭘 잘못 들었나 했다. "고조부가 거리에서 무당이라는 사람을 봤다고 했어요. 굿이라는데, 처음엔 그저 그런 제의식이거나 마을 축제 정도로 안 모양이었어요."

이과수는 제이콥을 봤다. 그의 입에서 무당이라는 말이 나온 것도 그렇지만 고조부의 노트에 굿이란 기록이 있다는 게 신기했다.

"고조부 말로는 한국 사람들의 영혼관이 독특하다고 했어요. 사실인지 모르겠지만 굿을 할 때 무당은 영혼과 대화를 한다고 적혀 있었소. 그런데 고조부가 놀란 일이 따로 있었어요. 종이인형 말이오."

"종이인형이라니요, 쉬프 씨?"

"영혼결혼식이라고 하던데, 고조부가 본 게 그런 거라고 했어요."

"아직 본 적은 없지만 무당이 그런 걸 한다고 들었습니다, 쉬프 씨. " 출국 시간이 다 돼 있었다. 제이콥이 자리에서 일어나며 말했다.

"고조부는 그 뒤 뉴욕에다 교령회를 만들 구상을 했어요."

"교령회라니요?"

"얘기가 길어요. 아무튼 무당의 굿에서 얻은 영감으로 만든 영적인 단체가 뉴욕 교령회이지요." 제이콥이 이과수의 손을 잡으며 말했다. "친절하게 대해 줘 고맙습니다, 이과수 씨. 내가 인정받는 듯해 기뻐서 그래요."

"별말씀을요, 쉬프 씨."

"진심이요. 제임스에게 전해줘요. 고마웠다고."

"알겠습니다, 쉬프 씨. 대신 저하곤 친구가 되어 주셔야 합니다."

"물론입니다. 내 좋은 소식 주리다."

제이콥이 마이애미로 돌아가고 몇 개월 뒤였다. 물론 받아먹은 돈이 있기는 했지만 제이콥은 자신의 말이 빈말이 아니었다는 것을 증명이라도 하듯 소포 하나를 보내왔다. 그날이었다. 이과수는 지배인한테 호출을 받았다. 급하다고 해 가보니 지배인이 거들먹거리듯 이과수를 건너다봤다.

"긴가민가했는데 진짜더라고, 이 대리."

지배인이 턱으로 탁자의 봉투를 가리켰다. DHL사의 소포였다. 붉은 헤드라인 볼드체의 심볼 로고가 새겨진. 이과수가 뭐냐는 듯 쳐다보자 지배인이 말했다.

"노트야."

"예?"

"케빈 슈라이버 교수 노트라니까."

제이콥이 뉴욕으로 돌아가고서였다. 제이콥과 통화를 한 날이면 지배인은 이과수에게 둘이 나눈 얘기를 들려주곤 했다. 제이콥하고 나눈 대화의 대부분은 노트와 필름 얘기였다. 지배인은 그 얘기를 제이콥이 숨 좀 돌리자고 할 정도로 집요하게 해 댔다. 제이콥은 받은 돈이 있어 끌려다닌 듯했는데, 그렇다고 되돌릴 수는 없었다. 이과수는 큰 덩치에 수염 가득한 얼굴로 천진하게 웃는 제이콥의 얼굴이 떠올랐다. 착한 양반, 제이콥의 이미지였다.

"읽고 나니까 제이콥이 더 그리워졌어. 이 대리도 한번 읽어 봐."

지배인이 노트를 보여 줄 줄은 몰랐다. 노트를 가지고 방으로 온 이과수는 단숨에 읽어 내려갔고 그제야 지배인이 노트를 내 준 이유를 알 것 같았다.

〈영화제작의 심리〉, 그땐 잘 이해하지 못했는데 노트를 읽고 나자 이과수는 생각이 달라졌다. 호기심이라기보다 기묘함 같은, 읽다 만 듯해 더 상상력을 자극하던 그 기억이 지금도 또렷했다. 그런데 이상한 게 있었다. 지배인 말로는 한국인이 등장한다고 했다는데 그 내용이 보이지 않았다. 쪽수가 없는 걸로 봐 나누어 보내온 듯했고, 한국인 얘기가 보이지 않는 게 그 때문인 것 같았다. 노트에는 이런 글이 있었다.

월 스트리트는 돈과 영혼이라는 말을 혼용해 썼다. 문제 삼는 사람은 없었다. 그 믿음이 그들의 삶을 지배할 것이다.

노트를 돌려주러 지배인 방에 갔을 때였다.

"무슨 얘기 같아, 이 대리?" 지배인이 물었다. "제이콥 얘기도 그렇고 노트도 그렇고. 영혼이니 돈이니, 내용이 잘 갈피가 잡히질 않아. 내 짐작이 맞지 하다가 너무 나간 게 아닌지 싶기도 하고……."

"자기들끼리 잘 먹고 잘살자는 얘기 같은데요, 지배인님." 이과수가 말했다.

"지금도 잘 먹고 잘살잖아."

"그 차원이 아니라 영원히요." 지배인이 뚫어지게 이과수를 봤다. 잠시 뒤 그 의미를 안 지배인이 생각난다는 듯 말했다.

"그래. 그거야 이 대리. 이 간단한 얘기를 내가 왜 그렇게 혼란스러워했지."

"쉬프 씨가 다른 얘기는 하지 않던가요?"

"다른 얘기라니?"

"애버리지니 필름이요?"

"그건 왜?"

"거기엔 좀 다른 게 담겼을 것 같아서요."

"이 대리는 케빈 슈라이버 교수 노트를 믿어?"

"진실이잖습니까."

얼마 뒤였다. "제이콥하고 통화했어, 이 대리." 지배인이 말했다. 결단력 하나는 끝내주는 사람이었다.

그는 제이콥에게 달라붙었고 이제부터 자기 목적은 필름을 받아 내는 것이라고 했다. 그 일을 추진하면서 지배인은 수시로 이과수의 의견을 물었고 그걸 참고해 제이콥하고 통화를 하는 듯했다. 그런데 문제가 있었다. 지배인의 의도를 안 제이콥이 슬슬 피하기 시작했다. 노트는 몰라도 애버리지니 필름은 전혀 다른 차원의 얘기라며 틈을 주지 않았다. 기회는 지배인을 외면하지 않았다.

어느 날이었다. 제이콥이 제 스스로 연락을 해왔다. 체인점 사업이 잘되지 않는지 않는 소리를 했는데, 겁도 없이 모텔을 체인사업으로 확장하겠다며 덤벼든 게 문제를 만든 듯했다. 동업자도 떠난 것 같았고 다른 사람을 붙였는데 그마저 별 효과가 없는 모양이었다. 제이콥의 앓는 소리는 속이 들여다보였고 그 얘기를 듣고 난 지배인은 이때다 싶어 바싹 달라붙었다.

"내가 있잖아, 제이콥."

그 소리에 제이콥의 목소리가 달라졌다. 조금 전 죽어 가던 목소리는 메츠가 동부 지구 우승을 했을 때 팬들이 지르던 환호성 같았다.

"이왕 이렇게 된 거 같은 배 탄 셈 치라고, 제이콥."

"오, 제임스……!"

지배인은 돈을 더 보냈다. 케빈 슈라이버 교수 노트를 보내 올 때보다 금액이 더 많았고, 이번엔 모텔 체인점 투자 어쩌고라는 말도 하지 않았다. 그냥 쓰라고 보낸 거나 다름없었다. 제이콥은 감동 받은 것 같았다.

"간이라도 빼 줄 것 같던데." 지배인이 낄낄거렸다. "약점이란 그런 거야, 그 함수를 알면 이기면서 살 수 있지."

제이콥은 영상 파일을 주겠다는 말을 자기 입으로 했다. 지배인은 침착했다. 제이콥은 변덕이 심한 사람이었고 언제 무슨 핑계로 마음이 변할지 알 수 없었기 때문이었다. 지배인의 예상은 빗나가지 않았다. 제이콥은 또 뜸을 들였다. 그 시간이 길었다. 아무래도 꿍꿍이가 있는 것 같았는데, 역시 돈이 문제였다. 그걸 안 지배인도 이번엔 망설였다. 이러다 돈만 퍼 주고 파일은 구경도 못하는 게 아닌지, 선택을 해야 했다.

지배인은 이왕 여기까지 온 거 눈 딱 감고 돈을 더 보내겠다고 했다. 이과수의 생각은 달랐다.

"이건 돈이 할 일이 아닌 것 같습니다." 무슨 소리냐는 듯 지배인이 이과수를 봤다.

"애버리지니 필름이 우리에게 상상을 심어 줬듯, 우리도 제이콥 쉬프 씨에게 그만한 대가를 줘야 합니다."

"그게 뭔데?"

"존재감이요."

노트는 그렇다고 해도 제이콥이 그렇게 정색을 하던 애버리지니 필름을 건네주겠다고 한 데는 이과수와 제이콥의 친분이 역할을 한 측면이 컸다. 지배인은 이과수와 제이콥의 친분이 그 정도인지 알지 못했다. 사실 이과수가 제이콥에게 그렇듯 환심을 살 정도의 행동을 했다고 볼 수는 없었다. 더군다나 의도적으로. 다만 그의 얘기를 열심히 들어주고 집안의 전통과 그곳의 혈육인 제이콥의 존재에 대한 자긍심을 인정한 것뿐. 그게 제이콥에게는 각별하게 다가온 모양이었다.

지배인과 제이콥 쉬프, 두 사람 중 누가 더 이익일까. 이과수는 그게 궁금했다. 제이콥은 가욋돈을 얻었고, 지배인은 노트를 손에 쥐었으니 손해 본 사람은 없었다. 노트에 하자가 있다는 것 정도. 지배인이 그 얘기를 하자 제이콥은 심드렁했다. 지배인은 따지지 않았다. 뒷일을 생각해서였다. 애버리지니 필름, 그때부터 지배인은 케빈 슈라이버 교수 노트 얘기는 쏙 들어가고 오로지 애버리지니 필름 얘기만 했다. 쉬운 일이 아니란 걸 지배인도 알고 있었다. 제이콥이 워낙 완강했기 때문이었다. 그걸 상쇄한 것이 이과수의 친분과 또 한 번의 현찰이었다. 거기에 굴복한 제이콥은 자진해서 손을 들고나왔는데 대신 조건이 있었다. 그게 좀 색달랐다. 자신에게 화가 돌아올지 몰라 한 말이기는 하지만 지배인을 향한 조언이기도 했다.

제이콥이 말했다.

"이 약속은 해 줘, 제임스." 목소리에 힘이 들어가 있었다. "파일은 돌려줘야 해."

파일을 돌려달라니? 복사를 할 수도 있고 실제 복사를 한 뒤 돌려준들 무슨 소용이 있을까. 무슨 말인가 싶어 지배인이 물었다.

"뭔 바보 같은 소릴 하는 거야, 제이콥."

"말 그대로야, 제임스. 자무엘 말로는 기록이 남는댔어. 농담 아니니까 내 말 허투루 듣지 마. 그리고 이건 알아둬. 내가 돈 때문에 이러는 거 아니야."

"돈 얘긴 안 해도 돼, 제이콥. 내 마음이 준 거니까."

"내 말은, 니 직원 이과수 씨. 그 친구가 나한테 얼마나 친절했는지 알아. 제임스 너도 알다시피 내가 집안에서 좀 그렇잖아. 그 친구가 나한테 존재감을 줬어. 여태 살면서 이런 적이 처음이어서 하는 말이야, 제임스."

사사

흰 정장은 백발의 최치영과 잘 어울렸다. 예의 지팡이를 들고 있었는데 지팡이는 그의 장식이자 자신을 드러내는 표식이었다. 실용과는 아무 상관이 없는, 권위적이고 다분히 의도적이었다. 오늘따라 이청은 유독 그 모습이 눈에 들어왔다. 그러고 보니 아까 방에서 본 지배인이라는 사람하고 최치영은 닮은 듯했다.

"곤드레나물 아니오, 이청 선생."

이청의 접시에 있는 곤드레나물을 가리키며 최치영이 말했다.

"그게 있었소?"

이청이 산처럼 쌓여 있더라고 하자 곤드레나물은 자기가 좋아하는 음식이며, 고려엉겅퀴라고 부르기도 한다는 이 나물은 구황식물인 데다 암 예방에도 효과가 있다며 한참 효능을 설명했다.

곤드레나물은 이청도 좋아하는 음식이었다. 영월에서 농사짓는 친구가 택배로 보내 줘 해를 거르지 않고 싱싱한 곤드레나물을 먹곤 했다. 친구 중에 농사꾼이 있다고 하면 다들 놀랐다. 전형적인 도시형 인간에게 농사꾼 친구가 있다니까 긴가민가한 모양이었다.

"와 줘 고맙네, 이청 선생."

최치영은 이청에게 늘 선생,이라는 호칭을 붙였다. 한참 후배임에도 예의를 차리는 그가 신경 쓰였는데, 아무에게나 그런 말을 하는 사람이 아니어서 사양할 수도 없었다. 그리고 이 초청은 썩 내키던 게 아니었다. 평소 선후배로 얽힌 최치영과의 관계가 잠시 그걸 상쇄한 것뿐이었다.

최치영이 연락을 해 왔을 때였다. 그가 시 낭송 부탁을 할 거라고는 생각하지 못했다. 당연히 이청은 거절했다. 아무리 최치영이라지만 고민하고 말고 할 게 없었다. 이청이 노골적으로 불쾌해하자 곧 태도를 바꾸더니 사과부터 했다. 대신 최치영은 초청하겠다는 말로 바꿨다.

"예쁘게 본 제자였는데, 장소는 가려야지."

수란채를 뜨며 최치영이 말했다. 백지우를 두고 하는 말이었다. 백지우 역시 최치영의 초청으로 투숙하기는 했지만 제 발로 나갔고, 그는 최치영의 제자였다.

"비난을 위해 비평을 해. 하긴 젊은 사람이 그런 패기는 있어야지. 안 그런가, 이청 선생." 그가 호기롭게 웃었다. 그래서 괜찮다는 것인지 뭔지. 최치영이 이청에게 포도주가 담긴 잔을 들어 보이곤 단숨에 마셨다.

"무례한 겁니다." 최치영 옆의 남자였다. "선생님 기자회견이잖습니까." 그의 말에 다른 사람이 호응하고 나섰다. "하마터면 제 주먹이 날아갈 뻔했습니다." 그가 허공에다 팔을 저어 보였다.

"제겐 조롱처럼 들렸어요."

최치영 오른쪽의 여자였다. 목소리가 또박또박했다. "호텔이 무슨 선각자라도 되냐며 비아냥댔지요. 여기가 어디라고, 그러면 안 되죠." 누군가 그 대목에서 무척 화가 나더라고 말하는 소리가 들렸다.

이청은 이 상황이 기이해 보였다. 다들 최치영에게 매달리는 것도 모자라 호텔에 목을 매는 듯 보였기 때문이었다. 벼슬 하나 얻어 보겠다고 안동 김씨 솟을대문 앞을 기웃거리는 지방 유생들처럼. 백지우의 불만이 무엇 때문이었는지 알 것 같기도 했다.

"그만들 하게. 다 그랑호텔 투숙객들 아닌가. 자 건배나 하지." 최치영이 포도주 잔을 들자 분위기가 바뀌었다.

"만나게 돼 반갑습니다, 이청 선생님." 이청의 오른쪽 남자였다. "차영한이라고 합니다."

그가 이청 앞에다 소책자를 올려놓았다.

영혼과 불멸.

행사 제목이었다. 그런데 좀 이상해 보였다. 이청은 두 단어가 썩 어울리지 않는다는 생각을 했다. 오히려 따로 떨어져 있어야 제빛을 발하는 명사들이 아닌가.

소책자를 펼치자 차영한이라는 이름이 보였다. 이름 옆에는 미시역사이론가라고 적혀 있었는데 낯이 익은 것도 같았다. 얼굴이 아니라 이름이 그랬다.

"이구민입니다." 이청 왼쪽의 남자였다. 소책자에 그의 이름이 들어 있었다. "우린 철학이 같은 사람들입니다, 이청 선생님." 그가 묻지도 않은 말을 했다. "이 자리 역시 그런 자리고요……."

"새삼 강조합니다만." 최치영이었다. 그 소리에 사람들의 시선이 그쪽으로 쏠렸다. "우리가 원하는 건 물질이 아닙니다. 이걸 혼동하지 말아야 해요. 물질이자 그 너머이며 정신이자 몸이오. 또한 죽음이자 영생이며 영혼이자 현생이고. 물론 이 행사의 진정한 주인이 제임스라는 사실, 이걸 잊지 말아야 하오."

"그랑호텔 지배인을 말하는 겁니다, 이청 선생님." 이구민이 작게 말했다. 최치영이 이구민에게 손짓을 하자 그가 저쪽의 직원을 불렀다. 직원이 마이크를 가져와 최치영에게 건넸다. 그가 말했다.

"우리는 보이지 않는 힘을 믿을 수 있어야 합니다." 그가 말을 멈추곤 손을 들어 보였다. 주의를 집중시키려는 듯. "이 모호함과 불확실함을 말이오. 물질과 너머의 미망, 그 무엇의 또 다른 모호함, 그 모호함이 우리에게 미래를 향한 도약과 전진을 가능하게 해 주기 때문입니다. 무슨 말이냐 하면, 아시는지 모르겠지만 이번 행사는 호텔 입장에서는 모험이라고 해도 지나치지 않습니다. 아니, 이거야말로 진정 모험이 아니고 무엇이겠소. 이처럼 장대한 일을 치르면서 사전 점검조차 하지 못하고 행사를 진행하다니, 위험을 자초하자는 것과 무엇이 다르겠습니까. 하지만 이게 오히려 우리에게 복이 됐어요. 아시듯 애버리지니 필름은 데이행사의 핵심이지요. 모두 기대했고 우리는 들떠 있어요. 하지만 나는 물론, 여러분 중에도 그걸 본 사람이 아무도 없어요. 뿐만 아니라 거기에 무엇이 담겼는지도 모르고 있고. 그럼에도 왜 우리는 데이행사에 열광하는지, 여러분이 더 잘 알고 있으리라 믿습니다." 최치영의 말의 속도와 높낮이의 변화가 좌중을 쥐고 있었다.

이청은 좀 놀랐다. 저녁이나 먹자고 모인 만찬장이 무슨 군중 집회장 같았기 때문이었다. 전통적인 그랑호텔의 데이행사라더니, 원래 이런 자리였나 싶었다.

"말하건대." 최치영이 다시 말했다. "그랑호텔의 역사가 그래왔듯 수많은 당 시대의 신념이 우리를 여기에 이르게 했다는 사실, 잊지 말아야 합니다. 볼 수도 잡을 수도 없는 꿈이 오늘의 그랑호텔을 있게 하고 여러분을 있게 했기 때문이지요. 그런 의미에서 애버리지니 필름은 이중의 의미를 지니고 있어요. 그 자체의 존재가 아니라 그 존재감이 주는 상상력 말이오. 이 상상력이 우리에게 또 다른 이야기를 선사할 것이오. 비록 볼 수 없고 손에 쥐지 않았지만 보이지 않는 존재가 우리에게 무한한 상상과 이야기를 꿈꾸게 해 준다, 이 말입니다. 미지의 대륙을 항해케 한 용기와 도전, 지금 우리의 이 일이 그와 무엇이 다르겠소. 그 힘이 아니었다면 나는 오늘 여러분과 이 자리에 함께하지 못했을 것이오. 상상력이 없는 서사라니, 이 얼마나 초라한 푸념이오!"

"맞습니다. 선생님!"

"우리에게 꿈을 주고 새 용기를 갖게 한다면 우린 환영합니다!"

"자, 그랑호텔을 위하여!"

이어 박수 소리가 들렸다. 그 소리가 만찬장을 울렸다. 누군가 탁자를 쳤고 몇몇이 따라 하면서 박수를 치거나 탁자를 두드렸다. 밥을 먹다 말고 이게 무슨 행동들인지, 최치영의 태도와 연설도 마찬가지였다. 평소 본 그의 모습이 아니었다.

"월 스트리트 얘기요." 최치영의 낮은 목소리가 굵었다. "우리의 상상력을 자극한 사람들이 그 사람들이에요. 우리는 그들의 힘을 빌린 것이고, 그들의 상상력과 그들이 보존한 이야기를. 마치 전래 동화의 기담처럼. 그게 그랑호텔과 투숙객들의 꿈과 상상을 북돋아 주었지요. 우리는 애버리지니 필름과 월 스트리트 사이에 존재하는 사람들입니다. 결코 어느 쪽으로도 치우치지 않는, 지금 우리의 자리에서 세상을 보고 지킬 것입니다. 설 자리를 잘 선택하고 좇아야 우리의 미래가 보장되기 때문이오. 자, 건배합시다." 미리 약속했다는 듯 만찬장의 투숙객들이 일제히 잔을 치켜들었다. 최치영이 외쳤다.

"상상력과 서사를 선물한 애버리지니 필름을 위하여!"

"위하여!"

"건배!" 잔 부딪히는 소리가 들렸다. 일사불란했다.

이청은 일종의 기괴함 같은 것을 느끼고 있었다. 무모함, 그들 사이에 흐르는 어떤 맹목 같은 것들 말이다. 이 맹목은 어디서 온 것일까. 최치영은 무슨 말을 하고 있는 것일까? 상상을 무기로 관념을 남발하는 비논리적인 언어의 비약과 과장은 강요하는 듯 거칠어서 폭력적이기도 했다. 허구로 진실을 말할 수는 있지만, 허구를 전제하지 않으면 거짓이 되고 진실을 억압하는 무기일 뿐이었다. 최치영이 그걸 모를 리 없었다.

최치영이 잔을 부딪치다 말고 이청에게 고개를 돌렸다. 얼굴이 미소로 가득했다.

"소감을 묻는다는 걸 깜박했어. 어떻소, 이청 선생은?"

"소감이라니요?" 이청이 짐짓 되물었다.

"여긴 처음이잖소. 그래 묻는 거요."

"소감이랄 게 있습니까." 이청이 말했다. 기분을 숨기지 않았다. "굳이 말하자면 겨울 날씨가 꽤 청명하더라는 것 정도, 호텔은 독특했고요. 그게 뭔지는 시간이 지나 봐야 알 것 같습니다."

최치영의 얼굴이 순간 일그러졌다. "날씨 얘기라……." 그가 혼잣말을 했다. 이어 올 겨울 날씨에 관해서라면 언제 따로 시간을 내 얘기를 나누자며 눙을 쳤다. 최치영스러웠다. 날씨 얘기를 하기 위해 따로 시간을 내다니, 그럴 일은 없었다.

최치영이 건배를 하자고 했고 이청이 사양하자 이구민이 잔을 들었다. 이청은 벌떡 몸을 일으켰다. 이미 체질이 견딜 수 있는 한계를 넘어서 있었다. 뒤에서 최치영의 목소리가 들렸다.

"자네가 한마디 하게."

"감사합니다, 선생님." 이구민이라는 사람 같았다.

†

"시인 이청이 나왔습니다."

이어폰에서 나는 소리였다. 행사와 관련한 투숙객들의 동선 점검은 안전팀 담당이었다. 데이행사의 중요성만큼 호텔은 투숙객들 관리에 신경을 썼다. 이어폰에서 이청의 행동이 무척 불편해 보인다는 안전팀의 소리가 들렸다. 무슨 일일까……?

이과수는 시계를 봤다. 호텔 약사를 마무리한다는 걸 깜박 잊고 있었다. 내일 행사 때 읽을 원고였다.

†

방이 커피 향으로 가득했다. 핸드 드립으로 내린 커피였다. 그 향이 꽤 감각적으로 다가왔다. 이과수는 그제야 자신의 일상과 마주한 기분이었다. 책상과 의자와 노트북, 볼펜과 메모지, 커피잔과 볶은 원두 그리고 얼마 전 주문한 책과 읽다만 책, 늘 그 자리에 자신을 눕게 하는 침대와 침구들, 이 사소하고 작은 것들을 보고 만질 수 있는 시간을 마주하게 되면 이과수는 살아있는 걸 느꼈다. 삶은 작은 것을 알아가는 시간의 지체가 아닐까. 서른 중반 남자의 생각이라기엔 일찍 늙은 것이 아닌지, 하지만 사실이었다. 삶에 대한 자각은 오롯이 작은 것에 가 있을 때 느껴지곤 했으니까.

노트북 모니터에는 한글 문서의 36쪽이 열려 있었다. 호텔 약사 파일을 연다는 게 파일을 잘못 클릭한 것이었다. 한글 문서는 호텔 사사 원고였다.

사사는 1996년에 한 번 제작된 적이 있었다. 이번 작업은 그 이후를 담는 개정판이었다. 초고였고 올 초부터 해 온 작업이었다. 기획사에 맡기기로 했는데 지배인은 이과수에게 이 일을 하게 했다. 지난번 사사를 만들 때 챙기지 못한 자료 중 워낙 예민한 데가 있었다. 가문의 치부 같은 것들이었는데, 대부분은 최치영과 지배인한테 들은 것들이었고 이과수가 찾은 자료에도 그런 게 있었다. 어쩔 수 없이 떠맡았다고 했는데 호텔사도 그렇고 지배인의 비밀스러운 가문사와 본관 건물과 얽힌 얘기들은 과거와 현재를 넘나드는 재미를 줬다.

한글 문서는 그랑호텔의 개업 시기와 연결 지어 적은 부분이었다. 어딘가 미심쩍어 연도 표기를 보류했는데, 연도에 따라 그랑호텔의 설립 시기가 달라질 수 있어서였다.

이과수는 커피를 마시며 이 대목을 읽었다. 연도 표기는 딱히 잘못 적은 데가 없었다. 대불호텔의 개업은 인천 개항 오 년 뒤였고, 당시 인천항을 거쳐 서울로 들어가는 외국인들이 숙소로 이용하던 곳이었다. 욕실이 없어 고객들의 불만이 이만저만이 아니었다. 당시 대안문 앞에 있던 팔레호텔은 그보다 늦은 1901년경에 설립됐고, 손탁빈관 또는 한성빈관이나 정동화옥 같은 이름으로 불리던 손탁호텔이 그 뒤를 이었다. 손탁호텔은 지나칠 정도로 많은 기록과 자료들 때문에 찾고 말고 할 게 없었다. 이과수는 1938년 반도호텔을 확인한 뒤 앰버서더호텔로 넘어갔다. 처음 한국인 소유의 민영 호텔이었다. 1955년에 문을 연 앰버서더호텔은 금수장호텔이 시작이었다. 1952년 대원호텔이 있었지만 더 자세한 기록은 보이지 않았다. 그런데 이 기록에는 문제가 있었다. 대원호텔은 그렇다 해도 앰버서더호텔을 그랑호텔보다 먼저 적은 것은 오류로 보였다. 불과 수개월 차이지만 그랑호텔이 앰버서더보다 먼저 개업한 게 사실이기 때문이었다. 대부분의 호텔 기록들이 개업 연도는 정확하지만 개업 일자가 없거나 불분명해 생기는 현상이었다. 그에 비해 그랑호텔은 개업일을 1954년 12월 4일로 분명히 적고 있었다. 그런데 특이한 게 있었다. 지배인도 처음 듣는 이야기라며 놀라워한 데가 이 대목이었다.

이과수는 이 자료를 우연히 찾았다. 일종의 가계부와 장부를 섞은 형태였는데, 호텔 본관 벽수산장 다용도실에 자료가 있었다. 지배인의 아버지 강대식이 자기만 알게 따로 보관해 둔 듯했다. 기록의 당사자는 강일준과 강성봉이었다. 강일준은 지배인의 고조부이고 강성봉은 증조부였다. 기록에는 강일준이 조선 말 이미 여각을 열어 숙박업을 했다는 내용이 들어 있었다. 주로 항구에서 성업을 하던 여각을 객주가 주이던 서울에다 문을 열었다는 내용인데, 이는 본격적으로 숙박업을 염두에 두고 여각을 연 것으로 추정해 볼 수 있는 대목이었다. 이과수는 강일준의 여각이 메이지 유신 이후에도 여전히 남아 있던 에도시대 일본식 여관을 섞은 혼합 형태의 숙박 시설일 것이라는 추측을 했다. 개항 이후 전통 방식의 여각이 일본의 영향을 받아 영업을 한 곳이 꽤 됐기 때문이었다. 설립 시기는 대략 1889년경, 따져 보니 강일준이 삼십 대 초의 일이었다. 비록 호텔의 모습을 갖추진 못했지만 다음 해 오스트리아인이 개업한 코레호텔보다 한 해가 빨랐다.

이과수는 서울호텔을 주목했다. 다른 호텔에 비해 자료가 빈약한 데도 눈길을 끄는 데가 있었다. 영자신문 '더 인디펜던트'지 1898년 1월 4일자에는 서울호텔 광고가 있었다.

'석탄! 석탄! 수일 내로 도착하는 양질의 일본산 석탄을 저렴한 가격에 판매함. F. Bijno, 식품점 겸 서울호텔, 서울, 1898년 11월 5일'.

비슷한 기록이 강일준의 장부에도 있었다. 강일준이 여각을 하며 서울호텔에 투자를 한 것으로 볼 수 있는 대목이 여기였다. 이태리 사람과 식료품점을 하며 일본에서 들어오는 물건을 인천에서 받아 서울로 옮겼다는 내용의 기록이었다. 물건은 다양했다. 일본산 석탄과 마닐라 여송연, 이집트 궐련초, 법국과 영국이나 미국산 다과, 심지어 육혈포와 총알도 있었다. 이외에도 접시와 잔 같은 생활용품과 각설탕, 이탈리아산 통조림, 차, 스카치위스키와 와인, 크림, 사탕 같은 식료품과 음식을 만들 때 쓰는 미국산 화덕이 있었다.

장부에는 경영에 관한 기록이 있었다. 예약을 받아 일본인한테 주문을 넣어 조달받았다거나 숙박은 외국인만 묵을 수 있었다는 것, 또 이익의 분배 때문에 잦은 마찰이 있었다는 내용이 그것이었다. 마찰은 중간 상인인 일본인과 벌어진 듯했고 이 때문에 강일준은 장부 여기저기다 자신의 한계를 한탄하는 글을 남겼다.

강일준이 서울호텔과 길게 일한 것 같지는 않았다. 1899년 서울호텔이 문을 닫았고 강일준 역시 여각을 접은 듯했기 때문이었다. 이후에는 유통업과 과자 공장에 관한 기록만 보였다. 과자 공장은 대성공이었지만 강일준은 유통업에 더 힘을 기울인 듯했다. 장부에는 이런 내용이 있었다. 강일준은 미국이든 일본이든 직접 본국의 사람과 선을 대기 위해 여러 모색을 했고, 마침 대한제국을 방문한 미국인 부호를 만나기 위해 접근을 시도한 정황을 적은 기록이 보였다. 강일준은 생활용품에 애착이 많은 사람이었다. 그 때문인지 일찌감치 미국에 관심이 많았고 정보도 빨랐다. 윤덕영이란 사람을 통해서였는데, 그는 궁내부 특진관이었고 평소 서양 물건을 취급하는 일본과 이태리, 러시아 중국 등 많은 외국인 상인을 알고 있었다. 미국 공사 쪽과도 친분이 있어 그쪽 소식에도 밝았다. 그런데 강일준이 윤덕영을 믿고 무슨 일인가를 추진했다가 잘 안된 게 있는 모양이었다. 그에게 건넨 금전이 만만치 않은 듯했고, 그래서인지 강일준은 장부에다 윤덕영이 처음엔 일본 공사 쪽과 선을 대는 일이 더 수월할 수도 있다는 말을 했다고 기록한 게 있었다. 그런데 윤덕영을 통해 일을 성사하려던 강일준의 계획이 양택길이란 사람 때문에 어그러지고 만 모양이었다. 윤덕영이 초대 통감 쪽 사람들과 선을 댈 수 있다는 거짓말로 강일준을 속였고, 양택길도 같은 짓을 했다는 내용이었다. 윤덕영을 통해 미국인 부호를 만나려는 시도가 수포로 돌아갔을 때였다. 강일준은 양택길이 미국인 부호와 만난다는 얘기를 통감부 사람한테 들었다고 했다. 통감부 사람은 그 일을 자신이 주선한 거라고 했는데, 강일준 기록대로라면 통감부 직원이 양택길에게 미국인 부호를 만나러 갈 때 강일준을 데리고 가라고 길을 터 줬다는 얘기로 이해해도 될 듯했다.

이과수는 이 긴 장부의 기록이 잘 이해가 가지 않았다. 양택길이 누굴 말하는지 알 수 없었기 때문이었다. 그의 기록대로라면 양택길은 좋으나 싫으나 강일준과는 동종업계의 동업자이자 경쟁자이기도 한 중요한 인물이었다. 결국 강일준은 통감부 직원에게 돈과 금괴를 건네고도 미국인 부호를 만날 수 없었다고 했는데, 그게 양택길이 자신을 따돌리고 혼자 궁에 들어가 버렸기 때문이라고 했다. 강일준이 미국인 부호가 대한제국을 떠났다는 걸 안 건 나중에 황성신문을 통해서였다. 하지만 혹 강일준이 미국인 대부호의 일정을 알았다고 해도 그를 만날 방법은 없었다고 보는 게 타당했다. 어쨌든 나중에 모든 걸 안 강일준은 양택길과는 철천지원수가 된 듯했고, 이과수는 이 대목을 더 찾아봐야겠다는 생각에 따로 메모를 해두었다. 이 둘의 관계는 개인의 문제가 아니라 가문의 충돌로 보였기 때문이었다.

이 기록은 강일준에 이어 강성봉으로 이어졌다. 그만큼 맺힌 게 많았다는 소리였다. 둘은 양택길을 비난했다. 시기적으로 거리가 있는 기록인데도 양택길과 그의 후대 얘기가 똑같이 등장하고 있었다.

이과수는 원고를 읽다 말고 아차 싶어 시간을 봤다. 시간이 꽤 지나 있었다. 머그에는 커피가 아직 절반 넘게 남아 있었다. 노트북을 덮을까 어쩔까 하며 미적지근해진 커피를 입으로 가져가려 할 때였다. 드르륵 핸드폰의 진동이 울렸다. 비서실의 하정미가 보낸 문자였다. 지배인님이 찾으세요. 이 대리님.

알았어. 갈게.

문자를 보내곤 이과수는 약사 파일을 열었다. 약사를 적은 초고는 크게 문제될 만한 곳은 없는 듯했고, 나머지 미진한 데는 이따 간단히 손을 보면 될 것 같았다.

어쨌든 강씨 가문이 지금의 모습을 갖춘 것은 한국전쟁 이후였다. 언커크 사무실을 인수한 게 그 시작이었다. 그랑호텔의 설립과 직접적인 관련이 있었고 여기서부터는 대개 최치영에게 들어 안 것들이었다. 젖도 떼지 않았을 때 전쟁을 겪은 그이지만, 최치영은 강대식과 더불어 그랑호텔의 수십 년을 같이 한 사람이었다. 강대식에게 들은 얘기들은 호텔 역사의 생생한 증거들이었다. 뿐만 아니라 이런저런 경로로 찾아낸 자료와 다른 분야의 기록들, 그리고 강대식과 같이 한 여러 지인과의 인터뷰, 나아가 이전 호텔 사사와 지배인, 최치영과 강대식의 동종업계 종사자들의 입 역시 중요한 자료의 출처들이었다. 이과수가 궁금한 것은 그랑호텔이 개업한 1954년, 그해 호텔 설립과 관련한 비사였다. 그 얘기 역시 최치영에게 들을 수 있었다. 한국전쟁 뒤 벽수산장의 매입이 결정적이었는데, 적산가옥이던 벽수산장을 강성봉이 아들 강대식 이름으로 사들여 호텔로 꾸민 게 호텔 설립으로 이어진 것이었다. 그런데 이 얘기에는 흑역사가 있었다. 벽수산장 얘기가 그랬는데 이 대목을 두고 최치영은 쓴소리를 했다.

"벽수산장은 서울의 아방궁이라 불렸지. 호화롭기가 팔도 제일이었으니까. 이걸 짓는데 이십여 년이 걸렸고, 이엉 초가집이 대부분인 한국인의 생활 수준을 감안하면 상상하기 힘든 건축물이지. 이걸 윤덕영이란 대갈대감 혼자 했어. 너무 나간 거지."

"대갈대감이라니요, 선생님?"

"하도 머리통이 커 윤덕영을 다들 대갈대신이란 별명으로 불렀어. 모자를 맞춰 써야 할 정도라고 했으니까. 대신이라고 고쳐 부른 것은 이 작자가 강제병합 때 주도적인 역할을 한 대신 중 한 사람이란 뜻이야." 최치영이 절레절레 고개를 흔들었다.

여기서 등장하는 게 양씨 가문과의 갈등이었다. 벽수산장과 얽힌 두 집안의 갈등은 잘 알려진 게 아니었고 이과수도 처음 듣는 얘기였다. 그랑호텔을 짓기 위해 벽수산장을 매입하면서 양천석과 생긴 갈등이 주요 내용이었다. 알고 보니 양천석은 양택길의 손자였다. 공매로 나온 벽수산장을 차지하겠다고 양천석이 나선 게 시작이었다. 결국 강일준의 차지가 되긴 했지만 이 일로 둘의 앙금은 더 깊어졌다.

"벽수산장을 호텔로 하자는 의견은 아들 강대식의 생각이었네."

강성봉은 젊은 강대식에게 주도권을 줬고, 이과수는 강대식의 그랑호텔 건립을 증조부 강일준이 예전에 운영하던 여각을 다시 일으켜 보겠다는 의지로 읽었다. 최치영도 같은 생각이라고 했다.

젊은 사업가답게 강대식의 계획은 야심찼다. 제대로 된 현대식 호텔 경영을 위한 근본적인 모색에 나선 것은 물론 자신이 할 수 있는 모든 걸 동원하는 열정을 보였다. 그때 강대식이 선대로부터 물려받은 과자 공장과 부동산 규모는 윤덕영의 벽수산장 열댓 개는 합해야 할 정도였다. 초기 그랑호텔이 다른 호텔과의 경쟁력에서 뒤지는데도 버틸 수 있었던 것은 이 부동산의 힘이 있어 가능했던 것으로 보였다. 하지만 호텔의 자족 경영은 꿈도 꾸지 못할 때여서 강대식은 그 난관을 헤쳐 나가기 위해 머리를 짜야 했다. 그가 생각해 낸 것이 전문 경영 전략이었다. 호텔업 본연의 자세로 난국을 헤쳐 나가겠다는 그의 결심은 당시로서는 획기적인 발상이었다. 이 일을 최치영이 잘 알고 있었다. 그는 강대식이 시대를 앞서간 인물이라고 했다.

"한식 궁중요리 명인을 데려다 주방 일을 맡겼지. 누구도 생각지 못한 발상이었지. 음식이 굶주림을 채우기 위한 게 아니라 삶의 질을 위해서라는 의식의 변환을 추구했으니까."

최치영은 그뿐만이 아니라고 했다. 부대 시설의 증축과 호텔 최초로 여성 지배인을 고용해 서비스 질을 개선한 경영 시도는 기존 호텔에 대한 관념을 송두리째 바꿨다고 했다. 그것도 국내 투숙객을 대상으로, 효과는 컸다.

"1인당 국민소득이 100달러도 되지 않던 시대 아닌가. 그런데 음식이 삶의 질이라는 패러다임은 호텔 투숙객의 물갈이에 크게 기여를 했어. 투숙객들이 서울과 지방의 소수 상류층 사람들로 채워지고 시범으로 해 본 프라이빗 시스템은 성공적이었지."

강대식이 호텔 본연의 투자에 전념할 수 있었던 데는 자유당 정권 실세의 영향이 컸다. 원조 물자 덕이었는데, 미군 부대 주변에서 흘러나온 달러를 사들여 환치기를 해 얻은 수익이 만만치 않았고 원조 곡물의 매입을 통해 얻은 현찰은 훗날 사채업의 종잣돈이 됐다. 국민이 통째 가난했기 때문에 양극화라는 말도 없을 때였다. 그 덕에 호텔은 그 어려운 시기에도 도약을 멈추지 않을 수 있었고 강대식의 수완은 강일준이나 강성봉에 결코 뒤지지 않았다. 강일준과 강성봉이 대를 이어 보관한 장부의 기록을 교훈으로 받아들여 실천할 줄 안 덕이었다. 강일준은 장부에다 이런 글을 남겼다.

> 평생 쌓은 재물이 모두 내 살과 뼈이로다. 내가 죽고 없는 세상 누가 내 재물을 보전해 줄 겐가. 더 살아야 하는데…….

강성봉도 비슷한 글을 남겼는데, 그는 강일준보다 한 발 더 나갔다. 둘 다 특별한 문장이랄 수는 없지만 두 사람의 욕망을 읽을 수 있다는 점에서 중요한 기록이었다.

> 재물은 내 향기다. 소나무는 재물을 갖지 않았지만 천년 향기를 품지 않는가. 내 재물의 향기 또한 천년을 가야 할 게 아닌가.

전형적인 한국 갑부의 모습이기는 했지만, 강성봉과 강대식은 그저 그런 갑부가 아니었다. 세습 갑부이지만 그걸 넘는, 자기 혁신도 할 줄 아는 몇 되지 않는 인간형에 속했다.

보수적이지만 진보성향으로 자기 앞가림을 하는, 이런 예는 흔했다. 이 땅의 강한 보수성은 한반도 지형과 무관하지 않았다. 지형적 특성이 주는 고립감은 탁월한 자기방어 의식을 갖게 했고 이런저런 변화에도 민감하게 반응하는 관습을 만들어 냈다. 있는 사람이나 없는 사람이나. 그게 변화와 자기 혁신을 인색하게 했고 불확실성은 생존을 위협하는 가장 큰 도발로 받아들여졌다. 이처럼 긴 역사를 간직한 이 땅의 보수성에 비하면 두 사람은 확실히 그 시대의 그들과 구별되는 비교 대상이었다. 물론 자기네 이익이 걸린 일에 한해서라는 한계가 있었지만, 시대의 질곡을 헤치는 이들의 발상은 매번 호텔을 번영의 길로 들어서게 했다. 각 시대에는 종종 그런 인간들이 있었다. 다만 그게 자신의 이익만을 대상으로 한 혁신인지 공공을 대상으로 한 것인지 그 차이가 인물의 격을 가를 뿐이었다.

약사의 마지막 부분을 정리하고 있을 때였다. 드르륵 하고 또 핸드폰 진동 소리가 울렸다. 하정 미였다. 진동 소리가 서너 번 더 울리고서야 이과수는 핸드폰을 받았다.

"어, 하정미 씨."

"뭐해요, 이 대리님. 빨리요." 하정미의 목소리가 한층 급해 보였다.

"무슨 일인데 그래, 하정미 씨?"

"나 참, 그걸 제가 어떻게 알아요. 지배인님이 또 찾으세요. 소미지급燒眉之急이 따로 없다니까요."

소미지급? 무슨 뜻일까. 하정미는 가끔 잘 알지도 못하는 고사성어를 툭툭 뱉어 사람을 난감하게 만들었다. 그럴 땐 바로 묻거나 나중에 인터넷을 뒤져 뜻을 알았다. 이과수는 노트북을 닫았다. 예감이 좋지 않았다.

Soul Fund

미 상공회의소에서 왜 그랑호텔 행사에 관심을 보이는지, 홍콩 골드만 삭스에서도 연락이 왔다는데 한국 사무소가 아닌 홍콩 본부에서 연락을 했다는 게 이상했다. 둘 다 그랑호텔 창립 행사를 물었다고 했다. 20년을 해 온 행사였다. 최치영에게 그 얘기를 하자 특별한 게 아닐 거라고 했다. 그렇다면 홍콩 골드만 삭스는 왜? 최치영도 그건 모르겠다고 했다.

지배인은 아침부터 버번을 홀짝였다. 제이콥 때문이었다. 일 처리가 투명하지 않았고 그 때문에 다들 불안해했다. 지배인은 더했다.

"망할……." 지배인은 지그시 이를 물었다. 그 소리에 차영한과 이구민 장진수의 얼굴이 움찔했다. 인터폰 소리였다. 하정미였다.

"이 대리님 오셨습니다, 지배인님."

"들어오라고 해."

그 소리에 가라앉은 방 분위기가 좀 가벼워졌다. 방으로 들어온 이과수가 지배인을 보며 말했다.

"부르셨습니까, 지배인님."

지배인이 힐끗 이과수를 봤다. 그가 턱짓을 했다. 이과수는 지배인 건너 소파에 앉았다. 소미지급이라던 하정미의 말과 달리 그는 담담했다.

잠시 뒤였다. 하정미가 쟁반에다 커피를 받쳐 들고 왔다. 커피를 내려놓고 나가려는 하정미를 지배인이 옆에 앉게 했다. 하정미는 퇴근도 못하고 지배인에게 잡혀 있는 중이었다.

지배인이 하정미에게 탁자의 노트북을 가리켰다. 하정미가 조심스레 마우스를 잡았다. 손이 떨렸다. 건너의 장진수가 이맛살을 찌푸렸다. 이 일은 장진수가 할 일이었다. 앞에 앉은 이구민이 하정미의 손을 가만히 잡았다 놓았다. 하정미는 탁자 밑의 발을 꼼지락거렸다. 조심스레 숨 뱉는 소리가 들렸다. 그 소리가 가볍게 실내를 훑었다.

"이 자식이 돈 거야……."

지배인이 웅얼거렸다. 이구민이 자리에서 일어나며 이과수에게 눈짓을 했다. 이과수는 하정미 옆으로 가 노트북의 모니터를 봤다. 모니터에는 이메일 계정이 띄워져 있었다. 스위스에 서버를 둔 계정이었다. 스위스 계정은 제이콥이 원했다. 마다할 이유가 없었다. 텅 빈 이메일함을 화살표 모양의 커서가 가리키고 있었다.

"얼마나 됐어, 하정미 씨?" 이과수가 물었다.

"두 시간 정도요……." 하정미의 목소리가 기어들어 있었다.

"어디로 사라졌는지 통 연락이 안 돼." 장진수였다. 하긴 여긴 서울이고 마이애미는 무려 1만 2천 킬로미터나 떨어져 있었다. 달려갈 수도, 제이콥을 불러낼 수도 없었다.

그가 지배인 좀 어떻게 해 보라는 듯 슬쩍 이과수의 옆구리를 찔렀다. 이과수가 헛기침을 하곤 말했다.

"모텔은요?"

그 말에 다들 이과수를 쳐다봤다.

"왜 이걸 생각하지 못했지." 이구민이 달떠 말했다.

"하정미 씨, 주소록 띄워 봐." 이과수가 말했다.

제이콥은 언제든 핸드폰으로 통화가 가능했고 굳이 모텔 전화로 연락할 일이 없었다. 그 때문에 누구도 모텔로 연락할 생각을 하지 않았다. 오후 8시, 이 시간이면 마이애미는 아침이었고 일요일이라는 게 좀 걸렸다.

하정미가 엑셀파일을 가리켰다. 'Julia Motel'. 핸드폰 창의 버튼을 누르자 스피커 모드에서 신호음 가는 소리가 들렸다.

"직접 하시겠습니까?"

이과수가 지배인을 보며 물었다. 지배인이 고개를 끄덕였다. 모텔 전화는 먹통이었다. 지배인이 인상을 찌푸렸다. 장진수가 지배인 손에서 핸드폰을 빼 들곤 다시 버튼을 눌렀다. 지배인이 하정미에게 손짓을 했다. 하정미가 자리에서 일어나 벽감으로 갔다. 벽감 냉장고에는 버번과 보드카, 중국 술과 전통주가 쟁여 있었다.

장진수가 핸드폰을 귀에 대고는 고개를 흔들었다.

"다른 방법이 없을까……?" 이구민이었다. 다른 방법은 없었다. 위성을 띄우지 않는 한.

"망할 자식……."

지배인이 다시 웅얼거렸다. 조금 전 비운 버번 잔을 탁자에 굴리며 지배인이 벽의 달력을 봤다. 붉은 동그라미가 그려져 있었다. 12월 4일, 주먹 크기의 아라비아 숫자가 등짝을 후려치는 듯했다.

홍보는 제대로 된 것 같았다. 여름부터였고, 좀 서둔 느낌이 있지만 제이콥의 확답을 들은 뒤여서 별문제가 될 것 같지는 않았다. 걱정하는 목소리가 없지 않았는데, 몇 번 약속을 어긴 제이콥이 혹 일을 그르치지 않을까 하는 우려가 있었다. 지배인도 그 고민을 했다. 그나마 안심할 수 있었던 것은 이번 약속을 제이콥 스스로 했다는 것 때문이었다. 지배인의 기획에 최치영은 금융 위기 이후 그랑호텔이 다시 변혁을 맞을 것이라며 반겼고, 앞으로 그랑호텔은 주요 좌표 하나를 갖게 될 것이라며 의미 부여를 했다. 그 결실이 지금 제이콥의 손에 달려 있었다. 카운트다운은 시작됐고 시간은 거길 향해 달리고 있었다.

데이행사는 내일이었다. 21시간 뒤에는 영상 상영이었다. 채 하루가 남지 않은 시간이었다. 제이콥이 제시간에 영상을 보내만 준다면 일정은 순조로울 터였다.

"안 되겠어, 제임스."

장진수가 노트북을 하정미 쪽으로 밀며 말했다. 목소리가 굳어 있었다. 몇 번이나 수신을 확인했지만 계정은 여전히 텅 비어 있었다. 모텔이 영업을 안 하나? 그럴 리 없었다. 당연히 식구든 직원이든 있어야 했다. 더군다나 일요일이 아닌가. 마이애미의 일요일은 사람들이 들끓을 테고 모텔은 미어터질 거였다.

"어머!" 하정미였다. "이 대리님, 이거요."

그 소리에 모두 노트북 앞으로 모여들었다. 장진수가 노트북을 자기 앞으로 당겼다.

지배인이 탁자에서 굴리던 잔을 멈추곤 몸을 바로 했다. 노트북에 띄운 계정에 이메일이 들어와 있었다. 'Proud Mary', 이메일 제목이었다. 첨부파일이 있었다. 첨부파일 이름도 'Proud Mary'였다. 그러고 보니 제이콥이 영상 파일 이름을 알려 준 적은 없는 것 같았다. 굳이 그걸 궁금해할 이유도 없었고. 서로 암묵적으로 애버리지니 필름이라고 알고 있었을 뿐. 그런데 'Proud Mary'라니. 발신자는 분명 제이콥이었고 의심하고 말고 할 것도 없었다.

"제임스, 왔어."

마우스를 잡은 장진수의 손이 살짝 떨렸다. 커서가 이메일의 첨부 파일을 클릭했다. 지배인은 눈을 감았다. 입꼬리에 슬며시 미소가 그려졌다. 첨부 파일이 다운로드 되기 시작하자 다들 가벼운 탄성을 질렀다.

"수고했어, 장 선생." 지배인이 말했다. 안도하는 표정이 역력했다.

잠시 후였다. 장진수가 주뼛거리며 중얼거렸다. "이상한데……." 이번엔 시선이 장진수에게 쏠렸다.

"왜 그래, 장 선생?" 이구민이었다.

"다운로드 시간이 너무 짧아……." 장진수는 폴더를 찾아 들어갔다. 조금 전 다운받은 파일이 다른 파일들과 섞여 있었다. 파일은 중간쯤에 있었다. 'Proud Mary.mp4'. 장진수가 두리번거리며 말했다.

"용량이 너무 적은데…… 한 시간 이십 분이라고 했잖아. 제임스?" 지배인이 고개를 끄덕였다. "아무리 저용량으로 출력했다 하더라도 최소 칠백 메가에서 삼 기가는 될 텐데, 누가 손을 댔나……?"

이과수는 지배인의 얼굴을 봤다. 표정이 변하고 있었다. 뭔가 잘못된 듯했기 때문이었다.

"자네가 열어 보는 게 좋겠어, 제임스."

장진수가 노트북을 지배인 앞에다 내려놓았다. 지배인이 파일을 클릭하자 동영상 플레이어가 열리고 영상이 나왔다. 영상은 제목 없이 시작됐다.

"뭐지, 이게……?"

장진수가 말했다. 눈이 동그랬다. 순간 침묵이 흘렀고 노트북에서 흘러나오는 새된 소리가 방안을 술렁이게 했다. 하정미는 가만히 문으로 가더니 밖으로 나갔다. 이어 비명 소리가 들렸다. 지배인이 내는 소리였다. 단말마에 가까운. 이과수는 자기 눈을 의심했다.

동영상 플레이어에는 금발 백인 여자의 얼굴이 있었다. 여자의 커다란 입이 노트북 창을 가득 메우더니 화면이 바뀌었다. 흑인 남자가 금발 여자의 머리채를 잡고 피스톤질을 하는 중이었고……, 이윽고 목소리가 들렸다.

"자네가 담당이지?"

지배인의 말에 장진수의 얼굴이 굳어졌다. "이 뭣 같은 상황을 빨리 해결하자고. 물론 장진수 니가 말이야." 목소리가 낮았다. 그의 흥분은 종잡기 힘들 때가 있었다. 어떨 때는 불같은 언행으로, 어떨 때는 극도의 침착함으로 불안을 만들어 냈다. 이런 흥분이 더 위험했다.

이과수는 지배인의 핸드폰을 집었다. 장진수는 노트북을 무릎에 놓고 애먼 Proud Mary만 클릭하고 있었다. 어디든 기어들고 싶겠지. 그렇다고 이게 그의 잘못일 수는 없었다. 이과수는 허둥대는 장진수를 힐끗 보고는 핸드폰 창의 버튼을 터치했다. 신호가 갔다. 스피커 모드 때문에 그 소리가 긴장을 깨웠고 다들 별 기대 없이 그 소리에 귀를 기울였다. 발신음만 계속 이어졌다. 이과수는 끝까지 가보자는 심정으로 버텼다. 목소리가 들렸다. 전화를 받지 않는다는 소리였다. 다시 버튼을 누르자 두어 번 신호가 가고 갑자기 다른 목소리가 들렸다.

"하이, 제임스?"

제이콥이었다. 모두 어리둥절한 표정으로 서로를 봤다. 황당하다는 표정도 기쁘다는 표정도 아닌. 이과수는 재빨리 지배인에게 핸드폰을 건넸다.

"헬로우. 이봐, 제임스?" 가늘고 느린 목소리, 제이콥이 지배인을 찾고 있었다. 제이콥은 기분이 무척 좋아 보였다.

"어떻게 된 거야, 제이콥." 지배인은 침착했다. 조금 전 긴장과 불안과 초조, 흥분이 사라지고 평온을 찾은 듯했다.

"날씨가 아주 좋아. 서울은 어때, 제임스?" 제이콥이 한가하게 날씨 얘기를 하고 있었다. 지배인의 미간이 꿈틀했다.

“어디야, 제이콥?”

“맨해튼이야. 우리가 늘 가던 허드슨강이 보여.”

“너 보스턴에 있는 거 아니었어?”

“오전에 넘어왔어. 난 지금 공원을 감상하는 중이고. 첼시에 살던 팝아티스트 피터 자식이 저지로 이사 가는 바람에 자주 갔었잖아. 기억 안 나, 제임스?”

“그건 그렇고, 제이콥.” 지배인이 제이콥을 막았다. 울화를 짓누르느라 애쓰는 게 보였다.

“잘 들어, 제이콥. 난 지금 너하고 옛날얘기 지껄일 시간이 없어.”

“왜 이래, 제임스. 나도 바빴다고. 물론 비즈니스지. 모텔 일 말이야. 너도 알다시피 요즘 시원찮잖아. 이따 브루클린으로 넘어갈 거야. 근데 용건이 뭐야, 아침부터 뭔 전화를 이렇게 해 댄 거야.”

“파일이 오지 않았어, 제이콥. 애버리지니 필름이 말이야!”

지배인의 목소리가 고음으로 변했다. 이마에는 땀방울이 송송 맺혔다. 이과수가 지배인에게 손바닥을 펴 아래로 누르는 시늉을 했다.

“아, 그거.” 제이콥이 생각났다는 듯 말했다. “난 또 뭐라고. 데이브가 보냈을 텐데, 내 아들내미 데이브 말이야. 누가 보냈든 파일만 갔으면 된 거 아냐?”

“젠장, 나한테 지금 무슨 파일이 온 줄 알아? 백인년하고 흑인 자식이 붙어먹는 영상이 왔어. 데이브가 한 짓이라고.”

“이봐 제임스. 날 뭘로 보는 거야. 난 포르노 같은 거 안 봐.”

“이런 젠장.” 지배인이 부르르 떨었다. “망할, 내 말 알아들은 거야!”

“이거 심한 거 아니야, 제임스. 데이브가 그 정도로 멍청한 짓을 할 애가 아니야. 보노보 정도는 되는 애라고. 내 자식이어서 하는 말이 아니야.”

제이콥은 같은 말만 했다. 자기는 잘못이 없다고. 실수라면 데이브가 한 것이고 그것도 데이브가 착각한 것일 뿐 고의라고 할 수는 없다고. 제이콥은 마이애미에 연락해 다시 파일을 보내게 하겠다고 했다. 데이브하고 통화를 한 뒤 다시 연락을 주겠다고.

잠시 뒤였다. 핸드폰 소리가 울렸다. 제이콥이었다. 이과수는 얼른 지배인에게 핸드폰을 건넸다.

"데이븐 뭐래, 제이콥?" 지배인이 누그러져 물었다.

"걔가 자기 실수를 인정하더라고. 그래서 단단히 말해 줬으니까 염려하지 마, 제임스."

그 소리에 장진수와 이구민이 한숨 돌렸다는 듯 긴 숨을 뱉었다. 지배인이 지그시 어금니를 깨물었다.

"혼 좀 내 주지 그랬어."

"물론 혼냈지. 애비로서 당연히 할 수 있는 권리잖아." 지배인은 줄리아 모텔 전화번호를 물었다. 혹 번호가 틀렸나 싶어서였다. 아무리 전화를 해도 데이브가 받지를 않더라고. 제이콥이 모텔 전화번호를 불러줬다. 같은 번호였다.

"손님이 많을 때가 있어. 그걸 데이브 혼자 처리해. 대단하지 않아, 제임스?" 제이콥은 어디를 가더라도 데이브가 있어 믿음직스럽다고 했다. "어쨌든 좀 있어 보라고. 이번엔 데이브도 실수하지 않을 거야. 내 장담하지."

지배인이 데이브 핸드폰 번호를 알려달라고 하자 제이콥이 말했다.

"내가 알려줬다곤 하진 마. 데이브 걔도 프라이버시가 있는 애야. 그런 건 애비가 지켜줘야 하잖아."

이과수는 시간을 봤다. 자정이 20분 정도 남아 있었다. 남은 것은 또 기다리는 것뿐이었다. 핸드폰에 문자가 와 있었다. 저 먼저 가요, 이 대리님. 하정미가 퇴근을 하며 남긴 거였다. 방 구석구석에는 지금까지보다 더한 침묵이 내려앉아 있었고 한숨 소리가 들렸다.

안전팀에서 이과수를 찾고 있었다. 말썽을 부린 투숙객을 백 오피스 쪽으로 넘기겠다는 연락이었다. 이과수는 관망실로 갔다. 본관과 객실에 설치한 CCTV를 볼 수 있는 곳이었다. 늦은 시간에 가끔 술에 취한 투숙객이나 처음 온 투숙객이 동선을 벗어나 본관을 기웃거릴 때가 있었다. 객실은 몰라도 저녁 시간의 본관은 일부 통제하는 곳이 있었다.

관망실에서 돌아온 이과수는 지배인의 방문을 열며 순간 멈칫했다. 냄새 때문이었다. 버번 향과 입내 같은 게 섞인, 중년 남자들의 냄새였다. 장진수는 통화를 하고 있었다. 지배인은 버번을 홀짝였고 차영한과 이구민은 지배인 눈치를 보고 있었다.

"이봐, 꼬마 아가씨." 장진수가 답답하다는 듯 말했다. "난 데이브하고 통화를 하겠다는 소리를 하는 거야. 알아요, 꼬마 아가씨?"

무슨 상황인지 알 수 없었다. 장진수가 왜 갑자기 미국 여자아이하고 통화를 하는 것인지. 노트북 모니터의 이메일은 비어 있었다.

"이거 어쩌지, 아리아나. 전화가 왔어. 우리 나중에 통화해. 괜찮겠지, 꼬마 아가씨?" 장진수는 아이의 대답도 듣지 않은 채 재빨리 통화 대기 버튼을 누르곤 말했다.

"안녕하세요, 쉬프 선생님?"

장진수의 목소리에 다들 화들짝 놀라 몸을 곧추세웠다. 지배인은 버번 잔을 돌리다 멈추었고 차영한과 이구민은 자세를 바로 하곤 장진수 쪽으로 몸을 기울였다. 장진수가 눈을 껌벅하며 지배인에게 핸드폰을 건넸다.

"나야, 제이콥." 지배인의 목소리가 좀 지쳐있었다. "데이브가 전화를 안 받아. 아니 웬 여자애가 데이브 핸드폰을 가지고 있어."

"아 걔, 데이브 친구야. 아리아나라고 옆집 사는데 종종 같이 노는 모양이야. 데이브 걔가 좀 느려터져 그런 거니까 염려 마, 제임스."

"제이콥 니가 한 번 더 다그쳐 줘야겠어."

"그러지 뭐. 그리고 난 브루클린으로 넘어갈 거야. 그쪽에다 호텔을 잡아놨거든."

†

새벽 세 시, 전투는 시작도 하지 않았는데 벌써 패잔병이 된 기분이었다. 노트북의 빈 스위스 계정이 새벽 공기처럼 찼다. 핸드폰을 쥔 장진수는 그 상태에서 졸다 깨기를 반복했다. 차영한과 이구민이 옆에서 게슴츠레한 눈으로 졸았다. 지배인은 버번을 홀짝이다가는 잔이 비면 탁자에 굴렀다.

데이브도 그렇고 이젠 제이콥까지 불통이었다. 문자 메시지에도 답이 없었다. 줄리아 모텔 전화는 한번은 통화 중이 걸리더니 다시 먹통이었다. 방 안의 남자들이 부쩍 늙어 보였다.

날이 밝도록 제이콥하고 데이브는 연락이 되지 않았다. 이웃집 아리아나가 아쉬울 정도였다.

이과수는 창밖을 봤다. 시간은 멈출 줄을 몰랐다. 시민박명이 시작되고 있었고 인왕산의 공지선이 보다 선명했다. 남산의 탑에서 반짝이는 불빛이 오늘따라 생각이 없어 보였다. 제이콥을 너무 믿은 게 아닌지, 후회하기엔 늦었고 시간을 되돌릴 수도 없었다. 모든 게 촉박했다. 장진수의 손에는 핸드폰이 껌딱지처럼 붙어 있었다. 할 일이라고는 그것뿐이라는 듯. 영상 상영 8시간 30분 전, 시간을 확인하고 나자 진짜 큰일이란 생각이 들었다.

이과수가 장진수의 손에서 핸드폰을 빼내며 말했다.

"눈 좀 붙이세요, 교수님."

장진수가 알았다는 듯 한숨을 쉬곤 소파에 기대며 눈을 감았다. 이과수는 핸드폰의 버튼을 눌렀다. 데이브는 받지 않았다. 이번에는 줄리아 모텔 번호를 눌렀다.

"헬로우, 여긴 줄리아 모텔이야."

목소리가 들렸다. 머릿속이 한순간에 찬물로 채워지는 듯했다. 남자였다. 굵지만 어린 티가 났다. 직감이었다. 데이브 같았다. 아니 데이브였다.

"하이, 데이브."

이과수는 자기도 모르게 흥분을 했다. 지배인이 튕기듯 자리에서 몸을 일으켰고 졸던 장진수와 차영한, 이구민이 놀란 듯 이과수 쪽으로 다가왔다.

"너 누구야?" 데이브가 소리치듯 물었다. 쌩쌩했다.

"난 아빠 친구야, 데이브. 아빠가 너한테 전화하라고 했거든."

"그런데?"

"파일 알지, 데이브? 아빠가 이메일로 보내주라고 한 영상파일."

"너 백인 아니지?"

"미안 데이브. 백인이 아니어서. 난 이과수라고 해. 여긴 코리아야, 사우스코리아."

"오우, 김정은!"

"아니야, 데이브. 김정은은 노스코리아고 난 사우스코리아야."

"난 김정은만 알아."

"좋아, 데이브. 그런데 말이야. 이젠 내 얘기를 좀 하고 싶은데 어떻게 생각해, 데이브?"

"그건 니 자유지. 좋을 대로 해."

"고마워, 데이브. 영상 알지. 내 말은 데이브 니가 영상 파일을 좀 보내 줬으면 해. 아빠도 급하다고 했을 거야."

갑자기 전화가 끊겼다. 뚜뚜뚜뚜, 머리가 하얘졌다.

"미친……!" 지배인이 소리쳤다. 이과수는 다시 버튼을 눌렀다. 불통이었다. 또 버튼을 눌렀고 그렇게 서너 번, 그제야 데이브가 전화를 받았다.

"미안, 코리안. 손님이 왔어."

"바쁘구나, 데이브?"

데이브가 또 전화를 끊었다. 정말 바쁜 것 같았다. 마이애미는 휴일이었고 퇴실하는 손님과 입실하는 손님이 적지 않을 터였다.

잠시 뒤 이과수는 다시 전화를 했다. 불통이었다. 제이콥에게 연락을 했다. 마찬가지였다. 또 초조해지고 있었다. 시계를 봤다. 벽시계의 분침이 초침 같았다. 출근을 했는지 밖에서 하정미의 목소리가 들렸다.

이과수는 콘티의 일부를 수정했다. 객실에서 내려온 투숙객들이 이동할 경로였다. 데이행사가 열리는 홀은 행사와 관련한 프라이빗 투숙객들만 출입할 수 있는 곳이었고, 본관의 구식 구조 때문에 지하 홀로 가기 위해선 1층에서 3층으로 올라가 전용 승강기를 타야 했다.

목소리가 들렸다. 이어폰에서 나는 소리였다. 주변 소음 때문에 잘 들리지 않았다. 이과수는 이어폰을 밀어 넣듯 눌렀다. 1층 로비 책임자였다. 투숙객들의 이동 경로에 대한 보고였다. 본관 지하 홀에 있는 영상 상영장과 객실 1층으로 이어지는 궁륭 통로에 관한 것이었다. 인포메이션 데스크 앞에는 안내문을 세워놓았고, 일부 내용은 바뀐 것으로 대체한 모양이었다. 안내문과는 별도로 안전팀에겐 별도의 내용이 전달됐다. 초청 투숙객의 지하층 출입을 일시 통제할 것.

핸드폰 소리였다. 하정미였다.

"지배인님이 찾으세요, 이 대리님."

알았다고 하곤 이과수는 인포메이션 데스크 앞에서 걸음을 멈추었다. 프런트 데스크에 있어야 할 이한별이 여기 와 있었다.

"몇 명이야?"

이과수가 턱으로 남자 직원들을 가리켰다. 혹시나 해서 물은 건데 지시대로 배치된 것 같았다. 궁륭과 이어지는 로비 쪽에는 안전팀이 있었고 그들의 행동반경은 4, 5미터를 넘지 않았다. 이어폰을 착용하고 있어서 투숙객들의 시선을 고려해 행동을 자제할 필요가 있었고 챙겨야 할 게 한둘이 아니었다. 매 순간이 살얼음판이었다.

†

호박죽 한 그릇을 비운 이청은 홍차를 마시며 소식지를 펼쳐 들었다.

데일리 그랑.

그랑호텔 소식지였다. 타블로이드판 소식지는 영문판과 한국어판 두 종이 있었다. 자체 발행 조간 소식지이지만 일간이어서 시중의 종합일간지와 별 차이가 없었다. 야 3당이 탄핵소추 단일안을 완성해 9일 처리하기로 합의했다는 기사가 1면에 실려 있었다. 국정 감사 마지막 날과 겹쳤고 원내대표끼리 제1야당 대표실에서 모이기로 한 모양이었다. 오른쪽 상자에는 오늘이 그랑호텔 창사 기념일이라는 기사가 있었다. 제목이 특이했다.

'영혼에 투자하라!'

2면에는 '오늘의 소사'가 있었다. 1909년 12월 4일 친일단체 일진회가 소네 아라스케 통감과 순종, 이완용 총리대신에게 대한제국의 일본 합방을 원한다는 청원서를 제출했다는 내용이었다. 옆의 상자기사에는 사진이 있었다. 이청은 눈이 휘둥그레졌다. 자기 얼굴이었다. 호텔 로비에서 여직원과 이야기를 나눌 때의 모습이었다.

시인 이청 선생이 어제 그랑호텔에 투숙했다. 이청 선생은 통일과 우주를 주제로 작품 활동을 해 왔고 산문시의 대가로 알려져 있다. 대표작으로 〈그림자들의 거리〉와 〈향기가 말을 걸 때〉라는 시가 있으며, 이청 선생의 투숙 비용은 호텔 측이 전액 부담했다. 이청 선생은 초청해 준 그랑호텔에 감사드린다며 오랜 전통을 가지고 있는 데이행사를 경축한다고 말했다.

이청은 홍차 잔을 내려놓았다. 인터뷰라니! 백지우의 불편한 체크아웃과 만찬장에서 본 최치영의 낯섦 때문에 잠을 설쳤는데, 거기다 투숙객들의 모습은 또 어떻고. 그리고 무엇보다 그랑호텔과 관련해 이야기를 나눈 사람은 헤이리에 사는 이한일과 이혜숙 부부가 전부였다. 그랑호텔에 갈 거라는 이청을 말린 사람이 그 둘이었다. 괜히 구설만 만들 거라며 염려했는데 최치영 선배의 부탁이라고 하자 둘이 난감해했다. 이걸 어디다 항의를 해야 하는지……, 이청은 무슨 오물을 뒤집어쓴 것 같은 기분을 느끼며 홍차로 입가심을 했다.

지배인은 제이콥하고 통화를 하고 있었다. 차영한하고 이구민은 보이지 않았다. 행사장을 둘러보러 간 것 같은데 길이 엇갈린 듯했다.

"이거 사람이 잠을 잘 수가 없잖아, 제임스."

제이콥의 목소리였다. 핸드폰이 스피커 모드였고 목소리에는 짜증이 묻어 있었다. 제이콥은 이렇듯 엄청나게 많은 핸드폰 벨 소리를 들어 본 건 태어나 처음이며, 그 소리가 테라핀 포인트에서 듣는 나이아가라 폭포 소리 같다며 마구 떠드는 중이었다. 제이콥은 이 트라우마를 뭘로 책임질 거냐며 소리 질렀다. 이해는 갔다. 그 역시 하루 종일 일하다 이제야 호텔에 들어와 쉬는 중일 터였다.

제이콥의 푸념을 듣고 난 지배인이 지그시 어금니를 물며 말했다.

"모텔은 장사를 하는 거야, 안 하는 거야, 제이콥?" 별렀다는 듯. "데이브는 먹통이고 영상 파일은 어디로 사라졌는지 그림자도 볼 수 없고……."

영상파일 소리에 제이콥이 멈칫했다.

"아직 안 온 거야……?"

"여태 뭔 소릴 들은 거야. 달래든 협박을 하든 당장 해결해, 제이콥."

"데이브는 마이애미에 있고 난 보스턴이라고. 더 이상 나더러 뭘 어쩌라는 거야?"

"지금 보스턴이라고 했어, 제이콥?" 지배인이 버럭 소리를 질렀다. 이과수가 지배인에게 진정하라는 손짓을 했다.

"내 프라이빗까지 알려고 하지 마, 제임스. 지킬 건 지켜줘야지." 제이콥이 씩씩거렸다. "그리고 걘 밤에 안 자. 게임에 미친 애거든."

"내 말 잘 들어, 제이콥. 난 그냥 투자를 한 게 아니야. 헛수고 같은 거 안 한다는 소리야. 알아?" 지배인의 목소리에서 살기가 느껴졌다.

"너도 이건 알아야 해. 니 직원 이과수 씨를 봐서 나도 여기까지 온 거야. 이 말 흘려듣지 말라고, 제임스. 나도 할 만큼 했다는 소리야."

지배인이 으르렁거렸다. "난 영혼을 긁어내 이 일을 하고 있는 거야, 제이콥……!" 단호했다. 그 소리에 제이콥이 조용해졌다.

오후 2시, 아직 진전된 것은 아무것도 없었다. 끔찍했다. 왜 데이브는 전화를 받지 않는 것일까. 손님이 있는 주말, 그것도 저녁 시간 내내 통화가 안 되는 모텔이라니. 버젓이 통화까지 했는데…….

†

투숙객들이 본관 승강기 앞에 모여 있었다. 그 때문에 업무팀이 애를 먹은 모양이었다. 시간을 좀 늦추라는 지시가 있었지만 일찌감치 투숙객이 몰리는 바람에 미처 막지 못한 듯했다. 건물 구조 때문에 3층까지 올라가 새 승강기를 타야 하는 일은 이만저만 번거로운 동선이 아니었다. 그게 객실 로비에서 궁륭을 통해 건너온 투숙객과 본관 커피숍에서 나온 투숙객들을 섞이게 했다.

입장 절차를 좀 간소화할 필요가 있었다. 직원들은 미리 배부한 안내문을 확인하는 것으로 입장 절차를 끝냈고 홀에선 차영한과 이구민이 직접 행사 점검을 했다.

†

"너 누구야?"

지배인의 핸드폰에서 나는 소리였다. 스피커 모드를 통해 들려온 데이브의 목소리가 여전히 쌩쌩했다. 갑작스런 통화 때문인지 지배인이 당황을 했다. 목소리는 무슨 기적처럼 느껴졌다. 장진수는 주먹을 불끈 쥐었고 이과수는 지배인 곁에 붙어 섰다.

"난 제임스라고 해, 데이브. 네 아빠 친구고. 너 데이브 맞지?"

"응. 난 데이브야. 그래서?" 데이브의 목소리가 심드렁했다. 뭘 하고 있는 모양이었다. "빨리 말해, 나 지금 바빠."

"젠장, 데이브 니가 보냈다는 이메일이 왜 그따위인지 말해 줄래?" 지배인이 다짜고짜 목소리를 높였다.

"어! 너 지금 나한테 염병이라고 했어?" 데이브의 목소리가 올라갔다.

"염병이 아니라 젠장이라고 한 거야, 데이브."

"그게 그거잖아. 씨발."

"이런 젠장……." 지배인이 부르르 손을 떨었다. 이과수는 지배인 손에서 가만히 핸드폰을 빼냈다. 지배인이 순순히 응했다.

"하이, 데이브." 이과수는 될 수 있으면 천천히 말했다. "난 이과수라고 해. 어제 통화한 코리안. 기억하지 데이브?"

"하이, 코리안. 아까 그 사람도 코리안이야?"

"아빠하고 뉴욕대에서 같이 공부한 친구야. 하지만 나는 아니야. 난 너하고 잠깐 얘기만 할 거야. 니가 바쁘다는 거 나도 알아. 사람은 다 바빠. 그러니까 우리는 서로 바쁜 중에 뭔가를 해야 하는 거지."

"하지만 넌 내가 바쁘다는 걸 잊으면 안 돼. 난 지금 모뉴먼트 밸리에 빠져 있거든." 데이브가 자랑스레 말했다. 게임을 한다는 소리 같았다. 왠지 데이브하고 얘기가 풀리는 기분이었다.

"훌륭해, 데이브. 이젠 내 얘기를 좀 할게. 괜찮겠지?"

"좋을 대로 해."

"아빠가 보내주라고 한 이메일 알지? 영상 파일 말이야. 아직 그게 오지 않았어.

어제는 니가 실수하는 바람에 포르노가 왔고. 니가 즐겨 보는 영상물이라는 건 알겠는데 나한테까지 강요하지는 말았으면 좋겠어. 어때, 데이브?"

"사실 난 포르노를 좋아하는 편이 아니야. 아빠가 가끔 그걸 봐. 그런데 내 폴더에 그게 들어 있을 게 뭐야. 그리고 코리안, 그거 보냈어."

"알아 데이브. 하지만 너도 알다시피 난 지금 이메일 계정을 보고 있는 중이야. 니가 보낸 프라우드 메리 외에 도착한 파일은 없어. 그러니까 난 지금 니가 보냈다는 파일이 도착하지 않았다는 걸 내 눈으로 똑똑히 보고 있는 중이란 거지."

"내 방식으로 보낸 것뿐이야. 오후 네 시에 파일이 도착하도록 예약을 걸어놨어. 아주 정확하게. 난 분명한 걸 좋아하거든." 이럴 줄 알았어 어쩌고 하는 지배인의 목소리가 들렸다.

"어때, 과학적이지?" 데이브의 목소리가 당당했다.

4시라니. 알고 보니 지배인과 제이콥 간의 소통에서 생긴 문제인 듯했다. 4시는 영상 파일이 도착해야 할 시간이 아니라 영상을 상영할 시간이었다. 지배인이 4시에 영상 상영이라고 말한 걸 제이콥이 4시까지 보내면 된다는 소리로 알아들은 것이다. 데이브가 잘못한 것은 없었다.

이과수는 작은 숨을 내쉬었고 지배인과 장진수가 동시에 고개를 저었다. 지배인의 얼굴이 벌겋게 달아 있었다. 갑작스레 문이 열렸다. 이구민이었다. 밭은 숨을 쉬고 있었다.

"시간 다 됐어, 장 선생."

장진수가 조용히 하라는 시늉을 했다. 그제야 분위기를 안 이구민이 가만히 자리에 앉았다.

"이봐, 데이브. 우린 통하는 데가 있는 거 같아." 이과수는 일부러 목소리를 낮췄다. "지금부터 난 널 친구로 생각할 거야. 어때?"

"좋아, 코리안."

"우리가 친구가 되면 난 너를 위해 마이애미에 가야 할지도 몰라. 선물을 준비할 거거든. 그래도 돼, 데이브?"

"오우, 환영할 게 코리안. 하지만 포르노를 보여 달라곤 하지 마."

"제, 젠장. 뭔 개소리들을 하고 있는 거야!"

지배인이 말을 더듬었다. 인내심이 폭발하고 있었다. 핸드폰을 가리키며 이과수가 똑바로 지배인을 봤다. 지배인이 뭐야,하는 표정으로 이과수를 봤다.

"그만하시죠, 지배인님."

차가웠다. 항의이자 경고였다. 가끔 이럴 때가 있었다. 이때의 이과수는 전혀 다른 사람이 됐다. 지배인이 멈칫했다. 멍한 표정으로 이과수를 쳐다봤고 장진수와 이구민이 어쩔 줄 모르겠다는 듯 이과수를 향해 찡긋했다.

"넌 친절한 미국인이야, 데이브." 이과수의 목소리가 부드러웠다.

"난 친절하다는 소리를 종종 듣는 편이야." 데이브가 우쭐했다.

"그래서 말인데, 난 데이브 니가 예약을 풀고 파일을 전송해 줬으면 해. 물론 아빠가 보내주라고 한 영상 파일이 맞는지 확인을 한 뒤 말이야."

지배인이 다른 핸드폰을 집어 들었다. 송신음이 들리고 한참을 지나도 전화를 받지 않자 반복해 버튼을 눌렀다. 지배인의 목소리가 갑자기 올라갔다.

"야, 제이콥!"

목소리에 반가움과 화가 섞여 있었다. 다행히 지배인은 말을 더듬지 않았다. 이과수는 지배인의 통화 내용에 귀를 기울였다. 그 때문에 잠시 사이가 생겼고 저쪽에서 데이브의 목소리가 들렸다.

"어, 뭐야. 코리안?"

"아니야, 데이브. 너한테 어떤 좋은 말을 해 줄까 생각하느라 잠시 틈이 생긴 것뿐이야."

"난 좋아, 코리안. 니가 날 편하게 해 주고 있어."

"제이콥, 니 아들내미 데이브 말이야."

이과수와 지배인의 목소리가 섞여 방 안이 혼잡했다. 스피커 모드에서 흘러나오는 데이브의 목소리에 제이콥의 통화 소리가 섞여 들렸다. 이과수는 일부러 스피커 모드를 유지했다. 지배인이 이 상황을 아는 게 좋을 것 같았다.

"데이브, 너 협상 좋아해?"

"당근이지, 코리안. 하지만 긴 협상은 질색이야. 지루하거든."

"니가 데이브한테 네 시라고 그랬어, 제이콥? 데이브가 그러던데 네 시라고." 지배인의 말에 제이콥이 버럭 목소리를 높였다.

“제임스 니가 그랬잖아! 말했지만, 걔가 좀 멍청한 데가 있긴 해도 보노보보단 나은 애라니까. 시간관념 하나는 철저한 애라고.”

“데이브, 지금부터 난 너하고 아주 짧은 협상을 할 거야. 게임처럼. 어때 재밌겠지?”

“그래 좋아, 코리안!” 게임이란 말 때문인지 데이브가 신이 나 말했다. 얼굴을 마주한 느낌이었다.

“어, 어제는 보노보 정도 된다더니 지금은 보, 보노보보다 낫다고?” 지배인이 말을 더듬었다.

“그게 그거지 뭐.”

“그, 그게 그거라니. 보노보 정도 되는 거하고 보, 보노보보다 나은 거하고는 차이가 커. 제이콥 니가 시킨 일을 제대로 할지 가늠할 수 있는 처 척도가 되기 때문이야. 데이브가 보낸 파일이 포, 포르노였잖아. 안 그래, 제이콥?”

“보노보는 아이큐가 백이십이에요. 침팬지는 팔십이고요.” 하정미가 소곤거렸다.

“그럼 데이브는 머리가 엄청 좋은 거네.” 장진수였다.

“몇 가지 확인만 할게, 데이브.”

“뭔데, 코리안?”

“파일 가지고 있는 거 맞지? 예약을 걸어놨다는 말도 사실이고?”

“물론이지.”

“그럼 예약을 푸는 법도 알고 있겠네?”

“당근이지, 코리안.”

“똑똑해, 데이브. 너 같은 친구를 두게 돼 기뻐. 그래서 말인데, 니가 파일 전송 예약을 푸는 걸 보여 주면 안 될까?”

“왜, 코리안?” 데이브가 멈칫했다.

“난 그걸 모르거든. 너한테 배우고 싶어. 그러면 나는 너를 통해 새로운 지식을 얻게 되는 거야. 어때, 데이브?”

“어, 괜찮은데.”

장진수가 초조한 듯 핸드폰의 시계를 봤다. 사전 행사는 장진수가 진행하게 돼 있었고 이미 시간이 임박해 있었다.

†

승강기 앞이었다. 이청이 버튼을 누르려는데 직원 둘이 급하게 뛰어왔다. 직원 한 사람이 대신 버튼을 눌렀다. 이청은 얼떨결에 승강기에 올랐다.

어제 그 만찬장이었다. 이청이 내리자 새 직원이 다른 승강기로 이청을 안내했다. 승강기 안에는 흰 제복을 입은 여직원이 있었다.

"데이행사에 오신 것을 환영합니다." 목소리가 밝았다. "투숙객님께서는 그랑호텔 설립 기념 데이행사에 초청받으셨습니다. 즐겁고 보람 있는 시간이 되시길 바라며 가실 곳은 지하 홀입니다. 그랑호텔 투숙객 모두에게 행운이 있기를 지배인님의 이름으로 기원드립니다."

누군가 적어 준 문구를 읽는 것 같았다. 승강기는 층수를 지정하지 않았는데도 알아서 지하까지 내려갔다. 문이 열리자 홀이 보였다.

"즐거운 시간 되시길 바랍니다, 투숙객님."

여직원이 인사를 했다. 이청을 발견한 직원 한 사람이 저쪽에서 잰걸음으로 오더니 급하게 자리로 안내했다.

"고마워, 데이브." 진심이었다.

"날 믿으라니까, 코리안." 데이브가 말했다. 믿음직스러웠다.

"이제 하는 얘기지만 난 알고 있었어. 넌 누굴 실망하게 하거나 그러는 사람이 아니야. 난 처음부터 그 생각을 하고 있었던 것 같아, 데이브."

"난 누군가를 실망시키는 스타일이 아니야, 코리안."

"자, 시작하자고 데이브."

"장진수 교수님. 어디 계십니까?" 이과수의 워키토키에서 나는 소리였다. 업무팀 직원이었다. 이과수가 하정미에게 턱 짓을 했다.

"무슨 일이죠?" 하정미가 워키토키에 대고 말했다.

"행사 십 분 전입니다. 장진수 선생님이 오지 않으셔서요."

하정미가 장진수를 쳐다봤다.

"가야겠어, 제임스." 장진수가 말했다. 지배인은 제이콥하고 통화하느라 장진수의 말을 듣지 못한 것 같았다.

"단단히 야단 좀 치라고, 제이콥. 지금 이 대리가 통화하는 중인데 한가하게 게임 얘기나 하고 있다고. 데이브가 내 피를 말리고 있어. 아들내미 교육을 어떻게 시킨 건지 모르겠지만……, 뭐가 심하다는 건데?"

"제임스, 갈게."

장진수가 다시 말했다. 그제야 장진수를 본 지배인이 말했다. "몇 분 남았지? 아 아니, 제이콥 너한테 한 말이 아니야."

"십오 분 남았습니다. 지배인님." 하정미였다.

"시간을 최대한 벌자고, 제임스. 내가 시간을 끌게." 장진수가 지배인과 이구민을 번갈아 보며 말했다. "제임스도 인사말 할 때 좀 끌어 줘. 상황에 따라 달라지겠지만 파일이 도착하면 이 대리가 빨리 신호를 주고. 그때 끊고 다음 순서를 진행하면 되니까. 제임스 앞에 이 대리 약사 소개가 있으니까 여유가 좀 있기는 하네."

장진수가 방을 나가면서 이구민과 이과수에게 엄지손가락을 세워 보였다.

"하지만 데이브. 이건 지켜줬으면 해."

"뭔데, 코리안?"

"핸드폰은 끊으면 안 돼. 왜냐하면 니가 예약을 풀고 파일을 보내는 걸 내게 말해줘야 하니까. 마이애미하고 애리조나 경기를 중계하는 거처럼 말이야. 어때, 데이브?"

"와우, 죽이는데."

"자 그럼 시작하자고. 마우스를 움직여 이메일 계정을 열어, 데이브. 아니 데이브 넌 벌써 그걸 하고 있는 중인지도 몰라, 그렇지?"

"마우스를 잡았어, 코리안. 이 정도는 식은 죽 먹기야."

"훌륭해, 데이브."

"나한테 훌륭하다는 말을 해 준 사람은 코리안 니가 처음이야."

"무슨 소리야, 데이브. 어떤 멍청이들이 그런 짓을 하는 거야."

"아빠도 그런 적 없어."

"내 말이 진심이라는 거 알지, 데이브? 그러니까 우리는 우리 일이나 계속하자고. 그리고 내게 알려 줘, 데이브 니가 뭘 하는 중인지. 그런데 파일 이름이 뭐야, 데이브?"

"프라우드 메리."

"그건 니가 잘못 보낸 파일이고."

"그건 엠펙이고 이건 엠케이브이야."

홀이 어수선했다. 동선을 잘못 찾아 늦게 입장한 투숙객들이 있었다. 홀은 흔히 볼 수 있는 극장 구조가 아니었다. 정면에는 커다란 영사막이 걸려 있었고 홀을 원탁이 가득 채우고 있었다. 원탁에는 네댓 정도의 사람들이 자리를 하고 있었는데 두세 명이 앉은 곳도 있었다.

이청의 원탁에는 네 사람이 앉아 있었다. 한 사람은 여자였고 그중 한 사람은 특이한 복장을 하고 있었는데, 지배인이란 사람이 입고 있는 연미복 비슷한 옷을 그는 좀 불편한 듯 걸치고 있었다. 그러고 보니 그런 사람이 한둘이 아니었다. 연미복 중 한 사람이 이청에게 말했다.

"소식지에서 선생님 소식을 읽었습니다." 그러시군요,라고 이청이 말했다.

"어머, 이분이 이청 선생님이셨군요." 맞은편의 여자였다. "영광이에요, 선생님."

"이청 선생님 소설 읽어 봤어?" 연미복 남자의 말에 여자가 웃었다. "이청 선생님은 시인이세요."

이청은 앞에 놓인 소책자로 눈을 가져갔다. 행사와 관련한 자료집이었다.

장진수는 핸드폰의 시간을 봤다.

16 : 15.

초조했다. 예정된 행사 시간은 이미 지나 있었고, 뒤늦게 입장한 투숙객들이 자리를 찾느라 부산하게 움직였다. 그들이 고맙게 느껴졌다.

파일은 아직 소식이 없는 모양이었다. 행사 일정대로라면 이 시간에는 이 대리가 호텔 약사를 읽고 있어야 하지만 예정대로 순서를 진행하는 건 이젠 불가능했다. 약사 다음은 최치영의 축사였다. 장진수는 업무팀 직원을 불렀다.

장진수의 지시를 받은 직원이 최치영에게 무언가 말을 하고 있었다. 잠시 뒤 최치영이 업무팀 직원을 따라 연단으로 올라갔다. 손은 예의 지팡이를 쥐고 있었고 조명 때문에 그의 흰옷과 백발이 환하게 빛이 났다. 사회를 맡은 직원이 말했다.

"우리 시대의 지성이자 그랑호텔 대표 고문이신 최치영 선생님께서 축사를 해 주시겠습니다. 투숙객 여러분, 큰 박수로 환영해 주시기 바랍니다."

투숙객들이 박수를 쳤다. 연단에 오른 최치영이 마이크를 매만졌다. 영사막 화면이 그의 상반신으로 채워졌다.

"반갑습니다. 객실의 난방은 충분한 게요?"

최치영이 농담을 하자 투숙객들이 합창하듯 네,하고 대답했다. 누군가 큰 소리로 웃었고 그 소리에 다들 따라 웃었다. "드리고 싶은 말씀은……." 최치영이 검지를 세우곤 투숙객들을 둘러봤다. "우리는 왜 여기에 온 것일까요?" 그가 말을 멈추었다. 홀이 순간 조용해졌다.

"이 시대는 새 길을 가리키고 있습니다. 무엇이 우리에게 그 확신을 준 것일까요?" 최치영이 팔을 뻗어 영사막을 가리켰다. "저기에 답이 있을 것입니다. 그 답을 나누기 위해 우리는 오랜 시간 기다려 왔습니다. 이 시간을 위해 우리는 함께 했고 희생했으며 그 목격자이자 증인이 바로 여러분, 투숙객들이오!"

박수 소리가 세찼다. 분위기가 고조되고 있었다. 최치영 특유의 화법이 투숙객들의 주의를 빨아들이고 있었다. 사회자가 투숙객들을 진정시킨 뒤에야 박수 소리가 멈췄다. 장진수는 다행이다 싶었다. 뒤의 다른 일정은 어떻게 되든 상관없었다. 되도록 최치영이 길게 연설을 하다가 영상 파일이 도착하면 그때 간략하게 진행해도 될 터였다.

"우리가 목격할 것이 무엇인지 생각해 봤습니까?" 최치영의 목소리가 갑자기 낮아졌다. "이 목격은 미래의 불안에 대한 목마름이자 절규와 다르지 않아요. 나약한 인간의 자기 고백이기도 하며 혼돈에 대한 자기 위안과도 다르지 않지요. 하지만 이제 불안해하지 않아도 됩니다. 이 자리 이후 자신의 삶을 사랑하게 될 것이며 운명이란 단어가 우리와 상관없다는 것을 확인하게 될 것이기 때문이지요. 우리의 영혼은 고독하지 않으며 불꽃은 꺼지지 않을 것이다, 이 얘기요."

최치영이 말을 멈추자 다시 우레와 같은 박수 소리가 울렸다. 그가 손을 들어 진정시켰다.

"이미 누군가 간 길을 우리는 걸어가면 됩니다. 당당하고 안전하게. 영혼은 꿈이 아닙니다. 지난 인류의 소망이 그것이었고 투숙객 여러분과 저의 소망이기도 하니까요. 우리는 서로의 영혼을 응시하고 확인하게 될 것이며 모든 영혼이 그 자리에서 합창을 하게 될 것입니다. 그리하여 영혼은 먼 데 있는 것이 아니며 이곳에서 우리와 함께 숨 쉬는 친구라는 것을 알게 될 것입니다. 비로소 자신의 영혼을 손으로 느끼고 가슴에 담는 체험을 하게 될 것이며 이 감흥은 영원히 사라지지 않을 것입니다. 우리가 거둔 삶과 풍요가 이와 같다면 우리는 굳이 죽음을 기억할 필요가 없지요. 죽음은 존재하지 않으며 불멸이 우리의 미래를 보장할 것이기 때문입니다. 물론 이것은 지극히 현실적이며 가능할 뿐 아니라 심지어 과학적이기도 합니다."

최치영이 틈을 뒀다 외쳤다. 마치 구호처럼.

"카르페 디엠!"

그러자 투숙객들이 따라 했다. "카르페 디엠!" 최치영이 투숙객들을 둘러봤다. 조용했다. 몰입을 해 그런지 이번에는 박수를 치지도 환호를 지르지도 않았다. 자기 일을 잊은 사람들처럼.

"…… 부디 여러분은 오늘을 즐기는 어리석음에 빠지지 않기를! 이 얘기는 불멸과 관련이 있기 때문입니다. 당장을 생각하는 사람에게 누가 미래를 선물하겠습니까. 이걸 아는 영혼만이 자신의 몸을 깨울 수 있습니다. 그러므로 과거도 오늘도 미래도 여러분의 것이며 시공간 모두가 즐거움으로 가득 찰 것입니다. 여러분은 지루해하고 있어요. 소유 역시 지쳤소. 소유 너머를 볼 수 없기 때문이지요. 오늘 여러분의 영혼은 그걸 목격하고 미래 역시 보장받게 될 것입니다. 이것이 그랑호텔의 보답이오."

박수 소리에 최치영이 잠시 말을 멈추었다. 최치영은 제지하지 않았다. 박수를 즐기는 듯했고 제풀에 박수 소리가 잦아들고 나서야 천천히 입을 열었다.

"나는 이분의 선대와 함께 호텔을 지켜 온 사람이오. 그분의 노력과 후원없이 데이행사는 물론 우리의 노력은 존재할 수 없었을 것입니다. 그랑호텔의 오랜 전통이지요. 여기 계신 분들은 다 다르지만 섞여 살고 있어요. 오로지 이유는 하나, 같은 꿈을 꾸며 같은 길을 걷는 동지들이기 때문입니다. 이들이야말로 진정한 이 시대의 주인이자 선구자들이 아니겠습니까!"

터지듯 박수 소리가 들리고 아까처럼 소란스러웠다. 이청은 이 풍경을 무의식 속에서처럼 보고 있었다. 최치영의 언변과 투숙객들의 반응은 낯설었고 행사의 성격과 내용을 가늠하기가 힘들었다. 지금 이 사람들은 무엇을 하고 있는 것일까, 아니 무슨 말을 하고 있는 것일까?

최치영의 축사는 거기서 끝났다. 계속 이을 것 같더니, 불쑥 멈추곤 투숙객들을 둘러보고 있었다. 그와 상관없이 투숙객들의 반응은 뜨거웠다. 화면은 최치영과 투숙객들 그리고 박수를 치는 손을 번갈아 보여줬다. 최치영이 손을 흔들곤 자리로 돌아갈 때까지 박수 소리와 휘파람 소리가 멈추지 않았다. 장진수는 그 소리가 멈출 때까지 기다렸다.

어느 정도 박수가 잦아들었을 때였다. 장진수가 사회자에게 손짓을 했다. 자기가 올라가겠다는 표시였다.

사회자가 말했다.

"이분은 오늘을 위해 호텔과 함께 수년간 전력을 다해 오셨고, 잠시 후 상영할 영상 감상에 도움이 될 말씀을 해 주실 분입니다. 그랑호텔의 자문위원이시자 영화이론가 겸 영화학 교수이신 장진수 선생님을 모시겠습니다."

연단에 오른 장진수는 눈을 감았다. 박수 소리가 들리자 장진수는 잠시 그대로 서 있었다. 홀 안이 조용해졌다.

"소개할 사람이 있습니다."

투숙객들을 둘러보며 장진수가 말했다. "케빈 슈라이버 교수라는 분입니다. 이분이 아니었다면 오늘 영상의 의미는 퇴색했을 것입니다. 케빈 슈라이버 교수에 대해 이처럼 각별한 예를 표하는 것은 그분에게 빚을 졌기 때문입니다. 영상을 본 적이 없는 제가 이 원고를 만들 수 있었던 것은 그분의 저술 덕입니다. 어렵게 케빈 슈라이버 교수의 노트를 제공해 주신 지배인님께 감사드리며, 함께 저는 두 가지에 주목했습니다." 투숙객들이 집중을 했다. 곧 상영할 영상과 관련된 얘기였기 때문이었다.

이청은 자료집을 펼쳤다. 장진수의 글이 있었다. 영화사와 경제사를 뒤섞은 듯

한 글이었는데 프랑스 영화 얘기가 있었다. 제목이 〈마터스〉였는데, 이청은 그런 영화가 있는지도 몰랐다.

> ……〈마터스〉가 다큐멘터리를 모방한 것이 사실이라면, 우리는 이미 경험(모방을 경험한 것에 불과하지만)한 것인지도 모른다. 그러나 추측은 금물이다. 자칫 엉뚱한 상상의 대가를 우리가 치러야 할 수도 있기 때문이다.

무슨 말을 하기 위해 쓴 글일까? 영화에 대한 상식이 없어서일 수 있지만 이청은 글의 주제가 왠지 잘 들어오지 않았다. 영상이 다큐멘터리 성격의 장편이라는 부연 설명과 프랑스 영화가 오늘 상영할 영상을 모방해 제작한 것 같다는 얘기가 적혀 있었는데, 그게 오늘 영상과 무슨 관계란 것인지 왜 모방을 한 것인지 적혀 있지 않았다.

"안녕하세요, 선생님." 이청은 자료집을 읽다가 고개를 들었다. 웬 남자였다.

"고찬수라고 합니다, 선생님. 친구와 선생님께 인사를 드리려고 왔습니다."

이청은 남자 둘을 번갈아 봤다. 그의 옆에서 남자가 인사를 했다. 고찬수는 이청의 시를 즐겨 읽는 독자이며 아내가 얼마 전에 새로 시집을 샀다는 말을 했다.

"소식지에서 선생님이 행사에 오셨다는 걸 알았습니다. 혹 알고 계신지요, 선생님?"

"뭘 말씀인지요?" 이청의 말에 고찬수가 몸을 숙여 속삭이듯 말했다. "스너프라는 얘기가 있습니다."

"무슨 말씀입니까, 그게……?" 이청이 놀라 물었다.

"자세한 건 모릅니다, 선생님. 아무튼 저도 그게 뭔지 기대가 큽니다."

고찬수가 인사를 하곤 친구와 자리로 돌아갔다. 스너프라니……, 말이 되는 소리를 해야지. 뭘 잘못 알고 하는 얘기일 터였다.

†

"잘했어, 데이브." 이과수가 말했다.

"기다려, 코리안. 인터넷이 버벅거려." 데이브가 말했다. 데이브는 생각보다 똑똑했다.

"침착하자고, 데이브."

"난 침착해, 코리안. 다만 캔슬센드 버튼이 먹지를 않는다는 게 문제지."

"버튼이 먹지 않는다는 게 무슨 말이야, 데이브?"

"망할 웹 페이지 전체가 먹통이라고." 데이브가 예민해지고 있었다. 이과수도 마찬가지였다.

"이해해, 데이브. 하지만 욕은 하지 않는 게 좋아. 우린 교양 있는 사람들이잖아."

"젠장. 알았어, 코리안."

지배인은 등을 곧추세우곤 눈을 감았다. 표정이 결연했다. 이구민이 긴장한 얼굴로 지배인과 이과수를 번갈아 봤다.

하정미는 두 손으로 탑햇과 연미복을 받쳐 든 채 지배인 옆에 서 있었다. 지배인이 자리에서 일어나 등을 돌리자 하정미가 연미복에 팔을 끼웠다. 지배인은 미동도 하지 않았다. 평정심을 찾아가는 중이었다. 이구민이 꼴깍 침 삼키는 소리를 냈다.

"코리안, 아무래도 시스템을 다시 시작해야 할까 봐." 데이브였다. 목소리에 풀이 죽어 있었다.

"왜, 데이브?" 이과수가 놀라 물었다.

"노트북에 문제가 생겼어. 아빠한테 새 노트북을 사 달라고 한 게 언젠데 들은 척도 하지 않더니, 씨발 이럴 줄 알았다니까." 데이브가 투덜댔다.

"침착하게 다시 해 보는 게 어떨까 데이브."

하정미가 지배인의 머리에 탑햇을 얹었다. 그가 다르게 보였다. 이럴 때 지배인은 평소 그의 모습이 아니었다. 호텔 지배인이 아니었으며, 장진수와 이구민의 친구가 아니었다. 이과수와 하정미의 상사가 아니었고, 지배인도 김철민도 강철민도 제임스 김도 아닌, 또 다른 그 자신이며 새로운 누구일 뿐이었다.

"제이콥…… 이 망할 자식." 지배인이 탑햇을 고쳐 쓰며 중얼거렸다.

"잘될 거야, 제임스." 이구민이었다.

"파일 도착하면 가겠습니다." 이과수가 손바닥으로 핸드폰을 가리곤 말했다.

"자네만 믿어, 이 대리."

지배인이 이과수의 어깨를 도닥이곤 모두를 둘러봤다. 이구민과 하정미가 지배인에게 인사를 했고 이과수가 고개를 숙여 보였다.

지배인이 천천히 몸을 돌려 방 입구를 향했다. 탭햇을 쓰고 연미복을 입은 그의 뒷모습이 오늘따라 처져 보였다. 문 닫히는 소리가 들리자 이구민이 얕은 숨을 내쉬었다. 그와 동시였다.

"커피 좀 드릴까요?" 하정미가 이과수와 이구민을 번갈아 보며 말했다. 하정미는 큰 일을 치른 듯한 얼굴이었다. "그러자고, 하정미 씨." 이구민이었다.

"코리안?"

데이브가 이과수를 찾고 있었다.

"그러므로……."

장진수가 말했다. 시간이 너무 지체되고 있었다. 장진수의 이마에서 땀이 흘렀다. "여러분은 각별합니다." 아까도 이 말을 했는지 헷갈렸다. 원고를 읽으면서 생각이 다른 곳을 왔다 갔다 한 탓이었다. 아직 파일은 도착하지 않은 모양이었다. 이 시간이면 이과수의 호텔 약사 낭독은 물론 제임스의 인사말도 끝나 있어야 했다. 당연히 영사막에서는 애버리지니 필름이 상영되고 있어야 했고.

"투숙객 여러분의 기대에 보답하기 위해 우리는 오랫동안 이 준비를 해 왔습니다. 물론 잘 알고 계실 것입니다. 우리는 역경을 이겨 냈으며 그 결실이 오늘 데이 행사에 온전히 담길 것입니다. 투숙객 여러분의 소중한 꿈 중 어느 하나라도 허비하게 놔두지 않을 것이며……."

홀 안이 술렁였다. 누군가 큰 소리로 말했다.

"그걸 아니까 우리가 여기 온 거 아닙니까!"

"기대가 큽니다!"

"어서 시작합시다." 여기저기서 재촉하는 소리가 들렸다.

"이거 너무 늦는 거 아니오?"

박수 소리가 들렸다. 누군가가 시작한 박수가 신호라도 되는 듯 어느 순간 소리가 더 커지더니 리듬을 탔다.

"시작해, 시작해, 시작해……." 투숙객들이 합창을 했다. 흥분하고 있었다.

"넌 천재야, 데이브." 이과수가 힘주어 말했다.

"내 예상이 맞았어, 코리안." 데이브도 기분이 좋은 듯했다. "이럴 땐 시스템을 다시 시작하곤 했거든."

"훌륭해, 데이브. 캔슬센드를 클릭한 뒤 이젠 뭘 하는 중이지?" 말이 좀 빨랐다. 틈을 주지 않는 게 좋을 것 같았다.

"재발송했어. 파일을 보냈다는 뜻이야, 코리안."

데이브가 시스템을 다시 시작했다고 한 게 서너 번, 한 번 껐다 켜는 데만도 근 5, 6분이 걸리는 듯했다. 노트북은 옛날 386 데스크톱만도 못한 듯했다. 저가 중국산이 아니면 저럴 수 없었다. 그럼에도 데이브는 허둥대지도, 어수룩하지도 않았다. 보노보보다 확실히 똑똑했다.

이과수는 이구민을 봤다. 이구민과 하정미는 이메일 계정을 들여다보는 중이었다.

"안 왔어, 아무것도……." 이구민이 고개를 저었다.

"데이브?" 이과수는 데이브를 불렀다. "이메일이 도착하지 않았어, 어떻게 된 거지?"

"그건 나도 모르지."

"모르다니, 데이브?"

"난 내 일을 했어. 이메일 계정에는 완료라고 되어 있고. 젠장, 나는 니가 원하는 걸 다 했다고 코리안."

"알아, 데이브. 하지만 내가 거짓말을 하는 게 아니라는 건 너도 알잖아."

"난 책임 없어, 코리안. 날 괴롭히지 마. 막 짜증이 나려는 중이니까."

"진정해, 데이브. 너한테 책임이 있다는 뜻이 아니야. 난 니가 이메일을 보내느라 얼마나 고생을 했는지 확인시켜 주려는 거야." 이과수는 초조했다.

"좀 기다려 보자고, 이 대리." 이구민이었다.

"가끔 그러기도 해요, 이 대리님." 하정미였다. "이메일도 연착을 하거든요. 기다리는 것도 실력이라잖아요. 데이브가 거짓말하는 거 같지도 않고요."

이구민이 하정미를 봤다. 기다리는 게 실력이라는 말 때문에 그런 것 같은데 이과수는 하정미의 저런 모습을 한두 번 본 게 아니었다. 들어보지도 못한 고사성어 같은 것들을 불쑥 뱉을 때는 전혀 다른 사람처럼 보였다. 교사 출신이자 한학을 한 할아버지 밑에서 어릴 때부터 한문을 배웠다고 했다.

장진수는 홀 입구를 봤다. 누군가 들어오고 있었다. 지배인이었다. 차영한과 업무팀 직원 둘이 수행을 했다. 장진수는 서둘러 말을 바꾸었다.

"그분이 오셨습니다. 오늘 이 자리의 주인공, 그랑호텔 지배인님께서 인사 말씀을 해 주시기 위해 지금 막 이곳에 도착하셨습니다."

투숙객들이 박수를 쳤다. 박수는 길게 이어졌고 장진수는 자기도 모르게 휴,하고 긴 숨을 토했다. 천장의 샹들리에와 주변의 등이 꺼지고 조명 하나가 연단을 향하는 지배인을 따라갔다.

영사막에 펼쳐져 있던 풍경이 사라지고 지배인이 보였다.

"투숙객 여러분, 그랑호텔 지배인님께서 무대에 오르고 계십니다. 박수로 환영해 주시기 바랍니다."

지배인이 연단에 올랐다. 투숙객들의 시선이 일제히 지배인을 향했다. 투숙객들의 얼굴에 생기가 돌았고 지배인이 연단에 자리하고도 박수는 멈추지 않았다. 화면이 탑햇을 쓰고 연미복을 입은 지배인 얼굴로 채워졌다. 지배인이 투숙객들을 둘러봤다.

이청은 슬며시 웃음이 나왔다. 이상하고 낯선 지배인의 저 모습이 잘 적응이 되지 않았다. 어제 그가 이 사람이라니.

박수 소리가 잦아들자 지배인이 탑햇을 벗어 흔들었다.

"환영합니다, 투숙객 여러분."

지배인이 잠깐 틈을 두었고 적막이 흘렀다. "오래전 저는 확신했습니다. 투숙객 여러분의 존재가 저의 존재라는 것을!" 목소리에 힘이 들어가 있었다. 누군가 침 삼키는 소리가 들렸다.

"이 자리를 위해 저는 특별한 영감이 필요했습니다. 이 영감을 실천하도록 도와주신 분들이 투숙객 여러분들입니다!" 다시 세차게 박수 소리가 울렸다. "저는 알고 있습니다. 투숙객 여러분은 그 어떤 존재보다 앞선 존재라는 것을, 이 얼마나 무모하고 신성한 탄생입니까. 목적도 정체도 모르고 태어나다니요. 하지만 이 무모함이 통하지 않는 곳이 있습니다. 그랑호텔입니다. 여러분이 주인이며 여러분은 태어날 때부터 각별한 존재들이었습니다." 지배인이 목소리를 낮췄다. "…… 우리는 불안합니다. 아이러니하지만 이 불안은 자유에서 온 것이지요. 자유는 불안이며 불안은 운명입니다. 무모한 탄생만큼이나 무모한 자유가 아닐 수 없습니다."

이청은 다시 지배인을 봤다. 체크인한 날 오후 자신을 찾아왔던 그가 저 사람이 맞는지 확인하고 싶었다. 연미복과 탑햇은 그렇다고 해도 목소리와 화법은 어제 그의 모습에서 나올 만한 것들이 아니었기 때문이었다. 분명 저 연단의 사내와 그는 다른 사람이어야 했다.

"이 불안은 결코 존재나 미래, 죽음이나 내세 같은 단어로는 알 수 없습니다. 이 용어의 참 모습은 소유와 불멸이기 때문이지요. 우리는 수십 년을 고뇌해 왔습니다. 그리고 오늘 그 결실을 맛볼 것입니다. 미래를 확인할 수 있다면 불안은 우리의 것이 아닙니다. 여러분은 결코 불안하거나 고독하지 않으며 싱싱한 과실을 맛보고 말테니까요. 그랑호텔은 그 불안을 기꺼이 씻어 보여줄 것입니다!"

투숙객들의 열광이 극에 달했다. 얼굴이 벌겋게 달아 있었고 모두 하나가 되어 있었다. 박수 소리가 여기저기의 휘파람 소리와 섞여 홀이 무슨 공연장 같았다. 지배인의 등장은 최치영과는 전혀 다른 분위기와 무게를 자아냈다.

이청은 이런 광경이 처음이었다. 사교 집단의 혼연일체를 보는 것 같기도 한 이들의 모습이 놀라울 뿐이었다. 마치 시간이 오염된 듯 느껴졌고 그 느낌은 어느 사이 불쾌함으로 변하더니 스멀스멀 몸 안에서 번지고 있었다.

지배인은 홀 입구를 봤다. 지금쯤 저 문으로 이 대리가 들어오고 있어야 하지 않을까. 아니, 지금 이 대리는 저 문을 열어젖혀야 했다. 그러고 보니 이 대리가 보이는 듯도 했다. 착각이었다. 하지만 보지 못하는 것뿐, 어쩌면 이 대리는 지금 이곳을 향해 달리는 중인지도 몰랐다. 지배인의 머릿속이 그 생각으로 가득 차 있었다.

"소유란?" 그가 말했다.

"이 질문에 답을 할 수 있는 인간의 유형은 두 종류입니다. 소유를 정신 행위로 아는 인간과 물질의 소지로 아는 인간, 투숙객 여러분은 어느 쪽인지요? 이는 옳고 그름의 문제가 아니며 진실의 문제이자 진정한 욕망의 의미를 알고 있는지에 대한 철학적 자문입니다. 우리는 소유의 진실을 찾기 위해 고뇌했으며 그걸 모색하는 것만이 미래를 사는 지혜라는 것을 알고 있기 때문입니다."

다시 홀 입구 문을 봤다. 아무 기척도 보이지 않았다. 지금 이 대리는 무엇을 하고 있는 중일까, 데이브하고 일은 잘 진행되고 있는 것일까, 지금쯤 파일을 들고 방을 나서지 않았을까……. 마치 그 멀고 멀다는 빅뱅의 순간으로 거슬러 오르는 듯 지배인은 이 시간이 아득하고 길게만 느껴졌다. 지배인이 다시 외쳤다. 투숙객들을 다독이려는 듯, 아니 자신의 초조를 달래기라도 하려는 듯.

"소유를 사랑하는 자여! 가짜 영혼과 가짜 소유는 그랑호텔과 투숙객 여러분의 적입니다. 그 적을 부술 용감한 사람들이 여기 모였습니다. 우리는 이뤄낼 것이며, 이 성공을 투숙객 여러분에게……." 그때였다. 홀 뒤쪽 출입문이 급하게 열렸다. 지배인은 그 문을 똑똑히 보고 있었다. 사람이 보였고, 그 사내가 문을 열고 달리는 중이었다. 이 대리였다. 이쪽을 향해 뛰고 있었다. 그게 어느 순간 슬로우 모션으로 보이더니 재빨리 머릿속에서 생기로 전환되고 있었다. 지배인이 외쳤다.

"투숙객 여러분은 선민입니다! 우리가 경험할 영상이 우리가 상상하는 것 이상의 것을 목격하게 할 수 있다는 것, 다른 하나는 우리가 상상한 것을 경험하고 난 뒤의 우리의 모습을 상상할 수 있다는 것, 투숙객 여러분이 그 주인들입니다. 여러분은 선택받아 여기에 온 것입니다. 이 행운을 만끽하시길!

이 대리가 뛰면서 지배인을 보고 있었다. 제법 먼 거리지만 지배인은 알 수 있었다. 이 대리의 눈과 자신의 눈이 마주쳤다는 것을. 이 대리의 눈빛과 내젓는 손, 이 대리는 자신이 원하는 소식을 가져온 게 분명했다.

"그리고 마침내 오늘 우리는!"

지배인의 목소리가 순간 높아졌다. "우리의 꿈을 이루는 날을 맞게 되었습니다. 그 꿈을 완성해 투숙객들과 그랑호텔의 영광의 재료로 삼을 것입니다." 지배인의 목소리가 가늘게 떨렸고 이어 읊조리듯 이어졌다.

"…… 여러분은 영혼에 투자하셨습니다. 투숙객들 여러분이야말로 진정한 그랑호텔의 사람들입니다. 오늘 그 참 뜻을 보상받는 것은 물론 음미할 수 있을 것입니다……!"

바로 단상 아래까지 온 이 대리의 얼굴이 큰 바위 얼굴처럼 보였다. 그가 한걸음에 단상 위로 뛰어올랐다. 그의 손이 지배인의 손을 잡았다.

"왔습니다, 지배인님."

이 대리가 밭은 숨을 쉬며 말했다. 지배인은 어금니를 물었다. 천천히 투숙객들을 둘러봤다. 그들의 눈빛을 보자 그간의 고단함과 이 소란이 눈 녹듯 사라지고 있었다.

"상영 준비도 마쳤습니다, 지배인님." 이과수의 목소리에도 힘이 들어 있었다. 지배인은 서둘러 연설을 끝냈다.

"자, 지금 이 시간 이후는 투숙객 여러분의 시간입니다. 여러분은 자유입니다. 부디 마음껏 상상하시기를!"

지배인이 탑햇을 벗어 투숙객들을 향해 흔들었다. 여유를 찾은 지배인의 얼굴이 당당한 몸짓으로 변해 있었다.

투숙객들은 감동한 것 같았다. 모두 상기한 얼굴이었고 박수를 치는 손이 쉴 새 없이 움직였다. 지배인은 천천히 연단을 내려갔다. 홀 입구에 이르는 동안 박수 소리가 멈추지 않았다. 문 앞에서 지배인이 탑햇을 흔들며 환하게 웃었다. 그가 홀을 나가고도 한참 동안 박수 소리가 이어졌다. 업무팀 직원들이 부지런히 움직였다. 홀 안을 급하게 정리하고 난 직원들이 밖으로 나갔고, 이어 하나씩 조명이 꺼지더니 실내가 어둠으로 변했다.

지배인을 배웅하고 난 이과수는 뒤쪽의 빈 원탁을 찾아 앉았다. 미어캣처럼 고개를 바짝 세운 투숙객들의 시선이 화면에 고정되어 있었다. 마치 누군가를 기다리는 사람들 같았다. 아니 무엇인가 자신에게 먹을 것을 주길 바라는 철새들 같기도 했다. 이과수는 마음을 졸이며 바쁘게 보낸 오늘과 어제 그제의 일들이 순간 허망하게 느껴졌다. 이상한 기분이었다. 왜 뒤늦게 이런 감정이 찾아오는 것일까. 저 영사막에서 펼쳐질 영상 속에는 어떤 이야기가 담겨 있을까? 이과수는 어디선가 다가오는 막연한 불안 때문에 잠시 몸을 떨었다.

잠시 뒤, 빛이 허공을 가르더니 영사막을 비추었다. 프로젝터가 쏟아 낸 빛이었다.

"투숙객 여러분, 잠시 안내 말씀드리겠습니다." 장진수였다. "지배인님의 인사 말씀 뒤에 호텔 약사 낭독이 예정돼 있었으나 시간이 지체된 관계로 바로 영상 상영을 하도록 하겠습니다. 대신 약사는 소책자로 만들어 투숙객 여러분께 전해 드리겠습니다. 감사합니다."

연단을 내려온 장진수는 지배인 방으로 갔다. 영상은 지배인 방에서 재생될 것이었고 이미 준비를 마쳤을 터였다. 물론 동시에 홀의 영사막에도 같은 영상이 영사될 것이었다.

†

지배인 방이 커피 향으로 가득했다. 하정미가 내린 커피였다. 평소 파나마산 에스메랄다 게이샤를 마시곤 하는 지배인이었다. 하정미는 자기가 마시는 워시드 방식의 재스민 향이 가득한 예가체프를 내렸고 다행히 지배인은 싫어하지 않았다.

지배인이 하정미에게 턱 짓을 했다. 눈치를 챈 하정미가 밖으로 나갔다. 노트북을 정리하고 난 이구민이 지배인 옆에 와 앉았다.

"준비됐지, 이 선생?" 장진수였다. 이구민이 엄지손가락을 치켜세웠다.

"수고들 했어."

지배인이 말했다. 입가에 잔잔하게 미소를 머금고 있었다. 이어 지배인은 가슴 저 깊은 곳에서 올라오는 깊은 흥분 하나를 음미하듯 찬찬히 핥고 있었다. 달았다.

인터뷰이

홀이 조용했다. 화면이 새 풍경으로 바뀌면서 환해졌고 반사된 빛이 이청의 얼굴에 빛을 뿌렸다. 투숙객들의 시선은 화면에 집중돼 있었고 실루엣으로 바뀐 얼굴이 그로테스크하게 보였다.

화면에는 초지가 보였다. 눈이 오고 있었는데 진눈깨비 같았다. 초지의 외곽엔 목재 난간이 있었고 그 바깥쪽은 키 큰 나무들이 빽빽한 숲이었다. 앙상한 가지의 자작나무였다.

화면이 초지 바닥으로 채워지고 색이 바랜 이파리들이 보였다. 카메라가 한껏 당기자 이파리에 맺힌 물방울이 보였다. 초지 둔덕으로는 기다랗게 길이 나 있었다. 비포장도로였고 차들이 줄지어 달렸다. 밴과 세단, SUV와 RV. 얼핏 2, 30대는 돼 보였고 카메라 쪽을 향하고 있었다. 차량의 행렬이 사라지자 잠시 뒤 초지 저쪽에서 또 한 무리의 차량이 나타났다. 행렬이 아까보다 길었다. 앞의 화면과 약간의 시간 차가 있었고 카메라가 서서히 줌인하더니 흔들렸다.

화면이 하얗게 변했다. 프로젝터에서는 영상이 영사되고 있었지만 아무 것도 보이지 않았다. 그 공백이 길었다. 이상했다. 그러자 투숙객들이 술렁였고 일 분 정도가 지나서야 다시 풍경이 나타났다.

아까 그 초지였다. 비포장 길은 비어 휑했다. 다시 카메라가 흔들렸다. 카메라를 잡은 사람이 뛰는 중이었다. 초지 가장자리에 울타리가 보였다. 카메라를 잡은 사람이 그걸 뛰어넘는지 영상이 심하게 흔들리다간 멈추었는데 카메라가 바닥에 박힌 듯 화면이 색바랜 잔디로 채워졌다. 이어 영상이 끊기고 다시 공백이 생겼는데 길지 않았다. 이 잠깐의 영상들은 꽤 거칠어서 완성된 영상처럼 보이지 않았다. 어딘가 카메라가 대상을 훔쳐보는 듯한 느낌이었는데 그게 생동감을 줬다.

†

화면은 건물의 실내를 보여주고 있었다. 촬영을 위해 꾸민 공간 같았다. 그렇다고 세트장 같은 느낌은 아니었다. 이어 화면이 사람의 상반신으로 채워지더니 얼굴이 보였다. 모자이크가 있지만 비니를 쓴 여자라는 건 알 수 있었다. 팔에 헤나 문신을 한 게 보였다. 얼핏 보기에 동양인 같았다. 목소리가 들렸다. 목소리는 카메라 뒤쪽에서 들려왔다.

"편하게 하세요."

그 목소리 역시 여자였다. 인터뷰어였다. 동양인 여자가 고개를 끄덕였다. 잠시 말소리가 들리고 주위에는 둘 외에 사람들이 더 있는 것 같았다.

"시작할까요?"

인터뷰어의 목소리에 여자가 고개를 끄덕였다. 모자이크가 있는데도 여자가 긴장한 게 느껴졌다. 화면 밑에는 자막이 있었다.

〔이름 모름. 동양인 황인종. 여성 40대 초반. 영어 사용 : 제작팀이라고 했지만 팀 소속이 정확하지 않음〕

"헨리 폴슨이라는 이름 들어 봤어요?" 인터뷰어가 물었다.

"아마도요. 맞아요. 그럴 거예요."

"스태프 같던데 아까 어느 분이 들어 봤다고 해서요."

"자세한 건 몰라요. 다른 사람들이 더 잘 알 걸요."

"아는 대로 말해 줄래요?"

"이름이 자무엘 쉬프인가 그랬어요. 나중에 케빈 슈라이버 교수가 촬영을 막았다고 했는데, 그 때문에 다퉜다는 소리를 들었어요. 촬영이 지연됐고, 작업이 계속될지 불분명할 때였으니까요. 아마 사실일 거예요."

투숙객들이 잠시 술렁였다. 케빈 슈라이버라는 이름 때문인 것 같았다. 장진수가 사전 행사에서 말한 사람이 케빈 슈라이버라는 이름이었다. 화면이 갑자기 바뀌었다.

백인 남자가 보이고 자막이 있었다.

〔이름 모름. 백인 남자 40대 초반. 영어 사용 : 연출팀으로 추정〕

"다들 농담인 줄 알았어요. 영혼을 찍는다니까 그런가 보다 했지요. 그 말을 누가 믿겠어요. 그래도 다들 궁금해했어요." 누군가 웃는 소리가 들렸다.

"어땠어요, 그 사람은?" 인터뷰어의 목소리였다.

"그것도 말해요?"

"말해 주면 도움이 되죠. 연출팀이었어요?"

"글쎄요……."

"그렇군요, 계속하죠."

"제이콥 헨리 쉬프라는 이름이 있었어요. 그 사람 이름이 자주 나오던데 그가 참여했는지는 모르겠어요. 자무엘 쉬프 그 사람한테 들은 거예요. 지독한 현실주의자였어요……."

그의 목소리가 사라졌는데 오디오 문제인지 편집 과정에서 생긴 건지 알 수 없었다. 다시 목소리가 들렸다. 여자였다. 역시 모자이크와 자막이 있었다.

〔40대 중반. 이름 모름. 백인 여자. 영어 사용 : 연출팀으로 추정〕

"세트였어요. 원래 그런 건 아니고 오래된 집을 세트로 꾸민 것 같았어요. 그냥 집이 아니라 아주 큰 창고 같은 거요. 어디 갔지? 그 얘긴 아까 그 여자가 아는데."

"누구요?"

"자그마한 동양인 여자요."

그녀의 인터뷰는 거기서 끊겼고, 화면이 동양인 여자로 바뀌었다. 여자가 난처하다는 듯 어깨를 으쓱했다. 아까와 같은 자막이 나왔다.

〔이름 모름. 동양인 황인종. 여성 40대 초반. 영어 사용 : 제작팀이라고 했지만 팀 소속이 정확하지 않음〕

"그쪽이 간 줄 알았어요." 인터뷰어였다.

"저 여자가 날 어떻게 알지……?" 여자가 화면 밖을 보며 말했다.

"모르는 사람이에요?"

"네. 전혀요."

"그 얘기 좀 해 주면 좋겠는데요?"

"아 그거요. 자무엘 쉬프 씨한테 들은 건데, 그가 직접 찾았다고 했어요. 시간이 오래 걸리진 않았요. 촉박했대요. 들인 시간에 비하면 가성비가 뛰어났어요. 다들 만족했거든요."

"하나만 확인할게요?" 인터뷰어였다. "아까 다른 분한테 듣긴 했는데 눈 가린 거 맞아요?"

"네."

"그쪽 분도 가렸어요?"

"예외는 없었어요. 모두 같은 차를 탄 건 아니지만 아마 그랬을 거예요. 승합차로 우릴 옮겼거든요."

영상의 픽셀이 깨져 있었다. 모자이크 때문인가 했는데 아니었다. 화면이 흑인 남자로 바뀌어 있었다. 흰색의 셔츠와 목걸이, 팔찌를 하고 있었다.

자막이 나왔고 조금 뒤 그가 말했다.

〔이름 모름. 흑인 남자 30대 후반. 영어 사용 : 미술팀 종사자로 추정〕

"교령회 얘기는 관심이 있었어요. 그래서 물어봤거든요. 좀 귀찮아했는데, 사실 그 얘긴 그 사람이 먼저 꺼낸 겁니다."

"사무실엔 왜 간 거죠?"

"인테리어 자문을 해 줬어요. 돈을 받고요. 별거 아닌데 좀 바빠서 일이 더뎠고 그 바람에 나중엔 자주 가게 됐어요. 고조부 얘길 했어요. 무슨 신처럼 생각하더라고요."

"제이콥 헨리 쉬프를 말하는 거죠?"

"네. 맞아요. 좀 웃긴 얘기이긴 한데 고조부의 부활을 믿더라고요. 저하고 죽이 좀 맞긴 했어요. 재밌었거든요. 뉴욕하고 런던에 그런 게 있었다는 게 신기했어요. 그 사람은 그걸 미신이라고 생각하지 않았어요. 그렇다고 종교라고 생각하는 것 같지도 않았어요. 인간의 보편적인 욕망, 뭐 그런 거라고 했는데 꽤 철학적이더라고요. 실존이라는 말이 그래서 나온 거라고 했어요."

인터뷰가 끝나고 화면이 다른 영상으로 바뀌었다. 자료 화면 같았는데, 꽤 오래전 것처럼 느껴졌다. 영상 속에서 사람들이 불꽃놀이를 했고 샴페인을 터트렸다. 카메라가 먼 곳을 향해 급하게 줌인을 했다. 자유의 여신상이 보였다. 다시 화면이 바뀌더니 여자가 보였다.

홀은 조용했다. 시간이 지날수록 투숙객들의 집중도가 높아졌다. 아직 무슨 이야기인지 알기 힘들었지만 그게 집중력을 키운 듯했다.

영상 속에는 흑인 여자가 있었다. 좀 씩씩해 보였다.

〔이름 모름. 흑인 여자 40대 초반. 영어 사용 : 제작팀 종사자로 추정〕

"기분이 상한 것 같았어요." 여자가 말했다.

"누가요?"

"감독이요. 프리프로덕션 때부터 이런저런 말들이 있었거든요. 캐스팅도 그 사람들이 결정한 거라고 했고요."

"문제가 뭐죠?"

"인종이요."

"심각했나요?"

"끝난 걸로 알았는데 아니었나 봐요. 백인으로 할 건지 유색인종으로 할 건지, 좀 다툼이 있었어요. 일종의 신경전이었어요."

"누구하고요?"

"까를로스 빼냐 감독이요. 메스티소였거든요. 예민했어요. 그가 그랬어요. 인디오 대신 인디헤나라고 불러 달라고 했죠. 그게 예의라고 했어요. 하여간 둘 다 일리는 있어 보였어요. 백인이 주인공을 맡는 게 좋겠다는 쪽으로 결론이 났지만요. 나이는 십 대 후반, 여자아이여야 했어요. 그런데 다른 문제가 생겼어요."

"그게 아닌데……." 화면 밖에서 나는 소리였다. 인터뷰어가 인터뷰를 중단시키곤 화면 밖의 여자에게 물었다.

"뭐가 아니라는 거죠?"

화면이 바뀌고 아까 동양인 여자가 보였다. 투숙객 사이에서 속삭이는 소리가 들렸다. 지금 나온 여자가 한국인이 아니냐고 묻는 듯했다. 상대가 고개를 저었다. 그 옆 사람이 작은 소리로 말했다. 중국인이나 일본인일 수도 있지 않겠냐고 말하는 것 같았다.

자막이 보였다.

〔이름 모름. 동양인 황인종. 여성 40대 초반. 영어 사용 : 제작팀이라고 했지만 팀 소속이 정확하지 않음〕

여자가 말했다. "그건 나중 얘기고요. 처음에는 크리스티나라는 아이였어요. 고향이 미네소타였고요."

"직접 봤나요?"

"아뇨. 하지만 얘길 들어서 알아요. 다들 그 애가 백인 아이라는 걸 못마땅해했어요. 결국 다시 뽑기로 한 거죠. 고아 출신을 찾았다고 했어요. 어디서 그런 앨 찾아냈는지, 혼혈아를 데리고 왔어요. 십 대 아이였어요."

"이름은요?"

"엘라였어요. 까를로스 빼냐 감독이 데리고 온 아이였어요. 그의 동료가 소개한 아이라고 들었어요. 엘라는 눈이 깊고 맑았어요. 크리스티나처럼요. 푸른 눈 대신 검은 눈동자를 가지고 있었어요."

"어떤 아이였지요?"

"뭐가요?"

"생각이나 포부 같은 거요?"

"나이는 어린데, 연기에 대한 철학이 있었어요. 자무엘 쉬프 씨한테 들은 건데, 어떤 배우가 되고 싶냐고 물으니까 영혼이 맑은 배우가 되고 싶다고 했대요. 인간의 삶은 영혼으로 이루어져 있고, 배우는 누군가의 영혼을 몸으로 받아들이는 사람이라고 했대요."

"종교가 있었나요?"

"걘 애버리지니였어요. 팔뚝에 붉은 문신이 있었어요. 어릴 적에 엄마가 해준 건데, 조상의 피와 영혼을 상징한다고 했죠……." 여자가 말을 멈추었다.

"궁금증이 풀렸네요. 그래서요?"

"아 그리고, 그 얘긴 저분이 더 잘 알아요."

"누구요?"

"저기 저 여자분이요."

여자가 화면 밖으로 손짓을 해 보였다. 화면이 바뀌고 여자가 보였다. 짧은 치마를 입고 있었는데 팔에 굵은 팔찌를 차고 있었다. 목소리가 가늘었고 말이 빨랐다.

여자가 말했다.

〔이름 모름. 백인 여자 40대 초중반. 영어 사용 : 헤어나 분장팀 종사자로 추정〕

"내성적이었어요. 카메라 앞에 서면 전혀 다른 아이가 됐지만요."

"경험은요?" 인터뷰어였다.

"어릴 때부터 그랬나 봐요. 티브이 프로에서 마이클 잭슨의 '데인저러스' 퍼포먼스를 따라 해 자길 모르는 사람이 없다고 했어요. 고향이 브리즈번인가, 바다 얘기를 많이 했어요. 혼혈이지만 백인에 가까워 보였어요."

"가족은 어땠어요?"

"엘라는 홀어머니 밑에서 자랐어요. 엄마 얘기를 자주 했죠. 학교와 집을 오가는 게 전부였는데, 대학을 그만두고 배우가 되기 위해 할리우드까지 온 거니까 꽤 당찬 아이인 거죠."

"스태프 얘기 좀 해 줄래요?"

"촬영이 끝날 때까지 엘라가 열심히 연기를 한다고 생각했어요. 다들 그랬을 거예요. 처음엔 호기심도 있었는데 워낙 강행군을 하다 보니 불만이 많았어요. 할리우드 작업 관행이 무시됐지만 그렇다고 뭐라고 할 수도 없었어요. 다 동의하고 시작한 일이었거든요."

영상이 아까 인터뷰한 흑인 남자를 보여주고 있었다. 같은 자막이 보이고 그가 말했다.

〔이름 모름. 흑인 남자 30대 후반. 영어 사용 : 미술팀 종사자로 추정〕

남자가 물었다. "어디서부터 하면 되죠?"

"시나리오요, 거기서부터 하지요." 인터뷰어였다.

"아무튼 상대역 남자가 아이에게 말을 거는 걸로 돼 있었어요. 그런데 그걸 문제 삼은 거예요. 노인이었거든요. 그 사람 얘기에도 일리는 있었어요."

"그 사람이라니요?"

"월 스트리트가 영화의 영자도 모르면서 설쳐 댄다며 투덜댔어요. 할리우드 쪽에 아는 사람이 있었나 봐요. 유색인종을 혐오했는데, 테네시 출신이라는 얘기도 있고……."

"왜 그렇게 반대한 거죠?"

"노인이 황인종에다 빨갱이가 아니냐는 거였어요. 그 사람을 설득한 사람이 감독이었어요."

인터뷰가 채 끝나지 않은 것 같은데 갑자기 화면이 여자로 바뀌었다. 그 바람에 영상의 흐름이 거칠어 보였다.

자막이 바뀌고 인터뷰어의 목소리가 들렸다.

〔이름 모름. 백인 여자 40대 초반. 영어 사용 : 연출팀으로 추정〕

"많네요, 생각보다."

"저도 그렇게 많은 줄 몰랐어요." 여자가 말했다. "우리보다 먼저 와 있던 사람도 있었으니까, 더 될지도 모르겠어요."

인터뷰어가 화면 밖의 누군가에게 말했다. "그쪽 분도 얘기해 줄 수 있어요? 같이 참여한 거 맞죠?" 카메라가 그쪽을 비추자 그가 손사래를 쳤다.

"아직 찍지 말아요." 웬 남자 목소리였다.

"모자이크 해 드릴게요. 원하시면 목소리도 변조하고요."

화면에 다시 여자가 나왔다. 스태프가 의자를 갖다 놓는 게 보이고 남자가 의자에 앉았다. 화면은 여자와 남자를 번갈아 보여줬다.

〔이름 모름. 백인 남자 30대 후반. 영어 사용 : 연출팀으로 추정〕

"스태프라고 다 들어간 게 아니에요." 남자가 말했다.

"로마 시대 때 원형 극장 같았어요" 여자가 말했다. "아레나 같은 거요. 무대처럼 촬영 현장이 원 안에 있고 사람들이 빙 둘러앉아 있었어요. 등받이가 꽤 높았죠. 계단형 의자였는데, 촬영장과 객석 사이에는 유리 벽이 있고 그 너머로 촬영장이 보였어요."

"카메라가 다섯 대 정도 됐어요." 남자였다. "아리플렉스사의 삼십오 밀리요. 지미집이나 레일 같은 장비는 쓰지 않았어요. 정적인 걸 원한 것 같았어요. 천정에 카메라 하나를 고정한 것만 빼고요. 객석을 장비가 가리는 걸 방지하기 위한 것 같았어요. 촬영본은 여러 대의 모니터로 전송됐어요. 모니터가 무척 컸거든요. 객석에서는 모니터를 통해 자세한 컷들을 볼 수 있었어요."

"사운드 얘기 좀 할게요, 특별해서요." 여자였다.

"특별하다니요?"

"현장음이 곧바로 객석의 스피커로 전달됐거든요. 전용 컨트롤 박스가 있었어요. 골드문트사 있잖아요. 스위스에서 온 엔지니어가 직접 튜닝을 했다고 들었어요. 숨소리하고 머리카락 소리까지 잡아내는 게 그 사람이 할 일이었대요. 영화 촬영 현장하고 방송용 스포츠 중계를 섞은 방식이었어요."

"두 분 다 직접 본 거 맞지요?" 여자가 네, 라고 말했고 남자는 당연히, 라고 말했다.

"왜 거기까지만 본 거죠?"

"쫓겨났어요." 남자가 웃었다. "내용이 뭔지도 모르고 참여한 스태프가 많았어요. 아마 거의 다일걸요. 농담을 주고받으며 시시덕거리기도 했으니까요. 그날은 월 스트리트 사람들도 외부와 연락하는 게 불가능했어요."

"저도 그 얘기는 들었어요." 여자였다. "객석이 무척 어두웠어요. 옆 사람이 누구인지 알아볼 수 없을 정도로요. 그들이 내려다보는 유리 벽 너머는 환했죠. 원형 무대 말이에요. 눈이 부실 정도였어요. 객석에서는 촬영장을 볼 수 있지만 촬영장에서는 객석을 볼 수 없었어요."

투숙객들이 수군거렸다. 원탁 여기저기에서 불평하는 소리가 들렸다. 뭘 보여 주려는 것인지 알 수 없다는 얘기들 같았다. 기대한 영상이 아닌 것 같다는 소리도 들렸다. 누군가 조용히 하라고 했고, 누군가는 좀 기다려 보자고 했다.

"인터뷰만 쭉 나오고 마는 거 아니야……?" 누군가 말했다.

"다큐니까 그럴 수도 있지."

"조용히 좀 합시다."

풍경이 보였다. 원경이었다. 카메라 바로 앞에 목재 난간이 있었다. 안쪽으로 또 카메라가 있었다. 카메라를 잡은 사람의 등이 보이고 목조 건물 오른쪽의 카메라가 왼쪽으로 방향을 바꾸고 있었다. 이어 차들이 보였다. 이 영상은 누군가 촬영을 하는 것을 또 누군가 찍은 영상이었다. 화면이 바뀌고 남자의 옆모습이 보였다.

자막이 나왔다.

〔백인 남자. 이름 모름. 40대 후반. 영어 사용 : 제작팀 종사자로 추정〕

"덩치가 꽤 작았어요." 남자가 말했다.

"동양인이라 그렇긴 한데 그 노인네는 유독 그랬어요. 고향이 쓰촨성이라고 했어요." 그가 말을 멈추곤 혼잣말을 했다. 무슨 말인지 알아들을 수 없었다. 그 때문에 공백이 생겼고 잠시 뒤 그가 말했다. "일흔 초반인가, 더 됐을 수도 있고요. 동양인 나이는 가늠하기 힘들잖아요. 고기에 대한 얘기는 많았어요. 갈빗살에서 얇게 걷어 낸 생 살코기요. 그게 꼭 종잇장 같았다고 했어요. 혀에 올려놓으면 육즙이 몸으로 퍼져 나간다고 했지요. 문화혁명 땐 당 간부들한테 돼지고기 납품을 했다고 했어요. 그 바닥에선 유명했나 봐요."

"누구한테 들은 거죠?"

"알 만한 사람은 다 아는 얘긴데……." 화면 밖을 두리번거리며 남자가 말했다. "뭐, 정신이 좀 오락가락해 말들이 좀 많았어요."

"누가요?"

"리우진시요."

"이름이 리우진시예요?"

"네. 치매 증상이 있었거든요. 할리우드에서 캐스팅 일을 하는 사람이 소개했다고 들었어요. 리앙 감독하고도 일을 한 적이 있다고 했고요. 한국인이라고 했던 것 같아요. 이름이 브래디인가, 아무튼 그 일은 까를로스 빼냐 감독하고 자무엘 그 사람하고 셋이 진행한 것 같았어요. 그리고 참, 로이라는 사람을 본 적이 있어요. 자무엘하고는 친구 사이 같았어요."

"뭐 하는 사람이에요?"

"기자라고 했어요. 더 자세한 건 몰라요."

영상이 바뀌자 남자의 전신이었다. 유일하게 모자이크가 없었다. 화면이 상반신으로 바뀌고 갑자기 그가 카메라 앞으로 다가온 듯 보였다.

노인이었다. 동양인이었고 몸이 꽤 왜소해 보였다. 조금 전 인터뷰이가 말한 사람 같았다. 그가 어정쩡한 자세로 카메라를 보고 있었다. 누군가 카메라 렌즈에 손바닥을 갖다 댔다. 화면이 어두워지고 다시 차렷 자세의 노인이 보이더니 화면이 끊겼는데 무슨 소린지 알아들을 수 없는 목소리들이 섞여 나왔다. 혼란스러웠다. 뭔가 통째로 날아간 느낌이었다. 다시 사람이 보였다. 아까 인터뷰한 백인 여자였다.

자막이 나오고 여자가 말했다.

〔백인 여자. 이름 모름. 40대 후반. 영어 사용 : 연출팀 또는 제작팀의 일원으로 추정〕

“키가 백사십육 센티미터쯤 될까, 손가락이 길고 피부가 흰 편이었어요.”

“황인종이라면서요?” 인터뷰어가 물었다.

“황인종이라고 다 누렇지는 않아요.” 여자가 웃었다. “식사량이 대단했죠. 일할 때는 밥 대신 수수로 만든 백주를 마셨어요. 덩치와 다르게 포스가 장난이 아니었어요.”

“술을 마시고 일을 해요?”

“그래도 손놀림이 어찌나 섬세하던지. 그런데 문제가 생겼어요. 술이요. 촬영이 가능하겠냐는 거였지요. 감독은 술 걱정은 하지 말라고 했어요. 맞는 말이었어요. 그의 두뇌는 한 가지에 고정되어 있었거든요. 자폐증 있는 사람들이 천재적인 화가라든가 체스 천재라든가 뭐 그런 거하고 비슷한 거였어요.”

“서번트 증후군이요?”

“맞아요. 리우진시의 솜씨는 따를 사람이 없다고 했어요. 통증조차 느끼지 못할 거라고 했지요.”

화면이 갑자기 바뀌면서 카메라가 곤두박질한 듯 땅을 비췄다. 카메라를 잡은 사람이 넘어진 것 같았고 화면이 전부 땅바닥으로 채워졌다. 카메라가 비스듬히 기울자 언덕이 보였다. 거대한 지평선을 보는 것 같았다. 의도한 영상이 아닌 것 같았고 한 무더기의 사람들이 언덕을 오르고 있었다. 삐딱했는데 그 시간이 꽤 길었다.

화면이 조금 전 여자로 바뀌어 있었다. 감정이 북받쳐 있었다.

“손이 리듬을 타더라고요. 그런 인간은 처음 봤어요. 피아니스트 같았죠. 그리곤, 모든 게 멈추었어요. 객석의 숨소리도요…… 촬영장을 빠져나올 때까지 옷깃 스치는 소리 하나 들리지 않았죠…….” 여자가 어깨를 들썩이며 말을 멈추었다. 울고 있었다. 인터뷰어가 여자의 손을 잡는 게 보였다. “월 스트리트 사람들도 자기네끼리 서로 입장이 달랐다고 들었어요. 하지만 다 똑같은 사람들이었다고요. 정말이에요.” 여자가 갑자기 앞으로 몸을 숙이더니 큰 소리로 울었다.

여자가 외쳤다. "그래도 이건 아니죠, 안 그래요!"

투숙객들 사이에서 목소리가 들렸다. 대화를 하는 게 아니라 누군가 중얼거리듯 혼잣말을 했다. 그 술렁임이 홀 전체로 퍼졌다.

이과수는 케빈 슈라이버 교수의 노트를 떠올렸다. 어느 대목이었더라, 거기에 이런 내용이 있었다. '상상할 수 있는 것은 상상이 아니다.'

영사막에 하늘이 보였다. 구름이 빠른 속도로 흘러가는 장면이었다. 자연스레 시간의 흐름이 느껴졌고 나뭇가지 사이로 허공이 보였다. 나뭇잎이 바람에 떨어졌는데 느릅나무였다. 이어 목재로 된 건물이 차례로 보이더니 다른 장면이 나왔다.

건물 안이었고 꽤 밝았다. 화면이 무슨 원형 무대 같은 걸로 채워졌다. 조명이 그곳을 집중적으로 비추었다. 탁자이거나 직사각형의 침대 혹은 어떤 틀이 보이고 그 위에 사람이 누워 있었다. 카메라가 줌인을 하자 여자아이가 보였다. 미소를 짓고 있었다. 화면이 바뀌고 여러 사람이 보였다. 카메라가 옆으로 움직이자 더 많은 사람이 나타났다. 실루엣이어서인지 얼굴은 알아볼 수 없었다.

화면 밖에서 누군가 등장하고 있었다. 중국 전통 의상 차림이었고 허리에 흰 앞치마를 두르고 있었다. 아까 잠깐 나왔던 노인이었다. 노인이 객석을 보고 있었다. 양팔을 올려 한 손은 주먹을 쥐었고 다른 손으로는 그걸 감쌌다. 중국식으로 인사를 했는데 표정이 묘했다. 엄숙한 것도 결연한 것도 아닌, 이어 화면이 아이의 얼굴로 채워졌다. 아까와 달리 아이의 표정이 불안했다. 노인이 가볍게 아이의 몸을 쓰다듬었다. 아이가 움찔했다. 아이가 묶인 자신의 손을 보고 있었다. 화면이 그 모습으로 채워지더니 서서히 어두워졌다. 영상을 편집한 사람이 일부러 그런 것 같았다. 그때 목소리가 들렸다. 아이가 내는 소리였다. 소리만 살리고 영상은 들어낸, 그 소리가 길게 이어졌다. 꽤 듣기 거북했다.

홀이 술렁였다. 투숙객들이 당황했는지 헛기침 소리가 들렸다. 어떤 사람은 옆을 힐끗거렸고 뭐라고 중얼거리거나 머리를 숙였다 쳐들기를 반복하는 사람도 있었다. 한숨 소리도 들렸는데 대부분은 진지했고 똑바로 화면을 응시했다.

그 장면이 천천히 사라지더니 남자가 보였다. 의자에 앉은 모습이었고 특이하게 얼굴하고 몸 전체에 모자이크가 있었다. 남자의 뒤로 강이 보였는데 호수 같았다. 남자의 목소리가 들리는 듯하더니 빠르게 화면이 바뀌었다. 웬 남자의 모습이었는데, 조금 전 그가 아니었다. 야구모자에 백팩을 멨고 선글라스가 잘 어울렸다. 턱 가운데에 골이 패어 있었다. 자막에는 성 없이 이름만 적혀 있었다. 다른 인터뷰이에 비해 여유가 있었는데 이 일을 잘 아는 사람 같았다. 실내가 아닌 실외의 어느 거리에서 한 인터뷰는 1년 혹은 2년 정도의 시간 차이밖에 나지 않는 최근에 촬영한 영상처럼 보였다. 그때문인지 화질과 색감이 좋았다.

자막이 나오고 그가 말했다.

[로이. 40대 후반 혹은 50대 초중반. 백인 남자. 영어 사용 : 사업가, 전직 언론인]

"자무엘 말에도 일리는 있어요. 서브프라임 모기지도 그렇고 파생 상품 해먹은 게 리먼 브라더스만이 아니었으니까요. 다들 미쳐 놓곤 리먼 브라더스만 죽일 놈이 됐으니 말이오."

"어떤 식으로 전달할 생각이었지요?"

"나보고 전해 달라고 했어요. 물론 안 된다고 했지요. 솔직히 말해서 그때 뭐 제대로 된 게 있는 줄 압니까. 자무엘은 월 스트리트가 동의해 일을 벌인 건데 딴지를 거는 바람에 어설프게 진행됐다고 불만이었어요. 그런데 그 책임을 자기한테 돌리더라는 겁니다. 케빈 슈라이버 교수가 심장마비로 죽은 것도 믿지 못하는 눈치였어요."

"케빈 슈라이버 교수를 잘 아세요?"

"취재 때문에 연락을 한 적이 있는데 거절당했어요. 나중에 다시 연락을 했는데 그땐 이 세상 사람이 아니었어요."

"그 일이 아니었으면 리먼 브라더스가 살았을까요?"

"칠만 달러 때문이라는 얘기도 있는데, 아마 그렇진 않았을 겁니다." 그가 웃었다.

"칠만 달러라니요?"

"여담 같은 건데 그것 때문에 두고두고 말이 많았어요. 리먼 브라더스가 제작비를 떼어먹었다는 소리인데, 월 스트리트 아닙니까 거긴. 천문학적인 돈을 일상적으로 처리하는 곳이기는 하지만 따질 때는 일 달러를 놓고도 무섭게 덤벼드는 사람들이 거기 사람들입니다. 리먼 브라더스가 실수한 거요. 헨리 폴슨한테 공격거리를 준 거고."

"자무엘 쉬프 씨는 왜 무리수를 둔 거지요, CEO도 아니잖아요?"

"리처드 펄드를 날리면 자기가 먹거리를 챙길 수도 있겠다, 뭐 그런 입장 아니겠소. 나머진 알아서 생각하시고요."

화면이 바뀌었다. 아까 인터뷰한 여자가 보였다. 화질 차이가 확연했다. 다시 과거로 돌아간 느낌이었다. 여자는 한참 동안 말이 없었는데 그 때문에 긴장감이 생겼다.

자막이 보이고 여자가 말했다.

[이름 모름. 백인 여자 40대 후반. 영어 사용 : 연출팀으로 추정]

"그럴 줄 몰랐어요……, 정말이에요……." 여자가 힘들어했다.

"좀 쉴까요?"

여자가 고개를 흔들었다. 잠시 후 그녀가 말했다.

"난 사정을 좀 아는 편이었어요. 개인 사무실에 간 적이 있었거든요. 허드슨강이 내려다보였어요." 갑자기 그녀가 울먹였다. "다 그 사람 짓이었다니까요……."

여자는 말을 잇지 못했고 인터뷰는 거기서 끊겼다. 인터뷰이가 다른 사람으로 바뀌어 있었다. 초반에 나온 동양 여자였다. 앞의 영상을 여기다 붙인 듯했다. 그래서인지 자막이 없었다.

그녀 역시 울고 있었다. 그 때문에 발음이 부정확했는데 못 알아들을 정도는 아니었다. 여자가 말했다.

"케빈 슈라이버 교수가 막았다는 얘기를 들었어요."

"확실해요?"

"아마도요. 자무엘 쉬프는 결이 달랐어요. 까를로스 빼냐 감독도 케빈 슈라이버 교수 편을 들었나 봐요. 까를로스 빼냐는 케빈 슈라이버 교수를 무척 존경했어요."

"누구한테 들은 거지요?"

"알 만한 사람들은 다 알아요."

"월 스트리트는요?"

"대환영이었대요. 아는 사람이 적을수록 좋았고 둘의 갈등이 이 작업을 유야무야하는데 도움이 된다고 판단한 것 같았어요. 이건 나중에 들은 건데 케빈 슈라이버 교수 노트를 월 스트리트가 못마땅해했대요. 사실 그건 아무것도 아니었어요. 필름이 있었거든요."

"필름이라니요?"

"케빈 슈라이버 교수가 촬영 현장을 찍은 거요."

"월 스트리트도 알아요?"

"그건 모르겠어요. 내가 알 바도 아니고요."

"혹시 케빈 슈라이버 교수 노트 본 적 있어요?"

"아뇨, 전혀요."

"필름은요?"

"마찬가지예요. 아무도 이 작업이 진짜 사람을 상대로 할 거라곤 생각하지 못했다는 거예요. 누구도요. 아직도 그걸 연출이라고 생각하고 있는 스태프도 많아요. 그들은 그런대로 살아가겠죠. 하지만……." 여자가 말을 멈추었다.

"뭐죠?"

"진짜였다고요, 그게……."

화면이 하얗게 변했다. 이어 아까 인터뷰한 남자가 보이고 자막이 나왔다. 그는 다른 인터뷰이에 비해 좀 급하게 말했다. 그 역시 그게 실제라고 생각하지 못했다는 말을 하고 있었다.

남자가 말했다.

〔40대 후반. 이름 모름. 백인 남자. 영어 사용 : 촬영팀의 중요 인물로 추정〕

"표현이 뭣하기는 하지만 소중하게 다뤘어요. 조각품처럼요." 그가 말을 멈추더니 심호흡을 했다. "한번은 카메라가 가슴을 비추었는데, 뭔가 맺혀 있었어요. 누가 그러는데 임파관이라고 하더라고요. 난 소리에 민감한 편이에요."

"소품이 아니에요?"

"붐 마이크가 워낙 예민했다니까요. 초지향성이었어요. 순간 혼란스러웠어요. 사람들 사이에서도 소리가 들렸어요. 숨소리인지 탄성인지, 그 애한테서도 소리가 들렸지요. 갑자기 노인의 손놀림이 빨라졌고, 뭘 골라내는 거 같았는데 당황한 것 같았어요."

화면에서 인터뷰이의 모습이 사라지고 목소리만 들렸다.

"노인이 말했어요……."

남자가 말을 멈추자 인터뷰어가 다그쳤다.

"뭐죠, 그게?"

"젠장……." 남자가 웅얼거렸다.

"그게 뭐냐니까요?"

갑자기 영상이 끊기더니 다른 영상이 나왔다. 희미한 실내였다. 안개가 낀 듯 뿌옜다. 초점이 나간 건지 일부러 그런 건지 알 수 없었는데 소리만 들렸다. 목에 뭔가가 가득 차 끓는 듯한, 듣는 사람이 다 숨이 막혔고 그게 꽤 길다 싶은 순간이었다. 희미하던 영상이 끊기고 어두웠다.

홀이 조용했다. 끊긴 화면 때문에 술렁이는 듯했지만 곧 조용해졌고 긴장감이 이어졌다. 그 시간이 꽤 길었다.

말이 없었다. 어떤 작은 움직임도 없었다. 시선은 다들 앞을 보고 있었다. 잠깐 영상이 잘못된 것뿐, 다시 화면이 나올 거라고 생각한 모양이었다. 그렇게 시간이 흘렀고 이어서는 적막이었다.

"흐으으흠……." 누군가 헛기침을 했다. 여기저기서 그 소리가 들렸다. 자리에서 움직이는 사람은 없었다. 다들 붙박이듯 앉아 화면을 응시했고, 어서 다시 영상이 이어지기를 기다리는 듯했다. 하지만 홀은 적막이었고 화면은 허옜다. 시간마저 길을 잃은 것처럼, 적막이 준 효과였다.

영상은 다시 이어지지 않았다. 누구도 예상하지 못한 일이었다. 호텔도 투숙객들도. 참았던 숨을 토하듯 긴 숨을 내쉬는 소리가 여기저기에서 들렸다. 그 소리가 전염처럼 이어졌고, 그걸 아는지 모르는지 영사막의 흰 공간이 어둠 속에서 무심하게 텅 빈 빛을 반사하고 있었다. 투숙객들은 멍한 표정으로 서로 얼굴을 보거나 어둠 속의 영사막을 번갈아 봤다. 홀은 조용했고 무슨 소요라도 날 것 같았는데 그렇다고 누구 하나 투덜대거나 불만을 드러내지는 않았다. 아마 예상하지 못한 이 상황에 다들 할 말을 잃은 것 같았다. 그게 그들의 행동과 판단을 막고 있었다.

이과수는 천천히 자리에서 일어났다. 알을 잃은 펭귄처럼 두리번대는 투숙객들을 훑어보곤 천천히 문 쪽으로 걸음을 옮겼다. 뒤에서 누군가 말했다.

"…… 이게 뭐지?"

"그러게, 나 참."

"뭐 같아?"

다른 누군가 말했다. "밥상을 차리다 말았잖아, 젠장." 성에 차지 않는다는 듯 잔뜩 불만에 찬 목소리였다. 그게 신호이듯 웅성웅성하는 소리가 여기저기서 들렸다.

이과수는 등짝이 오싹했다. 아까 자기도 모르게 진저리를 쳤는데, 그 정체를 이제야 알 것 같았다. 이미 듣고 본 것만으로 충분히 혼란스러웠고, 아니 뭔가 오히려 명징하게 다가오는 느낌이었다. 하지만 투숙객들은 다른 듯했다. 하긴 사람이란 게 다 다르긴 했다. 같은 걸 보고도 다른 생각을 하는 일은 흔했다.

조용히 홀의 문을 닫으며 이과수가 중얼거렸다. "끝이 없어……." 그러고 보니 큰 일이라는 생각이 들었다.

체크아웃

"마터스라고 알아, 이 교수?" 이청이 물었다.

"마터스…… ? 알지, 파스칼 로지에 감독 거. 웬 갑자기 영화 얘기야." 이성일이 뜬금없다는 듯 말했다. 그는 대학에서 영화 강의를 하는 평론가였다.

이청은 인터뷰 영상 얘기를 했다. 대략이기는 하지만 이성일이 듣곤 좀 놀란 듯 했다.

"별걸 다 아네. 그런 얘기가 돈 적이 있긴 해. 근데 다 소문이야. 모방했다는 다큐멘터리가 언제 제작된 건지, 제목도 그렇고 출처가 어딘지 알려진 게 없어. 그걸 본 사람도 없고. 하도 기발하니까 나돈 말인데, 믿을 만한 게 못돼."

"그게 다야?"

"이쪽에선 마터스를 호러 뉴웨이브라고도 불러. 파스칼 로지에는 질색이지만. 영화의 본질하고 관계없는 얘긴데, 스태프 중 한 사람이 현장에서 기절한 적이 있어. 분장을 맡은 브누아 레스탕은 완성된 영화를 보곤 자살을 했고."

"자기가 만든 영화를 보고 자살을 했다는 거야?"

"말 그대로야. 잃어버린 아이들의 도시, 잠수종과 나비 같은 영화의 분장을 그 사람이 했어. 베테랑이지. 파스칼 로지에는 말이 안 된다고 했어."

"사람들 반응은 어땠는데?"

"칸 필름마켓에서 상영하고 나서였지 아마. 평이 극과 극이었어. 영화가 꽤 폭력적이고 정서적으로 불쾌감을 줘. 그걸 영화 미학 차원에서 얘기하는 사람들이 있었어. 그건 좋게 본 사람들 얘기고, 잔인하고 무자비한 고문 영화라는 혹평이 대세였지. 영화 예술을 빙자한 상술이라는 얘기도 있었고."

"더 없어……?"

"파스칼 로지에가 애를 좀 먹었다고 하더라고. 대본을 본 여배우들이 출연을 거부했거든. 개봉을 했을 때는 18+등급이 나왔는데 극장에 걸지 말란 소리나 같았지."

"왜 출연을 거절을 한 거야?"

"촬영 내내 울고 있어야 했대. 일이 되려고 그랬는지, 아이 하나가 나타났는데 그 애가 모르자나 아나위라는 배우야. 파스칼 로지에는 그 아이를 보자마자 그 자리에서 주인공으로 결정을 했대. 그 애도 선뜻 하겠다고 했고."

"어떤 배우였는데?"

"이미지가 좀 이중적이야. 대차기도 했고. 시나리오가 얼마나 잔인한지 알면서 출연 결정을 했다고 했으니까. 그 애 말로는 그게 매력이었대. 근성이 있는 거지. 안나가 그 아이고, 그 아이가 곧 안나였지. 연기를 하는 건지 실제 사건을 겪는 건지 헷갈릴 정도라고 했으니까. 영화를 보면서 아이한테 자살을 하라며 운 관객도 있었다고 했어."

"……."

"내 말 듣고 있어, 이청?"

이청은 오디오 박스의 버튼을 눌렀다. 오디오 박스에는 팝과 월드 뮤직, 클래식은 물론 각 나라의 민요와 동요까지 들어 있었다. 음악이 나왔다. 모차르트가 작곡한 클라리넷 협주곡이었다. 3악장으로 이루어진 A장조의 이 곡은 그의 유일한 클라리넷 협주곡이었다.

멀리 크리스마스 트리가 보였다. 도시의 불빛이 제철을 만난 과일들 같았다. 산등성이에는 기다랗게 늘어선 바이메탈 전구들이 점선으로 반짝였고, 웬 빛 하나가 불쑥 창으로 들어왔다. 북악산 쪽에서 날아온 서치라이트였다. 한동안 보이지 않더니 언제부터인가 나타나 시내 곳곳을 기웃거렸다.

무엇을 본 것일까, 영상의 그 사람들은 무슨 말을 한 것일까? 이가 빠진 듯 듬성듬성 틈이 있었지만 갖은 상상을 불렀고 뒤는 선연했다. 뭔가에 속수무책으로 털린 기분이기도 했다. 복도에는 음식을 담은 이동 수레가 줄지어 서 있었고 제복을 입은 직원들이 분주하게 움직였다. 극장 같던 홀이 순식간에 만찬장으로 변신을 했다. 조금 전의 팽팽한 긴장과 간간이 들리던 한숨과 탄식이 사라지고 축제장처럼 시끌벅적했다. 그 자리에 있을 수가 없었다. 가슴 한쪽이 먹먹하더니 이청은 순간 호흡곤란을 느끼며 튕기듯 홀을 박차고 나왔다.

이청은 창에서 몸을 돌렸다. 갑자기 할 일이 생각난 사람처럼 짐을 챙겼다. 노트북을 챙기는 게 전부여서 긴 시간이 걸리지 않았다.

방 안을 둘러봤다. 하룻밤이지만 자신에게 편한 잠자리를 내준 곳이었다. 침대와 탁자와 의자 그리고 오디오 박스, 오디오 박스에서는 여전히 모차르트의 클라리넷 협주곡이 흘러나오고 있었다.

서너 개의 방을 지나자 로비가 나왔다. 승강기가 있는 곳이었다. 승강기가 아래층에서 올라오는 중이었고 36층까지 갔다가 다시 내려왔다. 승강기에는 남자 둘이 타고 있었다. 그중 한 사람이 이청에게 인사를 했다. 중절모를 쓰고 있어 몰랐는데 홀에서 잠깐 본 고찬수라는 사람이었다. 옆에는 그때 같이 본 그의 친구가 있었다.

"안녕하세요, 이청 선생님."

고찬수가 말했다. "전 여길 떠나는 중입니다, 선생님." 캐리어를 잡은 그의 손이 꼼지락거렸다. 승강기가 1층에 도착할 때까지 그는 아무 말도 하지 않았다. 친구라는 사람은 뭐가 좋은지 싱긋싱긋 웃고 있었다.

승강기에서 나오자 이청이 손을 내밀어 악수를 청했다. "뵙게 돼 반가웠습니다, 고 선생님." 이청이 말했다.

"안녕히 가십시오, 선생님." 그가 친구와 커피숍 쪽으로 걸어갔다. 이청은 그 둘을 뒤로하고 프런트 쪽으로 향했다.

체크아웃은 오래 걸리지 않았다. 초청 고객이어서 따로 계산할 것도 없었다. 체크아웃을 마친 이청은 호텔 입구 회전문 쪽을 향해 걸음을 옮겼다. 몇 발짝 옮겼을까.

"이청 선생님?"

고찬수였다. 그가 커피숍에서 나와 이청 쪽으로 오고 있었다. 이청 앞에서 걸음을 멈추곤 그가 말했다.

"외람됩니다만……." 그가 말을 멈췄다.

"말씀하세요, 고 선생님." 이청이 말했다.

"전 이청 선생님께서 왜 여기 묵으셨는지, 그걸 여쭤보고 싶습니다." 그는 정말 그게 궁금한 것 같았다. "저는 평생 일만 해 온 사람이지요. 물론 부단히 공부했지만 모두 제 일에 필요한 지식들이었지요. 선생님처럼 공부한 사람들하고는 다르답니다. 그래서 그런 사람들을 존경하고 배울 게 있다고 생각했습니다. 여기에 온 이유가 그것이니까요……." 그가 손바닥을 비볐다. 초조해 보였다.

"그런데 제가 듣고 본 게 무엇인지 모르겠습니다." 그가 호텔 로비와 천장을 번갈아 봤다. 그가 빠르게 말했다. "투숙객들은 바깥 사람들을 우습게 알더군요. 아니 관심조차 있는지 모르겠습니다. 그런데 이상해요. 호텔 안에 있으면서 왜 제가 바깥에 있는 것처럼 느껴지는지요. 여기 오고 싶어서 왔는데, 이 안에 제가 있는데 왜 여전히 바깥에 있는 사람처럼 느껴지는 걸까요. 왜지요, 선생님?"

"무슨 말씀인지 압니다, 고 선생님."

고찬수가 희미하게 웃곤 말했다. "가야겠습니다, 선생님. 집사람하고 만나기로 했거든요. 같이 오겠다는 걸 혼자 왔는데, 데려오지 않길 잘한 것 같습니다."

"그러세요. 기다리시지 않게요."

그가 회전문 쪽으로 걸었다. 회전문을 앞에 두고서였다. 그가 걸음을 멈추더니 다시 이청 쪽으로 걸어왔다. 그가 고개를 갸웃하곤 말했다.

"무슨 짓을 한 거지요, 이 사람들……" 목소리가 떨렸다. 이어 그가 또박또박 말했다. "이청 선생님도 그랑호텔 투숙객이 아니셨나요?" 단호했다. 이청은 놀랐다. 이청이 뭐라고 하기도 전에 그가 휙 몸을 돌리더니 회전문 쪽으로 갔다.

"야, 고찬수?"

커피숍 쪽이었다. 고찬수의 친구, 그가 이청을 힐끗 보곤 외쳤다. "뭐 하나 빠지는 게 없던데 뭔 불만이 그렇게 많은 거야. 잘난 척은, 염병할."

"이청 선생님?"

이청은 소리 나는 쪽으로 고개를 돌렸다. 이한별이었다. 그녀가 이쪽으로 급하게 뛰어오고 있었다. 이청 앞에서 걸음을 멈춘 이한별이 밭은 숨을 쉬며 말했다.

"아유, 큰일 날 뻔했네. 방에 안 계셔서 급하게 내려오는 중이었어요. 이거요, 선생님." 이한별이 봉투를 내밀었다. "이과수 대리님이 드리래요. 편지인데, 일이 있어 선생님을 뵙지 못한댔어요."

이청은 회전문 쪽을 봤다. 고찬수가 보이지 않았다. 회전문이 한 바퀴 돌더니 한 무더기의 사람들이 들어왔다. 투숙객들이었다. 이어서 또 사람들이 들어왔고 쉬지 않고 회전문이 빙빙 돌았다.

이한별이 건넨 봉투를 내려다보며 이청은 불현듯 시시포스가 된 기분이었다. 언젠가 거리에서 본, 끝도 없이 고개를 숙여야 존재하는 그리팅맨의 숙연함처럼, 쉬지 않고 망치질을 해야 존재하는 해머링맨의 고달픔처럼, 노동의 숭고함보다 반복하는 팔 동작과 터무니없이 큰 키 때문에 고독과 서글픔이 앞서던 그때의 감정이 천천히 되새겨지고 있었다.

유령

행사 마지막 날이었다. 다른 일정은 없었다. 호텔이 제공한 요리와 술과 음료와 후식을 만끽하며 잡담이나 나누는 게 투숙객들이 마지막으로 한 일이었다. 호텔은 먹을 것과 마실 것을 쏟아붓다시피 했다.

작은 소란도 있었다. 한창 만찬이 진행 중일 때였다. 웬 사람들이 지배인을 찾아왔다. 그것도 방으로 직접. 방문객은 셋, 여자 하나 남자 둘이었다. 사전 약속도 전갈도 없이 일방적이었고 평소 잘 띄지 않아 그들이 투숙객인지 몰랐다. 투숙객 중에 그런 사람들이 있었다. 일종의 항의를 하러 온 거였는데, 여태 투숙객들한테 직접적인 항의를 받아본 적은 없었다. 셋 중 여자의 말은 논리적인 데다 호소력까지 있었다.

여자는 호텔의 홍보 내용에 의문을 가졌고, 영상이 홍보한 내용과 다르다는 걸 문제 삼았다. 여자는 그걸 여러 번 반복했다. 영상이 실망스럽기 짝이 없으며 그간 호텔이 홍보한 것에 비해 초라하기 짝이 없다고. 이젠 호텔의 능력과 미래 비전을 의심하게 됐다고도 했다. 듣다 보니 호텔이 원본 영상을 숨기고 투숙객들에게 엉뚱한 걸 보여 준 게 아닌지 의심한다는 투였다.

"이번 일은 없었던 것으로 하죠." 여자가 말했다.

모두 여자를 봤다. 하도 단도직입적이어서 바로 반박하지도 못했다. 무슨 뜻이냐고 지배인이 묻자 여자의 목소리가 한층 단호했다.

“처음부터 다시 하셔야죠.”

잘못 봤나, 여자가 웃었던 것 같다. 싱긋. 여자의 말은 홀에서 이미 투숙객들과 소통을 했다는 소리처럼 들렸다.

“직접 볼 수 있고 손으로 만질 수 있어야 하거든요.”

지배인은 놀랐다. 뭘 알기에 저런 말을 하는 걸까. 최치영도 당황한 것 같았다. 차영한과 장진수, 이구민이 멍한 표정으로 여자를 봤다. 영상의 핵심이 무엇인지 모르면 할 수 없는 말이었다. 그 소리를 듣고는 다들 벙어리가 된 듯 고개를 끄덕이고 있는데 여자가 말했다.

“대안이 없는 분들이시네…….”

“아직 논의가 끝난 게 아닙니다.” 장진수였다. “분석도 필요하고 그래야 결론이 나옵니다. 그 정도는 아실 만한 분 같은데.”

“사태 파악이 안 되는군요.” 여자가 말했다.

“촬영한 사람이 여럿이어서 그럽니다. 성격이 복잡하단 뜻이지요. 시기도 다르고요. 보셔서 아시겠지만 정체가 좀 불분명합니다.”

“이 친구는 원본 필름이 따로 있다는 얘기를 하는 겁니다.” 차영한이 거들고 나섰다. “필름 주인도 제각각이고요. 누가 누굴 쫓고 누가 누굴 고발하고 대충 봐선 보통 사람들은 모릅니다.”

“세미 같아, 아니면 페이크? 현장의 목적이 뭔지는 알겠는데, 숨은 카메라는 도무지 알 수가 없어, 뭘까…….” 이구민의 말에 남자 둘이 피식 웃었다.

“어차피 감수하는 것 같지 않았어?” 장진수였다. “제3의 눈 같은 거. 그 때문에 시선 처리가 난해했고. 아리송하지만 카메라는 현장과 인터뷰이 둘을 관조하고 있었어. 또 다른 목적을 가지고 있다는 거지. 정리해 보자고. 원본 파일은 하나가 아닐 수도 있어. 다들 이견 없지?”

장진수의 말에 여자가 또 웃었다. 얼마나 큰 소리로 웃는지 방이 다 울렸다. 지배인은 눈을 감은 채 그 소리를 들었다.

“저 들으라는 말 같은데, 제 얘기를 농담으로 듣고 계시군요. 그랑호텔이 이 정도였나요?”

분위기가 싸해졌다. 최치영이 옆에서 끙하고 신음 소리를 냈다. 호텔을 직접 입에 올리는 건 쉽게 할 수 있는 행동이 아니었다.

여자가 말했다.

“전 투숙객이에요. 여긴 그랑호텔이고요. 물론 이곳엔 우리 말고도 많은 투숙객들이 있죠. 왜 제가 여길 온 것 같으세요. 심심해서요?” 여자는 줄곧 여유가 있었다. 지배인은 그게 불편했다. “천만에요. 나는 그저 조용히 왔다 조용히 가는 투숙객이죠. 눈에 띄는 것도 아니고 눈에 띄려고도 하지 않아요. 무슨 말씀인지 아세요?” 여자의 입술이 파랗게 빛났다. “제가 알고 싶은 건 원본 필름이 몇 개인지, 누가 누굴 찍었는지, 어떤 사람이 뭘 까발리고 싶은지가 아니에요.”

말을 멈추곤 여자가 모두를 봤다. 지배인이 눈을 떴다.

“월 스트리트가 그 정도 하자고 일을 벌였겠습니까.” 여자 옆에 서 있던 남자가 양복을 추스르곤 말했다. “그걸 믿으라고요? 이런 허접한 소리에 우리가 눈 하나 깜짝할 것 같습니까?”

“아시겠지만 월 스트리트가 하고 싶은 건 하나였죠.” 여자가 머리를 매만졌다. “우린 그걸 보고 싶은 거고요. 원래 그러기로 한 거 아니었나요?”

“압니다, 여사님.” 장진수였다. “하지만 본질은 좀 더 깊은 곳에 있다고 봐야 합니다. 단순히 이벤트 하나가 어그러졌다, 이게 아니라…….”

“왜 같은 말을 하게 하죠?” 여자가 말을 막았다. “논쟁을 하고 싶으신 모양인데, 전 관심 없어요. 이러면 번지수를 잘못 찾은 거죠.”

그때까지 최치영은 묵묵히 그 광경을 지켜보기만 했다. 평소의 그 같지 않았다.

“으으으으 흐음.” 지배인이었다. 속에서 뭔가 끓고 있다는 신호였다. “하고 싶은 얘기가 뭡니까?” 지배인이 눈을 감은 채 물었다.

여자가 미소 짓더니 말했다.

“이젠 젠체들 다 하셨나요?” 다들 여자를 봤다. “가만히 보니 멋으로 사는 분들이시네.”

“한마디만 하지요.” 지배인이었다. “영혼이란 게 어디 쉽게 드러납니까. 그러면 월 스트리트가 그렇게까지 했겠어요? 개나 소나 다 덤벼들었을 텐데.”

그 말에 여자가 소리 내 웃었다. 웃음소리가 방안을 울렸다. 갑자기 획 몸을 돌리더니 여자가 문 쪽으로 걸어갔다. 나머지 둘이 히죽 웃곤 여자를 따라갔다. 여자가 걸음을 멈추곤 말했다.

"날로 먹으려 하다니…… 참 나." 기가 차다는 듯, 그러곤 여자가 문을 열고 나갔다.

여자와 일행이 나가고도 누구 하나 입을 열지 않았다. 다들 공황에 빠진 것 같은 얼굴이었고 최치영도 별로 달라 보이지 않았다. 무엇인가가 방 안을 후비고 간 듯한 휑한 공간에는 당혹과 침묵만이 고여 있었다. 우려는 했지만 이렇듯 빠르게 또 노골적으로 투숙객들의 반응이 나올 줄은 몰랐다. 그러고 보니 이름을 묻지도 못했다.

"이 사람들 뭐지요, 선생님……?" 차영한이었다.

최치영은 뭔가 골똘히 생각하는 눈치였다. 지배인은 이 대리를 불렀다. 잠시 후 호출을 받고 온 이과수가 안의 분위기를 파악하곤 얼굴이 굳어졌다.

"투숙객들은 어때?" 긴 숨을 뱉으며 지배인이 물었다.

"다들 말이 없었습니다. 음식을 앞에 놓고도 멀뚱멀뚱 서로 얼굴만 봤는데 시간이 좀 지나자 조금씩 평정심을 찾아가는 듯했습니다. 토론도 하고 논쟁도 하고 활기를 되찾은 듯했으니까요."

"젠장, 토론은 무슨…… 또?"

"영상의 미완이 투숙객들을 자극한 것 같습니다. 그 때문에 의견이 분분했는데 자리를 뜨는 사람은 없었습니다. 작은 정보라도 얻고 싶어 했으니까요."

"투숙객들이 뭐라고 했냐니까, 이 대리?" 지배인이 짜증을 냈다.

"호텔이 일부러 그런 게 아닌지 의심했습니다."

"젠장, 그리고?"

"재상영을 요청하겠다는 얘기가 나왔습니다."

"작게 생각할 일이 아니네, 제임스." 최치영이었다. 아까의 골똘한 표정 대신 지금에서야 자신의 모습으로 돌아온 듯 최치영이 다시 말했다.

"그 양반들, 그림자 투숙객일세."

그 말에 모두 최치영을 봤다. "이처럼 노골적으로 자신을 드러낼 때는 이유가 있지. 흔한 게 아니거든……."

최치영은 혹 그럴 일이 있다고 해도 누군가를 통해 얘기를 전하는 게 통례고 이

번 일은 전례를 깬 희귀한 사례라고 했다. 그런 면에서 이들의 행동은 의도적이며 주의 깊게 살펴야 한다고 최치영은 힘줘 말했다.

"그래 봐야 투숙객 아닙니까." 대수롭지 않다는 듯 지배인이 말했다.

"내 얘기 허투루 듣지 말게." 최치영이 자리에서 일어났다. 방문을 열다 말고 그가 뒤를 돌아봤다.

"경험은 직관을 주지. 이런 경우가 있어서 하는 말이네."

"망할 것들……."

최치영 때문에 제대로 화를 내지 못한 지배인은 버번 서너 잔을 삼키곤 씩씩거렸다. 바람처럼 나타났다가 소용돌이처럼 사라진 여자의 등장으로 구겨진 기분이 영 말이 아니었다. 그런데 이 자식들이 여자 하나 제대로 상대하지 못하다니. 별 시답지 않은 말로 어설피 대꾸하다 되레 당하지를 않나. 지배인은 속이 뒤집혔다.

"다들 벙어리가 된 거야……?" 지배인이 으르릉댔다.

"일이 좀 복잡해지긴 했는데, 제임스." 장진수가 기어드는 목소리로 말했다. "우리 책임 같지는 않아. 물론 제임스 자네 때문이라는 건 더욱 아니야. 최치영 선생님도 별 방법이 없으셨잖아."

"장 선생 말도 일리가 있어, 제임스. 우린 쉬프 씨한테 속은 거라고." 이구민의 말에 지배인이 둘을 쳐다보곤 버번을 따랐다. 들어나 보자 싶었다.

"영상 구성이 복잡했잖아. 다큐인데도 연출한 냄새가 났고." 장진수였다. "분명한 건 연출자가 존재한다는 거야. 인터뷰 시간차도 있고. 영상 정보도 빈약해. 인터뷰이 정보가 다 추정인 데다 목적을 가지고 있어. 원본 파일도 장담할 수 없다는 얘기야."

차영한이 고개를 끄덕였고 이구민이 물론이라고 말했다.

"현장 원본 파일이 있고 그걸 취합한 사람이 따로 있다는 건데, 편집이랄 것도 없이 뒤섞인 느낌이지만 누군가는 취합한 사람이 있다는 게 중요해. 정리가 좀 되는 것 같지 않아?"

"전지적 시점이라……." 차영한이 중얼거렸다.

이과수는 슬쩍 세 사람을 봤다. 저렇게 눈치가 없을까. 예상대로였다. 지배인이 외마디처럼 버럭 소리를 질렀다.

“젠장할!”

셋이 놀라 지배인을 봤다.

“니들 지금 뭔 개소리를 지껄이고 있는 거야!” 기가 막힌 모양이었다. “아직 정신을 못 차렸잖아. 뭣 같은 소리나 지껄이다 여자한테 얻어터져 놓곤 또 이런 헛소리나 늘어놓으면서 노닥거리다니, 다들 제정신인 거야?”

“그게 아니라 제임스…….” 차영한이었다.

“중요한 건 본질이 뭔지 좀 알고 대책을 세우더라도 세우자 그런 취지야.” 장진수였다. 이구민이 입술에다 손가락을 세우곤 둘을 봤다.

“이따위 소리나 듣자고 그동안 이 고생을 한 줄 알아. 카메라가 세 개면 어떻고 네 개면 어때. 애 이름이 뭐라고 했지, 이 대리?” 지배인이 좀 차분해져 물었다.

“엘라, 엘라입니다.”

“그래 엘라. 그 애가 나오는 영상만 있으면 돼. 그게 다야. 인터뷰 따윈 내가 알게 뭐야. 제이콥 이 망할 자식이 알짜배기는 다 날리고 껍데기만 보낸 거라고!” 지배인이 연거푸 버번을 털어 넣었다.

“핵심이 뭔지 알아? 엘라라는 애가 나오는 영상이 어디로 사라졌는지, 그거잖아. 니들 소리는 다 개소리라고. 야, 장진수. 제이콥 핸드폰 눌러.”

장진수가 핸드폰 버튼을 누르자 신호음 가는 소리가 들렸다. 시간을 보니 보스턴은 저녁 9시 경, 아직 잠잘 시간이 아니었다. 장진수는 제이콥이 받을 리 없다는 생각을 하며 버튼을 눌렀다.

“안 받아, 제임스.”

“개자식…….” 지배인이 버번을 따르려다 빈 병을 흔들었다. 그 사이 송신음이 음성 메시지로 넘어가고 있었다. 지배인이 장진수의 손에서 핸드폰을 잡아챘다.

“야, 제이콥. 넌 생각보다 멍청한 데가 있어. 하긴 예전에도 이런 적이 있긴 해. 농담으로 듣지 마. 그렇다고 진지할 필요 없어. 니 심사를 틀어지게 하고 싶진 않으니까. 니 말대로 데이브가 파일을 보내 줬어. 아주 잘한 일이니까 니 아들내미 칭찬해 줘도 돼. 그런데 문제가 있어. 못 믿겠으면 당장 파일을 열어봐. 아니, 넌 봤을 거 아니야. 왜 그게 애버리지니 필름이 아닌 거야, 니가 그런 거야? 잘 들어, 제이콥. 월 스트리트가 찍었다는 애버리지니 필름이 왜 이 모양인 건지 그 답을 줘. 누가 인터뷰가 보고 싶댔어, 이 망할 자식아!"

지배인이 숨을 헐떡였다. 눈이 희번덕거렸고 주먹을 쥔 손에 힘이 들어가 있었다.

"제이콥 이 자식이 날 여, 엿 먹였어."

지배인이 말을 더듬었다. 이구민과 차영한, 장진수의 눈이 공연히 허공과 바닥을 번갈아 봤다.

"그 애가 뭐라고 했지?"

셋이 동시에 지배인을 봤다. "그 애가 뭐라고 했잖아. 그거 들었냐고!" 세 사람이 고개를 저었다. "나갓, 머저리 새끼들아!"

이틀째 폭식이었다. 드물게 지배인은 폭식을 했다. 2008년 입사했을 때 처음 지배인의 폭식을 본 이과수는 놀라 자빠질 뻔했다. 요즘 유튜브에서 흔히 보는 먹방의 원조는 지배인이었다.

닭고기 그라탕과 양갈비, 샐러드와 빵, 독일산 소시지와 동남아산 파인애플, 책상에는 씹을 것과 마실 것이 종류를 헤아리기 힘들 정도였다. 또 있었다. 프랑스 포도주와 한우 불고기, 삼십 센티미터짜리 킹 타이거 새우 이십 마리와 베링해에서 잡은 러시아산 활대게, 그리고 칠백 밀리리터짜리 중국산 연태주 네 병과 조아하주, 아직 따지 않은 버번위스키 두 병이 나란히 놓여 있었다.

지배인이 킹 타이거 한 마리를 우적우적 씹으며 소식지를 집어 들었다. 아침에 하정미가 갖다 놓은 거였다. 소식지 넘기는 소리가 찬 바람 소리를 냈다. 소식지 4면에는 경제와 관련한 중국 소식이 있었다.

"마진 콜이라……." 지배인이 중얼거리곤 버번을 홀짝였다.

중국건설은행의 자회사가 니켈 가격의 급등으로 생긴 마진콜을 유예받았다는 기사였다. 북한이 수일 안에 핵 실험을 할 가능성이 80프로라는 기사는 3면에 있었다. 옆에는 핵 실험의 학습 효과 때문에 큰 폭의 주가 하락은 없을 거라는 애널리스트의 코멘트가 있었고, 오늘의 행사에는 호텔 데이행사에 참석한 인사들의 동정이 있었다. 데이행사에 무사히 참여한 시인 이청이 체크아웃했다는 내용이었다.

욕지기가 느껴졌다. 음식에서 온갖 냄새가 섞여 풍겼고 아무 특징이 없어 식욕이 생길 것 같지도 않았다. 먹다 남은 음식 찌꺼기와 부스러기들이 헤집어져 냄새가 탁하게 방 안을 오염시킨 탓이었다.

"세상은 늘 평온해. 알아, 이 대리?"

커다란 해머처럼 생긴 양갈비 삼분의 이를 먹어 치운 지배인이 쩝쩝거리며 말했다. "무슨 일이 있었더라도 아무 일 없었던 것처럼 흐르지. 비정할 정도로." 동의한다는 듯 이과수가 고개를 끄덕였다.

"찾아봤어?"

물론 찾아봤다. 내부 인트라 서버에 접속해 보니 셋은 오랜 투숙객들이었다. 이과수는 놀랐다. 알고 보니 낯선 사람들이 아니었다. 그중 여자가 그랬다. 여자의 이름은 양민순, 나머지 둘은 임장수와 이용남이었다. 선대가 강대식 시절부터 호텔의 투숙객으로 있던 사람들로 기록돼 있었다. 한 마디로 금수저, 호텔 주요 투숙객의 전형적인 모습이었다. 그런데 이상한 것은 둘과 달리 양민순이라는 여자의 선대에 관한 자료가 보이지 않았다. 자신도 여자를 모르겠다던 최치영의 말이 생각났다. 그걸 증명이라도 하듯 서버 어디에도 양민순이나 집안에 관한 자료는 보이지 않았다.

"강대식 어른 때를 살펴봐야 할 것 같습니다." 지배인이 무슨 소리냐는 듯 이과수를 봤다. "본질을 아는 데 도움이 될 것 같아서요."

"본질?" 지배인이 양갈비를 집다 말고 이과수를 봤다. "본질은 무슨, 그런다고 달라지겠어?"

"그 사람들, 강대식 어른과 무관하지 않습니다, 지배인님."

최치영의 말이 생각나서였다. 이과수는 그 얘기를 하려다 그만두었다. 지배인이 잘 받아들일지 싶기도 했고, 또 최치영과 나눈 얘기를 옮기는 듯해 내키지 않았다. 그만치 그가 들려준 얘기는 비범했고 흥미도 있었다.

사사 자료를 수집하느라 그를 만나고 다닐 때였다. 최치영의 강대식 얘기는 늘 흥미가 있었다. 그의 얘기를 듣다 보면 강대식이라는 사람을 새삼 다시 보지 않을 수 없었다.

"이 양반 난 사람은 난 사람이야. 시대를 읽을 줄 알았거든."

최치영이 자주 하던 말이었다. 그의 말대로라면 호텔의 위기와 시대의 변화에 대처하는 강대식의 수완은 기막힐 정도로 발 빠르고 정확했다. 최치영이 혀를 내두를 정도였고 자기는 할 수 없는 일이라고 했다.

"나도 그 사람들은 잘 몰라." 최치영이 말했다. 누굴 말하나 했는데 호텔 곳곳에 있는 그림자 투숙객이라는 사람들을 말한 것이었다. "내가 그림자요, 하지 않는 한……." 그림자 투숙객 얘기는 그때가 처음이었다.

최치영은 이들의 성장은 호텔 초기 흐름과 비슷하다고 했다. 강대식 선대의 배경과도 궤를 같이 한다고.

"이 사람들과 같이 한 사람이 강대식이야."

그러며 최치영은 군사정권 때 얘기를 했다. 자세했다. 이승만 정권도 군 정권도 그리고 이후 문민정부가 됐든 국민의 정부가 됐든 뒤에는 이들이 있었고, 강대식은 죽을 때까지 그들과 함께 했노라고.

"강창섭을 생각하면 군사정권한테 한을 품을 만해. 알고 보면 그게 꼭 그런 것만도 아니긴 하지만……, 군사정권 덕을 가장 많이 본 사람이 강대식이거든."

경제개발계획 때문이라고 했다. 그때부터 강대식은 한국이 본격적으로 산업 국가로 들어설 수 있다는 판단을 했다고 했다. 당시로서는 드문 확신이었다. 강대식은 그 그림을 위해 군사정권과 한 몸이 되기로 마음먹었고, 마침 70년대가 되자 정부는 호텔업을 정책적으로 육성하기 시작하면서 우연치 않게 강대식의 그림을 받쳐 주는 모양새가 됐다. 호텔에 등급이 매겨지고 정부는 관광산업 자체를 경제개발계획에 포함했다.

"운이 좋았지. 시대가 받쳐 줬으니까." 얘기는 구체적이었다. "서울과 지방에는 2, 3백 개 혹은 5, 6백 개의 객실을 갖춘 거대 호텔이 줄지어 개업을 하기 시작했지. 고속도로 건설과 유원지 개발도 이어졌고. 국가가 아니면 할 수 없는 일들이었네."

강대식은 새 시대를 꿈꿨다. 패러다임의 변화, 양이 아니라 질을 따져야 할 시대가 왔다는 생각을 했다.

"강대식은 새 시대에 대한 의지를 몸으로 보여줬어. 호텔을 재단장하고 과감하게 객실을 증축했는데 생각이 좋았지."

벽수산장을 감싸듯 설계한 유리 곡면의 호텔 객실을 완공한 게 79년이었다. 박정희가 죽던 해였다. 군사정권 덕에 번성한 강대식은 살고 그는 죽어야 했다.

"그 후 호텔은 다시 한번 도약을 했어. 증축을 했거든. 아시안게임과 올림픽을 앞

두고서였지. 군사정권은 강대식한테 호의적이었어. 3저로 호황인 데다 호텔 사업을 중심으로 한 관광업을 장려했으니까. 국풍이다 뭐다 소비가 대중화로 접어들 때였지. 정부가 그걸 유도했어. 시대 흐름이 그랬으니까. 그 바람에 강대식은 객실 증축에 든 비용 회수에 별 어려움이 없었고. 그리고 또 시대가 바뀌고 있었지. 마이카 시대가 가능했고 부자는 더 큰 부자가 될 수 있었지."

시대의 변환을 따라가는 강대식의 방식은 늘 비슷했다. 호텔 경영에 혁신을 꾀했고 투자는 과감했다. 하지만 이제는 달라져야 했다. 혁신을 호텔의 외형을 통해 보전하던 방식에서 벗어나 사람에게서 찾기로 한 것이었다. 질의 가치를 중요시했고 무엇보다 시대를 앞설 줄 아는 직관을 구사하는 능력이 필요했다. 그러려면 자기 사람이 있어야 했고 강대식은 그 일을 해 줄 사람을 찾았다.

"그 어른을 만난 건 우연이 아니라 필연이었지. 돌아보니 그래. 시대를 잘 만난 것도 있고." 그러며 최치영은 서로 똥집도 맞았다며 농담을 했다. "난 외국 땅이라곤 그림자도 밟아 본 적이 없는 사람이야. 그런데 그 어른이 그걸 알아줬지."

최치영은 삼십 초반의 대학교수였다. 유학파 못지않게 잘 나갔고 후학들의 존경까지 받았다. 형이상학자로는 흔치 않게 정부의 정책 자문을 맡았는데 젊은 그의 필력이 던지는 화두와 진단은 늘 사회의 중심을 가리켰다. 언론은 최치영의 입을 알리기에 바빴고 대중의 호응도 좋았다.

"정보가 아니라 지식과 철학이 필요한 시대였네. 그게 나하고 맞았어. 미래도 밝았고."

강대식은 뒤에서 최치영을 후원했다. 출판이 필요하다면 돈을 댔고 연구소가 필요하다면 설립 비용을 댔다. 그 외 부수적인 지원이 더 많았다. 최치영은 호텔의 고문이 되는 것으로 자기 존재를 보여줬고, 그렇다고 강대식이 형식적인 고문 노릇을 원하지는 않았다. 그의 체질이 아니었다. 그는 경험으로 모든 걸 깨우치고 설계해 온 사람이었다. 철저한 실용주의자였지만 경계를 넘나들 줄도 알았다. 현실과 꿈, 꿈과 몽상 사이를. 강대식은 그 감각을 타고난 사람이었다. 그는 현재와 미래가 중요하다고 떠벌리는 사람들을 경멸했다. 위기를 헤치고 나가기 위해선 시대의 맥락을 알아야 했고, 그 시작은 과거에서 온다는 믿음을 가지고 있었다. 그게 현재를 있게 하고 미래를 기획하게 하는 힘이라고. 그는 그걸 뿌리라는 말로 표현했다. 강대식은 누구보다 그걸 잘 알았고, 그 일을 할 사람을 찾았다. 강대식은 최치영과 함께라면 가능하다는 생각을 했다.

"시대를 헤쳐 온 강대식의 생존과 번영의 비결이 뭐 같은가?" 최치영이 물었다.

"정권의 힘 아니겠습니까."

최치영이 가만히 고개를 젓곤 말했다.

"그림자일세."

최치영은 강대식이 시대의 변화에 대처하며 살아남을 수 있었던 데는 그림자 투숙객들의 존재와 도움이 있었다고 했다. 그들과의 동고동락, 정권이 강대식을 살린 것 같지만 뒤에는 그 그림자가 있었다고. 정권의 뒤에도 그들이 있었고 궁극에는 각 시대의 뒤에 그들이 존재해 왔기 때문에 지금이 가능한 것이라고 최치영은 말했다. 강대식은 그들을 후원했고 아무것도 묻지도 따지지도 않았다. 보이지 않은 존재와 같이 하며 시대마다 살아남고 숨기며 산 사람, 그 힘이 어디에서 오는 것인지, 누가 주인인지 강대식은 본능적으로 알았고 실천한 사람이었다.

"굳이 표현하자면 이렇게 말하고 싶네. 보이는 것도 보이지 않는 것도 아닌 존재, 그 사람들이 그래. 그림자는 사라지지 않아. 만질 수 없지만 존재를 느끼지. 이게 그들의 존재이자 힘이지."

그의 얘기를 듣고 나자 그림자 얘기가 다시 보였다. 그런데 좀 야릇하다는 생각이 들었다. 어쩌면 그는 자기 얘기를 한 것이 아닐까. 어떤 의도에서든, 최치영이야말로 강대식의 후원으로 살아온 사람이며 그의 존재가 사라진 뒤에도 여전히 누릴 것 다 누리고 그 힘 역시 여전한 사람이었기 때문이었다. 다른 것이 있다면 그림자 투숙객들과 달리 양지로 나왔다는 것.

"옛날얘기는 잊어, 이 대리."

지배인이 다 식은 마라탕 국물을 국자로 뜨며 말했다. 국자에 벌건 국물 자국이 얼룩졌다.

"강대식 어른이야 그 시대에 따라 산 거고 우린 또 다르잖아."

최치영 선생님도 그 말을 한 적이 있다고 말하자 지배인이 고개를 끄덕였다.

"하긴 사람이란 게 다 비슷하지. 있는 사람은 또 그들끼리 그런 거고." 지배인이

의자 뒤로 몸을 천천히 기댔다. 깍지 낀 손에 기름기가 번들거렸다. "하지만 그걸 누가 실천하는지가 중요해. 부가 뭔지, 소유가 뭔지 이젠 알잖아. 가질 사람은 다 가졌고. 안 그래, 이 대리?"

이과수는 가만히 고개를 끄덕였다.

"그렇다고 복잡하게 생각할 거 없어, 이 대리. 우린 그거나 가져오면 돼. 우리가 할 일이 그거야. 이런 건 소수의 있는 사람들한테나 해당하는 얘기라고." 지배인은 그 힘은 그 존재를 느껴 본 사람만이 알 수 있는 거라고 했다.

"양민순이 그런 사람 아닐까요." 이과수가 말했다. 그 일을 가볍게 보지 말라는 뜻이었다.

지배인이 큰 소리로 웃었다. "그런데 양민순 이 여자 말이야. 뭘 좀 아는 사람이야. 차원이 달랐어. 그걸 따지려고 찾아온다는 게 쉬운 일이 아니거든. 그 바람에 나만 촌놈이 됐어." 최치영의 우려와 달리 지배인은 양민순을 마냥 우습게 보지는 않은 듯했다.

"건신주의자라…… 그 양반 참." 건신주의자는 최치영이 한 말이었다.

지배인이 의자 깊이 몸을 묻곤 중얼거렸다. "소유를 불멸과 연결시키다니, 놀라워. 그런데 이게 양민순하고 겹쳐 보여. 덕분에 투숙객들이 다 건신주의자처럼 보이고 말이야." 지배인이 껄껄 웃곤 손가락으로 게딱지를 도닥였다. "그리고 브라더스 말이야, 이 대리." 지배인이 손가락을 멈추곤 이과수를 봤다. "걔들이 해 먹은 게 얼마라고 했지?"

"육천백삼십 억 달러니까 육백칠십조가 넘습니다."

"그런데 이 대리?"

"네, 지배인님."

"월 스트리트는 엘라한테 그 얘기를 듣지 않았을까……?" 지배인이 한 손으로 양갈비를 집으며 물었다. 무슨 소리인가 생각하다가 이과수는 정색을 했다.

"그럴 리가요, 지배인님."

순간 등에서 땀이 났다. 양고기 양념 냄새가 코안으로 비집듯 들어왔고 이과수는 숨을 참았다. 지배인의 다른 손이 파인애플 조각을 잡고 있었다. 또 욕지기가 나왔다. 양고기 살점을 뜯고 난 지배인이 버번과 연태주를 잔에 채워 연거푸 삼키더니 서걱서걱 파인애플을 씹었다. 쩝, 소리를 내곤 지배인이 말했다.

"이 대리가 몰라서 그래."

이과수가 급하게 말했다. "케빈 슈라이버 교수의 노트를 근거로 해야 한다고 생각합니다. 거기 그런 말은 없었습니다."

짜증이 난 듯 지배인이 말했다. "이 대리가 못 봐서 그렇다니까. 그 촌닭 말이야. 틀린 말이 하나도 없었어. 이래서 세상은 모른다고 하는 거야."

"촌닭이라니요?"

"양민순 그 여편네 말이야. 생각보다 많은 걸 알고 있었어. 어디서 무슨 말을 들었는지 모르겠지만 뭘 더 알고 있다는 투였어……." 말을 하다 말고 지배인이 뚫어지게 이과수를 봤다.

"그래서 말인데……."

이과수는 긴장했다. 지배인의 머릿속을 보지 않았으니 생각이 어디를 향하는지 알 수 없었다. 이럴 때가 난감했다.

"뉴욕에 가본 적 있어, 이 대리?"

"뉴욕,이라니요……?" 자기도 모르게 눈까풀이 파르르 떨렸다.

"뉴욕 말이야, 뉴욕."

"아닙니다."

"한번 가 볼래?"

이과수는 꼴깍 침을 삼켰다. 술기운에 하는 말이 아니었다. 지배인이 연태주를 삼키곤 대게 다리를 잡았다.

"초심을 잃지 마, 이 대리. 중요한 건 투숙객이 아니라 나야." 손으로 가슴을 툭툭 치며 지배인이 말했다. "이건 우리 일이라고. 안 그래, 이 대리? 월 스트리트가 만들었다는 원본, 엘라가 나오고 중국 늙은이가 나오는 애버리지니 필름!" 이과수는 극도로 긴장했다. "엘라가 무슨 말을 했는지 이 대리도 못 들었잖아?" 지배인이 슬며시 웃으며 이과수를 쳐다봤다. 입안에 다시 침이 고였다.

"가져와."

"네……?"

"가져오라고, 이 대리." 입안에 고인 침을 꼴깍 삼키며 이과수가 물었다.

"뭘요……?"

"이런 젠장, 애버리지니 필름 말이야. 양민순 같은 인간들이 찾아와 또 지랄하기 전에."

"제가…… 요?"

"그럼 누가 가? 이 대리는 궁금하지도 않아? 케빈 슈라이버 교수 필름인지에 나온다는 동양인들도 좀 봐야 할 것 아니야."

순간 몸이 뜨거워졌다. 아까부터 등짝에 맺힌 땀이 주르륵 등골을 타고 흘렀다. 숨이 거칠어졌고 무슨 말인가 해야 한다는 강박이 느껴졌다. 그런데 왜 말이 나오지 않는 것일까. 아니 지배인은 도대체 뭘 하자는 것일까? 겨우 숨을 고르고 나서야 이과수가 입을 열었다.

"월 스트리트가 그 일을 했다는 증거는 없습니다, 지배인님. 케빈 슈라이버 교수 노트도 그렇고요. 허구일 수도 있잖습니까." 자기도 모르게 두서없이 말이 빨라졌다. "더군다나 필름의 출처도 모릅니다. 누가 만들었는지도요. 아니 그런 게 있기는 한 건지도 그렇고 무슨 말을 하려는지 알 수 없는 것은 물론이고 이건 제 추측입니다만……."

"젠장. 내 얘기를 알아들은 거야, 이 대리?" 지배인이 말을 막았다. "애버리지니 필름인지 뭔지 그게 핵심이라니까."

이과수가 고개를 주억거리며 말했다. "이러면 도덕적으로 문제가 될 수도 있습니다. 그게 어디 있는지 제가 알 수 있는 것도 아니고요, 그 넓디넓은 땅덩이에서요."

지배인이 황당하다는 듯 이과수를 봤다. 화를 낼 줄 알았는데 차분했다. 손에 묻은 기름을 휴지로 닦으며 지배인이 말했다.

"도덕? 나 참, 뭔 잡생각이 그렇게 많아. 겁먹을 거 없어, 이 대리. 우린 우리 일이나 하면 돼." 이과수는 크게 숨을 삼켰다.

"그런데 말이야……." 지그시 눈을 감곤 지배인이 말했다. "난 여태 그랑호텔 주인이 난 줄 알았어……." 지배인의 얼굴이 무표정했다. "투숙객들이 자기들 입으로 주인이라고 말한 적이 없어서 그랬나 봐. 그 바람에 내가 착각을 한 모양이야." 지배인의 눈까풀이 가늘게 떨렸다.

"무슨 말씀이신지……?" 간신히 숨을 흘리며 이과수가 물었다.

"내 생각에는, 이 대리." 지배인이 눈을 번쩍 떴다. "이 사람들의 피가 오래전 예맥족이나 만주족, 여진, 말갈족의 일원이 아니었을까 싶어. 아니면 퉁구스계와 몽골족, 투르크족이 뒤섞인 선비족의 혈통과 한반도와 숱하게 교류한 한족과 왜, 멀게는 튀르키예와 유럽으로 진출한 훈족의 피를 섞으면 이 양반들 족보가 만들어질 수도 있겠단 생각이 들어."

"……." 이과수는 아무 말도 생각나지 않았다.

"그런 족보라면 유령밖에 더 있어." 탁해진 기분을 털 듯 지배인이 말했다. "우린 너무 멀리 왔어, 돌아갈 수도 없이……." 지배인이 천장에 매달린 실링팬을 보고 있었다. 잠시 뒤였다.

"그만하지, 이 대리. 원본 파일을 가져오라는 얘기가 길어졌어. 월 스트리트인지 자무엘인지 그 자식을 만나. 아니 제이콥부터 만나, 그래야 찾을 거 아니야."

이번엔 두피에 땀방울이 맺혔다. 송글송글 흐른 땀이 관자놀이를 지나는 중이었다.

"대가는 충분히 지불하지."

지배인이 킹 타이거 한 마리를 집다간 멈췄다. "이 대리, 나도 두려워." 이과수는 턱 끝에 매달린 땀방울을 느끼며 지배인을 봤다. 간지러웠다.

"투숙객들, 이 사람들 유령이잖아……." 그리곤 지배인은 이것이 그들의 본질이 아니겠냐고 했다.

유령은 존재일까, 본질일까. 아니 본질이 먼저일까, 존재가 먼저일까. 그와 동시인 것은 존재할 수 없는 것일까……? 말하자면, 존재와 본질이 따로 있는 게 아니라 존재가 본질이고 본질이 존재이며, 본질이 변하면 존재가 변하고 존재가 변하면 본질이 변하는 동시성 같은 것 말이다. 변하지 않는 것은 없으니까. 그런데 지금 이 순간에 왜 이런 따위 생각을 하고 있는 것인지, 이과수는 그걸 알 수가 없었다.

출장

"지배인님 명상 중."

하정미가 손가락을 입술에 대며 말했다. 알았어,하곤 이과수가 물었다.

"퇴근 안 하고 뭐 해, 하정미 씨?"

"모임 있다고 준비 좀 하래요." 그러고 보니 준비 모임이 있는 날이었다. "오래 있다 오세요, 이 대리님?" 이과수는 글쎄,라고 말했다.

"이 대리님 가면 보고 싶어서 어떻게 하지?"

"왜?"

"저 혼자 지배인님 상대해야 하잖아요. 이거요, 이 대리님." 브로슈어였다. 겉장의 문구가 눈에 들어왔다. '애버리지니 필름 재상영 결정!'

"커피 드릴까요, 이 대리님?" 하정미가 비커를 가리켰다. 예가체프였다.

"미국 갈 때 뭘 가지고 가면 되지?" 이과수가 물었다.

"뭘 가져가고 싶은데요?"

생각나지 않았다. 딱히 필요한 것도, 가져가고 싶은 것도 없었다. 놀러 가는 것도 아닌데 마음 편하게 여행하듯 용품을 챙길 처지가 아니었다. 가서 부닥쳐야 할 일을 생각하면 막막할 뿐, 길을 떠나기도 전에 길을 잃은 기분이었다.

여권과 항공권이 나왔다. 이과수는 아직 결정하지 못한 게 있었다. 뭘 가져가야 할지 알 수 없었다. 가서 뭘 해야 하는지도 알 수 없었고, 한 번도 겪어 보지 않은 일인 데다 외국 땅은 처음이라는 부담이 머리를 어수선하게 할 뿐이었다. 게다가 맨해튼이라니, 정말 길을 잃을지도 몰랐다. 그리고 지금, 이 작은 일상의 평화가 무너지고 있다는 자각, 이과수는 그게 힘들었다. 지금껏 생각해 보지도, 아니 생각하고 싶지도 않은 일상의 변화, 이거야말로 돌발이자 사고였다.

지배인의 다그치는 듯한 명령 앞에 왜 그렇게 무기력했는지. 남의 돈을 받아 살기 위해서는 어느 수준의 복종이 필요한 것일까. 그러고 보니 아주 오래전, 그때도 지금 하고 비슷한 생각을 한 적이 있는 것 같았다.

첫 직장이 지자체 도서관이었다. 얼마나 다행인지 몰랐다. 비정규직이기는 하지만 졸업을 하자마자 취직을 한 데가 그곳이었다. 알고 보니 비정규직이라는 게 사회의 선택을 받기 위한 보직 비슷한 것이었다. 하지만 그게 무슨 의미를 갖든 이과수는 열심히 일했다. 두 번째로 열심히 한 게 책을 읽는 것이었다. 좋은 일이 생길지도 모른다는 생각 때문이었는데 당연히 그런 일은 벌어지지 않았다. 다만 이런 것은 있었다. 직업윤리, 비정규직 인간에게 그런 게 어디 있느냐고 반문할 수도 있겠지만 사실이었다. 당연히 감수해야 할 사회적 훈련, 그걸 받아들이는 기대림의 자세, 그것이 평화의 조건이었다. 문제는 생각보다 그 실전이 빠르게 찾아왔다는 것. 대개 2년 미만의 계약직들의 운명은 이런저런 이유로 불안정한 보직이었다. 그러고 보니 그 많은 비정규직 전사들이 같은 전선의 동지들이었다. 그럼에도 순수했다. 이과수는 그게 궁금했다. 어떻게 그럴 수 있는지. 밥을 굶지 않아서인지 몰랐다. 그리고 이과수는 자신이 밥을 굶지 않았던 보다 과학적인 근거를 찾아낼 수 있었다. 비결은 멀리 있지 않았다. 편의점의 저가 도시락, 그거면 두 끼는 버틸 수 있었다. 다들 1인당 평균 소득 2만 달러라는 마지노선이 존재하는 21세기 사회에 살고 있었다는 사실, 그게 비결이었다.

그땐 계획이란 것 자체가 불가능했다. 이미 서너 차례 사회의 선택으로부터 실패한 뒤여서 체념이 평화와 동의어라는 것을 어느 정도 체득하고 있을 때였다. 말이 웹서퍼지 재취업을 위해 온라인을 헤매며 백수로 살 때였고, 단순한 웹서퍼에서 디지털 리터러시로 진화하는 자잘한 재미도 있었다. 자신이 신자유주의라는 세계에서 살고 있다는 것을 알게 해 준 곳이 그곳이었다. 그게 빈부격차를 만들고 굶어 죽지 않을 만치의 풍요를 보장해 준다는 것을 알려 준 곳 역시 그곳이었다. 알고 보니 저가 도시락을 만들어 준 마술 지팡이가 신자유주의라는 신세계였다. 어떨 때는 그 세계가 철학의 영역 같았고, 어떨 땐 정치의 영역이거나 경제의 영역 같기도 했는데 곰곰이 생각해 보니 그 세계야말로 예술의 세계같다는 생각이 들었다. 그리고 그 예술가들이 담쟁이덩굴 속에서 공부한 아이비리그 출신들이라는 사실, 이과수는 저절로 고개가 숙여졌다.

월 스트리트는 예술의 세계와 다르지 않았다. 다른 게 있다면 예술은 사람들을 의식하지만 이들은 그러지 않더라는 것, 그들이 별처럼 보인 이유였다. 일반 상식으로는 알기 힘든 글로벌 금융이라는 범우주 속에는 그런 별들은 많았다. '리먼 브라더스'와 '연방준비제도이사회'라는 상호는 이름만 그럴듯한 디지털 리터러시 능력자 이과수라는 존재의 비루함을 혹독하게 깨닫게 해 줬다. 이게 다 2008년의 일이었다. 잘못 주식을 샀다가는 마지막 남은 현찰 1백 57만 원이 흔적도 없이 사라질 게 뻔했고, 어느 쪽으로 방향을 잡아야 목적지에 갈 수 있는지 자신의 힘으로는 판단조차 하기 힘들 때였다.

사흘 뒤가 출국이었다.

"뭘 가져갈 건지 생각했어요, 이 대리님?" 하정미였다.

"글쎄……."

"아직도 글쎄예요? 아유 참 나." 하정미가 입을 삐죽하곤 말했다. "하긴 저도 그런 적이 있었어요. 처음 템플스테이 하러 갈 때였거든요. 뭘 가져가야 할지 모르겠더라고요."

"그래서 어떻게 했어?"

"거기 가면 여기서 쓰는 물건이 거의 쓸모 없겠더라고요. 그래서 안 가져갔어요. 칫솔 수건 비누 뭐 이런 거 빼고는요. 그러고 나니까 얼마나 편하던지. 궁즉변窮則變, 변즉통變則通, 통즉구通則久, 알아요, 이 대리님?"

"어디 나오는 말인데?"

"주역이요."

"주역을 읽었어?"

"그걸 제가 어떻게 읽어요. 거기에 그런 말이 있다는 걸 아는 거지요."

"그래서 어쩌라고?"

"부딪히라고요."

"자기 일 아니라고 이럴 거야, 하정미 씨?"

"농담 아니거든요."

그럴까도 싶었다. 뭘 가져갈 것인지 여전히 생각이 나지 않았기 때문이었다. 그리고 외국이 처음이라는 것, 그곳이 맨해튼의 월 스트리트라는 것, 거기서 필요한 게 무엇인지 여기서 알 수는 없지 않은가.

하정미 말이 맞는 것도 같았다. 그렇지만 가서 무엇을 할 것인지, 앞으로 무슨 일이 벌어질지 알 수 없다는 것, 그리고 지금 자신을 힘들게 하는 것의 힘의 출처가 보다 깊은 곳에 있는 존재인지도 모른다는 불가지가 이과수를 더욱 고민에 빠지게 했다. 이미 부서진 자신의 패배와 무기력, 그것 역시 돌이킬 수는 없었다. 지배인 앞에서 이마에서 배어 나오는 땀을 찍어 누르는 것 외에 별 대꾸조차 하지 못한, 그 작기만 한 자신의 잔상이 자꾸 눈앞에서 어른거리고 있었다.

"이 대리님?"

이과수가 돌아보자 하정미가 말했다.

"저도 같이 가면 안 돼요?"

"어딜?"

"뉴욕이요."

†

요즘에 손 편지를 받아본 적이 있었나……, 이청은 자신조차 손 편지를 써본 적이 언제인지 기억이 나지 않았다. 그 때문에 답장을 보낸 것뿐인데, 생각보다 긴 이메일이 왔다. 이메일에는 죄송하다는 말이 적혀 있었다. 그 자신도 미처 예상하지 못한 일이었다고 적었는데, 이청은 그 대목에서 고개가 갸웃거려졌다.

…… 아이러니하지만 애버리지니 필름이 아니어서 그나마 다행이란 생각을 했습니다. 그럼에도 불필요한 상상을 하게 한 점은 오히려 역효과일 수 있습니다. 영상의 미완이 참사를 부른 듯했으니까요. 하지만 사실 저도 선생님과 별로 다르지 않습니다. 믿으실지 모르겠지만, 영상을 점검할 시간조차 주어진 게 아니었으니까요.

그걸 애버리지니 필름이라고 부른다는 걸 이청은 처음 알았다. 거기다 영상을 사전에 점검도 하지 못하고 상영했다는 얘기는 황당하기까지 했다. 하도 일이 바쁘게 돌아가 그랬다지만 실수라고 생각하기엔 문제가 작지 않았고 잘 이해가 가지 않았다. 원래의 필름이 아닌데도 그 정도였는데, 실제 필름이 어느 정도일지 이과수는 자신도 알기 힘들다고 했다.

영상을 보고 난 투숙객들의 반응을 적은 대목이 눈에 띄었다. 이과수 대리는 마치 그들이 수사자들 같았다며 바오밥나무만 없을 뿐이지 세렌게티와 하등 다르지 않았다는 비유를 했다. 이 모든 게 지배인의 설계가 빚은 참사이며 자신 역시 그 책임에서 벗어나기는 힘들 것이라고 했다.

참사라는 말이 기억에 남았다. 이청은 답장에다 너무 자책하지 말라고 썼다. 그러며 호텔에 갔다 온 뒤 그랑호텔에 대해 보다 적극적인 사유를 하게 됐다는 얘기를 했다. 후유증 얘기도 적었다. 그 여진이 아직 남아 있다고. 세상의 모든 것에는 이유가 있으며 그 이유를 잊지 말자고, 그러며 필요하면 또 이메일을 보내도 된다고 적었다.

소식지 기사 얘기가 적혀 있었다.

소식지 발행은 홍보팀 일입니다. 기존 레거시 언론사 출신들인데, 여기서도 그런 식으로 일들을 한 모양입니다. 제 소관이 아니긴 합니다만, 이 점 역시 선생님께 사죄 말씀드립니다.

그는 자신이 하는 일이 도덕적인지 처음 자문을 하게 됐다는 말을 했다. 대학을 졸업하고 비정규직으로 직장 생활을 한 얘기를 적으면서 그때 느낀 각오와 교훈을 잊지 않겠다는 말도 했는데 그 얘기가 와닿았다.

…… 지루하고 무기력한 시간을 견딘 후 알았습니다. 쓰러지지 않고 똑바로 걷는 일은 혼자의 몫이었습니다. 남은 나를 알아주지 않으며, 소통이란 비슷한 사람끼리의 호의라는 것도 그때 알았습니다. 제가 마주한 일이 그 시간의 반복이 아닌지. 지탄과 내부의 평화, 이 간극은 도덕과 윤리를 고민하게 하며 어쩌면 제가 원하지 않는 무엇인가를 선택해야 할지도 모르는…….

그는 호락호락하지 않겠다고 했다. 가던 길만 고집하지 않을 것이며, 생각한 뒤 걸을 것이라고. 무슨 일이 있었던 것일까, 이과수 대리는? 어디를 갈 거라는 얘기가 적혀 있었는데 문맥으로 봐 해외로 출장을 간다는 소리로 들렸다. 거기가 어딘지 적혀 있지 않아서 따로 이메일로 물을까 하다가 그만두었다. 그가 적은 것만으로도 그는 자신이 하고 싶은 말은 다한 듯했기 때문이었다. 마지막 문장이 기억에 남았다.

존재와 본질이 다르지 않은 듯합니다, 선생님.

2부

제이콥 헨리 쉬프

호텔 2층에서 길이 보였다. 황토색이었다. 길가의 미루나무 이파리들이 햇빛을 받아 반짝였다. 주변에는 이름을 알 수 없는 키 작은 나무들이 늘어서 있었고 저마다 꽃을 피웠다. 호텔 마당 가운데에는 원형 화단이 있었는데, 거기에도 꽃이 가득했다. 저쪽으로 종탑 같은 건물이 보였다. 러시아 공사관이라는데, 일본에 패한 뒤 지금은 영사 업무만 보고 있다고 했다.

외출 준비를 마친 제이콥은 테레사와 1층 로비로 내려갔다. 조카 에른스트와 찰스 내외가 기다리고 있었다. 정문 밖으로 인력거 한 대가 보였다. 막 도착한 참이었고 종업원 둘이 마중을 했다. 손탁이었다.

제이콥 일행을 발견한 손탁이 잰걸음으로 다가왔다. 보통 키에 흰 드레스를 입고 있었고 서두는 듯했다.

"환영합니다, 쉬프 선생님."

높낮이가 없어 건조하게 들릴 수도 있지만 편견을 느낄 수 없었고, 얼핏 봐 평범한 유럽 여자의 얼굴 같으면서도 굵은 쌍꺼풀과 유독 큰 눈, 굵은 입술은 엄숙해 보였고 화려한 느낌도 줬다.

"환대해 주셔서 고맙습니다, 여사님." 제이콥은 아내 테레사와 찰스 내외 그리고 에른스트를 일일이 소개하곤 산책하러 나가는 길이라고 했다.

"벌써 와 보려 했지만 궁 일이 만만치 않았답니다."

알고 보니 손탁은 황제의 양식 요리사였다. 황제의 식사는 물론 황제가 주관하는 오찬이나 만찬에 들어가는 음식을 직접 관장했고 궁내부 전례관을 맡고 있었다. 프랑스 영토인 알자스로렌이 고향인데 프로이센과의 전쟁에서 패하는 바람에 지금은 프로이센 사람이 됐다고 했다. 그 말에 다들 웃었다.

"쉬프 선생님, 시간이 다 됐습니다."

요시다가 주머니에서 회중시계를 꺼내 보이며 말했다.

남대문이 보였다. 궁으로 들어가는 문이라고 했다. 아치형 문은 전차의 철길이 됐고 지금은 궁문 역할을 하지 못하고 있었다. 사람이 많아 번잡했는데 호텔에서 별로 멀지 않았고 산책하기에 적당한 거리였다.

"아시아에서 두 번째입니다. 쉬프 선생님." 요시다가 앞쪽 사람들을 향해 손짓하며 말했다. 길을 비키라는 뜻이었다.

"뭐가 말이오, 요시다 씨?"

"저 전차 말입니다. 교토 다음으로 이곳에 전차가 생겼거든요."

전차로 양옆으로 전통 가옥이 즐비했다. 풀을 얹어 만든 지붕은 낮아 제이콥의 어깨와 비슷해 보일 정도였고 유독 사람들이 많아 이곳이 시내로 들어가는 중심 거리라는 걸 알 수 있었다.

거리 풍경은 제물포와 다르지 않았다. 사람들 옷차림이 그랬는데, 바다와 갯벌이 없다는 것과 그 많던 지게꾼과 정크선들이 보이지 않는다는 것뿐, 길고 흰 코트를 입고 케이크 접시 같은 모양의 모자를 얹은 이상한 모습은 여전했다. 여자들은 흰색이나 초록색 치마를 입었는데 천으로 머리와 얼굴을 가려 다른 사람들이 볼 수 없게 하고 다녔다.

시내로 들어갈수록 일본인과 중국인이 자주 보였다. 자기네 전통 의상을 입고 있었고, 성당으로 보이는 저쪽 언덕배기로 이어지는 거리엔 거의 일본인들이었다. 요시다는 그곳엔 일본인 거리가 있고 사진관 같은 주요 상점을 일본인들이 맡고 있다고 했다.

얼마를 더 걷자 천이 나왔다. 거기에 이르자 제이콥뿐 아니라 일행 모두는 산책을 계속할 것인지 말 것인지 고민해야 했다. 거리가 너무 지저분해서였다. 오줌똥 냄새가 진동했고 쓰레기가 사방에 널려 있었다. 천변에 버려진 오물에서 풍긴 악취가 코를 찔렀고 테레사와 에디는 질겁을 했다. 에른스트와 찰스는 인상을 찌푸리며 어서 여길 벗어나길 바랐다. 제이콥도 같은 심정이었다.

다리 중간쯤이었다. 요시다는 제이콥에게 마차로 갈 것을 권유했다. 테레사와 조카 에른스트, 찰스 부부가 막 발길을 돌리려 할 때였다. 무슨 소리가 들렸다. 제이콥은 걸음을 멈추곤 그쪽을 봤다. 웬 사람들이 모여 있었고 그 수가 꽤 많았다. 흰 코트와 케이크 접시 같은 모자를 쓴 남자들과 흰색과 초록색 치마를 입고 머리에 천을 뒤집어쓴 여자들, 제물포에서 본 행색의 한국 사람들이 등을 보인 채 무리를 지어 서 있었다. 꽤 소리가 시끄러웠는데, 쇠 부딪는 소리와 뭔가를 두드리는 소리 그리고 목관 악기 소리와 큰 말소리가 섞여 소리의 정체를 가늠하는 게 애당초 불가능했다. 맨 앞에서 걷고 있던 찰스 오커너도 그 소리를 듣곤 걸음을 멈춘 참이었다. 그가 뒤를 돌아보며 말했다.

"제이콥, 저게 무슨 소리 같아?"

"가보자고, 찰스."

제이콥은 그쪽으로 걸음을 옮겼다. 찰스가 옆에 붙어 섰다. 요시다가 둘을 따라왔다. 가까이 가자 흰옷을 입은 사람들이 한 방향을 향해 겹을 이루며 빙 둘러서 있었다. 여자와 아이들이 있었고, 천을 뒤집어쓴 여자들은 눈만 빼꼼히 드러낸 채 구경을 하고 있었다. 소리가 굉장했다. 일정한 리듬을 탄 금속 소리와 북소리, 목관악기 소리가 어우러져 귀를 찢는 듯했다.

"미꼬들이 행사를 하는 모양입니다." 요시다가 큰 소리로 말했다.

"미꼬라고 했소?"

"네, 쉬프 선생님. 우리 일본에도 미꼬라는 사람들이 귀신을 만나기 위해 예부터 저런 걸 해 왔습니다. 조선에도 그런 사람들이 종종 저런 행사를 벌이곤 하지요."

"구경 좀 할 수 있겠소?"

"천한 조선 사람들의 허황된 행동입니다, 쉬프 선생님. 굳이 구경까지 하실 필요가 있겠습니까."

"나는 이들이 천하든 천하지 않든 거기에 관심 있는 게 아니라 이 사람들이 어떻게 귀신을 만나는지 보고 싶어서 그렇소."

"그러시군요, 그럼 이쪽으로." 요시다가 멋쩍어하며 한 무리의 사람들 뒤쪽으로 걸었다. 그들에게 다가간 요시다가 고함을 질렀다.

"물러서시오, 물러서!" 요시다의 한국말은 능숙했다.

빙 둘러서 있던 사람들이 틈을 내 주자 그 사이로 사람이 보였다. 여러 색으로 염색을 한 옷과 모자를 쓰고 있었는데, 모자는 케이크 접시 같은 것과 두건 모양 등 다양했고 행사를 주관하는 사람의 옷은 화려했다. 그는 서서 행사를 진행했고 나머지 사람들은 앉아 있었다. 가운데 놓인 큼직한 제단에는 음식이 가득했다. 그 앞에 앉은 사람들은 남자였는데 악사들이었다. 가죽으로 만든 북과 구리로 만든 쇠판을 두드리거나 목관악기를 불고 있었다. 소리가 어찌나 크고 뒤섞였는지 귀가 다 먹먹했다.

"저들 중 누가 미꼬요, 요시다 씨?" 제이콥이 큰 소리로 물었다.

"저 사람일 겁니다." 요시다가 손가락으로 여자를 가리켰다. "여자 아니오?" 찬찬히 미꼬를 살피며 제이콥이 물었다.

"미꼬는 거의가 여자입니다, 쉬프 선생님."

미꼬라는 여자도 케이크 접시처럼 차양이 달린 모자 – 거리에서 본 모자와는 달랐지만 – 를 쓰고 있었다. 화려한 옷은 빨간색과 초록색, 노랑과 청색 흰색 등 원색의 띠가 둘러 있고 소맷자락은 길게 늘어져 독특한 맵시가 있었다. 여자는 행사를 하느라 여념이 없었는데, 입고 있는 옷은 그녀의 몸보다 훨씬 커 실제 몸집을 가늠하기 힘들었다. 두꺼운 흰 양말을 신곤 여자는 뜀뛰기를 하듯 제자리에서 뛰는 일을 반복했고, 손으로는 쇠로 된 방울 더미를 흔들고 있었는데 다른 손은 세 갈래로 된 쇠꼬챙인지 창인지를 쥐고 있었다. 제단을 중심으로 사방에는 종이로 만든 연꽃과 모란꽃, 붉은색과 청색으로 된 등 같은 게 걸려 있어 무슨 축제장 같기도 했다. 그 때문에 행사장은 무척 화려해 보였다. 악사들 옆에서는 웬 중년 여자 셋이 울면서 뭐라고 외쳤고 옆의 남자는 손바닥으로 땅을 치며 큰 소리로 울었다. 슬프다 못해 무척 원통해 보였고 뭔가를 참지 못하는 듯한 얼굴들이었다.

"이게 뭘 위한 행사인지 알 수 있소?" 찰스가 물었다. 제이콥도 같은 걸 물을 참이었다. 요시다가 옆의 남자에게 무언가 묻자 그가 말했다. 한참 얘기를 듣고 난 요시다가 찰스와 제이콥에게 큰 소리로 통역을 했다.

"굿이랍니다. 원앙굿이요."

"굿이라."

"네, 쉬프 선생님. 저 사람 말로는 이 집 딸이 얼마 전에 죽었는데, 아직 결혼 전이어서 죽은 미혼 남자의 영혼과 혼인을 시키는 거랍니다."

"영혼끼리 결혼을요?" 제이콥이 동그랗게 눈을 뜨곤 물었다.

"네, 쉬프 선생님. 두 집이 다 부자여서 굿을 아주 크게 치르는 중이랍니다. 이 사람 말로는 겹굿이라는데, 잘은 모르겠습니다만 원앙굿과 진오귀굿이라는 것을 하고 있다고 하는 걸로 봐 두 가지 굿을 같이 해서 그렇게 부르는 것 같습니다. 그리고 이 사람들은 미꼬가 아니라 무당이라고 부른답니다."

"무당이라……." 제이콥이 중얼거렸다.

제단의 음식은 층을 이루며 쌓여 있었다. 보기조차 힘든 과일이 놓여 있었고 고기와 조린 생선이 가지런히 놓여 있을 뿐만 아니라 여러 색을 입혀 구워낸 듯한 쌀로 만든 쿠키와 케이크 같은 것들, 돼지머리와 발이 통째 놓여 있었다.

제이콥은 그중 한 음식에 눈이 갔다. 숭어였다. 숭어가 음식으로 올라와 있는 게 궁금했다. 그 많은 생선 중에 왜 하필 숭어인지. 눈길이 가는 게 또 있었다. 제이콥은 좀 자세히 보기 위해 가까이 다가갔다. 제단 앞이었다. 인형이 있었다. 사람 모습의 종이 인형이었는데, 보리짚이나 밀짚으로 만든 작은 인형도 있었다. 예닐곱 살 정도 아이 크기의 인형은 기묘한 분위기를 자아냈는데, 하나는 남자고 하나는 여자였다. 눈썹과 눈, 코와 입, 귀까지 그려 넣은 모습은 환영을 보는 듯한 느낌을 줬다.

"요시다 씨, 숭어하고 인형 아니오?" 찰스였다.

"왜 숭어가 있는 건지, 저 종이 인형은 뭔지 좀 물어봐 줄 수 있겠소?" 제이콥이 말했다. 그러자 요시다가 옆의 케이크 모자를 쓴 남자와 얘기를 나눴다. 상대가 고개를 저었고 요시다는 다시 저쪽의 누군가와 얘기를 나누기 시작했다. 얘기를 하고 난 요시다가 제이콥에게 다가왔다.

"숭어는 바다와 강을 왔다 갔다 하잖습니까, 그 때문에 이승과 저승을 오고 가는 물고기로 생각하고 있답니다."

"종이 인형은 뭐랍디까?"

"영혼의 주인이랍니다. 인형은 죽은 사람을 본뜬 것이고요."

갑자기 목관 악기 소리가 크게 울렸다. 북소리도 마찬가지였다. 그 소리에 맞춰 무당이라는 여자가 뭐라고 말을 하기 시작했다. 주술 같기도 했고 혼잣말을 하는 것 같기도 했는데 그녀는 제정신이 아닌 듯했다. 그리고 어느 순간이었다. 쇳소리와 가죽 북소리, 목관 악기 소리가 멈추더니 조용했다. 잠시 후 무당이라는 사람의 목소리가 들렸다. 제이콥은 그 말을 알아들을 수 없었지만 그녀의 말소리가 무척 호소력 있게 다가왔다. 목소리에 고저가 있었고 느림과 빠름은 리듬을 가지고 있었다.

어느 순간 무당의 목소리가 바뀌어 있었다. 조금 전 그녀의 목소리가 아니었다. 가늘고 어렸다. 걸걸한 중년의 여자 목소리가 저렇듯 신비한 소리로 바뀔 수 있다는 게 신기했다.

"어머니, 내 말 좀 들어 봐요. 두고 온 내 색동옷 생각이 나, 그것 좀 갖다줘요. 추워서 그 옷 없으면 황천길 못 갈 거 같아. 나 혼인할 때, 가마 타고 서방 만나러 갈 색동옷 입혀준다고 했잖아. 어머니 내 말 좀 들어 줘. 밥 한 수저만 줘. 저승길이 멀어 배가 고파 못 가겠어. 색동옷 입고 맑은 물 먹고 흰쌀밥으로 배 채운 뒤 어머니 아버지 오라버니한테 절하고 서방 만나 손잡고 저승으로 갈게……."

언제 왔는지 테레사가 시끄러워 죽겠다며 짜증을 냈다. 에른스트는 재밌다며 자리에 주저앉았고, 찰스는 고개를 끄덕이며 생각에 잠겨 있었다. 찰스의 아내 에디는 조용히 귀를 기울인 채 응시하듯 무당을 보고 있었다.

제이콥은 이 모든 게 독특하고 신비했다. 무슨 말인지 알아들을 수는 없었지만 주술성 강한 무당의 말은 사람을 빨아들이는 힘이 있었다.

제이콥은 어쩔 수 없이 교령회를 떠올렸다. 교령회는 굿에 비해 규모 면에서 큰 차이가 있었다. 소박하다 못해 초라할 정도였다. 무당 같은 전문가도 없었다. 그저 비슷한 소양을 갖춘 시민끼리 소모임을 가진 뒤 일정한 형식을 통해 죽은 영혼과 만나기 위해 노력하는 것이 전부였다. 그 때문에 영혼과의 만남은 개인마다 차이가 있어 효력이라는 측면에서 들쑥날쑥했다. 신빙성 얘기가 나온 게 그 때문이었다. 굿은 차원이 달랐다. 영혼을 만나기 원하는 사람과 그와 아무 상관이 없는 사람들이 섞여 있었고, 영혼을 주관하는 무당이라는 전문가가 따로 있다는 점은 교령회와 뚜렷하게 구별이 됐다. 더군다나 교령회와 달리 굳이 교차 검증 같은 걸 할 필요가 없다는 점은 큰 장점이었다. 제이콥은 이 점이 꽤 중요해 보였다. 제이콥은 생각이 많아졌다.

"이봐, 제이콥."

찰스였다. 그가 제이콥의 팔을 쳤다. "이 사람 어디에 정신을 두고 있는 거야. 그만 가자고. 테레사가 화난 거 같아."

†

호텔을 나오는데 종업원이 마당까지 나와 배웅을 했다. 손탁 여사가 시킨 것 같았다. 손탁은 궁에 들어갔는지 보이지 않았다.

오찬장은 창덕궁이었다. 대한제국 고위 관료와 통감부 사람들이 참가하기로 했는데, 창덕궁까지는 제법 먼 거리여서 마차와 인력거를 이용해야 했다.

창덕궁 후원은 연못이 있어 소담한 데다 격이 있었고 안락감을 줬다. 부용정이라고 했다. 요시다는 왕이 주관하는 오찬이나 만찬 혹은 그와 비슷한 격을 갖춘 행사가 주로 여기서 열린다고 했다.

"이렇게 평화로울 수가, 안 그래요, 여보?"

테레사가 감탄했다. 태고부터 연못과 나무가 함께해 온 것처럼 자연스러운 데다 세련돼 보였고, 주변의 사람들마저 모두 이곳의 일부처럼 보였다. 조선의 왕들과 대한제국의 황제가 아니면 들어올 수 없는 곳이어서 금원이라고 부른다고 요시다가 말했다.

"아주 적절한 표현인 거 같아, 여보."

요시다는 궁이 이곳 말고 또 있다고 했다.

"청국과 달리 조선은 궁을 여러 곳에 두고 왕의 거주지로 삼았습니다. 그걸 합치면 결코 작다고 할 수 없는 규모이지요."

제이콥은 오찬 음식이 모두 양식이어서 놀랐다. 도쿄의 황궁 만찬과 규모의 차이가 좀 있을 뿐 음식의 종류와 내용이 별로 다르지 않았다. 야채스프와 크림, 생선과 퀘일 요리, 들오리인지 꿩인지와 쇠고기 요리와 직접 만든 과일 케이크와 빵과 햄, 캘리포니아산 과일 통조림과 봉봉과자 따위가 상에 올라와 있었다. 독일산 적

포도주와 샴페인 그리고 후식으로 설탕에 버무린 호두와 과일이 나왔다. 요코하마에서 마신 삿뽀로 맥주도 올라와 있었다. 제이콥이 놀란 건 이 서양식 요리의 책임을 손탁호텔의 손탁 여사가 맡고 있다는 말 때문이었다. 양식 요리사이자 전례관이라더니, 손탁은 호텔에서 본 호텔 경영주 이상의 인물이었다. 그런데 이상한 게 있었다. 대한제국 황제는 오찬을 주최해 놓고 정작 자신은 나타나지 않았다. 제이콥은 그 이유를 나중에 알았다.

오찬이 거의 끝날 무렵이었다. 테레사와 에디가 피곤해 했다. 조카 에른스트도 그런 것 같았는데 쌩쌩한 사람은 제이콥하고 찰스뿐이었다. 그만 가야 하나 어쩌나 그러고 있는데 예정에 없던 일정이 생겼다. 그 때문에 시간을 지체하며 곤혹을 치러야 했고 제이콥과 찰스는 테레사와 에디 눈치까지 봐야 했다.

한창 오찬을 즐기고 있을 때였다. 웬 사람이 제이콥을 찾아왔다. 한국인이었다. 그는 자신을 사업가라 했는데 궁내부 어쩌고 하면서 정치인이라고도 해 뭐가 맞는 말인지 알 수 없었다. 그런데 듣다 보니 황당했다. 사업을 논의하고 싶다는데, 제이콥은 여행을 온 것뿐 사업하고는 상관이 없으니 얘기는 여기서 끝내는 게 좋겠다고 말했다. 요시다는 그 말을 꽤 단호하게 했고 그가 머쓱해하더니 저쪽으로 갔다. 그때문에 제이콥은 기분이 영 안 좋았는데 그나마 소득은 황실 군악대 장교를 만난 일이었다. 그는 진심으로 제이콥을 대해 줬고 말 하나하나가 진지하고 진정성이 있었다. 그를 만난 건 행운이었다. 그 장교 덕에 무당과 그들의 영혼관에 대해 자세히 알 수 있었고 제이콥은 만족했다. 김학수 정위, 이번 여행 중 가장 기억에 남을 사람이었다.

찰스는 제이콥보다 더 운이 안 좋았다. 예정에 없던 한국인 사업가를 만나느라 그 역시 애를 먹은 모양인데, 말이 잘 통하지 않아 길게 얘기를 나누진 않은 모양이었다. 그 사람도 유통업 얘기를 했다는데 찰스 오커너야말로 진정 유통업으로 잔뼈가 굳은 전문가였다. 아이리시인 그는 감자 기근 때 이민해 잡화점을 운영하는 큰아버지의 가게에서 일을 했다. 큰아버지는 돼지 농장을 하다 접고 잡화점을 열었는데, 돼지 농장 자리에는 센트럴 파크라는 공원이 들어섰다. 짧은 기간이지만 큰아버지는 그쪽 분야에서 성공한 사람이었다. 큰아버지의 신임을 받은 찰스는 지점의 주임이 됐고 나중엔 뉴욕 백화점의 점장이 됐다. 몇 해 전이었다. 도쿄에 처음

미츠코시라는 백화점이 들어설 때 자문 때문에 일본 사람들이 왔는데, 그들이 만난 사람이 찰스 오커너였다. 요시마 말로는 미츠코시는 대한제국의 진고개에 출장소를 두고 있다고 했다.

제이콥 일행이 호텔로 돌아온 것은 오후 세 시가 넘어서였다. 저녁에 또 만찬이 있어 다시 외출을 해야 했고 테레사와 에디는 쉬지도 못하고 궁에 들어가야 했다. 황제의 아내 엄 부인의 초대 때문이었는데 마침 황제의 시종 구 씨가 가마를 가지고 데리러 왔다. 미국 총영사 패독의 관저에서 본 사람이었다.

구 씨는 황제가 직접 챙겨 보낸 거라며 선물을 건넸다. 테레사와 에디에게는 각각 비단 두 필을, 특별히 테레사에게는 은잔을 보내왔다. 제이콥에게는 그림 한 점과 호랑이 가죽 한 필을 보내왔는데 구 씨는 황제가 직접 접견하지 못해 미안해한다고 말했다. 황제가 직접 한 말이라고 했다. 황제는 패독 관저로 구 씨를 보냈을 때도 같은 말을 전했었다. 다행히 구 씨는 영어를 할 줄 알아 통역이 필요하지 않아 편했다. 발음이 유창했고 모르는 단어가 없을 정도였다. 통역을 맡은 요시다보다 발음이 좋았는데, 그게 신기해 제이콥이 묻자 요시다가 떨떠름한 표정으로 말했다.

"조선 사람들한테 영어를 가르친 사람들이 미국 선교사들입니다, 쉬프 선생님. 그들의 발음을 그대로 배운 것이지요."

"그건 요시다 씨도 마찬가지 아니오?"

"그렇긴 한데, 실은 우리 일본어의 체계에서 종성 발음이 쉽지 않습니다. 발음을 할 수 있는 게 아주 제한적이지요."

"그게 무슨 말이오?" 제이콥이 이해가 가지 않는다는 듯 묻자 요시다가 머리를 긁적이며 그런 게 있다며 얼버무렸다.

황제의 심부름을 마친 구 씨를 따라 궁으로 들어간 테레사와 에디가 그곳에 머문 시간은 길지 않았다. 인사를 하고 선물을 받는 일정이 다여서 얼마 지나지 않아 다시 호텔로 돌아왔기 때문이다. 테레사와 에디가 돌아온 걸 확인하고서야 제이콥과 찰스는 호텔을 나왔다.

만찬장은 메가타 다네타로라는 사람의 관저였다. 대한제국 정부의 재정 고문을 맡고 있는 일본인 고위 관료인데, 이력이 화려했다. 재판관과 변호사를 지낸 정치인이었는데 알고 보니 하버드 대학 로스쿨 출신이었다. 대한제국의 화폐 제도를 새로 만든 사람이 그라고 했다. 지금도 그 일을 하느라 바쁘다고 했는데, 왜 남의 나라 사람이 그 중요한 일을 맡아 하는지 제이콥은 이해할 수 없었다.

"조선은 재정 자체가 없는 나라입니다."

메가타의 말에 제이콥이 무슨 말인지 이해가 되지 않는다고 하자 말 그대로 국가 재정 자체가 남아 있지 않다는 뜻이며, 이 나라 재정은 이 나라 사람보다 자신이 더 잘 안다고 했다. 제이콥이 물었다. 믿을 수 없었다.

"정말 그런 겁니까, 메가타 씨?"

"물론입니다. 이 나라에는 법도 없습니다. 쉬프 선생님."

여긴 제국이 아닌가, 그럴 리 있나 했는데 듣다 보니 그런가 싶기도 했다. 그 때문에 일본 정부는 대한제국의 법체계를 만들기 위해 계획을 세웠고, 이토 히로부미에게 그 일을 맡겼다고 했다. 이토가 통감으로 부임하자마자 다시 본국으로 돌아간 게 그 때문이라고 했다.

일본인 대부분은 한국 사람들을 낮춰 봤다. 어제저녁 쓰루하라 장관이 주최한 남산 통감부 관저 만찬장에서 본 일본인들 거의가 그랬다. 민망할 정도였다. 제이콥은 일본중앙은행 총재 마츠오가 주최한 도쿄의 만찬장에서도 그걸 느꼈다. 이토 총독은 거기서 만났다. 그의 얘기는 런던에서 만난 일본중앙은행 부총재 다카하시 고레키요에게 들어 어느 정도 알고 있었다.

마츠오가 주최한 만찬장은 다카하시와 이토를 비롯한 고위 인사들로 붐볐다. 마츠오가 인사말을 했는데 그의 말이 끝나자 이토가 말을 이었다.

"귀하야말로 진정한 개선장군이오. 쉬프 선생."

이토는 제이콥을 개선장군이라고 불렀다. 천왕이 있는 궁에서도 듣던 소리였다. 궁의 만찬은 오로지 제이콥을 위한 자리였다. 일본은 제이콥을 극진히 대접했고 일본 왕은 그에게 훈1등 욱일대수장을 줬다.

"쉬프 선생이 아니었으면, 우리 일본은 일로전쟁을 승리로 이끌 수 없었을 것이오." 이토는 제이콥을 한껏 추켜세웠다.

"저 또한 이 전쟁에 기여 할 수 있어서 기쁩니다."

제이콥의 말에 여기저기서 박수가 터져 나왔다. 제이콥은 통감을 자꾸 총독으로 잘못 부르고 있었다. 박수 소리가 잦아들자 제이콥이 다시 말했다.

"과한 평가를 받은 듯해 오히려 부끄러움이 큽니다. 저는 오로지 일본이 옳다고 여겨 한 일입니다. 나아가 러시아 로마노프에 대한 일본의 응징은 저로선 신의 지팡이나 다름없었다는 점을 말씀드리고 싶습니다."

모두 감동한 얼굴들이었다. 이토가 잔을 높이 들고 말했다.

"1904년 봄, 우리는 절체절명의 순간에 놓여 있었소. 돈 때문이었소. 아무도 우리 일본을 눈여겨보지 않았소만, 그때 우리 앞에 나타나 미국 은행을 주선한 분이 여기 제이콥 헨리 쉬프 선생이셨소."

이토가 말한 미국 은행은 내셔널 시티은행과 앤드류 카네기, 제이피 모건, 리먼 브라더스 같은 금융기업과 쿤롭을 말하는 거였다. 말을 마친 이토가 제이콥에게 마이크를 넘겼다.

"비밀 하나를 알려 드리지요. 제가 일본을 도운 건 제 영혼관 때문입니다. 구체적으로 말씀드리면 돈이 도운 것이며, 돈에 영혼이 있기에 가능한 일이었지요."

진심이었다. 제이콥이 다카하시를 만난 건 런던의 한 만찬장에서였다. 일본이 전쟁을 위해 10년 동안 군비를 늘려왔다는 얘기를 제이콥은 거기서 처음 들었다.

일본이 러시아와 전쟁을 시작한 지 3개월 정도 됐을 때였다. 막대한 전쟁 비용 때문에 일본은 돈이 마구 들어갔고, 그걸 충당하기 위해 전시 국채를 발행할 거라고 했다. 다카하시는 좀 급해 보였는데, 돈 때문에 런던에 왔다는 그는 그때까지 아무런 성과를 얻지 못하고 있었다. 제이콥은 러시아라는 말에 귀가 솔깃했다. 러시아의 포그롬은 도저히 용납하기 힘들었고 어쩌면 오랜 숙원을 이 일을 통해 이룰 수 있을지도 모르겠다는 생각이 들었다. 제이콥은 그의 말을 들어 주기로 결정했다. 돈을 끌어들이기 위해 런던과 뉴욕의 금융 기업들에게 하루가 다르게 팽창해 가는 일본의 전쟁 능력을 대신 홍보했고 결과는 기대 이상이었다. 그후 제이콥은 일본이 발행한 국채 매수를 세 번이나 더 도왔다. 제이콥은 일본으로 돌아간 다카하시에게 편지를 써 응원했다.

돈은 우리에게 생명을 주며, 영혼은 우리를 영원히 살게 하지요. 제 손을 거치는 돈에는 영혼이 깃들어 있답니다. 부디 승리가 귀국의 품을 향하기를!

제이콥의 바람대로 일본은 승리했다. 일본은 제이콥을 하늘처럼 대했다. 로마노프는 망조가 들었고 그날 일을 한시도 잊은 적이 없는 제이콥은 그제야 몰도바의 키쉬네프에서 당한 유대인의 원한을 조금이나마 돌려준 기분이었다.

몇 해 전의 일이었다. 제이콥은 식탁에서 러시아 소식이 실린 신문을 읽다가 자기도 모르게 고함을 지르고 말았는데 설거지를 하고 있던 테레사가 다 놀랄 정도였다.

"망할 러시아 놈들! 로마노프 이 집구석을 더는 봐줄 수가 없어."

"어머, 놀래라. 뭔 일인데 그래요, 여보?"

제이콥은 읽고 있던 신문을 흔들어 보였다. 더 타임즈는 영국에서 배달되는 신문이었다. 키시네프에서 벌어진 사건이 실려 있었다. 아직 뉴욕의 신문들은 이 사실을 모르고 있는 모양이었다. 테레사가 사진을 들여다보다 말고 소스라치게 놀라 뒷걸음을 쳤다.

"오 마이 갓! 이게 뭐예요, 여보?"

사진은 끔찍했다. 남자들이 나란히 시체를 눕혀 놓고 포즈를 취하고 있었다. 시신은 다섯 구, 두 살에서 세 살 정도의 아이 셋에 성인 여자와 남자였다. 얼굴은 퉁퉁 부어 찢어져 패인 상처에는 응고된 피가 범벅이 되어 들러붙어 있었고 아이의 부모로 보이는 남자와 여자의 목은 꺾여 있었다. 유대인 가족이었다. 폭도들은 유대인이라면 갓난아기를 가리지 않고 죽였고, 여자들을 윤간하고 시체를 해부하는가 하면 머리에 못을 박았다. 경찰은 아무런 제지도 하지 않았고, 학살을 러시아 정교도들이 주도했다는 얘기는 제이콥의 분노를 극에 달하게 했다. 신문을 집어던진 제이콥은 쓴 커피를 벌꺽벌꺽 들이켰다.

"천천히 좀 마셔요, 여보. 데겠어요."

"당신도 이건 알아 둬. 절대 러시아 로마노프 집구석을 가만둬선 안 돼. 다짐하건대, 살아 있는 동안 꼭 그 집구석을 내 손으로 망쳐놓고 말 거야. 반드시! 알아, 여보?"

메가타 관저의 만찬이 거의 끝날 무렵이었다. 통감부 총무장관 쓰루하라라는 사람이 조선 왕이 자기들 모르게 부랑자들을 부추겨 의병이라는 조직을 만들어 지원하고 있다며 흥분하고 있었다.

손님이 왔다고 해 만나 보니 황제가 보낸 시종이었다. 이번에는 구 씨가 아니었는데 그는 구 씨와 똑같은 말을 했다.

"황제께서 시후 어른을 직접 환송하지 못해 유감이라고 말씀하셨습니다. 제국을 찾아 주셔서 고맙다고 하셨으며 시후 어른의 노고에 깊은 감사의 뜻을 전한다고 하셨습니다. 부디 기억해 주시면 감사하겠습니다."

제이콥은 좀 이상하다는 생각이 들었다. 황제는 제이콥에게 시종을 세 번이나 보냈는데, 그 이유가 좀 불분명했다. 패독 관저로 구 씨를, 아까는 호텔로 다시 구 씨를 보냈고, 그리고 이곳 메가타의 관저로 또 시종을 보내온 것이었다. 제이콥은 패독의 설명을 듣고서야 황제의 행동을 이해할 수 있었다.

"대한제국 황제는 마음대로 외국인을 만나지 못합니다, 쉬프 씨."

제이콥이 물었다. "이 나라의 황제가 자기 땅에서 마음대로 사람을 만나지 못하다니요?"

패독이 목소리를 낮췄다. "일본은 오래전부터 대한제국을 자기네 영토로 만들려고 준비해 왔습니다. 그런데 황제가 러시아와 영국 독일 등과 왕래하며 자기네 일을 방해하기 위해 수시로 음모를 꾸미고 있다고 보고 있지요. 실제 황제는 러시아 공관에 살면서 일본을 멀리 한 적이 있습니다. 그 때문에 이 사람들은 직접 황제를 통제하고 있는 겁니다."

"황제가 자신의 입장을 호소하기 위해 제게 시종을 보냈다는 건가요, 영사님?"

"맞습니다, 쉬프 씨. 황제는 자신의 자리를 지키고 일본으로 넘어가는 대한제국을 안전하게 만들기 위해 그러는 겁니다. 지푸라기라도 잡는 심정으로요." 패독이 고개를 젓고는 말했다. "하지만 늦었어요. 외교권은 물론이고 재정권과 군사권이 다 일본에 가 있기 때문이지요. 이 땅이 이미 그들 것이나 다름없어요. 안타까운 건 우리 미국도 일본의 대한제국 지배를 기정사실로 받아들이고 있다는 것입니다."

창덕궁 오찬의 마지막 일정은 단체 사진을 찍는 일이었다. 진고개라는 곳에 있는 생영관 주인이라는 일본인 무라카미 코지로는 단체 사진 외에 서비스라며 제이콥과 테레사 둘을 따로 사진에 담았다. 사진은 제국을 떠나기 전 자신이 직접 가져다주겠다고 했다.

일요일이었다. 제이콥은 아침을 먹은 뒤 2층 자기 방 대신 건너에 있는 커피숍으로 갔다. 갓 내린 따뜻한 커피가 마시고 싶었다. 어제저녁 메가타의 관저 만찬에서 마신 술이 과한 탓이었다. 좀 있으니 손탁이 왔다. 직접 내린 커피를 가져왔는데 손탁은 제이콥이 자기를 만나러 온 걸 눈치로 알고 있었다.

"궁금한 게 많으세요, 쉬프 선생님."

"어떻게 아셨습니까, 여사님." 제이콥이 웃으며 물었다.

"궁 일을 하다 보면 눈치만 늘지요. 어떨 땐 목숨을 걸어야 할 때도 있답니다." 그리곤 손탁은 1895년 일인들이 황제의 부인 명성황후를 죽인 얘기를 털어놓았다. 차마 다 들을 수 없었다. 잔인하다 못해 그 사건 자체가 도무지 이해가 가지 않았다. 손탁은 여담이라며 황후가 죽은 뒤 황제가 너무 빨리 엄 상궁을 황귀비로 들여 놀랐다고 했다. 어제 테레사와 에디를 초대한 엄 부인을 말하는 거였다.

"참, 궁금하신 게 뭐죠, 쉬프 선생님?"

"시내를 산책하다가 신기한 경험을 했어요. 제의식이거나 마을 축제처럼 보였지만 요시다 씨 말로는 무당이 벌인 행사라고 하더군요. 굿 말입니다."

"무당이라고 하셨나요, 쉬프 선생님?" 손탁이 의외라는 듯 물었다.

"일본에선 미꼬라고 부른다는데, 천변에서 만난 사람들도 그랬고 어제 창덕궁 오찬 때 황실 군악대 대장에게 물어보니 그도 조선에서는 다들 무당이라고 부른다고 하더군요."

"그래요, 쉬프 선생님. 그런 사람을 무당이나 만신이라고 부르지요. 그들이 하는 일을 굿이라고 하고요. 저도 궁에서 종종 굿을 목격하곤 했지요. 황후께서 살아생전에는 말예요."

"그렇다면 대한제국에서는 굿이 일반적인 의식이겠군요."

"네, 쉬프 선생님. 돈을 들여 만신을 불러 뭔가 기원을 하고 또 죽은 사람을 만나거나 그들을 저승으로 보낼 때 굿을 하지요." 제이콥이 고개를 끄덕이며 물었다.

"무당이라는 사람은 정녕 영혼을 만난 것인지요, 손탁 여사님?"

"그럼요, 쉬프 선생님. 의심할 여지 없이요. 어머나, 커피가 다 식었어요." 손탁이 커피잔을 가리켰다. 제이콥이 커피 한 모금을 마시곤 말했다.

“뉴욕에서 마시는 커피와 다르지 않아요, 손탁 여사님.” 커피를 마시느라 둘 사이 잠시 침묵이 흘렀다. 손탁이 말했다.

“제국에 온 지 이십일 년이랍니다. 어쩌면 이제는 여길 떠나야 할지도 모르겠어요. 이곳에 제 편은 없거든요.”

“일본이 있잖습니까, 손탁 여사님. 이들은 우리 미국은 물론 유럽과도 어깨를 나란히 하고 있습니다. 로마노프 가문을 굴복시킨 사람들이 이 사람들이니까요.”

“그럴까요?”

“영혼이 그들을 배반하지 않는다면 말입니다.” 손탁이 소리 없이 웃었다.

제이콥은 런던의 교령회를 떠올렸다. 재작년 봄 런던에서였다. 마침 열린 친구의 만찬장에서 제이콥은 아서 코난 도일이라는 소설가를 만났고, 그게 교령회와의 첫 인연이었다.

만찬장은 사람들로 시끌벅적했다. 무슨 얘기가 그렇게 많은지 저마다 한마디씩 하느라 다들 시간 가는 줄을 몰랐고 동인도회사 사람들을 통해 들은 해양 얘기가 큰 주제였다. 시간이 좀 지나자 화제가 아프리카 얘기로 흘렀다. 그 얘기를 주도한 사람은 월터 로스차일드였다. 그는 너대니얼 로스차일드의 아들이었는데, 동물학자이자 박물학자였다. 제이콥이 프랑크푸르트의 부친 얘기를 하자 몹시 반가워했다. 누군가 버킹엄궁에서 얼룩말이 끄는 마차를 타는 시연을 한 사람이 그라고 했고, 그 말을 듣고서야 제이콥은 그를 기억해 낼 수 있었다. 더 타임즈에서 얼룩말 세 마리가 끄는 마차에 올라 탄 그를 본 기억이 났다.

그는 서아프리카를 여행하다 들은 거라면서 영혼 얘기를 했는데, 거기에 교령회라는 단어가 들어 있었다. 그의 부두교 얘기는 아이티 이주 흑인들에 관한 거였다. ‘부두’라는 베냉어 얘기와 그 언어의 신성성에 대해 그는 열심히 설명을 했다. 하지만 그는 교령회나 심령연구학회에 대해선 별 관심이 없었다. 동물학자답게 다윈주의를 선호했고 교령회라든가 부두교 같은 얘기는 박물학자다운 그의 취향일 뿐 다른 의미는 없었다.

제이콥이 교령회에 관심을 보이자 그가 갑자기 좋은 생각이 났다는 듯 마차를 불렀다. 마차가 도착하자 다짜고짜 제이콥을 태웠는데, 얼떨결에 따라나서긴 했지만 호기심이 없지는 않았다. 거기서 만난 사람이 아서 코난 도일이었다. 그의 책을 읽은 적은 없지만 의사보다 소설가로 더 잘 알려진 사람이라는 건 알고 있었다. 월터 로스차일드는 아서 코난 도일을 소개해 놓곤 얼마 안 있다 가버렸는데 기분이 상할 법도 했지만 전혀 그렇지 않았다. 아서 코난 도일 때문이었다. 그는 남아프리카에서 군의관으로 참전한 보어전쟁 얘기와 셜록 홈즈를 다시 살려야 했던 일, 그리곤 교령회 얘기를 했다. 그는 셜록 홈즈의 작가답게 명석해 보였지만 어딘가 산만해 보였다. 제이콥과 이야기를 하면서도 다른 뭔가에 집중을 했고, 그 때문에 그가 마치 세 개의 자아를 가지고 있는 사람처럼 보였다. 나중에 들은 얘기지만 독자들의 살해 협박 때문에 몇 해 전 자신이 죽인 셜록 홈즈를 살려 낸 뒤 사람이 좀 이상해진 게 아닌지 의심하는 사람들이 있다는 걸 알았다. 실제 아서 코난 도일은 제이콥에게 자기가 교령회에 들어간 게 셜록 홈즈 팬들의 극성 때문이었다면서 너스레를 떨었다. 제이콥이 교령회 얘기에 관심을 보이자 신이 난 그는 교령회 회원이라며 남자 넷을 불렀는데 둘은 교수, 나머지 두 사람 중 한 사람은 출판사와 인쇄소를 운영했고, 또 한 사람은 휴가 중인 해군 제독이었다. 그들은 제이콥에게 자신들이 어떻게 영혼을 만나는지 직접 보게 해 주겠다며 빙 둘러앉아 눈을 감더니 손을 잡았다. 제이콥은 그들의 행동이 낯설었고 좀 멍청한 짓을 하는 것처럼 보였는데 시간이 지나면서는 호기심이 생겼다. 각자 열심히 무언가를 적었고 어떤 사람은 자주 눈을 껌벅거리며 뭔가를 놓치지 않으려 애를 썼다. 한참이 지나자 자신이 적은 걸 서로에게 보여 주기도 하고 읽어 주기도 했다. 아까 눈을 감고 열심히 적던 게 자동 기술법이고, 그걸 돌려가며 서로 확인하는 것이 교차 통신이었다. 쪽지의 글은 모두 영혼이 보낸 메시지를 순간적으로 받아 적은 것이라는데 방법이 하도 간단해 제이콥은 속으로 실망했다.

제이콥이 놀란 건 그 뒤였다. 런던의 '심령연구학회'에 가입해 활동하고 있는 사람들의 면면 때문이었는데, 학회 회원 중에는 영국 총리 아서 제임스 밸푸어가 있었다. 그는 유독 이 모임에 심취해 자신은 물론 가족과 친척까지 교령회에 빠지게 했다고 했다. 그 외에도 유명 인사가 많았다. 이미 고인이 된 헨리 시지윅도 그중 한 사람이었다. 그는 공리주의를 주도하고 칸트의 보편 쾌락을 옹호했는데, 납득하기 힘들지만 심령연구학회의 초대회장을 지낸 사람이 그였다. 생리학자인 샤를 리

셰, 그도 그런 사람이었는데 제이콥은 나중에 그가 노벨 생리학상을 받았다는 소식을 들었다. 유명한 시인이자 사회 비평가이며 예술 비평가인 존 러스킨 – 제이콥은 그를 잘 몰랐는데 아서 코난 도일은 그가 개혁적인 인사이며 안타깝게 5년 전에 죽었다는 얘기를 들려줬다. 말년에 교령회를 접한 시인 알프레드 로드 테니슨(그 역시 고인이었다)과 케임브리지 대학 석좌 교수이자 물리학자인 존 레일리(그는 지난해 노벨 물리학상을 받았다고 했다) 역시 회원이었는데 제이콥은 신문에서 그를 본 듯도 했다. 교령회에 참여한 지식인은 더 있었다. 적자생존론을 주장한 생물학자 알프레드 러셀 월리스 역시 교령회 회원이었고, 그는 〈심령주의와 사회적 책무〉라는 책을 써 심령주의가 사실에 기초한 과학이라는 주장을 했다. 희토류 전문가이자 방사성 물질 탈륨을 발견한 옥스퍼드 대학 교수 윌리엄 크룩스는 인간의 의식과 영혼을 연구한 끝에 초자연적인 인간의 지각 능력의 존재를 입증했다며 자랑했고, 심지어 훈련으로도 초능력을 가질 수 있다는 주장을 했다. 이유야 어떻든 다들 간절했고 진정성도 있어 보였다. 그러나 제이콥이 진작 감동을 받은 것은 인간 존재의 근원에 대한 그들의 열정적인 질문이었다. 교령회가 배포한 홍보 전단에는 그 생각이 잘 담겨 있었다.

인문정신은 인간이 다른 동물과 다르다는 자의식을 심어 주었다. 한편 과학은 인간이 여느 동물과 같은 생물학적 시원과 혈통의 진화를 거치며 살아왔다는 사실을 보여줌으로써 역설과 혼돈에 빠지게 했다. 하지만 인간은 오랜 시간 영혼의 존재와 불멸을 의심하지 않았다. 과학이 누설한 동물로서의 인간이라는 불온을 유지하면서도 인간은 영혼을 가지고 있으며, 죽은 뒤에는 영혼으로 다시 살아간다는 내세의 존재와 불멸을 믿을 수 있는 근거를 찾아 나서는 열정을 멈추지 않았던 것이다. 우리 심령연구학회가 한 일이 그것이다.

†

제이콥 일행이 융희호를 타고 남대문 역을 출발한 건 아침 일곱 시였다. 제이콥은 자기 방에서 뭔가를 쓰는 중이었다. 아직 기억이 생생할 때 적어 둬야 했다. 기차의 요동에 잉크병이 잠시 흔들렸다. 제이콥은 재빨리 잉크병을 잡았다 놓았다. 머릿속에서는 김학수 정위와 손탁 여사 그리고 개천에서 본 무당의 목소리가 떠나지 않았다. 그보다, 굿과 무당의 주술 같은 말 그리고 군악대 장교의 영혼관은 생각을 한층 복잡하게 만들어 놓고 있었다.

"여보?" 테레사였다. "콜라를 마실 수 있을까요?"

"이런 참, 도쿄에도 없는 콜라를 여기서 찾으면 어떻게 해." 제이콥은 테레사를 보지도 않고 말했다.

"당신도 식당 칸을 봤잖아요. 얼마나 훌륭해요. 제 말은 있을 법도 하다는 거죠. 한번 알아봐 줄래요?" 기차의 식당 칸은 호화로웠다. 미국 횡단 열차와 비교해도 손색이 없었다. 그렇다고 콜라가 있을 리 없었다. 제이콥은 테레사가 어서 객실에서 나가 주기를 바랐다.

"당신이 직접 좀 해 주면 안 될까?" 제이콥이 말했다.

"왜 그래요, 오늘따라. 그게 그렇게 힘들어요?"

테레사의 말에 제이콥은 못 말리겠다는 듯 에른스트를 불러 물어보라고 시켰다. 잠시 뒤 객실로 돌아온 에른스트가 말했다.

"없다는데요, 삼촌. 종업원은 콜라가 뭔지도 모르던걸요."

"내가 뭐랬어, 여보." 제이콥이 고소하다는 듯 말했다. "여긴 일본이 아니라 대한제국이야. 어디서 콜라를 구할 수 있겠어."

"대신 사이다가 있대요, 숙모. 손탁호텔에서 마신 별표 사이다요."

남대문 역에서 부산 초량까지는 11시간이 걸렸다. 거기서 부관연락선 이키마루로 갈아탄 제이콥 일행은 시모노세키를 향해 출발했다. 11시간 30분을 가야 육지였다.

"여보, 식당에 같이 갈래요?" 테레사였다.

저녁을 먹은 지 얼마 되지 않은 것 같은데 그새 또 먹는 타령이었다. 제이콥은 좀 귀찮다는 생각이 들었다.

"조금만 기다려 줄래, 여보?" 펜을 잉크에 적시며 제이콥이 말했다. 그는 융희호에서부터 적던 노트를 이키마루에서도 적는 중이었다.

뉴욕을 떠난 지 세 달이 지나고 있었다. 아내와 조카, 친구 찰스 오커너 내외와 함께 뉴욕에서 기차를 타고 필라델피아와 솔트 레이크를 거쳐 샌프란시스코에서 만추리아호를 타고 요코하마에 도착하기까지, 긴 여정이고 긴 시간이었다. 일본 왕이 있는 궁을 방문했을 때의 순간을 제이콥은 잊을 수 없었다. 메이지 왕의 초청 만찬에서 맛본 양식, 알고 보니 일왕은 양식을 좋아하는 사람이었다. 그는 접시를 싹싹 비웠다. 그러나 진정한 경험이자 감동은 단연 대한제국의 무당과 굿이었다. 감동이라는 표현으로는 부족하기만 한 그 목격은 신비로웠고 다분히 영적이었다. 그걸 조장하는 듯한 타악기와 목관 악기 소리, 그 리듬은 혼잣말인 듯 방백인 듯 주술성 강한 무당의 화법과 조화를 이루고 있어 저절로 소름이 돋았다. 말로 표현하기 어려운 어떤 힘 때문이었다. 게다가 김학수 정위의 누이 얘기는 듣는 것만으로도 영적 세계를 체험한 듯한 정화를 안겨 주었다. 무엇이 제이콥에게 그를 온전히 받아들이게 한 것일까. 제이콥은 그때 보고 느낀 감회를 빠뜨리지 않고 노트에 적어 나갔다. 한편 다짐도 했다. 비록 일본이 러시아를 이겨 주기는 했지만 아직 로마노프 집구석은 망하지 않았다. 여전히 그 집구석 인간이 황제 자리에 있었고 러시아의 주인 역시 그 집구석이었다. 제이콥은 다시 시작할 때라는 생각을 했고 이 영적인 힘이 자신의 계획을 도울 것이라는 확신을 했다.

배의 흔들림 때문에 탁자의 물잔과 잉크병이 흔들렸다. 옆에는 신문이 놓여 있었다. 1906년 5월 4일자 〈황성신문〉이었다. 대한제국을 떠날 때 요시다가 구해 준 거였다. 4면의 타블로이드판이었고 맨 뒤는 광고로 채워져 있었다. 기사는 2면 잡보에 실려 있었다. 제이콥은 대한제국의 글을 읽을 수 없었다. 신문을 건네며 요시다가 알려준 게 다였고 듣고 보니 오보가 있었다.

미호연찬.

미국 부호 시후 씨가 본월 3일에 인천에 도착하여 그날 입경하여 4일 밤에는 통감관저의 쓰루하라 장관 만찬회에 출석하고, 5일에는 우리나라 황실의 창덕궁 만찬회에 출석하고 같은 날 밤에는 메가타 고문 저택의 오찬에 출석하고, 6일에는 미국 총영사의 오찬회에 출석한 후 7일경에 여순으로 발왕한다더라.

제이콥 일행은 요코하마에 올 때 타고 온 만추리아호 대신 코리아호를 탔다. 마닐라에서 출발한 1만 8천 톤급 코리아호는 제이콥 일행을 샌프란시스코에 내려놓았다.

뉴욕으로 돌아온 제이콥은 생각이 깊어졌다. 대한제국 무당과 굿 풍경이 시간이 지날수록 생생하게 되살아났기 때문이었다. 아서 코난 도일은 꾸준히 편지를 보내왔는데, 어떤 형사 사건에 자기가 도움을 주고 있다는 사적인 이야기와 예의 교령회 얘기를 했다. 그는 무척 열정적이었는데, 산만해서인지 얘기가 혼란스럽게 느껴졌고 그 때문에 읽다 만 적도 있었다. 대한제국의 무당 때문에 더 그랬는데, 영혼의 존재를 문자로 증명하려는 런던 교령회 사람들이 왠지 초라해 보였다. 영혼을 물질로 재현한 듯한 종이인형은 기발하고 신비해 제이콥은 이들의 세계관을 이해하기 위해서는 종교와는 다른 차원의 사유가 필요하다는 생각을 했다. 감성과 이성, 이성과 신 사이, 아니 그와는 근본적으로 다른 범주에서의 신묘 같은 것 말이다. 다행히 황실 군악대 장교가 큰 도움이 됐다. 그가 말한 대한제국 무당의 이승관과 저승관은 제이콥의 이 새로운 사유를 도왔다.

자무엘

"메릴린치를 뱅크 오브 아메리카가 인수하기로 했대!" 로이의 목소리가 다급했다. 평소 듣던 목소리가 아니었다.

"무슨 소리야, 로이!"

비스듬히 침대에 누운 자무엘이 벌떡 몸을 일으키며 소리쳤다. 아직 잠이 덜 깬 상태였고, 여기저기 전화를 하고 인터넷 포털사이트와 뉴스를 검색하느라 날이 새는 줄도 몰랐었다.

"리먼 브라더스하고 저울질하다 메릴린치로 기운 거야. 제이피 모건도 인수하겠다고 나섰는데 몸이 단 메릴린치가 먼저 손을 내민 거지. 못 이기는 척 뱅크 오브 아메리카가 그쪽에다 마음을 준 거고."

"이런 젠장!" 그간의 노력이 다 날아가고 있었다.

"이렇게 되면 리먼 브라더스를 인수해 줄 시장은 없어, 자무엘. 지난 얘기이지만 리처드 펄드가 욕심만 안 부렸어도 벌써 끝날 일이었다고."

"젠장, 고릴라 그 작자 고집을 누가 꺾겠어."

"한국의 산업은행은 마지막 기회였어. 그걸 놓치는 바람에 이 지경이 된 거라고. 리처드 펄드가 왜 주식 가격을 뻥 튀겼는지 지금도 이해가 안 가. 한국이 바보도 아니고 말이야. 한 주에 17달러 5센트라니, 한국 쪽이 내놓은 6달러 4센트에 1달러만

얹었어도 해결할 수 있었어. 그 바람에 7달러 79센트로 곤두박질쳤잖아. 창피하지도 않아, 자무엘?"

"처음부터 다 계획적이었던 거라고, 로이!" 자무엘이 악을 썼다.

월 스트리트가 리먼 브라더스를 입에 올리기 시작한 게 3월부터였다. 재무부 장관 헨리 폴슨과 연방준비제도이사회 의장 벤 버냉키, 뉴욕 연방준비은행 총재 티모시 가이트너 같은 부류들이 만든 블랙리스트에 리먼 브라더스가 올라와 있었다. 이 작자들 눈에는 리먼 브라더스는 구제가 불가능한 골칫덩이 같은 존재였다.

연초였다. 리처드 펄드는 헨리 폴슨과 티모시 가이트너에게 전화를 했다. 아쉽게도 돈을 좀 빌려 달라는 소리였다. 40억 달러, 많지도 않았다. 헨리 폴슨은 인수자를 찾아보라며 시큰둥했고, 티모시 가이트너는 회사를 쪼갠다고 불량대출이 어디 가겠느냐며 차라리 증자를 해 보라며 비아냥거렸다. 돈줄이 막히자 결국 리처드 펄드는 리먼 브라더스를 매물로 내놔야 했다.

"로이, 너도 알잖아. 헨리 폴슨 이 인간이 얼마나 편협한지. 벤 버냉키를 부추겨 제이피 모건한테 베어스턴스를 인수하라고 시키고 페니 메이하고 프레디 맥을 국영화하겠다고 밀어붙인 작자가 그 인간이었어. 이 자식이 우리한테만 이러는 거라고."

헨리 폴슨이 관여하고 있다는 건 세상이 다 아는 일이었다. 리처드 펄드가 한 일은 그저 메아리처럼 정부는 나서지 말아 달라며 시장주의를 외치는 것뿐이었다.

"이 인간을 어떻게 하면 좋겠어, 로이?"

"현실을 봐, 자무엘. 리처드 펄드가 왜 매각으로까지 내몰렸는지 알아? 헨리 폴슨 속을 좀 알고 나서라고, 자무엘. 헨리 폴슨은 수순을 밟고 있는 거야. 리먼 브라더스 하나 망한다고 세상이 뒤집어지지 않는다는 거지."

사실이었다. 살아 보겠다고 여기저기 전화를 한 리처드 펄드에게 돌아온 건 모욕뿐이었다. 리처드 펄드의 전화를 받은 모건 스탠리는 겹치는 사업 분야가 많아 인수가 불가능하다며 둘러댔고, 며칠 전화도 받지 않던 뱅크 오브 아메리카의 켄 루이스는 아내를 시켜 리먼 브라더스 인수에는 관심이 없다며 건너 얘기를 전했다. 거기다 한국의 산업은행과 협상이 무위로 끝나자 영국의 바클레즈는 인수금 없이 넘기라며 건방을 떨었다. 공짜로 먹겠다는 소리였다. 아무리 잠재 부실이 걱정이라고는 해도 그 모욕은 켄 루이스를 넘었다. 모욕은 거기서 끝나지 않았다. 이번에도 어김없이 헨리 폴슨이 등장했다. 바클레즈가 리먼 브라더스를 인수할 테니 정부 보증을 서 달라고 하자 헨리 폴슨은 단칼에 거절했다.

"로이, 이 얘기는 하지 않으려고 했는데……." 자무엘이 뜸을 들였다. 뭔가 단단히 몽니가 박힌 말투였다. "헨리 저치 말이야. 실은 다 이유가 있어. 그렇지 않고선 이렇게 지독하게 굴 수 없거든. 밀레니엄 알지, 애버리지니 필름 말이야."

"그 얘기는 왜 하는 건데. 설마 또 엉뚱한 생각을 하는 거 아니겠지, 자무엘?"

"그 해에 헨리 폴슨이 골드만 삭스 CEO가 됐잖아."

"그게 무슨 상관인데?"

"상관있어, 로이. 너도 알잖아, 필름 만들 때 그 인간이 사람을 시켜서 노골적으로 생떼 부린 거. 그때 자존심이 좀 구겨졌거든. 그런 거 못 참는 인간이잖아. 오죽하면 별명이 망치겠어."

"자그마치 근 십 년이 지난 일이야, 자무엘. 헨리 폴슨이 그랬다는 증거도 없고."

"하지만 이 정도 굽히고 들어가면 봐줄 만도 하잖아. 그런데 눈 하나 깜짝하지 않아. 서브프라임 모기지가 어디 우리뿐이었어. 다 같이 해 먹었잖아. 솔직히 그거 그만두고 싶은 인간이 어디 있었어. 다 같이 환장을 해놓고 왜 우리한테만 지랄이야."

"이미 엎질러진 물이야, 자무엘. 그런다고 콧방귀 뀔 인간도 아니고. 확실한 건 재무부하고 월 스트리트는 처음부터 다시 시작하고 싶단 소리를 하는 거야. 이쯤에서 누군가 퇴장을 해 달라는 거지."

"난 이대로 안 넘어가." 자무엘이 담배를 피워 무는지 라이터 켜는 소리가 났다. "생각해 봤는데, 로이. 퍼즐이 필요할 것 같아."

"무슨 소리야, 그게?"

"밀레니엄……!"

"젠장. 왜 또 그 얘긴 꺼내는 거야."

월 스트리트의 간섭은 심했다. 그 일을 중간에서 마크 하디가 했다. 그는 골드만 삭스 협상 전문가였고, 한때 싱가포르 주재원으로 가 있다 헨리 폴슨이 부르자 귀국한 사람이었다. 헨리 폴슨의 측근 중 측근이라는 말이 돌았고 그는 주로 전화로 일을 했는데, 아마 월 스트리트가 마크 하디를 내세우면서 정한 방침인 듯했다. 성격이 꼼꼼했는데 되레 그게 문제가 됐다. 자무엘과 감독이 할 일까지 참견하려 들었고 그게 사람을 열받게 했다. 자무엘은 그게 헨리 폴슨의 의중이 아닐까 의심했다.

감독에게 일임하자는 의견은 다 비슷했다. 월 스트리트에게 영화는 본업이 아니었고, 당연히 까를로스 빼냐에게 맡기는 게 상식이었다. 서약서 건만 해도 그랬다. 서약서는 중요한 문제였다. 스태프가 대상이었는데, 나중에는 월 스트리트 쪽 사람들한테도 서약서를 받는 게 좋겠다는 얘기가 나왔고 자무엘은 그 의견을 따랐다. 그런데 월 스트리트가 딴지를 걸고 나섰다. 그 얘기를 꺼낸 사람이 마크 하디였다. 그는 서약서에 들어 있는 숨소리,라는 단어를 문제 삼았다. 결국 숨소리란 단어는 빼기로 했다. 그 단어가 사람 목숨을 떠올리게 한다는 게 이유였는데 좀 부자연스러워 보이기는 했다. 그런데 그게 다가 아니었다. 며칠 뒤였다. 마크 하디가 전화를 해왔다.

“거 주인공 여자애 말이오, 그 애 고향이 어디라고 했소?”

“미네소타요. 미니애폴리스. 그건 왜요?”

“꼭 백인 아이로 해야 하는 건지 궁금해서 그렇소. 우리가 우릴 모독하는 모양새여서 그렇소.”

“이러면 필름 제작 일정에 차질이 생겨요, 하디 씨. 신의에 금이 갈 수도 있고요.”

“이건 신의 문제가 아니라 철학의 문제요, 자무엘 씨.”

주연 배우를 캐스팅하는 일은 까다로운 데다 조심스러웠다. 주인공으로 낙점된 아이는 백스물두 번째로 오디션을 본 아이였다. 배우가 되기 위해 다니던 대학도 그만두고 할리우드로 온, 그 애가 크리스티나였다.

“그래서 뭘 어쩌라는 거지요?” 자무엘은 슬슬 화딱지가 났다.

“뭘 어쩌겠소, 바꿔야지.” 단호했다.

결국 주인공 아이는 새로 뽑기로 했다. 자꾸 말씨름이나 하며 지체하기엔 시간이 촉박했다. 대신 오디션은 없었다. 새 주인공으로 아이 하나를 소개받았는데 한 차례의 인터뷰만으로 낙점이 됐다. 이름이 엘라였다. 까를로스 빼냐 감독이 데리고 온 아이였다.

“이름이 엘라라고 했니?” 아이의 소개서를 보며 자무엘이 물었다.

"네, 맞아요."

"먼 길을 왔구나. 시드니에서도 마음만 먹으면 배우로 살아갈 수 있었을 텐데, 안 그러니, 엘라?"

"세계적인 배우가 되고 싶었어요. 할리우드에서요. 제 꿈이거든요."

"좋은 생각이구나, 엘라. 종교는 있니?"

엘라는 애버리지니였다. 그 애를 캐스팅한 이유 중에는 혼혈이라는 것 외에 서양식 종교를 갖지 않았다는 점이 꼽혔다. 엘라는 엄마가 애버리지니였다. 아버지는 아일랜드 이민자 후손이었고, 엘라의 어머니가 백인 집에 가정부로 들어갔다 이웃 백인 남자와 결혼을 한 거라고 했다. 사실 아이에게는 종교라고 할 게 없었다. 땅과 숲과 물을 믿는다는 애버리지니 풍습을 따르는 것 같았는데 일종의 토템이었다. 그게 그 애 종교라면 종교일 수 있었다. 아무튼 이의를 제기해 준 마크 하디가 고마울 지경이었다. 그런데 다른 문제가 있었다. 엘라의 상대역 리우진시, 그는 중국 노인이었는데 마크 하디는 그 얘기를 하려고 직접 사무실을 찾아왔다. 옆에는 까를로스 빼냐 감독이 있었다.

"이건 의견일 뿐이오, 자무엘." 마크 하디가 말했다.

"누구 의견이지요?" 자무엘이 물었다.

"이 사람 저 사람."

"이 사람 저 사람이라니요, 좀 제대로 말을 해 주셔야지요." 짚이는 데가 있어서였다.

"안다고 해서 어떻게 해 볼 상대가 아니오."

"리우진시보다 나은 사람을 찾는다는 건 불가능할 수도 있습니다, 하디 씨." 까를로스 빼냐가 답답하다는 듯 말했다.

"차야 바꿔 탈 수도 있는 거 아니오."

"하고 싶은 얘기가 뭡니까, 하디 씨?" 자무엘이 물었다. 이미 속이 잔뜩 불편해져 있었다.

"그 노인네를 누가 데려왔다고 했지요?"

"제가 데리고 왔어요, 하디 씨." 까를로스 빼냐였다. "소개한 사람은 제 동료 브래디고요." 까를로스 빼냐는 내성적인 데다 말수가 적은 사람이었다. 하지만 멕시코인답게 뭔가 굽히고 싶지 않을 때는 저돌적인 데다 말이 부쩍 많고 빨라졌다.

"그 영감 빨갱이라던데……." 마크 하디가 중얼거렸다.

"무슨 말을 그렇게 해요, 마크 하디 씨!" 자무엘이었다. 자기도 모르게 풀 네임이 나왔다. 까를로스 빼냐도 기가 막힌다는 표정을 짓고 있었다.

"왜 빨갱이 얘기가 나와요. 그저 푸줏간 노인이라니까요."

리우진시에 대해선 브래디 선에게 들은 얘기가 다이기는 하지만 노인이 빨갱이라니, 웃기는 얘기였다. 노인은 까를로스 빼냐보다 브래디가 더 잘 알았다. 브래디는 한국인이었다. 어려서 미국으로 건너왔고 할리우드에서 캐스팅 일을 하는 사람이었다. 나이는 많지 않지만 재능이 있어 짧은 경험에도 불구하고 그 분야에서는 소문이 나 있었다. 브래디는 리앙 감독하고 일을 한 적이 있는데, 같이 일한 영화가 〈와호장룡〉이었다. 개봉을 앞두고 있었고 리우진시를 알게 된 게 거기서라고 했다. 같이 일하던 중국인 때문이었는데, 그는 리앙 감독이 타이페이에서 〈음식남녀〉를 찍을 때 캐스팅 일을 한 사람이었다. 리우진시는 그 영화에 음식과 관련한 자문을 했고 그 후 리우진시는 몇 번인가 중국과 홍콩, 타이페이 영화에 단역으로 출연을 한 적이 있었다. 브래디의 추천이기는 하지만 까를로스 빼냐도 처음엔 망설였다. 칠십 대라는 나이도 그렇고 어쨌든 리우진시는 정신적으로 문제가 있는 사람이었다. 치매기가 있어 더 그랬는데 가만히 생각해 보니 어쩌면 그게 장점이 될 수도 있겠다 싶었다. 지난 일은 기억하지 못해 자신의 일을 외부에 발설할 염려가 없었기 때문이었다. 무엇보다 평생 푸줏간 일을 하며 산 사람답게 그의 돼지고기 육가공 솜씨는 청두에서 알아줬고, 문화혁명 때 간부들이 그가 바른 돼지고기를 육회로 즐겨 먹을 정도였다고 했다. 브래디는 까를로스 빼냐에게 노인을 추천했다.

"제 말은 정신이 오락가락하는 노인더러 빨갱이라고 하면 알아듣기나 하겠냐는 겁니다." 자무엘이 말했다.

"그 노인이 빨갱이인 건 사실 아니오?" 마크 하디가 또 같은 말을 했다.

"아니라니까요, 하디 씨." 까를로스 빼냐였다. "하디 씨 논리대로라면 중국인은 다 빨갱이라는 건데, 그건 좀 말이 안 되잖아요. 안 그래요?"

머쓱해진 마크 하디가 말했다. "그런데 그 노인 영어 못한다고 하지 않았소?" 자무엘과 까를로스 빼냐가 그를 쳐다봤다. 뜻밖의 질문이었다.

"그야 그렇지요, 중국 노인이 어떻게 영어를 하겠어요." 까를로스 빼냐였다.
"그럼 엘라하고 소통은 어떻게 하겠다는 겁니까?"
"기억력 하나는 여전하다고 했잖습니까." 자무엘이었다.
"지난 건 다 잊어먹는다고 했잖소?"
"다 그런 건 아니라니까요. 두 문장 정도 외우는 건 일도 아니라고 했어요."

†

"먼저 막 나간 게 누군데, 상황을 이 지경으로 만든 인간이 누구냐고?" 자무엘이 짜증스레 말했다.
"이건 너무 나가는 거라니까." 로이는 황당했다.
"어차피 반반이야. 그간 리먼 브라더스가 한 일은 절반도 되지 않는 확률을 백 프로로 만드는 일들이었어. 이 정도면 해 볼 만한 거야. 먹힐지도 모르고."
"날 끌어들일 생각은 마, 자무엘." 로이가 체념한 듯 말했다. 자무엘은 자기 말만 했다. "그때 필름 실패했다고 나더러 뭐랬는지 알아? 또라이랬어. 다 같이 해놓고. 말이 돼, 로이?"
"본질을 봐, 자무엘."
"나도 한국의 뭣 같은 은행하고 잘못됐을 때부터 이걸 궁리하고 있었어. 즉흥적인 게 아니라고."
"징징대지 말고 내 말 잘 들어, 자무엘. 이 사람들한테는 이 위기가 대단한 게 아니야. 겉으론 충격 먹은 것처럼 굴지만 속은 반대야. 왠지 알아? 월 스트리트 빌딩 한쪽에는 기독교계 회사들이 몰려 있어. 다른 한쪽에는 유대인 회사들이 늘어서 있고. 이게 뭘 의미하는 거 같아?"
케빈 슈라이버 교수도 비슷한 얘기를 한 적이 있었다. 제작비와 캐스팅 문제로 한 차례 소란을 떨고 난 뒤였다.
"이상하지 않아요, 교수님?"
케빈 슈라이버 교수가 싱긋 웃더니 말했다. "이상하다니. 자네는 리먼 브라더스와 골드만 삭스가 같다고 생각하는가? 록펠러와 로스차일드가 같다고 생각해?

모든 것에는 시원이 있어. 거기서부터 얘기를 풀어야 해. 이게 맥락이고 순리야."

"그러려면 제 고조부 제이콥 헨리 쉬프 때로 거슬러 올라가야 합니다. 교수님도 고조부께서 월 스트리트를 위해 한 일이 어느 정도인지 잘 아시잖아요. 연준 만들 때도 고조부가 얼마나 많은 기여를 했는지 알 만한 사람은 다 아는 거고요. 그걸 시기하면 인간이 아니지요."

케빈 슈라이버 교수는 월 스트리트 내부의 오랜 갈등 중에는 영혼관이 있다는 얘기를 했다. 로스차일드와 록펠러의 갈등도 실은 이 맥락 속에 있다고. 뜻밖이었다.

케빈 슈라이버 교수는 영혼관과 종교관이라는 말을 구분해 썼다. 제이콥 헨리 쉬프가 그 시원이라고 했다. 사람들이 오해하는 것 중 하나가 제이콥 헨리 쉬프가 종교 때문에 뉴욕 교령회를 설립한 줄 아는데 그거야말로 오독이라는 거였다. 제이콥 헨리 쉬프가 고뇌한 것은 종교가 아니라 영혼 그 자체였기 때문이라고 했다. 그는 자신의 영혼관을 현실 속으로 가져오려고 했고, 그 생각은 종교 차원과는 맥을 달리하는 다분히 철학적인 사유에 속하는 얘기라고 했다. 그 시도가 뉴욕 교령회의 시작이었고.

그즈음이었다. 골드만 삭스 중간 관리자 마크 하디가 자무엘을 찾아왔다. 그는 뜬금없이 종교 얘기를 했다. 그때서야 자무엘은 케빈 슈라이버 교수의 말이 이해가 갔다. 기독교의 내세관과 영혼관에 대한 얘기였는데 처음엔 그가 왜 그런 얘기를 하는지 알지 못했다. 말이 길어지자 자무엘은 슬슬 짜증이 났다. 그것도 모르고 마크 하디가 진지하게 말했다.

"영혼을 지나치게 가볍게 취급하고 있단 생각이 들어서요. 인간이 궁극 취해야 할 게 있다면 육체와 영혼 중 영혼이잖습니까."

자무엘은 그 말이 좀 웃겨 보였다. "천만에요, 하디 씨. 영혼과 육체는 분리되는 게 아닙니다. 둘 다 소중하니까요."

"이 말을 제 의견으로 들으시면 안 됩니다, 자무엘 씨."

그가 퉁명스럽게 말했다. 뭔가 의도가 있다는 소리처럼 들렸다. 자무엘은 이미 논의를 거친 몇 가지 사실과 자신이 평생 간직해 온 유대교적 전통, 그리고 기독교와 다른 유대교의 영혼과 내세관에 관한 이런저런 시각차를 들려주었다. 그러자 마크 하디가 기독교의 심판과 구원에 대한 얘기를 하며 흥분을 했다. 영혼이 저승에 가 심판을 받고 구원을 받는다는 얘기였는데, 자무엘은 유대교인 누구에게서도 그런 얘기를 들어 본 적이 없다고 받아 쳤다. 자무엘은 좀 더 자세히 얘기를 했다. 기독교계 월 스트리트의 영혼관이 유대교와 어떻게 다른지, 자신의 종교에서는 저승의 영혼이 망령 같은 존재라는 얘기를 하자 마크 하디가 절레절레 고개를 흔들더니 이해하기 힘들다는 표정을 지었다.

자무엘이 말했다. "실은 꿈이 같습니다. 이런저런 시각차가 있긴 하지만 모두 같은 걸 궁금해하고 있지요." 그리곤 고조부 제이콥 헨리 쉬프 얘기를 했다. 자신의 가문이 어떻게 유대교의 전통을 유지해 왔으며 그 역사가 얼마나 긴지, 그리고 지금의 월 스트리트가 있기까지 고조부가 한 일을 알고 있는지. 그 얘기를 듣고 난 마크 하디가 말했다.

"볼셰비키를 도운 분이셨잖습니까."

전혀 예상하지 못한 말이었다. 그 때문에 잠시 틈이 생겼다. 자무엘이 똑바로 보며 말했다.

"무슨 뜻이지요, 하디 씨?"

"사실을 말한 것뿐이오. 볼셰비키가 소비에트의 주인이었다는 건 역사가 말하고 있지 않소."

"차르가 유대인을 어떻게 다뤘는지는 알고 계세요?" 자무엘이 정색해 물었다.

"저도 그 점은 분노합니다."

"왜 고조부께서 레닌을 도왔는지도 이해하시겠군요." 그가 고개를 끄덕였다. "고조부께서 미국에 기여한 이런저런 일들은 말로 다 형용하기 어려울 정도입니다. 유대인 사회를 위한 봉사도 마찬가지지요. 말씀드린 대로 러시아 포그롬과의 싸움이 대표적이랄 수 있습니다. 유대인의 팔레스타인 정책을 지원하셨지만 세속적인 시오니즘에는 반대하신 분입니다. 진정한 평화주의자셨지요. 뉴욕 교령회라고 들어 보셨나요, 하디 씨?"

"자세하지는 않습니다만, 알고는 있습니다." 마크 하디가 떨떠름하게 말했다.

"그걸 모르곤 제 고조부를 논할 수 없어요, 하디 씨. 고조부께서 월 스트리트에 기여한 공은 보다 심오하거든요. 그걸 제게 정신적으로 심어 준 분이 제이콥 헨리 쉬프 그 분입니다. 고조부께서 볼셰비키를 도와 로마노프 집안을 날려 버린 뒤 마지막 열정을 다한 일이 뉴욕 교령회 일이었고요. 저는 고조부의 교령회를 어떻게 이을까 오래전부터 고뇌해 왔습니다. 지금 추진하는 필름 제작이 그 실천이자 비전이지요. 그와 관련해 고조부께서는 노트에 여러 얘기들을 남기셨습니다. 특히 20세기 초 고요한 아침의 나라 한국을 방문하고 난 뒤 일생일대 큰 변혁을 꾀하셨지요. 인생의 마지막을 거기에 쏟으신 겁니다."

고조부 제이콥 헨리 쉬프의 노트에는 블라디미르 일리치 레닌 얘기가 적혀 있었다. 하지만 레닌의 계급 해방과 사회주의 혁명이 자코뱅주의 쪽으로 기울고 있다는 그들 간의 다툼과 비난은 고조부의 관심거리가 아니었다. 볼셰비키든 멘셰비키든, 둘 다 로마노프를 적으로 삼고 있다는 점, 그러므로 고조부 제이콥 헨리 쉬프에게 레닌과 트로츠키는 모두 자신이 지원해야 할 대상이었다.

"고조부께서는 레닌과 트로츠키 둘에게 각각 2천만 달러를 지원하셨지요. 그 돈이 아니었으면 레닌은 혁명에 성공하지 못했을 겁니다. 그 뒤 고조부께서는 영혼관에 입각한 교령회 일에만 전념하셨지요. 물론 사람들이 비뚤어진 눈으로 일루미나티를 보고 있다는 걸 고조부도 아셨습니다. 저 역시 마찬가지고요."

제이콥 헨리 쉬프의 노트에는 그가 뉴욕에 발을 디뎠을 때부터 일루미나티로 살아가면서 느낀 일련의 단상들이 담겨 있었다. 남북 전쟁이 끝난 지 사흘이 빠지는 넉 달이 지나고 있을 때였고, 이민자들을 가득 실은 배에서 내려 뉴욕 땅에 첫발을 디딘 열여덟의 제이콥은 눈이 휘둥그레졌다.

뉴욕은 프랑크푸르트와 딴 세상이었다. 그때 제이콥을 마중한 사람이 찰스 오커너였다. 두 해 먼저 뉴욕에 온 찰스는 제이콥보다 두 살이 많았고 잡화점에서 일하는 중이었다. 어린 제이콥 헨리 쉬프가 처음 맞닥뜨린 사회적 시련은 일루미나티에 대한 지독한 비난이었다. 온갖 음모론이 나돌았고, 그중에는 일루미나티가 증오와 폭력을 조장하고 분쟁과 전쟁, 테러와 악마를 숭상한다는 낭설이 들어 있었다. 하지만 소문과 달리 뉴욕 로지에서 이들이 주로 한 일은 영혼에 대한 철학적 논쟁이 전부였다. 로지로 이동할 때 눈을 가린다는 이야기가 있었지만 사실이 아니었다.

"고조부께선 고뇌하셨습니다. 자신의 종교가 갖는 세속적 한계를 벗어나고 싶어 하셨지요. 영혼 말입니다. 모든 종교가 갖는 공통의 관심사에만 몰두하기로 하신 겁니다. 물론 일루미나티 역시 영혼을 찬미합니다. 뉴욕 교령회를 실천하신 시원이 실은 그곳일 수도 있을 터이니까요. 특이한 것은 고조부께서는 뉴욕 교령회를 실천하시면서 대한제국이라는 나라에 각별한 관심을 기울이셨다는 것입니다."

"대한제국이라니요?"

"지금의 한국을 말하는 겁니다. 많은 사람들이 알고 있는 것과 달리 뉴욕 교령회는 딱히 종교적 고뇌의 산물이라고 할 수 없거든요. 영혼을 확인해 보고 싶다는 고조부의 열망은 인류의 보편적 욕망, 그것과 같은 차원이었지요. 그 때문에 사교니 사이비니 헛소리를 들어야 했지만 고조부는 개의치 않았습니다. 개인의 성향과 인간의 보편적 욕망이 독특한 세계관을 만들어 낸 것이지요. 일루미나티답게 영혼의 존재를 의심하지는 않았지만 고조부 역시 영혼을 본 적은 없으셨으니까요. 그렇다면 영혼이 있는지, 내세는 있는지, 그곳에도 삶은 존재하는지? 이 의문은 모든 종교를 떠나 인간이라면 당연히 할 수 있는 질문이 아니겠습니까. 고조부께서는 그걸 신앙이 아니라 과학적인 방법을 통해 목격하고 싶어 하셨지요."

고조부는 오로지 한 곳에만 자신의 정력을 쏟았다. 어떻게 하면 영혼의 존재를 증거로 남길 수 있는지 고민은 온통 거기에 집중돼 있었다. 고조부의 행위는 인류에 대한 보편적인 애정 없이는 할 수 없는 것이었다. 자무엘이 고조부에게 감동받은 게 이 부분 때문이었다. 그게 새로운 사유를 하도록 했고 이는 단순하게 영혼을 증명해 보이려는 과학적 실천의 문제가 아니라 인간 존재에 대한 탐구를 의미했다. 고조부가 뉴욕 교령회를 통해 하려고 한 것 역시 그런 일이었다.

"하디 씨는 영혼을 본 적이 있으세요?" 자무엘이 물었다.

"글쎄요, 봤다면 봤고 못 봤다면 보지 못했을 수도 있지요." 마크 하디의 말투가 떨떠름했다.

"전 일루미나티입니다, 하디 씨. 하지만 영혼을 보고 싶다는 마음은 숨기지 않겠습니다. 저 역시 인간이며 영혼에 대한 어떤 증거도 가지고 있지 않기 때문이지요. 물론 그걸 보여준 랍비도 없었습니다. 이런 얘기까지 하게 될 줄은 몰랐습니다만, 공식적으로 일루미나티는 영혼에 대해 진지하게 회의를 한 적이 있습니다."

"기독교도인 저로서는 상상할 수 없는 일입니다." 마크 하디가 고개를 젓곤 말했다. "그게 사실이라면 제이콥 헨리 쉬프 어른의 뉴욕 교령회는 좀 모순이지 않을까 생각합니다."

"이해합니다, 하디 씨. 고조부의 교령회 설립을 의아해한 사람들이 꽤 됐으니까요. 현실주의자로 알려진 제이콥 헨리 쉬프가 늙어 망령이 난 게 아니냐는 거였지요. 하지만 말씀드렸듯 고조부의 뜻은 보다 깊은 곳에 있었습니다. 영혼을 관념이 아닌 실존의 문제로 받아들이셨으니까요. 나중이기는 하지만 많은 사람들이 공감했고, 결국 고조부의 교령회에 가입을 하기 시작했지요. 그때 고조부께서 떠올린 곳이 한국이었습니다."

"한국의 뭐에 그렇게 끌리신 겁니까?"

"무당의 굿입니다."

"그게 뭡니까? 처음 듣는 말이어서요."

"고조부께서는 대한제국의 무당이 랍비의 비범함이나 일루미나티의 영혼관을 닮았다고 생각하신 모양입니다. 아마 현생의 인간을 구원하려는 무당의 노력과 굿이라는 행위를 그렇게 생각하신 것 같았지요."

"자무엘 씨가 생각하는 영상이 어떤 모습일지 짐작이 쉽지 않아요."

"저도 머릿속에 있을 뿐이어서 어떨지는 두고 봐야겠지만, 고조부께서 말씀하신 실존의 의미를 생각하시면 미루어 짐작하실 수도 있으리라 생각합니다."

"실존이라……." 마크 하디가 고개를 주억거리며 자무엘의 눈을 비꼈다. 자무엘은 승기를 잡았다고 생각했다.

"아시는지 모르겠습니다만, 영혼은 감각할 수 있어야 합니다. 눈으로 볼 수 있고 손으로 만질 수 있어야 하지요. 그런 뒤 우리는 말할 수 있습니다. 제가 하고자 하는 일이 그겁니다. 만질 수 없고 그래서 소유할 수 없다면 영혼은 없는 겁니다, 하디 씨." 자무엘의 목소리에 힘이 들어가 있었다.

"소유라니. 좀 과격한 거 아닙니까, 자무엘 씨?"

"그럴 리가요. 감각되지 않고서 존재할 수 있는 게 어디 있습니까."

"부디 소중한 것을 잃지 않길 바라겠습니다, 자무엘 씨." 마크 하디가 자리에서 일어나며 말했다. 앉았던 소파가 움푹 꺼져 있었다.

마크 하디가 돌아가고 나서였다. 초저녁이 좀 지나 자무엘은 그에게 연락을 했다. 좀 더 확실히 해 둘 필요가 있었고 뭔가 미흡하지 않았나 싶었다. 마크 하디는 퇴근을 하느라 주차장으로 가는 중이었다.

자무엘이 말했다.

"이 말씀은 드리고 싶습니다, 하디 씨. 고조부께서는 한국의 무당이 이승과 저승, 현세와 내세를 구분하지 않았다고 했는데 그게 매력이었던 모양입니다. 그 나라 무당의 영혼관이자 내세관에 불과하지만, 이 둘의 교집합은 지금의 모든 것들이 내세에도 공유된다는 창발을 가능하게 했으니까요. 놀랍지 않으십니까, 하디 씨?"

"난해하지만 놀라운 얘기이기는 하네요." 마크 하디가 말했다. 왠지 불만에 찬 목소리였다.

"영혼을 보고 만지게 해 주겠다는데 마다할 사람이 어디 있습니까. 제가 하는 일이 그 일이라는 점 분명히 말씀 드립니다. 솔직히 다들 그래서 참여한 게 아닌가요, 하디 씨?"

하지만 자무엘은 영혼은 삶의 연속을 유지해 주고 이어 주는 기제이며, 삶이 물질을 동반하듯 영혼 역시 물질을 동반하며 내세 역시 물질을 동반한다는 말은 하지 않았다. 다만 그걸 목격하거나 증명하지 못했기 때문에 사람들이 불안을 느끼며 사는 것이었고, 그러므로 그걸 증명하거나 목격하기만 하면 불안은 사라지며 그 논리의 근거로 고조부가 말한 무당의 이승과 저승을 넘나드는 영혼관을 끌어들였다는 말 역시 하지 않았다. 그가 바보가 아닌 이상 지금까지 한 말만으로도 충분히 알아들었을 것 같아서였다.

며칠 뒤였다. 마크 하디가 연락을 해 왔는데 촬영장을 물색해 놨다는 거였다. 말투가 그때와 달리 꽤 친절했다. 사람을 시켜 약도를 보내왔는데, 허드슨 밸리에 있는 초지였고 차로 조금만 달리면 갈 수 있는 거리였다. 골짜기가 깊었고 개인 소유여서 외부인은 접근할 수 없었다. 프로덕션은 자무엘과 까를로스 빼냐 감독이 알아서 해달라는 말도 했다. 얘기 끝에 마크 하디가 부탁이라면서 말을 꺼냈다. 뜻밖에 그가 한국인 얘기를 했다. 자신이 알고 있는 한국인 한 사람을 이번 일에 초청하기로 했다는 것이었다. 월 스트리트는 제 3세계 국가의 재력가를 엄선해 초청하기로 했는데 마크 하디도 그런 취지라고 했다.

자무엘은 의외였다. 그가 한국인을 알고 있다는 것과 한국인을 초청했다는 게 그랬는데, 알고 보니 아시아에 주재할 때 안 한국인인데 부친 때부터 인연이 있었고 무엇보다 이번 일에 초청을 해도 될 정도의 재력가여서 월 스트리트도 흔쾌히 받아들인 사람이라고 했다. 부탁은 까다롭지 않았다. 한국인이 뉴욕에 머무는 동안 동선을 벗어나지 않게 해 달라는 것이었는데, 마크 하디는 초청한 한국인을 관리의 대상으로 보고 있었다. 체류 기간은 짧았다. 그건 한국인뿐 아니라 다른 국가의 초청자들도 같았다. 월 스트리트가 정한 방침이었다. 초청한 한국인은 또 있었다. 로이가 초청한 사람이었다. 주한미군으로 있을 때 안 사람이라고 했다. 겉보기와 다르게 로이는 군 경력이 있었고, 웨스트 포인트를 졸업한 뒤 첫 근무지가 한국이었다. 한국에서 돌아온 뒤에 곧 제대를 했고, 처음 잡은 직장이 뉴욕 포스트였다. 뉴욕 포스트는 자무엘의 큰할머니 도로시 쉬프가 운영하다 넘긴 신문사였다. 로이가 근무할 때는 뉴욕 포스트의 경영권이 루퍼트 머독한테 넘어가 있었다. 주로 정치인과 경제인의 사생활을 취재하던 로이는 뉴욕 타임즈로 옮긴 뒤에는 남의 사생활이나 캐는 잡다한 취재는 손을 대지 않았다. 뉴욕 포스트와 뉴욕 타임즈는 성격이 다른 매체였다. 그 때문에 로이는 뉴욕 타임즈로 옮기고서야 취재다운 취재를 하는 것 같다며 의욕이 넘쳤다.

로이의 얘기를 들은 월 스트리트는 정부 기관을 통해 따로 검증을 했고 마크 하디가 초청한 한국인도 같은 절차를 거친 듯했다. 하긴 월 스트리트의 동의 없이는 초청 자체가 불가능했다. 로이의 부탁을 월 스트리트는 긍정적으로 받아들였다. 로이의 이력과 선대의 후광이 도움이 된 듯했다. 로이의 조부 조너선 오커너와 아버지 그레고리 오커너. 선대 모두 메릴린치와 모건 스탠리, 연방예금보험공사 등에서 일을 한 월 스트리트 거물들이었다. 지금도 누이 아만다 오커너는 골드만 삭스에 적을 두고 있었고 동생 조지 오커너는 AIG에, 사촌 마이클 오커너는 미 재무부에서 근무를 하고 있었고 줄리 오커너는 씨티그룹의 임원이었다. 거기다 로이의 고조부 찰스 오커너와 제이콥 헨리 쉬프와의 관계를 아는 월 스트리트로서는 로이의 부탁을 가볍게 보기 힘들었을 터였다. 하긴 자무엘이 로이와 가까워진 것도 고조부 간의 친분 때문이었다. 제이콥 헨리 쉬프와 찰스 오커너, 자무엘의 고조부는 그와 한국이라는 나라를 방문했을 때의 일을 회고록에 자세히 적었다. 선대부터 인연이 있는 로이를 자무엘은 각별히 대했다. 그 뒤 둘은 급속히 가까워졌고 지내다

보니 마음이 맞았다.

자무엘은 로이와 마크 하디가 초청한 한국인을 묶어 챙기면 되겠다 싶었다. 어차피 사람을 붙일 일이어서 직접 할 것도 아니었다.

자무엘은 로이가 궁금했다. 굳이 한국인을 초청해 일을 번거롭게 할 필요가 있을까 해서였다.

"그럴 가치가 있는 거야, 로이?"

"지독한 친미주의자야. 월 스트리트로선 손해 볼 게 없어. 나중에 보면 알 거야. 보통 인물이 아니거든."

"로이 니가 괜한 일을 벌이는 게 아닌지 해서 그래."

로이는 한국인 초청이 선대와 관련이 있다고 했다. 한국인과는 오랫동안 연락을 하며 지낸 것 같았는데 이해관계가 얽힌 게 아니어서 신뢰도 있어 보였다. 자무엘은 더 자세한 것은 묻지 않았다. 한국인 초청 문제는 자신의 관심사가 아니기 때문이었다.

"니가 초청한 한국인은 내가 관리해야 할 것 같아. 이건 너만 알라고. 월 스트리트가 원해."

자무엘의 말에 로이가 말했다. "월 스트리트답구먼. 근데 자무엘 니가 그럴 시간이 있어?"

"사람을 붙일 거야."

"사람이라니?"

"까를로스 빼냐가 소개한 사람인데 한국인이야."

브래디 선을 말하는 거였다. 까를로스 빼냐가 데리고 온 사람이었다. 까를로스 빼냐는 브래디의 사정이 좋지 않다며 은근히 일거리를 부탁했다. 영화 일을 한 지 얼마 되지 않았고 인종 차별 때문에 할리우드에서 그리 일이 많은 게 아니라고 했다. 자무엘은 브래디를 가이드로 고용하기로 했다. 리우진시 캐스팅을 하면서 보여 준 능력 때문이기도 하지만, 그보다 그는 한국인이었다.

다행히 브래디는 아직 LA로 돌아가지 않고 뉴욕에 있었다. 그 얘기를 하자 브래디는 일거리를 줘 고맙다고 했고 언어 장벽이 없어 일이 수월하게 생겼다며 책임감마저 느낀다고 했다. 보수도 적잖게 매겼다.

촬영 하루 전날 로이한테 연락이 왔다.

"그 한국인 어디 있지, 자무엘?"

"그건 왜?"

"우리 일을 말해 줘야 할지 어떨지 해서."

"이번 일의 취지는 분명히 알고 가자고. 넌 어떤지 몰라도 내 말은 지어낸 게 아니야. 고조부가 한 말을 그대로 하는 거라고. 영혼과 돈은 통해. 이승하고 저승도 그렇고, 이건 믿고 안 믿고 할 문제가 아니야. 그런데 이 말을 그 사람들한테 하면 알아듣겠어?"

"케빈 슈라이버 교수 반응이 별로였다며, 차라리 한국인 얘기는 하지 말 걸 그랬어."

"찝찝해할 거 없어, 로이. 이미 같은 배를 탔는데, 뭘."

케빈 슈라이버 교수는 한국인 초청을 달가워하지 않았다. 그 때문에 자무엘은 자세히 설명을 해야 했다. 굳이 말을 해야 하나 싶었지만, 그의 자문을 받고 있는 한 될 수 있으면 비밀이 있으면 안 되겠다 싶었다. 곰곰이 듣고 난 케빈 슈라이버 교수가 말했다.

"나중에 문제가 될 걸세."

뭐가 문제란 건지 몰라도 이미 결정 난 일이었다.

†

"무슨 소릴 하는 거야, 로이?"

핸드폰 소리에 놀라서 깬 자무엘이 반사적으로 소리를 질렀다. 책상에 엎드려 잠든 자세 그대로였다. 시간을 보니 새벽 2시 15분, 9월 15일이었다.

"리처드 펄드가 파산 신청을 했다니까!"

로이의 목소리가 낮았다. 하지만 그 역시 외치고 있었다. 자무엘은 천천히 몸을 일으켰다. 여느 때 같으면 튕기듯 일어나 길길이 뛰어야 할 일이었다. 올 게 왔다는 생각, 자포자기하는 심정이었지만 속은 까맣게 타들어 가고 있었다.

"리처드가 뭐랬는데?" 자무엘이 물었다.

"변호사를 시켜 법원에 파산 신청을 한 모양인데, 리브 제니라고 그쪽에 드나드는 동료 기자한테 들은 거야. 아직 뉴스도 안 탔어."

"갑자기 뭐지, 이게?" 그렇게 말해 놓고 자무엘은 잘못 말했다 싶었다. 그보다 아직 헨리 폴슨한텐 말도 붙이지 못했는데, 이 멍청한 리처드가 일을 망쳐놓고 있었다. 조금만 더 시간을 끌면 어떡하든 결판을 낼 수도 있는데, 여태 속을 썩이며 끙끙 앓아 온 시간이 아깝다는 생각이 들었다.

"그런데 이상해, 자무엘. 헨리 폴슨이 전화를 해 리처드 펄드한테 니 얘기를 했다는데, 고조부 제이콥 헨리 쉬프 얘기를 하면서 그렇게 보지 않았는데 실망이 크다고 했다나 뭐라나. 아무튼 이만저만 성질을 낸 게 아니래."

"이봐, 로이. 헨리 폴슨은 나랑 다른 배를 탄 인간이야. 이 일을 해결할 수 있다면 난 무슨 짓이든 할 수 있어. 죽느냐 사느냐, 이 생각뿐이라고."

"이거 왜 이래, 자무엘!"

로이가 화를 냈다. 로이가 이렇게 화를 내는 건 처음이었다. "넌 리처드 펄드하고 하나도 다를 게 없는 녀석이야. 니 계획 때문에 나까지 위험하게 생겨서 하는 소리야. 헨리 폴슨이 다 알고 있다고. 알아, 자무엘?"

헨리 폴슨이 그 얘기를 알게 된 건 재무부 정책실에서 올라온 보고를 통해서였다. 헨리 폴슨은 손녀가 감기에 걸렸다는 아내의 말을 듣고 여느 때보다 일찍 집으로 돌아와 있었다.

늦은 시간이었다. 정책실의 마크 하디가 연락을 해 왔다. 보고할 게 있어 집으로 오겠다는 거였다. 그만큼 긴박하다는 소리였다. 마크 하디가 내민 보고서에는 극비라며 밑줄이 그어져 있었다. 녹취록이 담긴 문서였다. 녹취록을 읽은 헨리 폴슨은 사색이 됐다. 손이 다 떨렸다. 벌써 근 십 년이나 지난 일이었고, 자신은 직접 관여한 것도 아니었다.

"이거 언제 일인가, 마크." 헨리 폴슨이 물었다.

"나흘 전입니다. 자무엘이 간이 배 밖으로 나온 모양입니다." 곰곰이 생각에 잠긴 헨리 폴슨의 얼굴을 살피고 난 마크 하디가 물었다.

"어떻게 할까요?"

"로이 이 친구는 믿어도 돼?"

"자무엘과는 뉴욕대 동창입니다. 친한 친구이기도 하고요. 성격은 전혀 다릅니다. 두세 번 만난 적 있는데 취재 욕심 외에 다른 욕심은 없는 친구입니다. 문제라면 이걸 모두 알고 있다는 겁니다. 웨스트 포인트 출신에 조부가 조너선 오커너입니다. 그레고리 오커너가 아버지고요. 저도 집안을 알곤 놀랐습니다. 제이콥 헨리 쉬프의 회고록에 나오는 찰스 오커너가 고조부입니다."

"자무엘은 왜 자넬 통해 겁박하는 건가, 나더러 뭘 어쩌라고?" 헨리 폴슨이 물었다.

"애버리지니 건을 진행할 때 제가 중간에서 일을 봤잖습니까. 그래서 이번에도 저를 통해 일을 처리하려 했던 모양입니다."

꼭지가 돈 헨리 폴슨은 리처드 펄드에게 전화를 했다. 한 마디로 어서 꿈 깨고 늦기 전에 회사나 접으라는 소리였다. 리처드 펄드는 뜨악했다. 꿈을 접으라는 말까지는 알아듣겠는데, 늦기 전에 회사를 접으라니. 헨리 폴슨은 자무엘 얘기를 했다. 자무엘의 고조부 제이콥 헨리 쉬프를 생각해 참아 왔는데 이제 더는 봐주기 힘들게 됐다고. 리처드 펄드는 그게 무슨 뜻인지 몰라 그저 헨리 폴슨이 누그러져 말할 기회가 주어지기만을 바랐다. 하지만 헨리 폴슨의 말이 길어지자 리처드 펄드도 참지 않았다. 리처드 펄드는 애버리지니인지 뭔지 그 일은 자신과 무관하며 처음부터 끝까지 자무엘이 한 짓이라고 소리를 질렀다. 더욱이 자신은 영혼 따위에는 관심이 없을 뿐 아니라 사업에 몰두하는 것만으로도 바빠 죽을 지경이라고. 그리곤 그 얘기라면 자무엘과 직접 하는 게 좋겠다며 선을 그었다. 리처드 펄드가 하도 강경하게 나오자 헨리 폴슨은 막판까지 몰린 리처드 펄드가 갑자기 미친 게 아닌지 의심했다.

"이봐, 리처드. 하나만 말하지. 자네 중간 관리자 교육을 어떻게 시킨 거야. 하는 짓들이 다 자네를 닮았잖아."

리처드 펄드는 헨리 폴슨이 왜 이런 말을 하는지 알 수 없었다. 솔직히 문제라면 다 막장극 같은 신자유주의 시장이 곪아 터져 벌어진 일들이 아닌가. 다 같이 단맛을 봐 놓고. 그렇지만 차마 그 말을 할 수는 없었다. 헨리 폴슨을 자극해 좋을 게 없었다.

"자무엘에게 전하게, 리처드. 내가 가만두지 않겠다더라고 말일세."

"이봐요, 헨리. 왜 우리만 갖고 이러는 거요. 대체 이유가 뭡니까?" 리처드 펄드가 징징대자 헨리 폴슨은 루비콘 얘기로 겁을 주었다.

"자무엘 그 친구가 날 협박하던데, 이 정도 일로 내가 껌뻑 죽을 사람도 아니고 이미 루비콘 강을 건넌 마당에 리먼 브라더스한테 뭘 바랄 게 있다고 설쳐. 내가 그따위 허접한 협박 하나로 연방 돈을 내줄 거라고 생각이라도 한 거야, 리처드?" 리처드 펄드는 이게 무슨 말인가 싶었다. 그러건 말건 헨리 폴슨은 자기 말만 했다.

"자넨 변호사나 부르게. 법원에 전화해서 파산 신청도 좀 하고. 아침은 좀 든든히 먹어둬. 스트레스를 받으면 속 망가져, 리처드." 헨리 폴슨은 리먼 브라더스가 이미 루비콘강을 건넜다며 다시 한번 큰 소리로 떠들곤 전화를 끊었다.

"루비콘강 얘기는 확실한 거야?" 자무엘이 물었다. 목소리에 힘이 없었고 머리에선 아까부터 공명음이 울리고 있었다.

"뭘 자꾸 물어 대, 자무엘. 우리가 헨리 폴슨한테 말을 하기도 전에 그가 알고 있었다는 거, 이게 요점이라고."

"이 자식이 도청이라도 했다는 거야 뭐야." 자무엘이 빠드득 이를 갈았다. "은혜도 모르고, 이 망할 자식이."

"은혜라니?"

"애버리지니 필름 만들 때 만난 적이 있어. 그 자식이 중간에서 다리를 놨거든. 같이 일도 하고 논의도 하고."

"일을 해?"

"그가 한국인을 초청했어. 내가 그걸 좀 도왔고."

"초청한 한국인이 나 말고 또 있었어?"

"내가 말 안 했나 보군. 그런데 이 자식이 어떻게 안 거지, 젠장할!"

"마크 하디가 도청을 했든 뭘 했든, 이게 얼마나 큰일인지 알기나 해? 헨리 폴슨은 니가 협박하려 한 걸 알고 있다고."

자무엘은 방금 구운 빵에 사과잼과 크림치즈를 얹었다. 빵을 한입 베어 물자 더 허기가 느껴졌다. 정제 탄수화물 맛을 본 위벽이 신호를 보내는 중이었다. 제대로 된 끼니를 챙겨 본 게 얼마나 될까. 햄버거와 콜라, 감자칩 그리고 마늘이 들어간 중국식 면 요리, 지긋지긋했다.

뉴스가 나오고 있었다. 타임스 스퀘어의 리먼 브라더스 앞에는 방송국 차량이 줄지어 서 있었다. 티브이 모니터 하단에는 'BREAKING THIS MORNING'이라는 글자가 찍혀 있었고, 커다랗게 'LEHMAN BROTHERS BANKRUPT'이라는 글자가 선명했다. 자무엘은 덤덤했다. 리먼 브라더스 부채 규모가 6천130억 달러라는 얘기가 새삼스러워 보일 뿐, 돈만 아니라 영혼까지 탈탈 털린 리먼 브라더스였다.

이제 정리할 일만 남아 있었다. 파일이 문제였다. 가지고 있어 좋을 게 없었다. 까를로스 빼냐 감독한테 맡기는 게 어떨까 싶어 만나 얘기를 하자 몸을 사렸다.

"썩 좋은 생각 같지 않아, 자무엘." 까를로스 빼냐가 말했다.

무슨 뜻이냐는 듯 자무엘이 쳐다봤다. "그렇잖아. 누군가 냄새 맡고 덤벼들면 자네나 내가 일 순위 아니겠어." 맞는 말 같았다. 좋은 생각이 떠올랐다는 듯 그가 말했다.

"내가 보기엔 이 일과는 전혀 관계가 없는 사람이어야 해. 믿을 만해야 하고. 그럴 만한 사람 있어?" 자무엘이 고개를 끄덕였다.

"생각나는 데가 있긴 해. 제이콥 쉬프라고, 동생이야. 모텔을 하는데 줄리아 모텔이라고 마이애미에 있어. 순진한 녀석이지."

"잘됐군. 동생이니 믿을 만하고."

"언제 한번 가서 쉬다 와. 마이애미 해변 서쪽 플라글러 스트리트에 있어. 시설은 그저 그런데 조용히 쉬다 오긴 그만이지." 자무엘이 농담을 했다.

케빈 슈라이버 교수한테 전화를 한 게 그날이었다. 학교를 그만 둔 그는 연구실에 틀어박혀 꼼짝도 하지 않았다. 연구실은 허드슨강 상류 하버스트로 베이 공원 근처에 있는 허름한 집이었다. 말이 연구실이지 그냥 개인 거주지였다. 근처에 수명이 다한 원자력 발전소와 군사 기지가 있었고, 하도 삭막해 몬트리올 쪽에서 떠내려온 모히칸의 영혼이 떠돈다는 소문이 있었다. 자무엘은 그날 일곱 차례나 전화를 했다. 다음 날도 그다음 날도, 그 후론 그를 본 적도 연락도 되지 않았다.

자무엘은 창밖을 봤다. 록펠러 공원이 보였다. 그 너머는 허드슨강이었다. 익숙하던 그 풍경이 낯설었다. 제이콥에게 핸드폰을 했는데 먹통이었다. 할 수 없이 모텔로 전화를 했다. 신호가 가고 목소리가 들렸다.

"데이브냐?"

"너, 누구야?"

"삼촌한테 너라니. 아빠는?"

"어, 삼촌이야? 난 새벽까지 열심히 게임을 했어. 정말 열심히 했다고."

"게임이고 뭐고 학교 안 가고 뭐하는 거니 데이브?"

"다음 달에 캘리포니아에 갈 거야. 블리자드 2008 블리즈컨 게임쇼가 있어. 거기 갈 비행기 삯 만드느라 난 머리가 무척 아파. 손님이 올 적마다 아빠 몰래 떼어내야 하거든."

"얌마, 아빠 어디 갔냐고?"

"몰라, 누굴 만나러 갔다고 하랬어. 핸드폰 해 봐. 어쩌면 로스앤젤레스에 갔는지도 몰라."

"거긴, 왜?"

"아빠 여자 친구가 있어."

제이콥에게 핸드폰을 했는데 몇 번 만에 통화가 됐다. 몽고메리에 가는 중이라고 했다. 무슨 계약 때문이라는데 제이콥은 내일 새벽에나 올 거라고 했다.

뉴욕에서 마이애미 공항까지 세 시간 반, 모텔에 도착하자 밤 열한 시였다. 스칼렛은 어디 갔는지 데이브 혼자였다. 데이브한테 방을 달래 한참 눈을 붙이다 떠보니 제이콥이 의자에 앉아 내려다보고 있었다. 어제 오후 내내 달려 도착한 거라고 했다. 피곤해서인지 눈이 풀려 있었다. 자무엘은 용건부터 말했다. 다행히 데이브는 거절하지 않았다. 까를로스 빼냐 감독 말대로 제이콥을 찾아오길 잘한 것 같았다.

마이애미에서 돌아온 자무엘은 새 소식을 들었다. 막 샤워를 하고 나오자 로이가 연락을 해 왔다. 얘기를 다 듣기도 전에 자무엘은 화부터 났다. 담담하려 했지만 참기 힘들었다.

"정말이야, 로이?" 자무엘이 겨우 물었다.

"그렇다니까. Too big to fail, 대마불사지 뭐."

"개자식들!"

이해할 수 없었다. AIG의 부실 규모는 리먼 브라더스보다 훨씬 컸다. 보험사여서 위험부담도 더 컸다. 리먼 브라더스는 AIG에 비하면 돼지 저금통 수준이었다. 그런데 구제 금융이라니, 헨리 폴슨이 아니면 이런 짓을 할 인간은 없었다.

"곧 발표가 날 거야. 부시도 나온다고 했어." 자무엘은 얼른 티브이 리모컨을 눌렀다. "헨리 폴슨하고 벤 버냉키 그리고 콕스도."

"아주 골드만 삭스 동창회를 하는군……. 어, 지금 나오고 있어, 로이. 저런 망할 자식들!"

두 시간인가 뒤였다. 티브이에는 폴 크루먼이 나오고 있었다. 금융위기를 예언한 사람이 그였다. 전화 인터뷰에서 그는 헨리 폴슨을 비난했다. 구제금융은 쓰레기에 돈을 퍼 주는 격이라는 직언이었다. 헨리 폴슨은 원죄가 많아 재무부 장관으로 적합한 사람이 아니라고도 했다. 지당한 말이었다.

로이하고 통화를 하고 나서였다. 리처드 펄드가 연락을 해 왔는데 받지 않았다. 세 번 더 벨이 울리고 나자 진동이 울렸다. 문자 메시지였다. 리처드 펄드는 메시지에다 욕을 적어 보냈다. 자무엘, 도대체 무슨 짓을 한 거야. 얘기 들었는데, 왜 날 거기다 끼워 넣는 거지? 말해 봐. 왜 쓸데없는 짓을 해 일을 망쳐 놓는 거냐고, 이 개자식아!

자무엘은 눈 하나 깜박하지 않았다. 떳떳했다. 죄라면 계획이 실패했다는 것, 그 실패를 되돌릴 권력이 자신에게 없다는 것. 그리고 무엇보다 자기만 살자고 한 짓이 아니라는 도덕적 자긍심이 마지막 자존감을 지켜 주고 있었다. 리처드 펄드가 그것도 모르고 눈치 없이 끝까지 고릴라처럼 미련을 떨고 있었다. 어쩌면 부도덕하기로는 그가 더하지 않을까. 그 위치의 리처드 펄드 정도면, 아니 그가 누가 됐든 무능력은 부도덕일 따름이었다. 부도덕은 또 있었다. 다 같이 궁금해해 놓고, 다 같이 불안해해 놓고 이제 와 모른 척하다니! 뉴밀레니엄을 앞둔 그해, 미래에 대한 불안은 비단 자신만의 것이 아니지 않았는가!

CNN에 리먼 브라더스 얘기가 나왔을 때였다. 타임스 스퀘어의 리먼 브라더스 옛 건물엔 영국 기업 바클리스 캐피탈의 로고가 붙어 있었다. 자무엘은 그걸 프랑크푸르트에서 볼 수 있었다. 고조부 제이콥 헨리 쉬프의 고향이었다. 먼 친척들이 살고 있었지만 자무엘하고는 일면식도 없는 사람들이었다.

로이가 소식을 전해 왔다. 헨리 폴슨이 리먼 브라더스를 변종이라고 비난했다는 얘기였다. 애버리니지 필름은 아주 개떡 같은 생각이었다고. 자무엘은 항변했다. 그러는 당신은 과연 도덕적인지, 천문학적인 구제 금융은 누구를 위한 것이었는지? 돈에 영혼이 있다는 걸 조금이라도 안다면 감히 그런 짓은 할 수 없었을 것이라고. 그 영혼이 언젠가 당신을 어찌할 수도 있다고. 그리고 자무엘은 후회도 했다. 차라리 그때 눈 딱 감고 보냈어야 했다. 겁먹은 로이가 말렸고 망설이다 이 꼴이 난 거였다. 하지만 다 끝난 일이었다. 후회가 밀려왔다. 차라리 메시지는 보내지 말았어야 하지 않았을까. 그게 마지막 남은 자존심마저 송두리째 무너뜨리고 있었다. 자업자득이었다.

Des Teufels liebstes Möbelstück ist die lange Bank – 악마가 가장 좋아하는 가구는 긴 벤치다.

독일 속담입니다. 일은 미루는 게 아니란 뜻입니다. 리먼 브라더스한테 주어진 시간이 얼마 남지 않았다는 거 알고 있습니다. 우린 같은 생각을 했고 같은 꿈을 꾸었지요. 소유와 부의 영원함을! 애버리지니 필름은 그 실천이었습니다. 다 제 고조부 제이콥 헨리 쉬프가 준 교훈입니다. 리차드 펄드는 돈만 알았지 영혼 같은 건 거들떠보지 않았습니다. 그게 리먼 브라더스를 이 지경으로 만든 겁니다. 고백할 게 있어요, 폴슨 씨. 내 영혼이 길을 찾고 있습니다. 도와주세요, 폴슨 씨.

추신) 애버리지니 필름을 가지고 있습니다, since 1999.

3부

무엇을 할 것인가

그간 한 것이라고는 장독대 베란다에 올라가 바람을 쐬고 먼 하늘을 보는 게 다였다. 추운 날씨 때문에 그마저 잠깐이었다. 그렇게 지낸 시간이 꽤 됐고 여전히 피곤이 빨리 찾아왔다.

아침 겸 점심을 먹고 있을 때였다. 먹던 약이 있어 거를까 하다가 한 순갈 뜨던 참이었다. 헤이리에 사는 이한일이 핸드폰을 해 왔다. 며칠 전부터였고 벌써 서너 번은 되는 것 같았다.

"혜숙 씨가 수란 샐러드를 만들겠대."

이혜숙의 수란은 입에 잘 맞았다. "정말이에요." 혜숙 씨 목소리가 같이 들렸다. "머루주도 있어요, 몸에 좋은 약술이래요."

"다음에 가면 안 될까?" 이청이 말했다.

"이러자고. 우리가 데리러 갈게." 난감했다. "사양하지 마. 혜숙 씨가 만든 수란 먹고 며칠 쉬면서 기운 좀 차리자고. 도움이 될 거야."

알고 보니 이한일과 이혜숙의 결혼기념일이었다. 마침 명이나물 장아찌를 가져온 게 그나마 다행이었다. 영월에서 농사를 짓는 친구가 보내준 건데 입에 맞았고 매년 그걸로 장아찌를 담갔다. 농사를 짓겠다고 영월로 내려간 게 이십 년, 고비가 있긴 했지만 이젠 어엿한 농사꾼이 된 김재일은 해마다 명이나물하고 곤드레나물을 한 상자씩 보내왔다.

"귀띔이라도 해 줬어야지, 이 친구야."

"알아서 가져왔네. 영월 산다는 친구가 보낸 건가?" 이한일이 물었다. "올해도 갈 거예요?" 혜숙 씨였다.

"가 보긴 해야 할 텐데."

이청은 매년 혹은 해를 걸러 영월이나 제주 조천에서 한 달이나 두어 달씩 산 적이 있었다. 한 번 그런 식으로 살아 보고 나자 그 뒤로 자꾸 그곳을 찾곤 했다. 이청이 머물던 영월 집은 김재일이 소개한 곳이었는데 그의 집과는 좀 떨어져 있었다. 볕이 바르고 내가 흐르는 풍광이 마음에 들어 두 번이나 그 집에서 머문 적이 있었다. 올 여름도 한동안 거기서 지낼까 생각하고 있었다.

"명이나물이 먹고 싶었는데 고마워요."

이혜숙이 명이나물 장아찌가 담긴 반찬통 뚜껑을 열곤 킁킁 냄새를 맡았다. "생각보다 많이 수척해." 이한일이 이청의 얼굴을 살피며 말했다.

"진작 찾아가 볼 걸 그랬나 봐요. 정말 괜찮은 거예요?" 이혜숙이 이청 앞에 수란 샐러드 접시를 내려놓으며 말했다.

"여기서 배 좀 채우고 나면 곧 우량아가 될 겁니다." 이청의 말에 둘이 웃었다.

"어땠어?" 이한일이 물었다.

"뭘?"

"그랑호텔 말이야."

"어디서부터 말을 해야 할지……." 이한일이 이청의 얼굴을 살폈다. "표정이 왜 그래?"

"유령을 만나고 온 기분이어서……."

"유령이라니?"

"유령을 봤다는 거예요?" 혜숙 씨의 표정이 진지했다.

이청은 그랑호텔에서 본 인터뷰 영상 얘기를 했다. 듣고 난 이한일이 난처한 표정을 지었고 이혜숙은 못 먹을 것을 씹기라도 한 거처럼 미간을 찌푸렸다.

"이거 참." 이한일이었다.

"왜?"

"그걸 믿으라는 거야?" 이청이 고개를 끄덕였다. "자네답지 않게 왜 그래?"

"뭐가?"

"두서가 없잖아."

이한일이 떨떠름한 표정을 지으며 말했다. 이청은 이해했다. 실은 자신도 그랬었으니까. 그때 그 생각만 하면 신기하게 그 정연한 논리와 지식이 중구난방으로 뒤섞였다. 그렇다고 혼이 날아간 것도 백이 꺼진 것도 아니었다.

"부를 내세로 가져간다, 그걸 누가 믿어?" 이한일이 황당하다는 듯 말했다.

"날 못 믿겠단 거야?"

"자넬 못 믿는 게 아니라 해석을 못 믿겠어서 그래." 이청이 동그랗게 눈을 뜨곤 이한일을 쳐다봤다.

"눈 크게 뜰 거 없어. 내용이 실은 소유에 대한 반어적 성격을 갖는 게 아닐까 해서 그래. 다 인터뷰였다면서. 자네가 말한 장면 같은 건 등장하지도 않잖아. 완성된 것도 아니라고 했고."

그런지도 몰랐다. 미완성, 그게 더 상상을 부추기고 불편하게 한 것인지도. 그런데 이성일의 말이 사실일까. 그와 통화하고 얼마 뒤였다. 그가 연락을 해 왔다. 흥분해 있었다.

"이봐, 이청. 자네가 그랑호텔에서 봤다는 인터뷰 필름 말이야!" 목소리가 높았다. "한국에서 그걸 찍고 있대."

"무슨 소리야, 이 교수?"

이청은 자기 귀를 의심했다. 이성일은 한국에서 찍는다는 영화가 장르도 그렇고 내용이 이청이 말한 것과 비슷하더라는 말을 했다. 다른 사람한테도 확인했는데 다 비슷한 얘기들을 하더라고. 자세한 건 아니지만 두어 사람에게서도 비슷한 얘기를 들은 이성일은 이청이 호텔에서 봤다는 인터뷰 필름을 떠올렸다고 했다.

"자네가 봤다는 인터뷰 필름을 이쪽 누가 본 게 아닌지 싶더라니까. 보안이 심해서 자세한 건 알기가 힘들었어."

"보안이라니?"

"다 장삿속이지 뭐."

이성일은 영화 일을 하다 보면 가끔 보안에 신경을 써야 하는 경우가 있는데, 이번 일이 그런 것 같다고 했다. 그 얘길 들려준 영화사 대표 역시 정보에는 한계가 있더라고. 할리우드 자본이 들어와 그런 건지 모른다는 게 이유였다.

"할리우드가 투자를 했다는 거야?" 이청이 물었다.

"요즘은 OTT 기반 한국 콘텐츠가 꽤 인기가 좋거든."

"감독은?"

"얘기들이 많아. 할리우드 감독이 메가폰을 잡았다는 소리도 있고 지난해 청룡영화제에서 감독상 받은 이종수 감독이라는 소리도 있고, 할리우드에서 넷플릭스 시리즈를 연출한 권수진 감독이라는 얘기도 있어."

권수진 감독은 워낙 알려져 이청도 알고 있었다. 한국의 K-팝이나 무비, 드라마 같은 문화 상품이 해외에 널리 알려지면서 영화 쪽의 선두에 권수진이라는 감독이 있었다. 이청은 더 묻지 않았다. 설마 싶었고 무엇보다 현실성이 없어 보였다. 인터뷰이들이 나오는 영상을 한국의 누군가 봤다는 얘기인데, 거기서부터가 비현실적이었다. 인터뷰 영상은 그날 그 자리의 투숙객들이 아니면 볼 수 없는 영상이었다. 〈마터스〉라는 프랑스 영화와 장르가 비슷해 생긴 오해일 수도 있겠다 싶었다. 이성일의 얘기도 자신이 유추한 것에 불과한 것이었고.

이혜숙은 수란 샐러드를 세 번이나 내왔다.

"시애틀 추장 얘기 알지, 이청?" 이한일이 수란샐러드를 뜨며 말했다.

알고 있었다. 미국의 프랭클린 피어스 정부 때 얘기였다. 정부는 시애틀 추장이 살고 있는 땅을 사들이기 위해 관리들을 보내 수쿠아미시족 추장 시애틀을 만나게 했다. 백인들이 왜 자기를 만려는지 알고 있는 시애틀 추장은 이곳의 대지를 얻으면 무엇을 세울 것인지, 어떤 꿈을 아이들에게 들려줄 것인지 물었다. 이어 그가 우울한 목소리로 말했다. 당신들이 온 뒤 짐승들이 사라졌으며, 짐승이 사라지면 인간은 영혼이 외로워져 죽게 될 것이라고. 그대들은 어떻게 하늘과 땅의 온기를 사고 팔 수 있다고 생각할 수 있느냐고.

"시애틀 추장은 왜?"

"자네 말대로라면, 그 사람들이 돈으로 내세를 사겠다는 소리를 했다는 거잖아.

영혼을 물건처럼 만질 수도 있다는 거고." 이한일이 눈을 끔벅거리며 말했다.

"맞아요, 이청. 잘 생각해 봐요." 혜숙 씨였다. "아닐 거예요. 분명 잘못 본 걸 거예요."

하긴 누군들 믿을 수 있을까. 이한일과 이혜숙이 이해하지 못하는 게 무리는 아니었다. 사람에게는 믿고 싶은 것과 믿고 싶지 않은 것을 가르는 습성이 있었다. 그게 이한일과 이혜숙의 판단력을 혼란스럽게 한 것 같았다.

"날 믿어, 이 친구야." 이청이 답답하다는 듯 말했다.

"고집은……." 이한일이 은근히 날을 세웠다.

"나 참, 왜 사람 말을 자꾸 왜곡하고 그래……." 이청이 중얼거렸다.

"내가 왜곡을 했다고?"

"음식 앞에 두고 왜들 그래요." 혜숙 씨였다. "어서 드세요. 당신은 말 좀 그만 시키고요."

"내가 언제 시켜. 이청이 스스로 한 거야."

"알았으니까, 그만해요."

"부지런히 먹어 둬, 이 친구야. 그래야 우량아가 되지." 이한일이 이청의 접시에 수란 한 알을 얹었다. "참, 소식 들었어?"

"그 얘길 왜 지금, 식사나 해요." 이혜숙이 이한일을 향해 눈을 흘겼다.

"괜찮아요, 혜숙 씨. 뭔데 그래?" 이한일이 망설이자 이청이 다시 괜찮다고 말했다.

"마농이 제주에 가 있대. 울화랑에 들렀다가 이 대표한테 들었어."

마농은 이청의 초등학교 동창이었다. 수년 전 국립미술관 서울관에 갔을 때 우연히 만난 적이 있었다. 제주도가 고향인 마농은 초등학교 삼 학년 때 전학을 와 사투리 때문에 놀림을 받아 한동안 울면서 학교를 다녔다. '마농'은 '마늘'의 제주도 방언이었고 그녀는 그걸 자기 닉네임으로 사용했다. 그 뒤 마농이 미술품을 좋아한다는 걸 알고 같이 전시회를 보러 다녔다. 이청은 한창 화랑가를 점령하고 있던 중국 미술에 빠져 있었다. 위에민준이나 장 샤오강, 왕광이 같은 작가들이었다.

마농은 동대문 디자이너클럽에서 중저가 여성복을 만드는 패션업계 사람이었다. 근 백여 명의 직원을 둔 꽤 인기 있는 브랜드가 그녀의 것이었다. 그쪽에선 꽤 알려진 사람이었고 종종 패션쇼에서 심사를 보기도 했다. 마농은 성실한 미술품 감상자이자 콜렉터이기도 했다. 이청이 미술품 경매장을 가본 게 마농 때문이었다. 마농은 이한일과 이혜숙의 그림도 소장하고 있었고 국내와 국외 작가들의 그림을 소장하거나 구입해 기부하기도 했다.

작년이었다. 마농과 시립미술관에 갔을 때였다. 샤갈전이 열리고 있었고, 그림을 보다 보면 각자의 취향에 따라 그림을 쫓게 돼 어느새 거리가 멀어져 문득 서로를 찾게 마련이었다.

저쪽에서 마농이 잔뜩 고개를 빼고 그림을 보고 있었다. 벨라를 소재로 한 그림 앞이었다. 마농은 샤갈을 좋아했는데 벨라 이야기가 나오는 그림을 좋아했다. 샤갈과 벨라의 사연을 아는 사람이면 그럴 수밖에 없을 터였다. 초현실적인 그림 앞에서 마농은 좀체 움직일 줄 몰랐다. 〈도시 위에서〉라는 그림 앞이었다. 마농이 눈물을 흘렸다. 손수건을 꺼내 건네자 마농이 말했다.

"이 그림이 사람을 울려……."

마농은 샤갈의 여러 그림을 작게 복사해 가방에 가지고 다녔다. 거기에 〈도시 위에서〉, 〈생일〉, 〈산책〉 같은 그림이 들어 있었다.

"넌 어때?" 마농이 물었다.

"샤갈의 하늘은 뭐든 날게 하잖아. 방에서도 허공을 날고 밖에선 지붕 위를 날아. 샤갈의 눈 내리는 마을도 그렇고."

〈달로 가는 화가〉와 〈비테프스크 위에서〉 같은 그림을 말하는 거였다. 옆 그림으로 걸음을 옮기며 마농이 말했다. 과슈와 흑연으로 그린 〈여행자〉라는 그림 앞이다.

"영혼을 형상화 한 것 같지 않아? 샤갈의 하늘이 슬픈 게 그 때문일 거야. 그렇지?" 그리곤 마농은 샤갈의 그림에서 말로 형언할 수 없는 이상향 같은 걸 보게 된다고 했다. 이상향은 어떨 때는 기이했고 또 어떨 때는 다정했지만, 종당에는 갈 수 없는 먼 미지를 가리키는 듯해 슬픈 적이 한두 번이 아니었다고. 그런데 가만히 생각해 보니 그게 사랑이더라고 마농은 말했다.

"이 대표가 뭐랬는데?" 이청이 물었다.

"자네 안부를 물었어. 마농 얘기를 하면서……." 이한일의 표정이 어두웠다. "마농이 제주에서 요양 중이래. 암이라는데 자세히 말은 하지 않았지만 심각한 거 같았어."

"마농이 암이라고……?" 이청이 놀라 물었다.

"모르고 있었어?"

내색 한번 한 적 없었다. 이청은 핸드폰을 꺼내 마농의 번호를 눌렀다. 꺼져 있었다. 마농에게 연락할 수 있는 다른 방법이 없다는 사실에 이청은 놀랐다.

"큰일은 아닐 거야. 원래 건강한 사람이잖아."

마른 몸치고는 그래 보였다. 그 때문에 성인병 같은 것도 없을 것 같았고. 하지만 암이라는 게 겉으로 봐서 알 수 있는 병이 아니잖은가.

"맞아요, 별일 아닐 거예요. 죽 좀 더 들어요." 이청 앞에 놓인 빈 전복죽 그릇을 가져가며 이혜숙이 말했다.

"아무튼 내 얘기가 맞을 거야." 이한일이 힐끗 이청을 봤다. 분위기를 바꿔 보려고 한 말 같았다.

"거참, 우기기는……." 이청이 투덜거렸다.

"그래서 뭘 어쩌자고?"

"어쩌기는, 뭐든 해야지." 이청이 말했다.

데이브와 나

햄버거 가게는 면세점 쪽에 있었다. 더블 디럭스와 콜라, 미국인들은 한국 대학의 영문과에서 배운 이과수의 문어체 같은 회화를 모두 알아들었다. 햄버거와 콜라를 먹어 치운 이과수는 제이콥에게 핸드폰을 했다. 그는 오겠다는 말 대신 식당을 알려 줬다. 뉴욕에 올 때마다 들르는 곳이라고 했다.

택시 안에서 본 거리는 낯이 익었다. 언제 와 본 듯한. 젠장, 할리우드 영화를 너무 많이 봤어,라고 이과수는 생각했다. 조금 있으면 브루클린 다리를 건널 거였다. 이과수는 또 낯이 익었다. 미국이 체질인가…… 그런데 이 길이 맞는지, 터널을 지난다고 한 것 같은데 브루클린 다리를 건너고 있었다. 다리를 건너기도 한다는 소리를 들은 것도 같았다.

†

빌딩 한가운데였다. 월 스트리트가 여기였다. 미디어에서 보고 구글 지도로 찾아본, 윌리엄 스트리트라고 했다. 어쩌면 네덜란드 병사 총에 맞아 죽은 영국 병사 윌리엄을 기린 이름인지도 몰랐다. 맨해튼 어딘가에 또라이 트럼프 타워가 있다던데, 그러고 보니 거긴 센트럴 파크 쪽 같았다. 그런데 택시 요금이 백이십 달러라니. 잘못 들었나? 인터넷에서는 한인 콜택시 옐로 라이드가 7, 80달러. 옐로우 캡도 비슷할 거라고 했다. 톨게이트 비용을 포함한 요금이었다. 간혹 두세 배를 부르는 바가지요금이 있다고 하던데, 뚱땡이 백인 기사는 미터기도 켜지 않은 채 요금을 청구했고 어쩌면 이 자식이 그 자식인지 몰랐다. 하지만 편하게 왔으니 이 정도는 감수해야 하지 않을까. 뉴욕은 물가가 비싸다던데, 어쩌면 뚱땡이는 택시만으로는 생활하기 힘든 빚쟁이인지도, 보아하니 뒤룩뒤룩 찐 살이 스트레스 때문인 것 같았고 뚱땡이야말로 전형적인 프로테스탄트 이민자의 후손일 수도 있었다. 러스트 벨트의 몰락으로 택시 운전을 하기 위해 이사한 중산층의 후예, 그래 보였다. 러스트 벨트의 실업자를 선벨트가 받아주는 일은 지구가 뒤집히더라도 벌어지지 않을 거였다. 자기네가 발명한 신자유주의에 자국민이 당하다니, 그러고 보니 뚱땡이의 눈이 좀 슬퍼 보였던 듯도 싶었다. 바가지요금은 생각하지 않기로 했다.

피자집과 버거킹 집이 보였다. 글씨체도 색깔도 익숙했다. 서울에서 보던 게 맨해튼 한가운데 있다니, 글로벌의 힘이었다. 조금 더 걷자 뉴욕증권거래소가 나왔다. 여기가 거긴가? 월 스트리트의 중심, 인터넷에서 보고 티브이에서 보던, 하지만 이과수에게는 여전히 먼 낯선 미지의 땅일 뿐이었다.

하늘을 봤다. 하늘이 기하학적으로 보였다. 그랑호텔 한쪽 귀퉁이 자기 방에서 본 하늘처럼, 말 그대로 빌딩 숲이었다. 앉을 곳을 찾았는데 딱히 쉴 곳이 보이지 않았다. 다들 걸었고 여기서는 그래야 하는 것 같았다. 스트리트는 그늘이 많고 애비뉴는 볕이 잘 든다던데, 그런가? 하도 빌딩이 높아 정말 그런지는 알 수 없었다. 한참 걸었다고 생각했는데 여전히 월 스트리트였고 사거리였다. 여기서 벗어나고 싶었다. 누군가 이과수에게 헤이,라고 외쳤다. 길을 비켜 달라는 소리 같았다. 이과수는 무시했다. 그러자 그 자식이 비껴갔다. 대신 욕을 들어야 했다. 뻑큐.

제이콥이 알려준 스시집은 가구점 거리 근처에 있었다. 스시집에 처박힌 지 1시간 30분 정도가 지나서야 그가 연락을 해 왔다. 곧 만나려니 했는데 제이콥은 보스턴이라고 했다. 대출 건 때문에 맨해튼 친구 사무실에 간 거라고 해 놓고는 그새 보스턴이라니. 제이콥은 아무래도 시간이 걸리는 일이니 더 기다려 달라고 했다.

1인분의 스시를 시켜 먹는 둥 마는 둥, 절반도 먹지 않아 공항에서 먹은 햄버거와 스시가 섞여 위에서 전투를 하고 있었다. 겨우 속을 달래곤 기다리고 있는데 다시 제이콥한테 연락이 왔다. 제이콥은 스시집으로 오는 대신 호텔을 소개했다.

"거긴 왜요, 쉬프 씨?" 배를 쓸며 이과수가 물었다.

"어차피 나도 그쪽으로 갈 거요. 거기서 며칠 묵어야 하거든."

호텔을 찾는 건 어렵지 않았다. 파이낸셜 디스트릭트에 호텔이 있다는 게 마음에 들었다. 이스트강이 앞에 있었고, 유럽식 아침 식사 외에는 제공되지 않지만 이 가격의 호텔이 맨해튼에 있다는 것도 그렇고 시설도 그렇게 나쁘지 않았다. 지하철은 걸어서 5분, 하지만 딱히 지하철을 탈 일이 있을 것 같지는 않았다.

"일 끝나면 바로 올 수 있는 거지요, 쉬프 씨?"

"물론입니다. 대신 연락은 자제해 주길 바라오." 제이콥이 점잖을 뺐다. 이과수는 웃음이 나왔다. 제이콥이 중얼거렸는데 뭐라고 하는지 알아들을 수 없었다.

핸드폰 배터리가 15프로를 남겨놓고 있었다. 더위 때문인지 배터리가 빨리 닳았다. 이과수는 지배인에게 이 상황을 말할까 어쩔까하다가 그만두었다.

제이콥은 또 약속을 어겼다. 호텔에서만 이틀이 지나고 있었고, 어쩐 일인지 제이콥이 거리를 두는 게 느껴졌다. 그러고 보니 뉴욕에 온 그때부터 그런 게 아니었을까, 호텔 어쩌고 할 때 눈치를 챘어야 했다. 물론 아직 무슨 일이 생긴 것은 아니지만 찝찝했다.

이과수는 여덟 번 정도 연락을 하고서야 겨우 문자 하나를 받을 수 있었다. 제이콥이 문자 속에서 투덜거렸다. 제임스는 왜 자꾸 필름 얘기를 해 사람을 난처하게 만드는지 모르겠소. 신세를 지긴 했지만 대가는 지불했잖소. 그리고 원본 필름 그런 건 없소. 꼭 전해 주시오. 이상한 사람이었다. 여태 만나 줄 것처럼 굴더니, 더군다나 지배인이 왜 뉴욕까지 사람을 보냈는지 잘 아는 사람이 이런 말을 하다니. 이젠 노골적으로 발을 빼는 모양새였다. 이러다 자칫 제이콥 코빼기는 구경도 하지 못할 수 있었다. 이과수는 문자를 보냈다. 쉬프 씨 심정은 이해합니다. 하지만 쉬프 씨를 만나지 못하면 저는 한국으로 돌아갈 수 없습니다. 제가 결정할 수 있는 일이 아닙니다. 어떻게 해야 쉬프 씨를 만날 수 있는지 관대한 설명 부탁드립니다. 그간 저와의 우정 또한 깊이 유념해 주셨으면 합니다. 물론 쉬프 씨의 고조부 제이콥 헨리 쉬프 경의 일생에 대해선 여전히 존경의 마음을 갖고 있습니다. 두 시간 뒤였다. 문자가 왔다. 기억해 줘 고맙소. 마이애미로 가시오. 줄리아 모텔 말이오. 선택은 그쪽에 달렸으니 알아서 하시오. 잠자리 염려는 하지 마시오. 데이브한테 말해 놨으니 방 하나는 줄 거요. 성수기에 이런 배려 쉬운 거 아니오.

갈피를 잡을 수 없었다. 스시집에서 맨해튼 호텔로, 이젠 마이애미라니. 다행이라는 생각도 들었다. 제이콥은 내쳐도 될 사람을 자기 집으로 불러들이고 있었고 주소까지 적어 보낸 걸 보면 빈말을 하는 게 아니었다. 제이콥의 문자를 지배인에게 보내자 국제 전화를 해 왔다. SNS로 통화하기로 해 놓곤 001을 누른 모양이었다.

"제이콥이 그따위로 굴었단 말이지?"

지배인이 씩씩댔다. 콧바람이 여기까지 느껴질 정도였다. "이 자식이 똥개 훈련을 시키나." 그럼 내가 똥개란 소린가?

"이만하길 다행 아닐까요?"

"다행이라니?"

"쉬프 씨가 우릴 거부하진 않잖아요."

"감히 누굴 거부해."

"여긴 미국입니다. 충분히 그럴 수 있습니다. 실제 쉬프 씨가 그런 행동을 하면 찾을 방법이 있는 것도 아니고요." 지배인이 멈칫했다.

"당장 마이애미로 가, 이 대리. 가서 죽치고 있어."

이과수는 줄리아 모텔에 전화부터 했다. 없는 번호였다. 장사하는 집이 전화번호를 바꾸다니. 데이브의 핸드폰으로 연락을 했다. 받지 않았다. 공항으로 가 비행기부터 타는 게 순서일 듯했다. 불안했고 막막하기도 했다. 시키는 대로 한다고 될 일인지 확신이 서지를 않았는데, 그렇다고 다른 방법이 있는 것도 아니었다. 그나마 막상 비행기가 이륙을 하고 나자 마음이 좀 편해지는 느낌이었다. 다행이었다.

마이애미 하늘은 푸르렀다. 이 풍경도 어디서 본 적이 있는 게 아닌지 싶었다. 알 파치노가 나오는 갱영화 같은 데서였던 것 같다. 그러고 보니 밥 말리가 죽은 데가 마이애미였다는 게 떠올랐다. 레바논 병원인가, 레게 음악을 좋아해 그의 음악은 다 찾아서 들었다.

줄리아 모텔은 마이애미 해변 서쪽이었다. 플라글러 스트리트, 주소를 알려주자

택시 기사는 모텔 앞마당에다 이과수를 내려놓았다. 커다란 간판이 보였다.

Julia Motel.

진녹색 지붕의 단층 건물이 있고 한 켠에 ㄱ자의 건물이 있었다. 가운데는 주차장이었다. 정면에 모텔 사무실 건물이 보이고 화단에는 커다란 야자수와 느릅나무가 있었다. 주차장 바닥은 젖어 있었다. 호스가 흩어져 있는 걸로 봐 물을 뿌린 모양이었다.

이과수는 캐리어를 끌며 가운데 건물 쪽으로 걸었다. 사무실 표시가 있는 곳이었다.

"헤이?"

고개를 돌리자 웬 남자가 서 있었다. 야구모자를 쓰고 살이 찐, 직감이었다. 데이브 같았다. 목소리보다 어른스러웠고 어엿한 성인이었다. 이과수가 손을 흔들자 그가 어깨를 으쓱하며 이쪽으로 걸어왔다.

"너 누구야?"

"난 손님이야." 이과수가 웃으며 말했다.

"너 나 알아?"

"너 데이브잖아."

"젠장, 내 이름이잖아." 데이브가 씩씩거렸다. "정체가 뭐야?"

"난 코리안이야. 이과수라고 하지. 아빠가 말했을 텐데. 그리고 데이브 넌 나하고 구면이라고." 팔짱을 끼며 데이브가 말했다. "젠장, 아빠가 보낸 코리안이 너야?"

데이브를 따라 들어간 사무실은 생각보다 넓었다. 좀 지저분했고 청소를 언제 했는지 알기 어려웠다. 데이브가 알려준 이과수의 방은 사무실 오른쪽 기다란 건물에 있었다. 108A. 겉보기와 달리 방이 괴괴했다. 크기에 비해 가구며 욕실은 서울 변두리의 오래된 모텔방 같았다.

"넌 행운아야, 코리안. 아빠가 삼십 프로 할인을 해주라고 했거든." 데이브는 지금까지 이십 프로를 넘어 할인을 받는 인간은 코리안이 처음이라고 했다.

"그렇군. 돈은 내는 거였어……." 이과수가 중얼거렸다.

뭐가 바쁜지 데이브가 후다닥 방을 나갔다. 커튼을 젖히자 아까 본 모텔 간판이 눈에 들어왔다. 줄리아 모텔, 예쁜 이름이었다.

제이콥은 또 먹통이었다. 모텔에 도착하면 통화하자더니 소식이 없었다. 이틀, 사흘 나흘…… 데이브한테 숙박료를 갖다줬다. 잔돈 때문인지 데이브가 전자계산기를 두드렸다. 셈이 정확했다. 하루치 선금을 내고 하루를 묵고 또 하루치를 냈다. 이과수는 그게 귀찮아 데이브에게 일주일 치를 건넸다.

"영수증 줄 수 있어, 데이브?" 이과수의 말에 데이브가 이상하다는 표정을 지었다.

"날 바보로 아는군. 너 나한테 칠 일 치 줬잖아. 내가 그것도 기억 못할 것 같아?"

"나하고 통화한 거 기억 못 했잖아."

"그건 그거고 이건 이거지." 영수증은 없던 일이 됐다.

데이브와는 쉽게 친해졌는데 숙박료 때문인 것 같았다. 데이브는 게임을 하느라 바빴고 탁자에는 과자가 수북했다. 돈을 자기 마음대로 쓰는 것 같았다. 데이브는 농담도 잘했다. 이과수와 마주치면 데이브는 실실 웃었다.

"헤이, 코리안?"

"어, 데이브. 무슨 일이야?"

"너 나한테 오래 있으면 안 돼? 넌 좋은 고객이야. 한꺼번에 일주일 치 돈을 주는 인간은 없거든. 어떨 땐 떼어먹고 쥐도 새도 모르게 도망가는 자식들이 있어. 침대에다 똥까지 퍼질러 놓고. 그럴 땐 정말 빡크 유지."

"너 하기 나름이야. 농담 아니야, 데이브." 이과수가 낄낄 웃자 데이브가 헤벌쭉 웃었다. "근데, 데이브. 너 그거 기억해?"

"뭘?"

"너 나한테 파일 보내 줬잖아." 데이브가 고개를 끄덕였다. "그거 있어, 데이브?"

"아빠가 폴더째 가져갔는걸."

"그 파일 봤어?" 혹시나 해 물은 거였다. "봤지." 그 소리에 긴장이 됐다.

"그 얘기 좀 해 줄래, 데이브?"

"다 안 봤어. 어른들이 들입다 떠드는 것만 있어서 짜증이 나 꺼 버렸어."

줄리아 모텔에 온 지 열흘이 지나고 있었다. 이과수가 제이콥에게 보낸 문자가 서른 건, 음성 통화가 여덟 번, 영상 통화가 네 번이었다. 하지만 다 불통이었고 답도 없었다. 나중엔 핸드폰이 꺼져 통화 시도조차 할 수 없었다.

데이브의 사무실엘 들렀다. 어쩌면 데이브를 통하면 제이콥과 통화를 할 수 있을지도 몰랐다. 게임 때문에 잠을 못잤는지 하품을 하느라 데이브의 입이 동굴만 했다.

"데이브, 부탁이 있어."

자판을 두드리던 손을 멈추곤 데이브가 이상하다는 듯 이과수를 봤다.

"코리안, 사실 난 부탁을 잘 안 들어주는 편이야. 귀찮은 건 질색이거든. 하지만 넌 달라."

들어주겠단 소리 같았다. 아빠한테 전화 좀 해 달라는 말에 데이브가 펄쩍 뛰었다. 여행할 때 전화를 하면 아빠가 짜증을 낸다는 거였다. 어쩌면 아빠가 돌아와 팰 지도 모른다고.

"비즈니스라곤 하지만, 그렇다고 널 때릴 거까진 없잖아."

"비즈니스 아니야. 엄마 몰래 여자애하고 여행 갔어."

뭐지? "엄마는 어디 있니, 데이브?" 이과수가 짐짓 물었다.

"노스 웨스트 22번가, 여기서 안 멀어. 카운터 보고 있어." 이상했다. 지배인 말로는 제이콥의 아내 스칼렛은 마이애미를 떠나 산다고 했다. 데이브가 제대로 알고 하는 말인지 알 수가 없었다.

"아빠 모텔 많잖아. 체인점 말이야, 데이브."

"체인점? 그런 거 없어." 데이브는 갈수록 알아듣기 힘든 말만 했다.

이과수는 마이애미 주민이 된 기분이었다. 아침이면 달리기를 했고, 코스가 다를 뿐 저녁이면 아침과 비슷한 보폭과 속도를 유지하며 거리를 달렸다. 힘들면 걸었고 기운이 나면 다시 뛰었다.

마이애미는 달리기하기 좋은 도시였다. 해변 쪽은 더 좋았다. 모텔에서 해변으로 이어지는 코스가 마음에 들었다. 그렇게 달리다가 이과수는 자기도 모르게 멈추었다. 이게 뭐하는 짓인지, 왜 여기에 있는 것이며 뭘 하자고 이렇듯 남의 동네에서 달리기를 하고 있는 것인지, 지금 일을 하고 있는 것인지, 아니면 아무것도 하지 않는 것인지? 아무 진전이 없는 걸로 봐 아무것도 하지 않는 게 분명했다. 무엇인가 하지 않는다는 게 이처럼 고역스러운 것인 줄 몰랐다. 무엇이든 해야 한다는 의욕 역시 또 다른 고통이라는 것을 이과수는 처음 알았다. 자꾸 생각이 많아졌는데 시간이 많아서 그런 건지도 몰랐다.

주차장으로 들어서는데 데이브가 이쪽을 보며 헤벌쭉 웃었다. 입가에는 허연 과자 부스러기가 묻어 있었다.

"어디 갔다 와, 코리안?"

이상한 녀석이었다. 그렇게 말해 줬는데도 매일 똑같은 질문을 단어 하나 틀리지 않고 했다. 밭은 숨을 내쉬며 이과수가 말했다.

"베이 프론트 공원." 해변가였고 쇼핑 프라자와 보트장, 레스토랑이 몰려 있어 늘 사람이 많았다. "밥 말리라고 알아, 데이브?"

"마이애미 살아?"

"아니."

"그럼 몰라, 난 마이애미를 떠나 본 적이 없거든."

이과수는 유튜브에서 밥 말리의 노래를 골라 데이브에게 들려주었다. 마음에 들었는지 데이브의 눈이 점점 커지더니 몸을 흔들었다. 꽤 리듬감이 있었고 제법이다 싶어 이과수도 따라서 몸을 흔들었다. 하나의 사랑, 하나의 마음. 같이 갑시다. 그러면 괜찮을 거예요. 춤을 추다 말고 데이브가 보여 줄 게 있다며 자기 핸드폰을 열었다. 핸드폰의 액정에서는 공연이 펼쳐지고 있었다. 아는 노래라는 듯 데이브가 흥얼거렸다. 프라우드 메리, 데이브 나이의 남자애가 프라우드 메리를 듣다니. 이과수 또래도 잘 알지 못하는 노래였다. 데이브가 들려준 노래는 두 버전이 있었다. 티나 터너와 비욘세, 데이브는 티나 터너는 카리스마가 있어 좋고 비욘세는 섹시해서 좋다고 했다.

"누가 더 좋아, 데이브?"

"둘 다. 카리스마든 섹시함이든 다 필요하거든." 어쭈 이 자식 봐라.

모텔이 떠들썩했다. 단체 손님들 때문이었다. 주차장엔 할리와 SUV가 절반이었다. 바빠서인지 데이브의 여자 친구 아리아나가 손님 맞는 걸 도왔다. 현금으로 지불한 숙박료는 아리아나의 주머니로 들어갔다. 그 재미에 아리아나는 일부러 손님에게 현금으로 숙박료를 내라고 요구하다 다퉜다.

"비밀 하나 알려줄까, 코리안?"

데이브가 목소리를 낮췄다. "쟤는 돈밖에 몰라. 내가 모르는 줄 알더라고. 이거 아리아나한테 말하면 안 돼. 알았지?" 이과수는 알았다고 했다.

손님 대부분은 가족이거나 친구끼리 온 사람들이었다. 그중 한 팀은 무척 조용했다. 네 명의 남자들이었고, 한눈에 봐도 범상치 않았다. 덩치도 덩치지만 날카로운 눈과 팔의 문신이 그래 보였다. 그들이 타고 온 두 대의 SUV 뒤 칸에는 러시아산 기관총이 실려 있을지도 몰랐다. 데이브는 단골 히스패닉이라며 아는 체를 했다.

"뭐하는 사람들인지 알아 코리안?" 데이브가 우쭐해 물었다.

"글쎄, 갱 같기도 하고……."

"똑똑한데 코리안. 후아레스에서 왔어. 한 사람은 마이애미에 살아. 마약을 운반하기도 하고 살인도 해." 데이브가 낄낄 웃었다.

"후아레스는 무서운 곳이잖아. 낮에도 육교에 목 없는 시체가 매달려 있다고 하던데. 저 사람들이 그 사람들인 거야, 데이브?"

"아마 그럴걸. 근데 여기나 거기나 무섭긴 마찬가지야. 후아레스에선 단번에 죽지만 여기서는 서서히 죽는 게 다를 뿐이라고."

데이브는 생각보다 똑똑했다. 제이콥은 데이브를 자꾸 보노보하고 비교하는데 제이콥한테 문제가 있는 것 같았다. 제 자식을 그렇게 모르다니.

데이브와 떠들다 방으로 돌아와 보니 늦은 밤이었다. 아니 새벽이었다. 새벽 한 시, 어디선가 구급차 사이렌 소리가 들려왔다. 소리가 사라지자 작은 소음이 주위를 맴돌았다. 데이브와 지내다 보니 뭔가 하나씩 잊히는 기분이었다. 왜 여기에 왔는지도 그렇고 뭘 하자는 것인지도……, 심지어 그랑호텔 백 오피스 직원 이과수 대리라는 이름도 직함도 가물가물 멀어지고 있었다. 자신이 먼저인지, 호텔이 먼저인지, 아니 그보다 지금 자신은 누구인지 어떤 정체의 인간인지, 자신은 본질이 있기는 한 사람인지, 이런저런 갖은 생각이 머릿속에 겹겹이 쌓이고 있었다. 그리고 이상하지만, 제이콥의 연락을 기다리며 가슴 졸인 하루하루들이 하나씩 증발해 사라지는 듯했다. 그 시간이 텅 비어 있었고, 그러자 지루함도 고단함도 또 고통도 덜 느껴지는 느낌이었다. 모든 게 리셋이라도 된 듯, 신기한 현상이었다.

하정미한테 문자가 온 게 맨해튼 호텔에 있을 때였다. 잘 도착했냐고, 밥은 잘 찾아 먹느냐고. 물론, 이라고 답했다.

시간을 봤다. 잠시 망설였다. 이과수는 번호를 눌렀다.

"어머, 이 대리님!" 하정미였다. 목소리가 컸다.

"그렇게 큰 소리로 말해도 돼, 하정미 씨?" 오히려 이과수가 목소리를 작게 했다.

"연차예요, 오늘. 어디예요, 이 대리님?"

"마이애미야."

"뉴욕이 아니고요?"

"응. 그렇게 됐어. 별일 없지?"

"그럼요. 밥은 잘 챙겨 먹는 거예요?" 이과수는 당근, 이라고 말했다. "그런데 이상해, 하정미 씨."

"뭐가요?"

"내가 어디 있는 건지 잘 모르겠어. 뭘 하는지도 모르겠고."

"마이애미라면서요?"

"그렇긴 한데……."

"동시천애윤락인同是天涯淪落人이라잖아요. 사람은 다 하늘가를 떠도는 신세라는 소리거든요."

"내가 지금 딱 그렇다니까."

"그럼 안 돼요, 이 대리님. 그거 이 대리님만 그런 거 아니니까 그러려니 해요. 그럼 편해질 거예요. 아니면 생각을 좀 바꿔 보든지요."

"어떻게?"

"어디 있어야 한다는 생각을 버리고 어디 있다는 생각도 버려요, 이 대리님."

하정미 말이 맞는지도 모른다는 생각이 들었다. 북태평양과 뉴욕, 북미의 하늘을 날아 마이애미에 왔듯, 그렇게 하늘을 날지 않고서는 여기까지 올 수는 없었을 터였다. 매 순간 어딘가에 있었고 한 곳에 머문 적이 없었다. 물론 마이애미 역시 떠날 터였다. 하정미하고 통화를 하고 나자 정말 윤락인이 된 기분이었다. 그런데 어디 있어야 한다는 생각을 버리라니……?

"알았지요, 이 대리님?"

"뭘?"

"어디 있어야 한다는 생각을 버리고 어디 있다는 생각도 버리라니까요. 그러다 까딱 잘못하면 길 잃어요, 이 대리님."

내일이면 꼬박 한 달이었다. 기가 막혔다. 아침을 먹은 뒤 마음을 다잡고 제이콥에게 전화를 했다. 오늘은 그게 무엇이든 결단을 내려야 하지 않을까. 꾹꾹 액정의 버튼을 눌렀다. 혹시나 해 한 건데 제이콥이 핸드폰을 받았다. 어제는 복수라도 하듯 일곱 번이나 했는데도 먹통이더니. 그런데 제이콥이 되레 화를 냈다.

"젠장, 제임스 이 자식 미친 거 아니요!" 이과수도 같은 생각이었다. "왜 자꾸 사람을 귀찮게 하는 거요. 파일은 나도 모른다고 했잖소, 친구." 제이콥은 단단히 화가 나 있었다.

"그럼 왜 오라고 하신 거지요, 쉬프 씨?"

"정말 개똥 같은 질문이군. 나는 오라고 한 적 없소. 직원을 보내겠다기에 그러라고 했고, 뭐 다른 출장 건이 있나 보다 했지. 제임스가 지금 오버하는 거요. 그렇게 전하쇼, 친구."

"전 어떡하지요?"

"그걸 왜 나한테 묻는 거요?"

"오신다고 했잖아요. 그래서 기다리는 거고요."

"가긴 가지, 일이 안 끝나서 그렇지. 그리고 말이오. 내 말 잘 들으슈. 그 필름 구하다가 뒈질 수도 있소." 이과수는 뭘 잘못 들었나 싶었다. "그게 어떤 건지 알고 치근덕대는 거요? 걔들끼리 파티할 때 돌려 보는 필름이오. 위스키나 해시시, 헤로인 같은 거 하면서. 제임스한테 꼭 전하슈, 뒈질 수도 있다고."

"쉬프 씨가 좀 전해 주실래요. 뒈질 수도 있다고요." 농담 같지만 진담이기도 했다. 제이콥은 온다 어쩐다 말도 없이 핸드폰을 끊었다.

†

오늘따라 조용했다. 장례를 치르느라 늘 사람들이 있는 곳이었다. 가끔 여기까지 달리기를 하곤 했다. 해변과 반대쪽이었고 주택가인 데다 사람 왕래가 드물어 한적했다.

풀밭에는 햇살이 가득했다. 곳곳에 늘어선 나무에서 새 소리가 들렸다. 하도 소리가 맑아 어디선가 물방울이 떨어지는 듯했다. 무덤 여기저기 놓인 화병의 꽃들이 소녀처럼 보였다. 여기서 큰 소리로 말하는 사람은 없었다. 기도 소리와 작은 흐느낌, 조용히 묘지를 빠져나가는 자동차 소리. 그나마 크게 들리는 소리가 아이들의 목청과 무덤을 파느라 움직이는 작은 중장비 기계 소리 정도였다. 그리곤 잘 알 수는 없지만 나무와 풀과 주검이 대화를 한다는 느낌, 묘지 벤치에 앉아 있으면 정말 영혼이 있을지 모른다는 생각이 들었다.

이과수는 눈을 감았다. 우주가 보였다. 내셔널 지오그래픽에서 본 우주였다. 지구의 푸른 곡선이 보이고 우주복의 남자가 유영을 했다. 우주선과 연결된 남자의 몸이 아득히 멀어지더니 점이 돼 사라지는 중이었다. 남자는 유영을 하는 게 아니라 어디론가 마구 떨어져 나가는 중이었다. 이과수는 눈을 떴다. 잠깐 현기증이 일었다. 햇살 때문이었다. 어쩌면 조금 전 환영처럼 본 우주인의 모습 때문인지 몰랐다. 어디로 가는 것일까, 그는……? 유영은 그의 의지였을까, 아니면 자신조차 어찌할 수 없는 운명이었을까. 그렇게 멀어지면 그의 생은 어떻게 되는 것일까……. 하정미 말이 생각났다. 하늘가를 떠돈다는, 큰일이라는 생각이 들었다.

†

일곱 통, 핸드폰은 지배인한테 온 거였다. 어쩔까 하다 핸드폰을 내려놓는데 벨이 울렸다. 지배인이겠지, 다시 벨 소리가 울렸다. 지배인이었다. 오전 9시 24분, 서울은 하루 앞선 저녁일 터였다. 핸드폰을 받지 않자 드르륵 소리가 들렸고 문자 메시지였다. 이 대리. 전화 좀 받아. 급하다고, 젠장.

이과수는 SNS를 열었다. 버튼을 잘못 눌러 영상 통화로 이어졌다. 지배인도 그대로 버튼을 누른 모양이었다. 다시 끊을 수도 없었다. 지배인이 보였다. 이과수는 하마터면 웃음을 터뜨릴 뻔했다. 지배인은 탑햇을 쓴 연미복 차림이었다. 도대체 저 꼴은 뭐지? 같이 있을 땐 몰랐는데 그의 우스꽝스러움이 비로소 현실로 다가왔다.

뭘 씹는 중인지 지배인이 연신 쩝쩝거렸다. 한가하게 저럴 사람이 아닌데, 이상했다. 액정 속에서 지배인이 웃고 있었다. 보이지는 않지만 입안의 음식이 접시로 튀고 있을 터였다.

"이 대리. 제이콥 이 자식 찾았어."

"네……?" 이게 무슨 소린가 싶었다. "찾다니요?"

"이 자식이 우릴 놀려 먹은 거야. 보스턴이고 뭐고 다 거짓말이었다고." 서울에서 무슨 수로 보스턴의 제이콥을 찾았다는 것인지.

"내가 누구야, 이 대리!" 지배인이 대게 다리를 흔들었다. "이 자식 보스턴이 아니라 할리우드에 있어."

뭘 잘못 들었나 싶어 다시 묻자 지배인이 더 의기양양했다.

"지가 뛰어야 벼룩이지." 지배인이 또 웃었다. 통쾌한 모양이었다. 그는 뉴욕대 동문 회보 얘기를 했다. 그게 단서였다.

이과수는 퍼뜩 정신이 들었다. 지배인이라면 아니 제임스 김이라면 그럴 수 있었다. 엄연한 뉴욕대 출신이 아닌가. 졸업은 하지 않았지만 꼬박 육 년을 뉴욕에 머물렀고 여전히 뉴욕대 출신 미주 한인은 물론 한국의 동문과 연락을 하며 지냈다.

우연이었다. 무심코 뒤적인 회보가 행운을 가져다주리라고는 생각하지 못했다. 여느 때 같으면 대충 훑어보고 말았을 동문회보였다. 부록에는 미주 한인 동문뿐 아니라 한국의 뉴욕대 출신 동문들의 연락처가 있었다. 부록을 뒤적이다 지배인은 멈칫했다. 아는 이름이 있었다. 브래디 선, '선지열'이라는 한국 이름까지 버젓이. 거기에 브래디의 이메일이 있었다. 어쩔까 하다 이메일을 보냈다. 답이 오리라는 기대는 하지 않았다.

지배인이 유학을 온 지 얼마 되지 않았을 때였다. 그때 본 브래디의 옛 모습이 떠올랐다. 시작도 해 보지 못하고 사는 데 지친 가난하고 키 작은 한인 교포. 지배인 자신도 힘들 때이지만 브래디와 비교할 수는 없었다. 강대식에게 학비와 생활비를 타 쓰는 형편이기는 해도 돈 나올 구멍이 있어 밥을 굶거나 학비를 내지 못하는 일은 없었다. 브래디는 달랐다. LA가 집인 그에게 뉴욕대는 고난의 터전이었다. 아버지는 이민 오고 얼마 지나지 않아 세상을 떠났고, 들어보니 개죽음이나 다름없었다.

지배인은 브래디와 더 친해졌다. 자신의 개인사와 브래디가 겹친 탓이었다. 브래디는 학업을 포기하고 일자리를 얻기 위해 LA로 돌아갈 것인지 아니면 뉴욕에서 일자리를 찾을 것인지 갈등하고 있었다. 지배인은 쪼개듯 모은 돈을 브래디에게 줬다. 학비였다. 브래디는 감격했다. 하지만 결국 도중에 학업을 쉬고 뉴욕을 떠나야 했다. 다행히 할리우드에서 일자리를 얻었고, 떠나면서 브래디는 은혜를 잊지 않겠다며 눈물을 보였다. 그런데 브래디의 이메일이 회보에 들어 있었던 것이었다.

이메일을 보내고 사흘인가 뒤였다. 브래디에게 답장이 왔다. 기대하지 않았는데 바빠서 이제 답을 하는 거라며 되레 그가 미안해했다. 이메일에는 제이콥 얘기가 적혀 있었다. 정신이 번쩍 들었다. 제이콥이 할리우드에서 영화 일을 하고 있다는 내용이 적혀 있었는데, 제이콥은 제작자이자 작가였고 브래디는 캐스팅 일을 하고 있었다. 둘이 같이 일을 하고 있다는 게 의외였다. 모텔 일도 시원찮을 텐데, 제이콥이 영화에 투자할 돈이 있다는 것도 그렇고 뭐가 뭔지 알 수 없었다. 하긴 그 자식 집안을 생각하면 어디서든 돈을 구할 배경이 있는 녀석이기는 했다. 그런데 작가라니, 제이콥에게 그런 재주가 있는 줄은 몰랐다. 브래디는 자기 얘기를 했다.

우연이기는 하지만 제이콥하고 다시 일을 하게 될 거라곤 나도 생각하지 못했어. 제이콥은 역할이 커. 자세한 건 제이콥한테 물어봐, 제임스.

브래디는 지배인과 제이콥의 근황을 모르는 것 같았다. 자기하고 제이콥이 할리우드에서 같이 일하는 것을 지배인이 알고 있을 것이라고 생각한 모양인데, 물론 브래디의 오해였고 어찌된 일인지 브래디는 무엇 때문인지 밀레니엄 때 얘기까지 했다.

그 일은 자무엘 씨가 요구한 거야. 그때 제임스 너한테 말하지 않은 건 그럴 만한 사정이 있어서였어. 나만 그런 게 아니라 다들 입을 닫아야 했거든. 내가 관여한 건 캐스팅뿐이야. 그 일은 미안하게 생각해.

그게 벌써 언젠 적 일인데, 실은 지배인은 잘 기억나지도 않았다. 그리고 브래디는 애버리지니 필름 제작에 자신이 관여한 걸 지배인이 아는 줄 아는 모양인데 이것도 잘못 알고 있는 것이었다. 이메일을 읽고도 늦게 답장을 한 게 그 때문인 것 같았다. 왜 브래디는 이런 오해를 하게 된 것일까? 제이콥 때문일 수도 있었다. 제이콥은 자무엘의 동생이고 제이콥과 지배인이 친구란 걸 아는 브래디로서는 지레짐작할 만도 했다. 그런데 납득이 가지 않는 게 있었다. 제이콥이 애버리지니 필름을 가지고 있다는 것을 브래디가 알 수는 없었다. 제이콥이 말하지 않았다면 말이다. 왜 제이콥은 브래디에게 애버리지니 필름 얘기를 한 것일까. 브래디와 제이콥이 같이 일하게 된 건 우연일까. 그걸 물으려다 말았다. 지지부진하던 일이 브래디 덕에 풀리고 있었고 애버리지니 필름이 여전히 제이콥 손에 있다는 걸 안 이상 불필요한 얘기로 초점을 흐릴 필요는 없었다. 생각지도 않은 소득이 아닌가. 지배인은 이것만으로도 마치 길고 험한 동굴을 빠져나온 듯한 기분이었다.

브래디에게 이메일을 했다. 처음이자 마지막 부탁이니 그리 알라고, 예전 도움을 상기해 달라고.

…… 사람이 갈 거야, 브래디. 브래디가 놀라 답장을 보내왔다. 왜 내게 사람을 보내는 건데, 제임스? (……) 제이콥을 만나 보라는 거뿐이니까 넌 신경 쓰지 않아도 돼. 제이콥한테는 모르는 척만 해줘. 그게 다야. 세상 좁아, 브래디. 그리고 우리 직원한테니 이메일 알려 줄 건데 괜찮지, 브래디? (……) 좋을 대로 해. (……) 이름이 이과수야. 이과수 대리, 성실하고 착해.

지배인은 핸드폰이든 뭐든 연락처 하나를 달라고 했다. 그러자 브래디는 이메일로 연락하라는 말만 했다.

"역시 NYU 동문 파워가 다르다니까."

지배인이 너스레를 떨었다. 이과수는 갑자기 화가 치밀었다. 보스턴인지 뭔지 제이콥은 그곳에서 은행 일을 보고 있어야 할 사람이었다.

"제이콥이 왜 거기 가 있는 거지요?"

그러건 말건 지배인은 자기 말만 했다. "할리우드로 가, 이 대리. 당장 가서 제이콥한테 파일을 받아 내. 그런 뒤 뒤도 돌아보지 말고 돌아오라고. 그 자식하고는 나도 끝이니까." 그러곤 지배인이 사람을 소개하겠다고 했다.

"브래디 선이라고, 한국 이름이 선주열이야. 이메일 주소 보내줄 테니 궁금한 거 있으면 물어봐." 지배인은 브래디가 여전히 한국인 티를 벗지 않은 순진한 녀석이라며 믿어도 된다고 했다.

"조심해, 이 대리."

"네?"

"제이콥 이 자식 생각보다 영악해."

요즘 같은 세상에 영악하지 않은 사람이 어디 있을까. 그런데 갑자기 이게 무슨 일인지. 할리우드라니, 거기서는 또 무슨 일이 기다리고 있는 것일까?

†

데이브는 낮잠을 자는 중이었다.

"잘 있어, 데이브." 이과수의 말에 데이브가 게게 풀린 눈으로 쳐다봤다.

"어디 가, 코리안?"

"여길 떠날 거야." 이과수가 캐리어를 가리키며 말했다. 데이브의 눈이 커졌다.

"왜, 코리안?"

"왜라니, 나도 집에 가야지. 지구 저편으로." 그러자 데이브가 실실 웃었다. "니가 슈퍼맨이야, 코리안?" 지구 저편으로 간다는 소리에 그런 것 같았다.

"농담 아니야, 데이브. 널 영영 못 볼지도 몰라."

짐은 단출했다. 노트북과 펜, 연필과 지우개, 다이어리 그리고 주머니에 USB를 챙겼다. 속옷이나 꼭 필요한 생활용품 외에는 놔뒀다. 방 정리를 한 뒤 캐리어를 보니 올 때보다 가벼웠다.

이과수가 손을 내밀어 악수를 청하자 데이브가 얼떨떨해하며 손을 맞잡았다.

"그리고 난 이과수야, 데이브. 코리안이 아니고 이, 과, 수. 몇 번 말했는데 니가 잊은 거야.”

데이브의 한계였다. 기억력이 들쭉날쭉했다. 보노보인 듯 보노보가 아닌 듯. 이과수의 말이 농담이 아니라는 걸 안 데이브가 아쉬운지 포스트잇 한 장을 뜯어 핸드폰 번호를 알려달라고 했다. 이름과 번호를 적어 주자 데이브가 물었다.

“언제 또 와, 코리안?”

“글쎄, 정말 글쎄라는 말밖에 해 줄 게 없어, 데이브.”

“아무 때든 와. 너라면 하루 정도는 공짜로 재워 줄 수 있어.”

이과수는 데이브 녀석이 빈말을 하는 게 아니라는 걸 알고 있었다. 좀 지저분해서 그렇지 데이브는 농담도 할 줄 아는 착한 녀석이었다.

“농담 아니야, 코리안.”

“코리안이 아니고 이과수라니까.”

“오우 미안, 이과수.”

이과수는 데이브와 포옹을 했다. 데이브가 선물이라며 서랍에서 엽서 한 장을 꺼내 건넸다. “후아레스에서 온 사람들이 준 거야.” 특별히 주는 거라며 데이브가 어깨를 으쓱했다. 엽서 한 면이 그림으로 채워져 있었다.

“선물이 있어, 데이브.” 이과수는 들고 있던 상자를 건넸다. 데이브가 머뭇댔다. “예전에 약속했잖아. 마이애미에 가게 되면 너한테 선물할 거라고.” 데이브가 무슨 말이냐는 듯 눈을 껌벅거렸다. 데이브는 이과수의 말을 기억하지 못했다.

“아이패드야. 노트북이 엉망이라며.” 산책을 갔다 오다 트로피칼 공원 근처에 있는 전자제품점에서 산 거였다.

“오 마이 갓!” 데이브가 탄성을 질렀다. 신이 난 데이브는 연신 예스, 예스 예스를 외쳤다.

“보여 줄 게 있어, 코리안.”

데이브가 노트북을 열곤 마우스를 잡았다. 데이브가 늘 쓰던 거였다. 노트북이 켜지자 모니터의 폴더 하나를 찾아 들어갔다. 동영상 파일이 보였다. 데이브가 그중 하나를 클릭했는데 낯이 익었다. 가만히 보니 데이행사 때 투숙객들에게 틀어준 인터뷰 파일이었다. 데이브가 보내 준 Proud Mary. 파일은 모두 아빠가 가져갔다더니…… 이게 뭐지 싶었다.

"그거 뻥이야, 코리안."

데이브가 낄낄거렸다. 뻥이라니, 제법이었다. 데이브가 다른 파일 하나를 가리켰다. 파일에는 Proud Mary2,라는 이름이 적혀 있었다. 그러고 보니 인터뷰 파일을 두 개로 나눠 둔 모양이었다. 파일은 상영 당시 끊긴 뒷부분처럼 보였다. 데이브는 그때 두 파일 중 앞 파일만 보낸 거라고 했다. 이름도 데이브가 나눠 적은 것 같았다. 기가 막혔다.

데이브가 파일을 클릭했고 동영상 첫 장면에 남자가 등장했다. 기억이 맞는다면 그는 인터뷰이 중 드물게 이름이 있었던 인물이었다. 직업이 언론인이었고, 그래로이. 이름이 그랬다.

모자이크가 있는 Proud Mary와 달리 이 파일엔 모자이크가 없었다. 촬영 날짜가 적혀 있었다. TUESDAY/0803/2016, 그랑호텔에서 본 인터뷰 파일도 편집을 하지 않은 미편집본이기는 했지만 이렇듯 날짜가 적혀 있지는 않았다. 시기는 영상 배경이나 인터뷰이의 옷차림과 그들이 말하는 내용의 앞뒤 정황을 비교해 대충 짐작이 가능했다. 언론인이란 사람의 인터뷰 역시 예전에 본 그때와 시기가 달라 보였다. 인터뷰어는 시간 차를 두고 인터뷰를 한 듯 보였고, 아마 인터뷰이를 찾는 데 시간이 걸렸거나 제작상의 문제로 시간이 지체된 것인지도 몰랐다.

"어때, 코리안?"

데이브가 의기양양한 얼굴로 물었다. 이과수는 엄지손가락을 세워 보였다. 그런데 왜 데이브가 이걸 보여 주는 거지? 아이패드 상자를 뜯느라 데이브는 정신이 온통 거기에 빠져 있었다. 데이브가 감탄을 하며 이과수를 향해 또 엄지손가락을 세웠다. 얼굴엔 함박웃음이 가득했다. 그러고 보니 알 것 같았다. 영악한 자식, 데이브는 확실히 보노보보다 뛰어났다. 아이패드 선물에 대한 자신의 선물이었다. 예전에 파일을 다 보내지 않은 자기 실수를 데이브는 알고 있었던 것이다.

"죽여주는데, 코리안!"

데이브가 외쳤다. 이과수는 손가락을 입술에 대며 쉿 소리를 냈다. 동영상에서는 아직 언론인이 말하는 중이었다. 그때처럼 선글라스를 썼고 턱 가운데가 움푹 들어가 있었는데, 목소리가 결의에 차 사명감마저 느껴졌다. 인터뷰어의 질문에 그가 신분을 밝히는 중이었다. 자신에 대한 신뢰를 강조하려는 듯 단호한 투였다.

인터뷰어였다. "자무엘 씨하고는 친구잖아요. 가이드 라인이 있지 않았을까요, 자기 검열 같은 거요. 레토릭이 빤해서요."

"빤한 게 진실인 겁니다. 그걸 넘으면 다 포장이지요." 그가 웃었다.

"아무리 친구지만 자신한테 오는 불이익을 용인했다는 게 상식적이진 않잖아요……."

"자무엘 스스로 한 겁니다."

"결자해지를 한 거네요?"

"결자해지라니요. 사람은 변할 수도 있는 겁니다. 그 친구가 그런 경우이지요."

영상이 갑자기 끊겼다. 아직 인터뷰가 끝난 게 아니었다. 언론인이 뭐라고 더 말을 하려는 순간이었고, 그런데 다시 인터뷰 필름이 이어졌다. 사람이 보였는데 그가 아니라 다른 사람이었다. 날짜가 있었다. FRIDAY/1606/2018. 은백의 머리에 나이가 좀 있어 보였다. 그 역시 모자이크가 없었다. 긴 듯한 은백머리는 청색 셔츠와 청색 바지의 그와 잘 어울렸다. 나이에 비해 격식 같은 건 차리지 않을 사람처럼 보였다. 이름이 없어 누구인지 알기 힘들었다.

인터뷰어가 말했다. "확인만 할 겁니다, 교수님. 다들 같은 말을 했거든요."

"나도 몰랐소. 변명으로 생각하지는 말아 주시오. 표현이 좀 그런데, 말렸다기보다 거절한 거였소." 그는 인터뷰이에게 예의를 다해 말했는데 점잖고 차분했다.

"이유를 여쭤봐도 될까요? 직접 듣는 게 좋을 것 같아서요."

"뭐든 끝이 있는 법이오. 그게 안 되면 누군가 멈춰 줘야 하지. 그게 같이 사는 길이고. 그런데 멈출 기미가 없었소. 그래서 내가 나선 거요."

"교수님 뜻대로 되지는 않았잖아요?"

"내 죄요."

"노트를 남긴 게 죄의식 때문이란 건가요?"

"진실에 관한 거요. 개인적인 죄의식을 끌어들일 순 없잖소."

알 것 같았다. 이 은백의 사내는 케빈 슈라이버 교수였다. 노트를 읽고 아직 보지도 않은 영상 파일을 숨죽여 상상하도록 만든 〈영화제작의 심리〉를 쓴 보고서의 당사자, 그가 저 안에 있었다. 영상이 다른 것으로 바뀌고 있었다.

사무실이거나 방처럼 보이는 실내였다. 넓지 않았다. 탁자와 티슈 그리고 창문 너머로 빌딩의 마천루가 보였다. 창문 양쪽으로 커튼이 젖혀 있었다. 그 외에 보이는 건 없었다. 대신 목소리가 들렸다. 누군가 말을 했는데 마치 연극의 한 장면처럼 느껴졌고 방에는 그 외에 또 다른 사람이 있는 것 같았다.

이과수는 힐끗 데이브를 봤다. 데이브는 아이패드를 만지느라 이쪽엔 관심도 없었다. 주머니에서 USB를 꺼내 파일을 담았다. 파일 용량은 2.4기가, 파일이 옮겨지는 20여 초가 근 한 시간처럼 느껴졌다. 목소리가 나왔다. 목소리는 줄곧 애버리지니 필름 얘기를 하고 있었다. 그 얘기를 이렇듯 광범위하게 할 수 있는 사람이 누가 있을까. 관조하는 듯한 시선은 여러모로 전지적이었다. 그러자 떠오르는 사람이 있었다. 자무엘, 그럴 사람은 그밖에 없었다. 이과수는 확신했다. 파일을 옮겨 담은 이과수는 다시 데이브를 봤다.

"데이브?"

"왜, 코리안." 이과수는 보지도 않은 채였다. 데이브의 몸이 아예 아이패드 안으로 들어가 있었다. "이거 그저 그런데, 다른 거 없어?" 이과수는 대수롭지 않게 말했다. 이 파일이야말로 별 것 아니라는 듯.

"없어, 아빠가 다 가져갔어." 사실인 것 같았다.

"난 할리우드로 갈 거야. 데이브 아빠를 만나러. 아빠가 도통 핸드폰을 안 받아. 듣고 있어, 데이브?" 이 정도는 말해도 될 것 같았고 데이브에 대한 도리이기도 했다. 아이패드를 들여다보며 데이브가 말했다.

"SNS로 하면 되지."

"SNS라니, 데이브?"

"난 아빠하고 SNS로만 해. 게임하는 기분이거든."

"그래? 구경 좀 할 수 있을까, 데이브?"

데이브는 제이콥의 계정을 열어 이과수에게 보여 주었다. 데이브가 제이콥과 주고받은 문자 메시지 기록이 다 보였다. 데이브는 수시로 아빠와 연락을 하고 있었다. 이런 비밀이 있었다니, 제이콥이 데이브에게 보낸 메시지 중 이런 게 있었다.

아빠 말 잘 들어, 데이브. 노트북에 있는 파일들 있지. 그거 다 지워. 아예 날려 버리라고. 아빠가 없앤다는 게 깜빡했거든. 알았지 데이브?

난 알아들었어, 아빠. 근데 언제 와, 아빠?

"고마워, 데이브." 이과수가 말했다. 진심이었다.

"괜찮아, 내 도리인 걸 뭐." 데이브가 말했다.

"난 여길 떠날 거야, 데이브. 아빠 만나면 데이브가 잘 있더라고 말해 줄게."

"오케이, 이과수. 난 알아들었어."

이과수는 노트북 화면의 폴더를 닫았다. 바탕화면이 나왔다. 폴더가 보였다. 여러 개의 폴더가 바로가기로 나와 있었고, 이과수는 그중 한 폴더에 눈이 갔다. 폴더가 여러 개여서 몰랐는데 폴더의 이름이 Proud Mary3이었다. 프라우드 메리3이라니? 또 다른 파일이 있다는 소리인데, 파일을 지우라는 제이콥의 말을 데이브가 듣지 않았다는 것처럼 보였다.

이과수는 데이브를 슬쩍 본 뒤 폴더를 클릭했다. 새 폴더가 나왔다. NONAME, 폴더 이름이었다. 안에는 이름이 없는 MS워드 문서 파일 한 개와 꽤 많은 그림 파일이 있었고, note2라는 이름의 문서 파일이 있었다. 그림 파일은 수십 개 정도 되는 것 같았는데 파일마다 날짜가 있었다. 사진을 찍으며 자동으로 생성된 날짜들이었다. 핸드폰 카메라로 찍은 거였고 사진은 지난해 10월부터 최근까지 두 해에 걸쳐 만들어진 것들이었다. 사진 중에는 26일이라고 적힌 것도 있었다. 생각해 보니 어제였다. 이게 무슨 말이지……? 이과수는 슬쩍 노트북 화면이 데이브의 눈에 보이지 않도록 옆으로 돌렸다.

사진 파일 하나를 클릭했다. 얼굴이 보였다. 제이콥이었다. 으레 볼과 턱 가득 수염이 수북한, 처음 봤을 때 영락없이 랍비의 모습이던 그가 거기 있었다. 살이 더 쪘다는 것만 빼면 그는 여전히 랍비의 모습과 별로 다를 게 없었다. 그가 활짝 웃고 있었다.

자판을 누르자 사진이 움직이듯 보였고, 그 뒤가 다 제이콥의 얼굴 사진이었다. 좀 더 뒤로 가자 제이콥이 누군가와 찍은 사진이 있었다. 그 말고 두 사람이 더 있었다. 배경에는 강과 산 그리고 집과 들이 있었고 채석장 같은 데가 보였다. 어떤 사진은 온전히 채석장 전경만 있었다. 가깝게 또는 멀게 구분해 찍은 것들이었다. 회색투성이인 걸 보니 무슨 석회석 광산 같아 보였다.

사진을 넘기던 이과수는 반사적으로 자판을 멈추었다. 제이콥이 누군가와 같이 찍은 사진들 때문이었다. 여기서부터는 파일에 이름이 있었다. '아빠'. 파일 이름이었다. 그와 같이 사진을 찍은 두 사람은 동양인이었다. 자판을 몇 번 더 누르자 제이콥과 그들이 담긴 사진이 여러 장 나왔다. 날짜와 장소가 다 달랐다. 그런데 이상한 게 있었다. 느낌이긴 하지만 제이콥의 사진에 등장하는 동양인들은 한국인처럼 보였다. 둘 다 모자를 쓰고 있었고 한 사람은 야구모자를, 다른 한 사람은 둥근 창이 있는 벙거지를 쓰고 있었다. 벙거지를 쓴 사람은 여자였다. 그녀는 야구모자를 쓴 남자보다는 좀 어려 보였고, 그런데 왠지 여자 얼굴이 낯이 익은 듯했다. 아는 사람 같지는 않았다. 누굴까, 왜 낯이 익은 것일까?

셋의 배경은 무슨 촬영장 같은 분위기였다. 세트장 같기도 하고 가끔 시내에서 보던 드라마인지 영화인지 촬영을 하는 모습들, 흐릿하게 여기저기 흩어진 사람들이 그 장면과 비슷해 보였다. 자판을 한 번 더 누르자 제이콥의 단독 사진이 나왔다. 이과수는 자기도 모르게 뒤의 배경으로 눈이 갔다. 간판이 보이고 글씨가 보였다. 이과수의 눈이 배경으로 쏠린 건 간판의 글씨 때문이었다. 초점이 멀어 흐렸지만 간판의 글자는 한글이었다. 정신이 번쩍 들었다. '유람선 매표소', 그렇게 적혀 있었고 나머지 글씨는 작고 흐려 알아볼 수 없었다.

이과수는 그림 파일에 커서를 올려놓곤 마우스의 오른쪽 버튼을 눌렀다. 파일 정보를 클릭하자 날짜가 나왔다. 25일, 불과 이틀 전의 사진이었다. 그 외에 다른 정보는 없었다. 이과수는 다시 USB를 꺼내 문서 파일과 그림 파일을 담았다. 손바닥에서 식은땀이 났다.

데이브는 여전히 아이패드에 온통 정신이 팔려있었다. 얼핏 보니 앱을 까는 중이었다. 긁어내듯 파일을 복사해 USB로 옮기는 데 걸린 시간은 10초 정도, 문서 파일하고 사진 파일이어서인지 아까 동영상 파일에 비하면 잠깐이었다. 파일이 옮겨진 걸 확인한 이과수는 조금 전 무심히 넘긴 사진 한 장을 다시 찾았다. 야구모자를 쓴 동양인, 몇 장을 넘기자 벙거지 여자가 나왔다. 제이콥 옆에서 여자가 웃고 있었다. 이과수는 파일을 닫았다. USB를 주머니에 넣으며 이과수가 말했다.

"쌩큐, 데이브. 난 이제 정말 가야 해."

"알았어, 이과수." 아이패드에서 눈도 떼지 않은 채 데이브가 말했다.

"잘 있어, 데이브."

이과수가 손을 내밀자 데이브가 머리 위로 손을 흔들었다. 이과수는 주차장을 가로질러 도로로 나갔다. 뒤를 보니 데이브가 사무실 문을 열고 서 있었다. 이과수가 손을 흔들자 데이브가 같이 손을 흔들었다. 불러 둔 택시는 금방 도착했다. 줄리아 모텔에서 마이애미 공항까지는 잠깐이었다.

얼핏 항공 일정표를 확인하곤 이과수는 의자부터 찾았다. 서둔 탓에 숨이 찼다. 로비 외진 곳의 의자 하나를 찾아 앉고 나자 그제야 숨을 좀 돌릴 수 있었다. 목이 말랐지만 노트북을 펴고 USB부터 연결했다. 마지막 확인을 하는 심정으로 아까 옮겨 담은 MS워드 문서 파일을 클릭했다.

하이 데이브, 아빠야. 오늘 아빠는 기분이 좋아. 데이브를 생각하면 기분이 좋아져. 또 소식 전할게.

SNS로 주고받은 문자 편지들 같았다.

한국의 지방 도시인데 험해. 산이 많아 그런 것 같아, 데이브. 고개를 넘어 꽤 달려야 하거든. 한국은 어디를 가든 산이야. 특이한 나라야. 아빤 한동안 여기에서 지낼 거야.

오늘도 한국 음식을 먹었어, 데이브. 아빠는 한국 음식이 맞는 편이야. 예전에도 그랬거든. 아빠는 촬영 때문에 늘 바빠. 당분간 연락하지 못하더라도 이해해, 데이브.

오랜만이지, 데이브. 바빠서 그랬어. 일정에 문제가 생겼거든. 세트장을 보강해 촬영을 해야 했어. 별일은 아니야. 촬영 끝나는 대로 널 데리러 갈 거야. 이건 비밀인데, 이번 일은 돈이 꽤 돼. 기대해도 돼. 사랑해, 데이브.

데이브는 제이콥이 보낸 편지를 빠뜨리지 않고 보관한 것 같았다. 그것도 문자로 보낸 걸 다운받아 MS워드에 담아서. 최근 액세스한 날짜가 26일이었다. 데이브는 어제도 이 파일을 열어 봤던 것이었다.

이과수는 심호흡을 했다. 자신이 파악한 걸로는 아무리 생각해도 제이콥이 있는 곳은 할리우드가 아니었다. 그렇다면 브래디라는 사람이 알려 줬다는 지배인의 할리우드 얘기는 무슨 말일까? 그가 거짓말을 한 것일까? 그럴 수도 있었다. 이 정보대로라면 제이콥은 할리우드가 아니라 한국에 있어야 하는 게 더 논리적이었다. 할리우드가 아니라, 한국 말이다!

그제야 이과수는 그간의 일들을 좀 이해할 수 있을 것 같았다. 숨바꼭질하듯 오리무중이던 제이콥의 행동을, 그가 왜 뉴욕이니 보스턴이니 빙빙 말을 돌렸는지. 왜 맨해튼에서 마이애미로 자신을 보냈는지. 그런데 좀 이상한 게 있었다. 그의 핸드폰은 미국이었다. 어떻게 된 것일까? 그 의문도 곧 풀렸다. 애플리케이션을 이용하면 얼마든지 가능한 일이었다. 구글을 조금만 뒤져도 그런 앱을 사고파는 사람은 많았다. 미국에 있든 쿠바나 영국 필리핀 또는 인도든 한국이든, 모든 착발신을 보스턴으로 지정해 핸드폰을 쓸 수 있었다. 상대가 어디에서 전화를 하더라도 보스턴을 거쳐 한국에 있는 제이콥의 핸드폰으로 연결이 돼 발신자는 자신이 국제전화를 하는 것을 알지 못했다. 대신 국제 통화 비용은 제이콥이 부담해야 했지만.

이과수는 몹시 지루하고 난해한 수수께끼 하나를 푼 기분이었다. 한편 마음 한구석이 불편하기도 했다. 데이브의 노트북을 훔쳤다는 부담과 제이콥의 편지를 읽다 보니 아들 데이브에 대한 그의 부정이 그대로 느껴졌기 때문이다. 좀 미숙한 데이브를 제이콥은 안타까워했다. 아빠라면 누구라도 제이콥하고 다르지 않을 터였다. 그런데 제이콥은 한국에서 무슨 촬영을 한다는 것일까. 할리우드가 아니라 한국에서. 브래디라는 사람이 준 정보와의 공통점은 영화를 찍는다는 것뿐이었다. 아무튼 모든 게 감쪽같았다. 브래디의 말이 거짓이라는 걸 지배인이 안다면, 이과수는 자기도 모르게 웃음이 터져 나왔다.

바탕화면의 파일을 클릭했다. 데이브가 보여 준 Proud Mary2였다. 아까 본 것 이후로 근 이십여 분은 되는 듯했다. 이어폰을 꽂고 대략 그 지점에다 커서를 놓자 다른 장면이 나왔다. 두 해 전 12월 14일, 차 안이었다.

앞 유리로 거리가 보였다. 빌딩이 촘촘했고 조금씩 눈이 내렸는데 맨해튼 같았다. 부스럭거리는 소리가 나고 목소리가 들렸다. 남자가 날짜를 묻고 있었다. 이어 차창 열리는 소리가 들렸는데, 왠지 목소리가 귀에 익은 듯했다. 이과수는 볼륨을 높였다. 이어폰 속의 가늘고 떨리는 듯한 목소리, 제이콥이었다. 누군가와 통화를 하는 중이었고 카메라가 돌아가는 걸 아는지 모르는지 한참을 상대와 얘기를 하는 중이었다. 주로 날짜와 시간에 관한 거였다. 의견 충돌 때문인지 목소리가 높아졌다.

기침 소리가 들렸다. 차 안에 다른 누군가 있는 모양이었다. 이윽고 통화를 마친 제이콥이 그와 얘기를 나눴다. 중간에 둘의 목소리가 같이 높아졌다.

"거의 다 온 거요, 알겠습니까?" 제이콥의 목소리였다.

"잡음은 없어야 할 것 아닙니까?" 상대가 말했다. 목소리가 탁한 편이었다. "말 바꾼 건 내가 아니잖소. 자무엘은 애버리지니 필름은 알아도 현장 필름하고 인터뷰 필름은 몰라요. 이걸 분명히 아는 사람은 케빈 슈라이버 교수하고 나뿐이란 말입니다."

"스태프들을 설득하느라 고생한 건 알지만 이렇게 중간에 쑥 빠지면 약속을 어기는 겁니다."

"애버리지니 필름은 원래 자무엘 씨 소유입니다. 댁이 자기 거라고 주장하겠다면야 나도 별수 없겠지만 그걸로 일을 하겠다는 건 차원이 다른 문제입니다."

"서로 좋자고 하는 겁니다. 포크 하나 더 얹자는 건데, 그게 그렇게 펄쩍 뛸 일이오?"

"자무엘이 왜 댁을 찾는지 몰라요? 그 양반이 금융위기 때 애버리지니 필름으로 뭘 하려 했는지 알잖아요."

"확신할 수 있어요?"

"두말하면 잔소립니다. 자무엘은 그 뒤로도 호시탐탐 기회만 엿본 사람이오. 그 양반이 하려는 게 그 일의 재탕이라면 우리는 카드 하나를 더 쥐고 있는 거나 다름없어요. 인터뷰 필름의 파괴력이 그 정도라는 겁니다. 현장 필름을 이어 붙이면 부르는 게 값이오. 하지만 일을 더 키우는 건 동의할 수 없습니다."

"난 모텔까지 팔아 들이밀었어요, 까를로스 빼냐 씨." 상대 목소리는 다름 아닌 까를로스 빼냐 감독이었다. 그가 말했다.

"하여튼 난 한국은 안 갈 거요. 프로덕션 지분만 챙겨주시오. 인터뷰 필름에서도 손 뗄 테니까 나머진 댁이 알아서 하시고."

"이왕 말이 나왔으니 그러는데, 멀쩡히 잘 사는 사람을 찾아와 인터뷰 필름 완성하자고 꼬드긴 사람이 누굽니까. 자무엘이 개처럼 대했다면서요. 나하고 사이가 좋지 않다는 것도 알고 온 거고."

"위험을 자초하고 싶지 않아 그렇습니다. 애버리지니 필름 촬영 현장 얘기는 케빈 슈라이버 교수 머리에서 나온 거고요. 그걸 월 스트리트가 몰랐을 거 같아요? 케빈 슈라이버 교수가 죽었다는 소리가 우습게 보입니까, 이게 장난으로 보이냐고요?"

"나 참, 뭔 겁이 그렇게 많은 겁니까." 제이콥이 툴툴거렸다. "그럼 손 떼는 걸로 알고 있겠습니다. 인터뷰 필름은 내가 연출할 거고요. 하지만 이건 알아두시오. 프로덕션 지분은 장담 못합니다."

"신의는 지킵시다. 나도 그간 한 게 있어서 그래요. 나머진 그때 정산하고." 잠시 틈이 생겼고 이어 제이콥의 목소리가 들렸다.

"좋아요, 대신 군말하면 안 됩니다. 그리고 그 사람은 언제 소개할 거요?"

"난 내일 할리우드로 갑니다. 오기 전에 연락 한 번 주시오. 브래디라고, 애버리지니 필름 만들 때부터 같이 한 사람입니다. 자무엘하고도 아는 사람이고. 내 기억으론 자무엘은 나보다 이 사람을 더 신뢰했어요. 일 하나는 똑소리 나는 사람이니 뭘 해도 탈은 없을 겁니다. 이제 됐소?"

"브래디라고 했소?" 제이콥이 물었다.

"왜 아는 사람이오?"

"아 아니오, 어쨌든 그를 만나란 얘기 아닙니까? 이건 알아 두슈. 이제부턴 한스 화이트가 난 줄 아시오. 앞으로도 쭉 이 이름을 쓸 거니까."

목덜미가 뻣뻣하고 입안이 말랐다. 짧은 시간에 너무 많은 정보를 받아들인 탓이었다. 이과수는 머리를 젖히곤 한참을 있었다. 이 다양한 새 소식을 지배인에게 알려야 하는지, 생각이 거기에 미치자 이과수는 망설여졌다. 왜 망설여지는 걸까. 평소 같으면 보고하고도 남았을 일이었다.

이과수는 제이콥의 사진이 떠올랐다. 이름 없는 산과 강과 들과 채석장, 그 자연 풍광은 하나같이 특정 장소를 가리키고 있었다. 그리고 이제 자신이 가야 할 곳은 할리우드가 아니라 한국이었다. 길을 잃은 줄 알았는데 아닌 듯했다. 다 데이브 덕이었다.

비행기 시간을 확인했다. 노선이 좀 복잡해 보였다. 이것저것 따져 볼 게 꽤 됐고 탑승 시간이 가장 빠른 항공사를 찾자 델타항공이 나왔다. 미국의 두 도시를 경유해야 한다는 번거로움이 있어 막상 선택을 하자니 망설여졌다. 애틀랜타 하츠필드 잭슨 공항에서 1시간 13분, 디트로이트 메트로 공항에서 2시간 41분, 앞으로 미국과 하늘에서 지내야 하는 시간이 22시간 30여 분이었다. 다른 항공편을 찾아봤다. 1시간 30여 분 뒤에 이륙하는 대한항공이 있었다. 경유지가 뉴욕이었다. 경유시간은 4시간 8분, 비행시간이 22시간 50분이었다. 대한항공은 델타항공보다 더 꺼려졌다. 경유지이기는 하지만 다시 뉴욕 하늘을 보고 싶지가 않았다. 그러자 생각하고 말고 할 게 없었다. 한시라도 빨리 마이애미를 떠나는 게 순서였다. 줄리아 모텔을 나온 이상 또 제이콥이 한국에 있다는 것을 확인한 이상 어서 이곳에서 사라지는 게 깔끔하고 좋았다.

주머니에서 엽서가 만져졌다. 데이브가 준 거였다. 엽서에 그림이 있었다. 어디 쓸 데가 있을까 싶었는데, 이과수는 생각났다는 듯 몇 줄 적었다. 이과수는 공항 우체통에다 엽서를 넣으며 다시 한번 그림을 봤다. 섬뜩했다. 게이트로 가는데 핸드폰의 진동이 느껴졌다. 데이브가 보내온 문자였다.

선물이야, 코리안. 심심할 때 봐. 난 늘 심심해.

심심하다니. 데이브가 농담을 한 모양이었다. 무슨 할 일이 그렇게 많은지 데이브는 늘 바빴다. 데이브의 메시지에는 링크가 있었다. 유튜브 영상이었는데, 비욘세가 노래를 부르는 중이었다. 공연장 객석 2층에는 티나 터너와 로버트 레드포드, 조지 부시가 구경을 하고 있었다. 도시의 좋은 직장을 떠났어요. 상사를 위해 밤낮 할 것 없이 일했어요. 1분도 잠이 들 틈을 주지 않았지요. 앞으로 일어날 수도 있는 일에 대해 항상 걱정했어요…… 난 도시의 좋은 점을 본 적이 없어요. 그녀는 도시가 싫은 모양이었다. 도시를 떠난 그녀는 어느 강에 이르렀는데 거기가 미시시피란 소리였다. 강에는 프라우드 메리란 배가 있었다. 커다란 바퀴를 돌리며 쉬지 않고 미시시피의 물길을 오르내리는……, 그 모습을 떠올리자 이과수는 눈에 보이는 모든 것들이 다 힘들게 보였다. 데이브와 제이콥, 그리고 지배인과 자신, 이 사람들 역시 그녀가 탄 프라우드 메리의 동승자가 아닌지. 그러고 보면 다들 고달프고 외로운 사람들이었다. 비가 오나 눈이 오나 자리를 지켜야 하는 산과 강과 하늘과 건물들도……. 프라우드 메리호의 저 아가씨는 어디로 가게 되는 것일까? 어떤 삶이 그녀를 기다리고 있을까? 19세기 갈탄을 태워 움직이는 증기선과 지금의 LNG 크루즈는 뭐가 다를까? 2세기가 지났지만, 갈탄이든 LNG든 화석 연료로 움직인다는 여객선의 동력 원리는 달라진 게 없었다. 사람도 마찬가지였다. 2세기 전 그들과 지금의 사람들이 다르면 얼마나 다를까. 그러고 보니 다른 게 있는 것도 같았다. 쾌락 말이다. 하늘 높은 줄 모르고 치닫는 욕망을 그때와 비교할 수는 없을 것이었다. 그리고 어쩌면 프라우드 메리의 저 아가씨도 막상 강가에 이르자 망설여야 했는지 모른다. 어디로 가야 하는지? 어디로 가는 것이 자신의 꿈과 희망일는지 알 수 없었을 것이다. 앞으로 그녀의 생은 그간의 고단함을 보상받을 수 있을지, 아니 가능한 것인지. 그때의 질문은 지금 이 순간 이 시대의 사람들에게도 여전히 유효했고 그곳이 어디든, 캘리포니아든 쿠바든 상하이든 춘천이든 장흥이든. 어디에서도 가능한 물음이었다. 변한 것은 없었다. 그때와 비교할 수 없는 성장과 풍요로도 이 고민은 굳게 생존하고 있는 중이었다.

이과수는 생각이 깊어졌다. 한 번 생각이 들자 멈추지 않았다. 가령 우리는 풍요로운가? 아니 풍요란 게 가능이나 한 것일까, 그런 게 존재는 할까? 문득 자신에게 던지곤 하던 존재가 본질을 앞서는 게 맞는 것인지? 이 질문의 초점을 이제는 자신도 알 수가 없었다. 막연했고, 질문을 위한 질문일 뿐. 이 막막함은 욕망을 누르지 못한 우리 스스로의 역병이 준 동어반복 같은 것이 아닐까. 그 어떤 백신으로도 불가능한. 그리고 이과수는 생각했다. 훈육된 이 사람들에게 무엇이 필요한지, 그 훈육을 털어낼 길은 있는지, 그리고 이들에게 어떤 보상이 필요한지. 또 새로이 찾은 보상이 이들의 욕망과 상처를 막아 줄 힘을 가지고 있기는 한 것인지? 어쩌면 이들은 허무에 빠져 길을 찾지 못할 수도 있었다. 자신을 파괴한 이들의 허무는 이미 허허로운 벌판에서 혼자의 몸이 됐고 다른 누군가의 손을 잡을 힘도 없기 때문이었다. 무너진 이들의 자존과 존재감을 향해 누가 손을 내밀어 줄 것인지. 무엇이 그들의 허무를 채워 줄 것인지, 지금 이 소리에 귀를 기울이는 사람은 없었다.

사흘 전이었을 것이다. 하정미에게 연락을 했다. 어쩔까 하다 누른 버튼이었다. 목소리가 듣고 싶었는데, 마음이 시키는 대로 한 통화였다.

"나야, 하정미 씨."

"이 대리님……." 하정미의 목소리에 잠이 서려 있었다.

"자는 중이잖아. 끊을게."

"아니에요. 말해요, 이 대리님."

"정말 괜찮아?"

"봐요, 다 깼잖아요."

"그러네……." 그리곤 다음 말이 생각나지 않았다. 뉴욕에 올 때 뭘 가져와야 하는지 생각이 나지 않았을 때처럼.

"뭐해요, 이 대리님?"

"생각이 안 나네. 무슨 말을 해야 하는지…… 가슴이 답답하기만 하고."

"그럼 이렇게 해 봐요. 크게 숨을 쉬어요. 살아 숨 쉬고 있다는 걸 느껴봐요. 그럼 좀 뚫릴 거예요."

"그래?"

"그렇다니까요. 인부지이불온人不知而不慍이라고 했어요. 다른 사람 같은 거 신경 쓰지 말고 이 대리님 자신의 소리만 들어요."

하정미가 뭘 알고 있는 게 아닐까, 문득 그런 생각이 들었다.

"……."

"내 말 듣고 있는 거예요, 이 대리님?"

†

비행기표부터 끊었다. 급하게 끊다 보니 좌석이 달랑 하나 남은 거였고 자리도 시원치 않아 보였다. 표를 들고 두리번거리는데 지배인 생각이 났다. 지배인에게 이 일을 알려야 하는지, 또 그 생각이 났다. 하지만 이미 결정은 내려놓은 것이나 다름없었다. 이 일은 이젠 지배인의 일도 제이콥의 일도, 나아가 그랑호텔의 일도 투숙객의 일도 또 그 누구의 일이거나 소유가 아니었다. 모두의 일이자 소유였으며, 그러므로 지금 이과수는 누구의 의지를 좇아서가 아니라 스스로 고민해 판단해야 하는 것은 물론, 자신이 직접 해내야 하는 혼자의 일이라는 생각을 했다. 이과수는 길을 찾은 기분이었다. 그리고 왜 이 순간 그 말이 떠올랐는지. "…… 다른 사람 같은 거 신경 쓰지 말고 이 대리님 자신의 목소리만 들어요."

나는 내가 필요해

지배인은 양민순을 쳐다봤다. 유사색과 보색의 조합은 신비로운 느낌을 줬다. 그 때문인지 한복은 품위가 있었다. 개량 한복 같은데, 딱히 개량 한복이라기보다 전통 복식을 더 따르고 있어 그런 듯했다. 쪽을 쪄서 가지런한 머릿결을 양민순이 손바닥으로 찬찬히 쓸었다. 처음 양민순이 찾아왔을 때는 이런 격조를 본 것 같지 않았다.

"제임스?"

차영한이었다. 장진수와 이구민이 지배인을 봤다. 그제야 지배인이 셋의 시선을 느끼곤 시선을 돌렸다.

"여사님 말씀은 서둘러야 한다는 뜻입니다." 임장수였다. 그가 재촉을 했다. 일부러 그러는 것 같았다. 이과수의 일정은 숨기고 말고 할 게 없었다. 있는 그대로였으니까. 옆에 있던 이용남이 헛기침을 하곤 말했다.

"믿지 못해서가 아닙니다. 투숙객으로 왔을 땐 이미 그걸 넘어선 거 아니겠습니다."

"그런데 왜……?"

장진수였다. 이용남이 말을 막았다. "말하자면, 일을 잘해 보자는 것과 신뢰는 다르다는 겁니다."

"실수는 다 합니다. 잘해 보자는 거지요, 순수하게요." 임장수였다. 다른 뭔가가 더 있어야 한다는 소리로 들렸다. 지배인이 손깍지를 끼곤 눈을 감았다. 조금 전 미소를 머금고 있던 양민순의 입술이 가로로 펴졌다. 광대 부근 피부가 팽팽했다.

"무슨 말인지는 아는데, 제 말은 왜 이렇게 지지부진하냐는 거예요."

"말씀드린 대로 우리 직원이 이미 갔습니다. 일도 상당 부분 진전이 됐고요." 차영한이었다. "당사자가 할리우드에 있다는 얘기를 들었습니다. 정확한 정봅니다. 오늘 직원이 그쪽으로 떠났고요."

"거긴 미국 땅입니다. 이만하면 큰일 한 겁니다." 장진수가 거들었다.

"좋아요. 그런데 모임은 왜 여태 소식이 없는 거죠?"

데이행사 뒤 잠깐 나온 얘기가 대책 모임인데 그걸 말하는 듯했다. 그 뒤론 별 진전이 없었고 흐지부지되고 말았다. 그런데 양민순이 그걸 속에 담고 있었던 모양이었다. 하지만 말 그대로 준비 모임이었고 아직 모임을 꾸리기에는 시간이 더 필요했다. 그간 생긴 변화 때문이었다.

이과수가 뉴욕과 마이애미에서 어떤 상황을 만드는지에 따라 다시 진행하기로 한 건이었고 지금은 상황이 달라져 있었다. 이과수가 할리우드로 가는 바람에 그 상황 자체가 사라져 버린 거나 다름없기 때문이었다. 더군다나 할리우드에서 제이콥을 찾아내 원본 파일을 구했는데도 굳이 모임을 만들 필요는 없었다. 그만큼 모임은 유동적이었다. 그런데 양민순이 그 얘기를 하자고 이 수선을 피우다니, 이해가 가지 않았다.

양민순은 지배인 쪽은 신경도 쓰지 않는 듯했다. "월 스트리트가 그 정도 하자고 일을 벌였겠냐고 했죠?" 모두 양민순을 봤다. "그들은 쉬지 않고 움직여요. 그런데 그랑호텔은 뭘 하자는 건지 모르겠어요. 입으로는 무슨 말이든 다 하면서요."

지배인의 얼굴이 굳어졌다. 트집을 잡자는 소리로밖에 들리지 않았다. 양민순은 멈추지 않았다.

"파일, 당연히 가져와야죠. 투숙객들도 속고 솔직히 호텔도 속지 않았나요? 힘을 합치고 같이 고민하지 않으면 새 시대는 오지 않아요. 그래서 우리가 같이 하겠다는 거고요."

지배인이 뚫어져라 양민순을 봤다. 보는 사람이 다 민망할 정도였다. 차영한이 지배인을 봤고 장진수와 이구민은 양민순을 봤다. 임장수가 끼어들었다.

"여사님 말씀 잘 새겨들어야 합니다. 그 애가 뭐라고 했는지 듣게 되더라도 우리에게는 그걸 넘는 것이 있어야 한다는 말씀을 하시는 겁니다. 그러기 전엔 끝난 게 아니고, 뭐 호텔만 믿고 있을 수도 없는 거잖습니까."

이제야 알 것 같았다. 양민순이 뭘 원하는지, 이 똘마니들이 무슨 말을 하고 싶은 것인지! 준비모임, 관심이 없는 것처럼 굴더니 실은 그 일에 관심이 있었던 것이다. 그게 뭐라고, 지배인은 속으로 웃음이 나왔다. 호텔 일에 나서겠다는 소리 같은데, 하긴 여태 이런 투숙객은 없었다. 다들 지배인을 믿었고 호텔을 의지하며 묵묵히 뒤에서 기다리며 버텨 주었다. 강대식 때부터 그래 온 일이었다. 일종의 암묵이고 불문율이었다. 그런데 양민순이 이렇게 나오겠다는 건 예전 관행을 무너뜨리겠다는 소린데, 말하자면 더는 뒤에서 지켜보지 않겠다는 선언을 하는 것이나 다름없었다. 속이 보였고, 반면 이번 일의 미숙함이 준 후과가 크다는 뜻이기도 했다. 투숙객들의 기대가 크다는 반증이기도 하고, 양민순이 이런 생각을 하고 있다면 다른 투숙객도 다르지 않을 터였다.

"벽수산장 건은 여사님도 안타깝게 생각하십니다."

임장수였다. 그 소리에 모두 양민순과 임장수를 번갈아 쳐다봤다. 양민순이 어떻게 그걸 알고 있는 것일까? 언론에 나온 적이 없었고 아직 정부 부처가 구두로 호텔에 알려 온 게 전부였다. 더욱이 투숙객들 중 아는 사람도 없었다. 아는 사람이라곤 지배인과 장진수 차영한 이구민 그리고 최치영이 다였다.

"용건만 말하죠." 양민순이 자리에서 일어나며 말했다. 임장수와 이용남이 같이 자리에서 일어났다. "말씀드리세요." 양민순이 임장수에게 말했다.

"벽수산장 건은 걱정하지 않으셔도 됩니다. 여사님이 이미 다 하실 겁니다." 지배인은 임장수와 양민순을 번갈아 봤다. 무슨 뜻일까, 여사님이 다 하시다니. 말의 느낌으로 봐서는 이미 뭔가 했다는 소리로 들렸다.

"대신 모임은 추진해 주세요. 당장이요." 양민순이 단호하게 말했다.

무슨 말투지 이건, 명령도 아니고 부탁도 아닌. 하지만 의미 하나는 분명했다. 양민순이 흣, 하고 소리를 내며 몸을 돌리자 차영한과 장진수 이구민이 몸을 일으켰다. 얼떨결에 그런 것 같았다. 양민순이 방을 나가다 말고 지배인을 봤다.

"같이 잘 해봐요, 제임스."

양민순이 지배인에게 깍듯이 인사를 했다. 임장수와 이용남이 같이 인사를 했다. 지배인이 얼떨결에 인사를 받았다. 문이 닫혔고, 그들이 있던 자리가 지난번처럼 휑해 보였다. 바람이 쓸고 지나간 듯 방 안이 들판 같았다. 차영한과 장진수 이구민이 뻘쭘한 자세로 그들이 놓고 간 빈 공간을 보고 있었다. 잠시 후 차영한이 중얼거렸다.

"이게, 뭐지……?"

"뭔가 있는 거 같지 않아?" 이구민이었다.

"나도 동의해." 장진수였다. "하지만 진짜 이상한 건……."

"이, 이런 망할……!" 지배인이 고함을 질렀다. "뭐야, 이 인간들. 어, 어디서 또 온 거야. 어디 있다 나타나서 또 사람 혼을 빼놓는 거야!" 스멀스멀 찾아드는 낭패감, 그게 지배인의 속을 뒤집어 놓고 있었다. 예전의 등장이 황당함이라면 이번은 낭패를 넘어 패배감에 가까웠다.

"진정하자고, 제임스. 양민순의 의도가 보여. 모임을 자기네가 주도하겠다는 거잖아. 뭐 그것도 나쁘진 않을 것 같기도 하고." 차영한이었다.

지배인이 미간을 일그러뜨리곤 차영한을 쳐다봤다. 속이 뒤집어진다는데, 이 자식은 또 무슨 소리를 지껄이는 것인지.

"양민순이 틀린 말을 한 건 아니야. 월 스트리트가 그 정도로 끝냈을 리 없잖아. 여전히 뭘 하고 있을 테고." 장진수였다. "추진하는 게 좋을 것 같아, 제임스. 필름을 찾고 난 이후를 생각해서도."

"후, 우우우우……." 지배인이 길게 숨을 뱉었다. 숨의 질량이 셋의 어깨를 눌렀다. 그리고 낭패감, 그게 차곡차곡 양 어깨 쪽으로 쌓이고 있었다.

"잡종들인 줄 알았는데 아니잖아. 그런데 왜 저렇게 당당해. 지난번보다 더 하잖아, 젠장!"

지배인이 외쳤다. 그 소리에 셋이 움찔했다. 차영한 말이 맞는지도 몰랐다. 하지만 뭐가 됐든 양민순 역시 그랑호텔 안에서 생각하고 행동하고 있지 않은가. 자기들이 거들고 책임지겠다는데, 그 말은 자신들 역시 그랑호텔의 투숙객이라는 소리와 다르지 않았다. 하지만 의문은 가시지 않았다. 도대체 양민순은 뭘 알고 있기에 저렇듯 당당한 것일까, 그걸 알 수 없었다.

그런데 누구일까? 어디서 누구에게 벽수산장 이야기를 들은 것일까. 양민순은 상대할수록 알 수 없는 사람이었다.

아무리 세상이 변했다지만 반세기하고도 사반세기를 넘는 세월을 고난과 영광을 같이하며 지켜온 벽수산장이었다. 강대식 때부터 굳건히 지켜온 호텔 전신이자 상징. 한 번의 화재로 위기가 있었고 새 도로 건설 때문에 철거 얘기가 나온 적이 있었지만 근대 건축 문화유산이라는 명분으로 살아남을 수 있었다. 그 명분은 여전히 유효했다. 그런데 왜 하필 이때 다시 벽수산장 철거 얘기가 나오는 것인지.

처음 문제를 제기한 곳은 민족문제연구소라는 시민단체였다. 벽수산장을 걸고넘어진 게 이번이 네 번째, 지배인은 참기 힘들었다. 강씨 집안은 어엿한 자신의 가계가 아닌가. 김씨 성을 쓰지만 실은 강씨였고, 고조부와 증조부 그리고 조부, 아버지 강대식을 잇는 가문의 끝에 김철민이자 강철민, 제임스 김 자신이 있었다. 친일청산문제에 이의를 달 생각은 없었다. 그렇다고 개인의 재산과 번영이 짓밟히는 것까지 용인할 수는 없었다. 게다가 벽수산장은 여러 경로를 통해 수많은 사회적 질타를 받으며 이미 죗값을 치러 오지 않았는가. 한 사회의 번영을 수행한 그랑호텔과 투숙객들을 기득권이라는 이름으로 단죄하듯 내몰려는 태도는 과연 옳은가? 지배인은 동의할 수 없었다.

벽수산장이 자꾸 거론되자 최치영이 나섰다. 그는 모든 역사는 유산 아니냐는 말로 벽수산장을 엄호했다. 그가 그간 해 온 주요 수사 중 하나가 그 맥락이었다. 유산은 역사를 알게 하고 스스로 자신을 돌아보게 하는 거울이라고. 벽수산장은 역사였다. 벽수산장의 주인은 이제 윤덕영이 아니었다. 벽수산장이 친일행위를 한 것이 아니라 윤덕영이 친일 부역자였다. 더군다나 강대식과 지배인은 그 혐오스러운 역사의 혐의자나 당사자가 아니지 않는가. 그러므로 벽수산장의 주인, 지배인 제임스 김은 친일 부역자가 아니었다. 역사가 필요한 이유는 새 역사가 필요하기 때문이 아닐까. 그럼에도 일부 언론과 시민단체는 호텔의 가계를 걸고 넘어졌다. 행패나 다름없었다. 막아야 했다.

지배인은 언론사에다 보도 자료를 보냈다. 최치영이 그걸 도왔다. 자칫 스스로 자존을 훼손할 수도 있는 예민한 내용이 있었지만 감수할 것과 피할 것으로 구분했다.

자신의 변형된 가계와 외가에 대한 비중을 적을 때는 더 신경을 썼다. 자신의 성 씨는 일그러진 강씨 집안의 가계사와 관련이 있으며, 강씨 집안에 양자로 들어간 배경은 양아버지 강대식의 성찰이 크게 작용했다는 수준에서 보도 자료를 만들었다. 나머지는 구체적인 사실은 피함으로써 여지를 남겼다. 반면 외가 얘기는 자세히 적었다. 외고조부 김백선 장군은 활용도가 높았다. 지배인은 보도 자료에다 평민이라는 계급적 한계 때문에 유생 지도부의 시기로 죽을 수밖에 없었던 한 많은 항일 을미의병장 김백선 장군이라는 인물의 비극적인 운명을 강조했다. 김백선, 그가 타고 다니던 백마가 제천에서 양평 갈운리 고향 집까지 따라와 울부짖다 죽자 동네 사람들이 김백선의 무덤 아래에 무덤을 만들어 묻어 주었다는 신화 같은 이야기는 여론을 환기하고도 남을 터였다. 양자라고는 하지만 법적인 절차까지 밟은 건 아니었다. 중요한 것은 세상은 그랑호텔의 강대식이 가난한 의병장의 후손을 양자로 들이는 선행을 했다는 사실을 널리 알리는 것, 이 서사는 성공한 듯했지만 벽수산장과 얽히면서 별다른 빛을 보지 못하고 말았다. 기발한 아이디어의 후광을 또 그놈의 벽수산장이 발목을 잡은 것이었다. 무엇보다 벽수산장 건은 항일 을미의병장 김백선 장군과는 아무 관련이 없는 별개의 문제였다는 점, 이즈음 양민순이 나타났던 것이었다.

창을 내다봤다. 연못이 보였다. 벽수산장이 들어설 때부터 있던 연못이었다. 연못을 다리 두 개가 가로질렀다. 오른쪽 다리는 벽수산장을 지을 때 프랑스에서 가져온 대리석 자재 그대로였다. 나머지 다리는 강대식이 호텔 설립 초기 신축한 거라고 했다. 아치형 다리 밑의 곡선을 따라 설치한 은은한 불빛이 연못과 다리를 환상적으로 보이게 했다.

지배인은 눈을 감았다. 조용했다. 아니 고요했다. 호텔이 통째 빈 듯, 그간의 스트레스가 한꺼번에 몰려왔다. 호텔 일을 하며 스스로 고단하다는 말을 해보기는 처음이었다. 이 대리가 미국 출장을 간 뒤 불면이 심해졌다. 저절로 팔이 의자 팔걸이 밑으로 늘어졌다.

잠시 등받이에 몸을 기댄 것뿐인데, 어느새 잠이 든 모양이었다. 핸드폰 벨 소리가 아니었다면 모처럼 깊은 잠을 잘 수 있었을 터였다. 눈꺼풀이 무거웠다. 어렴풋이 발신자의 이름이 눈에 들어왔다. 저쪽에서 목소리가 들렸다.

최치영이었다. "시간이 늦었네, 제임스." 지배인은 괜찮다고 하곤 천천히 등받이에서 몸을 뗐다. "학계가 나서 주기로 했네."

"정말입니까, 선생님?" 지배인이 몸을 바로 하며 물었다. 일이 풀리고 있었다.

"나오는 얘기들이 그래. 벽수산장을 살리려면 학계 차원에서 목소리를 내야 한다 이거지." 최치영이 포기한 줄 알았는데, 아니었다. "성명서도 발표하기로 했고. 자네도 알 만한 연구 단체들이야. 기자 회견 형식을 취할 걸세. 들으라는 거지."

"성명서는 누가 읽지요?"

"제자 중에 한 녀석이 있어. 자네도 알지 않은가, 백지우. 앞날이 창창한 친구야. 패기도 있고."

"백지우요?" 뜻밖이었다.

"그렇게 됐어." 그러며 최치영은 비록 선후배와 동료의 비난이 있기는 해도 결국 다 자신을 따를 사람들이라고 했다.

"양민순 쪽에서도 손을 쓸 모양입니다."

지배인이 말했다. 양민순이 왔다 갔다는 말에 최치영이 반색을 했다.

"뭐라던가?" 최치영이 물었다.

"뭘 한 모양입니다." 무슨 말이 그러냐며 최치영이 뜨악해했다. "저도 말이 하도 이상해 물어보려다 말았습니다만, 양민순이 무슨 조치를 했다는 소리로 들렸습니다."

"양민순이 나선 게 사실이라면 벽수산장 문제는 한숨 돌려도 될 거야."

최치영은 이미 해결된 거나 다름없는 것처럼 말했다. 자기 할 일이 줄어 다행이라는 듯. 양민순이 준비 모임을 서둘러 달라는 요구를 하더라는 말을 하자 최치영은 그것도 반겼다. 서로 주고받는 거라고. 최치영이 내막을 잘 모르는 듯해 지배인은 양민순이 말한 준비 모임이 단순히 이과수의 미국 출장을 돕기 위한 게 아니라 호텔을 상대로 한 대책 위원회 성격 같다는 부연 설명을 했다.

"실은 나도 같은 복안을 생각해 왔어. 미상불 모임은 항구적이야 하지. 투숙객들을 영원히 담보할 수 있는 그런 것 말일세." 최치영은 한발 더 나아갔다. "이런 일에는 선험과 철학이 필요해. 그림은 내가 직접 그리지. 제자나 후배 녀석들한테 맡길 일이 아니야." 이어 최치영은 건신주의자 얘기를 했다.

"레닌이 그러지 않았는가. 언젠가는 원숭이들이 인간의 해골을 들고 어디서 왔을까 궁금해하게 될 거라고. 난 안 믿네. 그러려면 유령을 믿어야 하거든. 원숭이가 유령을 믿다니, 상상이 가는가?"

"물론입니다, 선생님. 우리 일이 그 일 아닙니까."

"맞네. 소비에트의 것이 아니라 그랑호텔, 소비에트는 낡았어. 의욕이 앞서다 보니 오버한 측면도 있고."

최치영은 지칠 줄을 몰랐다. 그의 기질처럼, 뭐든 마음이 가면 전체를 그러쥐었다. 최치영은 양민순의 준비 모임을 불멸화위원회와 연결 지었다.

"다음 주중에 발족하세." 그가 말했다.

"일이 겹치면 효율이 떨어지지 않을까요?"

"재란 때 조명 연합군이 사로병진으로 왜를 쳤네. 동란 때는 김일성이 김포하고 의정부 춘천 길로 병진을 했고. 나쁠 게 없다는 뜻이야. 그래야 식구도 늘고 기둥도 더 튼튼해져."

맞는 말 같기도 했다. 힘이 양민순 쪽으로 쏠리는 듯해 걸렸지만, 어쩌면 지금 상황을 감안하면 서둘러야 할 쪽은 오히려 지배인 자신이 아닐까.

"이 대리는 어찌 됐나, 제임스?"

"지금쯤 LA행 비행기 안에 있을 겁니다."

"그래? 잘 챙기게." 최치영은 곧 들르겠다고 하곤 끊었다.

†

이상했다. 이 대리가 연락이 되지 않았다. 줄리아 모텔에서 통화를 한 뒤론 아예 끊기다시피 했는데, 예정대로 비행기를 탔다면 지금은 할리우드에 도착해 연락을 하거나 받아야 할 시간이었다. 마이애미에서 LA까지는 여섯 시간이 좀 안 되는 거리였고 혹시 올랜도나 피닉스, 댈러스 같은 곳을 경유하게 되면 시간이 더 지체될 수도 있었다.

지배인은 다시 버튼을 눌렀다. 마찬가지였다. 이번엔 메시지를 보냈다. 수고가 많아, 이 대리. LA에 도착했으면 연락해. 말할 게 있으니까. 할 말이라고 해야 뻔했다. 서

둘러 브래디를 만나야 한다는 것과 무슨 짓을 해서라도 브래디를 붙잡고 늘어져야 한다고 강조할 생각이었다. 제이콥을 만나려면 그 방법밖에 없었다. 브래디가 어떻게 나올지 알 수는 없지만, 제이콥 때문에 직원을 보낸다는 말에도 거부하지 않은 걸 보면 다른 말을 할 것 같지는 않았다. 그런데 왜 이 대리는 비행기를 탔는지 어떤지 연락이 없는 것일까?

†

예밀리에 여름이 고여 있었다. 산촌의 여름은 종종 시간이 멈췄다. 하늘도 땅도 바람도, 오감이 자꾸 살아나는 이유가 그 때문인 것 같았다. 그럴 땐 정적이 오감을 한층 예민하게 만들었다. 공간이 청각을 가두기 때문이었다.

이청은 매번 비슷한 경험을 했다. 공간이 공간으로 채워졌고 청각은 빈 것을 알아냈다. 핸드폰 소리가 울렸다. 김재일한테 온 것이었다. 한창 바쁜 곤드레나물 철이었고, 1만여 평에 이르는 밭일을 하느라 정신없을 그였다.

"이따 갈 테니까 괜히 버스 타느라 부산 떨지 마." 예상대로였다.

"버스 탈 거니까 신경 쓰지 말라니까." 이청이 말했다.

"드물 텐데, 갈아타야 하기도 하고."

버스 정류장까지는 걸어서 십 분, 정육점이 있는 면 소재지라고 해야 이십여 분 정도면 갈 수 있었다. 김재일의 집까지는 한 번 갈아타기는 하지만 오래 걸리는 게 아니어서 번잡하지 않았다.

"고집하고는." 김재일이 투덜거렸다.

"고집이 아니라 내가 편하자고 이러는 거야."

"버스 타면 연락이나 줘. 마을 회관으로 갈 테니까." 마을 회관은 김재일의 집으로 가는 마을버스를 갈아타는 곳이었다.

영월에 온 게 나흘째, 열흘은 된 기분이었다. 새로 마련한 집은 예전에 있던 곳과 좀 떨어져 있었다. 집주인에게 미리 한 달 월세를 주고 내려온 거였다. 보증금이 없었고 시골집이다 보니 월세랄 것도 없을 정도로 쌌다. 많지 않지만 미리 짐은 택배로 부쳤다.

급작스러운 결정이기는 했다. 뭐에 끌리듯 이청은 성급했다. 쉬고 싶어서가 아니었다. 그렇다고 뭔가 해야겠다는 생각도 없었다. 이성일이 아니었다면, 아니 그랑호텔이 아니었다면 이처럼 성급하거나 막연하지 않았을 것이었다. 그랑호텔이 준 후유증은 이런저런 다른 생각을 할 틈을 주지 않았다.

이십 일쯤 전이었다. 이청은 이성일에게 연락을 했다. 이성일이 한국에서 비슷한 영화를 찍는다고 한 말이 자꾸 걸렸다. 〈마터스〉가 보고 싶다고 하자 그가 놀랐다.

'Martyrs 2008', 이성일이 보낸 파일 이름이었다. 영화를 보고 나서였다. 혹 이게 실화는 아닐까? 그런 생각이 들었지만 곧 그럴 리 없겠다는 생각을 했다. 그러다 다시 의문이 생겼다. 제작자와 감독이 일부러 극영화를 가장해 찍은 것이라면, 아니 실제 존재하는 다큐멘터리를 모티브로 찍은 것이라면, 별별 생각이 다 들었고 의문은 잘 가시지 않았다. 무엇보다 이 영화가 호러나 고어, 판타지가 아닌 현실에서도 가능한 리얼리즘 영화처럼 다가왔다는 게 더 고민을 깊게 했다. 호텔에서 본 영상이 거기에 상상력을 덧입혔다. 이청은 자기도 모르게 몸서리를 쳤다. 영화를 보고 난 이청은 이성일에게 핸드폰을 했다.

"그렇지 않아도 연락하려던 참이었어." 기다리고 있었다는 듯 이성일이 말했다. 그 역시 궁금했던 모양이었다.

"뭐 이런 영화가 다 있지?" 이청이 말했다.

"영화일 뿐이니까 신경 쓰지 마."

"너무 닮았어. 기시감이 들 정도야. 그걸 고스란히 확인한 기분이고."

"괜히 파일을 보내 준 거 같은데."

"다른 소식은 없어, 이 교수?"

"무슨 소식?"

"한국에서 영화를 찍고 있다고 했잖아."

"그 뒤론 모르겠는데, 알아보지도 않았고."

"알아볼 수 있어?"

버스를 탈 거라고 했더니 마트 정육점 주인이 스티로폼 상자 위 아래로 얼음을 채워 삼겹살을 넣었다. 덕분에 생삼겹살이 냉동 삼겹살이 된 듯했다. 삼겹살을 본

숙영 씨가 말했다.

"삼겹살 많은데 뭐 하러 사 왔어요?"

숙영 씨는 이청이 온다고 해 어제 삼겹살을 사면서 넉넉히 사둔 참이라고 했다. 삼겹살뿐 아니라 김재일의 집엔 곤드레 채취 때는 늘 먹을 게 있었다. 한창 일할 때는 잘 먹어야 한다면서 그의 아내가 사둔 고기와 야채 그리고 과일 같은 것들이었다.

이청이 삼겹살을 굽는 동안 김재일이 반찬을 챙겼다. 서 있는 모습이 엉거주춤 엉덩이가 뒤로 나와 있었다. 허리 통증 때문이었다. 숙영 씨는 밥과 담금주를 내왔다. 자리를 잡고 앉자 김재일이 술을 권했다. 그는 밥보다 술을 먼저 입으로 가져갔다. 그래야 밥이 잘 넘어간다고 했다. 이청은 머루주를, 김재일은 소주를 마셨다.

"언제부터 그런 거야?" 이청이 물었다.

"오래됐어. 그냥 참으면서 일한 거지." 김재일이 소주잔을 비우며 말했다.

"사람이 말을 들어 먹어야지요. 겨울에 서울 병원에 한번 가 보자니까 그렇게 고집을 피우더니 이 사달이잖아요." 숙영 씨였다.

"좀 쉬지 그래."

"주인이라고 뻣뻣이 있으면 일이 돌아가나. 남 데리고 일하는 거, 그거 쉬운 거 아니거든."

곤드레나물은 손이 많이 가는 작물이었다. 그만큼 수익이 좋았고 수익이 좋으면 손이 많이 갔다. 술은 통증 때문에 더 마시게 됐다고 했다.

"술로 버틸 일이 아니지, 이 양반아."

"일은 해야지 엉덩이하고 다리는 아프지. 통증이라도 줄여야 일을 할 거 아니야."

곤드레 채취 때는 오십 명 정도의 일꾼이 버스 한 대를 타고 들어온다고 했다. 일꾼은 모두 외국인이었다. 베트남이나 태국 네팔 우즈베키스탄 몽골, 인건비만도 한 해에 칠팔천만 원, 많을 때는 근 일억 원이 나간다고 했다.

"빚 갚는 데 십 년이 걸렸어." 김재일이 말했다.

"빚을 졌어?"

"농사짓는 사람치고 빚 없는 사람이 어딨어요." 숙영 씨였다.

"사억인가 돈을 끌어다 쓰니까 한 달 이자만 삼사백이 나갔어." 김재일이 상추로 삼겹살을 싸며 말했다. “지금은 빚 다 갚고 온전히 내 재산이야.” 김재일이 껄껄 웃었다. 그러며 매출을 생각하면 곤드레가 좋지만 대신 일이 많고 힘이 들어 지금은 곤드레 물량을 줄였다고 했다.

“산마늘하고 다래를 늘렸어. 돈 벌려는 욕심을 줄인 거지. 이거나 유지하면 된다 싶데. 몸이야 의사가 시키는 대로 수술하라면 하고 물리치료를 하라면 하고, 죽을 병은 아니잖아.”

“맨날 나한테 짜증 부리니까 그렇지.” 숙영 씨였다.

“그럼 당신한테 짜증 내지, 누구한테 내.”

머루 술 몇 잔을 마시자 취기가 돌았다. 오랜만에 마신 술이어서 그런 것 같았다. 김재일은 혼자 소주 두 병을 비웠는데도 말짱했다. 술 때문인지 산골이어서인지 공기가 스산했다. 해가 넘어가자 사방이 금방 깜깜해졌다.

“어디가 북쪽이야?” 이청이 물었다.

“저쪽.” 김재일이 밤하늘 한쪽을 가리켰다. 별이 보였다.

“저쪽은?”

“거긴 서남쪽이고, 그쪽이 단양이야.”

“청풍호가 단양인가?”

“영월은 동강하고 서강이고, 남쪽으로는 남한강이라고 불러. 단양에선 단양강이라고 부르고. 청풍호는 제천 가야 있고. 그게 충주호로 이어져. 도담 삼봉 가봤어?”

“아니.”

”촌놈이네. 다 좋은데 거긴 채석장 때문에 영.”

“채석장이 있어?”

오전부터 햇살이 따가웠다. 방문 밖으로 산이 보였다. 봉우리들이 켜를 이루며 주저앉듯 버티고 있었다. 산은 앞에도 옆에도 뒤에도 있었고 아담한 분지였다.

이메일이 여러 통 와 있었다. 보낸 사람을 확인하다 이청은 눈을 멈추었다. 아는 이름이었다. 보낸 날짜를 보니 어제였다. 이과수. 그랑호텔 직원, 그였다. 두 번인가 이청에게 이메일을 보내왔고, 얼마 전에 보내온 이메일에서 그는 미국에 머물고 있었다. 처음 가본 뉴욕 거리의 기시감과 월 스트리트의 감회, 호텔에서 본 이스트강과 유럽식 조식에 관한 얘기 그리고 마이애미의 어느 하루에 관한 이야기가 적혀 있었다. 출장 간 일이 잘 안됐는지 그는 답답하다는 말을 했다. 마이애미 해변의 낭만이 거추장스럽게 보인다는 둥 잔뜩 불만에 차 있었다. 자신이 무엇을 해야 할지 잘 모르겠다고 적은 걸로 봐 꽤 곤란한 상황에 처해 있는 듯했다. 더 자세한 얘기는 없었는데, 그에 비해 이메일이 무척 진지했고 어딘가 절박하다는 느낌을 줬다.

디트로이트입니다, 선생님. 시간이 흐른다는 걸 실감하고 있습니다. 문득 이런 생각이 들었습니다. 제 성실이 저를 해친 것이 아닌지. 자신을 위해 사는 것은 도덕적인 일인지, 그 일이 타인에게는 어떤 도덕적 명분을 줄 수 있는지, 하나의 행위로 두 가치를 묻습니다. 감흥 없는 사물들. 그런 세상과 산 느낌입니다. 곳곳에 갈림길이 있다고 들었습니다. 얼마 전 인터넷에서 우연히 이 시를 찾아 읽었는데 와닿았습니다.

정거장의 역사는 깊다.

예전에 이곳은 종착지이자 출발지였다. 나라를 잃었을 때 나라를 찾기 위해 떠났고 허기진 배를 채우기 위해 가족과 떠났다. 오래전 구식 기차를 타고서.

얼마 후 우리는,

다시 구식 기차를 타고 돌아왔다. 배를 곯을망정 굶어 죽지 않았고 병들어 아플지언정 병 때문에 죽지 않았으며, 추위에 동상이 걸리긴 했어도 얼어 죽지 않았다. 하루 한 끼의 연금과 한 끼 분량의 소비를 위해 조용히 먹고 조용히 어른이 되고 조용히 늙다 조용히 병들어 죽어가는 것.

이곳의 삶은,

조용히 걷고 조용히 소리 내고 조용히 음식을 먹으며 가만히 잠을 자는 것이다.

그 시인이 말한 정거장으로 돌아가는 기분입니다, 선생님. 한국에서 뵙겠습니다.

이청은 답장을 했다. 마음을 가라앉히고 차분히 상황을 직시하는 게 어떠냐고 적었다. 별 도움이 되지 않는 말이지만 달리 해줄 말이 없었다. 그 스스로 무슨 일인지 적지 않았는데 굳이 물을 수도 없었다.

> …… 서울 오면 연락이나 주게. 자네가 준 명함으로 연락을 하면 되는지도 알고 싶네. - 이청

이과수

홀가분한 것일까? 경유지였던 애틀랜타에서 1시간여, 디트로이트에서 2시간 넘게 쉬는 동안에도 그 의문은 멈추지 않았다. 아니면 불안한 것일까? 갈 곳이 사라진 듯한 막막함, 길을 찾은 줄 알았는데, 다시 그 자리였다.

디트로이트에서 비행기를 기다리면서 하정미에게 문자를 보냈다.

물어볼 게 있어, 하정미 씨.

뭘 하는지 답이 오지 않았다. 이십여 분이 지났을까, 하정미가 문자를 보내왔다.

먄~ 지금 봤어요. 이 대리님. 무슨 이민 생활이라도 한 것처럼 하정미의 문자를 보자 반가웠다.

반가워, 하정미 씨.

미투~^^.

삼촌이 부동산 일 한다고 했지? 하정미가 사는 동네였다.

넵. 그런데요?

오피스텔 하나만 알아봐 줘.

네……? @@~. 하정미가 놀랐다. 이어 무슨 일이 있는 거냐고 묻길래 아니라고 했다. 대충 설명을 하자 알겠다면서도 미심쩍은지 하정미가 물었다. 자세한 얘기는 가서 할게. 그리고 정말 아무 일 없어. 내 부탁만 들어주면 돼. 다행히 하정미는 그 정도

일은 식은 죽 먹기라고 했다.

그런데 어디예요, 이 대리님?

디트로이트 공항. 열네 시간 사십 분 뒤에는 인천공항이야. 하정미 씨만 알고 있어.

하정미와 문자를 하고 나자 또 이방인이 된 기분이었다. 공항이 우주처럼 길도 방향도 없는 허공처럼 보였다. 거기 모인 여객기들은 다들 갈 곳을 찾지 못한 이방인들이었다. 이과수는 마치 천 년을 그렇게 살아온 듯, 속이 휑했다. 이걸 안 것일까, 이 고립감을? 핸드폰 소리가 들렸다. 피식 웃음이 나왔다. 지배인이겠지, 그가 아니면 연락할 사람은 없었다. LA에 도착하면 연락을 주겠다고 했는데, 이미 연락할 시간이 꽤 지나 있었다. 물론 그와 연락할 일은 다시 없겠지만. 그런데 막상 들여다본 액정의 번호는 지배인이 아니었다. 제이콥도 데이브도, 누구지?

"헬로우?"

미국인이었다. 발음으로 봐 본토 백인 남자, 누굴까?

"헬로우, 누구세요?" 이과수가 물었다.

"안녕하세요. 나는 로이 오커너라고 합니다." 한국말이었다. "이과수 씨 맞아요?" 상대가 또박또박 발음을 했다. 이과수,라는 한국 이름을. 서툴기는 하지만 분명 한국어였고, 이과수는 그렇다고 했다.

"하이, 이과수 씨. 줄리아 모텔 데이브한테 연락처를 얻었습니다. 데이브한테 고맙다는 말도 못하고 왔습니다."

이번엔 절반만 한국어였다. 데이브가 다른 사람한테 연락처를 줄 줄은 생각도 하지 못했다. 그건 그렇고 이 사람이 어떻게 한국어를 할 줄 아는 거지.

"한국어를 하시는군요, 오커너 씨."

"조금요. 동두천에서 근무했습니다."

주한미군이었다는 소리였다. "그렇군요. 그런데 무슨 일이지요……?" 이과수가 물었다.

"이과수 씨를 만나고 싶습니다. 여긴 마이애미 공항이고 곧 LA로 가는 비행기를 탈 겁니다." 상대의 말은 들어보지도 않고 자기 말만 했다. 급해 보였고 영어와 한국어를 섞더니 나중엔 안 되겠는지 다 영어로 했다. 가만, 로이 오커너라…… 이름이 낯이 익었다. 누구지……? 그 아닌가. 언론인이라던 인터뷰 영상 속 그 사람. 제이콥의 형 자무엘의 친구라던, 데이브한테 가져온 인터뷰 파일에도 그가 있었다. 그의 목소리를 듣게 되다니. 주한 미군이었다고? 어딘가 현실적이지가 않았다. 시침을 뗀 채 이과수가 물었다.

"LA라니요, 오커너 씨?"

"데이브한테 할리우드로 갔다는 얘길 들었습니다. 저 역시 그쪽으로 가야 이과수 씨를 만날 수 있을 것 같아서요."

"왜 절 만나려는 겁니까?"

"그게 궁금한 거군요. 나는 제이콥 쉬프를 만나야 합니다. 이과수 씨 역시 제이콥 쉬프를 만나러 가는 중이라는 거 알고 있습니다. 하지만 나는 이과수 씨가 왜 제이콥 쉬프를 만나려는지 알지 못합니다. 이과수 씨 덕에 제이콥 쉬프가 할리우드에 있다는 걸 알게 된 것뿐이니까요. 이 점 고맙게 생각합니다."

"왜 제이콥 쉬프를 만나려는 거지요?"

"참 곤란하게 하는군요. 좋아요. 대신 이건 우리끼리 아는 겁니다. 괜찮을까요, 이과수 씨?"

"물론입니다."

"애버리지니 필름에 대해 아는 게 있나요?" 그걸 물을 줄은 몰랐다.

"제이콥 쉬프를 만나려는 이유가 애버리지니 필름 때문인가요, 오커너 씨?"

그가 알겠다는 듯 웃으며 말했다. "우리는 목적이 같은 사람이군요. 그 때문에 LA로 가는 거고. 그렇지요, 이과수 씨?"

이과수는 부정하지 않았다. 대신 이 사람이 왜 제이콥의 애버리지니 필름을 찾는지 알아야 했다. 돌아온 대답은 단순했다.

"애버리지니 필름의 주인은 자무엘 쉬프입니다. 그의 형이지요. 난 자무엘의 친구고요. 그건 그가 동생에게 잠시 맡긴 물건일 따름입니다. 자무엘이 그걸 내게 찾아와 달라고 부탁을 했고요. 지금 올 형편이 못 되거든요."

로이는 그 말은 하지 않았다. 자무엘은 제이콥이 위험해서라고 했는데 정말인지는 잘 알 수 없었고 그러나 믿지 않을 수도 없었다. 그렇다고 괜히 이 얘기를 해 이 한국인에게 겁을 줄 필요는 없었다. 자칫 가지 않겠다고 나오면 문제만 생길 수 있었다.

자무엘은 제이콥이 자기가 위험한 것도 모르고 대책 없이 연락을 피한다며 투덜댔다. 제이콥은 로이 전화도 받지 않았다. 그런데 궁금한 것이 있었다.

로이가 물었다. "이거 아는 사람 또 있어?" 애버리지니 필름을 제이콥이 가지고 있다는 걸 아는 다른 사람이 있냐는 뜻이었다. 그래서 좋을 게 없었다.

"까를로스 빼냐 감독, 그 친구 하나야." 자무엘이 말했다.

"어디 있는데?"

"한동안 연락하고 지냈는데 지금은 아니야. 멕시코로 돌아간 지 꽤 되기도 했고. 이 일을 잘 아는 사람들하고 연락하고 지내기엔 그렇잖아. 그리고 난 슈피리어호로 가게 될 거 같아. 내 오두막 알지. 그때 보자고. 다 너한테 달렸어, 로이. 대신 제이콥한테 상자는 꼭 받아 와야 해."

"그런데 왜 지금 그게 필요한 거지?" 로이는 궁금했다. 2008년, 그때 생각이 나서였다. 헨리 폴슨을 잘못 건드렸다가 망조가 들어 거덜 나지 않았는가. 하지만 두 번은 힘들 터였다. 간땡이가 붓지 않은 이상.

"무슨 질문이 그래. 그거 내 거잖아, 로이. 내 물건 좀 갖다 달라는 거뿐이야. 그게 다라고."

로이는 더 묻지 않았다.

왜 필요하냐니? 어쩌면 이 사람은 아무것도 모르고 있는 것이 아닐까. 주인이 찾아 달라고 해 심부름을 한다는 얘기 같은데, 그게 사실이라면 이 사람이야말로 순진한 사람이었다.

이과수가 말했다. "전 좋고 나쁘고 할 게 없어요, 오커너 씨. 그냥 다 말하세요."

"한국인이라고 했잖아요. 그게 납득이 가지 않아서요."

로이로선 당연한 의문이었다. 이 일이 한국인과 관련이 있을 줄은 생각도 하지 못했기 때문이었다. 그때 한국인 초청 인사를 주선하기는 했지만, 벌써 20년도 더 지난 일이고 그게 이 사람과 관련이 있을 리도 없었다.

"곤란하시다면 뭐 좋습니다. 하지만 난 일이 먼저인 사람입니다, 이과수 씨. 제이콥의 소재를 아는 것 외에 관심이 없다는 뜻입니다. 분명한 것은 나는 이과수 씨 당신을 만나야 한다는 겁니다. 원치 않으시면 제이콥이 있는 곳을 알려주는 것도 방법이겠군요."

그는 막무가내였다. 아마 이과수와 연락이 된 걸 기회라고 생각한 것 같았다. 이과수는 시계를 봤다. 비행기 탑승 시간이 얼마 남아 있지 않았다. 이 마당에 숨기고 말고 할 게 있을까?

"오커너 씨가 뭘 잘못 알고 계신 것 같습니다." 이과수가 말했다. "전 한국으로 가는 중입니다. 할리우드가 아니라 한국의 인천공항으로요."

"뭐라고요?" 그가 놀랐다.

"잠시 뒤 저는 한국행 비행기를 탈 겁니다."

"어딥니까, 이과수 씨?"

"디트로이트입니다. 메트로 공항이요."

이과수는 나머지 이야기를 했다. 자무엘과 제이콥, 그리고 애버리지니 필름과 얽힌 몇몇 일들이 그리 간단한 것들이 아니라는 것을. 물론 로이 오커너 씨가 짐작하듯이 제이콥 쉬프 씨를 잘 알고 있으며 그의 형 자무엘 쉬프가 누구인지도 어느 정도 알고 있다고. 이 말도 했다.

"전 오커너 씨를 압니다. 말씀드리죠. 필름에서 인터뷰이로 나온 걸 봤습니다." 그 말에 로이가 놀랐다. 말문이 막힌 모양이었다.

로이는 잠시 눈을 감았다. 처음 보는 이 한국인의 말을 어디까지 믿어야 하는지.

"어떻게 안 거지요, 아니 그걸 제가 믿어야 합니까?" 로이가 물었다.

"한스 화이트를 본 적이 있으세요?"

한스 화이트라면 당연히 본 적이 있었다. 한 번이기는 하지만 인터뷰 때 스태프와 같이 그가 온 적이 있었다. 그는 인터뷰 필름의 감독이었다. 이 사람이 어떻게 한스 화이트를 알고 있는 것일까.

"어떻게 생겼던가요?" 이과수가 물었다.

"뚱뚱했습니다. 풍채가 좋았지요. 목소리는 가늘고, 몸하고 목소리가 따로 노는 거처럼 느껴졌지요."

"그가 제이콥 쉬프입니다."

"천만에요. 그는 인터뷰 필름 감독입니다, 한스 화이트요."

"그 사람 초콜릿을 입에 달고 있지 않던가요. 아니면 추파춥스라든가."

순간 머리가 휑했다. 한스 화이트 감독, 그는 추파춥스가 든 봉지를 주머니에 넣곤 하나씩 꺼내 빨아 먹었다. 다른 주머니엔 작은 스니커즈가 한 움큼 들어있었다. 스니커즈는 녹아 반은 눌어붙었고 그걸 혀로 핥았다.

그러고 보니 자무엘에게 인터뷰 필름에 대해 물은 적은 없는 것 같았다. 자무엘 역시 인터뷰 필름에 대해 말한 적이 없는 듯했고. 그런데 그 일을 동생이 했다고, 아니 그가 제이콥 쉬프라고? 하긴 자무엘의 동생 제이콥 쉬프를 만난 적은 없었다. 사진으로조차 본 적이 없었고 심지어 자무엘에게 얘기를 들은 적도 없었다. 더군다나 자무엘과 달리 뚱뚱한 한스 화이트의 체형 때문에 두 사람을 연결 짓는 것은 불가능했다. 한스 화이트와 달리 자무엘은 말끔한 화이트 칼라 스타일이었다. 한스 화이트는 목소리도 특이했다. 인터뷰는 두 번, 한 번은 한스 화이트 대신 조감독이라는 사람이 왔고 그 후 그를 만난 적은 없었다.

"당신 말대로 한스 화이트가 그 사람이라고 하더라도 왜 제이콥 쉬프가 그걸 만든다는 겁니까?" 로이가 물었다.

"그걸 제가 어떻게 알겠어요. 이건 제 생각인데, 제이콥 쉬프는 형한테 복수를 하려는 게 아닐까요. 애버리지니 현장 필름은 제 형을 겨냥한 측면이 있거든요. 돈도 되고 세상에 겁박도 하고, 뭐 그런 거지요. 확실한 건 그가 그걸로 뭔가 하려 했다는 겁니다. 애버리지니 필름도 그렇고요."

"겁박을 하다니요, 어디다가요?"

"월 스트리트요."

로이는 어쩔 수 없이 금융 위기 때를 떠올렸다. 그러자 좀 수긍이 가는 듯도 했다. 뜻대로 되지는 않았지만, 자무엘은 헨리 폴슨이 마음을 바꿔 리먼 브라더스를 구제한다면 리먼 브라더스는 자기 것이 될 수도 있다는 믿음을 가지고 있었다. 둘만 아는 일이었고 자무엘은 자기 계획을 확신했다. 그 때문에 리처드 펄드가 완전 녹초가 돼 나가떨어지는 동안 자무엘은 아무것도 하지 않았다. 그 피에 그 피인가, 이 한국인의 말이 맞는다면 자무엘이 한 짓을 동생 제이콥 쉬프가 그대로 따라 하고 있다는 소리였다.

로이가 말했다. "그래요, 좋습니다. 그런데 왜 이과수 씨는 할리우드가 아니라 한국으로 가는 거지요, 왜지요?"

"제이콥 쉬프가 한국에 있거든요. 한스 화이트 말이에요."

"뭐라고요!" 사레가 들렸는지 로이가 컥컥거렸다. "이거 농담이 지나친 거 아니오?"

"저도 제이콥이 할리우드에 있는 줄 알았습니다. 근데 아니었어요. 우린 헛다리를 짚은 겁니다. 자무엘 씨도 오커너 씨도요."

혼란스러웠다. 하지만 이것만은 알고 싶었다. 정색을 하곤 로이가 물었다.

"그런데 왜 애버리지니 필름이 댁한테 필요한 겁니까?"

혼잣말인지 들으라는 것인지. 글쎄요,라고 중얼거리는 소리가 들렸다. 아마 뭔가 숨기고 싶은 게 있는 듯했다.

"혹시 브래디라는 사람 아세요?" 로이가 물었다.

"모르는 사람입니다. 오커너 씨." 이과수는 시침을 뗐다. 그런데 이 사람이 브래디를 어떻게 알고 있지. 그는 자꾸 물었고 없는 얘기를 하자니 이과수는 점점 난감해졌다. 이쯤에서 얘기를 끝내는 좋을 것 같았다. 더 많은 걸 알게 할 필요가 있을 것 같지도 않았다.

이과수는 시간을 봤다. 비행기를 탈 시간이었다. 이제 미국에서 할 일은 없었다. 남은 것은 한국에서의 일뿐, 그러므로 로이 오커너 이 사람과 할 얘기 역시 없을 터였다.

"시간이 다 됐네요, 오커너 씨." 이과수가 말했다.

"이봐요, 브래디 정말 몰라요?"

"굿 럭, 오커너 씨."

이과수는 핸드폰을 끊었다. 잠시 뒤였다. 핸드폰이 울렸다. 로이 오커너인 줄 알았는데 지배인이었다. 이과수는 핸드폰 전원을 껐다.

로이는 황당했다. 일방적으로 핸드폰을 끊다니. 자무엘에게 전화를 했다. 받지 않았다. 메시지를 넣었다. 제이콥이 한국에 있대, 자무엘. 그런데 물어볼 게 있어. 인터뷰 필름 그거 자무엘 니가 제작한 거 아니었어? 문자를 보내고 난 로이는 데이브가 준 쪽지를 들여다봤다. Yi gwasu라……, 뭘 하는 누구일까?

†

산채비빔밥과 컵라면을 먹었다. 잘 넘어가지 않았다. 대신 으깬 감자와 아이스크림, 요거트를 먹었다. 요기는 충분했다. 달랑 한 자리 남은 이코노미석은 앞뒤 간격이 좁았다. 잠이 잘 오지를 않았다. 이과수가 잠이 든 건 델타항공의 보잉기가 일본 근해 상공에 들어설 무렵이었다. 잠을 잔 시간보다 깨어 있는 시간이 훨씬 많았다.

데이브 생각이 났다. 못 할 짓을 한 게 아닌지……. 하지만 데이브는 정말 아이패드를 좋아했다. 거기에 빠져 행복해했으니까. 그래도 아이패드의 대가치곤 혹독한 게 아닐까, 그럼 데이브는 손해를 본 것일까? 그럼 지배인은? 아니면 제이콥 쉬프는? 이것도 알 수 없었다. 앞으로 이 일이 어떻게 펼쳐질지 또 어떤 결과를 가져올지 알 수 없기 때문이었다. 자신조차도. 다만 왠지 이런 걱정이 들었다. 그게 무엇이 됐든 나중의 결과에 누가 더 떳떳할 수 있을 것인지? 누가 더 도덕적이고 윤리적인지, 어쩌면 그것이 손익 분기의 잣대가 될 수 있을지도 몰랐다.

밤이었다. 조종사가 인천공항의 활주로에 랜딩기어를 작동시키기 위해 관제탑과 교신을 하기 이십 분쯤 전이었다. 이과수는 잠에서 깼다.

저 아래로 인천공항이 보였다. 온통 불빛이었다. 공항 곳곳의 가로등과 불빛들, 활주로를 알리는 불빛이 별자리처럼 보였다. 그리고 문득 시간에 갇히고 만 듯한 느낌, 왜 이런 생각이 드는 것일까? 순간 숨이 꽉 막혔다.

여객기가 멈추고 승객들이 내렸다. 욕지기가 났다. 여태 느껴 보지 못한, 그게 심했다. 기내 화장실로 들어가 한참 동안 구역질을 했다. 비행 중 먹은 걸 모두 비웠다. 많지 않았다. 이과수는 손가락을 넣어 깨끗이 게워 냈다. 그렁하게 눈물이 고였다. 거울을 봤다. 웬 남자가 벌건 얼굴로 숨을 헐떡이고 있었다. 눈을 꾹 감았다 떴다. 그제야 갇힌 시간 속에서 빠져나온 기분이었다.

화장실에서 나와 보니 사람들이 보이지 않았다. 승객은 자신뿐이었다. 여승무원에게 인사를 했다.

"굿모닝."

승무원이 웃었다. 농담으로 안 모양이었다. 늦은 저녁인데 굿모닝이라니, 이과수가 다시 말했다.

"자, 모두 굿모닝."

언젠가 이런 걸 읽은 적이 있었다. 도서실에서 일할 때 같았다. 선택하지 않는 나는 자유로운가? 이과수는 이제서야 좀 자유로워진 기분이었다.

애버리지니 필름

미국에서 온 연출팀 몇 사람이 호텔을 이용했다. 브래디와 한스 화이트도 마찬가지였다. 현장에선 종종 혼선이 생겼는데, 대개 한스 화이트 때문에 생긴 일들이었다. 브래디는 중간에서 곤란한 적이 한두 번이 아니었다. 권수진 감독은 알고도 모르는 척했다. 그녀의 인내심과 리더십이 돋보이는 대목이었다.

"식사 같이 하겠소, 브래디?" 한스 화이트는 식당에 있었다.

"생각 없어요, 한스." 브래디는 커피포트의 끓는 물을 핸드드립용 주전자에 따르는 중이었다.

"훈제 연어야, 브래디. 자네 좋아하잖아."

"많이 들어요, 한스."

"그렇군, 그럼 이따 보자고."

세트장 때문에 촬영이 중단됐고, 사흘 전부터는 강행군이 이어졌다. 내일도 비슷할 일정이 이어질 터였다. 이번 씬의 열두 컷 중 네 컷이 내일 촬영분이었다.

한국에 와 보고 싶었고 고향에도 들렀다. 제천은 식구들 고향이었다. 자신과 어머니 아버지, 초등학교 1학년 때 전학을 해 창천동에서 살았지만 곧 미국으로 떠나 서울 생활은 2년이 전부였다.

제천은 촬영장에서 그리 멀지 않았다. 삼십여 분 거리였고 근처에 박달재가 있었다. 벌써 가 봐야 했는데 얼마 전 세트장을 보강하느라 촬영이 없는 틈을 이용해 한 번 갔다 올 수 있었다. 친척 몇이 살고 있었고 가깝게 지낸 이모부가 있었다. 일찍 부모를 여읜 어머니에게 남은 유일한 핏줄이 언니였다.

이모가 죽은 건 십 년 전, 이모부는 어릴 적 브래디를 기억했다. 어머니에게 영상 메시지로 이모부와 고향 소식을 전했는데 어떤 건 기억했고 어떤 건 기억하지 못했다.

어머니는 알츠하이머였다. 자식을 알아보지 못할 때는 환장하겠다는 소리가 저절로 튀어나왔지만, 이 병이 늘 사람을 엉망으로 만들어 놓는 것은 아니었다. 어떨 때는 또 멀쩡했으니까. 그 뒤치다꺼리를 아내가 했다. 증상이 심해지자 자택 요양에도 한계가 생겼고, 겨우 연방 정부의 심사를 통과해 지금은 너싱홈에 들어가 매달 5천 달러의 비용을 지불하며 어머니를 돌봤다. 어머니에게 할 수 있는 거라곤 병원에 자주 들러 어머니에게 자식이 있으며 자식이 어머니를 무척 사랑한다는 것과 그러므로 병원에 어머니를 함부로 대하지 말라는 암시를 주는 게 전부였다. 어머니가 호박잎으로 만든 쌈을 먹고 싶어 한다고 하자 이모부가 물었다. "거긴 호박이파리 읎냐?"

핸드폰 소리였다. 또 한스 화이트였다. 왜 자꾸 전화를 하는 것일까. 딱히 할 말이 없을 텐데…….

"왜요, 한스?"

"이제 좋은 일만 남았어, 브래디. 우리 둘 다 큰일을 해냈다고. 한국 생활이 쉬운 건 아니었잖아. 안 그래, 브래디?"

무슨 말을 하고 싶은 것일까. 물론 한스 화이트에게 한국 생활은 쉽지 않았을 터였다. 한국에 와 본 적이 있다고는 하지만 여행 한 번 한 걸로 적응할 수는 없었다. 브래디는 달랐다. 한국은 고향이었다. 유년의 기억은 온통 한국의 풍경으로 채워져 있었고 그 기억은 정서적 안정을 줬다. 한국의 산과 들, 물 그리고 나무와 돌, 이 모든 걸 품은 하늘과 이곳 풍경이 브래디는 좋았다. 어느덧 여름이 지나고 있었고, 어릴 적 눈으로 보고 코끝으로 맡았던 한국의 자연을 고스란히 만날 수 있어서 시간 가는 줄도 몰랐다. 거기다 여긴 그 어느 곳보다 풍광이 뛰어난 곳이었다.

"이따 촬영장에서 봐요, 한스."

"자네 연어까지 먹어 주겠어, 브래디." 한스 화이트가 농담을 했다. 웃지 않았다. 기뻐야 할 막바지 촬영이지만 편하지 않았다.

햇수로 삼 년, 이 일 하나만을 위해 달려왔다. 이제 그 끝이 보였고, 그간의 일들을 복기하며 좀 차분해질 필요가 있었다. 그리고 아무 일이 없어야 했다. 그래서인지 조바심이 일고 초조하기도 했다. 한스 화이트는 천진한 건지 뭔지 낙관을 했다. "문제없다니까, 브래디." 그럴 수 있었다. 당연히 그렇지 않을 수도 있었고.

한스 화이트는 브래디 눈치를 봤다. 시나리오 때문이었다. 시나리오에 대해 떠들 생각은 없었다. 추호도. 그게 알려지는 순간 프로덕션이 날아갈지 몰랐고 브래디에게도 손해였다. 이제 둘은 동지였고 실리에 있어서도 마찬가지였다. 그렇다고 그걸 떠벌려 좋을 것은 없었다. 그런데도 그는 눈치없이 종종 그걸 잊곤 했다. 자기 자랑하는 건 좋은데 작품의 뒷얘기는 선을 넘는 것이었다. 아직 무슨 문제가 생긴 건 아니지만 아무 일이 없다는 것, 실은 그게 더 사람을 불안하게 했다.

한스 화이트는 애버리지니 필름을 자기 자본으로 생각했다. 그걸 두고 뭐라고 할 생각은 없었다. 하지만 지독히 자기중심적인 데다 애버리지니 필름 자체를 자기 소유물로 생각하고 있다는 게 문제였다. 착각이었다. 애버리지니 필름은 자본이 아니라 자산이자 빚이었다.

제이콥 쉬프를 다시 만날 거라고는 생각하지 못했다. 그것도 할리우드에서. 까를로스 빼냐가 사람을 만나 보라고 했을 때 사실 별 생각이 없었다. 까를로스의 부탁이니 들어준다는 정도, 그도 얘기나 들어 보라는 수준 같았고 그 외에 별다른 말이 없었다. 그 역시 한때 할리우드에서 일한 적이 있다는 것과 그 때문에 말은 통할 거라는 얘기가 전부였다.

"이름이나 알아둬요, 브래디."

"뭐지요, 이름이?"

"한스 화이트요. 속은 화이트하지 않지만." 까를로스 빼냐가 웃었다.

할리우드 선셋대로에 있는 카페에서였다. 근처 주유소에서 기름을 넣은 후 약속장소에 갔는데 그가 먼저 와 있었다. 웃기는 건 막상 만나고 보니 아는 사람이었던 것이다. 더 웃기는 건, 그는 자기가 만날 사람이 브래디라는 걸 알고 와 있었다는 사실이었다. 그는 한스 화이트가 아니라 제이콥 쉬프였다. 사기를 당한 기분이었다.

"제이콥, 쉬프 씨잖아요……." 브래디가 떨떠름해 말했다. 반갑다고도 또 어떻다고도 할 수 없는, 기분이 묘했다.

"그래 나요, 브래디. 이제 그 이름은 잊고 한스 화이트라고 불러요." 제이콥이 히죽히죽 웃었다.

"까를로스 빼냐 감독은 어떻게 안 겁니까?" 브래디가 물었다.

"내가 그를 찾을 일은 없잖소. 자무엘하고 같이 일한 사람이라는 것도 그가 말해줘 안 거니까. 브래디 당신은 자무엘을 알잖아요."

"아, 그분이요. 까를로스하고 같이 일을 했었지요. 하지만 제이콥 당신이 자무엘 쉬프 씨 동생인 줄은 몰랐습니다. 그분한테 동생이 있다는 얘기를 들은 적도 없고요."

그 말에 한스 화이트가 그럴 줄 알았어 어쩌고 혼잣말을 하더니 물었다. "자무엘하곤 연락해요?"

"그 후론 본 적이 없어요. 연락한 적도요."

그런데 제이콥 쉬프, 아니 한스 화이트가 자무엘 쉬프의 동생이었다니. 이제야 이걸 알게 됐다는 게 브래디는 이상했다. 물론 성이 같다고 다 형제일 수는 없었다. 영미 문화권에서 쓰는 성 씨가 십수만 개, 이곳에서 성은 고유 명사라고 해도 이상하지 않았다. 예전에 할리우드에서 제이콥하고 일할 때도 그는 제임스 얘기는 했어도 형 자무엘 얘기를 한 적은 없었다. 자무엘이 동생 제이콥 얘기를 하지 않았듯이.

그 뒤 브래디는 한스 화이트를 서너 번 더 만났다. 한스 화이트는 할리우드에 살고 있었는데, 할리우드 북동쪽 어린이 병원 근처의 주택가에 집이 있었다. 나중에는 할리우드 고속도로 너머에 있는 할리우드 저수지 쪽으로 이사를 했는데 홀리 드라이브를 끼고 이어진 주택가 끝이었다. 여자와 같이 살고 있는 듯했는데, 한스 화이트는 아들 걱정을 자주 했다. 마이애미에 사는 아들을 조만간 데려올 거라고 했고, 듣다 보니 그는 아들한테 유난히 애착을 가지고 있었다.

아마 세 번째 그를 만났을 때였을 것이다. 한국의 권수진 감독과 일하고 있을 때였고, 그 때문에 촬영이 없는 날을 골라 약속을 잡았다. 선셋대로에 있는 그 카페였다.

커피잔을 들다 말고 한스 화이트가 말했다. "오늘은 좀 특별한 얘기를 하고 싶소, 브래디."

"특별한 얘기라, 좋지요."

"사업 얘기요." 조심스러웠다.

"어디 들어보지요." 별 기대하고 한 말이 아니었다.

"브래디 당신한테만 말하는 거요."

"궁금하게 왜 그래요, 한스."

"애버리지니 필름 말이오."

브래디는 어리둥절했다. 애버리지니 필름이란 말이 그의 입에서 나오리라고는 생각하지 못했다. 벌써 까맣게 잊어 안드로메다 정도에 가 있을 얘기였다.

사실 브래디는 애버리지니 필름이 어떤 내용인지 알지 못했다. 대략 뭉뚱그려 실험적인 필름을 찍는 거겠지라고 짐작한 것과 월 스트리트가 자금을 대 프로덕션이 이루어졌다는 것, 그리고 캐스팅에 무척 신경을 써 까를로스 빼냐가 배우를 찾아달라는 부탁을 해왔을 때 어딘가 범상치 않은 필름 작업일지 모른다는 추측을 한 게 전부였다. 리우진시 노인은 리앙 감독하고 일하며 알게 된 캐스팅 감독이 소개한 사람이었다. 그 뒤 다시 할리우드로 돌아온 브래디는 그 일은 잊고 지냈다. 그런데 지금 한스 화이트가 그 얘기를 하고 있었던 것이다. 그리고 그 필름을 한스 화이트가 가지고 있다는 사실, 놀라웠다.

"한번 읽어 봐요, 브래디." 제본한 노트였는데 겉장을 들추고야 브래디는 시나리오라는 것을 알 수 있었다. 한스 화이트가 쓴 것으로 되어 있었다.

"시나리오를 썼네요, 한스?"

"학교 다닐 때 써 보곤 처음이오. 어떨지 모르지만 최선을 다했소."

"내용이 뭐지요?"

"읽어 보면 그림이 좀 나올 거요. 내가 뭔 말을 하고 싶은지도 알 수 있을 테고."

시나리오는 술술 읽혔다. 전율과 스릴이 있었고 독창적이기도 했다. 흠이라면 잔혹한 장면이 곳곳에 배치돼 시각적인 부담을 준다는 것, 심한 편이었다. 막상 영화로 만들어지면 논란이 될 수도 있었다. 하지만 그게 강점일 수도 있었다. 그 때문에 시나리오는 묘한 매력을 가지고 있었고 쉽게 떨쳐 낼 수 없는 잔상을 남겼다.

그런데 기분이 싸했다. 이상할 정도로. 그게 뭔지 브래디는 나중에 알 수 있었다.

"이건 우리만 아는 걸로 하자고요, 브래디."

구체적으로 뭘 말하는지 알 수 없었지만 브래디는 그러자고 했다. 그리고 한스 화이트는 시나리오를 유능한 제작자나 감독에게 보여줬으면 했다. 조건이 있었다. 시나리오의 존재는 물론 프로덕션 자체를 비밀로 해줄 만한 사람이어야 했다. 브래디는 같이 일하던 권수진 감독을 떠올렸다. 배짱과 감각을 다 갖췄고 장르도 맞았다.

권수진 감독에게 한스 화이트의 시나리오를 보여준 건 촬영이 끝나고서였다. 구두이기는 하지만 한스 화이트의 요구대로 권수진 감독은 시나리오의 비밀을 보장하겠다는 약속을 하고 한국으로 가져갔다. 이십일 정도가 지난 뒤였다. 권수진 감독이 연락을 해왔다. 생각보다 빨랐다.

"이 시나리오 실화에요, 브래디?"

"저도 긴가민가했는데, 그건 아니더라고요." 브래디는 시침을 뗐다.

"이거 하지요, 브래디."

한국 OTT 플랫폼 회사와 말을 맞춘 상태였고, 브래디 쪽에서 원작자와 접촉을 주선한다면 당장이라도 프로덕션에 들어갈 수도 있을 거라고 했다. 마침 신흥 플랫폼 회사들이 오리지널 작품을 찾고 있었고, 거기에 적당하다고 판단한 게 이 시나리오라는 거였다. 한국의 플랫폼 회사는 두 군데였다. 한스 화이트에게 그 얘기를 하자 뛸 듯 좋아했다. 그런데 제이콥이 조건을 붙였다. 미국 쪽 플랫폼 회사를 붙여야 한다는 거였다. 미주 흥행과 보급에 도움이 될 거란 이유였는데 일리가 있었다. 한스 화이트도 두 개의 플랫폼 회사에 말을 건넨 상태였고 한 곳에서 긍정적인 답을 보내왔다고 했다. 결국 두 개의 한국 플랫폼 회사 중 한 군데만 참여하기로 했는데, 시나리오 원작자인 한스 화이트가 제작비 일부를 투자하겠다고 나서자 프로덕션 진행에 활기가 생겼다. 한 번 탄력을 받자 스타트 필밍까지 걸린 시간이 그리 길지 않았다. 그런데 한스 화이트가 내건 조건이 또 있었다. 자기 이름이 공동 연출자로 들어가야 한다는 거였다. 제작사의 반대에도 한스 화이트는 끝까지 고집을 부렸는데 하도 당당하게 나오자 브래디가 나섰다. 둘이 있을 때였다.

"기분 상해하지 말고 들어요, 한스." 브래디는 조심스러웠다. 자칫 잘못하면 일이 어그러질 수도 있기 때문이었다. "그거 자무엘 쉬프 씨 거잖아요. 댁 형이요."

한스 화이트가 큰 소리로 웃었다.

"그래서요, 브래디?"

"까를로스 빼냐한테 들은 게 있거든요."

"상관하지 말아요, 브래디. 이 일로 브래디 당신이 책임지고 어쩌고 할 일은 없으니까. 이건 내 일이오. 다 내가 책임질 거고. 그리고 이건 지킵시다, 브래디." 한스 화이트가 정색을 했다. "비밀 말이오. 우리 둘만 아는 일이잖소."

"도박인 거 알지요, 한스?"

브래디의 말에 한스 화이트가 어깨를 으쓱했다.

"그쪽도 나하고 도박하는 거잖소. 안 그래요, 브래디?" 그가 낄낄 웃었다. 어떨 땐 소년 같기도 한 그였다. 하지만 지금은 예전에 알던 제이콥 쉬프가 아니었다. 그렇다고 주워 담을 수 있는 것도 아니었다. 돈 때문이었다. 다른 게 있다면 예전엔 뭐가 뭔지 모르고 한 일이었고 지금은 다 알고 시작한 일이라는 것. 목적도 분명했다. 돈이 걸리면 웬만한 건 다 무시할 수 있었다.

†

권수진 감독이 캔맥주 두 개를 챙겨 가는 걸 스태프가 봤다고 했다. 원래 술을 잘 마시지 않는 사람이었다. 저녁도 먹지 않은 듯했다. 감정을 다스릴 줄 아는 사람인데, 촬영한 컷들 때문인지 몰랐다.

한스 화이트는 또 시장에 간 모양이었다. 특산물이 마늘인 이곳 시장에선 마늘기름과 인삼과 새우, 김치, 떡갈비로 만두소를 만든 만두를 팔았다. 한스 화이트는 떡갈비 마늘만두라면 환장을 했다. 질리지도 않는지 거의 매일 그걸 먹어 댔다. 그 때문인지 혈색이 돌았다. 워낙 희붉은 피부색에 커다란 덩치, 거칠 것 없는 먹성이 건강의 비결 같았다. 단 걸 입에 달고 사는 사람치고는 건강 상태가 좋았다.

촬영이 막바지에 이르자 프로덕션을 마치기라도 한 것처럼 그는 신이 나 있었다. 사실 현장에서 그가 하는 일은 별로 없었다. 연출은 권수진 감독의 목소리대로 흘러갔고, 다들 그걸 원했다. 가끔 끼어들듯 툭툭 내뱉는 한스 화이트한테 신경 쓰는 사람은 없었다. 기분이 상할 법한 권수진 감독은 듣고도 모른 척했다.

브래디는 메시지를 보냈다. 수고 많았습니다, 감독님. 다들 감독님만 믿고 여기까지 왔습니다. 메시지를 보내 놓곤 오히려 부담을 주는 게 아닌지 싶었다. 감독님만 믿고 여기까지 왔다니.

핸드폰에 이메일 도착 알림이 들어와 있었다. 누굴까? SNS 계정을 열어 달라는 내용이 적혀 있었다. 이름이 한글로 적혀 있었고 핸드폰 번호가 있었다. 이과수? 그제야 브래디는 퍼뜩 그 일을 떠올렸다. 제임스가 보내겠다는 직원, 그런데 이상했다. 왜 이 사람이 한국에 와 있는 거지? 그뿐이 아니었다.

한국에 계신 거 알고 있습니다. 두 분 다요.

그러니 SNS를 열란 소리였다. 브래디는 누가 이걸 보고 있기라고 한 것처럼 자기도 모르게 주위를 둘러봤다. 기가 막혔다. 제임스는 직원을 할리우드로 보내겠다고 했다. 그 말대로라면 이 사람은 마이애미 한스 화이트의 모텔이거나 버뱅크 공항, LAX 아니면 웨스턴 애비뉴이거나 선셋대로 어디쯤인가에 있어야 했다. 혹시 제임스가 이걸 알고 직원을 보낸 것이 아닐까? 그럴 리 없었다. 아니 불가능했다. 나아가 누구도 자신과 한스 화이트가 한국에 있다는 것을 알 수는 없었다. 적어도 한국을 떠날 때까지는, 어떻게 된 일일까? 조바심이 생겼다. 이 상황을 제임스가 아는지 그 확인부터 해야 했다. 만약 제임스가 이걸 안다면, 어쩌면 이 일 전체를 망칠 수도 있었다. 숨긴다고 될 일 같지가 않았다. 확실한 건 이 사람은 뭔가 알고 행동을 하고 있다는 점이었다. 브래디는 SNS로 메시지를 보냈다.

브래디입니다, 이과수 씨. 말씀하시지요.

곧장 답이 왔다. 계정을 열어 주기만을 기다리고 있었다는 듯. 반갑습니다, 브래디 선 씨. 이과수라고 합니다. 한국에 계신 거 맞지요?

확인하듯 그가 다시 물었다. 이런 망할, 브래디는 반사적으로 욕이 나왔다. 순간 머리가 복잡해졌다. 브래디는 메시지를 보냈다.

그래요. 한국입니다, 이과수 씨.

다행입니다, 제 생각이 틀리지 않아서요.

얘기가 길어질 것 같았다. 이렇게 된 마당에 되도록 상황을 정확하게 알 필요가 있었다. 그래야 대책을 세우더라도 세울 수 있을 터였다. 제임스가 할리우드로 직원을 보내겠다고 했는데, 그 사람이 당신, 이과수 씨가 맞습니까? 브래디는 확인하듯 다시 물었다.

그렇습니다. 그랑호텔 이과수 대리, 그 사람이 접니다. 지금 한국에 와 있습니다. 코로나 PCR검사 때문에 격리 시설에 들어와 있습니다. 두 주는 꼬박 갇혀야 할 판입니다. 저보다 연배가 높으시고 한국 이름이 선주열, 하지만 전 브래디 씨라고 부르겠습니다. 괜찮겠는지요? 그는 브래디의 한국 이름까지 알고 있었다. 제임스가 알려 줬겠지. 그러세요, 이과수 씨. 한국에 있는 동안 한국 풀네임을 듣기 힘들었는데, 막상 들으니 기분이 좋네요. 그런데 어떻게 한 거지요?

브래디는 메시지를 보내곤 어딘가 불완전한 문장이라는 생각이 들었다. 자신이 한국에 있는 걸 어떻게 알았는지 묻는다는 게 저런 문장이 되고 말았다.

얘기가 좀 깁니다.

그의 메시지였다. 그는 자신이 뭘 알고 있으며 뭘 하고 싶은지, 그리고 브래디와 한스 화이트의 한국행을 어떻게 알았는지 등을 적어 보냈다.

그는 생각보다 많은 것을 알고 있었다. 전혀 예상하지 못한 것들이었다. 애버리지니 필름 얘기가 그랬다. 애버리지니 필름을 제작하게 된 동기와 거기에 월 스트리트가 관여했다는 것, 그 중심에 자무엘 쉬프가 있으며 애버리지니 필름을 가지고 있는 사람이 제이콥 쉬프라는 것. 나아가 제이콥 쉬프가 한스 화이트라는 이름을 쓰고 있으며 브래디가 한스 화이트와 일하고 있다는 것까지. 적은 내용은 그의 정보가 얼마나 탄탄한지 감탄을 해야 할 정도였다.

그는 브래디가 알지 못하는 것도 알고 있었다. 인터뷰 필름은 브래디가 모르는 얘기였다. 자신의 이름이 나온다는 것도. 그걸 까를로스 빼냐하고 한스 화이트가 만들었다는데, 세상에 믿을 놈 없다더니…… 온몸에서 기운이 빠져나가는 듯했다. 그런데 케빈 슈라이버 교수 노트 얘기는 또 뭐지? 이것도 처음 듣는 얘기였다. 한스 화이트, 아니 제이콥 쉬프와 제임스 김 둘의 학창 시절과 한스 화이트가 한국에서 모텔 사업을 하려 했다는 것, 돈을 받고 제임스에게 애버리지니 필름을 팔아먹곤 주지 않았다는 얘기들. 거기다 그는 한스 화이트 집안까지 알고 있었다. 한스 화이트의 고조부가 쿤롭의 제이콥 헨리 쉬프라는 것과 브래디가 애버리지니 필름 제작에 관여한 일, 애버리지니 필름의 연출자가 까를로스 빼냐라는 것은 물론, 월 스트리트가 작성했다는 텍스트의 존재까지 모르는 게 없었다. 게다가 리우진시 노인에 관한 것도 알고 있었다. 캐스팅 때문에 골머리를 앓았다는 얘기는 어디서 들은 것일까. 도대체 이게 무슨 해괴한 일인지, 브래디는 옷이 홀랑 벗겨진 기분이었다.

그가 이렇듯 세세히 알고 있다면 제임스도 마찬가지가 아닐까. 그리고 왜 제임스가 한스 화이트를 찾기 위해 미국에 직원을 보내는 극성을 부렸는지 알 것도 같았다.

제임스도 압니까? 중요했다.

이건 제 일입니다. 저와 브래디 씨 우리 둘이요. 그게 걱정이라면 안 하셔도 됩니다.

무슨 일인지 몰라도 이 사람은 제임스와 선을 긋고 있었다. 제임스가 알면 당장 쳐들어오는 것은 물론 한스 화이트도 가만두지 않을 터였다. 브래디 자신도 온전치 못할 테고. 제임스와 선을 그어 준 그가 고마울 지경이었다.

한스 화이트하고 제가 한국에 있는 건 어떻게 안 겁니까?

그보다 저한테도 보답이 있어야 할 것 같습니다, 브래디 씨. 호락호락하지 않았다. 제이콥 아니, 한스 화이트 씨한테 제 얘기는 하지 말아 주셨으면 합니다. 소리소문없이 만나 그와 담판을 지을 겁니다.

둘이 무슨 일이 있는 겁니까?

애버리지니 필름을 받아야 합니다. 이것도 제임스와는 상관없는 일입니다. 제가 필요해서 그러는 거니까요.

브래디는 남은 칼 하나를 찾은 기분이었다. 다행히 그는 다 가진 게 아니었다. 그렇다면 제임스도 마찬가지란 소리 아닌가. 게다가 그는 자신의 상사인 제임스와 거리를 둔 채 자기 일을 하고 있는 것이었다. 무슨 이유인지는 모르겠지만 그는 제임스와는 다른 목적을 가지고 있는 게 분명했다. 하긴 제임스와의 거리감은 브래디도 마찬가지였다. 적어도 제임스가 보여 준 배려는 다분히 이중적이었다. 그의 도움은 묘한 수치심을 갖게 했다. 자신의 도움을 과시하게 되면 상대에게는 그게 수치로 느껴질 수도 있다는 걸 그는 모르는 듯했다. 제임스에게 은혜라는 말까지 해가며 고마움을 표시하기는 했지만 곧 그 은혜를 잊은 게 그 때문이었다.

브래디는 메시지를 보냈다.

그 문제라면 저하고 거래해야 할 것 같습니다, 이과수 씨.

무슨 뜻인지요……?

그거 저한테 있습니다.

…… 그거라니요?

애버리지니 필름이요.

그게 왜 브래디 씨한테 있지요?

한스 화이트한테 얻은 겁니다. 이러면 믿겠습니까. 뭐 나쁜 짓을 했다고는 생각하지 않습니다. 어차피 떳떳하지 못하기는 마찬가지니까요.

뜻밖입니다, 브래디 씨. 믿기지 않는 모양이었다. 하긴 브래디도 필름이 자기 손에 들어 올 줄은 예상하지 못했었으니까.

전 무사히 이 일을 끝내야 합니다. 아무 탈 없이 촬영을 마치고 미국에 있는 가족 곁으로 돌아가야 하거든요. 그때까지 아무 일이 없어야 합니다. 이게 무슨 말인지 알리라 생각합니다.

제가 알고 있는 게 맞는군요. 제이콥 쉬프와 한국에서 영화를 찍는다는 것 말입니다. 브래디는 뜨끔했다.

그건 어디서 안 겁니까, 영화 찍는다는 거요?

마이애미에서요. 쉬프 씨한테 아들이 있잖습니까, 거기서 안 겁니다. 제이콥 쉬프 그 사람 곰인 줄 알았는데 여우더군요. 보물을 거기에 놔뒀더라고요.

제이콥 쉬프, 아니 한스 화이트가 여우라는 건 브래디도 알고 있었다. 그는 한스 화이트가 되는 순간 여우가 되려고 단단히 마음을 먹은 사람이었다.

그의 메시지였다.

절 얼마나 빙빙 돌렸는지 아세요. 허구한 날 보스턴 얘기를 하기에 의아했는데, 알고 보니 다 뻥이었지 뭡니까. 보스턴이 어디 제이콥 쉬프하고 어울릴 법한 도시입니까. 그 사람 학자도 아니잖아요. 저와는 상관없는 일이지만 친구를 속인 건 문제 아닙니까.

그런 일이 있었군요.

브래디 씨도 우릴 속였더군요. 하지만 미안해하실 필요는 없습니다. 저만 아는 거니까요. 지배인 제임스는 브래디 씨하고 제이콥 쉬프가 할리우드에 있는 줄 압니다. 저도 그렇고요. 아마 LA 어디쯤에서 제가 브래디 씨를 만나고 있을 거라고 생각하겠지요.

필요한 게 뭡니까, 이과수 씨?

브래디는 본론을 말할 때라고 생각했다. 서로의 속을 안 이상 길게 시간 끌 이유가 없었다. 메시지를 넣기 무섭게 답이 왔다.

애버리지니 필름이요. 그리고 애버리지니 촬영 현장을 담은 영상, 거기 한국 사람들이 나옵니다. 월 스트리트가 만든 텍스트 문서도요.

짐작대로였다. 한스 화이트를 만나야 하는 이유가 거기 있었다.

브래디가 가지고 있는 필름은 두 종류였다. 자무엘 쉬프하고 월 스트리트가 제작한 까를로스 빼냐 연출의 애버리지니 필름, 그리고 애버리지니 필름 촬영 현장을 스케치한 필름. 영상 속 카메라의 움직임은 꽤 거칠었다. 누가 봐도 몰래 현장을 카메라에 담으면서 생긴 현상들이었다. 놀라운 건 필름에는 촬영 현장을 구경하는 사람들의 얼굴이 담겨 있다는 사실이었다. 그들은 마치 골프장의 갤러리들 같았다.

필름은 근접 촬영 대신 렌즈를 당겨 그들을 담아냈다. 누구인지 충분히 구분할 수 있을 정도였고 놀라운 건 그들이 관람하고 참여한 촬영 현장의 모습이 그대로 찍혀 있었다는 점이었다. 그 전율은 무엇과도 비교할 수 없었다. 지금껏 살며 전혀 경험하지 못한, 보는 것만으로도 위축이 됐다. 그리고 거기에 그 사람들이 있었다. 브래디가 아는 사람들이었다. 그 두 사람을 모를 수는 없었다. 사흘을 그들과 함께했고, 호텔에서 공항까지 배웅까지 했었으니까. 영상에는 뉴욕 맨해튼 거리와 허드슨강과 자유의 여신상 같은 것들이 보였다. 강가에서 불꽃놀이를 하는 게 보였고 Millennium이라든가 Y2k, Happy New Year 같은 단어들이 보였다. 그 때문에 촬영 시기를 알 수 있었다.

브래디는 메시지를 넣었다. 월 스트리트 텍스트는 어떻게 안 겁니까, 이과수 씨?

한스 화이트가 알려준 겁니다. 케빈 슈라이버 교수라는 분 노트도 그렇고요.

제임스도 케빈 슈라이버 교수 노트를 봤습니까?

그를 통해 저도 본 겁니다.

케빈 슈라이버 교수의 노트와 달리 월 스트리트 텍스트는 프레젠테이션 형식으로 만들어져 있었다. 쪽수가 많았고 글자 수가 만만치 않았다. 월 스트리트가 만들었다는 건 알겠는데 작성자가 누구인지는 적혀 있지 않았다. 사실 월 스트리트라고 명시한 것 자체가 익명으로 하겠다는 소리와 다름 없었다. 월 스트리트라니, 그 거리에 금융 회사가 어디 한두 개인가. 그리고 거기에 종사하는 인간의 수는?

전 애버리지니 필름보다 텍스트에 더 관심이 있습니다, 브래디 씨.

애버리지니 필름이 필요 없다는 뜻인가요?

아닙니다, 브래디 씨. 월 스트리트의 생각을 알 수 있을 것 같아서요. 그 사람들이 그리는 미래 말입니다.

텍스트를 처음 읽었을 때였다. 브래디는 놀랐다. 월 스트리트가 그런 미래는 실제 그걸 하겠다는 것인지 의문이 들 정도로 도발적이었다. 60억 인구가 사는 지구를 대상으로 21세기형 이상 도시 팔마노바를 구현하겠다는 듯 야심찼고 한편 신선한 측면도 있었다. 중요한 건 이미 그걸 위한 방대한 기획에 착수했다는 소리로 들리고 있었다는 것, 이게 사실이라면 미래의 지구는 월 스트리트의 그 사람들이 아니면 살아 볼 가치가 없는 곳이었다. 라플라스의 악마가 설계한 미래의 주인 역시 그들일 테니까.

이과수의 메시지였다.

거래 끝난 거나 다름없네요, 브래디 씨. 이해관계가 맞잖아요. 브래디는 씨익 웃는 모양의 이모티콘을 넣어 메시지를 보냈다. 그가 다시 메시지를 보내왔고 서두는 듯한 느낌이었다. 언제 만날 수 있는지요, 브래디 씨? 브래디는 일부러 잠시 사이를 뒀다. 어차피 촬영이 끝나야 시간이 나더라도 날 터였다.

다시 연락합시다. 아직 촬영 중입니다. 브래디는 좀 딱딱한 투로 적었다.

어디 계시는지 알아도 될까요?

약속은 지킬 테니 곤란한 얘기는 그만하는 게 좋을 것 같습니다.

좋아요. 저도 격리 끝나야 하니까 당장 어쩌지는 못합니다. 그리고 지배인 제임스 김, 이젠 제 상사 아닙니다. 잘못 알고 계신 거 같아서 말씀드리는 겁니다. 아 그리고, 그 사람 이름 김철민이 아니라 강철민입니다. 브래디 씨가 강철민하고 뉴욕대 같이 다닌 거 알고 있습니다.

강철민이라고 했습니까, 지금?

네. 이 일은 강철민하고 관계없는 일이라는 점 분명히 알아주셨으면 해서요. 이럼 깨끗해진 거지요, 브래디 씨?

하나만 물어봅시다, 이과수 씨. 납득이 잘 가지 않아서 그래요. 아까부터 이 질문이 뇌리에서 떠나지 않고 있었다. 왜 제임스하고 갈라선 겁니까?

말하자면, 철학이 다른 겁니다. 좀 거창해졌는데 실은 길이 다른 거지요. 속이 좁은 건지는 모르겠지만, 제 도덕이 거기까지만 허락하더군요. 살면서 길이 같은 사람이 몇이나 되겠습니까. 이 정도면 이해하셨으리라 믿습니다, 브래디 씨.

언제였더라, 브래디는 그때 기억이 떠올랐다. 양기찬, 그에게서 강 어쩌고 하는 이름 비슷한 걸 들은 것도 같았다. 그때는 별생각 없이 넘어갔는데……. 브래디는 안심을 시켜 주기라도 하려는 듯 그에게 문자를 보냈다. 내가 왜 당신이 원하는 걸 주려는지 아십니까, 이과수 씨?

한스 화이트

갈등이랄 것까지는 없었다. 그럴 일도 아니었다. 일종의 기싸움이기는 해도 매번 밀리는 기분이었다. 보통내기 동양 여자가 아니었다. 밑에서 일하는 스태프가 근 이백 명, 거의 한국인이었다. 다들 성실했고 손과 몸놀림이 재빠르고 능숙했다. 그녀의 리더십 때문이었다. 욕망의 단위가 큰 사람이었고 대중의 인기까지 안으려는 욕심이 커 제작사 입장에서는 놓치고 싶지 않은 연출자였다. 그렇다고 마냥 받아줄 수 있는 여자가 아니었다. 경계해야 했고 경쟁자이기도 했다. 여기서 밀리면 할리우드에서도 번거로울 수 있었다.

핸드폰을 했다. 예상대로 받지 않았다. 메시지에도 반응이 없었다. 마지막이다 하고 메시지를 넣었다. 즐거운 하루였습니다, 권 감독님. 괜찮다면, 방문하고 싶습니다. 답이 없었다.

브래디한테 핸드폰을 했다. 그는 아는 게 있을지 몰랐다. 그도 핸드폰을 받지 않았다. 메시지를 보냈다. 나 한스 화이트요, 브래디. 권수진 감독한테 무슨 일이 있는 건지 좀 알 수 있소? 스니커즈 한 개를 다 씹고 입맛을 다실 때였다. 메시지가 왔다. 나도 몰라요, 한스.

통화해도 되겠소?

지금은 좀 곤란해요.

핸드폰을 받지 않아서 그러는데 내가 방문하는 건 어떻겠소? 답이 없었다.

브래디는 영리한 사람이었다. 까를로스가 브래디를 소개하겠다고 했을 때 자신이 아는 그 브래디일 거라고는 생각하지 못했다. 까를로스는 브래디를 좋게 얘기했다.

처음 몸담았던 예전 영화사를 찾아갈까도 했다. 자존심이 허락하지 않았고 그때 좋게 끝난 게 아니었다. 결국 새 영화사를 찾기로 했다. 그때 까를로스가 브래디 얘기를 했고 까를로스한테는 모르는 척했다. 그를 만나기까지는 고민이 필요했다. 아는 사람과 이 일을 하는 게 부담되지 않을까 싶었던 것이다. 더 나은 조건의 영화사를 찾아볼까도 했는데 그러지 않기로 했다. 여기저기 소문이 나 좋을 게 없었다. 브래디가 소개한 권수진 감독은 시나리오 성격과 맞는 사람이었다. 그녀의 드라마를 보고는 확신이 생겼다.

한스 화이트는 신경질적으로 스니커즈를 씹었다. 새 스니커즈였다. 네 개째였다. 다시 메시지를 넣었다. 이봐요, 브래디?

통화하는 중이에요, 한스. 브래디의 메시지였다.

무슨 통화가 이렇게 긴지. 하여튼 브래디는 부담스러운 존재였다. 자신이 숨기고 싶은 것들을 알고 있는 유일한 사람, 자무엘과도 아는 사이라는 것, 이거야말로 치명적이었다. 그러므로 언젠간 떨쳐 내야 할 상대, 이런 인연은 길게 가져가지 않는 게 좋았다. 언제였더라, 브래디에게 물었다.

"자무엘은 어때요, 브래디?"

"추진력 하난 끝내줬어요. 주도면밀했고요. 기본적으로 머리가 돌아가는 사람이었지요."

그럴 테지, 어려서부터 좋은 머리 때문에 칭찬을 밥 먹듯 듣고 자란 인간이었으니까. 그런데 왜 나쁜 놈 중에는 머리 좋은 인간들이 많을까.

"그리고요?

"솔직히 말해도 돼요?" 형제라는 게 걸린 모양이었다. 한스 화이트는 상관없다며 어깨를 으쓱해 보였다. "오래 곁에 두고 싶은 사람은 아니었어요. 그러기에는 너무 냉철하고 변덕도 심했어요. 자기감정에 충실해 남을 인정하지 않았거든요." 브래디가 말을 멈췄다간 이었다. "하지만……, 애버리지니 필름은 신중한 게 좋겠어요."

"무슨 뜻이오, 그게?"

"알잖아요. 그 필름이 누구 건지."

까를로스 빼냐도 비슷한 말을 한 적이 있었다. 생각보다 그는 겁이 많았다. 중간에 나가떨어진 사람은 브래디가 아니라 까를로스 빼냐였다. 그때만 해도 한스 화이트는 애버리지니 필름에 별 관심이 없었다. 까를로스 빼냐가 마이애미로 찾아와 같이 일을 하자고 했을 때도 돈이 된다는 말 외에는 관심이 없었다.

알고 보니 까를로스 빼냐에게 모텔을 알려준 사람이 자무엘이었다. 자무엘이 그에게 모텔을 알려 줄 줄은 몰랐다. 그는 애버리지니 필름을 자신에게 맡겼다는 것도 자무엘을 통해 알았다고 했다. 자무엘이 왜 그런 말을 했는지 알 순 없지만 사실인 것 같았다. 그가 아니면 모텔도 애버리지니 필름도 알 수 없었을 테니까. 그때 그가 한 말을 한스 화이트는 아직 기억하고 있었다.

"자무엘 쉬프 씨가 알면 무슨 짓을 할지 모릅니다." 죽이려 들겠지. "제이콥 쉬프 씨도 자무엘과 좋은 관계는 아닌 걸로 알고 있습니다." 좀 뻔뻔해 보였다. 언제 봤다고 저런 말을 하는 것일까. 하지만 신경 쓰지 않았다. 사실이었으니까. 그는 혼자서라도 인터뷰 필름을 완성할 거라고 했다. 그 얘기를 듣고 나자 그가 찾아온 이유를 알 것 같았다. 돈이 필요했던 것이다.

"제이콥 쉬프 씨와 사업을 하고 싶습니다." 한스 화이트는 멀뚱히 그를 쳐다봤다. 도무지 감이 잡히지 않아서였다. "자무엘은 빼고 얘기하지요. 이건 사업이고 이게 무슨 뜻인지 제이콥 쉬프 씨도 알잖아요."

자무엘과 형제라는 부담을 줄여 보자는 생각인 것 같았다. 까를로스 빼냐는 가방에서 USB 하나를 꺼내 보여 주었다. 필름이었다. 자무엘이 준 상자에도 없는 파일이었고, 애버리지니 필름과도 성격이 달랐다. 제이콥은 놀랐다. 이걸 케빈 슈라이버 교수가 만들었다는 것도 그렇고 거기에 담긴 내용은 더 그랬다. 알고 보니 까를로스 빼냐는 케빈 슈라이버 교수 제자였다. 그가 까를로스 빼냐와 같이 인터뷰 필름 작업을 한 게 그 때문인 듯했다. 까를로스 빼냐 말로는 케빈 슈라이버 교수가 자신을 자무엘에게 소개한 것 역시 같은 이유라고 했다.

"자무엘은 모릅니다." 까를로스 빼냐가 말했다. "이 필름은 케빈 슈라이버 교수와 저 그리고 거기 참여한 몇 안 되는 스태프가 좀 알 뿐이지요."

그는 케빈 슈라이버 교수가 왜 애버리지니 현장을 몰래 필름에 담으려 했는지 안다고 했다.

까를로스 빼냐가 허드슨강 상류에 있는 케빈 슈라이버 교수의 오두막으로 찾아갔을 때였다. 그의 얼굴이 무척 어두워 보였다고 했다. 몸이 좋지 않아 요양 삼아 머무는 중이었는데, 까를로스 빼냐는 그가 단순히 신체적 고통만이 아니라 정신 상태도 그리 좋아 보이지 않았다고 말했다.

결과적인 얘기지만 마치 자기 죽음을 예견한 것처럼, 케빈 슈라이버 교수는 그걸 죽기 전에 유언처럼 까를로스 빼냐에게 맡긴 격이 됐다.

"자무엘을 얼러도 봤는데 도무지 얘기가 통하지 않았답니다." 까를로스 빼냐가 말했다. "그러자 동참해 필름 제작의 실상을 찍어 남겨 두자는 생각을 한 겁니다. 차라리 용의주도한 사람이 되기로 한 것이지요. 스태프는 최소로 꾸렸어요. 많아서 좋을 게 없었거든요. 소문이 돌기 전에 빨리 스태프들을 만나 인터뷰를 해야 했으니까요. 그래야 케빈 슈라이버 교수의 유지를 받들 수 있겠다는 생각이었지요. 얘기했다시피 인터뷰는 어느 정도 진행된 상태입니다."

그는 케빈 슈라이버 교수가 죽고 얼마 지나지 않아 그 일을 시작했다고 했다. 다행히 케빈 슈라이버 교수의 생전 모습을 담아 둔 건 행운이었다고. 이번엔 연출자를 다른 사람으로 바꿨다. 캐나다인이었고 할리우드와는 직접적인 연줄이 없는 사람이었다. 아마추어 수준이어서 오히려 사명감이 있었다고 했다. 그런데 작업이 진행될수록 자꾸 돈이 들어갔고 나올 데도 없었다.

"자무엘 씨와 사이가 좋지 않다는 건 케빈 슈라이버 교수한테 들어서 안 겁니다."

"슈라이버 교수가 그걸 알아요?"

"배다른 형제라는 것도 알던데요." 자무엘 이 자식이 떠벌렸을 터였다. 무슨 소리를 했는지 모르지만 자기 잘난 말만 늘어놓았을 게 뻔했다. "케빈 슈라이버 교수가 화를 냈어요. 노트를 자무엘에게 준 적이 없다고 했지요. 빌려준 건데 자무엘이 내놓지를 않았답니다."

그게 좀 이상하기는 했다. 케빈 슈라이버 교수가 그렇게 공들여 쓴 노트를 왜 자무엘에게 줬지 싶었는데 이유가 있었던 것이다. 사실 애버리지니 필름이나 현장을 몰래 찍은 케빈 슈라이버 교수의 필름만으로는 필름이 뭘 말하는지, 어떤 경로를 거쳐 제작됐는지, 애버리지니 필름 제작 현장을 찾은 그들은 누구이며, 왜 그들이 그곳에 함께하고 있는지 알기 힘들었다. 그걸 알기 위해서는 케빈 슈라이버 교수의 노트를 읽어야 비로소 이해할 수 있었다. 그리고 제임스는 몰랐겠지만, 사실 케빈 슈라이버 교수 노트는 그렇다고 해도 애버리지니 필름까지 줄 생각은 처음부터 없었다.

애버리지니 필름으로 시나리오 작업을 하겠다고 할 때였다. 그 소리에 까를로스 빼냐가 기겁을 했다.

"진심이에요?"

한스 화이트는 그렇다고 했다. 나중에 시나리오를 본 그가 입을 떡 벌렸다. 애버리지니 필름을 그대로 재현한 것은 물론 어느 부분에서는 그걸 넘어서 있었고 시나리오에 나오는 인물들이 너무 현실적이어서 문제가 심각하다고 했다. 겁을 먹은 까를로스 빼냐는 그간 들어간 자기 돈 몇 푼을 챙겨 아예 고향 멕시코 치와와로 가버렸다. 스태프들 섭외 약속은 지켰는데 책임감은 있는 사람이었다. 그가 사라지자 속이 다 시원했다. 칼자루가 온전히 자기 손에 들어와 있었던 것이다. 거칠 게 없을 것 같았고 자신감이 생겼다. 애버리지니 필름과 케빈 슈라이버 교수의 현장필름, 그리고 인터뷰 필름 파일 두 개와 월 스트리트의 텍스트 파일, 한스 화이트는 세상을 쥔 듯했다. 이걸 자신이 다 가지고 있다는 걸 아는 사람은 없었다. 이 무기를 감당할 배짱이 있는 사람 역시 없을 터였다. 월 스트리트든 뭐든, 난다 긴다 하는 헨리 폴슨도 악 소리 한 번 내 보지 못하고 주저앉겠지. 자무엘은 또 어떻고. 아마 기절하고 말 터였다.

브래디한테 전화를 할까 하는데 다른 메시지가 들어와 있었다. 데이브를 위해 열어 놓은 SNS 계정이었다. 데이브는 SNS 하는 걸 좋아했다. 그 아이는 게임하는 기분으로 SNS를 했다. 그런데 데이브 이 멍청이가 또 엉뚱한 짓을 한 모양이었다. 예전에도 그런 적이 있었다. 계정으로 들어온 메시지는 데이브가 아니라 제임스의 직원 이과수였다.

안녕하세요, 쉬프 씨. 그랑호텔 이과수 대리입니다. 끈질긴 녀석이었다. 한스 화이트는 확인하듯 다시 메시지를 읽었다. 쉬프 씨와의 우정을 저는 여전히 소중하게 간직하고 있습니다. 고조부에 대한 이야기 역시 여전히 머릿속에 담고 있고요. 대화를 나누고 싶습니다, 쉬프 씨. 계정을 열어 주시면 고맙겠습니다. 참고로 이 말씀은 드려야 할 것 같네요. 쉬프 씨께서 할리우드에 가 계시더군요. 전 여태 보스턴에 계신 줄 알았거든요.

할리우드에 있다는 것은 어떻게 안 것일까? 가볍게 볼 일이 아니었다. 줄곧 보스턴에 있다고 말해 왔는데, 이러면 제임스도 알고 있다는 소리 아닐까. 순간 한스 화이트는 제임스의 얼굴이 떠올랐다. 플로리다 크로커다일처럼 몸을 흔들며 붉으락푸르락 흥분하고 있을, 이 자식이 자기 직원에게 뭐라고 퍼부으며 할리우드로 가라고 했을까. 그나마 한국이 아니라 아직 할리우드에 있는 줄 안다는 것, 그게 천만다행이었다.

한스 화이트는 메시지를 보냈다.

그렇게 됐소. 아무튼 내가 여기 있는 걸 아니 다행이오.

혹시 브래디와 같이 있는 것도 알고 있을까. 제임스가 그걸 알고 있다면, 일이 심각해질 수 있었다. 비록 그곳이 할리우드라고 할지라도.

산타모니카 대로입니다, 쉬프 씨. 노스 하이랜드 애비뉴하고 겹치는 곳이요. 퍼블릭 스토리지하고 도너츠 가게가 보이네요. 주유소도요. 어디로 가면 될까요, 쉬프 씨?

퍼블릭 스토리지라면 자동차 수리점하고 약국이 있는 사거리였다. 도너츠 가게는 가끔 들리는 데고 치킨집과 주차장을 같이 쓰는 곳이었다. 다행히 브래디 얘기는 없었다. 그렇다고 단정하긴 일렀다. 제임스는 대학 때부터 근성이 있는 녀석이었다. 할리우드에 있는 것을 알아낸 걸 보면 브래디와 같이 있다는 것을 아는 것도 시간문제일 수 있었다. 그렇다고 그가 브래디를 통해 안 것 같지는 않았다. 브래디는 제임스와 연락을 하지 않은지 오래라고 했고 최근 다시 연락을 했다는 얘기를 들은 적도 없었다. 대학 동문 중 누군가를 통한 것이 아닐까. 딱히 생각나는 사람이 없었다. 할리우드에 온 뒤 연락을 나눈 동문은 없었다. 한스 화이트는 메시지를 보냈다.

마이애미에서 언제 온 거요?

지금 막 도착했습니다. 우버 택시를 불렀는데 생각보다 요금이 비싸더군요. 하지만 친절했습니다. 말도 잘 통했고요. 오후 햇살이 좋습니다, 쉬프 씨. 기다리는 동안 도너츠 집에서 뭐라도 마셔야 할까 봅니다.

알겠소, 지금은 워낙 바쁜 시간이오. 기다리는 시간이 길어질 수도 있어 하는 얘기요. 그래 줄 수 있어요, 이과수 씨?

그럼요, 쉬프 씨.

자라 온 환경 때문일까, 제임스는 매사가 악착같은 사람이었다. 그게 부러운 적도 있었다. 그리고 언제부터인가 한스 화이트는 자신 역시 제임스 같은 사람이 돼가고 있다는 생각이 들었다. 미워하면서 닮는다던데, 그렇다고 되돌아갈 수는 없었다. 벌인 일이 많았고 얻어야 할 것들도 많았다. 한스 화이트라는 이름을 쓰기로 한 것도 새 삶을 살겠다는 다짐을 하면서 마음먹고 지은 이름이었다. 예전의 제이콥 쉬프는 다 잊어야 했다.

액정에 불이 들어왔다. 그의 메시지였다.

깜박할 뻔했습니다, 쉬프 씨. 저한테 사과는 해주셔야 할 것 같습니다. 쉬프 씨의 기분을 상하게 하는 게 아닐까 고민했지만 원칙과 예의는 지키는 게 좋을 것 같아서요. 사과해 주세요, 쉬프 씨.

이것도 제임스가 시킨 것일까? 그런 것 같지 않았다. 무슨 생각으로 할리우드까지 와서 저런 말을 하는 걸까. 무슨 배짱으로. 제임스는 상대의 수치를 목격하는 것으로 자기 존재를 확인했다. 불쑥 부아가 났다. 제임스가 그러더니 이 자식마저 자신을 깔보는 게 아닌지. 뭐라고 한마디 하려다 참았다. 감정을 드러내 일을 복잡하게 만들 필요는 없었다. 더는 인연이 필요하지도 이익이 따라 줄 리도 없는 유통 기한이 끝난 상대 아닌가. 이과수라, 할리우드에서 노숙이나 하라지.

한스 화이트는 핸드폰 전원을 껐다. 권수진 감독이고 브래디고 다 귀찮았다. 불과 며칠, 그 시간만 견디면 한국을 뜰 거였다. 두 번 다시 한국을 찾을 일 역시 없을 테고. 할리우드를 찾아야 할 사람은 권수진 감독이었다. 자신이 알 바 아니지만 브래디도 이 일이 끝나면 다른 일을 할 거라고 했다. 나쁠 게 없었다. 까를로스 빼냐처럼 거추장스러운 인물 하나가 사라져 준다면, 솔직히 돈이 되는 일에 믿을 사람은 없었다. 다 그때그때 상부상조하다가 이익을 나눈 뒤 헤어지면 그만이었다.

서랍에서 스니커즈 한 줌을 꺼냈다. 떡갈비 마늘만두는 식어 있었다. 특유의 식감이 아직 남아 있었다. 스니커즈를 씹다가 얼른 떡갈비 마늘만두를 입에 넣어 씹었다. 동시에 두 음식이 입안에서 섞였다. 위스키 한 잔을 털어 넣자 독특한 향이 만들어졌다. 이 일을 하면서 술이 는 듯했다. 나쁘지 않았다. 초콜릿과 떡갈비 마늘만두 그리고 위스키, 이 기묘한 조합이 만들어 낸 맛을 체험한 사람은 지구상에 한스 화이트 자신뿐일 터였다. 한스 화이트는 이 특유의 맛의 향연을 음미하며 핸드폰을 열었다. 데이브하고 연락할 때 쓰는 번호였다.

†

데이브는 여느 때처럼 근처 과자 전문점에 갔다 오는 중이었다. 캐비닛에 먹다 남은 우츠 파티믹스가 있는 줄 알았는데 없었다. 데이브는 우츠 파티믹스 마니아답게 마트로 달려갔고 막 모텔 주차장으로 들어서는 중이었다.

데이브의 양 옆구리엔 1.2킬로그램짜리 우츠 파티믹스 두 팩이 들려 있었다. 아빠 말대로 무지방을 골랐고 당연히 대용량을 샀다. 어깨의 크로스 백에는 아이패드가 들어 있었다. 데이브가 사무실 앞에 이르렀을 때였다.

"헤이?"

웬 남자였다. 지프가 보였고 그가 막 차 문을 열고 나오는 중이었다. 둘이었다. 한 사람은 키가 컸고 옆의 남자는 그보다 작았다. 백인은 꽤 시건방져 보였고 키가 작은 남자는 아시안이었다.

둘이 데이브 쪽으로 걸어오고 있었다. 데이브는 사무실 문을 연 뒤 손님 맞을 준비를 했다. 노크하는 시늉을 하더니 남자가 문을 열었다.

"니가 주인이니, 꼬마야?"

콧수염이었다. 넓적한 선글라스를 쓰고 있었고 예상대로 말투가 무척 건방졌다. 슬쩍 언짢아진 데이브가 옆의 남자를 힐끗 보곤 말했다.

"니들 누구야?"

그가 웃었다. 가소롭다는 듯. "묻는 말에 대답이나 해, 꼬마야." 들고 있던 검은 가방을 탁자에 내려놓으며 아시안이 말했다. 묵직했고 뭐가 들었는지 찰그랑하고 쇳소리 같은 게 났다. 유리 같기도 했다. 몸집이 좋았는데 거기에 비해 키가 작아 무슨 똥짤막한 땅딸이처럼 보였다. 뭣 때문인지 몰라도 얼굴이 잔뜩 우그러져 있었다. 데이브는 순간 화가 났다. 이런 손님은 절대 들이지 않는 게 좋았다. 나중에 문제가 생기면 저런 작자들인 경우가 대부분이었다.

"가!" 데이브가 말했다.

"뭐 자식아?" 땅딸이였다.

데이브는 지지 않았다. "자식이라니, 망할." 자주 하는 편은 아니지만 욕이라면 자신이 있었다.

땅딸이가 손을 들어 올렸다. 손바닥이 피자 한 판만 했다. 선글라스가 땅딸이의 손을 잡았다. 데이브는 캐비닛 쪽으로 시선을 주었다. 이럴 줄 알았으면 서랍에 넣어 두는 건데.

"진정해, 친구." 선글라스였다. "뭘 물어보기만 할 거야. 알았어?"

데이브는 당황하지 않았다. 여차하면 몸을 날려서라도 캐비닛으로 돌진할 거였다. "어서 묻고 꺼져." 데이브는 좀 세게 나갔다.

"제이콥 쉬프, 이 사람 여기 살지?" 데이브가 머뭇대며 말했다. "몰라. 아니, 어 없어."

"무슨 뜻이야, 친구?"

"여길 떠난 지 꽤 돼."

"거짓말이면 혼나, 친구." 선글라스가 한쪽 눈을 찡긋하며 말했다. 데이브는 절대 거짓말이 아니라고 말했다.

그들이 나가자 데이브는 캐비닛으로 가 나이키 상자를 꺼냈다. 상자를 열어 권총을 찾아 사무실 책상 서랍에 넣었다. 아빠가 선물이라며 가지고 온 오래된 리볼버였다. 한 번도 쏴 본 적은 없지만 총알이 들어 있었고, 아까 그런 인간 둘 정도는 순식간에 날려 버릴 수 있었다. 데이브는 권총을 들고 출입문으로 가 창을 내다봤다. 선글라스와 땅딸이가 지프 쪽으로 걸어가고 있었다. 땅딸이가 든 가방이 축 처져 있었다. 차문을 열다 말고 그가 데이브 쪽을 돌아봤다. 그가 데이브를 향해 뻑큐를 날렸다. 데이브는 땅딸이에게 리벌버를 겨냥한 뒤 뱅! 하고 소리를 날렸다.

구글링

허기가 몰려왔다. 냉장고에는 음료와 우유, 제과점 빵이 있었지만 밥이 먹고 싶었다. 새 침구와 먹을 것은 하정미가 갖다 놓은 거였다.

창에서 호수가 보였다. 오피스텔은 위치가 좋은 데다 깨끗했다. 주인이 매물로 내놓으며 청소를 해 새집에 입주한 기분이었고 풀옵션이었다. 디트로이트에서 부탁한 건데 이렇게 빨리 구할 줄은 몰랐다. 하정미의 삼촌은 채 반나절도 되지 않아 조건에 맞는 물건을 찾아냈고 식은 죽 먹기라던 하정미의 말은 사실이었다.

이과수는 문자를 보냈다. 하정미 씨. 근처에 괜찮은 식당이 있을까?

오피스텔 뒤에 가면 '달래네'라고 있어요. 거기 잘해요.

하정미는 호텔에 있었다. 가정식 백반으로 유명한 식당이라고 했다. 밥을 음미하기도 전에 밥 한 공기를 뚝딱 해치웠고 밥 한 공기를 추가한 뒤 반찬을 더 달래 먹었다. 배가 부른데도 정신이 맑았다. 브래디가 떠올랐다. 제이콥도. 아차 싶어 브래디와 제이콥에게 문자를 보냈다. 같은 내용이었다.

솔직한 게 좋을 것 같습니다.

브래디는 이 말을 어떻게 받아들였을까, 또 한스 화이트는. 원하는 걸 줄 수 있겠냐는 의미였는데, 사실 이 질문은 브래디에게 한 것이었다. 브래디만으로도 필요한 파일은 얻을 수 있을 것 같아서였다. 그러자 굳이 한스 화이트까지 상대할 필요는 없겠다는 생각이 들었다. 그는 꿍꿍이가 많은 사람이었다. 차라리 부딪치지 않는 게 더 나을 수 있었다. 브래디는 달랐다. 잘 안다고 할 순 없지만, SNS로 나눈 대화는 왠지 믿음 같은 걸 갖게 했다. 대신 솔직할 필요가 있었다. 신뢰를 보여주지 않으면 그도 호락호락할 사람이 아니었다. 그 역시 눈치가 빠삭한 사람인 듯했고, 그나마 다행히 이해관계가 맞았다. 이과수는 필름 파일이 필요했고, 그는 미국 가족 곁으로 돌아가야 했다. 무사히. 그러기 위해선 제임스는 아무것도 몰라야 했다. 그 보장을 해줄 수 있는 사람은 이과수뿐이었다. 이과수 역시 제이콥 모르게 브래디한테 필름과 텍스트를 받을 수 있는 장치가 있어야 했다. 그걸 확실히 해둘 필요가 있었다. 유종의 미를 위해서.

둘 다 답이 없었다.

이과수는 한스 화이트에게 문자를 보냈다. 사과는 해주셔야 할 것 같습니다, 쉬프 씨, 그 메시지를 보내곤 이과수는 자기도 모르게 웃음이 나왔다. 한스 화이트의 씰룩거리는 볼살이 떠올라서였다. 볼 수염은 잔뜩 물이 오른 맹그로브 뿌리를 떠올리게 했다. 할리우드 산타모니카 대로와 퍼블릭 스토리지 같은 얘기들은 구글 지도를 보고 생각한 발상이지만 사과,라는 말은 그렇지 않았다. 어떤 답이 올지 궁금했는데 반응이 없었다. 화가 난 건지 몰랐다. 저쪽이 인정한 실수를 상기시켜 주도권을 갖겠다는 생각, 즉흥적이기는 했지만 잘한 것 같았다.

노트북을 열자 폴더가 보였다. Proud Mary3. 이것도 데이브가 새로 폴더를 만들어 옮기면서 적은 이름일 터였다. 이과수는 '한스'라고 고쳐 적었다. 잠시 생각하다 다시 이름을 고쳤다. '브래디와 한스'.

폴더를 열자 보통 크기에 맞춘 아이콘엔 얼굴들이 보였다, 그 이미지가 낯설었다. 도둑질하듯 긁어 온 스릴 때문일까, 이 파일들은 데이브의 노트북에 있어야 할 물건들이었다. 그걸 며칠 만에 태평양 건너 한국의 오피스텔에서 펼쳐 보게 되다니.

이과수는 한스 화이트의 사진을 골랐다. 풍경을 배경으로 일행과 찍은 사진들이었다. 한스 화이트와 같이 찍은 사람은 브래디인 것 같았다. 하지만 보다 정확한 정보를 위해서는 자료가 더 있어야 했다. 한스 화이트와 브래디 그리고 사진 속 그곳이 어디를 말하는지. 구글링으로 사진 찍은 장소를 알 수 있을까. 흔히들 하는 방법이지만 이 정도의 기술로, 이 초보적인 AI의 능력을 믿어도 되는 것인지, 그렇다고 다른 방법이 있는 게 아니었다.

구글을 띄운 뒤 이미지 검색창을 열었다. Drag an image here or upload a file. 사진을 넣자 검색창이 찾아낸 이미지가 우수수 쏟아졌다. 생각보다 많았다. 종류도 그렇지만 국적이 다양했다. 다운로드부터 했다. 시험 삼아 해 본 건데 근 백여 장의 사진이 검색됐다. 구분이 필요했다. 폴더를 만들어 종류별로 나누고 풍경과 같은 지역인 듯한 이미지를 분류해 각각 이름을 붙였다. 촬영 현장인 듯한 곳에서 찍은 한스 화이트와 일행의 사진, 이 사진의 장소를 찾는 게 중요했다.

사진부터 분류를 했다. 한스 화이트 일행이 있는 사진을 넣을 폴더를 만든 뒤 다른 종류의 사진을 넣기 위해 폴더 두 개를 더 만들었다. 채석장을 배경으로 한 듯한 풍경이 있는 사진을 새 폴더로 옮기곤 또 산과 강이 보이는 배경 사진과 매표소라는 글자가 보이는 사진을 분류했다. 한스 화이트가 일행과 찍은 사진과 비슷한 산과 강이 있는 풍경 이미지는 다시 다른 곳으로 모았다. 나머지 비슷한 산과 강이 있는 풍경 사진은 한 번 더 구분해 범위를 좁혔다. 분류한 폴더의 사진을 검색창에 넣어 이미지를 찾는 일은 생각보다 간단했고 시간도 오래 걸리지 않았다. 다운로드한 이미지를 추리고 분류해 데이터가 되도록 만드는 게 더 시간이 걸렸다. 일일이 대조해 걸러야 했고, 그렇게 종류별로 검색해 다운로드한 것만 해도 각 폴더마다 수십 장에서 어떤 폴더는 사진이 근 백여 장에 이르렀다.

사진은 풍경이 많았다. 산과 강을 배경으로 한 국내 풍경들이었는데 거의가 중부지방에 있는 것들이었다. 호수 때문인지 충청도와 강원도 지방의 큰 호수가 있는 풍경 사진이 대부분이었다. 대청호와 청풍호, 단양과 제천의 충주호, 충북 맹동 저수지 그리고 안동호와 소양호와 의암호, 청평호, 화천댐과 밀양 다목적댐, 부안호, 심지어 남해 한려수도와 해금강, 중국 장강 같은 외국의 자연 풍경이 담긴 사진들도 있었다. 나머지는 국내외에 있는 채석장들이었다. 그중 주의 깊게 봐야 할 곳이 영월과 단양 지역이었다. 태백산맥과 소백산 근처 산악 지대도 마찬가지였다. 정확도에 있어 가장 흡사했고 강이나 호수, 산이 있는 사진을 검색창에 올리자 같이 올라온 대부분의 이미지들이 그 근처를 가리켰다. 특히 매표소라는 글자가 보이는 이미지는 청풍호와 충주호, 소양호, 대청호 같은 곳의 유람선 선착장과 매표소 이미

지들을 찾아 줬다. 그 때문에 한스 화이트가 사진을 찍은 장소를 찾는 게 수월해졌다. 강과 산이 있는 매표소로 특정할 수 있는 장소가 꽤 한정됐기 때문이다. 이 정도 사진만으로도 한스 화이트가 사진을 찍은 곳이 유람선 매표소라는 것을 별 어렵지 않게 알 수 있었다.

매표소,라는 글자가 있는 사진을 일일이 확대해 확인을 하는데 글자가 적힌 간판 뒤에 요금표 같은 게 보였다. 초점이 흐려 요금이 얼마인지 알기 힘들었다. 다시 찾아봐도 깨끗한 이미지가 없었다. 요금을 알면 유람선 장소를 알 수 있을까 싶어 흐릿한 숫자를 다시 몇 번 확대해 봤지만 여전히 잘 구분이 가지 않았다. 그 외에는 장소를 알 만한 다른 간판이나 문구가 보이지 않았다. 하지만 이미 찾은 사진으로 봐서는 한스 화이트 일행은 유람선이 있는 관광지에서 사진을 찍은 게 확실했고 그곳이 유람선상이나 유람선 근처라는 것, 그렇다고 유람선을 탄 것 같지는 않았다. 어쩌면 유람선에서 찍은 사진은 데이브에게 보내지 않았을 수도 있겠지만 그보다 중요한 것은 채석장 사진이었다. 이미지 검색으로 올라온 사진이 생각보다 많지 않았던 것이다. 사진의 채석장은 회색과 황토색의 색감으로 이루어져 있었다. 그중 회색빛이 가장 많았다. 원래 찾으려던 사진이 그 색감을 가지고 있어 대부분의 이미지가 그걸 중심으로 검색이 됐다. 그게 석회 채석장이라는 걸 안 것은 비슷한 사진의 대부분이 석회 채석장을 골라 보여 주었기 때문이었다. 이미지는 진주의 채석장과 단양이나 제천, 영월, 온양, 정선, 동해, 양주, 아산, 문경, 백두산 부근의 중국 채석장, 심지어 독일이나 이스라엘, 미국과 남미 등의 채석장과 터키의 석회 온천 파묵칼레 같은 곳을 찾아 보여 주었다. 이 사진들 중 이과수는 한스 화이트의 사진과 가장 비슷한 채석장들을 골라냈다. 형태나 규모 면에서도 대략이나마 비교하기 좋은 모양을 갖춘 곳을 먼저 찾았는데, 다행히 곳곳의 채석장 모습이 담긴 사진 중 그런 곳이 많지는 않았다. 그걸 토대로 또 추렸는데 자갈이나 흙 같은 골재를 채취하는 채석장과 달리 전형적인 석회 채석장의 형태와 규모를 갖춘 곳으로 보이는 데가 서너 군데 있었다. 단양과 영월이었다. 단양과 영월은 대표적인 석회 채석장이 있는 곳이었고 그 어느 곳보다 규모가 컸다. 이미 폐광이 된 채석장도 있었는데, 텅 빈 채 방치돼 언론의 입에 오르내렸고 그게 환경 문제를 불렀다. 검색한 웹 문서에는 폐광된 석회 채석장들의 문제를 지적한 언론의 기사와 환경 운동가들의 목소리가 담겨 있었다. 그곳을 찾는 도보 여행자들도 있었다. 단양과 영월에는 고생대와 중생대 때 지질과 지형 덕에 유독 석회 동굴이 많은 곳이었다. 바다가 육지가 되면서 만들어진 카르스트 지형 때문이라고 했다. 강원도 삼척과 정선, 영월, 평창, 충청북도 제천과 단양 일대가 그런 곳이었다.

이과수는 한스 화이트가 배경으로 찍은 장소를 단양과 영월로 한정했다. 한일시멘트와 성신양회 같은 규모가 큰 회사들이 운영하는 채석장이 그곳에 있었기 때문이었다. 스카이뷰와 로드뷰로 본 석회 채석장은 생각보다 규모가 컸다. 거대하다고 해야 할 정도였다. 이 정도면 단양과 영월중 어느 한 곳으로 특정을 해 선택해도 될 것 같았다. 그중 유람선 선착장과 채석장이 같이 있는 곳은 단양뿐이었다. 단양과 영월 모두 강이 흘렀지만 영월까지 유람선이 운행되지는 않았다. 보다 결정적인 것은 한스 화이트가 찍은 자신의 배경에 등장한 간판의 글씨였다. 글씨의 색깔과 글자체를 단양 유람선 선착장에서 찾을 수 있었기 때문이었다. 똑같았다. 이 간판을 찾게 된 것은 포털사이트의 지도 로드뷰에서였다. 비록 거리가 좀 있지만 로드뷰가 보여 준 글씨와 한스 화이트의 사진 속 간판 글씨는 같은 모양이었다. 검색한 이미지 중에는 한스 화이트와 같은 매표소를 배경으로 찍은 사진이 있었다. 어떤 여행객이 자신의 블로그에 올린 사진이었는데 사진 속에는 블로그의 주인으로 보이는 일행들이 있었고 그들 뒤에 안내판과 요금표가 보였다. 거기에 유람선 요금이 적혀 있었다. 한스 화이트의 사진은 흐릿해 숫자를 알 수 없었는데, 이 사진에 찍힌 요금은 또렷했다. 대인 14,000원, 소인 9,000원. 유람선 소요 시간이 1시간이라는 문구까지 보였다. 단양이었고, 장회나루라는 선착장이었다. 그러자 이과수는 비로소 한스 화이트가 사진을 찍은 장소를 특정할 수 있었다. 하지만 아직 단정하기는 일렀다. 한스 화이트 일행이 단양에 머물며 나루터를 찾은 것인지 아니면 영월에 있으면서 그곳을 찾은 것인지까지는 알 수 없었기 때문이었다. 나루터는 관광 삼아 찾은 것일 수도 있었고, 또 석회 채석장을 배경으로 한 사진은 그곳이 단양일 수도 영월일 수도 있었기 때문이었다. 좀 더 검색을 해야 장소를 알 수 있을 것 같았는데, 생각 외로 그 답을 찾는 데 긴 시간이 걸리지 않았다. 한스 화이트가 일행 둘과 찍은 사진 중 벙거지를 쓴 여자의 얼굴이 누구인지 쉽게 찾을 수 있었기 때문이다. 여자의 얼굴을 확대해 자른 뒤 이미지 검색창에 올리자 비슷하거나 같은 사진이 여러

장 올라왔다. 낯이 익은 벙거지의 여자는 영화감독 권수진이었다.

권수진 감독을 모르는 사람은 없었다. 넷플릭스 영화를 찍은 유명 감독이라는 말이 꼬리표처럼 붙어 있었다. 영화에 별 관심이 없어도 한류와 더불어 하도 언론에서 떠들어 대는 바람에 그녀에 대한 정보는 많았다.

이과수는 검색창에 권수진 감독의 이름을 넣었다. 국내 포털 사이트와 나무위키나 위키백과에는 인물 소개와 그녀가 연출한 영화와 관련한 기사와 사진, 필모그래피, 최근 만든 영화에 관한 구체적인 정보가 적혀 있거나 링크가 걸려 있었다. 여기에 이르자 이과수는 브래디와 한스 화이트가 있을 만한 장소를 보다 구체적으로 특정할 수 있을 듯했다. 그들이 있는 곳은 단양이었다. 유명한 시멘트 회사가 채석을 끝낸 뒤 방치한 채석장이 있었고, 인터넷에는 그곳을 영화 촬영과 뮤직비디오를 찍는 장소로 활용했다는 기사가 있었다. BTS도 그곳에서 뮤직비디오를 찍은 적이 있었고 현장을 담은 사진까지 올라와 있었다. 더 고민할 게 없었다. 브래디와 한스 화이트, 권수진 감독이 있는 곳은 단양이어야 했다. 나아가 브래디와 한스 화이트가 있는 곳을 알기 위해 더 이상 브래디한테 매달릴 필요가 없었다. 셋은 영화를 찍기 위해 폐광이 된 단양의 석회 채석장에 머무는 중이었고, 이 추정이 틀릴 확률은 0.001프로. 인터넷이 찾아낸 자료에는 권수진 감독이 OTT기반 회사와 영화를 찍는다는 기사 몇 개가 올라와 있었다. 하지만 이상하게 영화의 내용과 일정에 관한 후속 기사가 없었다. 좀 더 자세히 구글링을 했지만 더는 찾을 수 없었다. 기이할 정도였다. 크게 신경 쓸 일은 아니었다. 이들의 촬영 현장에 대한 자료만으로도 브래디와 한스 화이트를 찾아내는 게 어려울 것 같지 않았고, 목적은 무슨 영화를 찍는지가 아니라 그들이 어디에 있는지였으니까.

이 자료들을 찾아내는 데 이과수가 들인 시간은 불과 두어 시간 남짓, 구글링은 만족스러웠다. 아직 확인한 것은 아니지만 장소를 특정할 수 있었고, 그리 긴 시간을 잡아먹은 것이 아니었다. 한편으로 믿기 힘들기도 했다. 아니 섬뜩했다. 오피스텔에 들어앉아 노트북 하나만으로 누군가의 동선과 일정을 알아낼 수 있다는 것, 놀라웠고 저절로 모골이 송연해졌다. 랜선으로 알 수 있는 게 생각 외로 많았던 것이다. 실제 이런 일을 해 보는 것은 처음이지만, 이 행위 자체가 꽤 폭력적이고 무시무시하다는 생각이 들었다. 거꾸로 누군가 내 동선과 근황을 같은 방법으로 꿰고 있다면, 그리고 그 정보로 다른 뭔가를 꾀한다면 알 수도 막을 수도 없었다. 랜선은 속도감까지 안기며 이과수를 도왔다.

브래디에게 문자를 보냈다. 더 지체할 이유가 없었다. 이런 일일수록 밀어붙이는 것도 방법이었다. 일의 흐름을 위해서도 그렇고 상대를 붙잡아 두기 위해서도 그랬다.

문자를 보낸 지 한참이 지나서였다. 드르르륵 핸드폰이 울렸다. SNS였다. 그런데 브래디가 아니었다.

이따 들를 게요, 이 대리님. 하정미였다.

하정미와는 될 수 있으면 목소리로 주고받는 통화는 하지 않았다. 뭐라고 답을 하지? 이과수는 잠시 망설였다.

…… 왜, 가면 안 돼요?

어딜?

거기요.

피곤할 텐데……?

우리 동네잖아요.

다시 진동이 울렸다. 얼른 창을 봤다. 브래디였다.

단양입니다, 이과수 씨. 아시지요, 단양?

아시지요, 단양? 뜻밖이었다. 이 말이 주는 뉘앙스가 묘했다. 그 때문에 이과수는 자기가 단양에서 촬영을 하고 있는 것을 알고 있다는 걸 자기도 안다는 뜻으로 짐작해 받아들였다. 이과수는 답장을 했다.

단양은 아는데 가 본 적은 없습니다.

벌써 몇 개월째 이곳에서 촬영하는 중입니다. 이제 속이 후련합니까? 이과수는 얼른 문자를 보냈다. ~~~ ^^. 내일 격리가 끝납니다. 모레 이곳을 나갈 겁니다. 굳이 내일 격리가 끝난다는 얘기를 한 건 반응을 보기 위해서였다. 또 당장이라도 브래디를 만날 준비가 돼 있다는 의중을 보여 주자는 의도이기도 했다.

자세한 날짜는 다시 논의하기로 하지요. 아직 남은 일정이 있어서요. 브래디의 문자였다.

알겠다고 하곤, 답을 기다렸다. 연락이 없었다. 이과수도 연락하지 않았다. 괜히 조급함을 보여 약점을 드러낼 필요는 없었다. 브래디에게는 나중에 메시지를 보내기로 했다.

지루할 줄 알았는데 시간이 빨리 흘렀다. 격리가 끝난다고 생각하자 감옥에서 풀려나는 기분이기도 했다. 그간 일들을 복기하듯 일일이 노트북에 적었고, 앞으로 할 일을 정리해 머리에 담기에도 바빴다. 거기다 브래디하고의 일이 생각 외로 순조롭게 풀리자 여유가 생겼다. 그런데 엉뚱한 데서 일이 생겼다. 하정미 때문이었다. 그 얘기를 여행을 가자는 말로 알아듣다니. 그런데 하정미는 왜 지배인이 알고 있을 것이라는 생각을 한 것일까. 단지 연차를 내는 것뿐인데. 진동 소리였다. 반사적으로 핸드폰 창을 봤다. 브래디인가? 이청이었다. 귀국하면서 디트로이트에서인가 이메일을 보냈는데, 이제야 답이 온 거였다. 내용이 간단했다. 서울에 도착하면 연락하라는 내용이었다.

†

예밀리에 온 지 일주일이 지났을 때였다. 이성일이 연락을 해왔다. 흥월리 김재일의 집에 갔다 오고 이틀인가 뒤였다. 산책을 하거나 책을 읽으며 시간을 보내는 게 하루의 전부일 때였다.

"자네 말이 맞을지도 모르겠어." 그가 말했다.

"뭐가, 이 교수……?"

"자네가 기시감이라고 했잖아. 인터뷰 필름하고 거의 판박이 같기도 해서 말이야."

"그 얘긴 했잖아?"

"그땐 긴가민가한 거고."

"내 말이 사실이란 거야?"

"그런 것 같아. 그런데 그랑호텔 행사에 대해 말들이 좀 있어."

"자네가 그걸 어떻게 알아?" 이청이 물었다.

"그 친구가 관여하고 있는 줄 몰랐어. 같이 영화 강의를 하는 후배인데, 자네하고 비슷한 말을 하더라고. 인터뷰 필름 말이야. 미완성작을 상영하는 바람에 호텔 입장이 말이 아니라고. 거긴 프라이빗으로 운영되는 호텔이잖아. 사람을 보낸 것 같은데, 아마 완성작을 가지러 간 게 아닌가 싶었어."

이성일은 그랑호텔 행사와 관련해 이것저것 알아본 게 있는 듯했다. 생각보다 많은 걸 알고 있었다.

"내용도 말했어?" 이청이 물었다.

"마터스 얘기를 했어. 별거 아닌 거처럼 말했는데 그게 자꾸 걸리더라고. 인터뷰가 세미 다큐인지 다큐인지 자기도 좀 모호하다는 거야. 차라리 세미 다큐였으면 좋겠다고 했어."

"무슨 뜻이야?"

"뭔가 맘에 안 들었던 거 같아. 더는 말을 안 해."

이청은 그가 떠올랐다. 행사 마지막 날, 인터뷰 필름을 상영하기 전이었다. 영상에 대해 설명을 하던 사람, 그는 영화 전문가라고 했다.

"그 친구 말대로라면 상영할 영상은 따로 있었다는 건데……." 이성일은 그렇게 말하곤 다시 연락을 하겠다면서 갑자기 핸드폰을 끊었다. 다른 사람한테 온 연락 때문인 듯했다. 잠시 후였다. 이성일이 핸드폰을 해왔다.

"아까 말한다는 걸 깜박했는데, 영화를 찍는 사람이 권수진 감독이라고 했어. 지난번에도 그러더니 이번에도 자꾸 마터스 얘기들을 해. 영화에 대한 정보가 없으니 뭐 비슷한 영화를 끌어다 말하는 거 같았는데, 가만히 듣다 보니 그냥 하는 소리가 아니라 진짜 마터스 같은 걸 찍는다는 소리로 들렸어. 권수진 감독하고 코드가 맞잖아. 그 장르로 할리우드까지 간 사람이고."

이청은 뭔가 명확해지는 느낌이었다. 그날 본 인터뷰 필름은 누군가 의도적으로 만든 영상물이 맞은 것 같았다. 상영을 위한 다큐멘터리 영화가 아니라 개인의 의지가 담긴, 인터뷰 필름에 등장하는 사람들의 폭로성 발언이 그걸 방증하기도 했고. 게다가 영상은 미완성이었다. 달리 말하면 여전히 현재 진행형이라는 뜻이기도 했다.

"문제는 마터스가 아니라 인터뷰 필름이야, 이 교수." 이청이 말했다. "인터뷰이들 말은 다 실제 상황이었다고. 적어도 거기선 그랬어. 혹 마터스가 현실이라면 그리고 인터뷰이들 말이 자신들의 체험이라면, 그걸 토대로 영화를 찍는 거라면…….”

순간 이청의 머리에서 인터뷰이의 말과 영화 〈마터스〉의 한 장면이 중첩하고 있었다. 인터뷰이의 목소리가 들리고 한 장면이 겹치듯 이어졌다. 이 장면이 그랬다. …… 표현이 뭣하기는 하지만 그런 느낌이었던 건 분명해요. 소중하게 다뤘거든요. 조각품처럼요. 한번은 카메라가 가슴을 비추었는데, 뭔가 맺혀 있었어요. 누가 그러는데 임파관이라고 하더라고요……. 이어 중년여성이 보였다. 그녀가 노크하는 남성에게 말했다. 중년여성의 눈은 아이의 눈처럼 허공 어딘가를 보고 있었다. 문밖의 남자가 물었다.

그럼 뭐가 있긴 있군요?

물론이지. 중년여성이 말했다. 그리고 이런 말을 했던 것 같다. 자네는 사후 세계를 상상해 봤나?

아뇨, 선생님.

그럼 계속 궁금해하게. 그리곤 여자가 권총을 입안으로 넣은 뒤 방아쇠를 당겼다. 이청은 몸서리를 쳤다. 마침 떠오른 인터뷰이의 목소리 때문이었다. 붐 마이크가 워낙 예민했다니까요. 초지향성이었거든요. 사람들 사이에서 소리가 들렸어요. 숨소리인지 탄성인지, 그 애한테서도 소리가 들렸지요. 갑자기 노인의 손놀림이 빨라졌고, 뭘 골라내는 거 같았어요…….

“이봐, 이청?”

“…… 어, 그래. 이 교수.”

“왜 사람이 대답이 없어.”

“뭐라고 했지?”

“단양이라고 했어.”

“단양이라니?”

“권수진 감독이 영화를 찍는 데가 단양이라니까.”

마터스의 귀족들이 사후 세계를 궁금해했다면, 인터뷰이들의 목격담은 사후 세계를 넘어 다른 어떤 것을 말하고 있다는 느낌이었다. 그게 무엇인지 이청은 알 수 없었다. 인터뷰 필름은 미완이 말해 주듯 거기에서 끝이 났고, 하지만 맥락으로 봐 그 둘은 같은 곳을 가리키고 있다고 해도 틀리지 않았다.

"확실한 거야, 이 교수?" 이청이 물었다.

"나도 이게 다야. 근데 왜?"

"더 자세히 알고 싶어서 그래."

"보안이 심해. 물어는 보겠는데 장담은 못해."

"알아봐 줄 수 있어?"

이성일하고 통화를 끝내고서였다. 이청은 뒤늦게 다시 소름이 돋았다. 마터스의 공포성, 그 이미지가 주는 상상 때문만이 아니었다. 그랑호텔 직원 이과수가 보내온 이메일, 그의 이메일은 어떤 상징을 갖고 있는 것처럼 읽혔다. 이청은 문자를 보냈다. 마음 같아선 통화 버튼을 누르고 싶었지만 참았다.

이청일세.

한국에 왔는지 궁금해 연락했네. 왜 미국에 갔는지 알고 있네. 궁금한 게 있어 그러는데, 권수진 감독에 대해 들은 게 있는지. 혹 아는 게 있으면 연락주게.

불멸화위원회

도대체 이 자식이 왜? 충격이 크면 욕도 나오지 않는다는 것을 알았다. 왜 그랬을까. 아직 장진수와 차영한, 이구민 외에 아는 사람은 없었다. 그보다 투숙객 사이에서 소문이라도 나면 일이 복잡해질 수 있었다. 투숙객들은 수시로 문의를 해왔다. 영상 상영 일정이 잡혔는지, 그럴 적마다 있는 대로 설명했고 호텔을 믿어줬다. 그렇다고 언제까지 같은 설명을 할 수는 없었다. 진행된 상황을 알리고 보여줘야 했다. 이 대리를 통해야 알 수 있는 일이었다. 그런데 이 대리 이 자식 핸드폰이 여전히 먹통이었다.

인터폰 소리였다.

"최치영 선생님께서 도착하셨습니다." 하정미였다.

최치영 때문에 모임이 지체되고 있었다. 위원회를 꾸릴 사람들이었다. 저마다의 역할이 주어졌고 실제 위원회를 움직일 사람들이었다. 위원회 발족을 앞두고 모임은 한 번뿐이었다. 시간이 촉박해 그랬는데, 큰 이견은 없었다. 다만 위원회 설립 배경을 두고 이견이 생겼는데 최치영의 조율로 마무리할 수 있었다. 까다로울 줄 알았는데 양민순이 쉽게 동조했다. 최치영 때문인 듯했다.

"대학에 나오는 구절이오. 사물에는 근본과 말단이 있고 일에는 시작과 끝이 있으니, 먼저 할 것과 나중에 할 것을 알면 도에 가깝다고 했소." 최치영의 의도가 보였다. 양민순의 의견을 위원회 의제의 맨 앞에 두겠다는 뜻이었다. 양민순은 만족한 듯했다.

인터폰에서 다시 하정미의 목소리가 들렸다. "임장수 선생님이 연락을 해 오셨습니다, 지배인님. 양민순 여사께서는 참석하지 못하신다고 했답니다."

아까 임장수가 왔다고 해서 양민순이 같이 온 줄 알았는데 아닌 모양이었다. 양민순의 참석은 당연한 것이었고, 양민순도 이번 모임에 대한 기대를 숨기지 않았다.

"이유가 뭐래?" 지배인이 물었다.

"그 얘긴 없으셨습니다."

사전 모임 때였다. 마지막으로 의견을 조율하는 자리였고 뒷말을 우려해 허심탄회할 필요가 있었다. 양민순은 말을 줄이는 것으로 자신의 존재감을 드러냈다. 그 침묵이 편치 않았고 눈치까지 봐야 했다.

지배인은 떨떠름했다. 표를 낼 수는 없었다. 언제부터 호텔의 내부 일에 투숙객들 눈치를 봐야 했는지, 그런 적은 없었다. 더군다나 그 상대가 양민순이었던 것이다. 하지만 최치영의 생각은 달랐다. 그 때문에 최치영은 일부러 지배인을 찾기까지 했다.

"자네가 쓸데없는 걱정을 하는 듯해, 그래."

그러며 그는 양민순의 침묵이 위원회 모임에 대한 불만 때문이 아닐 수 있다는 말을 했다. 무슨 소리일까? 하긴 위원회 발족을 서두른 쪽은 양민순이었다. 뭔가 짚이는 데가 있어 한 말이 아닐까 했는데, 그가 뜻밖의 얘기를 했다.

"양민순이 아버지 회고록 준비를 하고 있다는 거야."

"회고록이라니요, 선생님?"

"나도 더는 모르네."

원고를 맡은 사람이 백지우라고 했다. 백지우가 양민순과 일을 하다니, 지배인은 고개를 갸우뚱했다. 잘 이해가 가지 않았다. 데이행사를 거부하며 체크아웃까지 한 사람이 백지우 아닌가. 그런데 어쩐 일인지 최치영이 그 일을 좋게 받아들였다. 백지우가 단순하게 원고 의뢰를 받은 게 아닌 것 같다는 게 이유였다. 최치영은 그걸 백지우에게 직접 물어 본 모양이었다. 백지우가 핸드폰을 받자 그가 다짜고짜 물었다.

"자네가 양민순 회고록을 쓴다던데, 내가 틀린 겐가?" 물으면서도 실은 최치영도 긴가민가한 기분이었다. 전해 들은 얘기였고 더군다나 양민순과 백지우는 모르는 사이였기 때문이다. 거기다 백지우가 개인 회고록에 손을 댔다는 게 최치영도 잘 납득이 가지 않았다.

"맞습니다, 선생님." 백지우가 말했다. 하도 당당해 오히려 최치영이 당황했다.

"양민순하고는 아는 사이였는가?"

"처음입니다, 선생님. 보름 전인가, 사람을 통해 연락이 왔습니다."

최치영이 백지우에게 들은 얘기에는 생소한 것들이 있었다. 회고록을 맡게 된 경위와 백지우가 알고 있는 양민순의 성격 그리고 양민순의 집안에 관한 얘기들이 그랬는데, 짧은 시간이지만 백지우는 들은 이야기가 많은 듯했다. 특히 양민순의 아버지와 선대에 대한 얘기는 최치영도 모르는 내용이었다.

"이래서 인연은 모른다는 게야." 최치영이 말했다. 지배인은 고개를 끄덕였다. 최치영은 백지우에게 들은 이런저런 얘기들을 했다.

양민순의 큰아버지는 주류업의 선구자로 꼽히는 양기만이었다. 50년대와 6, 70년대를 거치며 급성장해 지금도 주류업계의 양대 산맥의 하나인 TN그룹의 창업주였다. 주류뿐 아니라 음료와 화장품도 만들었다. 화장품은 아시아와 남미는 물론 북미와 유럽까지 진출해 큰 시장을 가지고 있었다. 여기까지는 최치영도 대략이나마 알고 있는 내용이라고 했다. 하지만 백지우가 알고 있는 양민순 아버지에 대한 정보는 그도 처음 듣는 얘기라고 했다. 백지우는 아직 자료를 다 받지 못했다며 단편적인 얘기만 들려주었다.

90년대 이후 한국 금융계를 글로벌의 세계로 이끈 사람, 이미 투자 신탁으로 기업을 이끌어 오던 양민순의 아버지는 1999년 이후 투자신탁업무를 상품판매와 자산운영으로 분리해 취급할 수 있게 되자 우려와 달리 더 큰 호황을 누렸다. 그 일을 해낸 사람이 양기찬 그 사람이었다. 그의 자금이 닿지 않은 곳은 없었다. 사모펀드와 헤지펀드 등 국내 펀드 매니저와 거액 투자자치고 그의 그늘에 있지 않은 사람이 없더라는 게 백지우의 말이었다. Never Die라는 말을 만들어 낸 게 조 단위로 움직이는 그의 자산운용사가 한 일들이라고 했다. 국내는 물론 해외 시장을 겨냥한 엔터테인먼트 사업 곳곳에도 그의 돈이 미치지 않은 곳이 없었다. 양기찬은 아직 살아 있었고, 아흔이 넘는 고령이었다.

그 얘기를 들은 최치영은 놀랐다. 양기찬, 그가 양민순의 아버지였다니. 왜 여태 그걸 몰랐을까.

"정말입니까, 선생님?" 지배인이 놀라 물었다.

"그러게 말일세. 나도 놀랐어. 소문으로 듣던 사람을 확인하고 나니까 되레 현실감이 떨어졌어." 최치영이 천천히 고개를 저었다.

"양민순이 당당한 게 그거였군요. 그런데 양민순은 왜 그걸 숨겼을까요?"

"나도 그걸 모르겠어."

최치영이 고개를 저었다. 어쩌면 일부러 숨긴 게 아니라 그쪽 문화가 그런 모양이라며 알 듯 모를 듯한 말을 했다. 하지만 양민순 가계의 위상과 위원회 건은 별개의 문제였다. 위원회 건을 거기에 묻어가게 할 수는 없었다. 양민순은 투숙객이지 호텔 관리자가 아니기 때문이었다. 그 말을 하자 최치영이 고개를 끄덕였다. 무슨 뜻인지 알 수 없었다.

지배인은 속셔츠의 단추를 끼웠다. 단추가 큰 건지 구멍이 작아서인지 자꾸 헛손질이 나왔다. 연미복이 새삼 거추장스럽게 느껴졌다.

"망할 자식……." 지배인이 중얼거렸다.

이 대리 생각이 날 적마다 손이 떨렸다. 옆에서 하정미가 지배인을 보고 있다가 연미복 입는 걸 도왔다. 하정미의 태도가 평소와 달랐다. 말이 없었고 얼굴 표정도 굳어 있었다. 지배인은 힐끗 하정미를 봤다.

"무슨 일이야, 하정미 씨?"

지배인이 팔을 벌리며 물었다. 하정미가 연미복 팔소매를 지배인의 한쪽 팔에 끼웠다. 옷소매를 당기며 지배인이 말했다. "침묵은 몸에 해로워, 하정미 씨."

"……."

"호텔 기운에도 좋지 않고."

"다 됐습니다, 지배인님." 무표정했다. 지배인이 하정미의 어깨에 손을 얹었다. 하정미가 몸을 뺐다. 지배인이 미간을 찌푸렸다.

"가 보겠습니다."

"내 앞에서 그런 얼굴은 안 돼, 하정미 씨." 지배인의 목소리가 굳어졌다. "망할 자식……."

"네?" 몸을 돌리다 말고 하정미가 지배인을 봤다.

"이 대리, 이 자식 말이야."

"아, 네……. 저 병가 낸 거 알고 계시지요, 지배인님?"

하정미는 아침에 출근하자마자 몸이 좋지 않다며 병가를 냈다. 지배인은 임시로 그 자리에 이한별을 오게 했다.

하정미가 문을 열고 나가다 말고 지배인을 봤다. 지배인은 무슨 일인가 싶어 하정미 쪽으로 시선을 줬다. 하정미가 꼴깍 침을 삼키곤 말했다.

"지배인님?"

"뭐지?"

"욕망에는 근심이 따른다는 말이 있어요. 그걸 두려워할 줄 알아야 한다고 했지요. 그래서 무소의 뿔처럼 혼자서 가라고 한 거거든요."

"지금 나한테 무슨 말을 하는 거야?"

"제 말이 아니고요, 부처님 말씀이에요."

뭐라고 한 소리 하려다 하정미의 표정이 하도 엄숙해 지배인은 뻔히 보기만 했다. 이런 하정미의 모습을 본 적이 있는지, 없었다.

하정미가 나가자 지배인은 기분을 망쳤다는 듯 식은 커피에 버번을 섞어 입안으로 털어 넣었다. 하정미가 내온 커피였다. 그러고 보니 하정미 말이 맞는 게 아닌가 싶기도 했다. 실은 그게 두려운 것인지도. 그래서 더 악다구니를 쓴 것인지도. 이미 데이행사를 통해 경험한 적이 있지 않은가. 투숙객들, 그 사람들이 유령이었듯. 하지만 진정 무엇을 두려워해야 하는지 지배인은 그걸 잘 알 수 없었다.

지하 홀로 이어진 승강기 담당 직원이 지배인을 맞았다. 승강기가 멈추자 홀이 보였다. 홀은 휑했다. 수십 명이 들어가는 공간에 열두 사람이 앉아 있었다. 저쪽에 최치영이 보였다. 예상대로 양민순은 보이지 않았다.

장진수는 서둘렀다. 이미 말을 맞췄고 형식상 절차를 거치는 것뿐이어서 따로 격식을 갖출 사안도 그럴 계획도 없었다. 양민순이 빠지는 바람에 행사 부담이 한층 가벼워진 느낌이었다. 대신 양민순은 임장수와 이용남을 참석시켰는데, 그 둘은 신경쓰고 말고 할 상대가 아니었다. 임장수는 뭔가 열심히 메모를 하는 중이었고 이용남은 주먹만 한 캠코더로 연신 촬영을 했다. 두 사람은 양민순의 충복이었다. 그들의 충성심을 지배인은 부러워했다. 그 때문에 두 사람의 위원회 활동을 호의적으로 받아들였다. 차영한과 장진수, 이구민이 반대했지만 지배인은 듣지 않았다.

장진수가 발족식 시작을 알렸다. 이 분위기를 안 듯 서둘러 말했고 회의는 빠르게 진행됐다.

"이 자리에 와주신 위원님들께 감사의 말씀드리며, 위원회의 출범을 축하하는 의미에서 최치영 선생님의 축하 말씀이 있으시겠습니다."

지배인이 박수를 쳤다. 다른 참석자들도 박수를 쳤다. 앞으로 나온 최치영이 손을 들어 보이고는 목소리를 가다듬었다.

"위원들께 감사 말씀드립니다." 박수 소리가 더 커졌다. 열두 사람이 치는 박수이지만 소리가 지하 홀을 울렸다.

"그랑호텔의 미래를 짊어진 든든한 위원들이오. 여러분은 그저 그런 그랑호텔 투숙객이 아닙니다. 오늘 위원회 발족은 여기 계신 위원들의 힘이었다는 것, 새삼 감사드립니다. 뭉쳐야 합니다. 이처럼 어려울 땐 그것만이 힘이라는 것을 나는 경험으로 알고 있어요." 최치영의 말이 길어지는 듯했다. "오늘 이 자리를 위해 나는 몇 가지 숙고를 했습니다. 우리는 그 어느 때보다 철학이 필요한 시대에 살고 있습니다. 매번 하는 말이지만 철학의 시대가 끝난 게 아니다 이 말씀이오. 그걸 인식하지 못해 안타까울 뿐, 과학이 철학이고 철학이 과학이란 것을 요즘 사람들이 잊은 채 살고 있어요. 그들이야말로 낙오자들이 아니겠소. 예전에 지배인 제임스 김과 이런 얘길 나눈 적이 있습니다. 소비에트 사람들의 꿈과 노래에 관한 덕담이었소."

소비에트의 건신주의자 얘기는 최치영의 단골 메뉴였다. 그에 비해 생각 외로 호불호가 많이 갈렸다. 최치영의 건신주의를 비난하는 사람들은 실현 가능성이 없는 유희에 불과하다는 생각을 했다. 최치영을 잘 모르는 사람들의 얘기였다. 그는 아주 현실적인 사람이었다. 꿈을 어떻게 삶 속에 녹여 낼지 그 고뇌를 했고, 그게 그를 관념주의자로 보이게 한 것뿐이었다. 보다 나은 미래는 평범성이나 답습에서 오지 않았다. 그 때문에 최치영은 소비에트를 모방할 생각이 조금도 없었다. 그의 철학과 맞지 않았고, 자신이 꿈꾸는 호텔의 미래와도 어긋났다. 그 고집의 배경에는 뿌리 깊은 실존주의가 자리하고 있었다. 그에게 꿈은 실존이자 현실의 다른 이름이었다.

최치영이 말했다.

"레닌을 베낀 자들이 있었어요. 모택동하고 김일성 말이오. 하지만 이 둘은 왜 소비에트가 레닌의 시신을 방부 처리하는데 몰두했는지 알지 못했지요. 영혼에 대한 사랑 없이 자기 과시에 집중한 탓이오. 소비에트는 레닌이 신이 되어 주길 바랐지요. 불멸 말이오. 모택동과 김일성의 방부 처리는 우상화를 위한 선전이었을 뿐, 이건 아주 큰 차이요. 물론 건신주의자들이 성공했는지에 대해선 말들이 많아요. 하지만 성공은 다른 의미에서 봐야 하지요. 21세기에도 불멸화위원회를 꿈꾸는 사람들이 있기 때문이오. 건신주의자들은 여전히 존재하며, 지금도 살아가고 있지요. 이게 현실이오." 최치영이 천천히 위원들을 둘러보곤 말했다. "이 자리의 우리가 그 증거요." 목소리에 힘이 들어가 있었다. 홀이 조용했다. "여기서 더 나아갈 것인지는 건신주의자들에게 달려 있어요. 투숙객들 말이오. 모든 것의 후광에는 숭고함이 있다는 것을 알아야 하오. 그걸 포옹했을 때 비로소 그랑호텔과 투숙객이 존재할 수 있을 것이오. 영혼의 자유가 거기서 오는 것이지요. 불멸화위원회는 과학의 힘으로 물리적인 성과를 얻어 내는 게 목적이었어요. 그 책무가 우리에게 있다는 것을 명심해야 합니다. 불멸화위원회가 필요한 게 이 때문일 것이오."

최치영이 왜 이 말을 하는지, 지배인은 알고 있었다. 그 역시 옛날로 돌아가고 싶지 않다는 소리를 하고 있는 것이었다.

"옛 얘기요." 최치영이 말을 멈추곤 사람들을 둘러봤다. 얼굴에 미소가 어려 있었다.

"반 아이 중에 점심을 굶는 친구들이 있었소. 그 시절엔 굶는 아이가 꽤 됐어요. 점심시간이 되면 물로 배를 채우곤 학교 뒷동산에서 놀다가 수업을 시작할 때 돌아왔지. 그땐 책보라는 게 있었소. 책과 노트, 연필 따위를 사각의 천에 넣은 뒤 크로스백처럼 등에 멨소. 그 아이의 생존 방식은 독특했어요. 책보에는 오이장아찌와 숟갈이 들어 있었고, 점심시간이 되면 한 손에는 오이장아찌를, 다른 한 손에는 숟가락을 쥐고 도시락을 싸 온 아이들의 책상을 돌며 밥을 떠먹곤 했어요. 밥 한 숟가락, 오이장아찌 한 입, 전투적으로 말이오." 최치영이 말을 멈추곤 다시 사람들을 둘러봤다. 마치 한 사람씩 얼굴을 확인하듯. 그가 슬며시 웃었다. "그 아이가 나였소." 탄성이 들렸다. "그래서 생각했소. 오이장아찌를 들고 친구의 도시락을 순례하던 굶주림은 이 나라에서 사라져야 하지 않을까. 그 질 낮은 삶의 근원을 송두리째 사라지게 하는 방법이 무엇이 있을까. 그 결심과 꿈은 현실이 됐소. 그리고 우린 해냈소. 굶주림에서 벗어났고 다시는 굶주리지 않기 위해 노력했소. 그렇다고 문제가 해결된 게 아니었어요. 굶주림과 몰락이 반복될 수 있다는 두려움, 역사는 반복된다지만 좋은 역사는 반복되지 않는 법이지. 그걸 해결해야 했어요, 다시는 그런 일이 반복되지 않도록 말이오."

어릴 때 얘기는 처음이었다. 그래서인지 모두 최치영에게 집중하고 있었다. 그는 지금은 소유의 시대가 아니라 보전의 시대라고 했다. 물론 소유에 대한 철학이 있는 사람들에게나 해당되는 것이라고. 그 대목에서 모두 고개를 끄덕였다. 최치영의 인사말이 길어지자, 지배인은 장진수에게 눈짓을 했다. 장진수가 헛기침을 했다. 지배인은 그 소리가 최치영에게 전달되기를 바랐다.

"건신주의자 얘기는 더 하지 않겠소. 다만 그랑호텔의 이 위원회는 소비에트의 불멸화위원회와 다르다는 점, 분명히 하고 싶습니다. 우린 그 너머를 보고 있기 때문이지요. 우리는 소비에트가 아니며, 그들은 영원한 권력을 위해 영혼을 찾았지만 우리는 소유와 생명의 불멸을 위해 혹은 우리 스스로를 위로하고 불안을 떨치기 위해 있어야 하는 것이오. 이 차이는 시대를 초월하며 인간의 심성을 넘는 것이지요. 이 구분을 명확히 할 필요가 있소. 포스트 휴먼이란 바로 이런 것이 아니겠소. 새로운 삶의 발명 말이오. 건신주의와 소비에트 그리고 불멸화위원회와 월 스트리트, 나아가 이 모든 것을 애버리지니 필름과 고리 지어 생각해 보시오. 아마 이 단어가 떠오를 겁니다. 그랑호텔의 투숙객들, 이 메타언어가 우리이자 우리가 갈 길입니다. 우리가 개척해야 할 길이며 우리가 가꿔 보전해야 할 길이지요. 그런 건 우리 같은 사람들이나 실천하고 누릴 수 있는 겁니다. 영혼의 힘으로 말이오. 그리하여 과학이 존재하고 물질이 세계의 중심을 이루는 한 영혼은 하늘에서 별처럼 빛나고 있을 것입니다. 과학은 미숙한 자들의 도구이며, 그 미숙함을 영혼이 채워 줄 것이오."

"지배인님……?"

누군가 작은 소리로 지배인을 부르고 있었다. 임장수였다. 그가 지배인에게 핸드폰을 건네며 말했다. “여사님이십니다.”

목소리가 들렸다.

“양민순이에요.”

“못 오신다는 말씀 들었습니다.” 지배인이 목소리를 낮춰 말했다. “위원회는 잘 진행되고 있습니다, 여사님.”

“모르시는구나…….” 무슨 말인지 싶어 지배인이 물었다. “뭘 말씀인지요……?”

”이과수, 그랑호텔 직원 맞죠?”

“물론입니다.”

“이과수 대리 지금 한국에 있어요.”

“…….”

지배인은 순간 숨을 멈췄다. 시간이 멈춘 듯 들숨도 날숨도 멈추고 있었다. 수만 가지 생각이 머릿속을 스치며 길고 긴 시간이 한 구멍 속으로 빨려 들어가고 있었다. 그 시간이 길어지자 숨이 가빠지기 시작했다. 숨을 돌릴 필요가 있었다. 잠시 뒤 긴 숨을 뱉고는 지배인이 겨우 말했다.

“다시 저, 전화 드리지요. 여사님.”

지배인은 핸드폰을 끊었다. 홀을 빠져나오는데 뒤에서 최치영의 목소리가 쩌렁쩌렁 따라 나왔다. 무슨 말인지 알아들을 수 없었다.

†

어떻게 알았을까? 아니 그보다 양민순이 그걸 알고 있다는 게 지배인은 더 놀라웠다. 고역이기도 했다. 그러자 패배감, 그 몹쓸 기분이 몸을 엄습했다. 숨고 싶을 정도로. 지배인은 버번 한 병을 단숨에 비웠다. 물도 마시지 않았다. 다들 지배인 눈치만 봤다.

“우리가 너무 안일했던 것 같아.” 긴 침묵 끝이었다. 이구민이 주뼛주뼛 말했다. 그 말에 방안의 숨통이 좀 트이는 듯했다.

“동감이야. 안만 봤지 밖을 보지 않았어.” 장진수였다. 지배인이 새 버번을 따랐다.

"내 생각은 달라." 차영한이었다.

이구민과 장진수가 차영한을 쳐다봤다. "양민순이 왜 이 대리한테 관심을 갖느냔 말이야. 양민순은 또 어떻게 이 대리의 행방을 알았고. 우리가 모르는 뭔가가 있다는 소리 아니야." 차영한의 말에 이구민이 끼어들었다. "양민순은 그걸 자기 공이라고 생각하고 있어. 더 날뛰겠지."

"자기 공이라니?" 장진수였다.

"벽수산장도 그렇고 이 대리 건도 그렇고. 문제는 어떤 식으로든 공치사하고 나설 게 뻔하다는 거지."

"하긴 데이행사 때 여길 쳐들어온 거 보면 뭘 못하겠어."

"양민순은 투숙객이야." 차영한이었다. "우리 일에 관여하는 데는 한계가 있어. 우리 방침이 용인하지 않을 거고." 차영한이 지배인을 힐끗 보곤 말을 이었다. "벽수산장 건하고 이 대리는 달라. 그걸 인정한다 해도 이미 선을 넘은 거야. 시선을 좀 바꿔 보자고. 목적이 있는 것 같지 않아?"

"목적이라니?" 장진수였다.

"양민순을 잘 봐. 투숙객이지만 투숙객이 아니야. 태도가 그래. 오히려 우리가 양민순을 모르고 있어. 안다고 생각했지만 실은 아니라는 거지. 위원회 발족을 서둔 것도 그렇고, 거기다 기어코 임장수와 이용남을 위원회 핵심으로 박아 놨잖아. 이 대리한테도 관심이 가 있는 것도 그래. 이게 우연 같아?" 차영한은 양민순의 등장이 일정한 패턴을 가지고 있다는 말을 했다. "양민순한테 신세진 게 있어 거부하지 못한 건 있어. 하지만 투숙객을 참여시켜 자발적으로 굴러가게 한다는 취지는 있었지만, 주도권을 투숙객에게 내 줄 생각은 없잖아. 좀 있으면 위원회도 접수할 판이라고. 우리가 순진한 거지."

지배인은 의자 깊숙이 몸을 묻은 채 버번만 홀짝였다. 아마 셋의 얘기를 들으며 열심히 머릿속에서 뭔가를 만들고 있을 터였다. 차영한 말대로 양민순에게 틈을 내 준 게 실은 순진함, 그것이 아니었는지.

"이것도 이상해, 회고록 말이야." 장진수였다. "이게 우연일까. 백지우는 최치영 선생님 제자잖아. 그런 사람이 양민순하고 같이 일을 한다?"

"양민순이 백지우한테 접근한 거라잖아." 이구민이었다.

"하지만 최치영 선생도 기막힌 우연이라고는 했어."

"벽수산장 건은 최치영 선생님도 손을 대지 못한 일이었어." 차영한이었다. "그런데 양민순이 그 일을 하루아침에 해결했어. 어떻게 그게 가능했을 것 같아?" 차영한은 지난 데이행사와 이번 위원회의 발족이 겉보기와 다르게 내실이 부족하지 않았냐는 말을 하려다 말았다. 지배인이 너무 예민해 보였던 것이다.

"양민순 얘기가 사실이라면 이 대리부터 찾아야 하잖아, 제임스." 이구민이었다. "왜 이 자식이 몰래 귀국을 했는지, 뭔 짓을 하려는 건지……."

"이 대리가 한국에 들어온 게 사실이면 문제가 복잡해져." 장진수였다. "우리가 이 대리를 미국에 보낸 이유가 뭔데. 제이콥을 만나라는 거였잖아. 브래디하고 제이콥은 할리우드에 있고. 그런데 이 대리가 한국으로 왔어. 그것도 몰래. 이게 뭘 의미하는 것 같아?"

"자네 말이 맞아, 장 선생." 차영한이었다. "이거 간단한 거 아니야. 양민순이 왜 이 대리를 주목했는지, 왜 이 대리가 돌아왔는지. 물론 양민순 얘기를 다 믿기는 그렇고."

"뭘까……?"

지배인이었다. 그 소리에 방에 남아 있던 탁한 공기가 흩어졌다. "이 대리의 행적을 알아냈다는 건 양민순이 우리 속 사정을 잘 알고 있다는 거잖아. 그런데 왜? 양민순 이 여자 도대체 뭐야?" 지배인은 정말 알 수 없다는 표정을 짓고 있었다.

어제였다. 양민순하고 통화는 홀 밖에서도 이어졌다.

"이과수 대리와 연락이 끊긴 게 언제죠?" 양민순이 대뜸 물었다. 지배인이 머뭇대자 양민순이 말했다. "그걸 알아야 나머지 동선을 알 수 있어요."

"일주일 정도 됩니다."

"그 지경이 되도록 지켜만 보고 있었다는 건가요?"

"뭘 잘못 알고 계신 것 같습니다, 양 여사님. 아마 사정이 있을 겁니다. 이 대리는 여전히 할리우드에서 업무를 보고 있다는 것과 이과수 대리야말로 제가 믿는 사람이라는 것, 이건 보증하지요."

양민순이 웃었다. "한 가지 더 알려드리죠. 하정미라는 직원 있지요. 그 아가씨 이 대리하고 같이 움직이는 것 같던데, 잘은 모르지만 우리 쪽 생각이 그래요."

병가를 낸 하정미 생각이 났다. 하지만 하정미가 이과수와 같이 움직이다니, 그럴 리 없었다.

“제 말을 못 믿으시겠어요?”

“할리우드에 있다니까요.” 그렇게 말해 놓곤 지배인은 갑자기 바보가 된 기분이었다. 이런 경험은 처음이었다. 옛날 강대식 앞에만 가면 주눅이 들던 그때를 제외하면.

“할리우드라…… 그럼 쭉 그렇게 알고 계세요.”

양민순이 핸드폰을 끊었다. 행사장으로 돌아가려다 지배인은 자기 방으로 올라왔다. 머릿속이 복잡했다. 회의가 끝난 뒤였다. 최치영에게 그 얘기를 하자 자세한 건 확인해 보고 얘기를 하는 게 좋겠다는 원론적인 말만 했다. 하지만 지배인은 알 수 있었다. 최치영 역시 놀라고 있었다는 것을.

모임이 있고 며칠이 지나서였다. 최치영이 찾아왔다. 사전 연락도 없었다. 얼굴이 상기돼 있었고 목소리도 그랬다. 찻잔을 앞에 둔 채 물을 달래 급히 마시더니 그가 말했다.

“이걸 보게, 제임스.”

그가 서류 봉투를 내밀었다. 봉투에는 A4용지 크기의 종이 한 뭉치가 들어있었다. 꽤 두툼했다. 최치영이 종이 뭉치를 꺼냈다.

“백지우가 준 거네.” 한글과 한자가 섞여 빼곡한 원고였다. “그 친구가 정리한 원고하고 자료들이야.”

“백지우가 선생님을 찾아왔습니까?” 차영한이었다.

“늦은 시간이었네. 그 친구 안색이 좋지 않았어. 이게 다 양민순 아버지에 대한 자료들이야. 큰아버지와 조부, 증조부하고 고조부 그 선대까지 기록이 있어. 놀랍지 않은가.”

“백지우는 갑자기 이 자료를 어디서 난 겁니까?” 지배인이 물었다.

“양민순이 줬다고 했네. 회고록을 서둘러야 한다면서 가져왔다더군. 이번 주에 인터뷰가 잡혔는데 대책이 안 서더래.”

“인터뷰라니요, 선생님?”

“양기찬, 양민순 아버지 말이네. 두 주 전에 인사를 하느라 처음 본 모양인데, 백지우 말로는 아흔이 넘은 고령에도 몸이 불편해 그렇지 목소리가 카랑카랑하고 정신도 멀쩡하더라고 했지.” 최치영은 백지우에게 들은 것과 자신이 읽은 자료에 대해 쉬지 않고 말했다. 그는 잠을 잘 자지 못한 것 같았다.

“백지우는 돈 받고 원고나 써 주면 되는 거 아닌가요, 선생님?” 차영한이었다. 최치영이 힐끗 차영한을 봤다. 뭔가 할 말이 있는 듯했지만, 계속 말을 이었다.

“백지우 말로는 양민순이 누군가 쓴 초고를 가져왔다고 했어. 회고록의 방향이 일목요연하게 정리돼 있었고, 백지우가 할 일은 새 자료를 찾아 다시 골격을 짜고 필력으로 살을 붙여 핍진성을 살려주는 거였지. 그런데 호기심을 이기지 못한 백지우가 제 손으로 자료를 찾고 정리까지 했어. 그 양이 만만치 않아.” 최치영이 원고를 뒤적였다.

“이게 양민순이 준 초고네.”

“고민스러운데요, 선생님.” 지배인이었다. “백지우가 왜 이걸 선생님께 가지고 왔을까요?” 차영한과 같은 맥락이었다.

“무슨 뜻인가, 제임스?”

“일부러 그런 거 같아서요. 백지우가 무슨 꿍꿍이가 있나 싶기도 하고요.”

“예전에 백지우가 연락을 해 온 적이 있어.” 지배인과 차영한이 최치영을 쳐다봤다. “문화재청장 자리가 공석인 걸 알고 청탁을 해왔지. 나도 몰랐네, 청장 자리가 비어 있는지.”

“승낙을 하신 겁니까?” 지배인이 물었다.

“마침 VIP 쪽 수석실에 제자가 있지 않은가. 그것까지 알고 있더구먼. 이만하면 무슨 뜻인지 알지 않겠는가.”

“결정이 난 겁니까?”

“힘써 보겠다고 했네. 장담은 못해, 어느 자리든 경쟁자가 있으니까. 그러다 양민순하고 선이 닿은 모양인데, 큰 원고료를 준다기에 쓰겠다고 덥석 물었는데 막상 만지려니 마음이 내키지 않더라고 했어. 흠이 많았고 앞으로 공직 생활을 하게 될지도 모르는 자신의 미래에 걸림돌이 될까 두려웠다고 했지. 주도면밀한 거지. 마침 청장 자리가 공석이다 보니 이 친구가 내게 연락을 해 온 거였네.”

"이거 양민순이 알면 우리하고 전쟁하겠다고 달려들 겁니다."

"그보다 백지우가 준 자료들을 잘 봐. 꽤 굵직한 얘기들이 있어. 말하자면 1차 사료 같은 거지. 이걸 보게." 최치영이 다른 원고를 펼쳤다. "백지우가 찾은 자료들이야. 양은 많지 않은데 정리가 잘 돼 있어. 이건 백지우가 인터넷에서 찾은 왕조실록하고 승정원일기 발췌본이네. 이건 양기찬 육필 원고고."

"육필 원고도 있습니까?"

"메모 같은 거지. 그 양이 꽤 돼. 꼼꼼한 사람이야. 자기 일만이 아니라 선대의 것도 자세히 적었어. 기록이 생활화된 사람 같았지. 이건 갑오군정실기일세. 양호도순무영의 공문서 말일세."

최치영은 놀랐다고 했다. 양민순의 선대 기록이 조선 후기까지 거슬러 올라갈 줄은 생각하지 못했다고. 더군다나 그 흔적을 공적인 기록물에서 찾을 수 있을 정도라니. 여기에는 두 가지가 의미가 있다고 했다. 양민순 가계의 전통성은 물론 그 선대가 막강한 권력과 부의 소유자였다는 것, 물론 양민순은 그 가계의 전통을 물려받은 가문의 현존 인물이라는 것. 최치영은 이 맥락을 주목할 필요가 있다고 했다. 백지우는 양기찬의 기록과 갑오군정실기 등 여러 자료들을 살핀 뒤 정리를 한 모양이라고 했다. 최치영이 자료 하나를 펼쳤다. 백지우가 적은 원고였다.

실록이나 일성록, 승정원일기 같은 공개된 기록도 그렇지만, 양기찬의 육필 원고가 담고 있는 내용은 놀라울 정도다. 이 자료들을 종합하면 이 집안의 뿌리가 어디에서 비롯하고 있는지 알 수 있다. 집안의 직계 위아래는 물론 근친이 문과와 무과, 잡과에 두루 급제를 했고 조선 마지막 과거 시험에서 증조부가 병과에 급제했다는 내용은 집안의 뿌리를 짐작할 수 있는 구체적인 자료다. 이때 급제한 사람 중에 헤이그 밀사로 활약한 이상설이 있다는 사실은 이 자료의 신빙성을 더해 준다. 양기찬 선대의 기록은 갑오년 이후 자주 등장한다. 생각 외로 기록이 많아 정리가 수월했다. 거기에 양기찬이 적은 메모는 상황에 대한 정확도를 높여줬다.

양택길, 그는 양기찬의 증조부다. 양민순에게는 고조부가 된다. 문과에 급제한 뒤 곧바로 양호도순무영에 들어가 동학농민군을 토벌해 공을 쌓았다. 이때 같이 한 인물이 양호도순무영 우선봉 이두황이다. 놀랍다. 천하의 둘째가라면 서러운 친일세족. 그는 공주와 전라도에서 동학농민군을 탄압하는 데 앞장섰고, 일제의 지휘를 받은 우금치전투에서 서쪽의 동학군을 학살할 때 선두에서 싸웠다. 이때 양민순의 증조부 양택길이 같이 했다. 동학군 토벌이 끝나고 일제의 간섭으로 양호도순무영이 해체된 뒤 을미사변 때는 육군 참령으로 광화문에 주둔하며 일제 낭인을 도왔다. 이때 그가 따른 사람 또한 이두황이다. 을미사변 뒤 이두황과 일본으로 망명했다 돌아온 뒤에는 중추원과 도관찰사, 판사 등을 지내며 일제강점기를 맞았다. 양택길은 전환국이 인천에 있을 때 크게 관여한 적이 있었고, 용산으로 옮긴 뒤에도 구 탁지부 쪽 사람들과 같은 패거리를 이뤘다. 양택길이 전환국 일에 밀착할 수 있었던 배경에는 일인과의 친분이 크게 작용한 것으로 보인다. 그 덕에 양택길은 일제가 고문 정치로 대한제국의 경제를 장악했을 때 백동화의 질에 관계없이 가치를 인정받아 온전히 일제의 제일은행권으로 돌려받은 흔치 않은 인물이었다. 하지만 강제병합 때까지 유통된 화폐는 여전히 백동화였다. 그럼에도 양택길이 아무런 경제적 손실을 입지 않은 건 백동화 위조를 업으로 삼은 일인들과의 친분, 나아가 그간 꾸준히 관여해 온 대한천일은행이 다시 문을 열고 활동하게 된 덕이었다. 일인과의 친분으로 새 화폐를 발행하고 백동화를 무력화한다는 정보를 미리 접할 수 있었던 것도 그 맥락이다. 물론 이같이 다사다망한 대한제국의 망조에도 불구하고 양택길의 자기 호신이 성공으로 치달을 수 있었던 것은 대한천일은행에 대한 일인의 영향력이 커지고 최대 주주가 황실 궁내부에서 탁지부로 바뀌었기 때문이다. 나중에 대한천일은행이 조선상업은행으로 바뀌면서 일제의 식민금융기관이 됐는데, 이 일에 앞장선 사람이 양택길이었다. 이처럼 양택길은 자신의 앞가림을 위해 수단과 방법을 가리지 않았고, 뒤이은 강제병합을 도운 공로로 조선총독부로부터 은사금을 받았다. 양택길은 그 돈으로 부동산을 사재다. 돈이 가는 길을 선천적으로 꿰뚫고 있는 사람이었다. 일인과 한국인 사이에서 사채를 부리고 고금리를 챙기던 큰손은 더욱 성장해 인천 지역은 물론 용산 일대와 구 개항지 상권을 장악하면서 지하 경제의 거물이 됐다.

"어때, 한눈에 들어오지 않는가."

최치영의 말에 모두 고개를 끄덕였다. "양민순이 건넨 양기찬의 메모는 육필로 적다 보니 글씨체 때문에 알아보기 힘든 대목과 먹이 습기에 젖어 뭉개지는 바람에 아예 날아가 버린 곳도 있다고 했네. 그 때문에 양민순은 자기 아버지 기록임에도 읽다 만 모양이야. 그걸 끈질기게 읽어 정리한 게 이것이네."

"백지우가 왜 이렇게까지 한 거지요, 선생님?" 지배인이 물었다.

"말했잖은가, 자기 앞가림하자고 그런 거지. 아무튼 실록하고 승정원일기, 일성록에도 양민순 선대 기록이 드물게 있더라고 했네. 특히 일제의 강제 병합이 이루어진 1910년에도 기록이 있더라고 했지. 순종실록에도 기록이 있었고. 비록 일인들의 품에서 적은 것이어서 제대로 된 사초로 볼 수 없기는 해도 오히려 그 때문에 더 신빙성이 있다고 했지. 백지우가 그것도 찾아냈네. 딱히 사건으로 볼 만한 건 없었지만 사실을 확인하는 자료로 삼기에 부족하지 않았다고 했지. 그런데 그걸 보강해 준 것이 양기찬의 육필 원고였어. 백지우 말로는 양기찬의 육필 원고는 기존 자료에 살을 보태고 수혈해 선대가 한 일들을 생생하게 짚어볼 수 있게 해 줬다고 했네."

"백지우가 정말 모르고 한 거 맞습니까, 선생님?" 차영한이었다.

"물론이네. 그랬다면 왜 회고록을 맡아 놓고 다시 차겠나. 돈을 받고 쓰는 회고록이긴 해도 백지우도 처음엔 제법 굵직한 사료를 뒤적이는 심정으로 접근한 모양이야. 그런데 양민순의 선대를 파기 시작하자 고민이 생긴 거지. 양민순 증조부의 친일 행위는 고조부를 훨씬 뛰어넘더라고 했지."

"혹시 이름이 양일규라고 하지 않던가요, 선생님?" 차영한이었다.

"아는구먼. 양일규는 아버지 양택길과 강점기 때 날리던 금융 쪽 거물이라고 했어. 그런데 자넨 그걸 어떻게 아는가?"

"예전에 인천항만공사와 인천 개항 관련 역사 콘텐츠를 만들면서 안 게 있습니다. 인천금융조합 사건은 유명합니다, 선생님. 양일규가 조합을 장악해 뒤에서 고리대금업을 했는데 옛 조계지에 살던 일인 상인조차 양일규한테 이를 갈 정도라고 했습니다. 나중에 일이 커지자 총독부에서도 양일규한테 손을 떼라고 할 정도였으니까요. 말이 서민을 위한 금융조합이지 부자들을 도와 소상인을 착취하는 고리대금업자였습니다."

"계속 이 이야기를 해야 하는 겁니까?"

지배인이었다. 최치영과 차영한이 지배인을 쳐다봤다. "이 얘기가 이 대리하고 무슨 상관이지요? 양민순 얘기가 나온 건 이 대리한테 지나친 관심이 있어서 아닙니까. 우리는 영문도 모르고 있다가 이제야 양민순이 우리 일에 끼어든 걸 알게 됐고요. 안 그렇습니까, 선생님?"

최치영이 소파 등받이에 몸을 붙이며 말했다. "불편한 거 아네, 제임스. 하지만 냉철해야 해. 이거 우리 일이야. 양민순이 아니라 우리 일. 양민순이 어떤 사람이기에 우리도 모르는 이 대리의 행방을 알고 있는지. 그걸 알려면 양민순을 아는 게 순서지. 마침 백지우가 그걸 참고할 만한 자료들을 보내왔고." 최치영이 언짢은 듯 말했다. 그 소리에 지배인이 입을 닫았다.

"자네는 더 아는 거 없는가?" 최치영이 차영한에게 물었다.

"나중에 양일규 사건이 일간지에 대서특필됐습니다. 기사를 쓴 기자가 신문사에서 쫓겨나 중국으로 도망갔다고 들었습니다. 양일규가 사람들을 시켜 몽둥이로 두들겨 팬 뒤 병신을 만들어 쫓아냈다는 게 일반적인 시각입니다. 현황회라는 조직에 양일규가 가담했고요. 창경궁을 일본 천황의 별장으로 쓰자는 이완용의 주장을 실행하기 위해 만든 사조직인데 여론을 생각해 총독부조차 말릴 정도였습니다. 매일신보에 그 기사가 남아 있습니다. 그 뒤 양일규는 사금융 쪽으로만 돌았고 현찰로는 한국 제일의 갑부였다는 얘기가 있습니다. 부동산은 말할 것도 없고요. 서울과 인천의 본정 일대와 부산과 마산에도 그의 손이 닿지 않은 곳이 없었던 것으로 알고 있습니다."

최치영이 식은 찻잔을 들이켰다. 목이 마른 모양이었다.

"해방 뒤 얘기가 더 흥미롭더구먼." 최치영이 지배인을 보며 말했다. "거기에 제임스 자네 조부하고 부친 얘기가 나와. 자네도 알다시피 선친과 조부, 선대는 부동산 거부들 아닌가." 최치영은 벽수산장 얘기를 했다.

"벽수산장은 한국전쟁 뒤의 일이잖습니까." 지배인이었다.

"차 선생이 양일규 얘기를 했잖는가. 백지우도 그 얘기를 했지. 그 사람 말로는 양일규에게 아들이 있더라고 했어. 양천석이라고. 양천석하고 자네 조부 강성봉은 잘 아는 사이라고 적혀 있었지. 백지우는 자네 집안과 왕래를 한 게 대한제국 시절부터인 것 같다고 했어. 남촌의 갑부와 북촌의 갑부, 북촌은 강일준이었고 남촌은 양택길이었다고 했지. 러일전쟁 뒤 전국에 이사청이 생기면서 일인이 급증했는데, 일인들도 양택길을 함부로 하지 못했다고 했네. 양택길의 현금 때문이라고 하더군.

양택길은 전국구였으니까. 서울뿐 아니라 수원과 인천 부산 마산 목포와 군산 요지에 그의 부동산이 없는 곳이 없었지. 원산하고 용암포에도 토지가 있었다고 했지. 다 개항지 아닌가. 알다시피 강일준도 같은 일로 업을 이은 사람이고. 둘을 민족 자본가라고 추켜세우는 사람이 있지만 객관적으로는 민족 자본가는 아니지. 일인과 한국인 사이에서 이득을 챙기는 게 목적이었으니까. 벽수산장 건도 그 차원이었고. 그러다 해방을 맞은 거지. 두 사람 간의 세대교체도 그때 생긴 일이야. 양천석과 강성봉 말일세."

최치영은 백지우가 알아낸 게 더 있다고 했다. 그 짧은 시간에 백지우는 강일준과 양택길 때부터 시작한 두 집안의 갈등을 알아냈고, 둘의 악연은 단순하게 금전적 이익을 차지하기 위한 이권 싸움 수준이 아닌 것 같다는 얘기를 했다. 그러면서 백지우는 아직 알아내지 못한 게 있는데 거기서부터는 더 파기가 힘들더라고 했다. 마치 어딘가에 꼭꼭 숨겨져 아무도 접근하지 못하도록 누군가 일부러 그런 장치를 한 것 같았다고 했다.

"백지우 얘기를 잘 들여다봐야 하네." 최치영은 벽수산장 얘기를 했다. "문제는 한국전쟁 뒤 벽수산장이 공매로 나왔을 때 자네 선대와 원수 사이가 된 일이었어. 알다시피 자네 조부는 벽수산장을 터전으로 호텔을 짓겠다는 꿈을 오래전부터 가지고 있었거든. 벽수산장이 어떤 곳인가. 북촌 어디서든 올려다보이고 북촌 어느 곳이든 내려다볼 수 있지. 조선 궁궐도 그 아래 있어. 자존감과 위상을 세울 만한 곳으로 거기 만한 데가 없지. 그런데 말이네……." 최치영이 말을 멈추곤 지배인하고 차영한을 봤다.

"당시 기사는 저도 봤습니다." 지배인이었다. "제가 보기에는 기사만으로는 그렇게 치열해 보이지 않았습니다."

"모르고 하는 말이야. 사건 중심이어서 그렇게 보인 거지, 기사의 살인 사건 건은 가볍게 볼 일이 아니네. 내막은 나와 있지 않지만 그 사건이 두 집안의 악연과 무관하지 않다고 나는 보네. 그런데 좀 이상하지 않은가. 왜 우리는 그 양천석의 딸이 양민순이라는 생각을 단 한 번도 해 보지 않은 것인지, 우리가 둔한 겐가?"

"정보가 없어서가 아니겠습니까, 선생님." 차영한이었다.

"그게 그 소리 아닌가. 백지우 말로는 양민순의 선대가 벌인 사채업은 국가 차원의 행위라고 했어. 현실성 있는 얘기냐고 할지 모르지만 그땐 그런 일이 다반사였지. 일제강점기뿐 아니라 대한제국 때도 그랬다는 게 백지우 얘기야. 양씨 일가의 사채업이 양지로 나와 크게 번성한 게 일제강점기였고 그 힘이 지금 그대로 살아 있다는 소리였으니까. 백지우는 그 대목을 좀 자세히 적었어." 최치영이 백지우가 적었다는 그 부분을 펼쳐 보였다.

"여길세."

양기만 양기찬, 두 형제의 위력은 선대 못지않았다. 한국전쟁 중 원화를 환화로 바꿀 때 양씨 일가는 자기들 돈에 대한 보상을 고스란히 보장받았고, 세간에선 남촌의 양천석이 소유한 한옥 세 채 중 하나는 현찰을 보관하는 용도라는 소문이 있었다. 양기만 양기찬 두 아들 덕이었다.

군사정권 때도 둘의 위세는 건재했다. 양기만 양기찬 형제는 '양 형제'라는 별칭으로 불렸고, 양씨 집안의 영향력이 군사정권에서도 통한 건 워낙 양 형제에게 기댄 정치인이 많아서였다. 박정희 때 환화에서 원화로 되돌리는 화폐개혁 때도 양씨 일가는 털끝 하나 손해 보지 않았다. 강대식과는 사뭇 다른 대우를 받은 셈이다. 지금도 그의 손에 있는 저축은행이 네 곳, 캐피탈사가 세 곳, 나머지 두 군데는 전혀 드러나지 않은 사금융권의 뒷배로 자리를 지키고 있다. 경제부 기자들 사이에서는 몇몇 파이낸스가 그의 소유라는 얘기가 공공연히 돌았다. 이 배경 뒤에는 한국이 OECD에 가입한 뒤 모종의 월 스트리트 세력과 손이 닿아 있던 양천석의 힘 때문이라고 보는 사람들이 있었다.

최치영이 담담한 듯 말했다. "강성봉과 강대식이 유일하게 두려워한 존재가 양천석과 양기만 양기찬 형제였다고 했지. 양천석과 양 형제도 비슷한 심정이었던 모양이야. 벽수산장 건으로 강씨 일가에게 패배를 맛본 적이 있다고 했으니까. 두 집안은 원수였어. 백지우가 찾은 신문 기사에서 보듯 서로 보복도 하고 그런 모양인데, 그 뒤론 별다른 마찰 흔적이 없어."

그 뒤 두 집안이 화해한 듯 보였다고 했다. 두 집안 다 가업에 충실한 듯 보였고 강성봉은 아들 강대식한테 호텔과 부동산을 물려주었고, 양천석 역시 두 아들에게 금융업을 물려주면서 자신들의 앞날에만 관심이 있었다. 최치영이 말했다.

"양기만은 자식이 둘 있었지만 힘을 못 썼다고 했네. 양기찬에게는 자식이 하나뿐이었는데, 그 피가 바로 외동딸 양민순이야. 늦게 얻은 딸이어서 금지옥엽처럼 여겼다고 했지."

최치영이 말을 마치자 한동안 정적이 흘렀다. 아까부터 차영한의 침 삼키는 소리가 꼴깍꼴깍 들렸다. 지배인도 그렇고 다 백지우에게 들었다는 최치영의 얘기 속에 푹 빠져 있었다.

"귀신한테 속은 기분입니다." 차영한이 말했다.

"백지우 말로는 새천년을 앞두고 양기찬이 미국에 갔다 온 적이 있다고 했네. 시기를 보니 기억나는 게 있더구먼, 강대식 어른 말이야." 최치영이 지배인을 봤다.

"압니다, 선생님. 제가 그걸 알고 뉴욕에 왔다 가면서 저한테 연락도 하지 않은 강대식이 역시 핏줄이 아닌 모양이라며 투덜댔으니까요."

"맞네. 그런데 양기찬과 강대식이 미국을 방문한 시기가 묘하게 겹쳐, 이게 우연 같은가?"

"두 어른이 같이 가기라도 했다는 건가요, 선생님……?" 지배인이 말도 안 된다는 듯 물었다.

"그걸 알면 양민순 일도 알 수 있을 게야. 짐작일 뿐이지만, 적어도 양민순 일은 양기찬과 강대식의 미국 방문을 떼어 놓고는 얘기하기가 힘들단 생각이 들거든."

"둘이 같이 갔다면 왜, 뭣 때문에 그랬을까요?"

"양기찬이 더 자세한 말을 하지 않더라고 했네. 나중에 글 쓸 때 말하겠노라고 하면서. 그런데 아는 미국인이 있다고 했어. 미국에 간 일과 관련이 있어 보였지. 공덕비 얘기를 했다는데, 그게 뭔지는 백지우도 모르겠더라고 했어. 백지우도 여기서 포기를 한 모양인데, 양기찬 얘기를 듣고 보니 그제야 양민순이 원하는 방향의 회고록을 쓴다는 게 어렵겠다는 확신이 들었던 모양이야."

"정말 그런 말을 했습니까?" 지배인이 물었다.

"백지우는 고민에 빠졌고, 이미 원고료의 절반을 받아 쓴 업보 때문에 이러지도 저러지도 못하겠다더라고 했지. 원고료는 1억 2천만 원, 인세하고 장당 책정된 원고료로 생업을 잇는 백지우 같은 글쟁이에겐 거액 아닌가. 그 절반을 받아 썼으니 갚을 길도 막막했을 테고, 굳이 갚겠다면 집을 팔아야 한다고 했지. 그거 빚 아닌가."

"백지우를 만나게 해 주십시오, 선생님."

최치영이 놀란 듯 지배인을 봤다. "양민순이 임장수하고 이용남을 보내 이쪽을 다 알고 있잖습니까. 우리 중 그나마 양민순을 가장 잘 아는 사람은 백지우입니다." 그리고 지배인은 이해가 가지 않는 게 있었다.

선대 얘기가 그랬다. 선대부터 불화가 있었다고는 하지만 다 지난 일이었고 더군다나 지배인은 백지우가 알아냈다는 선대의 일 중 거의가 들어 본 적이 없는 것들이었다. 혹 양민순이 선대의 일을 안다고 하더라도 지배인과는 상관없는 것들이었다. 호텔을 하면서 양민순의 선대 문제로 곤란을 겪은 적이 없었고, 더군다나 이 일은 양민순의 존재를 안 뒤에 벌어진 것들이었다. 물론 양민순이 투숙객으로 온 건 한참 전이기는 하지만. 그런데 왜 지금 양민순은 자신의 존재를 적극 드러내려고 하는 것일까. 호텔 투숙객이 되는 일 따위는 애초 양민순 같은 사람에게는 별 관심사가 아니었을 텐데 말이다.

"백지우를 만나야겠습니다, 선생님." 지배인이 다시 말했다. 최치영이 긴 숨을 내쉬었다.

"양민순이 알면 뒷감당을 어떻게 하려고 그러나?"

"이대로 있을 순 없잖습니까 선생님. 옛날 일로 앙심을 품다니, 이게 될 법한 소리입니까. 거기다 자기가 겪은 일도 아닌데 호텔을 상대하겠다니요. 백지우는 그저 아무 일 없었던 듯 양민순하고 일을 진행하게 하면 됩니다."

"스파이가 되라는 건가."

"스파이라니요, 선생님. 그저 모른 척……."

"백지우가 들을 것 같은가?" 최치영의 표정이 굳어 있었다.

"들을 겁니다, 선생님. 백지우가 준 이 자료들, 양민순이 모르면 됩니다."

"이런 제임스. 막 나가진 말게." 최치영의 고개를 저었다.

"현실을 직시하려는 겁니다, 선생님. 백지우한테는 충분히 보상하겠습니다." 지배인이 흥분했다. "백지우한테서 더 이상 얘기 나올 구멍이 있는 것도 아니잖습니까."

"하긴 자료를 찾아 먹고사는 사람이 그렇게 막히면 미치지. 양기찬이 가지고 있는 기록도 더는 없는 듯했고. 그보다 이 친구가 겁을 먹었어. 그 자존감 높은 친구가 오죽하면 날 찾아왔을까. 이럴 때 돕고 뭉쳐야 하네. 그리고 이건 알고 있게. 양민순도 투숙객 아닌가. 우리 고객이란 소리야. 서로 속을 좀 터놓고 급한 불부터 끄는 게 순서지. 이 대리도 찾고."

지배인은 생각에 잠긴 듯 무표정했다. 한참 뒤였다.

"백지우가 왜 마음을 바꿨을까요……?"

최치영이 몸을 뒤로 젖히곤 지팡이로 바닥을 쿵 쳤다. "그냥 넘어가지 않는군. 말했잖은가, 제임스." 잠시 침묵이 흘렀다. "그 친구 자존심은 살려 주고 싶었는데……." 잠시 뒤였다. 최치영이 말했다. "백지우가 그러더군. 살고 싶다고."

†

법인카드가 마지막으로 쓰인 곳은 마이애미의 전자 제품 가게였다. 현금은 마이애미 공항이 마지막이었고 이후 행적은 보이지 않았다. 전자 제품 가게에서는 일시불이었다. 결제 금액은 502.82달러, 이 돈으로 무엇을 산 것일까. 이후에는 카드 사용처가 없어 흔적을 아예 찾을 수가 없었다. 마이애미 공항이든 LA 공항이든, 아니면 JFK 공항이든 사용처가 더 있어야 하는데, 깨끗했다. 이 대리가 자기 카드를 사용했다는 의미였다. 그보다 양민순은 이 대리가 한국에 들어온 걸 어떻게 안 것일까? 눈 딱 감고 양민순에게 물어볼까도 했지만 자존심이 막았다.

다음날이었다. 최치영한테 연락이 왔다.

"좋은 소식이네, 제임스." 지배인은 귀가 번쩍 뜨였다. "백지우 이 친구가 급했던 모양이야. 나름 계산을 한 것 같기도 하고. 기회니까 만나 보게."

이렇듯 쉽게 제의를 받아들이다니, 하긴 최치영 말이 사실이라면 이해하지 못할 일도 아니었다.

브래디는

“그게 뭐야, 하정미 씨?” 이과수가 놀라 물었다. 하정미는 손에 캐리어를 들고 있었고 어깨엔 백팩을 메고 있었다. 거기다 다른 한 손에는 여성용 가방을 들고 있었다.

“내 짐인데요, 왜요?”

“알아. 뭘 하려는 건지 묻는 거야.” 목소리가 딱딱했다. “왜 그래요, 무섭게. 나 이제 갈 데 없단 말이에요.”

“엎어지면 집인데 갈 데가 없다니. 그리고 호텔은 왜 출근하지 않는 건데?”

“우리 집을 알잖아요. 찾으러 올 것도 뻔하고.”

“지금 그만두면 퇴직금은 어떡할 거고?”

“통장으로 보내 달라고 하면 되지요.” 하정미가 캐리어를 끌고 복층 계단 쪽으로 가며 말했다.

“지배인이 고분고분할 거 같아?”

“어머, 요즘이 어떤 세상인데요, 이 대리님. 안되면 고용노동부에 인터넷으로 민원 접수하면 돼요. 이거요.” 하정미가 손을 내밀었다. 차 키였다.

“이건 왜?”

“내 차로 가면 돼요.” 차는 렌트를 할 생각이었다. 그렇다고 하정미와 같이 가기로 한 것은 아니었다.

"차 뽑은 지 얼마 안 되거든요. SUV고요. 가스라서 연료비도 적게 들어요. 얼마나 좋아요, 운전기사도 있고." 하정미가 웃었다. 이과수도 웃었다.

"하지만 같이 가는 건 안 돼."

"왜요?" 하정미가 무슨 소리냐는 듯 동그랗게 눈을 떴다. "왜긴, 하정미 씨가 낄 일이 아니야."

"사람 무시하는 거예요?"

"하정미 씨하고 상관없는 일이란 뜻이야."

"이 대리님 차 없잖아요. 어차피 렌트해야 하고, 그런데 차가 굴러들어 왔어요. 기사까지 딸려서. 왜 복을 차요?"

이러다 별것 아닌 걸로 다투는 게 아닌지 싶었다. 이과수는 알았다는 듯 손을 들어 보이곤 핸드폰을 확인했다. 문자가 와 있었다. 모레가 좋겠습니다. 브래디가 보낸 것이었다. 오늘도 답이 없으면 어쩌나 했는데 그도 나름대로 계산을 한 모양이었다. 스스로 약속 날짜를 정한 것도 그렇고, 예상보다 일정을 빠르게 진행하려는 게 아닌지 싶었다. 하긴 아무 탈 없이 일을 마치고 여길 뜨려면 하루라도 빨리 일을 마치는 게 그에게도 이로울 터였다.

문자를 보냈다.

어떠실지 모르겠지만, 일정을 좀 당길 수 있을까요? 금방 답이 올 줄 알았는데, 근 두 시간이 지나서야 문자가 왔다. 촬영이 막바지라 시간이 빠듯합니다. 하긴 촬영이라는 것이 늘 꽉 짜인 일정 속에서 돌아간다고 들은 적이 있었다. 말씀드린 것처럼 오늘이 격리 마지막입니다. 사정이 좀 그래서요. 곧 답장이 왔다. 말씀드린 대로입니다. 일정이 워낙 그렇습니다. 모레 잠깐 만나는 걸로 하지요, 이과수 씨.

이과수는 알았다는 문자를 보냈다. 다시 문자가 왔다. 뜻밖에 약속 시간이 적혀 있었다. 오전 9시, 이른 시간이었다. 장소는 석문. 더 자세한 것은 없었다. 대단하십니다, 이과수 대리님. 문자 끝에는 그런 말이 적혀 있었다. 이과수는 웃었다. 그럴 수도 있었다.

어제였다. 단양에서 촬영한다는 것을 이과수는 알고 있었고 눈치로 그걸 안 브래디가 꽤 놀란 모양이었다. 차라리 잘됐다 싶었다. 스스로 알아차리다니. 그것만큼 위협적인 게 있을까. 어쩌면 처음 문자로 대화할 때 이미 알지 않았을까. 일부러 말을 하지 않은 것은 어디까지 믿어야 하는지 몰라서였을 테고, 서로가 그런 것 같았다. 할리우드가 아닌데도 할리우드라고 한 사람이 브래디였다. 그럼에도 어느 정도 얘기가 돼 가는 듯하자 좀 서둘렀는데 그게 그의 눈에 띈 모양이었다. 그래서인지 브래디가 머뭇댔다. 아차 싶었다. 브래디의 감정선을 파악하느라 뜸을 들이고 있는데 그가 문자를 보내왔다. 그런데 꼭 만나야 합니까? 이메일로 보내도 될 것 같아서요. 그럴 수는 없었다. 조심스럽기는 하지만 좀 단호하게 나갈 필요가 있었다. 직접 만나 받고 싶습니다, 브래디 씨. 파일을 확인도 해야 하고요. 일은 정확한 게 좋지 않습니까. 다행히 브래디는 두말하지 않았다. 그럼 그렇게 하지요.

이과수는 노트북을 열어 폴더를 클릭했다. 사진이 보였다. 브래디와 제이콥 아니 한스 화이트 그리고 권수진 감독의 얼굴이었다. 맨 왼쪽의 사람이 브래디였다. 작은 덩치에 NYU 야구모자를 쓴, 좀 순진해 보이는 그는 이중적인 느낌을 주었다. 반면 수염이 뭉실뭉실한 한스 화이트는 예의 그 풍성한 풍채를 당당하게 드러내고 있었다. 몸에서 그의 체취가 동물적으로 다가왔다. 그해 경복궁 관광을 안내하며 그에게서 맡았던, 이과수는 본능처럼 그 냄새를 떠올렸다. 막상 부닥치면 제이콥 이 사람은 뭐라고 변명을 할까? 그리고 그는 생각보다 교활한 사람이라는 것, 이걸 잊지 않아야 했다. 지배인도 그 얘기를 했다. 앱을 활용한 그의 생각은 기발했다. 처음엔 그게 무슨 대단한 것인 줄 알았다. 그럼에도 그 단순한 장치 하나로 한스 화이트는 모두를 감쪽같이 속일 수 있었다.

"내일 갈 거지요, 이 대리님?"

복층 난간에서 하정미가 내려다보며 말했다. 이과수는 그렇다고 했다. 그 말에 하정미가 환하게 웃었다. 벌써 여행을 떠나기라도 한 것처럼 하정미는 콧노래까지 흥얼거렸다.

"여유가 좀 있어야 실수를 안 할 거 아니야." 이과수가 말했다.

"당연하지요, 이 대리님." 하정미의 얼굴에 화색이 돌았다. 여유,라는 말이 하정미에게 이 일을 더 여행처럼 느끼게 한 듯했다. 여행이 아니라 혹 모를 일을 대비하기 위한 사전 답사를 하자는 건데, 그러려면 지리와 동선을 정확하게 알아둘 필요가 있었다. 그래야 무슨 일이 생기더라도 당황하지 않고 일을 순조롭게 마칠 수 있을 터였다. 더군다나 단양은 초행이었고 마침 격리가 끝나 시기적으로도 아귀가 맞아떨어진 느낌이었다. 하정미는 그 얘기는 신경도 쓰지 않았다.

"뭐 먹고 싶어요, 이 대리님?" 무슨 노래인지 알 수 없는 콧노래를 흥얼거리며 하정미가 물었다.

"하정미 씨는?"

"중국 음식이요."

"시킬까?"

"가서 먹어요. 좀 걷게요."

저녁을 먹고 나서였다. 중국집 건너가 호수공원이었고 소화를 시킬 겸 산책을 하자는 하정미를 따라 공원으로 이어지는 구름다리를 건넜다. 구름다리 중간에서 하정미가 걸음을 멈추었다. 밑은 왕복 6차선이 길게 뻗어 있었고 저녁 시간이어서 차들이 많았다.

"근데, 이 대리님은 왜 이러는 거예요?"

차량의 불빛 때문에 하정미의 얼굴이 환했다. 그런데 왜라니? 이과수는 하정미를 봤다.

"무슨 뜻이야, 하정미 씨?"

"이 대리님이 더 잘 알 것 같은데요?"

그렇기는 하지만 이 말에는 하정미 자신도 뭔가 짐작하는 게 있다는 뜻으로 들렸다. 물론 하정미가 이 일을 자세히 알 수는 없을 터였다.

"솔직히 전 잘 몰라요. 뭣 때문에 이 대리님이 한국에 오고도 쉬쉬하는지, 또 미국에서 무슨 일이 있었는지. 하지만 제가 알 수 있는 건 이 대리님은 자신의 행동을 부정하고 있다는 거예요. 의도적인 거죠. 그게 지배인님을 향하고 있고요. 지난 데이행사하고 관련이 있다는 건 저도 알아요. 그거 때문에 미국 간 거잖아요."

"그랬지, 지배인님하고도 그렇고……." 하지만 이과수는 자신도 알 수 없는 것이 있었다. 닥쳐 봐야 알 수 있을 테고, 그때 가서야 뭔가 판단할 수 있을 터였다. 복잡했고 그런 만큼 불확실할 수밖에 없었다.

"그런데 하정미 씨는 왜 같이 가겠다는 거지?"

"모르겠어요. 하지만 이런 생각을 해봤어요. 이 대리님이 자신의 행동을 의심하고 있는 게 아닌지……."

"의심이라니?"

"도덕 같은 거요?" 하정미는 뭘 알기에 저런 말을 하는 것일까. "그런 생각을 했다는 자체가 도덕적인 행위 아니에요?"

"그래서?"

"그래서라니요. 그냥 그렇다는 거지요. 그리고 어차피 휴가이기도 하고." 이과수는 하정미를 봤다. "연차라고 하지 않았어?"

"그게 그거죠. 그리고 난 그걸 지지한다는 거고요."

하긴 누군가의 위로가 필요했는지도 몰랐다. 어쩌면 간절히. 지난 데이행사로부터 뉴욕과 마이애미 그리고 다시 서울까지, 이 여정이 지금껏 살아온 시간보다 더 길게 느껴지고 더 큰 고민을 안겨 줬다. 그 피곤은 혼자 감당하기 힘든 무게였다. 하지만 그게 도덕감 때문인지는 잘 알 수 없었다. 다만 산다는 게 불확실한 것을 받아들이는 행위라는 것, 그러고 보니 생각나는 말이 있었다. "…… 궁즉변 변즉통 통즉구. 알아요, 이 대리님?" 그때 그 말이 위안이 될 줄이야.

†

핸드폰이 진동을 했다. 문자 메시지가 들어오는 중이었다. 브래디였다.

주차장에서 석문 쪽으로 오면 작은 정원이 있습니다. 벤치도 있고요. 나무가 있어 그늘이 있습니다. 거기서 보지요. 이전 문자에는 석문으로 오라는 내용만 있었는데, 미흡하다고 생각했는지 내용이 자세했다. 고맙다는 문자를 보내고 보니 빠뜨린 게 있었다. 그의 차량번호는 알아두는 게 좋을 것 같았다. 차 번호를 묻자 브래디가 뒷번호를 보내왔다. 묻지도 않은 차종과 색깔까지 적었다. 흰색 쉐보레 SUV, 5021입니다. 이과수는 문자를 보냈다. 브래디 씨를 알아보는 방법이 있으면 좋겠습니다. 곧 답이 왔다. 좀 바쁜 모양이었다. 청색 NYU 볼캡, 그게 납니다. 사진에 NYU 야구모자를 쓴 그의 모습이 있었다.

†

한스 화이트의 아들이 알려주었다는데, 그 말을 믿어야 하는지. 하지만 이젠 중요하지 않았다. 이과수라는 사람은 정확하게 이 상황을 알고 있었고 기어이 약속까지 받아 내지 않았는가. 이 정도면 산을 넘어야 할 사람은 그가 아니라 브래디 자신이었다. 그러고 보니 한스 화이트가 서둔 이유를 알 것도 같았다. 이 주 전이었다. 그는 갑자기 귀국 일정을 앞당기겠다며 항공권 교환을 알아봤다. 생각보다 촉이 빠른 사람이었다.

항공권 교환은 쉽지 않았다. 어찌어찌 항공권을 교환한 한스 화이트는 내일 마지막 촬영 전에 인천공항으로 갈 거라고 했다. 스태프 중 한 사람이 공항까지 같이 가기로 한 모양인데 원래는 마지막 촬영을 마친 뒤 권수진 감독과 하루를 서울에서 보낸 뒤 공항으로 가는 일정이었다. 얼마 전이었다. 한스 화이트가 물었다.

"난 좀 그래요, 브래디."

"뭐가요?"

"자꾸 불안해서 말이야. 자넨 좀 어떤가 해서……."

요즘 들어 부쩍 그 느낌이 강하다고 한스 화이트는 투덜댔다. 뭔가가 서서히 조여 오는 느낌이라고. 그 느낌이 뭔지 자기도 알 수 없어 고역이라고 했다. 그는 자기 보호에 능한 사람이었다. 그게 브래디와 다른 점이었다. 브래디에게는 그 촉이 한 박자 늦게 찾아온 셈이었다. 지금에서야 한스 화이트가 한 말을 다시 떠올릴 수 있었으니까.

이과수, 영리한 사람이었다. 촬영 마지막 날이 내일이라는 말은 하지 않았다. 양민순의 일정을 같이 고민해야 했고, 누굴 먼저 만날 것인지도 정해야 했다. 결정은 오래 걸리지 않았다. 일의 중요 정도를 생각하자 순서가 자연스레 정해졌다. 시간을 길게 잡아먹는 쪽을 순서의 뒤에 두는 게 좋았다. 양민순은 꼼꼼한 사람이었다. 배짱이 있어 여장부처럼 두둑한 스타일이었고, 그렇다고 밀어붙이는 걸 좋아하는 사람 같지도 않았다. 용의주도하고 철저하게 계산을 하는, 긴 시간이 필요하지는 않겠지만 그런 사람을 상대하려면 좀 더 주도면밀해야 했다. 시간은 모레뿐이었다. 장소도 이곳으로 한정해야 했다. 둘 다 여기서 일을 마치게 하고 이곳에 머물게 해야 했다. 이과수를 만나고 11시에 양민순을 만나면 나머지 시간을 쓰는 데 좀 여유가 생길 터였다. 같은 날 오전이라는 부담이 있지만 이과수에게는 USB 하나 건네는 것 외에 다른 볼일은 없었다. 양민순은 달랐다. 주고받아야 할 게 있는 사람이었고 서로 꼼꼼하게 확인이라는 절차를 거치는 시간이 필요했다. 거래가 아닌가. 그리고서야 일을 마무리할 수 있을 터였다. 제천은 그 뒤의 일이었다. 인천공항도 마찬가지였다. 느낌이지만 이과수는 한스 화이트를 신경 쓰는 것 같았다. 한스 화이트의 출국 얘기는 하지 않았다. 하루라도 빨리 한국을 떠나고 싶어 하는 그를 방해할 수는 없었다. 그가 한국에 있는 한 브래디 역시 불편했다.

이제 필요한 것은 운이었다. 절실하게. 자신의 의지도 타인의 의지도 아닌, 운은 의지의 영역을 벗어난 모든 것의 종합 선물이었다. 옛날 자무엘과의 인연도 그런 종류가 아니었을까. 그가 준 선물은 유익했고 아무리 생각해도 그때 일은 운의 힘이었다.

그해였다. 자무엘이 사람을 보내왔다. 일거리가 있는데 생각이 있으면 사무실로 오라는 거였다. 까를로스 빼냐에게 그 얘기를 하자 잠깐 일이나 봐주고 보수나 챙기라고 했다. 별 기대하지 않았는데 막상 얘기를 들어보니 생각보다 보수가 좋았다. 2박 3일 일을 해 주고 만질 수 있는 금액이 아니었다. 그건 온정에 가까웠다.

자무엘은 그의 사무실에서 만났다. 허드슨강이 내려다보였다. 아직 일도 시작하지 않았는데 자무엘은 보수부터 건넸다. 자무엘이 종이 한 장을 건넸다. 이름이 있었다. 한 사람은 Ki-chan Yang, 다른 하나는 Dae-sig Kang. 양기찬과 강대식, 한국인이었다. 언어 장벽이 없어 좋았고, 한국인이란 친근감 때문에 일하기도 쉽겠다 싶었다. 관광을 하러 온 사람들인 줄 알았는데 아니었다. 알고 보니 월 스트리트 쪽에서 주선한 사람들이라고 했다. 뉴욕 일정은 사흘, 직항이긴 하지만 왕복 비행기 시간을 빼면 체류는 채 하루가 되지 않았다. 누군가 의도적으로 둘의 일정을 그렇게 잡은 게 아닌지 싶었다.

둘의 숙소는 브루클린 다운타운에 있는 작은 호텔이었다. 근처에 한국전 참전 용사 공원이 있었는데 뉴욕에는 한국전쟁 관련 기념비가 여러 곳에 있었다. 롱아일랜드에만 세 군데였고, 배터리 공원에 한 군데, 일부러 한국전쟁 참전 용사 공원 근처에다 호텔을 정한 게 아닌지 했는데 그건 알 수 없었다. 이들이 가야 할 곳이 허드슨 강 상류 어디라고 했다. 그러려면 맨해튼에 숙소를 정하는 게 더 편할 터였다. 그런데 자무엘은 숙소를 브루클린으로 정하게 했다. 일방적이란 생각이 들었다. 자무엘의 인종 차별 수준이 얼마나 심각한지 브래디는 알고 있었고 다시 그 확인을 한 기분이었다. 일 때문에 만나기는 했지만 가까이 하고 싶지 않은 사람이었다. 까를로스 빼냐 역시 비슷한 생각을 가지고 있다는 걸 브래디는 알고 있었다.

그들을 만난 것은 허드슨 스트리트에 있는 한 카페에서였다. 자무엘의 개인 사무실 근처였다. 레오나드 스트리트와 연결되어 있었고 주차 빌딩이 가까워 약속 장소로 좋았다.

월 스트리트 쪽에서 보낸 사람이 둘을 데리고 카페까지 왔다. 흑인이었다. 그는 이름을 밝히지 않았는데 공항에서 그 둘을 데리고 막 이곳으로 온 거였다. 내일 다시 들르겠다는 말을 하곤 그는 금방 가 버렸다. 그 시간부터 브래디가 둘을 맡아야 했다.

"브래디 선이라고 합니다. 고향 분들을 만나게 돼 기쁩니다."

브래디가 한국말로 인사를 하자 둘이 놀랐다. 브래디가 한국인이라는 걸 자무엘이 말하지 않은 모양이었다. 둘 다 덩치가 좋았다. 양복이 잘 어울렸고 한 사람은 각진 턱에 건강한 피부를 가지고 있었다. 그가 손을 내밀며 말했다.

"양기찬이라고 하오."

브래디는 두 손으로 악수를 했다. 그러자 옆의 남자가 말했다. "난 강대식이오, 잘 부탁합시다." 그는 양기찬이라는 사람보다 얼굴이 길었고, 성격이 예민해 보였다. 둘에게는 공통점이 있었다. 덩치가 좋고 투박해 보이지만 나름 권위적인 데가 있는 리더형의 스타일이었다. 말투와 행동에서 그게 느껴졌다.

"선 씨라, 본관이 어떻게 되시오?" 양기찬이 물었다.

브래디는 본관이라는 말을 듣곤 잠시 우물쭈물했다. 단어의 뜻이 금방 생각나지 않았다. 어림잡아 그게 본,이라는 말과 같은 뜻일 것이란 짐작을 했다.

"보성입니다. 제천이 고향이고요."

"보성 좋은 곳이오. 한때 그곳에 머문 적이 있소."

강대식이었다. 그는 양기찬보다 나이가 들어 보였다. 하지만 둘은 나이 가늠이 애매할 정도로 비슷한 건강미를 가지고 있었다. 카페에선 금방 나왔다. 막 뉴욕에 도착한 사람들이고 내일 일정을 생각해 한시라도 빨리 호텔에서 쉬게 해 주는 게 좋을 것 같았다. 호텔에서 체크인을 하고 나자 마침 저녁 시간이었고 브래디는 둘에게 양식으로 할 것인지 한식으로 할 것인지 물었다. 둘의 의견이 갈렸다. 그게 싸움의 시작이었다.

"양식으로 합시다." 양기찬이 말했다. "어디 스테이크 잘하는 데 있으면 데려다 주시오." 그러자 옆의 강대식이 말했다.

"한식당이 있을 거 아니오. 한국 사람이 굳이 양식을 먹을 필요가 있겠소."

브래디는 둘을 번갈아 봤다. 직감이었다. 둘이 심상치 않은 관계라는 걸 어렵지 않게 알 수 있었다. 단순히 음식 취향의 문제가 아니었다. 자존심 싸움을 하는 듯 보였고, 약속이나 한 듯 둘 다 똑같이 중절모를 쓰고 있었고 양복도 이태리 브랜드였다. 가만히 보니 신경전은 한두 번 해 본 게 아닌 듯 자연스러웠다.

"두 분 다 존중해야겠지만, 제가 몸이 둘도 아니고요……." 브래디의 말에 양기찬이 웃었다. "그래서 드리는 말씀입니다만, 마침 러시아워입니다. 이 시간의 브루클린은 말 그대로 사방이 꽉꽉 막힙니다. 문제는 한식당은 택시를 타고 좀 가야 한다는 겁니다. 시간이 걸린다는 뜻입니다. 그래서 가까운 양식집이 어떨까 합니다. 한식은 내일 드시면 되니까요." 브래디의 말에 둘이 입을 다물었다.

"젊은 양반이 조리가 있구먼." 양기찬이었다. 옆에서 강대식이 끙,하고 앓는 소리를 냈다.

"가시죠, 어르신들." 어르신,이라는 말이 불현듯 떠올랐다. 단 한 번도 해 본 적 없는 그 말이 어떻게 그 순간에 생각이 났는지.

"젊은 사람한테 추한 꼴 보이기 싫어 내 감세." 강대식이었다.

"나도 같네." 양기찬이었다.

이 둘이 누구인지 또 어떤 사이인지 알 수는 없지만, 확실한 건 월 스트리트의 검증을 거친 한국인들이라는 것. 말하자면 까다롭기로 소문난 월 스트리트로부터 선택받은 나름 정체가 빵빵한 사람이란 소리였다. 나중에 안 것이지만 둘을 초청한 사람은 각각 다른 사람이었다. 각자 아는 지인이 개별적으로 둘을 초청했고, 그걸 월 스트리트가 승인하는 모양새를 취한 듯했다. 두 사람은 그걸 자랑하듯 브래디에게 말했다.

양기찬이란 사람은 자신을 초청한 사람이 주한미군 장교 출신이라고 했다. 그때 쌓은 우정이 남다르며 그 우정이 오늘을 있게 한 거라며 힘주어 말했다. 강대식은 호텔을 경영하는 사람이었다. 한국의 주류들이 고객이라며 자기소개를 했다. 일종의 자랑이었는데 그는 주류,라는 단어에 힘을 줬다. 양기찬과 달리 그는 자기 호텔 얘기를 주로 했다. 호텔에 대한 애착이 보통이 아니었다. 그의 자랑은 더 이어졌다. 한국전쟁에 참전한 미군 장교의 책을 출판하고 후원하면서 여기까지 오게 됐다는 얘기였다. 그의 자긍심은 양기찬보다 더했고 자신이야말로 한국의 현재와 미래를 설계하는 기획자라며 자화자찬을 했다. 기획자라는 말이 무척 거창하게 들렸다. 얘기를 듣고 나자 브래디는 둘의 경쟁 관계가 꽤 오래전부터일 거라는 생각이 들었다. 긴 시간을 두고 이어진 부와 자존심이 결합한 힘겨루기 같은 것, 뉴욕에 있는 그 짧은 동안에도 두 사람은 수시로 티격태격했고 그걸 이해하기 위해서는 둘의 싸움이 한 순간의 감정 때문이 아니라는 걸 염두에 두어야 했다.

"이봐요, 강 회장. 강 회장이 여기까지 올 수 있었던 게 누구 덕인지 알기나 아슈?"

양기찬이 턱짓을 하며 말했다. 뉴욕에 올 수 있도록 힘쓴 사람이 자신이며 그 덕에 월 스트리트 거물들을 만날 수 있게 됐다는 소리였다. 강대식도 지지 않았는데, 좀 흥분한 듯 그가 중절모를 벗으며 말했다. 대머리일 줄 알았던 그의 머리는 나이와 다르게 까만 숱이 가득했다.

"말은 바로 합시다, 양 회장. 초청 절차상 일을 편하게 하기 위해 통로를 한 곳으로 정한 것뿐 아니오. 누굴 바보로 아시오?"

강대식의 말이 맞는 것 같았다. 양기찬을 초청한 사람은 자무엘과 아는 사람이라고 했다. 다만, 양기찬의 초청이 먼저 결정되고 강대식이 나중에 추가로 초청된 것뿐이었다. 그런데 둘을 따로 관리하기 번잡하니까 먼저 초청한 양기찬 쪽을 창구로 정해 일을 진행한 것이었다. 그걸 알고 있는 강대식에게 양기찬의 공치사가 먹힐 리 없었다.

"미국인 친구 중에 로버트 하디라고 있소." 강대식이 말했다. "한국전쟁 때 강원도 서화 천도리라는 곳에서 전투를 하다 부상을 입고 본국으로 돌아간 사람인데,

그가 한국전쟁 때 쓴 일기를 토대로 참전기를 썼소. 어디에 있는 줄도 모르는 나라를 위해 목숨을 바치려고 달려온 사람이오. 전사라는 말은 이럴 때 쓰는 거요. 알겠소, 양 회장?"

강대식의 목소리가 하도 근엄해 브래디는 가만히 듣기만 했다. 말하자면 양기찬과 강대식은 누가 더 미국인과 친하고 인연이 끈끈한지 겨루는 중이었다.

"날 초청한 사람이 바로 그 전사, 로버트 하디의 아들이요. 이름을 밝힐 순 없지만 골드만 삭스 싱가포르 주재원이었다는 것만 말해 두겠소. 지금은 헨리 폴슨 이 양반하고 본사에서 같이 일하는 걸로 알고 있소. 그가 내 공을 잊지 않고 아버지를 대신해 불러준 거요. 헨리 폴슨이 어떤 양반인지 알기는 아슈, 양 회장?"

양기찬이 지지 않고 말했다. 목에 힘이 잔뜩 들어가 있었다. "어쨌든 나를 통해 여기까지 온 거 아니오." 그러자 강대식이 목소리를 높였다.

"내 말을 뭘로 들은 거요, 양 회장. 날 초청한 사람이 로버트 하디의 아들이라는데, 이게 어디 보통 인연인 줄 아시오. 그 뒤에는 헨리 폴슨이 있다 이 말이오."

헨리 폴슨 얘기가 나올 줄은 몰랐다. 미 재무부 장관이 이 한국인하고 관련이 있다니, 믿기 힘들었다.

강대식은 자신이 말하는 한국전쟁의 전사 로버트 하디의 한국전 참전 회고록을 출판해 준 사람이 자기라고 했다. 그게 이 인연의 시작이고 이번 초청은 그 대가라는 게 얘기의 골자였다. 그는 그 얘기를 자세히 했다. 어쨌든 양기찬과 강대식은 미국인과의 개인적인 인연은 각각 달랐지만 월 스트리트에게는 둘 다 가치 있는 사람으로 받아들여지고 있었다는 것, 사실인 것 같았고 둘은 그걸 자긍심으로 삼았다.

호텔로 사람이 왔다. 둘을 데리고 왔던 그 흑인이었다. 브래디는 양기찬과 강대식을 그에게 인수했다. 그는 입을 꾹 다문 채 두 사람을 SUV에 태우곤 사라졌다. 그동안 브래디는 맨해튼에 가 있어야 했다. 양기찬과 강대식을 다시 마중한 곳은 브로드웨이에 있는 프랑스 음식점 앞이었다. 둘을 데리고 갔던 그는 저녁이 되자 떨구듯 음식점 앞에 두 사람을 내려놓더니 아까처럼 아무런 말도 없이 사라졌다.

그런데 좀 이상했다. 양기찬도 그렇고 강대식도 얼굴들이 무척 어두웠다. SUV를 타고 갈 때와 전혀 다른 모습이었다. 침울하다고 해야 할지, 어딘지 좀 멍해 보이기도 했다. 한식으로 저녁을 먹으면서 둘은 깨작대듯 절반도 먹지 않았는데, 음식이 입에 맞지 않아서 그런가 했다. 뉴욕의 한식이 한국과 같을까. 그런데 그게 아니었다. 다음 날에도 둘은 호텔 조식마저 마다했다. 말도 하지 않았다. 브래디는 혼자 먹을 수 없어 커피로 아침을 대신했다.

JFK 공항에 도착할 때까지도 둘은 벙어리라도 된 듯 입조차 벙긋하지 않았다. 어제처럼 다투지도 않았다. 오히려 서로를 달래주듯 양보도 하고 그랬는데, 둘은 뉴욕에 처음 왔을 때와 사뭇 달라진 모습이었고 이상할 정도로 하루 사이에 사람들이 변해 있었다. 신기할 정도였다. 영문을 알 수는 없었지만 하얗게 질려 있는 듯도 했는데 그들은 자신들이 간 그곳에서 무슨 일인가를 겪은 듯했다. 하지만 브래디는 그게 무엇인지 알 수 없었다. 하도 분위기가 엄숙해 묻지도 못했다.

게이트에 들어가기 전이었다.

"고맙네, 브래디."

양기찬이 말했다. 그가 명함을 꺼내 브래디에게 건넸다. 한국에 오면 연락하라고 팁이라며 돈까지 주머니에 넣어주었다. 그는 그걸 강대식 모르게 했고 양기찬은 강대식에 비하면 브래디에게 내내 호의적이었다. 성격 자체가 강대식보다는 잔정이 있는 사람 같았고 말수도 많은 편이었다.

양기찬과 강대식이 한국으로 돌아가고 난 뒤였다. 브래디는 강대식과 달리 양기찬과 몇 차례 통화를 했다. 그의 호의 때문이었다. 그가 팁이라고 건넨 돈이 만만치 않았고, 고맙다는 말을 하자 양기찬이 언제 한번 한국에 왔다 가라는 말을 했다. 그저 하는 인사치레로 보이지 않았는데, 브래디는 양기찬에게 아버지 같다는 말을 했다. 자기 입으로 그런 말을 하게 될 줄은 몰랐다. 이유는 잘 알 수 없지만, 어느 정도는 실제 그런 심정이기도 했다. 양기찬도 그런 브래디에게 각별한 관심을 보였다. 그런 그가 고마웠고 브래디는 언제 한국에 가면 꼭 들러야겠다고 마음먹었다. 말이 그렇지 실제 한국에 갈 일이 있을 리 없었다. 그 뒤로는 한동안 연락이 뜸했다. 어쩌다 안부라며 연락한 게 전부였고 그마저 시간이 좀 지나자 끊겼다. 그리고 아마 그게 제이콥 쉬프가 시나리오를 수정하고 있을 때였을 것이다. 그즈음 그와 오래간만에 통화를 했는데 말하는 것도 듣는 것도 예전의 양기찬이 아니었다. 그는 브래디가 큰 소리로 말해야 겨우 알아들었다. 그 때문에 통화를 하는 게 부담스러웠고 자세한 얘기를 하자니 그가 받을 충격이 부담스러웠다. 그렇게 한동안 연락을 하지 않고 지내다 다시 연락을 했는데 그때는 촬영이 진행 중일 때였고, 마침 한국 촬영 일정이 잡혀 있었다. 그게 지난해 가을이었다.

양기찬은 몸져누워 있었고 그가 다른 사람을 바꿔줬다. 브래디는 또 망설여야 했다. 실은 할 말이 있어 연락을 한 건데 다른 사람에게 그 얘기를 하자니 걸렸던 것이다.

"말씀하세요."

목소리는 여자였다. 브래디가 물었다. "안녕하세요. 전 브래디라는 사람입니다. 누구신지요, 양 회장님과 어떤 관계이신지 해서요."

"딸이에요. 제가 아버님 일을 보고 있거든요."

딸이라는 말에 좀 안심이 됐다. 좋은 소식은 아니지만 그나마 편하게 말을 해도 될 것 같았다. 그건 그렇고 이런 일로 양기찬에게 연락을 하게 될 줄이야, 생각지도 못한 일이었다. 그리고 그때 그곳에서 그런 일이 있었다고는 자신도 상상조차 할 수 없었다. 하얗게 질려 있던 양기찬과 강대식의 표정, 한스 화이트가 아니었다면 여전히 그때 그 표정을 브래디는 이해하지 못했을 터였다. 어쩌면 영원히.

제이콥 쉬프, 아니 한스 화이트가 같이 일을 하자고 찾아왔을 때였다. 막상 그의 시나리오 얘기를 듣고 나자 구미가 당겼다. 돈이 될 수 있겠다는 생각 때문이었다. 문제는 그 뒤였다. 시나리오를 읽고 나자 망설여졌다. 그럼에도 돈이 된다는 한스 화이트의 말에는 솔깃하지 않을 수 없었다. 며칠 말미를 주겠다고 하곤 한스 화이트는 돌아갔고, 며칠 뒤 브래디는 그에게 연락을 했다. "한번 보지요, 한스." 그리고 사흘인가 뒤였다. 그는 자기 숙소로 브래디를 불렀다. 한스 화이트는 자축하자며 위스키를 내왔다.

브래디는 처음 필름을 봤다. 한스 화이트는 조심스러웠다. 그러면서 이제 동업자나 다름없어 보여 주는 거라고 했다. 노트북엔 스토리지가 연결돼 있었고 막상 본 영상은 충격적이었다. 그가 들려준 이야기의 수천 배 정도의 충격이었다.

한스 화이트가 클릭한 애버리지니 필름을 보고 나서였다. 그가 다른 파일을 클릭했다. 거기엔 애버리지니 필름 현장에 있는 사람들이 찍혀 있었다. 한스 화이트는 그걸 케빈 슈라이버 교수 현장 필름이라고 불렀다. 그리고 거기에 그들이 있었다. 두 사람, 양기찬과 강대식. 브래디는 기겁을 했다. 필름에는 월 스트리트 거물들과 여러 나라 인사들이 등장하고 있었고 그들 틈에 그 둘이 있었던 것이다. 신기했고 기괴했다. 한스 화이트는 두 필름 말고도 다른 자료가 더 있다며 자랑을 했다. 기분이 좋은지 잘 마시지도 못하는 위스키 서너 잔을 마시더니 그가 혀 꼬부라지는 소리로 말했다.

"어때. 쓸 만하지, 브래디?" 그리곤 낄낄 웃더니 주먹으로 하늘을 찌르며 붐붐붐,하고 외쳤다.

여차하면 이걸 공개할 수도 있다는 소리도 했다. 하긴 애버리지니 필름과 케빈 슈라이버 교수의 현장 필름, 이게 세상에 알려지면 어떤 일이 벌어질지 짐작이 가고도 남았다. 거기에 생각이 미치자 브래디는 한국의 양기찬과 강대식이 떠올랐다. 실은 강대식보다 양기찬, 그가 생각이 났다. 코 고는 소리가 들렸다. 위스키에 취해 나가떨어진 한스 화이트가 침대에 엎어져 잠들어 있었다. 브래디는 파일을 자기 노트북에 담았다.

"따님이시라니, 잘됐네요." 브래디가 말했다.

"그런데, 누구시죠?"

"아시는지 모르겠지만 오래전 아버님께서 미국에 오셨을 때 가이드를 한 사람입니다. 그때 워낙 친절하게 대해 주셔서 그동안 연락을 하며 지내왔습니다."

"용건이 있으시면 말씀하세요. 제가 전해 드릴 테니까요."

"그런데 존함이?" 브래디가 물었다.

"양민순이라고 해요."

"아, 네…… 그런데 저로선 이걸 말씀드려도 되는 건지 싶기도 합니다……."

브래디는 잠시 고민했다. 그렇다고 그만두고 말고 할 일이 아니었다. 우선 대략이나마 내용을 들려주는 게 좋을 듯싶었다. 양민순은 무슨 말인지 이해가 가지 않는다고 했다. 브래디는 나머지 얘기는 다음에 하는 게 좋을 것 같다며 끊었다.

다음 통화 때였다. 어쩐 일인지 양민순의 목소리가 지난번과 달랐다.

"도대체 뭐죠, 그게 무슨 얘기이기에 아버지가 저러냔 말이에요?"

"저도 걱정은 했습니다. 하지만 그냥 넘어갈 일이 아닌 것 같아서요. 다른 뜻이 있어서가 아니라 회장님을 생각해서 드리는 말씀입니다."

"그러니까 그걸 저한테 얘기해 주셔야지요. 아버지 몸이 더 악화됐다고요."

브래디의 얘기를 전해 들은 양기찬은 침대에서 발버둥을 쳤다고 했다. 순간 정신이 혼미해졌고 뭔지 몰라도 그때 일을 아버지 양기찬은 정확하게 기억하고 있는 듯했다고. 하긴 그간 누구에게도 말하지 못한, 이십 년도 훨씬 더 지난 지금에 이르러 그때의 일을 이렇듯 다시 듣게 될 줄은 그 역시 상상하지 못했을 터였다.

"아무 말이나 막 한 거 아니지요?" 양민순이 물었다.

"제가 뭣 때문에 거짓말을 하겠습니까."

사실 같았다. 양민순은 조심스러웠다. 하지만 우선은 시간을 좀 두고 생각할 필요가 있었다.

얼마 후였다. 브래디는 연락을 받았다. 이번엔 양기찬이 딸을 통해 먼저 연락을 해왔다. 요지는, 딸이 직접 미국으로 가든지 아니면 비용을 댈 테니 브래디더러 한국에 왔다 가 달라는 것이었다.

"언제가 좋을까요?" 양민순이 물었다.

"어차피 제가 한국에 가야 합니다." 브래디가 말했다.

"잘됐네요. 그리고 노파심에서 하는 말인데, 같은 파일을 가지고 있다는 댁 친구 한스 화이트인가 하는 사람 그 사람도 데려오세요."

"그 사람은 왜요?" 한스 화이트 얘기는 괜히 했다 싶었다.

"그 사람도 파일을 가지고 있다면서요."

"그 걱정은 하지 않으셔도 됩니다. 전 양 회장님 편입니다." 양 회장 편이라는 말에 여자가 긴가민가하는 듯했다. 브래디가 다시 말했다.

"그게 아니면 제가 왜 이런 정보를 드리겠습니까. 안 그런가요, 여사님?" 여자가 수긍하는 듯했다.

애를 좀 먹기는 했지만, 몇 번 그러고서야 브래디는 양기찬과 통화를 할 수 있었다. 브래디의 목소리를 들은 그가 반가워했다. 건강이 생각보다 좋지 않아 보였다.

말하는 것을 여간 힘들어하는 게 아니었고 어떤 말은 잘 알아듣지도 못했다.

"그게, 언제 적 일인데……." 그가 말했다. 목소리만으로는 그가 양기찬인지 아닌지 알 수 없었다. "난 벌써 잊었는데, 끔찍했잖아……." 그가 말을 흐렸다.

"기억하고 계시는군요, 회장님!" 브래디가 큰 소리로 말했다.

"이러면 안 돼……." 양기찬이 겨우 말하곤 나머지는 딸 양민순하고 마무리하라고 했다. 통화를 끝내려는데 양기찬이 물었다. "가 강대식, 그쪽 사람한테도 말해줬는가?"

"아닙니다, 회장님. 사실 그 분과는 연락 한번 한 적 없습니다." 브래디가 다시 큰 소리로 말했다.

"아들 말이네……."

"아들이라니요, 회장님?"

"그랑호텔 지배인…… 제임스, 제임스 김……."

"제임스, 김이요?"

"걔가 강대식 아들이잖아. 강철민이라고."

브래디는 순간 말을 멈추었다. 제임스 김이 강대식 아들이라니? 그리고 강철민은 또 뭐고. 저쪽에서 양기찬의 목소리가 들려왔다.

"내 딸 미, 민순이 하고 얘기해서 잘 끝내. 돈은 알아서 봐 줄 테니까. 뭔 말인지 알아?"

"네, 회장님."

"고맙구먼, 고마워……." 양기찬이 그르릉 소리를 냈다. 아흔이 넘은 병든 노인이라고 하기에는 울대가 밀어 올리는 목청이 굵고 묵직했다.

채석장

건물이 금세 불길에 휩싸였다. 나머지 두 건물에도 불이 붙자 순식간에 일대가 불꽃과 열기로 가득 찼다. 목재여서 불길은 더 강했다.

비디오 빌리지에서 나온 권수진 감독이 턱에 걸린 마스크를 콧잔등까지 올렸다. 열기 때문이었다. 노을이 채석장 전체를 선홍으로 만들자 권수진 감독이 엄지손가락을 치켜들었다.

세트장 화재 장면을 컴퓨터 그래픽으로 하자는 제작사의 의견을 권수진 감독은 일부만 수용했다. 어차피 세트장을 철거해야 했고, 그럴 바엔 약간의 위험을 감수하더라도 불을 내 찍는 게 좋겠다 싶었다. 노을을 온전히 담을 수는 없지만 자연광이 일정한 영향을 미치도록 하자는 처음의 의도를 놓치고 싶지 않았다. 일기 예보를 점검했고 다행히 며칠간 비 소식이 없었다. 어쩌면 내일 소나기가 올지도 모른다는 예보가 있었지만 상관없었다.

화염이 생각 외로 거셌다. 노을과 화염이 어우러져야 했는데, 그 시간이 짧았다. 권수진 감독은 컷 시간을 좀 늦췄다. 세트장 옆에는 소방차 두 대가 대기하고 있었고 고도가 다른 드론 세 대가 불타는 세트장을 맴돌았다. 스테디 캠 두 대가 불타는 세트장 주변을 누볐고 스태프들은 세트의 불꽃이 다른 곳으로 번지지 않게 채석장 곳곳에 배치돼 움직였다. 이 장면을 위해 몇 번이나 컴퓨터로 시뮬레이션을 했다.

한동안 비가 오지 않아 건조해진 대기는 나무로 된 건자재를 CG 이상으로 활활 태웠다. 따로 CG가 필요 없을 정도였다.

노을이 사라지고 있었다. 이제 컷을 외쳐야 하는 순간이었다.

"컷!"

권수진 감독은 만족했다. 스태프들이 환호성을 질렀다. 서로 악수와 포옹을 했다. 같은 장소에서 세트장을 허물고 다시 지으며 몇 개월을 이백여 명의 사람이 생활을 하며 지낸다는 게 쉬운 일이 아니었다.

"고생 많으셨습니다, 감독님."

브래디가 권수진 감독에게 냉음료를 건네며 말했다.

"스태프들이 고생했죠, 뭐." 권수진 감독이 음료를 마시며 말했다. "사고도 없었고, 얼마나 고마워요."

촬영 기간 동안 별다른 사고는 없었다. 스태프의 실수로 배우 한 사람이 다칠 뻔한 일이 있었을 뿐.

"감독님 덕분입니다."

캐스팅을 하는 데 도움을 준 사람이 권수진 감독이었다. 한국 배우들을 잘 몰라 배우들의 연기 영상을 반복해 봤는데, 권수진 감독이 자료를 선별해 줬다. 시나리오는 전반부에 복선처럼 배치된 한국 배우들이 후반에 이르면서는 이야기를 풀어가는 연결고리로 등장했다. 후반부 서사의 힘을 결정하는 역할은 한국 배우들의 몫이었다. 브래디가 분석한 캐스팅 결과에 권수진 감독이 놀랐다. "제 생각하고 같네요. 좋아요, 브래디." 권수진 감독은 한국 배우들이 할리우드에서 할 역할을 더 기대하는 눈치였다. 걱정도 했다. 오늘 연기한 중년 한국 배우들은 할리우드까지 갈 사람들이었다.

"이따 가실 거지요, 감독님?" 브래디가 물었다.

"안 갈 거예요, 브래디?"

"내일 고향에 들르기로 했거든요. 마지막일지도 모르고 해서요."

"참 고향이 제천이라고 했지요."

이모부한테는 약속을 해 둔 참이었다. 이모부는 이모가 돌아가신 뒤 사진첩을 정리하다 혹시 해 놔뒀다며 어머니와 이모가 같이 찍은 어릴 때 사진을 챙겨 놓겠다고 했다. 이제 주인을 찾게 된 모양이라며 이모부는 어머니에게 줄 곶감도 준비했다고 했다. “처제가 곶감을 얼마나 좋아했는지 아냐.” 어머니가 곶감을 좋아하는 줄은 몰랐다.

“한스 화이트는 봤어요?” 권수진 감독이 물었다.

“아뇨. 어제저녁에 식당에서 본 게 답니다.”

알고 보니 한스 화이트는 일찌감치 여길 떠난 모양이었다. 이른 아침, 아니 새벽이었다. 다음 할리우드 촬영 때문이라는 핑계를 댄 모양인데, 권수진 감독한테는 얘기도 하지 않은 것 같았다.

할리우드 촬영은 한 달 뒤였다. 권수진 감독은 서울로 올라가더라도 제대로 쉬지도 못하고 할리우드로 날아갈 준비부터 해야 할 터였다. 한스 화이트가 토론이랍시고 딴지를 걸어대는 바람에 애를 먹은 권수진 감독에게 할리우드는 오히려 좋은 환경일 수 있었다. 할리우드가 원하는 건 토론자가 아니라 하루빨리 결과물을 만들어 줄 프로듀서일 테니까.

“할리우드에서 뵙겠네요, 감독님.”

“그러게요. 고향 잘 들르시고 그때 봐요.” 권수진 감독이 버스에 오르며 말했다.

고향이라는 말이 유독 다가왔다. 막상 한국을 떠난다고 생각하자 다시 못 올 수도 있다는 생각이 앞섰다. 어머니의 병이 아니면 한국에 와 살 생각이었는데…… 집에 가자는 말을 달고 살던 어머니는 요양병원으로 갔다.

시간을 봤다. 오후 일곱 시, 허기가 느껴졌다. 시장에서 먹던 국밥 생각이 났다. 생전 처음 먹어 보지만 여기 있는 동안 맛있게 먹은 음식이었다. 떡갈비 마늘만두 역시 처음 먹어 보는 음식이었다. 만두는 한스 화이트의 주식이었는데, 그는 걸신들린 사람처럼 만두를 먹어 치웠다.

브래디는 SUV의 시동을 걸었다. 그러고 보니 연락을 한다고 해 놓고는 깜박하고 말았다. 천천히 차를 움직이며 핸드폰의 숫자를 눌렀다. 이런 일일수록 확인하고 또 확인해 두는 게 좋을 터였다. 돈이 걸린 일이었다. 신호가 가고 목소리가 들렸다.

추적하는 사람들

2시간 45분, 내비게이션이 추정한 시간이었다. 중간에 휴게소에 들르지 않았다면 시간은 더 줄었을 것이다. 생각보다 빨리 달리고 있었다. 평소 말이 적어 얌전하다고 생각했는데, 하정미는 운전을 잘하는 건지 거친 건지 딴판이었다. 뻥 뚫린 고속도로는 보는 것만으로도 속이 시원했는데 하정미의 운전이 한몫하고 있었다. 여행이라도 가는 듯 하정미는 콧노래를 불렀다.

차가 갑자기 덜컥했다. 하정미가 급하게 브레이크를 밟은 모양이었다. 놀란 사람은 이과수인데 하정미가 더 놀라 물었다.

"저게 뭐죠?"

들짐승 하나가 앞에서 고속도로를 가로질렀다. 고라니였다. 거리가 좀 떨어져 있어 망정이지 자칫 충돌할 수도 있었다.

"속도 좀 줄여, 하정미 씨."

"백오 킬로밖에 안 되거든요."

"백 킬로가 제한 속도야."

"치, 차도 없으면서."

출퇴근을 하는 게 아니어서 굳이 차가 필요하지 않았다. 호텔 일로 외근을 나갈 때는 회사 차를 이용했고 가까운 곳이거나 개인적인 일은 지하철이면 충분했다. 차가 또 울컥했다. 하정미가 이과수를 보곤 씩 웃었다. 일부러 그런 거였다. 이렇게 장난기가 많은 사람이 회사에서는 왜 그리 무표정했는지. 가만히 보니 하정미는 애교도 있었다.

이정표가 보였다. 8백 미터 앞에 북단양 IC가 있었다. 계속 직진을 하면 안동과 단양 IC, 내비게이션은 북단양 IC를 가리켰다. 내비게이션이 남겨 둔 시간은 불과 15분, 국도를 탄 뒤 매포읍을 지나 남쪽으로 좀 달리면 단양 시내였다.

†

센터에서 사람이 왔다. 케이와 와이, 두 사람은 그랑호텔을 전담하는 센터의 요원이었다. 센터 의뢰는 벌써 했어야 할 일이었다.

센터는 끈질기고 영리한 일 처리로 유명했다. 극도로 비밀을 유지했고 모든 일이 은밀하게 진행됐다. 일단 지원에 나서면 고객을 자신들의 상사로 여겼고 정부 여러 부처와 거래를 하기도 했는데 그곳이 어디인지, 그 일을 의뢰한 사람들이 누구인지, 또 무슨 일을 하는지 알 수 없었다. 센터 내부에서조차 같은 팀이 아니면 얼굴과 이름을 몰랐다. 고객도 센터 사람을 부를 땐 그쪽에서 부여한 알파벳으로 소통을 했다. 특별고객이 아니면 얼굴조차 제대로 볼 수 없었다.

"사람을 붙였으니 곧 알 수 있을 겁니다, 선생님." 지배인이 핸드폰에 대고 말했다.

"백지우는 뭐라던가?" 최치영이 물었다. 그는 백지우가 더 궁금한 모양이었다.

백지우를 만난 게 큰 도움이 됐다. 최치영의 말을 듣길 잘한 것 같았다. 하지만 조심스럽기도 했다. 혹 모를 양민순의 눈을 생각해 지배인은 그랑호텔 자기 방 대신 시그니엘에 방을 잡았다. 백지우도 그 염려를 했는지 반기는 눈치였다. 그와는 초면이었다. 마른 체형에 키가 큰 백지우는 긴장한 모습이었다. 자기 행동이 무엇을 의미하는지 그도 잘 아는 듯했다. 그 조심성이 그를 솔직한 사람으로 보이게 했다. 처음 보는 자리였고 인사 차원의 티타임 정도로 생각했는데 백지우가 뜻밖의 얘기를 했다.

"양 여사가 지방 출장을 준비하는 모양입니다."

"출장이라니요?"

"예장동 양 여사 사무실에 자료를 받으러 갔다 들었습니다. 양 여사가 일부러 말한 건 아니고 우연히 그 자리에 있다가 들었습니다. 운이 좋았던 거지요."

"누가 같이 있었습니까?"

"임장수와 이용남이 있었습니다. 그 둘도 동행하는 듯했습니다."

"어딜 말입니까?"

"모르겠습니다. 보디가드가 있었습니다. 서늘했습니다." 그 말이 범상치 않게 들렸다. 백지우는 양민순의 태도를 그렇게 표현했다. 악에 받친 듯했다고. "아버지 말이라면 맹목적이었습니다. 그렇지 않고서야 아버지의 회고록을 그런 식으로 써 달라고 요구하기는 힘들 테니까요."

"왜 그러는 것 같습니까?"

"오래전 아버지 양기찬이 테러를 당해 다친 적이 있는데, 그 때문에 다리 한쪽이 불구가 됐답니다. 누워 있어 저도 몰랐습니다. 아마 그 때문일 겁니다." 백지우는 이 얘기는 자료에 없는 거라고 했다. 양기찬의 입이 아니면 알 수 없는.

"가문을 세우겠다더군요."

"가문을 세운다…… 뭔 뜻 같습니까, 백 선생?"

"가문의 명예를 말하는 듯했습니다."

가문의 명예라니. 백지우가 다시 말했다. "양 여사는 아버지를 존경하지만 불쌍히 여겼습니다. 양기찬이 죽기 전, 회고록을 완성해 보여 줘야 한다고 했지요. 사명인 듯했습니다."

차영한하고 백지우 얘기를 하고 있을 때였다. 최치영이 찾아왔다. 지배인 얘기를 듣고 백지우에게 재차 확인한 모양인데, 양민순이 움직인다는 소리에 가만히 있을 수가 없었던 모양이었다.

양민순은 호락호락한 사람이 아니었다. 센터 사람을 붙이기는 했지만, 그 때문에 뒤를 밟는 일은 극도로 조심스러웠다. 움직이기 시작한 건 그쪽이 먼저였고 더 예민한 쪽 역시 그쪽일 터였다. 당연히 양민순은 이쪽을 의식하며 움직일 게 뻔했다. 자칫 이쪽 움직임이 노출될 수도 있었다. 물론 그 반대도 고려해야 했다. 이과수와 하정미한테 센터 사람을 붙인 것도 그 때문이었다. 치밀해야 했다. 둘의 상황을 제대로 알고 있어야 양민순 쪽도 파악할 수 있었다. 양민순이 이과수의 근황을 알고 있다는 걸 가볍게 볼 일이 아니었다. 추정이기는 하지만 두 사람을 떼어 놓고 이 상황을 생각하기는 어려울 것 같기 때문이었다. 하지만 우연히 둘의 움직임이 겹친 건지도 모른다는 것도 염두에 둬야 했다. 괜히 지레 이쪽 의도만 노출하는 꼴이 될 수도 있었다.

"아직 소식이 없는 겐가?"

최치영이 초조해했다. 오히려 지배인이 더 여유가 있었다.

"하정미 쪽을 감시하고 있으니까 곧 소식이 올 겁니다, 선생님. 이과수하고 같이 움직인다는 건 뭐 기정사실 같으니까요." 하정미와 이과수를 찾는 일은 차영한이 맡았다. 센터 사람들이 차영한의 통제하에 있었다.

"양민순 쪽은 어떤가?"

"거기도 곧 소식이 올 겁니다." 지배인은 확신했다.

"서두르는 게 좋네." 상황이 급박하게 돌아갔고, 최치영도 충분히 직시하고 있었다. "언제라고 하던가?"

"백지우 말대로라면 오늘 아니면 내일입니다."

"조심하라고 이르게. 양민순이라고 가만히 있겠어."

"누가 먼저 아느냐 아니겠습니까."

"백지우도 한계가 있어 그러네. 결국 양민순이 알게 될 거란 소리야." 시간이 없단 뜻 같았다.

물론 지배인도 알고 있었다. 다만 이 혼란스러운 상황을 여전히 논리적으로 설명할 수 없다는 게 답답할 따름이었다. 걱정도 있었다. 어쩌면 이과수와 양민순, 거기다 브래디가 다 한패일지도 모른다는 생각이 들자 이제는 제이콥마저 의심이 들었다. 말하자면 셋과 제이콥이 다 한패일 수 있다는 설정, 물론 현실성 있는 얘기는 아니었다.

"제이콥은 어쩔 생각인가?" 최치영이 물었다.

"불러들일 겁니다, 선생님."

"쉽지 않을 텐데."

"미끼를 던지면 됩니다. 그 자식 생각보다 가벼운 놈입니다."

"짚어 둬야 할 게 있어." 지배인은 최치영을 봤다. "제이콥 그 친구 관리에 문제가 있던 게 아닌지 생각해 봤네."

"제 문제인가요?"

"복기를 하자는 거지."

"투숙객들은 지난 일 따위엔 관심 없습니다, 선생님. 여론도 나왔잖습니까." 지배인이 예민해졌다.

"강대식은 신중한 분이었어. 앞서더라도 성급하지 않았지." 최치영의 목소리에 힘이 들어가 있었다. "보다 철저하게 하자는 의미이니까, 오해는 말게."

"월 스트리트를 상대하는 거나 다름없는 일입니다. 지금 이게 다가 아니란 것이지요. 양민순하고 이 대리만 상대하는 문제가 아닐 수 있어서 그럽니다." 지배인이 말했다.

"저도 같은 생각입니다, 선생님." 차영한이었다.

"나도 동감이네. 다만……." 노크 소리였다. 이한별이었다. 나이가 어려 걱정했는데, 생각 외로 눈치가 있었고 행동도 빨랐다. 이한별이 지배인 앞에다 쪽지를 놓고 나갔다. 지배인이 재빨리 쪽지를 훑고는 말했다.

"골드만 삭스 동아시아 지역 본부에서 연락이 왔었답니다. 서울 사무실엘 들렀나 본데, 저를 물은 모양입니다."

"말하지 않았는가. 그런 일이 있었다고."

"그러고 보니 제이콥이 한 말이 생각납니다." 쪽지를 내려놓으며 지배인이 말했다. 언제였더라, 지배인은 그 얘기를 했다. 제이콥이 허투루 듣지 말라며 지배인에게 한 말, 그땐 신경 쓰이지 않았는데 요즘 들어 자꾸 그 말이 생각났다.

"무슨 뜻 같은가, 제임스?"

"워낙 오래된 일이어서요."

"그 정도면 미 상공회의소에서도 알고 있단 소리 같아 그래."

"상공회의소에서는 왜요?"

"난들 아나. 둘이 소통하는 건 자연스러운 일이지. 동선 좀 신경 쓰게."

골드만 삭스 홍콩 지사 얘기는 지난해 행사 때도 있었다. 그쪽 직원이 지배인과 그랑호텔 행사를 물어 왔고, 오랫동안 해 온 행사여서 충분히 알고 있을 텐데 확인하듯 또 물어 왔던 것이었다.

최치영이 자리에서 일어나며 말했다.

"양민순 쪽 소식 들어오면 연락이나 넣게."

하정미 쪽 소식이 들려온 건 해가 질 무렵이었다. 센터 사람, 와이한테서였다.

"하정미하고 이과수가 오피스텔에 묵었습니다."

"어딘데?" 지배인이 물었다.

"호수공원입니다. 하정미의 삼촌이 운영하는 부동산 사무실에서 소개한 겁니다."

"이 대리는?"

"사라졌습니다."

"사라지다니?"

"경비원 말로는 다음 주까지 기간이었답니다. 주차 차량 한 대가 기록되어 있었습니다."

"삼촌이라는 사람은?"

"사무실 전화가 있긴 한데, 받지 않습니다."

이과수와 양민순이 정말 한 몸일까, 브래디와 제이콥은? 한 가지 알 수 있는 것은 이들의 움직임이 한 곳을 가리키고 있다는 것이었다. 물론 짐작에 불과하지만 또 그리 가능성이 있어 보이지는 않지만, 그럼에도 지배인은 이 대목에서 어쩔 수 없이 필름을 떠올리고 있었다. 그게 아니고는 이들이 이처럼 일사불란하기는 힘들 터였다. 그런데 걸리는 데가 있었다. 양민순은 필름과는 무관한 사람이었다. 양민순이 그걸 알 리도 없고, 논리적으로도 그럴 만한 고리가 없었다. 최치영도 같은 생각이라고 했다. 그들이 다 같은 목적을 가지고 약속이나 한 듯 움직인다는 것 자체를 최치영 역시 현실적으로 가능하지 않은 일이라고 생각했다. 양민순에게 왜 필름이 필요한지 설명이 불가능하기 때문이었다. 하지만 지배인은 좀 다른 생각을 해봤다. 현상 말이다. 이게 중요했다. 이걸 이해하려면 여러 가능성을 염두에 둬야 설명을 시도할 수 있었다. 이번 일의 순서가 어그러지기 시작한 결정적인 지점이 이 대리의 귀국이었다. 그걸 가장 먼저 안 사람이 양민순이었고, 양민순은 이 대리가 왜 출장을 갔는지 알고 있는 사람이었다. 거기다 위원회 건이 겹치자 양민순의 행동이 좀 설명이 되는 듯도 했다. 자괴감도 일었다. 이 대리와 브래디, 제이콥과 양민순, 그 고리가 더 분명하게 다가오는 듯해서였다. 그런데 왜? 양민순이 애버리지니 필름하고 무슨 상관이란 것인지, 또 브래디는 어떻게 양민순을 안다는 것인지? 여전히 이해하기 힘든 대목이었다.

다시 제자리였다. 이걸 설명해 줄 수 있는 사람은 이 대리뿐이었다. 그러자 부아가 치밀었다. 망할 자식! 지금까지 흐름으로 봐 이 대리는 벌써부터 지배인과 거리를 두려고 작정했던 게 분명했다. 목적도 다른 것 같았다. 왜 이 대리는 이러는 걸까, 뭘 어쩌자고. 한번 의문이 생기자 혼란만 더 했다. 이럴 때일수록 침착해야 했다. 최치영 말대로 강대식의 끈기와 영악함이 필요했다.

센터의 케이에게 핸드폰을 했다. 그는 예장동에 가 있었다.

"머리카락 한올이라도 움직이면 바로 보고해." 지배인은 백지우에게도 연락을 했다. 그가 핸드폰을 받았다. "양민순이 왜 저 지랄을 하는지 좀 알아 봐 줄 수 있겠습니까?" 그 말에 백지우가 당황한 듯했다.

"이참에 아예 뿌리를 뽑아야겠습니다."

다행히 백지우가 알겠다고 했다. 긴장한 목소리였다. 어쩌면 그랑호텔과 투숙객들의 미래가 이 일에 달려 있을지도 몰랐다.

그러고 보니 이 시간이면 서로를 알 때가 되지 않았을까. 이쪽이 자신들을 주시하고 있다는 것을 저쪽에서도 어느 정도 눈치챌 때가 된 듯싶었던 것이다. 그쪽 역시 이쪽을 주시하고 있을 게 뻔했다. 센터 사람들이 아니더라도 양민순은 원래 촉이 빠른 여자였다. 남은 것은 수 싸움뿐일 수 있었다. 누가 더 발 빠르고 정확하게 대처하는지, 또 양민순의 행동이 무엇을 의미하는지 알아내는 것이야말로 이 일의 성패와 무관하지 않을 터였다.

†

"정확한 게 좋지 않겠습니까." 저쪽에서 건너온 브래디의 목소리가 똑 부러졌다.

양민순이 웃으며 말했다. "그래야죠. 저도 연락을 하려던 참이었어요. 별일 없는 거죠, 브래디 씨?"

"물론입니다. 여사님."

느낌이지만 브래디는 순수한 사람 같았다. 그런 만큼 그의 의도가 눈에 들어왔다. 그 때문에 그가 연락한 이유를 양민순은 어렵잖게 알 수 있었다. 한편 브래디가 일부러 그러는 것인지도 모른다는 생각이 들었다. 그의 순수가 의도적인 게 아닌지, 뭐든 의심하고 설명이 가능할 때 실천하는 게 좋았다.

"노트북째 주어야 해요, 아시죠?" 양민순이 말했다.

"그럼요, 여사님."

"그럼 낼 보죠." 브래디는 다른 말은 하지 않았다. 양민순도 마찬가지였다. 서로 짧게 할 말만 했고 그도 양민순의 의도를 안 듯했다. 단답형, 이보다 확실한 의사 표시가 있을까.

처음엔 그가 미친놈인 줄 알았다. 요즘은 그렇지 않지만 아버지를 협박해 돈을 뜯어내려는 사람들이 있었다. 브래디도 그런 사람 중 하나인 줄 알았다. 장난인지 진심인지 헷갈리기도 했다. 그가 들려준 말이 하도 엄청나서였다. 듣다 보니 그의 태도도 그렇고 그 말 자체가 협박처럼 들리지 않았다. 브래디가 그런 인간이 아니라는 것을 안 건 아버지의 태도 때문이었다. 그때부터 긴장이 됐다.

브래디의 얘기를 들은 아버지는 땀을 비 오듯 쏟았다. 처방한 약을 복용했는데도 멈추지 않았다. 시간이 좀 지나서야 자연스레 증상이 사라졌다. 시간이 약이었다. 두 번째 통화를 할 때였다. 아버지는 사색이 된 채 거칠게 손을 저으며 일으켜 달라고 했다. 침대를 세우자 팔을 바닥에 짚어 버티곤 눈을 부릅떴다.

"누군가는 쓰러져야 끝이 나겠구먼."

그리곤 예전처럼 땀을 흘렸고 헛소리를 했다. 잠도 제대로 자지 못했다. 환자용 침대의 식탁에 가지런히 놓인 밥과 반찬에 수저 한 번 대지 않았다. 더 심해진 난청 때문에 그 좋던 목청을 듣기도 힘들었다. 하루 이틀 사흘 나흘, 아버지는 수시로 생각에 잠겼다. 멍한 듯한 눈은 허공을 봤고 이곳저곳을 두리번거리는 불안한 모습은 고통의 몸짓과 다르지 않았다. 양민순이 물었다. 무슨 일이냐고, 브래디 그 사람은 도대체 누구냐고? 양기찬은 말하지 않았다. 브래디란 사람이 무슨 특별한 말을 한 것 같지는 않았다. 간단히 소식을 전한 것 같은데 아버지는 다른 사람이 돼 있었다.

며칠 뒤였다. 사무실에 있는데 간병인한테 연락이 왔다. 아버지가 급하게 찾는다는 말에 부리나케 달려갔다. 별별 상상을 하면서. 막상 가 보니 아버지의 얼굴은 평온했다.

아버지가 가만히 미소 짓더니 양민순의 손을 잡았다. 잠시 뒤였다. 혀끝으로 입술을 적신 후 아버지가 천천히 입을 열었다.

"잘 들어야 한다, 민순아." 아버지의 목소리가 필요 이상으로 굵었다. 힘을 준 탓이었다. 좀 떨리는 듯도 했다. 양민순은 대답 대신 고개를 끄덕였다.

"뉴욕 말이다……."

"뉴욕이요?" 양민순이 물었다. 처음 듣는 얘기였다.

"그래…… 넌 뉴욕 가 봤냐?"

뉴욕은 세 번, 아버지의 심부름으로 회사 사람들과 월 스트리트에 간 게 두 번이었는데 한 번은 혼자였다. LA에 머물며 간 여행이었다. 아버지도 아는 일이었다. 그런데 새삼 아버지가 그걸 묻고 있었다.

"나도 가 봤다." 양민순은 순간 헷갈렸다. LA가 아니었나?

"LA가 아니었어요?"

"뉴욕, 뉴욕……." 낮지만 끓어오르는 목소리였다. 아버지는 뉴욕이 그때 처음이었다고 했다. 그즈음 미국에 갔다 온 적이 있어 그곳이 LA인 줄 알았는데 아닌 모양이었다.

"그 후부터였느니라……."

아버지의 얘기는 길었다. 양민순은 귀를 쫑긋 세워야 했다. 목소리가 끊길 듯 이어졌는데, 아버지는 말하는 걸 힘들어하는 게 아니라 주저하고 있었다.

"월 스트리트 그 양반들하고 오찬을 하는 줄 알았다." 그러곤 한참 입을 닫았다 뗐다. "그런 경험을 어디서 해 보겠니…… 살면서 내가 생각한 것보다 세상이 훨씬 넓다는 걸 안 것만으로도 큰 경험을 한 게지." 좋다는 건지 뭔지 알 수 없었다.

아버지의 얘기가 길어지면서였다. 양민순의 얼굴이 차츰 굳어졌다. 귀를 의심했고, 아버지의 말을 믿어도 되는지조차 알 수 없었다. 생각이 복잡해졌고, 아버지 양기찬은 그때의 자신으로 온전히 돌아가 있었다.

양기찬은 눈을 감았다. 넓게 펼쳐진 양탄자와 밝은 불빛, 처음 보는 음향 기기와 카메라, 맨해튼 사람들의 위세와 그들과의 이질감에서 느껴지는 위축감, 하지만 그 괴리 속에서 느껴지는 자긍심이 있었다.

선택받은 사람만이 느낄 수 있는 충만은 자신을 지탱해 주는 힘이었다. 그 감정을 딸에게 모두 말하기는 힘들었다. 말한들 알기나 할까. 하지만 이제는 말해야 했다. 지금 이 현실은 그때 자신의 일이 시작이 아닌가. 그게 딸에게까지 가게 할 수는 없었다. 누구에게도 말하지 않은, 자신조차 이해하지 못한 그때 그 일을. 자긍심이라고는 하지만 그걸 이해하기까지는 시간이 더 흘러야 했다. 강대식도 다르지 않았다. 그는 양기찬에게 등을 두드려 달라고 했다. 양기찬도 강대식에게 등을 두드려 달라고 했고 그렇게 서로 위로를 했다. 한순간이지만, 그와 따뜻함을 나눈 처음이자 마지막이었다. 그리고 그 뒤였다. 어렴풋하던 그게 무엇인지 알고 난 뒤 둘은 벙어리가 됐다. 왜 월 스트리트가 그 일을 했는지, 그게 무엇을 의미하는지 알았을 즈음, 강대식이 죽었다. 지병이 있기는 했지만 그렇게 짧은 시간에 그 지경에 이르다니, 다들 그걸 의아해했다.

장례식장은 조문객으로 가득했다. 양기찬은 그때 그곳에서 들은 말을 잊지 못했다.

"강대식 어른은 소유가 뭔지 아는 분이셨지요." 웬 신사였다. 흰 양복이 평범하지 않았다. 장례식장에 흰 양복이라니, 이상하지만 무례하다는 생각이 들지 않았다. 가만히 보니 낯이 있었다. 언론을 통해 본, 최치영이라는 사람이었다. "부를 남다르게 사유하신 가장 진보적인 분이시기도 했지요."

이어 누군가 말했다.

"우리가 배워야 할 게 무척 많은 분이셨습니다."

"물론이지요. 뿐만이 아니라 평소 철학을 실천할 줄 아는 분이셨습니다. 자신의 철학을 위해 거침없이 생을 희생하셨고 그 흔적이 그랑호텔이 아니겠습니까." 양기찬은 그의 말에 귀를 기울였다. "투숙객들에게 진정한 부의 의미가 뭔지 알게 했으며, 보이지 않는 것을 알고 추종하는 용기를 줬습니다. 하지만 결코 허튼 꿈은 용납하지 않으셨지요. 부와 영혼의 소유에 대한 투숙객들의 풍토는 그분에게서 비롯한 것들입니다." 그 말을 들은 옆의 남자가 상기된 목소리로 말했다.

"강대식 어른이 그걸 확인해 주신 겁니다. 새 시대의 선각자가 바로 그분 아닙니까."

양기찬은 기시감이 들었다. 어느 부분에서인가 이들의 대화가 낯설지 않았기 때문이다. 뉴욕, 왠지 그때 뉴욕에서의 그 일과 이들의 대화가 무척 닮아 있다는 생각을 했다. 왜 그런 것일까? 이 얘기들이 왜 이 자리에서 버젓이 돌고 있는지……. 월스트리트가 서약을 강요한 사실을 강대식이 잊기라도 한 것일까. 그렇지 않고서야 그의 주검 앞에서 제3자가 강대식과 자신만이 아는 얘기를 공개적으로 한다는 것을 어떻게 납득할 수 있을까. 게다가 부와 영혼에 대한 비유와 믿음에 관한 얘기는 강대식이 말하지 않으면 알 수 없는 얘기들이었다. 강대식과 자신이 뉴욕에서 돌아온 지 얼마나 됐다고. 그런데 강대식의 이 죽음은 또 무엇으로 설명할 수 있을 것인지. 지병만으로는 설명이 되지 않는 이 죽음을, 생각이 거기에 미치자 양기찬은 자기도 모르게 몸서리가 쳐졌다.

이미 죽은 강대식이야 별일 아니겠지만 양기찬은 불안했다. 양기찬은 곰곰이 생각했다. 아니 결심했다. 스스로에게 침묵하겠다고. 그때 그들이 가리키던 무언의 지시, 양기찬은 그때 느낀 감정의 혼란과 그 정체가 무엇을 의미하는지 또렷하게 기억하고 있었다. 시간이 걸리기는 했지만, 다행히 그때의 자각이 자신을 오래도록 침묵케 했던 것이다.

아버지의 얼굴이 좀 편안해졌다. 양민순은 달랐다. 아버지가 많은 얘기를 할수록 혼란스러웠고 버거웠다. 참지 못하고 양민순이 물었다.

"그거 다 진짜예요, 아버지?"

믿을 수 없어서였다. 양기찬의 고갯짓이 세찼다. 양민순은 아버지가 다른 세상을 산 사람처럼 보였다. 어느 우주에서 벌어졌다는 일을 마치 목격이라도 하고 온 것처럼, 그 얘기를 이 긴 시간을 두고 숨긴 것도 그렇고 막상 들려준 이야기도 그렇고, 그리고 지금 아버지의 심정을 양민순은 알 듯 모를 듯도 했다. 한 가지 분명한 것은 아버지 양기찬이 들려준 얘기만으로도 양민순은 충분히 두려웠고 거대해 보였다. 물론 여전히 믿어야 할지 어떤지 갈피를 잡기 힘들기도 했다. 그리고 궁금한 게 있었다.

"왜 숨기셨어요, 아버지?"

양기찬이 한숨을 내쉬곤 말했다. "뉴욕 사람들하고 각서 썼다고 하지 않았니. 그게 뭔 줄 아냐?" 조금 전 편안해 보이던 양기찬의 얼굴이 다시 굳어졌다. "암말 말고 브래디인가 그 친구가 하자는 대로 해. 원하는 것도 주고, 대신 몽땅 받아서 없애. 그러지 않으면, 니가 힘들어진다." 양기찬이 숨이 차는지 말을 멈추곤 밭은 숨을 내쉬었다.

뉴욕에서 돌아온 뒤였다. 양기찬은 연락 하나를 받았다. 그가 누구인지 알 순 없었지만 한국말을 잘했다. 교포 같지는 않았다. 미국인이었다. 그렇다고 자신을 초청한 그도 아니었다. 강대식도 같은 연락을 받았다고 했다. 두어 번 그런 적이 있었고 그럴 적마다 둘은 똘똘 뭉쳐 동지가 됐다.

월 스트리트는 양기찬과 강대식의 근황을 잘 알고 있었다. 아는 정도가 아니라 꿰고 있었던 것이다. 평소 누군가를 통해 살피지 않으면 알 수 없는 것들이었다. 그뿐이 아니었다. 가문의 이력과 선대 때의 이야기까지. 놀라운 것은 그들이 두 가문의 100년 전 일을 알고 있다는 사실이었다. 유창한 한국말이었고 그는 다른 말은 하지 않았다. 그저 안부를 물을 따름이었고 양기찬의 건재를 확인할 뿐이었다. 그런데 도대체 누가 이런 일을 하는 것일까? 누가 시켰으며 그는 누구인지, 알 수 없었다. 옛날 뉴욕에서 썼던 각서가 여전히 유효하다는 무언의 고지, 익명의 목소리는 그 사실을 강조하고 주지시켰다. 그런데 어느 날 문득 걸려 온 전화가 그때를 올올이 상기시키고 있었다. 브래디, 그의 목소리는 부드러웠다. 그런데도 그 부드러움이 섬뜩하게 느껴졌다. 마치 월 스트리트의 목소리인 듯 그가 큰 산 하나를 던져 주고 있었다. 믿을 수 없어 양기찬이 다시 물었다.

"참말인가?"

"네, 회장님."

"내가 거기 나온다, 이 말이지……?"

"강대식 어르신도 나옵니다."

목소리는 침착했다. 그렇게 보일 뿐, 그도 실은 긴장하고 있는 것 같았다. 자신의 행동이 무엇을 의미하는지 알고 있다는 소리였다. 그의 말을 다 듣고 난 양기찬은 절던 다리의 감각이 아예 사라졌다. 양기찬은 그를 떠올렸다. 로이 오커너, 그와 연락한 게 벌써 오래전이었다. 연락처가 바뀌어 있었고 물어볼 데도 없었다. 딸 양민순의 얼굴이 떠올랐다. 아무리 사는 게 업이라지만 이런 일이 아이의 고난으로 이어지게 놔둘 수는 없었다.

"그런데 말이다. 너도 기사 봤잖냐?"

"무슨 기사요?" 양민순이 물었다.

"강성봉하고 니 할애비 양천석이 벽수산장을 놓고 싸울 때 그 일 말이다. 신문엔 살인 사건이 그 집안하고 우리하고는 아무 상관이 없는 거처럼 나왔다만, 실은 그 집구석이 니 할애비를 죽이려고 작정을 했던 거니라." 양민순은 놀랐다. "그때 죽은 사람이 아버지가 데리고 있던 아이였어. 강성봉이 그 애를 꼬드겨 니 할애비를 병신으로 만들려고 한 거고. 근데 일이 잘못돼 그 애가 죽은 거지."

"왜요, 왜 죽은 건데요?"

"그놈이 아편 세 덩어리를 씹어 먹고 뒈져 버린 거야. 그 사달이 났는데 일을 크게 안 만들려고 강성봉이 손을 써 그 일을 유야무야 만들어 끝냈지. 애 죽으라고 아주 고사를 지내다시피 하지 않았냐."

"결국 벽수산장은 강성봉이 가져갔잖아요." 양민순이 말했다.

"니 할애비 그 때문에 눈도 제대로 못 감았다. 일정 때 윤 씨가 그 집을 짓느라고 얼마나 애썼냐. 그때 도움을 준 사람이 니 할애비야. 그런데 윤 씨가 죽으면서 아무런 말도 하지 않았어. 그 바람에 우리 집안하고 윤 씨하고의 약속을 아는 사람이 없어진 게야. 다 헛일이 된 거지."

"무슨 약속이었는데요, 아버지?"

"벽수산장을 니 할애비가 가져오기로 했어. 결국 강성봉한테 가기는 했다만, 적산가옥까지는 이해하지만 언커크인지 뭔지가 쓰다 공매로 나왔을 때 니 할애비가 얼마나 속이 터졌는 줄 아냐. 니 할애비 뜻대로 일이 돌아가나 보다 싶던 찰나 강성봉이 뛰어드는 바람에 다 엉클어져 버린 것이니라. 강성봉이 죽일 놈이지. 그 뒤로 니 큰아버지 양기만이 다시 뺏어 오려고 별짓을 다 해 봤다만 소용없었니라. 그랑호텔 때문이었어. 그놈의 호텔이 뭔지, 내로라하는 인간들은 다 거기 투숙객이 아니겠냐. 좀 늦긴 했어도 그때야 내가 거기 투숙객으로 들어간 게야. 그게 너한테까지 이어진 거고. 후회하지는 않는다만 호텔은 만만히 볼 데가 아니야. 인정할 건 해야지. 이제 니 세대이니라. 무슨 말인고 하니, 니가 다쳐. 지금이야 몰라 저러고 있지만, 호텔이 널 칠 수도 있어 하는 소리다. 거기 아들내미가 시방 지배인이잖냐. 손잡거라. 싸우지 않고 이기라는 소리이니라. 그만한 대수가 없어. 피를 보면 이겨도 이긴 게 아니어서 그런다."

양민순은 울컥했다. "그만요, 아버지."

아버지의 숨이 순간 거칠어졌다. 숨을 가다듬고 난 아버지는 고조부와 증조부 때 얘기를 했다. 하도 들어 머리에 각인된, 하지만 어떤 건 또렷했고 어떤 건 기억이 날 듯 말 듯 했다. 이후 양민순의 그랑호텔에 대한 적대감은 아버지 양기찬이 들려준 상식 안에 있었다. 좋게 말하면 선의의 경쟁자이자 상부상조해야 하는 업계의 동업자이지만, 어떨 때는 누군가 쓰러져야 하는 치킨 게임의 상대이기도 했다. 그 생각이 좀 바뀐 것은 아버지 양기찬의 이 말 때문이었다.

"말해야 하나 어쩌나 생각이 많았다." 양기찬이 눈을 감았다.

"그런 건 진작하셨어야죠, 아버지." 잠시 뒤였다. 양기찬이 한숨 돌리더니 천천히 말했다. 처음 듣는 이야기가 있었다.

"큰아버지 있잖냐." 양민순이 고개를 끄덕였다. "나도 그 양반한테 들은 건데 벽수산장을 놓고 우리 집안하고 다툴 때였을 게야. 그땐 툭하면 서로 쌍욕을 해 댔는데 흔한 게 다리몽둥이를 분질러 놓는다는 말을 습관처럼 하곤 했지. 그걸 진짜 했어."

양기찬이 강대식과 뉴욕에 갔다 온 뒤였다. 그리 길지 않았지만 한때 둘은 그간의 앙금을 씻고 동지처럼 지내는 듯했다. 물론 겉으로 그럴 뿐 속은 서로의 약점을 캐느라 호시탐탐 틈을 노렸다. 둘은 무엇을 노리는지도 모르고 으르렁댔다.

"이거 강대식 짓이니라." 양기찬이 오른쪽 다리를 가리켰다.

"무슨 소리세요, 아버지?" 양민순이 놀라 물었다. "뉴욕에 갔다 온 그달이었지, 세밑이라 다들 들떠 있었어. 시장도 뒤숭숭했고."

"왜 강대식이 그런 짓을, 왜죠, 아버지?" 양민순이 다그치듯 물었다. 양기찬은 뜸을 들였다. 양민순을 똑바로 보지 못했다. 고개를 벽 쪽으로 슬며시 돌리더니 그가 말했다.

"강대식 몰래 가려고 했어, 내가……."

"어디를요……?"

"뉴욕 말이다. 강대식이 그걸 안 거야. 그 때문에 뉴욕에 있는 동안 내내 날 구박했지. 다리 몽둥이를 분질러 놓겠다고. 아예 어딜 다니지 못하게, 난 그게 농담인 줄 알았다."

뉴욕에 갔다 온 그 해, 일 년에 한 번 연말이 되면 파티가 열렸다. 내로라하는 각계 인사와 거물들이 한자리에서 인사를 하며 얼굴을 봤다. 정관계, 경제계와 문화예술계 인사들이 모두 모였다. 양기찬과 강대식 역시 그 자리에 있었다. 알고 보니 강대식은 건강이 좋지 않은 상태였고 그런 몸을 끌고 그 자리에 참석한 것이었다. 양기찬을 본 강대식이 저쪽에서 다가왔다. 지팡이를 짚고 있었고 부축을 받고 있었다.

"우리 아버님이 하는 가장 심한 욕이 뭔 줄 아시오, 양 회장?"

강대식이 쉰 듯한 목소리로 물었다. 병색이 있는 목소리였다. 양기찬은 대답 대신 빤히 강대식을 봤다.

"다리몽댕이를 분질러 놓는다는 말이었소이다." 그러곤 강대식이 잔기침을 하며 저쪽으로 갔다. "별 미친……." 양기찬이 중얼거렸다.

양기찬이 사고를 당한 곳은 에스컬레이터였다. 십여 미터, 그 경사를 양기찬은 굴렀다. 누군가 뒤에서 민 느낌이었다. 웬 젊은이였다. 그는 실수였다며 연신 죄송하다는 말을 했고, 또 그땐 그래 보였다. 원래 좋지 않던 무릎이어서 아예 들어내고 인공 관절을 넣어야 했다. 문제는 나이 때문인지 그러고도 완쾌가 되지 않아 여태 다리를 절어야 했다. 결국 자리에 눕는 바람에 더는 다리를 쓰지 않아도 됐지만 양기찬은 그 젊은이가 결코 실수가 아니었다는 생각을 떨치기 힘들었다. 젊은이는 코가 땅에 닿도록 굽신거리며 사과를 하더니 어느 순간에 사라지고 없었다.

아버지의 안색이 좀 나아진 것은 그 얘기를 하고 난 며칠 뒤부터였다. 예전처럼 밥을 먹었고 혼이 나간 듯한 얼굴이 평소의 모습을 찾고 있었다. 국에 만 밥을 한 수저 입에 떠넣곤 꾹꾹 씹고 나더니 아버지가 말했다.

"명심해라. 그랑호텔은 종이호랑이 같은 데가 있어. 이걸 알고 나면 그리 겁먹을 것도 없다. 주인이 바뀌면 그만이거든. 투숙객들은 또 살아갈 거고. 자신들의 안락이 보장되는 한 문제 삼지 않을 터다. 뭔 말인지 알겠냐?"

양민순이 고개를 끄덕였다. 자기도 모르게 결연해졌다.

"브래디 그 양반 일은 잘 해결해야 한다. 그걸 막지 못하면 후환을 만들 수 있어. 이제 내 일이 아니라 네 일이야. 할 수 있겠냐?"

"그럼요, 아버지."

양민순은 아버지의 손을 잡았다. 자기도 모르게 눈물이 글썽여졌다.

"강대식도 침묵을 지키느라 노력했을 게다."

양민순이 아버지의 얘기를 보다 잘 이해할 수 있었던 것은 브래디의 얘기를 듣고 나서였다. 아버지가 어떻게 월 스트리트의 초청을 받게 됐으며, 자무엘 쉬프와 케빈 슈라이버 교수 그리고 까를로스 빼냐와 제이콥 아니 한스 화이트, 이들의 이름과 이들이 서로 얽혀 복작대는 이야기의 전말을 양민순은 브래디의 입을 통해 들을 수 있었다. 방대했고 아버지 양기찬은 상상도 하지 못할, 아버지가 왜 그 일에 대해 침묵했으며 그랑호텔 지배인 제임스와 이과수 대리가 왜 그들을 찾아 나섰는지, 그리고 무엇보다 그랑호텔의 행사가 어떤 의미였는지 양민순은 보다 분명히 알 수 있었다. 물론 처음에는 브래디 말을 믿지 않았다. 아버지 얘기를 듣고도 그랬고, 그러다 그를 전적으로 믿기 시작한 게 호텔 직원 이과수 대리 얘기를 듣고 나서였다. 브래디는 이과수의 귀국을 양민순에게만 알려주는 거라고 했다. 그게 결정적이었다. 그러자 늦은 감이 있지만 지난 데이행사 때 나서길 잘했다는 생각이 들었다. 그때도 브래디의 말이 아니었다면 그처럼 과감하게 행동하지는 않았을 거였다. 그의 말을 듣고 나자 분노 같은 게 일었고 아버지의 말이 겹치면서 복수심마저 끓었다. 그 때문에 특별위원회 일을 내세워 전면에 나설 수 있었는데 그 역시 자연스러워 보였다. 더는 숨어서 할 게 아니라 보란 듯 나서야 했다. 그랑호텔 전면에서 투숙객의 자격으로 또 미래의 주인으로서, 그게 지금 이때였다. 임장수와 이용남이 위원회에 들어간 것도 시의적절했고, 마침 나타나 준 브래디는 시기적으로 절묘했다. 남은 것은 시간과 운이었다. 그러려면 브래디 일부터 해결해야 했다.

밥 한 공기를 다 먹고 난 아버지가 물 한 컵을 비웠다. 아버지의 목소리가 가라앉아 있었다.

"내가 침묵한 건 너 때문이었니라. 차라리 모르는 게 낫다고 생각한 게야." 양민순은 아버지의 손을 쓰다듬었다. "니가 알면 후환이 너한테 가지 않을까 해서 그런 것이니 이해해라. 그러다 브래디 이 사람 얘기를 듣곤 생각을 바꿨니라. 모르고 당하면 어쩌나 싶었지. 그랬다간 죽어서 너한테 욕먹을 거 같아 두려웠고……."

"잘하셨어요, 아버지." 양민순이 말했다. "설마 저한테 뭘 어쩌겠어요. 다 아버지 때 얘기잖아요."

"그래도 알 건 알고 날 용서해야 한다."

"명심할게요, 아버지."

"인제 눈 좀 붙여야겠다." 밥상을 물리고 난 양기찬이 가만히 눈을 감았다.

†

양민순은 저녁을 든든히 먹었다. 내일 점심까지 굶어야 할 수도 있었다. 중요한 일을 앞두고 속이 비어 좋을 게 없었다. 아버지에게 인사를 하러 들렀을 때였다. 아버지는 잠들어 있었다. 양민순은 잠든 아버지의 손을 잡았다.

"다녀올게요, 아버지."

아버지에게 인사를 하고 난 양민순은 핸드폰을 했다. 저쪽에서 목소리가 들렸다.

"네, 여사님." 임장수였다.

"차는요?"

"다 마쳤습니다."

뭘 타고 가겠냐는 임장수에게 양민순은 SUV를 손보라고 했다. 흰색 벤츠 지바겐이 있었다.

"눈곱만치의 차질이 있어서도 안 돼요. 아시죠?"

"물론입니다, 여사님."

핸드폰을 끊은 뒤 양민순이 가만히 중얼거렸다. "애버리지니 필름이라…… 케빈 슈라이버 교수라고 했지, 현장 필름이." 내일이면 그걸 손에 넣을 수 있었다.

†

이정표가 보였다. 길이 갈라졌다. 북단양 IC와 단양, 단양은 영주 쪽으로 이어졌다. 내비게이션이 왼쪽 길을 가리켰다. 가끔 시골길이 더 헷갈릴 때가 있었다. 밤길은 더했다. 익숙하지 않아서였다.

"터널 같아요, 이 대리님."

"터널이 아니라 교각인데." 이과수의 말에 하정미가 그러네,라고 말했다. 머리 위로 난 도로가 연달아 교각으로 이어져 있었다. 교각을 지나자 커다란 건물이 보였다. 가로등이 군데군데 늘어선 너머로 무슨 로켓 발사대 같기도 하고 연료 저장소 같기도 한 거대한 원통형 구조물이 여러 개 솟아 있었다. 다시 이정표가 나왔다. 회전교차로였다. 내비게이션이 이번에는 오른쪽을 가리켰다. 도로를 따라 이어진 벽에 간판 같은 게 보였다. '천마표 시멘트'.

"여기네……."

"뭐가요?"

"내가 본 게 저거야."

이과수는 사진을 떠올렸다. 제이콥이 데이브에게 보낸 사진 속에 채석장과 저런 구조물이 있었다. 몸에서 작은 흥분이 느껴졌다.

"냄새가 나……."

이과수가 중얼거렸다. 제이콥과 브래디의 냄새, 자기도 모르게 슬며시 미소가 나왔다. 그보다 기가 막혔다. 할리우드에 있어야 할 사람들이 대한민국 단양 이 촌구석에서 영화를 찍고 있었다니. 마치 블랙홀을 통과하는 기분이었다. 두 사람도 이과수처럼 블랙홀을 통과하느라 힘겨웠을 터였다. 이과수는 지금 이 일이 모두 비현실적으로 느껴졌다.

"어머, 도담삼봉이잖아!"

전조등이 왕복 4차선 시멘트 도로 바닥의 '도담삼봉'이라는 글씨를 비추고 있었다. 조금 더 가자 왼쪽으로 도담삼봉 입구가 보였다. 말로만 듣던 도담삼봉이 여기였다. 가로등이 있었고, 얼핏 나무들 사이로 조명을 받은 돌산 하나가 스치듯 나타났다 사라졌다. 도담삼봉이었다.

"낼 우리 저기 가요." 하정미가 말했다.

"글쎄……."

"꼭 가 봐야 한다니까요. 저기가 얼마나 유명한 데인지 알아요?"

"그렇게 답사를 다녔다는 사람이 여긴 못 와본 거야?"

"그럴 수도 있죠, 뭐."

터널을 지나자 왼쪽으로 강이 보였다. 남한강 상류였다. 위쪽은 영월이었다. 강을 지나자 작은 도시가 나왔다. 아파트와 상가, 단양 시내였다. 상점이 늘어서 있었고 노점이 보였다. 시장이었다. 전등 불빛이 휘황찬란했다.

"어머, 순댓집이잖아."

"장난 아닌데." 차창 밖을 보며 이과수가 말했다. "가만……."

"왜요?"

"오공이일……?"

이과수는 핸드폰의 노트를 열었다. 브래디와 문자를 주고받은 걸 따로 복사해 옮겨놓은 거였다. 쉐보레 흰색 SUV 5021.

"하정미 씨? 저 차 쉐보레 SUV 오공이일 맞지?" 차는 바로 앞에 있었다. "맞아요, 이 대리님. 쉐보레 오공이일."

"따라가, 하정미 씨." 이과수가 급하게 말했다.

"저 차를요?"

쉐보레가 멈춘 곳은 관광호텔이었다. 아까 발견한 곳에서 육칠 분 거리, 호텔 주차장은 차가 많아 빈 자리가 잘 보이지 않았다. 주차장을 돌던 쉐보레가 자리를 발견했는지 멈추곤 후진을 했다. 한쪽에 차를 세우곤 그쪽을 지켜봤다. 너무 가까운 게 아닌가 싶었지만 어차피 옆에서 마주쳐도 못 알아볼 터였다.

주차를 마쳤는지 문이 열리고 사람이 내렸다. 브래디가 맞는다면 모자를 쓰고 있을 거였다. 예상대로였다. 남자는 야구모자를 쓰고 있었다. NYU 볼캡, 그였다. 정확하게 색을 구분할 수는 없지만 모자는 어두운 색이고 글씨는 흰색이었다. 그는 사진에서보다 덩치가 더 작아 보였다. 비닐봉지를 들고 있었다.

"하정미 씨는 여기서 기다리고 있어."

"저 혼자요?"

"왜?"
"무섭잖아요."
"뭐가 무서워 호텔 주차장인데. 난 저 사람 따라가야 해."
이과수는 차에서 내려 브래디를 쫓았다. 브래디에게 자신의 외모를 말하지 않은 게 다행이란 생각이 들었다. 당연히 브래디는 이과수를 알아볼 수 없었고 이과수가 여기서 자신을 쫓고 있다고는 꿈에도 생각하지 못할 터였다.
그가 호텔 입구로 들어가고 있었다. 이과수는 걸음을 좀 빨리했다. 브래디는 로비를 가로지르더니 곧장 프런트 쪽으로 걸어갔다. 여직원과 얘기를 나누었고 그러는 사이 이과수는 소파를 찾아 앉았다. 그와의 거리는 얼추 십오륙 미터, 최대한 자연스럽게 다리를 꼬곤 주위에 두어 번 시선을 준 뒤 엇비스듬히 그를 봤다. 여직원과 대화가 좀 길어지는 듯했다.
"이 대리님?" 고개를 돌리자 어느새 하정미가 와 있었다.
"왜 왔어, 하정미 씨?"
이과수가 브래디와 하정미를 번갈아 보며 말했다. "나 무섭다니까요." 하정미가 맞은편에 앉으며 말했다. 이과수는 알았다고 하곤 다시 하정미를 봤다. 하정미 때문에 괜히 번잡해지지 않을까 했는데 오히려 자연스러울 수 있겠다는 생각이 들었다.
"주차는?"
"잘했어요."
그가 걸음을 옮기고 있었다. 모퉁이를 돌아 승강기 쪽으로 가고 있었다. 몸을 일으키며 이과수가 말했다.
"따라와 하정미 씨. 자연스럽게, 알았지?"
하정미는 잔뜩 긴장해 있었다. 얼굴이 굳은 채 얼른 이과수의 팔을 꼈다. "좋아, 자연스러워." 이과수가 말했다. "무서워요…… 이 대리님." 하정미의 팔에 잔뜩 힘이 들어가 있었다.
그가 승강기 입구에 서 있었다. 이과수는 그의 뒤쪽에서 걸음을 멈추었다. 하정미가 손에 더 힘을 주는 게 느껴졌다. 승강기가 내려오자 서너 사람이 내리고 그가 탔다. 이과수는 하정미가 팔을 더 꼭 끼도록 힘을 주곤 일부러 그의 뒤에 가 섰다. 승강기가 오르는 동안 이과수는 숫자판을 봤다. 누군가를 미행하는 일은 처음이었다. 이런 일이 얼마나 큰 심리적 부담으로 다가오는지 이과수는 처음 알았다. 상대는 바로 코앞에 있었다. 콧김이 닿을 거리였다. 하정미가 팔에 힘을 더 주고 있었다. 호텔은 층수가 많지 않았다. 곧 승강기가 멈추었고 숫자가 오 층을 가리키고 있었다. 이과수는 과감하게 그를 따라갔다. 그를 지나치는 시늉을 하면서 호수를 알아 둘 생각이었다.

승강기에서 내린 그가 오른쪽으로 돌았다. 그리곤 갑자기 걸음을 멈추었다. 알고 보니 모퉁이를 돌자마자 그의 방이었다. 놀란 이과수와 하정미는 그를 지나쳤고 문을 닫는 소리가 들렸다.

"후우." 둘이 동시에 숨을 뱉었다.

"이제 어떡해요?" 하정미였다. 계획대로라면 잠시 후 그의 방문을 두드려야 할 터였다. 그런 뒤 그의 방으로 들어가 담판을 지어야 하겠지. 이과수는 하정미를 봤다. 하정미를 데리고 그를 만날 수는 없었다.

이과수는 하정미를 데리고 다시 일 층 로비로 내려왔다. 긴장을 잠시 누그러뜨릴 필요가 있었다. 그런데 저기 제이콥이 있을까? 물론 둘이 같은 방을 쓰지는 않을 것이었다. 제이콥 쉬프 아니 한스 화이트, 검은 정장을 입었을 때의 제이콥은 하레디라고 해도 믿을 정도로 근엄하고 엄숙했다. 긴 수염과 커다랗고 중후해 보이는 덩치 때문에 더 그런 듯했다. 하지만 그는 하레디와는 전혀 상관없는, 스니커즈와 콜라를 좋아하는 흔한 미국인일 뿐이었다. 어쩌면 지금쯤 그는 하루 일과를 마치고 콜라를 마시며 추파춥스를 빨고 있을지 몰랐다. 그런데 제이콥의 파일을 브래디가 가지고 있다는 게 사실일까? 혹 브래디가 거짓말을 한 것이라면, 그러기는 힘들 거였다. 서로 만나 파일을 받기로 한 일이었고 확인이란 절차를 거쳐야 했다. 만약을 생각해 하루 일찍 내려오기는 했지만 일말의 신뢰조차 없었다면 이과수는 다른 방법을 찾았을 것이다. 물론 근거는 없었다. 느낌일 뿐, 원래 믿음이란 그런 종류 아닌가.

로비로 내려온 이과수와 하정미는 커피숍 한쪽에 자리를 잡았다. 잠시 긴장을 풀며 숨을 돌렸다.

"주스 마실래요. 목이 타요." 하정미의 얼굴에서 긴장이 줄줄 흘렀다. 이과수는 커피를 시켰다. 목이 말랐는지 하정미가 단숨에 주스의 삼분의 이를 비웠다.

"죽는 줄 알았어요."

"죽긴 왜 죽어, 하정미 씨." 이과수가 웃었다.
"진짜라니까요."

이과수가 커피숍에서 나와 5층 브래디의 방문을 두드린 건 삼십여 분 뒤였다. 이과수 혼자였다. 하정미에게는 커피숍이 문을 닫으면 로비에 있거나 차에 가 있으라고 했다.

방 앞에서 이과수는 작은 호흡을 한번 했다. 초인종을 누르자 인기척이 들렸다. 처음엔 누구냐고 묻더니 조용했다. 다시 초인종을 눌렀다.

"누구세요?" 브래디의 목소리였다.

"접니다. 이과수."

"누구라고요?"

"이과수입니다. 그랑호텔 직원이요." 그 소리에 안이 조용해졌다. 놀랐거나, 망설이는 중일 터였다. 그의 경계를 풀어 줘야 했다.

"그랑호텔 이과수 대리입니다, 브래디 씨. 하루 일찍 왔고요, 조금 전 우연히 브래디 씨를 봤습니다."

문이 열렸다. 고리가 걸린 채였다. 모자를 벗은 브래디는 약간 대머리였다. 그가 어깨를 으쓱하곤 문고리를 걷어 냈다. 체념한 얼굴이었다. 기가 막힌다는 표정 같기도 했다. 하긴 이런 상황 앞에서 그도 다른 방법이 있을 리 없었다. 방으로 들어간 이과수는 반사적으로 안을 훑었다. 방은 넓은 편이었고 가운데 트윈 침대가 있었다. 혹시나 했던 한스 화이트는 보이지 않았다.

"이래도 되는 겁니까?" 브래디가 말했다.

"놀라게 해 죄송합니다. 일부러 그런 건 아닙니다. 우연히 시장에서 차를 봤고 따라왔습니다. 그 점은 사과드립니다."

브래디가 그리 낯설게 느껴지지 않았다. 생전 처음 보거나 만나는 사람 같지 않았는데 아마 그간의 소통 때문인 듯했다. 그도 그런 듯 경계심을 보이지 않았다. 이과수라는 말에 좀 놀란 듯했지만 곧 적응한 듯했으니까.

"반갑습니다, 브래디 씨. 정식으로 인사드립니다." 이과수가 손을 내밀었다. 브래디가 손을 잡았다.

"약속은 내일이잖습니까."

"어차피 오피스텔을 나와야 했습니다. 그래서 하루 일찍 내려와 여기서 자려고 한 것뿐입니다."

"날 미행했잖습니까?"

"그건 거듭 사과드립니다. 하지만 오히려 잘됐다 싶었습니다. 하루 일찍 일을 마치게 됐으니까요."

"앉으세요." 브래디가 의자를 가리키며 물었다. "날 금방 알아봤습니까?"

"내가 브래디요,라고 표시를 하고 계시더군요." 이과수가 손으로 모자 벗는 시늉을 했다. 브래디가 웃었다.

"한스 화이트 씨는요?"

"그는 왜 찾는 거지요?"

"같이 있지 않나 해서요."

"갔어요."

"네……?"

"아마 지금쯤 LA에 도착해 있을 겁니다."

당연히 만날 수 있겠거니 생각한 제이콥, 아니 한스 화이트가 여기 없다고? 이게 무슨 말인지.

"알고 간 건가요?" 이과수가 물었다.

"천만에요. 그 친구 스스로 위험을 안 것 같았습니다." 브래디는 자기를 의심하지는 말아 달라는 듯 두어 번 더 같은 말을 했다. "나하곤 상관없는 일이니까 다른 생각은 하지 말아줬으면 합니다." 거짓말 같지 않았다.

"알겠습니다."

"제임스는……?" 그가 물었다.

"모릅니다."

"좋아요. 이 시간에 날 찾은 건 지금 일을 마치자는 뜻이겠지요?" 브래디의 태도가 사무적으로 변했다. 나쁠 건 없었다. "그래 주시면 좋고요, 브래디 씨."

"드시겠어요?" 브래디가 검은 비닐봉지에서 만두를 꺼냈다. 아까 들고 있던 봉지 같았다. "떡갈비 마늘만두입니다. 조금 전 시장에서 샀어요. 여기서 이거 먹는 재미로 버텼거든요."

그가 만두를 씹으며 노트북을 펼쳤다. 이과수는 긴장했다. 저 안에 그가 말한 모든 게 들어있을 터였다. 여태 찾아 헤매던, 그랑호텔에서 시작해 지구 한 바퀴를 돌아 이 자리에 있기까지 정신적으로는 화성에라도 들렀다 온 기분이었다. 긴 시간이었고 심정은 복잡했다. 비로소 파일을 손에 넣을 수 있게 됐다는 성취감보다 다시금 알 수 없는 불안감 같은 게 한쪽에서 일어서고 있었다.

"난 두 번이나 봤습니다." 이과수가 쳐다보자 그가 다시 말했다. "애버리지니 필름 말입니다. 끝까지 볼 자신 있어요?"

"무슨 말씀인지요, 브래디 씨?

"이게 무슨 필름인지 몰라요?"

"압니다."

"그래서 묻는 겁니다."

"하지만 와 닿지는 않습니다."

브래디가 웃었다. "난 이걸 보면서 두 감정을 느꼈어요. 처음엔 그저 놀랍고 두려웠지요. 다시 필름을 보기로 한 건 세계와 대면을 해야 한다는 생각에서였어요."

"무슨 말인지 알 것 같습니다, 브래디 씨." 말은 그렇게 했지만 두렵다는 말이 잘 이해가 가지 않았다. 세계와 대면한다는 말도 그렇고.

"그래요?"

"네, 브래디 씨."

"뭐 좋습니다. 이해한다니. 솔직히 행운을 가져다줄 물건은 아니거든요. 알고 있는 게 좋을 것 같아 그렇습니다."

브래디는 생각이 깊은 사람 같았다. 얘기를 하다 보니 섬세한 사람이기도 했다. 아마 그에 대한 믿음이 이런 데서 온 듯했다. 적어도 그는 한스 화이트처럼 겉과 속이 다른 비겁한 사람은 아닌 듯했으니까. 뒤통수를 쳐 골탕을 먹이지를 않나, 거짓말로 도망을 다니지 않나, 한스 화이트는 자신의 외모를 배반하기를 여러 번이었다. 게다가 그는 거칠기까지 했다. 브래디는 달랐다. 섬세한 만큼 여린 심성이 있었고 감성적이기도 했다. 어머니 얘기가 유독 그랬다. 자식의 부모에 대한 집착이야 당연하지만, 브래디의 어머니에 대한 애정은 꽤 각별해 보였다. 동양인에 대한 차별과 무슨 말끝에 브래디가 들려준 아버지의 불행한 삶과 죽음, 그걸 이겨내고 자신을 키운 어머니의 고난, 브래디는 그 은혜에 대한 고마움과 측은함을 숨기지 않았다.

"보세요."

브래디가 노트북 폴더를 가리켰다. 모니터에 폴더가 보였고, 그걸 클릭하자 세 개의 파일이 나왔다. 이과수는 주머니에서 USB를 꺼냈다. 2TB의 큰 용량이었다. 이 일을 위해 새로 산 거였다.

"이과수 씨는 행운아입니다."

파일을 옮겨 담으며 브래디가 말했다. 무슨 뜻으로 한 말인지 알 수 없었다. 모니터의 창에서는 파일이 USB로 옮겨지고 있었다.

"내가 알기론 파일을 다 가지고 있는 사람은 한스 화이트와 이과수 씨뿐일 겁니다."

그럴 수도 있겠다 싶었다. 지배인이 가지고 있는 파일은 Kevin Note1과 Proud Mary1, 이과수한테는 그걸 포함해 데이브한테 가져온 파일이 또 있었다. 그러고 보니 꽤 많았다. 지구 구석구석의 정보를 손에 쥔 기분이었다. 지금 브래디의 이 파일 마저 손에 들어온다면.

"아는 사람이 있을지도 모르겠어요." 브래디가 말했다.

"누굴 말입니까?"

"이거요." 브래디가 파일 하나를 가리켰다. Kevin Schreiber Film. "여기 한국인이 있거든요."

Kevin Schreiber, 라는 이름을 보는 순간 이과수는 직감했다. 데이브에게 싹쓸이하듯 파일을 주워 담은 뒤 비행기 안에서 note2 파일을 읽었었다. 막상 열어 보니 케빈 슈라이버 교수의 노트였다. 제이콥이 처음 지배인에게 DHL소포로 보내 온 케빈 슈라이버 교수의 〈영화제작의 심리〉하고는 다른 노트였다. 〈영화제작의 심리〉 2부 정도 되는, 이 노트에는 처음의 노트에는 없는 내용이 들어 있었다. 애버리지니 필름 촬영 현장에 한국인이 있었다는 케빈 슈라이버 교수의 기록, 이 파일에 그들이 들어 있었다. 케빈 슈라이버 교수는 초청자와 초청 한국인 이름까지 적어 놓았다. 양기찬과 강대식, 놀라웠다. 더 놀라운 것은 프라이빗 시스템의 그랑호텔,이란 이름이 버젓이 적혀 있었다는 사실이었다. 그걸 읽고 난 이과수는 신기하다기보다 섬뜩했다.

"보면 알 겁니다. 양민순 여사 아버지하고 제임스의 아버지 강대식 말입니다."

브래디가 어깨를 으쓱했다. 이 사람이 강대식을 알다니? 뜻밖이었다. 지배인 제임스가 그의 아들이라는 것도 브래디는 알고 있었다. 그것도 그렇지만, 그가 양민순을 안다는 게 이과수는 잘 수긍이 가지 않았다.

"양민순이라고 하셨나요, 브래디 씨?"

그가 고개를 끄덕였다. 대수롭지 않다는 듯. 그는 케빈 슈라이버 필름이 누구의 손도 타지 않은 처음 촬영했을 때의 것 그대로라고 했다. 편집이 되지 않은 날것 그대로라고.

"자무엘도 보지 못한 겁니다." 그가 말했다.

"한스 화이트 형 아닙니까. 그런데 그 사람이 이 필름을 보지 않았다니요?"

"여기 그 사람 얼굴이 나오는데 그는 자신이 찍혔다는 걸 모르고 있어요. 꿈에도 생각하지 못했을 겁니다."

이과수는 브래디의 말을 건성으로 듣고 있었다. 양민순의 이름이 그의 입에서 나왔다는 게 믿어지지 않아서였다. 이 사람이 도대체 어떻게 양민순을 안다는 것인지. 의문은 오래 가지 않았다. 그가 들려준 뉴욕 얘기 때문이었다. 놀라웠다. 브래디는 생각보다 이 일에 깊숙이 관여한 사람이었다. 하긴 인터뷰이 필름에 그의 이름이 등장한 걸 상기해 보면 일찌감치 짐작했어야 하지 않았을까.

"어떻게 이걸 알고 있는 거지요?" 이과수가 물었다.

"왜 난 알면 안 되나요?" 브래디가 웃었다.

"그게 아니라……."

"농담입니다. 까를로스 빼냐라고 있어요. 그가 말해 준 겁니다. 그 사람이 당사자지요."

모르는 척 이과수가 말했다. "이해가 가지 않네요, 브래디 씨. 몰래 찍은 필름을 왜 굳이 케빈 슈라이버 교수는 그에게 줬을까요?"

"나도 처음엔 그 생각이었어요. 생각해 보니까 케빈 슈라이버 교수 마음이 그러지 않았나 싶었지요. 자무엘에게 무언의 협박을 한 거란 뜻입니다. 선의에서건 뭐건."

"선의라니요?"

"칼레파 타 칼라, 좋은 일은 이루어지기 어렵다는 뜻입니다. 내 생각이지만 케빈 슈라이버 교수는 자무엘이 자제해 주길 바란 겁니다. 그를 위해서 또 윤리를 위해서. 하지만 이게 세상에 알려진다 해도 사람들은 믿지 않을 거란 걸 안 것 같았습니다. 다들 편견과 선입관으로 먼저 세상을 보기 때문이지요. 사실 인간이란 게 아둔한 편입니다. 진실을 알리는 일이 어려울 수밖에 없지요. 아마 한 세대 건너서야 비로소 알곤 고개를 끄덕이겠지. 하지만 그때는 그들은 당사자가 아닙니다. 모두 남의 일처럼 흘려 버릴 겁니다. 이처럼 진실이란 게 때론 쓸모없이 말썽만 피우는 거추장스러운 물건일 따름이지요."

영리한 사람 같았다. 이과수는 브래디가 자신의 속을 들여다보고 있는 것처럼 느껴졌다.

"자, 이제 내가 할 수 있는 건 다 해 줬습니다." 그가 턱으로 노트북을 가리켰다. 복사를 알리는 모니터의 창은 사라지고 없었다.

"고맙습니다, 브래디 씨."

"궁금하지 않습니까?" 그가 말했다. 무슨 뜻이냐는 듯 이과수가 보자 그가 다시 말했다. "내가 왜 아무 대가 없이 이걸 줬는지." 그러고 보니 그런 말을 한 적이 있는 것 같았다.

"그렇군요. 왜죠, 브래디 씨?"

"더 이상 내가 할 수 있는 게 없도록 하기 위해서입니다." 그러며 브래디는 이걸 이과수에게 주지 않았으면 제임스에게 줬을 거라고 했다. 하지만 그땐 공짜가 아니었을 거라고.

"솔직히 난 제임스가 싫습니다. 다 말하긴 힘들지만 제임스에게 진 빚도 있고 또 받아야 할 빚도 있습니다. 두 개를 저울로 단다면 내가 받아야 할 빚이 더 무겁습니다."

파일을 담은 USB를 주머니에 넣으며 이과수가 물었다.

"이제 브래디 씨는 어디로 가지요?"

"내 걱정은 하지 않아도 됩니다. 양민순 여사하고 할 일이 남아 있습니다. 그 사람하곤 공짜가 아닙니다." 브래디가 웃었다. 거래를 하겠다는 소리로 들렸다.

"언제 출국이세요, 브래디 씨?"

"내일이요." 이 말이 사실이라면 양민순과의 거래가 내일이란 소리였다. 어쩌면 온라인으로? 그럴 수는 없을 터였다. 이과수 자신도 믿을 수 없어 직접 만나 파일을 받으려 하지 않았는가. 양민순도 다르지 않을 터였다. 더군다나 거래라고 하지 않았는가. 이과수는 더 묻지 않았다. 문을 나서려는데 브래디가 말했다.

"이과수 씨는 어떻습니까?"

"뭘 말인가요?"

"내가 거부했다면 날 제임스에게 이르지 않았을까 해서요."

뜻밖의 질문이었다. 브래디가 거절했다면 어떻게 했을까. 브래디의 말대로 파일을 손에 넣기 위해 지배인과 한패가 돼 그의 힘이라도 빌렸을까. 난처함을 이해한다는 듯 브래디가 말했다.

"난 제임스 편은 되기 싫습니다." 그가 웃었다. 씁쓸해 보였다. "솔직히 내가 이걸 주지 않았으면 나와 한스 화이트가 한국에 있다고 제임스에게 말하지 않았으리란 보장은 없는 거 아닌가요. 안 그렇습니까, 이과수 씨?" 이과수는 대답하지 않았다.

"잘 가세요, 브래디 씨." 이과수가 말했다. 진심이었다. "지배인한테는 제가 파일을 가지고 있다고 할 겁니다."

"무슨 뜻이지요?"

"아마 지금쯤 지배인은 제가 한국에 들어온 걸 알고 있을지도 몰라서요. 하지만 브래디 씨와 한스 화이트가 한국에 있다는 건 모르게 할 겁니다. 혹 안다 해도 난 브래디와 한스 화이트 씨가 한국에서 떠났다고 말할 겁니다. 파일은 내가 다 받았다고 할 거고요. 그렇게 하지 않으면 브래디 씨와 한스 화이트 씨를 끝까지 쫓으려고 할 겁니다. 아시겠지만 그러고도 남을 사람이잖습니까."

브래디와 헤어진 뒤였다. 그가 문자를 보내왔다.

더 이상 숨길 게 뭐가 있을까 싶어 연락하는 겁니다. 양민순은 내일 오전에 만날 겁니다. 그리고 곧바로 한국을 뜰 거고요. 솔직히 좀 불안은 합니다.

눈물

밤이어서 주변 풍경을 잘 볼 수 없었는데, 막상 도착해 보니 여러 개의 호텔이 있었다. 출발한 지 이십 분 남짓, 다행히 그렇게 먼 곳이 아니었다. 괜찮은 잠자리를 찾는 것도 그렇지만 될 수 있으면 그곳과 떨어져 있는 게 심리적으로 안정을 줄 수 있을 것 같았다. 초행길인 데다 밤길을 운전하느라 하정미는 이미 몰골이 말이 아니었다.

호텔에 들어가자마자였다. 이과수는 파일부터 열었다. 샤워를 하고 나온 하정미가 옆에서 본 듯했다. 안 보는 게 좋을 거라고 해 놓고 놔둔 게 화근이었다. 영상을 얼마 보지도 않아서였다. 훌쩍거리는 소리가 들려 돌아보니 하정미가 등을 보이곤 울고 있었다. 영상은 아직 한참이나 남아 있었다.

"그만요, 이 대리님."

이과수는 얼른 영상을 껐다. 아차 싶었다. "미안해, 하정미 씨." 이과수는 가만히 하정미를 안았다.

"거봐, 누가 고집 피우래? 내가 후회할 거라고 했지."

하정미의 어깨가 들썩였다. 아마 하정미의 훌쩍거리는 소리 때문인 듯했다. 브래디의 그 말이 떠올랐다. 세계와 대면해야 한다는 생각에서였소, 그 말이 어떤 의미인지 알 수 있을 것도 같았다. 세계와의 대면이라, 그 표현이 꽤 어울렸다. 이과수는 태어나 처음으로 담배를 피우고 싶다는 생각을 했다.

잠들어 있던 하정미는 조금 전 깼다가 다시 잠이 들었다. 지배인한테 온 문자 때문에 하정미는 사색이 됐다. 애버리지니 필름을 본 뒤였고, 그 후유증으로 훌쩍이고 있을 때였다. 지배인이 이과수에게 핸드폰을 해 왔다. 받지 않자 문자를 보내왔다. 한국에 있는 거 알아, 이 대리. 하정미하고 같이 있다는 것도 알고. 경고하는데, 하정미 데리고 당장 달려와. 알았어, 이과수 대리? 어차피 알게 되겠지 했는데, 이렇게 빨리 알게 되리라곤 생각하지 못했다. 잠시 뒤였다. 이번엔 하정미에게 연락이 왔다. 받지 않자 똑같이 문자를 보내왔다. 하정미? 니가 지금 무슨 짓을 하고 있는 줄 아니? 좋은 말로 할 때 돌아와. 이 대리하고 같이 있는 거 알아. 그리고 이 대리한테 당장 내 전화 받으라고 해! 하정미가 숨이 막히는지 목을 감쌌다. 숨 쉬는 것조차 힘들어했고 까무러치지 않은 게 다행이다 싶었다. 이과수는 하정미가 등을 펴도록 했다. "찬찬히 숨을 내쉬어. 하정미 씨." 하정미는 그때 일을 떠올리고 있었다. 지배인이 한 말이었다. "강한 사람들이 왜 독한지 알아?" 지배인의 손이 등에 닿자 하정미는 소스라치듯 놀랐다. "자기가 개였거든. 내가 그 힘으로 살아." 귀밑으로 날아온 그의 숨에 양고기와 술 냄새가 섞여 있었다.

이과수는 문자를 보냈다. 이제야 비로소 게임을 시작하는 기분이었다. 안다니 말씀드리겠습니다. 브래디하고 제이콥이 어디 있는지 압니다. 자, 이제 무슨 얘기로 시작할까요? 지배인이 답장을 보내왔다. 이 대리 너, 미쳤구나. 뭐 미치기는 마찬가지 아닐까. 그리고 지배인 제임스도 이건 알아야 했다. 이 모든 파일을 이과수 자신이 가지고 있다는 것을, 한스 화이트 외에 이처럼 파일을 다 가지고 있는 사람은 지구상에 자신밖에 없을 터였다. 그러다 문득 이런 생각이 들었다. 이걸로 뭘 하지? 그리고 어쩐 일인지 이과수는 다루기 힘든 짐 하나를 떠맡은 듯한 기분이었다.

이과수는 다시 문자를 보냈다. 아시라고 적습니다. 더 이상 저는 페이지 터너가 아닙니다.

하정미는 잠이 들어 있었다. 훌쩍이는 하정미를 달랜 게 한참인 듯했다. 이과수는 가만히 자리에서 일어나 노트북을 챙겼다.

차는 주차장 한쪽에 세워져 있었다. 차에서 보니 방이 보였다. 노트북을 켰다. 브래디의 말대로 지금이야말로 세계와 대면해야 할 시간이었다. 당당하게. 이과수는 짧게 심호흡을 했다.

파일을 열어 아까 보다가 만 지점을 찾았다. 거기서부터 영상을 이어 봤고, 영상을 본 뒤에는 다른 영상과 문서 파일을 읽어나갔다. 그 시간이 꽤 됐다. 애버리지니 필름을 재생한 시간은 1시간 20분 정도, 케빈 슈라이버 필름이 45분, 월 텍스트를 읽는 데는 대략 15분 정도가 걸린 듯했다. 모두 2시간 20분 정도, 대략 서울서 단양까지 걸리는 시간이었다. 하지만 지금 이과수는 고흥 나로호 우주 발사대에서 두 시간 반을 날아 우주 한가운데로 날아오른 듯한 기분이었다. 도저히 인간이 살 수 없는, 산소도 먹을 것도 발을 디딜 곳도 없는, 아무리 지구가 척박해진다 해도 태양계의 그 어느 곳도 지구만 한 데는 없을 터였다. 이과수는 그 우주 가운데로 떠밀린 듯 몸 한쪽 어딘가가 서서히 균열을 일으키며 잘게 찢어지는 듯한 느낌이었다. 여태 한 번도 느껴 보지 못한 감각이었고 느낌이었다. 공간감과 시간감이 잘 느껴지지 않았고, 그런 시공이 존재하는지 의심해야 할 정도였다.

그리고 휑한 머릿속에서는 이런 생각이 들고 있었다. 만약 지난 데이행사 때 이걸 투숙객들에게 보여 주었다면 무슨 일이 벌어졌을지, 가늠하기 힘들었다. 아니 생각하고 싶지 않았다. 이과수는 두려웠다. 짐작할 수도 상상할 수도 없다는 것, 아니 불가능하다는 것. 그러자 화가 났다. 이 두려움과 공포를 혼자 알고 있다는 게 억울하기도 했다. 그간의 쌓인 눌림과 울분이 한꺼번에 터진 듯, 이과수는 자신에게도 화가 났다. 다행이란 생각도 들었다. 애버리지니 필름, 막상 들여다본 필름은 그간의 상상이 얼마나 초라한 치장이었는지 똑똑히 보여 주고 있었고, 한없이 사람을 오그라들게 하고 있었다. 하여 이과수는 지배인과 투숙객들 그리고 제이콥, 이 필름을 알고 있는 그 모두에게 자신의 모습을 가학적으로 보여 주고 싶었다. 아니 그들이 이걸 목격하는 순간 알몸으로 그 앞에서 큰 소리로 외치고 싶었다.

이과수는 차 유리문을 열고 크게 심호흡을 했다. 숨이 잘 쉬어지지 않았다. 다시 크게 코로 숨을 들이켰지만 달라지지 않았다. 이번엔 코와 입으로 숨을 마셨다. 좀 살 것 같았다. 이과수는 혼잣말을 했다. 왜 사는 것일까……? 이렇게 단순하고 유치한 질문을 자문한 적이 있는지, 아니 누구를 향해서든 이런 질문을 해 본 적이 있는지. 무엇인가가 바닥부터 흔들리며 무너지는 것 같은, 이런 기분은 처음이었다.

파일이 USB로 다 옮겨진 걸 확인하고 나서였을 것이다. 그가 물었다.

"궁금한 게 있어요."

이과수는 브래디를 봤다. "제임스하곤 끝인 거 같은데 이과수 씨는 왜 이게 필요한 겁니까?"

"지구를 한 바퀴나 돌게 한 이 망할 파일이 뭔지 구경이나 좀 하려고요." 이과수가 농담을 했다.

"그래요?"

"네, 브래디 씨."

브래디가 씩 웃곤 말했다. "그럼 실컷 보세요."

무슨 뜻일까? 그럼 실컷 보세요, 그게 얼마나 큰 조소를 담고 있는 말이었는지 이과수는 알 것 같았다.

하정미가 어깨를 움찔했다. 꿈을 꾸는 모양이었다. 들숨소리가 들렸다. 하정미는 내일 올라가기 전에 도담삼봉을 보고 가자고 했다.

"왜 대답이 없어요?" 하정미가 동그란 눈으로 물었다.

"좋아. 그러지 뭐." 도담삼봉을 본다는 말에 하정미가 뛸 듯 좋아했다. 이과수는 잠든 하정미를 뒤에서 가만히 안았다. 포근했다. 하정미의 볼에 살짝 입을 맞췄다. 등을 펴고 눕자 비로소 피곤이 느껴졌다. 졸음이 몰려왔다. 스르르, 눈이 감기는가 싶더니 소리가 들렸다. 꿈에서처럼. 진동소리였다. 누굴까? 이과수는 어쩔까 하다가 게으르게 손을 뻗었다. 가까스로 핸드폰이 손에 들어왔다. 겨우 눈을 뜨곤 문자를 확인했다.

권수진 감독이 촬영을 하는 곳이 단양 채석장이라고 들었소. 알려줘야 할 것 같아 적는 거요. 난 영월이오, 이과수 씨. – 이청

잠이 싹 달아났다. 그러고 보니 이청에게 연락을 한다는 걸 깜박하고 말았다. 워낙 정신이 없었다. 그런데 이청 선생은 뭘하는 사람이지, 시인이 아니었나? 도대체 무엇을 알아봤기에 이런 것까지 알고 있는 것일까. 문자 메시지에서 권수진 감

독 얘기를 해 놀랐는데, 이젠 촬영 장소까지 알고 있다니. 그런데 어떻게, 아니 왜?

이과수는 기가 막혔다. 미국 마이애미까지 가 알아낸 채석장을 이청은 앉은 자리에서 알아냈던 것이다. 시나 쓰는 사람인 줄 알았는데, 하긴 이청은 내로라하는 시인이자 문화계의 거물인 사람이었다. 그의 인맥이 어떤지 몰라도 결코 일반사람들 같지는 않을 터였다. 그런데 이청이 지금 영월에 있었던 것이다. 이것도 의외였다. 영월이라면 지척이었다. 왜 이청은 영월에 온 것일까, 무슨 일로? 이청의 문자에 답을 해야 하는데, 자꾸 핸드폰이 손에서 빠져나가고 있었다…… 이과수는 잠이 들었다. 죽음 같은 잠, 숲이 보이고 폭포와 나무가 보였다. 꿈을 꾸는데, 꿈에서 본 그 공간이 낯이 익었다. 폭포가 그랬다. 오래전이었다. 십수 년도 더 된 꿈속에서 이과수는 방랑을 한 적이 있었다. 목적지가 없는 걸로 봐 길을 잃은 것 같았다. 얼마를 헤맸을까. 산을 넘고, 울창한 열대 우림을 지나 초원을 걷고, 열대 지방 특유의 키 크고 커다란 이파리가 가득한 몇 개의 울창한 숲을 통과했을 것이다. 비가 왔다. 몬순이었다.

이과수가 도착한 곳은 숲 끝에 있는 벼랑이었다. 벼랑 저 앞에 열대우림이 가득한 숲이 펼쳐져 있었다. 비가 그치고 안개가 자욱한, 꿈속에서 또 꿈을 꾸는 듯했다.

하늘과 숲은 젖어 있었다. 조금 전 내린 비 때문이었다. 차츰 안개가 사라지더니 무지개가 보였다. 무지개 색이 번져 숲 전체가 무지갯빛을 머금고 있었다. 눈이 부셨다. 물 흐르는 소리가 들렸다. 이과수는 그쪽으로 걸었다. 폭포가 나왔다. 무지개색으로 빛나는 숲속에 벼랑을 가르며 무지개색 물줄기가 쏟아지고 있었다. 나무와 풀과 푸른 하늘이 무지개 폭포 때문에 존재하는 듯 보였다. 이과수는 한참 폭포를 보며 서 있었다. 여기가 천국일지도 모른다는 생각을 했다. 태호 선배가 보내온 사진 속 이구아수가 그런 느낌이었다. 그런데 그 꿈을 어제 꾼 것인지, 십수 년 전인지 아니면 오늘인지, 이과수는 잘 알 수 없다는 생각을 하며 다시 잠 속으로 빠져들었다.

†

권수진 감독하고는 식당에서 인사를 나눴다. "할리우드에서 봐요, 감독님." 한스 화이트의 말에 권수진 감독이 의외로 친절했다.

"그래요, 한스. 고생 많았어요."

"고생이라니요, 이 정도면 순조로운 거지요." 한스 화이트가 백팩을 추스르며 말했다.

한스 화이트는 어깨를 으쓱하곤 식당을 나왔다. 주차장으로 가자 공항까지 데려다주기로 한 스태프가 기다리고 있었다. 인천공항까지 쉬지 않고 달렸다. 한스 화이트를 공항에 내려놓은 스태프는 다시 마지막 촬영이 남아 있는 단양으로 돌아갔다.

공항은 복잡했다. 한스 화이트는 가방에서 핸드폰을 꺼냈다. 가방 안에는 잡동사니와 상자가 있었다. 상자는 자무엘이 맡긴 스토리지였다. 마땅히 어디 둘 데가 없었고 가지고 다니는 게 그나마 마음이 편했다.

핸드폰은 데이브와 소통하기 위해 남겨 둔 데이브 전용이었다. 데이브한테 연락이 온 게 있나 싶어 봤는데 없었다. 다른 번호에는 제임스가 걸어온 번호뿐이었다. 그가 걸어 온 게 수십 번, 쌓인 메시지가 끝이 보이지 않을 정도였다.

이봐, 제이콥. 날 생각해서라도 연락 줘. 기다릴게.

슬슬 화가 나려는 중이야, 제이콥. 니가 할리우드에 있다는 거 알아. 그랑호텔의 유능한 직원 이과수 대리가 할리우드로 날아갔어. 지금쯤 너한테 이 대리가 연락을 했을지도 모르겠어.

브래디가 너하고 같이 있다는데, 언제부터 둘이 짝짜꿍이 된 거야. 그리고 내 직원 이과수 대리하고 연락이 닿았는지 답을 줘. 이 망할 자식이 연락이 안 돼. 너한테는 연락했을 거 아니야.

왜 이렇게 까다롭게 구는 거야, 제이콥? 뭘 잘한 게 있다고. 그간 우정을 이런 식으로 팽개치다니, 이러면 정말 개자식이 되겠다는 소리라고, 제이콥!

내 직원 이과수 대리가 한국에 들어와 있어. 너 뭐 아는 게 있어? 혹 아는 게 있으면 연락

줘, 제이콥. 젠장, 일이 어떻게 돌아가는지 원.

메시지 중에는 이과수에게 온 것도 있었다. 메시지를 읽으며 한스 화이트는 자기 눈을 의심했다.

안녕하세요, 한스 화이트 씨. 그랑호텔 이과수 대리입니다. 이름을 바꾸셨더군요. 멋있는 이름입니다. 실망하실지도 모르겠습니다만, 한스 화이트 씨가 한국에 있는 거 알고 있습니다. 할리우드가 아니라, 한국이요. 저는 디트로이트입니다. 곧 한국으로 가는 비행기를 탈 겁니다. 한국에서 뵐 수 있기를 기대합니다. – 이과수

하이! 저 이과수입니다, 한스 화이트 씨. 말씀드린 대로 한국에 왔습니다. 코비드19 때문에 격리 시설에서 지내는 중입니다. 브래디 선 씨와 같이 단양에 계신다는 거 알고 있습니다. 아무쪼록 촬영 잘 마치시고 만날 수 있길 바랍니다.

한스 화이트는 자기도 모르게 주위를 둘러봤다. 이과수인지 뭔지 이 사람은 도대체 뭐지. 어디서 뭘 주워들었기에 이런 걸 알고 있는 것일까. 기가 찰 노릇이었다. 마치 그가 턱밑에 와 있는 듯한 느낌이었다. 불안은 괜한 것이 아니었다. 하루 앞서 한국을 떠나기로 한 건 아무리 생각해도 잘한 결정이었다. 다행히 제임스는 아직 자신이 할리우드에 있는 걸로 알고 있었다. 자기 직원이 한국에 있는 건 알면서, 어떻게 된 일일까?

제임스와 이과수의 메시지는 그게 전부였고 나머지 메시지는 자무엘이 보낸 것들이었다.

제이콥, 왜 전화를 받지 않는 거니. 누구 속 터지는 꼴 보고 싶어서 그래! 하늘에 있는 엄마가 알면 너한테 뭐라고 하겠어. 어서 연락해, 제이콥.

뭘 하고 쏘다니는지 모르겠지만, 안부 정도는 알리는 게 도리 아니니, 제이콥. 난 형이잖니. 내 물건 알고 싶어 연락한 거야. 이 메시지 보면 바로 답해야 한다. 알았니?

내 말이 말 같지 않니? 만에 하나, 내 물건이 잘못되거나 어찌 되면 너한테 무슨 일이 일어나더라도 난 책임 안 진다. 이게 무슨 뜻인지 알고 싶으면 전화 받아, 이 두꺼비 같은 자식아!

로이 연락은 왜 거절한 거니. 경고하는데, 만약 니가 한국에 있는 게 사실이라면 그리고 그게 애버리지니 필름과 관련이 있어서 그런 것이라면, 널 가만두지 않을 거니까 그렇게 알아. 내 말 알아들었으면 당장 연락해, 제이콥. 나중에 후회하지 말고!

자무엘은 화가 머리 꼭대기까지 나 있었다. 메시지를 읽고 나자 한스 화이트는 뒤숭숭했다. 어쩔까 망설이다 답을 보냈다.

연락하지 못한 건 미안해, 형. 로이가 잘못 알고 있는 거야. 사실 난 로이라는 사람도 잘 모르잖아. 그리고 한국이라니? 난 여전히 보스턴이야. 물론 일 때문이지. 내일 통화해. 그땐 LA에 가 있을 거니까. 못 믿겠으면 로이라는 사람한테 LA에 와 전화하라고 해. 그리고 형 상자는 그대로야. 내가 잘 간수하고 있다고.

그러고 보니 걱정되는 일이 있기는 했었다. 데이브 노트북을 쓴 적이 있었다. 제임스한테 보내 주라고 상자의 파일을 옮겼는데 그때 다른 파일들이 복사돼 옮겨졌다. 녹음파일하고 몇몇 파일이 있었는데 까를로스 빼냐가 준 파일들이었다. 별게 아닌 듯해 확인하지 않았고 잘 기억나지도 않았다. 데이브한테 지우라고 했으니 걱정할 일은 아니었다.

사람들이 게이트로 들어가고 있었다. 오후 2시 40분, 11시간 뒤에는 LA 공항이었다. 에어프레미아, 저가 항공이지만 직항이었다. 보잉기였고 이코노미석도 나쁘지 않았다. 그보다 항공권을 구한 것만도 다행이었다. 홀가분했다. 그간의 불안은 감당하기 힘들었다. 뭔가 조여 오는 느낌, 이유는 알 수 없었다. 데이브한테 메시지를 보냈다. 며칠 소식을 주지 못했는데 눈이 빠지게 기다리고 있을 거였다. 안녕, 데이브. 아빠야. 그동안 무척 바빴어. 곧 널 데리러 갈 거야. 니 선물도 있어. 그때 봐, 데이브. 메시지를 보내자마자였다. 데이브에게 답이 왔다. 뜻밖의 내용이 있었다. 아빠가 위험하대. 코리안이 그랬어. 아빠가 보낸 그 코리안 있잖아. 아니구나, 참. 어떤 백인 남자가 그랬어. 자무엘 삼촌이 보낸 사람이랬어. 코리안은 할리우드로 간다고 했어. 나도 빨리 아빠 보러 할리우드에 가고 싶어. 제이콥, 아니 한스 화이트는 자기도 모르게 눈시울이 붉어졌다. 데이브 문자를 볼 때면 자기도 모르게 눈물부터 나왔다.

도담삼봉

이과수가 보낸 문자였다. 어제저녁에 온 거였다. 핸드폰을 잘 챙기는 편이 아니어서 종종 시간이 지난 뒤에 확인할 때가 있었다.

이과수입니다, 선생님. 지금 문자를 봤습니다. 어제 단양에 왔다가 다른 곳에서 묵었습니다. 조금 있다 단양으로 갈 겁니다.

이청은 답을 보냈다.

여기 와 있다니 뜻밖이네. 한 번 보세. 단양은 잘 모르지만, 장소를 알려 주면 가겠네.

저도 단양은 잘 모릅니다, 선생님. 말씀해 주시면 가뵙겠습니다.

그럼 도담삼봉으로 오게. 가 보지는 않았지만 거기 외에 알만한 곳이 없네.

그제였다. 이청은 왕오천축국전을 읽는 중이었다. 이미 여러 번 읽었고, 답답하면 아무 데나 펼쳐 읽는 책이었다. 번역과 원문, 주석을 꼼꼼히 읽다 보면 자연스레 고단하고 신비한 혜초의 여정 속으로 빨려들었다. 중앙아시아 여러 나라와 인도의 수많은 마을, 그보다 혜초라는 한 인간의 길고 긴 여정, 그 고단한 길을 마다하지 않은 그의 욕망은 어떤 빛깔인지, 돈황으로 간 혜초는 그 후 어디에서 삶을 마쳤을지, 생의 노정 끝에 그는 무슨 생각을 했을지 추측해 보는 일은 은하 두어 개를 통과하는 것과 비슷한 기분이었다. 토번의 자기 조상에 관한 전설과 건국사에 대해 간단히 적은 주를 읽고 있을 때였다. 핸드폰 벨이 울렸다. 이성일이었다. 그와의 통화는 며칠 전이었다.

"채석장이야, 이청." 이성일이 대뜸 말했다.

"무슨 소리야, 밑도 끝도 없이 채석장이라니?"

"권수진 감독이 영화를 찍는 데가 채석장이라고. 폐광이라는데 구체적인 장소는 모르겠어서 찾아봤더니 단양에 채석장이 많아."

핸드폰을 끊고 나자 마음이 바빠졌다. 이청은 여기저기 검색을 했다. 채석장은 근처에도 있었다. 이청은 다시 이성일에게 연락을 했다.

"여기도 채석장이 있어, 이 교수."

"여기라니?"

"영월 말이야."

"자네 영월에 있어? 사람하고는." 그리곤 그가 몇 마디 덧붙였다. 권수진 감독의 작품이 여전히 수수께끼 같다는 것이었다. 이성일이 지난번에도 한 말이었다. 아무튼 이성일은 그 때문에 여기저기 알아봤는데 제대로 알고 있는 사람을 찾기 힘들었던 모양이었다. 권수진 감독이 한국에서 영화를 찍는다는 사실조차 모르는 영화인이 있었다고. 권수진 감독과 친한 감독이라고 했다.

"그런데 감독이 둘이라고 하더라고. 권수진 감독 혼자인 줄 알았는데 할리우드 감독하고 공동 연출을 하는 모양이야. 그리고 이건 정부 부처 사람한테 들은 건데, 그 사람하고 그랑호텔하고 무슨 관계가 좀 있는 듯했어."

"그 사람이라니?"

"공동 연출한다는 할리우드 사람 말이야. 부처 사람도 미 상공회의소에서 나온 말을 건너 들은 모양인데, 잘 모르는 건지 뭔지 더는 말을 안 해."

"미 상공회의소가 왜?"

“권수진 감독 영화하고 무슨 상관인지 몰라도 미국하고 한국 플랫폼 회사가 투자를 했으니 그런가 보다 할 수도 있는데, 뭐가 뭔지 나도 모르겠더라고.”

“그래서 수수께끼 같다고 한 거군.”

“내가 이 정도면 영화 현장도 별반 다를 게 없어.”

“한번 가 봐야겠어.” 이청이 말했다.

“어딜?”

“단양.”

†

케이의 연락이었다. 내용이 긴박했다. 그에 비해 목소리는 차분했다.

“양민순이 움직였습니다.”

“드디어 시작이군…….” 지배인이 혼잣말을 했다.

“먼 길을 갈 모양입니다.” 케이의 말에 지배인이 슬며시 웃었다.

케이는 와이와 같이 있었다. 호수공원에 가 있던 와이가 하정미에 대한 정보를 더 얻을 수 없게 되자 합류한 모양이었다. 우연일까? 양민순과 이과수, 두 사람이 동시에 행동에 나섰다는 걸 어떻게 봐야 할까. 이럴 때는 우연이 논리보다 중요했다. 그렇다면 두 사람은 우연일까. 양민순이 이과수의 귀국을 알고 거기에 맞춰 이과수가 움직이고 있다는 것을 우연으로 보기는 힘들었다. 둘의 움직임은 우연이 아니라 논리적인 시선으로 봐야 더 설득력이 있었다. 당장 눈앞에서 벌어지는 이 현상, 이게 논리의 증거였다. 그런데 하정미, 얘는 또 뭔지?

케이의 보고는 자세했다. 양민순의 경호원 둘이 주차장에서 대기하고 있었고, 측근 둘이 주차장과 양민순의 내실을 분주하게 오갔다. 케이의 말로는 원거리 움직임이 아니면 저렇듯 경호원과 측근이 동시에 움직이지는 않는다고 했다. 케이는 에이원이라 불리는 양민순의 경호원이 운전대를 잡은 것 같다고 했다. 그를 씨원이 보좌했다. 양민순에게는 네 명의 경호원이 있었다. 그중 경험이 많고 노련한 경호원이 에이원과 씨원이었다.

“차종은?” 지배인이 물었다.

“흰색 지바겐입니다.”

지배인은 운전기사에게 차를 준비하라고 하곤 차영한과 이구민을 불렀다. 차영한과 이구민은 며칠째 호텔에 묵고 있었다. 최치영과 장진수는 어제 호텔을 나갔고 오후에 다시 들어오기로 했다.

이과수 건 때문에 매일이 비상이었다. 양민순의 동향과 이과수의 동선을 찾느라 모두 신경이 그쪽으로 가 있었고 예민했다. 다행히 백지우의 정보가 큰 도움이 됐다. 이런저런 정보를 종합하자 예측이 가능했다. 이과수와 하정미가 같이 움직였고 제이콥과 브래디는 여전히 연락이 끊겨 있다는 것. 그리고 그들 역시 움직이고 있을 터였다. 멀고 먼 할리우드에서 말이다. 하지만 지배인이 두 사람에 관해 알 수 있는 방법은 없었다. 어쩌면 가까운 양민순과 이과수의 동선을 추적하면 그들의 상황을 알 수도 있지 않을까. 하지만 상대가 양민순이라는 것, 쉽지 않을 것 같았다. 어쩌다 이 지경이 됐는지, 무슨 수를 쓰든 양민순만은 따라잡아야 했다. 양민순 역시 이과수와 제이콥, 브래디와 관련이 있을지 모른다는 추정은 여전히 유효하기 때문이었다.

양민순이 움직인다는 지배인의 말에 차영한과 이구민이 헐레벌떡 달려왔다. 둘 다 옷을 꿰다 만 듯 헐렁했다.

와이의 연락이었다. 양민순이 움직였다는 소식이었다. 케이와 와이는 자기들 차로 양민순의 흰색 지바겐을 쫓는 중이었다. 양민순의 지바겐은 남산 집을 나와 터널 쪽으로 가고 있었다. 케이와 와이가 타고 있는 차는 검은색 K8이었다.

“놓치면 안 돼, 케이!” 지배인이 악쓰듯 말했다.

“양민순이 움직이다니, 무슨 소리야?” 차영한이었다.

“양민순이 지방에 가고 있어.”

“자, 움직이자고, 어서.” 지배인이 급하게 말했다.

차영한과 이구민의 행동이 빨라졌다. 지배인은 차영한에게 운전을 맡겼다. 굳이 운전기사가 갈 일이 아니었다. 이 일을 잘 아는 사람, 그러므로 이 일의 흐름에 맞춰 판단하고 대응할 줄 아는 사람이어야 했다. 그런 사람은 측근 중 한 사람일 수밖에 없었다. 차영한은 순발력이 있고 운전도 잘했다. 이구민이 같이 가기로 했다.

터널을 빠져나오는 데만 이십여 분이 걸린 듯했다. 도로는 차들이 가득했다. 양민순은 강변북로 구리 방향으로 가는 중이라고 했다. 도로 사정이 이런 걸 보면 양민순도 그리 멀리 가진 못했을 터였다. 양민순이 터널을 빠져나갔다고 한 지 대략 사십오 분, 열어 놓은 핸드폰에서 와이의 목소리가 들렸다.

"고속도로를 탈 모양입니다."

양민순의 지바겐은 생각보다 멀리 가 있었다. 토평 IC 근처였고, 중부고속도로와 연결되는 오른쪽 차선을 줄곧 탔다. 잠시 뒤였다. 다시 와이가 연락을 해 왔다.

"중부를 탔습니다."

지배인 일행이 강변북로 구리 방향으로 접어든 건 그로부터 십여 분 뒤였다. 차가 아까보다 더 막혔다.

지배인이 뒤에서 크게 한숨을 내쉬곤 버번을 따랐다. 검은색 에스 클래스 뒷자리의 냉장고에는 늘 버번이 있었다. 스카치 위스키에 비해 버번은 풍미가 거칠었다. 그게 매력이었다. 곡물이 주는 느낌, 그 때문에 지배인은 자신의 삶이 버번을 닮았다는 생각을 한 적이 있었다. 그럴 땐 강대식이 떠올랐다. 요즘 들어 자주 생각이 났다. 한때 증오의 대상 그 이상도 이하도 아니던 그였다. 그게 애증으로 바뀌어 있었다.

와이의 연락이었다. 양민순이 들어선 중부고속도로를 따라가고 있다는 소식이었다. 케이와 와이의 K8은 양민순의 지바겐과 불과 십여 미터, 바짝 따라붙어 있었다.

"강변북로만 벗어나면 바로 따라붙을 수 있어, 제임스." 차영한이 다른 차들을 앞지르느라 주위를 살피며 말했다. 능숙했다.

지배인은 버번을 비운 잔에 코를 댔다. 곧 양민순을 만날 수 있겠지. 앙큼한 것, 그런데 왜 양민순은 여태 자신을 숨겨 왔을까. 아니 왜 지금 또 이 난리를 피우는 것일까, 무슨 이유로, 아버지 양기찬 때문에? 강대식과는 좋은 사이가 아니었다고 했다. 그걸 생각하면 양민순의 돌연한 등장을 이해할 수 있을 것도 같았다. 아마 강대식이 몸져눕기 전이었을 것이다. 그나마 강대식의 몸이 성할 때 마지막 한 외유는 미국, 하지만 강대식이 왜 미국에 갔는지 아는 사람은 없었다. 최치영도 다르지 않았다. 그가 아는 것이라고는 강대식이 그토록 자랑삼아 말하던 한국전쟁에 참전한 미국인 참전 용사 후원회 얘기뿐이었다. 그 얘기는 지배인도 귀가 닳도록 들어 무감할 정도였다. 하여 강대식의 뉴욕행이 그 얘기와 관련이 있는 것은 아닌지 짐작했을 뿐이었다. 왜 강대식은 미국에 간 것일까. 그는 아무에게도 말하지 않았고 그나마 찾은 단서도 이 대리가 강대식의 메모에서 찾은 게 전부였다. 강대식의 메모에는 수치스럽다는 말이 적혀 있었다. 이 대리는 그걸 모욕감이라는 말로 표현했다. 증조부에게 면목이 없다는 말도 있었는데 메모에는 이런 게 적혀 있었다.

잊지 않겠다. 내 비록 주선으로 간 뉴욕이지만 조상에게 보여서는 안 될 죄를 짓고 말았다. 양기찬, 어떻게 하면 이 인간에게 되돌려줄 수 있을까. 조상에게 면목이 없을 따름이다.

이 대리는 메모 얘기를 하면서 강대식의 미국행이 양기찬의 주선으로 가능했을 거라는 추정을 했다. 문맥상 그렇다고. 별로 사이가 좋지 않은 둘이 그럴 가능성은 적지만, 가정은 가능한 것이 아니냐고. 더 이상의 얘기는 이과수도 알지 못한다고 했다. 자신도 실은 의문일 뿐 근거까지 찾기는 힘들더라고. 그걸 자세히 알고 싶다면 살아있는 양기찬을 만나 보는 수밖에 없었다. 그 얘기를 해 줄 수 있는 사람은 양민순의 아버지 양기찬뿐이었으니까. 물론 그를 만나는 건 불가능했다.

양민순은 시간을 확인했다. 여덟 시 사십 분이 좀 넘어 있었다. 흰색 지바겐은 초월 IC를 지나 곤지암 IC를 향해 달리고 있었다. 막상 고속도로에 들어서자 몇몇 구간을 빼곤 생각보다 교통량이 적어 주행이 수월했다.

"도담삼봉 어디라고 했지요?" 양민순이 차창 밖을 보며 물었다.

"석굴 입구라고 했습니다." 임장수였다. "주차장 끝까지 들어오면 보인다고 했습니다." 그의 운전은 능숙했다. 차량의 전체적인 흐름에 따라 가속을 조절했고 끼어들더라도 교통 정체를 일으키지 않았다.

"도담삼봉 가본 적 있어요?" 양민순이 물었다.

"없습니다."

"그쪽은?" 양민순이 앞에 앉은 에이원에게 물었다.

"처음입니다, 여사님."

"다들 촌놈이네." 양민순이 옆의 씨원을 봤다. "저도 그렇습니다." 씨원이 말했다.

"나도 처음이야." 양민순이 말했다. 쿡쿡, 하고 웃음소리가 들렸다. 양민순은 그 소리를 들으며 차창 밖으로 시선을 돌렸다.

아버지 양기찬의 얼굴이 스치고 있었다. 그랑호텔의 데이행사가 실패했다는 말을 들려주었을 때였다. 아버지가 큰 소리로 웃었다. 그리곤 한참 기침을 했다. 기침이 멈추자 침대를 세워 달라더니 등을 곧추세우곤 이번에는 웃기만 했다. 침대가 들썩일 정도였다. 그렇게 웃고 난 아버지는 다시 심하게 기침을 했고, 양민순은 티슈를 꺼내 아버지의 입에 댔다. 뜨뜻한 가래가 덩이째 묻어 나왔다.

"내가 명줄이 길어 아직 산다만……." 양기찬이 더듬더듬 말했다. "그 인간이 죽는 바람에 내 칼은 써 보지도 못했잖냐." 양기찬이 손등으로 입을 훔쳤다. 무슨 말인가 싶어 양민순은 아버지 얼굴을 빤히 봤다.

"명심해라. 이왕 이렇게 된 거 니 칼을 써."

"그럴 거예요, 아버지."

"예전에도 얘기했다만 그랑호텔 그러쥐는 거 썩 어려운 일 아니다." 양민순은 아버지의 얼굴을 들여다봤다. 턱이 살짝 떨렸다. 하긴 그 비슷한 말을 두어 번 들은 기억이 났다. 이를 앙다물곤 양기찬이 다시 말했다.

"5 · 16도 12 · 12도 뭐 대단한 병력 가지고 한 게 아니다. 맘 맞는 놈끼리 손발 맞춰 급소를 찌르면 식은 죽 먹기였으니까."

하긴 임장수와 이용남이 같이 하면 가능할 것 같기도 했다. 그래서 위원회에 적극 밀어 넣었던 것이었고 벽수산장으로 신뢰도 쌓았다. 그런데 상황이 바뀌고 있었다. 바보가 아닌 바에야 지배인도 임장수와 이용남이 있는 위원회를 그대로 놔둘 리 없었다. 더군다나 지금은 상황이 전혀 딴판이지 않은가.

"이건 알아 둬라, 민순아. 거기 주인은 그 사람들이야."

"누굴 말하는 거예요, 아버지?"

"투숙객들, 그 사람들 마음을 가져오려면 자신을 알아야 해." 양기찬이 눈을 부릅떴다. "옛날하고는 세상이 많이 변하지 않았냐. 투숙객들도 변했고…… 나 때하곤 또 달라. 그 사람들은 더 많은 걸 원할 게다."

양민순은 찬찬히 아버지의 얼굴을 봤다. 무슨 말을 하고 싶은 것일까…….

"투숙객들 속마음을 보라는 게다. 자신들 욕심을 담아줄 자유 말이다."

"무슨 뜻이죠, 아버지?" 얼른 이해가 가지 않았다.

"모르긴 해도 지배인은 알고 있을 게다. 그래서 말이다만, 이왕 할 거면 적극적으로 나서야 해. 다 걸고. 그러지 않으면 자유고 뭐고 되는 일이 없어." 양기찬이 기침을 하자 아까처럼 양민순이 티슈를 갖다 댔다.

"이제 주무세요, 아버지. 아버지 말 다 알아들었어요. 그대로 할 거고 실수하지 않을 거예요. 저 아버지 딸 양민순이에요."

양기찬이 조용히 미소 지었다. "다행이다, 알아들었다니. 다리 좀 주물러 다고, 민순아." 양민순은 아버지의 다리를 쥐었다. 뼈가 만져졌다. 후유증은 여전했고, 아버지의 통증은 허벅지에서 아랫배를 타고 저릿저릿 가슴께까지 올라왔다.

"회고록 끝날 때까지 난 안 죽는다." 양기찬이 이를 앙다물며 말했다.

"죽다니요, 아버지. 이제 시작인데요."

양기찬이 가만히 눈을 감더니 잠을 청했다. "조금만, 더 사세요……." 양민순이 속으로 말했다.

아버지가 죽기 전, 이 소명을 이루겠다는 다짐을 양민순은 자신에게 했다. 가슴이 벅차고 눈물이 글썽여졌다. 아버지의 소원대로 양기찬의 회고록을 만들어 강씨 집안을 제대로 알게 하는 것. 아버지가 그 때문에 한을 품고 있었고 풀어줘야 했다. 삶은 예외 없이 한 번뿐이었다. 그걸 생각하면 못 할 일이 없었다. 그런데 지금 이 일이 다른 사람도 아니고 이국의 교포 손에 달려 있다니, 이 중요한 회고록이 먼 이국의 브래디라는 사람의 손에 달려 있다는 이 현실이 기이하게 느껴졌다. 케빈 슈라이버 교수가 만든 것이라고 했지, 그는 필름에 나오는 한 장면이라며 사진 파일을 보내왔다. 누가 봐도 아버지 양기찬이었다. 선명했다. 다른 캡처 화면엔 강대식의 얼굴이 들어 있었고, 다른 하나에는 양기찬과 강대식의 얼굴이 나란히 담겨 있었다. 둘 다 연미복을 입고 있었다. 헐렁했고 그 차림이 어딘가 이상하단 생각이 들었다. 그땐 두 사람 다 지금보다 젊었고 풋풋해 보였다. 하지만 얼굴엔 긴장이 역력했다. 그런데 왜 브래디는 이걸 그랑호텔 지배인에게 말하지 않은 것일까. 개인감정 때문이라고 했지만, 정말 그게 전부일까. 자신에게는 나쁠 게 없지만 혹 줄타기를 하려는 것은 아닌지. 중요한 것은 브래디와 지배인이 만날 수 있는 여지를 줘서는 안 된다는 것이었다. 애버리지니 필름과 케빈 슈라이버 교수의 필름이 모두 자신의 손에 들어와야 했고, 반면 지배인은 그 물건을 가지고 있어서는 안 되는 일이었다. 그게 순리였다.

에이원이 급하게 말했다. "미행이 있는 거 같습니다." 그 소리에 모두 놀란 표정이었다. 운전대를 잡은 임장수의 손이 순간 흔들렸다. 곧 40번 고속도로를 탈 거였다. 에이원은 사이드미러를 보고 있었고 차창 밖을 두리번거렸다.

"차종이 뭐야?" 양민순이 물었다.

"검정색 K8입니다."

"한 대가 아닙니다." 씨원이었다. 그가 뒤 차창을 돌아보며 말했다. "어떻게 할까요, 여사님?" 임장수가 물었다.

"어디서 빠지는 게 좋겠어요?"

"늦지 않을까요?"

"시간은 많아요." 양민순이 시계를 보며 말했다.

"최대한 가까운 곳에서 국도를 타는 게 안전할 거 같습니다."

임장수가 가속을 하자 급격히 속도가 올라갔다. 1차선으로 들어간 뒤 임장수는 한동안 추월을 거듭했다.

"차가 보이지 않습니다." 에이원이었다.

40번 고속도로로 갈아탄 뒤에도 임장수는 줄곧 추월선을 달렸다. 미행이라, 드디어 그가 이 판에 몸을 던지고 있었다. 양민순이 슬며시 웃었다. 예상한 일이기는 했다. 그라고 해서 손 놓고 가만히 있을 리 없었다. 그가 누구인가? 그랑호텔 지배인, 호락호락할 사람이 아니었다. 그런데 벌써 눈치를 채다니, 예상보다 속도가 빨랐다. 이젠 그도 알 건 다 알고 있다는 뜻이었다.

"제천에서 국도를 타는 게 좋을 것 같습니다." 임장수가 내비게이션을 보며 말했다. "국도를 타면 갈래길이 많아 따돌리기 수월합니다."

추월선에서 빠져나온 임장수는 속도를 더 높였다. 추월선에 있는 차를 앞지르기 위해 다른 차선을 탔다. 2차선 고속도로는 아까와 달리 차량이 줄어 추월선이 별 의미가 없었다. 임장수는 추월선이든 2차선이든 차선을 바꾸며 앞지르기를 반복했다. 얼마를 달렸을까, 이정표가 보였다. 4킬로미터 앞에 제천 JC가 있었다.

"수단 가리지 마세요."

양민순이 말했다. 핸드폰을 들고 있었다. 임장수가 핸들을 꺾어 오른쪽 차선으로 차를 붙였다. 톨게이트가 있는 곳이었다.

강변북로를 벗어나자 차영한 말대로 양민순을 따라잡는 일은 그리 어려운 게 아니었다. 케이와 와이의 K8이 양민순을 바싹 따라붙었고, 지배인은 와이와 연락을 하며 K8을 찾아 뒤따랐다. 차영한은 줄곧 속도를 높여 가능한 차들을 모조리 추월했다. 초월 IC를 막 지났을 때였다. 양민순의 흰색 지바겐이 눈에 들어왔다.

"양민순 차야, 제임스."

차영한이 손가락으로 앞을 가리켰다. 세단보다 높은 탓에 흰색 지바겐 지붕이 보였다. 트럭 한 대가 그 뒤를 따르며 시야를 가렸다. 그 때문에 지바겐이 보이다가 보이지 않기를 반복했다. 어느 순간이었다. 지바겐이 갑자기 속도를 높였다. 추월선에서 벗어나 2차선으로 가더니 다시 추월선으로 들어섰다.

"눈치 한번 빠르네." 차영한이 말했다.

스피커폰에서 와이의 목소리가 들렸다. "눈치를 챈 것 같습니다."

"쫓아." 지배인이 짧게 말했다.

그러기를 한동안, 얼마나 시간이 지났을까. 갑자기 지바겐이 보이지 않았다. 차량은 수가 줄어 가시거리와 폭이 아까보다 넉넉했다. 그럼에도 차영한과 케이는 양민순을 따라잡지 못하고 있었다.

"운전 제대로 안 해!" 지배인이 소리쳤다. 버번 냄새가 앞자리까지 풍겼다. "넌 뭐해, 빨리 따라잡지 않고!" 지배인이 핸드폰으로 와이에게 소리쳤다. "망할……." 지배인이 트림을 했다.

차영한이 급하게 핸들을 꺾었다. 몸이 쏠렸다. 케이와 와이가 탄 K8이 앞에서 급하게 오른쪽 차선을 찾아 들어가는 게 보였고 차영한이 그걸 따라잡고 있었다.

"찾았어, 제임스." 차영한이었다. 흥분한 목소리였다. "찾았습니다. IC를 빠져나가 국도를 탔습니다." 와이의 목소리였다.

고속도로를 벗어나 국도를 달리는 게 저쪽 아래로 보였다. 케이와 와이가 가까스로 그걸 발견하곤 뒤쫓았고 자칫 놓칠 뻔했다. 운이 좋았다.

양민순은 어디를 가느라 저렇게 달리는 것일까? 고속도로가 아니라 국도를, 어쩌면 목적지가 근처인지 몰랐다. 아직 갈 곳이 더 남았다면 굳이 고속도로를 벗어나 국도를 탈 이유가 있을까.

"생각났어, 망할!" 지배인이 큰 소리로 말했다. 차영한과 이구민이 지배인을 봤다. "여태 뭔가 했는데 이제 정리가 되네. 양민순이 왜 저 지랄을 하는지." 지배인이 큰 소리로 웃었다.

양민순의 행동에는 의문이 많았다. 뒤를 쫓는 이 순간에도 왜 양민순을 쫓는지, 왜 양민순이 이러는지, 알 듯 모를 듯했다. 최치영이 한 말이었다. 어쩌면 이 모든 게 양기찬의 지시일 수 있다고. 그러고 보니 맞는 말 같기도 했다. 최치영은 백지우가 양기찬에게 들었다는 월 스트리트 얘기를 근거로 들었다. 양기찬과 강대식은 그 일과 관련해 어떤 식으로든 관련이 있으며, 둘이 같이 뉴욕에 갔다는 얘기를 사실로 받아들이는 게 더 논리적이라고. 이 대리도 비슷한 말을 했었고. 그렇다면 뉴욕에 간 시기가 공교롭게 밀레니엄을 앞두고서였다는 것은 어떻게 받아들여야 할까. 그때 이 생각을 해 보지 않았다는 게 이상했다. 동양인이 있었다는 제이콥의 말이 생각났다. 설마…… 아니, 그건 여전히 불가능한 상상이었다. 그때의 한국은 아직 그럴 만한 나라가 아니었다. 무엇보다 양기찬과 강대식이 그런 초대를 받을 수 있는 인물인지도 의문이었다. 혹 그게 아니더라도 월 스트리트와 두 사람을 연결 짓는 것 자체가 비현실적이었다. 지배인은 입맛을 다셨다. 입안에 남은 버번의 곡물 맛이 썼다.

†

"예뻐라. 저거 봐요, 이 대리님." 하정미가 감탄을 했다. 감탄사는 아까부터 이어졌다. 운전을 하면서 하정미는 연신 왼편 호수를 힐끗거렸다. 날씨가 맑았다. 어제 일기예보에 가랑비가 날릴 거라고 했는데, 아닌 것 같았다.

이과수는 호수를 봤다. 오전 햇살이 호수 가득 내려와 있었다. 윤슬이라더니, 하정미 말대로 물색이 온통 은빛이었다.

"보고 있어요, 이 대리님?"

"어어, 운전 제대로 안 하지. 하정미 씨."

내비게이션을 보니 조금 있으면 국도가 호수를 벗어나 갈라졌다. 거기서부터는 오른쪽 국도를 타야 했다. 국도는 단양으로 이어졌다.

"배 안 고파, 하정미 씨?"

"누굴 돼지로 알아요?"

이과수가 웃었다. 핸드폰을 열었다. 어제 이청이 보낸 문자에 대한 답을 아침에야 보냈다. 다시 문자를 주겠다고 했었다. 이청에게 문자를 넣었다. 선생님, 이과수입니다. 오후 세 시가 어떨지 싶어서 문자 드립니다. 기다리고 있었는지 이청이 곧바로 답장을 해왔다. 알았네. 거기서 보도록 하지.

이청의 문자를 확인하고 난 뒤였다. 또 문자가 들어왔다. 브래디가 보낸 거였다. 아직 이곳에 있는지 궁금합니다. 혹시나 했는데, 짐작한 대로였다. 브래디는 문자에다 또 불안하다는 말을 적었다.

조금만 가면 단양 시내였다. 이과수는 핸드폰을 눌렀다. 놀라겠지, 아니 욕을 퍼부어 댈 수도 있었다. 이제는 숨기고 말고 할 것이 없었다. 차라리 터놓고 정면에서 부닥치는 게 더 떳떳하고 자연스러웠다. 그리고 지배인도 이젠 알 건 다 알고 있지 않을까. 무엇보다 그의 동향을 보다 정확하게 알 필요가 있었다.

신호가 갔다. 소리가 들렸다. 웃음소리였다. 지배인이 웃고 있었다. 그 웃음소리가 좀 섬뜩하게 들렸다. 웃음은 온갖 감정이 담긴 듯 복잡하고 미묘한 기분을 갖게 했다. 이과수는 마음을 가다듬었다. 여보세요,라는 말 대신 지배인님,이라고 말했다. 그가 히히덕거렸다. 실성이라도 한 사람처럼. 기가 막히겠지.

"제가 웃기세요?"

목소리는 정색을 했지만, 이과수는 자기도 모르게 경직이 됐다. 지배인은 계속 웃기만 했다. 잠시 뒤 웃음을 멈추곤 그가 말했다. "아직은 아니야, 이 대리. 그런데 어쩐 일이니, 전화를 다 주고." 그 소리에 긴장이 좀 가라앉았다. 슬며시 웃음이 나왔다.

"저 아직 팔팔합니다." 이과수가 말했다.

"하정미하고 오피스텔에서 사라졌던데, 이대리 너 지금 어디야, 어!" 지배인의 목소리가 갑자기 높아졌다. 이과수는 침착했다.

"그거까지 알아내셨군요. 하마터면 제가 잡힐 뻔했습니다."

"알고 보니 양민순하고 한패던데, 어떻게 나한테 그럴 수 있어, 이 망할 자식아!"

순간 이과수는 핸드폰을 끊을 뻔했다. 망할 자식이라니, 이과수는 참았다. "절 찾으시는 거라면 곧 만나게 될지도 모르겠습니다."

"야, 이 대리. 너 혹시 양민순 만나기로 했어?"

"그럴 리가요. 그리고 저 양민순하고 한패 아닙니다." 이어 이과수가 말했다. 더는 지배인 당신의 놀이에 참여하지도, 당신의 게임을 구경하고 싶지도 않다고. 지금 제임스 당신이 얼마나 사치스럽고 잔인한 놀이를 하고 있는지, 비록 필름을 만들지는 않았지만 김철민 당신의 행동은 그와 그리 다르지 않다고. 그러자 지배인이 외쳤다.

"이 대리 너, 진짜 미쳤구나!" 이과수는 아니라고 말했다.

"저 자식들 용케 따라 잡았는데요." 임장수였다.

"어떻게 알았지?" 에이원이었다. "두 대 다 있습니다." 뒤를 확인한 씨원이 말했다.

양민순은 시계를 봤다. "계속 따돌리세요." 그 말과 동시에 임장수가 핸들을 꺾었다. 다른 도로로 갈아타고 있었다. 어차피 서로 쫓고 쫓긴다는 걸 아는 처지였다. 목적지만 감추면 크게 문제 될 게 없었다. 얼마를 달리자 갈아탄 국도가 갈라졌다. 임장수가 재빠르게 내비게이션을 훑곤 오른쪽으로 핸들을 돌렸다.

"지방도입니다, 여사님."

"괜찮겠어요?" 양민순이 물었다. 임장수는 그 말을 길이 엉뚱한 데로 이어지는 게 아니냐는 뜻으로 알아들었다. "어차피 이쪽으로 가도 목적지로 이어집니다."

"그럼 됐어요."

들어선 지방도가 또 갈라졌다. 잘 보이지 않던 트럭이 부쩍 많아졌다. 커다란 덤프 트럭들이었다. 풀풀 먼지를 날리며 쏜살같이 달렸고 상대 쪽 운전자는 전혀 배려하지 않는 주행이었다. 그리 넓지 않은 길인데 아무 데서나 앞지르기를 하며 경적을 울렸다. 워낙 덩치가 크고 위협적이어서 어떻게 해 볼 상대들이 아니었다.

"저 정도면 몇 톤이나 돼?" 양민순이 물었다.

"오십 톤은 될 겁니다." 에이원이었다. 트럭 뒤를 다른 트럭이 뒤따랐다. 앞의 트럭보단 작아 보였고 모양도 달랐다.

"저건?"

"이십오 톤입니다. 둘 다 위협적이긴 마찬가지입니다."

"그래……?" 양민순이 혼잣말을 했다.

길이 굽자 트럭들이 보이지 않았다. 고갯길은 계속 이어졌다. 산자락이 이어졌고 조금 더 지나자 산이 온통 회색이었다.

"채석장인데요." 임장수가 굽은 고갯길을 주시하며 말했다.

"시멘트 회사입니다." 에이원이었다.

"자칫하다간 여기서 빙빙 돌아야 할 것 같은데요." 임장수가 내비게이션을 가리키며 말했다. 내비게이션이 펼쳐 보인 길은 이 근처를 두고 방사형을 이루고 있었다. 방사형은 채석장을 중심으로 그려져 있었고, 출구가 대부분 한 곳을 향해 있었다. 임장수가 지나친 채석장이 벌써 대여섯 개, 채석장은 컸다. 이렇게 큰 채석장은 본 적도 들은 적도 없었다.

"안 보입니다."

씨원이 말했다. 양민순은 뒤를 봤다. 지배인 차가 보이지 않았다. 따돌린 것일까, 그런 것 같았다.

지배인이 연신 웃었다. 입에선 욕이 나왔고 한쪽에선 자꾸 웃음이 비어져 나왔다. 코앞에서 벌어지는 이 상황을 받아들이기 힘들었고, 그게 웃음으로 터져 나왔다. 이렇게 이과수와 통화를 하고 있다는 사실도 웃겨 보였다. 할리우드이거나 마이애미에 있어야 할 이 대리가 아닌가.

"제 말 잘 들으세요, 지배인님." 저쪽에서 이 대리의 목소리가 건너왔다.

"그래 이성을 찾자, 이 대리. 이 마, 망할 자식아." 지배인이 입안에다 버번을 털어 넣으며 말했다.

"전 이성으로 말하고 있는 겁니다."

"이런 젠장!"

"지배인님도 아시잖습니까?"

"아, 알지. 이 대리 니가 양민순하고 붙어먹는다는 것도 알고, 제 제이콥하고 브래디 니들이 다 한패라는 거 다 알아, 이 짜식아."

이 대리가 웃었다. 오래간만에 더듬는 지배인의 말소리에 웃음이 나왔다.

"우, 웃어?" 지배인이 정색을 했다.

"잘못 알고 계신 겁니다. 전 양민순하고 붙어먹지 않았다니까요. 아까 말했잖습니까. 제이콥하고 한패인 것도 아니고요."

"그럼 뭐야. 왜 양민순이 지, 지방엘 가는 거야. 누굴 만나려고 양민순이 저 나, 난리를 피워대는 거냐고?"

"혹시 양민순 쫓고 계세요?"

"그래, 이 망할 자식아. 그건 그렇고 브래디하고 제 제이콥은 어디 있니. 이 개자식들하고 무, 무슨 짓을 벌이고 있는 거야?"

지배인은 브래디와 한스 화이트의 행방을 모르는 듯했다. 다행이었다. 둘이 여전히 할리우드에 있을 거라고 생각하고 있겠지. 하긴 지배인이 그것까지 알 수는 없었다. 더군다나 지배인은 양민순이 왜 지방을 가는지도 모른 채 따라가고 있지 않은가. 이과수가 단양에 내려와 있다는 것 역시 모르는 것 같았다.

"양민순이 어딜 가는지는 알고 계세요?" 이과수가 물었다.

"그걸 알면 왜 내가 너한테 물어."

"브래디 아시지요? 그 사람 만나러 가는 겁니다."

지배인은 벌린 입을 다물지 못했다. 옆의 이구민을 향해 버번을 꺼내라는 손짓을 했다. 조금 전까지 마시던 버번 병은 비어 있었다. 이구민이 냉장고에서 새 버번 병을 꺼내 지배인의 잔에 따르다 차가 심하게 흔들리는 바람에 쏟고 말았다. 지배인이 다시 버번을 따르라는 시늉을 했다.

"처음을 생각해, 이 대리." 얼굴에 표정이 없었고, 아까와 달리 목소리가 차분했다. "이 대리 너하고 내가 그랑호텔을 위해 헌신한 게 몇 년이니. 투숙객들의 안위와 미래를 위해 노력하고 애쓴 게 도대체 얼마냐고, 이 대리."

"알고 있습니다."

"그런데 왜……?"

"지금 할 말은 아닌 것 같습니다." 이과수는 말을 막았다. "제가 그런 생각을 하고 있는 것도 아니고요."

"좋아, 하나만 묻지. 제이콥하고 브래디는 어디 있는 거니. 말해 봐, 이 대리."

"브래디는 한국에 있습니다. 제이콥은 미국으로 떠났고요."

숨이 또 막혔다. 뭐라고 소리치려다 참았다. 아니 흥분할 수가 없었다. 지배인은 더 차분해졌다.

"둘 다 한국에 있었다고? 할리우드에 있어야 할 자식들이 왜 한국에 있는 거지?" 숨이 자기도 모르게 거칠어졌다.

"영화를 찍었답니다."

"뭐라고, 이 망할!" 지배인이 고함을 질렀다. 버번 잔을 집어 던지곤 손으로 병을 움켜쥐더니 부르르 떨었다. 낮은 목소리로 그가 물었다. "그럼 양민순은 뭐야, 지금 뭐하는 짓거리냐고?"

"글쎄요, 브래디하고 볼일이 있는 거겠지요."

혼란스러웠다. 왜 제이콥은 아니, 왜 브래디가 양민순을 만난다는 것인지. 양민순은 어떻게 브래디를 알게 된 것이고? 브래디는 자신과 더 인연이 있는 사람이었다. 아주 오래전, 뉴욕 시절부터. 이거야말로 초현실적이었다. 그런데 어쩌다 둘은 한패가 된 것일까.

"브래디하고 양민순은 뭐야, 이 대리?"

"무슨 뜻이십니까?"

"둘이 무슨 짓을 하는 중이냐고?" 지배인은 둘이 어떻게 알게 됐느냐고 물으려다 말을 바꿨다. 나름 넘겨짚은 거였다.

"그보다 둘이 어쩌다 알게 됐는지 궁금하지 않으세요?"

"젠장. 그래, 말해 봐, 이 대리."

"저도 브래디한테 들은 겁니다. 양민순하고 강대식 얘기 전부 다요."

"강대식?"

"네, 지배인님 아버님이요."

"강대식이 왜?"

"지배인님이 귀국하기 전 밀레니엄을 앞두고 강대식 어른이 뉴욕에 간 거 아시지요? 그때 양민순 아버지 양기찬이 같이 갔습니다." 지배인은 귀를 기울였다. "저도 의아했는데 브래디 얘기를 듣고서야 이해했습니다. 예전에 자료를 본 게 있기도 하고요. 저도 놀랐습니다. 그리고 두 사람이 뉴욕에 있는 동안 안내할 사람으로 브래디를 선택한 사람이 자무엘이었습니다. 저도 이제 안 겁니다." 지배인은 자기도 모르게 고개를 끄덕였다. 궁금했던 것들이 하나씩 풀리는 기분이었다. "브래디가 애버리지니 필름에서는 작은 역할이었지만 인터뷰 필름이 말한 것처럼 그 이후의 역할은 작지 않았습니다. 지금도 마찬가지고요." 이과수가 말을 멈추곤 지배인의 반응을 살폈다. 잠시 뒤였다. 지배인이 물었다.

"좋아, 이 대리. 그건 그렇고 왜 제이콥하고 브래디가 나한테 이러는 거지, 도대체 왜?"

"모르시겠습니까?" 모르다니? "빙빙 돌리지 말고 말해, 이 대리."

"상상해 보세요."

이 자식이, 소리가 나오려는 걸 참곤 지배인이 물었다. "자꾸 다른 소리 하지 말고 양민순이 가는 데가 어디야. 그거나 말해."

"단양 가는 겁니다. 물론 브래디를 만날 겁니다. 하나 더 말씀드리지요. 이건 옛정을 생각해 드리는 말씀입니다." 이 망할 자식이 건방을 떨고 있었다. 버번을 씹으며 지배인이 말했다. "어디 들어보지, 이 대리."

"강대식 어른하고 양기찬이 같이 뉴욕에 갈 때 말입니다. 양기찬이 강대식 어른을 속였더군요. 강대식 어른은 자신이 뉴욕에 초청받은 게 미국인 친구 때문이라고 생각했는데 양기찬이 그걸 속이고 자기 덕인 양 공치사를 한 모양입니다. 실은 그게 아니었는데 말입니다. 그렇다고 양기찬만 욕할 건 못 됩니다."

"무슨 소리야?"

"귀국 후 앙심을 품은 강대식이 양기찬한테 보복을 했거든요. 그 때문에 양기찬이 다리를 절게 됐다고 했습니다."

"누가 그따위 소릴 지껄여!"

"브래디요. 양민순한테 들었답니다. 더 중요한 게 있습니다." 그런데 더 중요한 거라니, 지금까지 들은 것보다 더 중요한 게 더 있단 말인가.

"강대식 어른하고 양기찬 어른이 왜 뉴욕에 갔는지 아세요?"

지배인은 귀가 번쩍 뜨였다.

"뭔데, 그게……?" 지배인이 물었다. 그 어느 얘기보다 중요했다.

"애버리지니 필름 참관자였습니다."

"뭐어……!"

"말하자면 두 사람도 애버리지니 필름 제작자 중 한 사람들이었다는 겁니다. 제작비를 냈으니까요."

하긴 언젠가 그 비슷한 상상을 해 본 적이 있기는 했다. 그러나 상상과 현실은 다른 세계였다. 그 간극은 크고 질서도 달랐다. 지구와 화성의 거리만큼. 시기상 둘의 미국행이 공교롭게 일치했고, 그리고 그건 상상일 뿐이지 않았는가. 그런데 이과수는 정말 그런 일이 있었다는 얘기를 하고 있는 중이었다.

"케빈 슈라이버 교수 필름은 지배인님도 아시잖습니까."

"그래서?" 지배인의 목소리가 작아졌다. 머릿속이 복잡했다.

"제가 봤거든요. 거기 두 사람 얼굴이 나옵니다."

"협박하는 거야, 이 대리?"

"전 그런 거 안 합니다."

"집어치우고 양민순이 가는 데가 단양이라고 했지? 거기가 어딘지나 말해!"

이과수는 말하지 않았다. 이제 더는 숨길 일도 숨길 이유도 없었지만, 그것까지 말할 수는 없었다. 양민순을 위해서가 아니라 브래디를 위해서였다.

"망할 자식……." 지배인이 으르렁댔다. "브래디 이 자식은 왜 나한테 이러는 거지, 왜 이 엿 같은 자식이 나한테 지랄이냔 말이야?"

응답이라도 하듯 이과수가 말했다. "돈 때문이지 뭐겠습니까." 그러곤 이과수는 핸드폰을 끊었다.

"이 자식 봐라……." 지배인은 한참 동안 핸드폰을 들여다봤다. 웃음이 나왔다. 이제 더 궁금한 것은 없었다. 양민순이 왜 브래디를 만나려는지, 브래디가 무엇 때문에 양민순을 만나려고 하는지 알지 않았는가. 그런데 어떻게 파일이 브래디에게 가 있는 것일까, 브래디와 제이콥이 같이 영화 일을 한다고는 했지만 그처럼 은밀한 것까지 공유를 하다니. 혹 제이콥이 브래디에게 말을 했다 하더라도 왜 제이콥은 그렇게까지 일을 크게 만든 것일까, 제이콥도 돈 때문에……? 그리고 지금 이과수가 말한 것들이 사실이라면……, 거기에 생각이 이르자 지배인은 조급해졌다.

"밟아, 차 선생!"

†

하정미는 긴장했다. 양손으로 핸들을 꼭 잡은 채 동그랗게 눈을 뜨고 앞을 응시했다. 이과수가 지배인과 통화를 끝내자 하정미가 말했다.

"무섭게 왜 그래요." 얼굴이 울상이었다.

"무섭긴 뭐가 무서워."

"지배인님은 말을 해도 무섭고 말을 안 해도 무섭단 말이에요. 그런데 이 대리님은 왜 그 중요한 걸 지배인한테 다 얘기해 줘요?"

"그래야 지배인하고 양민순하고 서로 잡아먹으려고 달려들 거 아니야. 똥줄이 좀 탈 걸." 이과수가 웃었다.

"그게 재밌어요?"

"일이 아주 재밌게 흘러가고 있어. 이렇게 통쾌해 본 적이 있나 모르겠어."

"난 땀이 삘삘 흐르는데……."

이과수가 통화하는 내내 하정미는 숨을 쉬기 힘들었다. 지배인과 통화를 한다는 사실만으로도 무섭고 숨이 꽉 막혔다. 지배인과 지낸 게 삼 년, 가까이에서 지켜본 그의 변덕과 불같은 성정을 하정미는 누구보다 잘 알았다.

"우리 뭐 안 먹어요?"

"무섭다면서 뭘 먹어, 체하게."

"배고프단 말이에요."

이과수는 시간을 봤다. 이른 시간이었다. 거리의 간판을 살폈다. 간단히 요기라도 할 곳이 있는지 찾아야 했다.

†

양민순의 지바겐과 K8이 보이지 않았다. 차영한은 순간 당황했다. 중앙선을 넘어 추월해 앞으로 나아갔다. 길이 별로 좋지 않았다. 굽이가 많아 앞 차들이 사라졌다가 갑자기 나타나고는 했다. 거의가 덤프트럭들이었다. 그때 K8이 보였다. 속도가 제법 됐다. 케이와 와이도 지바겐을 찾고 있었다. 얼마를 달렸을까, 차영한은 속도를 좀 줄였다.

그런데 갑자기 사라지다니, 양민순은 미행을 따돌리기 위해 작심하고 달리고 있었다. 그렇다고 무턱대고 K8의 뒤만 쫓을 수는 없었다.

이과수와 통화를 끝낸 지배인은 골똘히 생각에 잠겼다. 표정이 착잡했다. 핸드폰 벨 소리였다. 최치영이었다. 급하게 핸드폰을 받았다. 백지우와 연락을 해 보겠다고 했는데, 혹 들은 얘기가 있는지 몰랐다.

"어딘가, 제임스?" 최치영이 물었다.

"저도 모르겠습니다. 호텔에서 출발하고 두 시간 넘게 도로 위입니다. 지금은 산길이고요." 지배인이 차창 밖을 보며 말했다. "양민순은 놓친 거 같습니다. 산이 있고 무슨 채석장 같습니다. 네? 네, 맞습니다. 네……?" 지배인이 연신 네, 네 소리를 하고 있었다. 최치영이 뭔가를 설명하는 듯했고 지배인이 연달아 고개를 끄덕였다.

"…… 도담삼봉이요? 확실한가요, 선생님. 네, 알겠습니다."

차영한은 내비게이션에다 도담삼봉을 찍고 있었다. 지배인과 최치영의 통화가 끝나자 차영한은 재빠르게 내비게이션 안내 표시를 눌렀다. 도담삼봉, 불과 12킬로미터 거리였고 시간은 18분이었다. 백지우가 알려줬다는 최치영의 정보가 정확하다면 이제부턴 시간 싸움이었다.

차영한은 거세게 가속을 했다. 에스 클래스의 바퀴 네 개가 동시에 회전을 하며 미끄러져 나갔다. 순간 K8을 앞질렀고 케이와 와이의 K8이 허겁지겁 뒤따랐다. 앞에서 길이 갈라졌다. 차영한은 오른쪽으로 핸들을 꺾었다.

지배인 차가 보이지 않았다. 쉽게 따돌릴 수 있는 상대가 아닌데, 다행이긴 했지만 좀 불안했다. 대신 여러 번 길을 갈아타면서 혼선을 줬다. 그 바람에 시간을 배나 잡아먹었고 길이 좋지 않아 피곤을 감수해야 했다.

주변에는 덤프트럭이 부쩍 늘어 있었다. 방수포를 덮은 덤프트럭들이 먼지를 날리며 달렸다. 커다란 원통형 구조물에 '천마표 시멘트'라는 글씨가 적혀 있었다. 내비게이션이 회전 교차로에서 왼쪽을 가리켰다. 시멘트 도로 바닥에 '삼봉로'라는 글씨가 보였다.

"다 온 거 같습니다." 임장수였다. 삼거리였고 직진을 하면 단양군청이었다. 꺾어지면 도담삼봉, 목적지가 코앞에 있었다.

양민순은 시계를 봤다. 9시 35분, 브래디와의 약속 시간은 충분했다. 돌고 돌아온 듯한데도 여유가 있었다. 하긴 제자리에서 맴돌듯 돈 거여서 긴 시간을 잡아먹은 것 같지는 않았다. 잘한 것 같았다. 생각보다 쉽게 미행을 따돌린 듯했다.

삼거리에서 신호에 걸린 차들이 줄지어 서 있었다. 여기서 왼쪽으로 빠지면 도담삼봉 입구였다.

"어, 저거 뭐지?" 에이원이었다. 당황한 목소리였다. "에스 클래스입니다." 에이원이 손가락으로 앞을 가리켰다. "앞의 앞의 차, 그 차 같습니다."

"그럴 리가 있나. 잘 봐, 같은 차종이겠지." 임장수였다.

"뒤에 있어야 할 차가 왜 앞에 있다는 거야." 양민순이었다.

"맞는 거 같습니다." 씨원이 뒤 차창을 내다보며 말했다. "뒤에 검은색 K8이 따라붙었습니다. 육칠삼일, 같은 번호입니다."

"젠장." 임장수였다. 낭패라는 듯 그가 말했다. "어떻게 할까요?"

"어떻게 안 거야, 쌍!" 양민순이 신경질적으로 말했다. 목소리가 앙칼지게 올라갔다. "어떻게 알고 앞서 와 있냔 말이야……!" 선글라스를 쓴 양민순의 미간이 잔뜩 일그러져 있었다.

"직진하세요." 양민순이 말했다. 신호가 바뀌자 에스 클래스가 왼쪽으로 들어가고 있었다. 예상대로 지배인은 양민순의 목적지가 여기라는 걸 알고 앞질러 온 것이었다. 어떻게 알았을까? 임장수는 그대로 직진을 한 뒤 차선을 바꿔 속도를 높였다.

"따라오는데요."

씨원이 뒤창을 보며 말했다. 에스 클래스를 따라갈 줄 알았는데 K8이 도담삼봉으로 들어가지 않고 직진을 해 양민순 일행을 따라오고 있었다. 자기네끼리 나름 계산을 한 것일 터였다.

왼쪽은 남한강이었다. 넓고 긴 강이 오전 햇살을 받아 반짝였다. 강 위의 교각을 따라 편도 2차선의 시멘트 길이 곧게 뻗어 있었다. 터널이 나오고 앞쪽에 붉은색 아치 트러스가 보였다. 얼마를 달리자 삼거리였다. 왼쪽에 아까 본 아치 트러스 다리가 있고, 이정표는 평창과 영월을 가리키고 있었다. 핸드폰 벨 소리였다. 양민순은 액정을 봤다. 제임스 김, 그랑호텔 지배인이었다. 직접 대면을 하시겠다, 못할 것도 없었다. 양민순은 잔기침을 한 번 하곤 핸드폰을 받았다. 임장수는 서행을 하며 길옆으로 차를 댔다. 뒤에서 K8이 거리를 둔 채 멈추고 있었다.

"역시 그랑호텔 지배인답네요." 양민순이 애써 웃었다.

"고맙습니다, 그렇게 봐주시니." 지배인이 말했다. "양 여사님도 만만치 않더군요. 브래디를 다 아시고."

"뭐 그 정도를 가지고 그러세요."

"양 여사님이 브래디를 알고 있다기에 놀랐습니다. 브래디를 만나기로 하셨다는 것도 놀랍고요."

"아버지 덕분입니다. 댁만 가문이 있는 게 아니잖아요."

"뭐 좋습니다. 그건 그렇고 이젠 솔직해지는 게 어떨까요, 양 여사님."

"제가 바라는 거예요, 지배인님."

"양 여사님이 왜 이렇게 지방 나들이를 하면서 고생을 하는지 알고 있습니다."

"고생이랄 게 뭐 있나요, 제 일인데요."

"양 여사님은 왜 파일이 필요한 겁니까? 나 같은 사람에게나 필요한 거지 양 여사님하고는 상관이 없는 일 같아서요."

양민순이 큰 소리로 웃었다. "참 편하게 생각하며 사시네요. 뭐 그건 내가 알 바 아니니까 상관없어요. 하지만 이건 알아두세요. 호텔 투숙객들이 누구의 소유라는 생각은 버리세요. 데이행사 때 실패한 영상 때문에 다들 열받아 있으니까요. 저도 마찬가지예요. 그랑호텔 지배인이시면 고객한테 최소한의 친절은 베풀어야 하는 거 아닌가요? 애프터서비스 같은 거 말이에요." 그러곤 양민순이 박장대소를 했다.

"고객도 고객 나름 아니겠습니까, 양 여사님."

"강대식 어른이 왜 미국에 갔는지 아세요?" 그 말에 순간 지배인이 당황하고 있었다. 잠시 틈이 생겼다. 하긴 예상하지 못했겠지.

"제 아버지 양기찬이 왜 다리를 저는지도요?"

"그걸 제가 어떻게 압니까." 지배인은 시침을 뗐다. "뭐 제가 알 바도 아니고요."
"공감능력이 제로이군요. 그런 마인드로 호텔을 꾸려오다니."
"용건이나 말하시죠, 그건 내 스타일이니까."
"강대식 어른이 한 짓이에요!" 양민순의 외치듯 말했다. "제 아버지 양기찬과 강대식이 같이 월 스트리트의 초청으로 뉴욕에 갔을 때 일인데 그걸 몰라요? 강대식 어른이 그걸 말하지 않고 고인이 되셨나 보군요. 양기찬과 강대식은 각각 다른 경로를 통해 초청을 받았어요. 두 사람 다 월 스트리트 사람들이었고요."
지배인은 알 것 같았다. 듣다 보니 양민순의 거침없는 행동이 이 때문이었던 것이다. 양민순은 케빈 슈라이버 교수 얘기를 했다. 케빈 슈라이버 교수를 안다는 게 신기했다. 거기다 양민순은 그가 만들었다는 현장 필름 얘기까지 늘어놓고 있었다. 까무러칠 노릇이었다. 하긴 이 대리와 브래디, 둘과 소통을 했으니 그럴 수 있었다. 이 대리가 한 말이 긴가민가했는데 사실 같았다.
양민순이 말했다. "벽수산장을 넘겨줄 수밖에 없었던 아버지 양기찬의 한을 전 잊지 못하죠." 양민순이 오래전 양기만과 양기찬 그리고 강성봉과 강대식 때 얘기를 하고 있었다. 지배인이 느물거리듯 말했다.
"선대 일이라 제가 왈가왈부할 일이 아닙니다, 양 여사님."
"지난 일이라고 마냥 덮을 게 아니죠. 그런다고 원한이 사라지겠어요?"
순간 욱하는 감정이 올라왔다. 지배인은 참았다. 양민순이 무엇을 어디까지 알고 있는지 또 뭘 원하는지 알아야 했다.
"댁 조부 강성봉과 부친 강대식 어른이 사람을 시켜 양기만과 양기찬 형제를 공격했는데, 그건 아시죠?" 댁,이라니. 지배인이 누그러뜨리며 말했다.
"말씀하세요, 양 여사님."
어디까지 가는지 보자 싶었다. 그러고 보니 이건 잘 아는 얘기가 아니었다. 최치영에게 들은 게 전부였고 지배인은 그 일에는 관심도 없었다. 지난 일이었고 하물며 강대식의 옛일이라니, 자기가 신경 쓸 일이 아니었다.
"이쪽도 사람을 썼지만 먼저 당하는 바람에 양기만과 양기찬 형제의 보디가드가 죽었고, 제 큰아버지 양기만 어른은 그때 후유증으로 죽을 때까지 고생을 하셨지요. 제 아버지 양기찬은 뉴욕에 갔다 온 뒤 강대식이 저지른 청부 폭력으로 여태 다리를 절며 살고요. 아버지는 올해 아흔여섯, 지금도 자면서 이를 가신답니다. 당신보다 먼저 이승을 떠난 강대식 어른을 아쉬워하면서요."

"선대의 일은 잊읍시다, 양 여사님. 그래야 미래가 있을 거 아닙니까. 전 양 여사님에겐 아무 짓도 하지 않았잖습니까. 그때 일이 우리하고 상관있는 것도 아니고요."

양민순이 코웃음을 쳤다. "아까도 생각한 거지만 참 편리하신 분이네요. 잊으라니요. 역지사지라는 말 모르세요?" 뭐 복수라도 하겠다는 것인가, 그 말이 입안에서 뱅뱅 돌았지만 지배인은 가만히 들었다.

"아까 솔직해지자고 했죠? 좋아요. 오늘 브래디를 만날 거예요. 좋은 사람이죠. 특히 저한테는요. 케빈 슈라이버 교수 필름을 주기로 했거든요. 그게 뭔지 아세요?" 지배인이 짐짓 말했다. "말씀하시지요, 양 여사님."

"애버리지니 필름 찍을 때 거기 참관한 사람들을 찍은 거예요. 물론 그 자리에 제 아버지 양기찬 어른하고 강대식 어른이 계셨고요. 이게 무슨 뜻인지 아시죠?"

지배인은 아까 이 대리와의 통화가 생각이 났다. 이 대리가 말하려던 게 이 얘기가 아니었을까. 애버리지니 필름과 케빈 슈라이버 교수의 현장필름, 이 둘은 단짝이었고 양민순은 현장필름을 강대식과 양기찬하고 연결시키고 있었다. 무슨 뜻인지 아시잖아요? 생각해 보니 께름칙했다. 그리고 이 둘이 세상에 알려지기라도 하면, 양기찬이 아니라 강대식이. 그것도 양민순의 손에 의해, 생각해 보니 양민순은 조금 전 그 얘기를 하고 있었던 것이다.

거기에 생각이 미치자 지배인은 서서히 짜증이 났다. 이과수한테 한 방 맞으며 들은 얘기를 양민순에게 또 듣다니.

"그래서 어쩌라는 겁니까?" 지배인이 물었다.

"브래디 말로는 거기 참석한 한국인은 그 둘 뿐이라고 했어요. 제가 무슨 말을 하는지 이해하세요?"

지배인이 말을 돌렸다. "그런데 어딜 그렇게 가십니까, 양 여사님? 이미 목적지를 지난 것 같은데, 우리 식구가 앞에 흰색 지바겐 자태가 곱다고 연락을 해 와서요."

"어떻게 해 드릴까요, 제임스 님?" 양민순이 빈정댔다.

"이리로 오세요, 양 여사님. 냉커피도 있고 파라솔도 있습니다. 저 앞엔 도담삼봉이 우뚝 서 있고요. 신록이라 장관입니다. 이건 말씀드리지요. 우리 호텔 일에 관여하지 않는 게 좋을 것 같습니다, 여사님. 양 여사님이 다치실까 생각해 하는 말입니다. 그리고 전 좀 고상한 편입니다. 영혼에 관심이 많은 편이거든요."

양민순이 자지러지게 웃었다. "나 참, 제가 투숙객인 것도 모르고 있던 양반이 무슨 뻥을 그렇게 치세요. 댁이나 제 일에 참견하지 마세요. 그리고 우리,라니요? 누가 댁 우리인지 알고나 하는 소리세요?"

지배인은 자기도 모르게 고함이 터져 나왔다.

"야 양민순, 이 망할!"

"이거 막 산 새끼 아니야."

"당장 이리 와. 조, 조각을 내 줄 테니까!"

"차 돌려!" 양민순이 소리쳤다.

"도담삼봉 말입니까?" 임장수였다. "그래, 쌍!" 임장수가 급하게 차를 돌리자 뒤의 K8이 허둥대는 게 보였다. 에이원과 씨원이 몸을 가다듬었다. 둘의 손에 철제봉이 들려 있었다. 호신용이자 공격도 할 수 있는 전자봉이었다.

†

도담삼봉이 손에 잡힐 듯 앞에 있었다. 이른 시간인데도 관광객이 많았다. 하정미는 아메리카노를 홀짝이며 연신 탄성을 질렀다.

도담삼봉에 오는 동안 먹을 곳을 찾았지만 마땅한 데가 없었다. 밥을 먹기엔 그렇고 간단한 후식용 음식을 찾았지만 보이지 않았다. 결국 도담삼봉에 와서야 카페에서 먹거리와 마실 것을 샀다.

이과수는 치즈 케이크를 입에 넣곤 커피 한 모금을 마셨다. 치즈 케이크는 하정미가 고른 거였다. 치즈를 좋아하지 않았는데 막상 먹어 보니 치즈 흉내만 내 오히려 좋았다. 하정미는 초코시럽을 얹은 조각 케이크를 든 채 도담삼봉 풍경에 빠져 배가 고픈 줄도 모르는 듯했다. 대신 목이 마른다며 망고주스를 또 사왔고 커피와 주스를 번갈아 마셨다.

"저쪽으로 가, 하정미 씨?"

이과수가 주차장 건너를 가리켰다. 주차장 건너 둔덕 끝에 등받이 없는 벤치가 보였다.

"신기해요, 이 대리님."

하정미가 쪼르르 달려와 이과수의 팔짱을 끼곤 망고주스가 든 빨대에 입을 대고 힘을 주었다.

시간을 봤다. 열 시가 막 넘고 있었다. 잠시 뒤면 양민순이 나타날 시간이었다. 그때도 이곳에 있을 수는 없었다. 브래디는 어디에 있는 것일까? 이과수는 도담삼봉에 시선을 주며 벤치에 엉덩이를 걸쳤다. 하정미가 손수건을 깐 뒤 자리에 앉았다. 핸드폰 벨 소리였다. 그였다. 순간 다행이란 생각이 들었다.

"어디세요, 브래디 씨?" 이과수가 물었다.

"이과수 씨는 어딥니까?"

"도담삼봉입니다. 경치가 이렇게 좋은 덴 줄 몰랐습니다."

"그럴 겁니다. 나도 보고 놀랐으니까요. 여전히 놀라고 있습니다. 그건 그렇고 멀리 있으면 어쩌나 했는데 근처라니 다행이네요. 만나고 싶습니다." 이과수는 잠깐 틈을 뒀다 물었다. "어디신데요?"

"근처 채석장인데 올 수 있겠습니까?"

채석장이라, 권수진 감독과 한스 화이트 그리고 브래디가 영화를 찍는다는 곳이 거기 아닌가. 데이브의 노트북에서 가져온 셋의 사진 속에 그 채석장이 있었다.

"링크를 보내지요."

그가 보내온 링크를 터치하자 지도가 펼쳐졌다. 목적지까지의 시간과 거리가 나와 있었다. 가까웠다. 시간은 3분, 2킬로미터가 좀 넘는 거리였다.

"하정미 씨, 여기 좀 있어야겠는데."

"왜요?" 하정미가 동그란 눈으로 물었다.

"갔다 올 데가 있어. 어제 본 브래디 씨야. 날 좀 보재."

"같이 가면 되죠." 그럴 수는 없었다. 이런 일에 자꾸 하정미를 끼게 하고 싶지 않았다.

"도담삼봉 구경이나 하고 있어. 날씨도 좋고 풍경도 좋잖아."

"사고 나면 어쩌려고요. 이 대리님 차 아니잖아요."

"삼 분 거리야. 무슨 일이 있겠어."

브래디는 고리버들 의자에 앉아 공터를 보고 있었다. 채석장 언덕 저쪽에서 바람이 불어왔다. 먼지가 이쪽으로 날아왔다. 어제만 해도 집어삼킬 듯 활활 타오르던 불꽃이 사라지고, 타다 남은 나무토막과 검게 그을린 골재 사이로 재가 바람에 날렸다. 포성이 멈춘 전쟁터가 이런 모습이 아닐까. 소나기가 올지 모른다더니, 하늘 저쪽에 한 무더기 구름이 보였다. 자판기 커피는 신기할 정도로 늘 같은 맛이었다. 믹스커피는 현장에서는 원두커피를 대신했다. 중독성이 강했고 사람들이 왜 이걸 마시는지 알 것 같았다.

머리 위에서 파라솔 자락이 팔락였다. 저쪽에서 차 소리가 났다. 브래디는 의자에서 일어나 그쪽으로 몇 걸음 옮겼다. 승용차가 곧장 브래디 쪽으로 오고 있었다. 이과수였다.

"여기였군요." 차문을 열며 이과수가 말했다.

"촬영장 말입니까?"

"저건 뭐죠?"

"마지막 촬영이 화재 장면이었어요. 불에 탄 흔적들이지요."

"볼만했겠는데요."

"멋졌어요."

"왜 절 만나자고 한 거지요?" 브래디가 주머니로 손을 가져가더니 USB를 꺼내 건넸다. 얼떨결에 받아 들며 이과수가 물었다.

"뭐지요, 이게?"

"이걸 주고 싶었어요. 보면 알 겁니다."

"이제 어디로 가실 거죠?" 이과수가 물었다.

"알잖아요. 도담삼봉에서 양민순을 만날 겁니다."

"그러시군요……." 이과수가 말을 마치기도 전이었다. 핸드폰이 울렸다. 하정미였다. "잠깐 실례 좀 하겠습니다." 이과수는 몇 걸음 옆으로 가 핸드폰을 받았다.

"왜, 하정미 씨?"

"큰일 났어요." 하정미의 목소리가 다급했다. "여기 난리도 아니에요. 싸우고 때려 부수고…….” 하정미가 울먹였다. “지배인 같아요. 지배인이 사람들하고 싸우고 있어요.”

이과수가 떠나고 바로 뒤였다. 하정미는 도담삼봉을 좀 더 가까이에서 보기 위해 강가 쪽으로 갔다. 그쪽은 주차장을 가로질러야 갈 수 있었다. 하정미는 걸음을 멈추었다. 저쪽에 차가 보였다. 주차장 안쪽이었다. 검은색 벤츠, 에스 클래스였다. 다시 걸음을 옮기려다 하정미는 본능적으로 그쪽을 향해 걸음을 빨리했다. 차 번호를 보기 위해서였다. 가까이 갈수록 낯이 익었다. 번호를 보려고 몇 걸음 더 옮겼을 때였다. 자동차 바퀴 미끄러지는 소리가 들렸다. 급하게 브레이크를 밟을 때 나는 소리였다. 주차장 입구 쪽이었다. 흰색 지바겐, 차가 뒤뚱할 정도로 급하게 반 회전을 하며 주차장 안으로 들어왔고 사람들이 놀라 몸을 피하는 게 보였다. 그 뒤를 검은색 승용차가 따라 들어왔다. 급하게 회전을 한 건 뒤차의 추돌 때문이었다. 일부러 그런 것 같았다. 하정미는 얼른 에스 클래스의 번호를 확인했다. 혹시나 했는데, 하정미는 기겁을 하며 뒷걸음질을 쳤다.

K8에서 남자 둘이 내렸다. 덩치가 컸다. 이어 지바겐에서도 남자 둘이 내렸다. 상황이 험악했다. 그리고 순간이었다. 사내 넷이 다짜고짜 몸싸움을 하기 시작했다. 사람들의 비명 소리가 들리고 순식간에 주차장 한가운데가 싸움터가 됐다. 양쪽이 다 거칠었다. 둘은 철제 전자봉을 쥐고 있었고, 맨몸이지만 상대도 만만치 않았다. 몸놀림이 단련된 격투가들이었다. 주차장 한가운데서 벌어지는 난투극 때문에 관광객들이 주차장 가장자리로 밀려나 있었다. 사람들이 신고를 하는지 여기저기서 다급한 목소리가 들렸고, 아이를 데리고 온 젊은 부부와 노인들이 급하게 차 안이나 가게 안으로 피하는 게 보였다.

“빨리요, 이 대리님.” 하정미가 울먹였다.

“차종이 뭐라고 하정미 씨?” 이과수가 급하게 물었다. “에스 클래스하고 흰색 지바겐이요. K8도 있어요.”

에스 클래스와 K8 그리고 지바겐이라, 이과수의 머릿속에서 그 셋이 동시에 펼쳐지며 조합을 하고 있었다. 그중 두 대가 그대로 머리에 저장된 색인을 찾아내고 있었다. 에스 클래스는 지배인 차였고, K8은 센터 차였다. 모두 호텔 출입차 명단에 들어 있었다. 흰색 지바겐은 볼 것 없이 양민순의 차였다. 호텔에 올 때 양민순은 늘 지바겐을 탔다.

"무서워 죽겠어요."

하정미가 발을 동동 구르는 게 눈에 선했다. "빨리요, 이 대리님."

"진정하고 내 말 잘 들어, 하정미 씨. 카페에 들어가 몸을 숨겨. 내가 도착할 즈음 연락할 테니까 거기서 꼼짝 말고 그 자리에 있어. 알았지?"

"알았어요. 빨리 와요, 이 대리님."

핸드폰을 끊은 하정미는 고개를 숙이고 급하게 카페 쪽으로 걸었다. 들고 있던 망고주스가 튀어 치맛자락에서 흘렀다.

"장난이 아닌데……."

이과수가 중얼거렸다. 어쨌든 일 하나는 제대로 돌아가는 듯했다. 주요 인물이 한 군데 다 모여 있었고, 지배인 쪽 사람들이 누군가와 싸우고 있다면 상대는 당연히 양민순 쪽 사람일 터였다. 예정대로 양민순은 도담삼봉에 와 있었다. 그런데 지배인은 어떻게 여길 알고 온 것일까.

"무슨 일이 있는 겁니까?" 브래디가 물었다.

"양민순하고 지배인이 도담삼봉에 와 있습니다. 지금 전쟁 중이고요." 브래디가 놀란 표정을 짓곤 금세 표정이 굳어졌다.

"동행이 있으세요?" 브래디가 물었다.

"약혼녀가 있습니다." 약혼녀라는 말에 브래디가 고개를 끄덕였다. "양민순과는 몇 시에 만나기로 했지요, 브래디 씨?"

"열한 시요." 브래디가 핸드폰 시계를 보며 말했다.

"가실 겁니까?" 이과수가 물었다. 브래디가 하늘을 봤다. "가지 마세요, 브래디 씨. 미국으로 돌아가셔야죠." 그가 이과수를 봤다. "어머니가 아프시다면서요. 양민순을 만나야 하는 이유는 알지만 자칫 고집을 피우다 미국에 못 갈 수도 있습니다."

"어머니 얘기는 하지 마시지요. 이건 비즈니스 아닙니까." 말은 그렇게 했지만 브래디가 흔들리고 있었다.

"포기해야 할 일도 있는 겁니다, 브래디 씨."

"솔직히 한스 화이트도 그렇고 권수진 감독도 그렇고 모두 속였습니다. 이 일을 위해서였지요. 그런데 포기를 하다니요……." 브래디가 정색을 했다.

"저는 브래디 씨가 무사히 미국으로 가는 모습을 보고 싶습니다. 진심입니다."

"무사히 돌아가지 못할 이유가 뭐 있습니까?"

"지배인이 이를 갈고 있으니까요. 일이 잘못되면 양민순도 가만히 있지 않을 겁니다. 둘 다 가질 수는 없어요. 지금 상황이 그래요, 브래디 씨." 브래디가 한숨을 내쉬며 종이잔을 꼬깃꼬깃 구겼다.

"도와드리겠습니다. 무사히 미국에 가실 수 있게요."

"어쩌란 거지요?" 브래디가 씁쓸한 표정으로 물었다.

"비즈니스는 포기하세요. 지배인은 제가 알아서 할 테니까요. 브래디 씨가 파일 가지고 있다는 거 지배인도 압니다. 섭섭할지 모르겠지만 제가 말했거든요. 하지만 저는 브래디 씨는 미국으로 떠났고 파일은 제가 받았다고 말할 겁니다."

"그게 다입니까?"

"브래디 씨와 얘기가 끝나면 전 여길 떠날 겁니다. 제 약혼녀가 겁에 질려 있거든요. 약혼녀를 데리고 이곳을 벗어난 뒤 지배인과 통화할 겁니다. 지배인과 만나자고 약속을 할 거고요. 그러면 저를 만나려고 달려들 겁니다. 제가 여길 떠나면 곧바로 공항으로 가세요, 브래디 씨. 여기서 얼쩡대지 말고요. 나머진 제가 알아서 할 테니까요."

이과수의 말에 브래디가 입을 다물었다. 이과수도 브래디도 아무 말 하지 않았다. 잠시 뒤 이과수가 말했다.

"이제부턴 제가 상관할 일이 아닌 것 같습니다. 가겠습니다. 삼십 분 뒤 저는 지배인과 통화할 겁니다. 다시 약속드리지만, 미국으로 돌아가는 일은 제가 도울 겁니다." 브래디가 고집 피우는 걸 원하지 않는다는 의미였고, 한편 경고이기도 했다. 이과수는 브래디가 그걸 알기를 바랐다.

"제 말은 제가 책임지겠습니다." 이과수가 다시 말했다. 핸드폰 소리였다. 하정미였다. "가봐야겠어요, 브래디 씨. 약혼녀가 절 찾습니다." 이과수가 자리에서 일어나려는데 브래디가 말했다.

"양민순은 어떡하면 좋겠습니까?"

"기다리라지요, 뭐."

"보통 여자가 아니던데 눈치채고 공항까지 따라오면 어쩔 겁니까."

그럴 수도 있었다. 악에 받친 상태라면 어떤 말을 하더라도 믿지 않을 테고, 그냥 넘어가려고 하지 않을 터였다. 물론 그럴 사람도 아니었다. 이과수는 적당한 말이 생각나지 않았다. 아니 묘책이 떠오르지 않았다. 막연하긴 하지만 그렇다고 방법이 없을 것 같지도 않았다.

“우선 여길 벗어나는 게 좋겠습니다.” 이과수가 말했다.

“난 어쩌면 좋겠습니까?”

“여기 계세요. 제 얘기 듣고 움직여도 늦지 않으니까요.” 알았다는 듯 브래디가 고개를 끄덕였다.

주차장으로 들어가자 사람들이 보였다. 지배인은 보이지 않았다. 양민순도. 경찰이 있었고, 견인차 두 대가 삐딱하게 세워져 있었다.

그새 정리가 된 듯 하정미가 말한 긴박한 상황은 보이지 않았다. 경찰과 남자 서넛이 얘기를 나누고 있었고 주차장 한가운데에는 지바겐과 K8이 어긋나게 서 있었다. 그 바람에 다른 차들이 간신히 주차장을 지나야 했다. 얼핏 보니 K8은 범퍼와 보닛 일부가 찌그러져 있었다. 지바겐은 딱히 흠집이 보이지 않았다. 이과수는 주차장 안으로 천천히 차를 몰며 주변을 살폈다. 주차장 깊숙이 들어가는 건 위험했다. 왼쪽으로 ‘삼봉 스토리관’이 보였다. 그 옆에 하정미가 들어간 카페가 있었고 그 사이로 골목길이 보였다. 이과수는 그쪽으로 차를 몰았다. 카페와 붙은 길이었고 하정미를 그쪽으로 오게 하면 될 것 같았다. 차를 멈추곤 하정미에게 핸드폰을 했다.

“어디에요, 이 대리님?” 하정미의 목소리가 작게 들렸다.

“카페 문을 열고 나오면 오른쪽에 골목이 있어. 거기 차를 댔으니까 와.”

이과수는 사이드미러와 차창 밖을 살폈다. 핸드폰을 끊으려는데 사이드미러로 여자가 보였다. 선글라스를 쓰고 있었고 낯이 익었다. 양민순이었다. 카페로 가는 듯했다. 하정미와 양민순이 마주한 적이 있었나? 지배인 방에서 보긴 했어도 양민순이 하정미를 기억하기는 힘들었다. 하지만 모를 일이었다. 재수 없게 어디선가 지배인이 불쑥 나타날 수도 있었고, 모르긴 해도 차영한이든 이구민이든 저쪽 어디쯤에서 셋 중 하나가 이쪽을 볼 수도 있었다.

“하정미 씨?”

"왜요?"

"양민순이 카페로 가고 있어. 다른 곳을 보는 척 얼굴을 돌려." 하정미가 굳이 양민순에게 얼굴을 보일 필요는 없었다.

"알았어요."

하정미의 목소리가 떨렸다. 잠시 뒤 하정미가 사이드미러로 보였다. 이쪽으로 걸어오고 있었다. 하정미는 아예 손바닥으로 얼굴 한쪽을 덮고 있었다. 그게 더 티가 났다. 차와 가까워지자 하정미가 걸음을 빨리했다. 이과수는 문을 열곤 차를 서서히 출발시켰다. 하정미의 걸음이 빨라지더니 후다닥 차에 올랐다. 급하게 문이 닫혔고 차 문 소리가 꽝,하고 났다.

"무서워 죽는 줄 알았어요." 하정미의 얼굴이 온통 울상이었다. 그러고 보니 눈에 이미 눈물이 글썽이고 있었다.

"미안 미안, 하지만 아무 일도 일어나지 않았잖아." 이과수가 웃으며 말했다.

"웃음이 나와요?"

"나오는데."

"가요, 빨리."

이과수는 주차장을 나와 시내로 차를 몰았다. 여기를 벗어나는 게 먼저였다. 그런 뒤 하정미를 안전한 곳에 있게 해야 했다. 사람이 드문 곳이 좋았다.

"이 대리님 남의 차 운전하고 있는 거 알아요? 보험도 안 되는데 사고 나면 어쩔 거예요."

"이 시국에 보험 걱정이 나오세요?"

시내로 들어오는 동안 하정미는 뾰로통했다. 강변을 따라 좀 내려오자 넓은 주차장이 보였다. 그 너머는 강이었다. 주차장은 차가 거의 없어 한적했다. 사람 눈을 전혀 의식하지 않아도 될 듯했고, 잠시 숨돌리기에도 적당해 보였다. 편의점에서 생수를 산 뒤 주차장으로 들어갔다.

사실 막막했다. 브래디가 어떻게 할 거냐고 물을 때도 그랬다. 금방이면 된다고 했지만 감당하지 못할 객기를 부린 것이 아닌지, 그러자 걱정이 이만저만이 아니었다.

브래디가 무사히 출국할 수 있는 조건이 무엇이 있을까? 문제는 지배인과 양민순이었다. 그 둘이 브래디가 이미 미국으로 출국했다는 사실을 믿도록 해야 했다. 또 브래디가 모든 파일을 가지고 있었으며 그 파일을 이과수 자신이 가지고 있다는 것 또한 믿게 해야 했다. 그리고 브래디가 인천공항을 이륙할 때까지 지배인과 양민순이 이곳에 있어 줘야 했다. 그러므로 지배인과 양민순이 파일을 얻기 위해 오로지 이과수에게만 매달리게 하는 게 그 무엇보다 중요했다. 이 조건을 충족할 만한 게 무엇이 있을까?

초조해졌다. 머릿속이 하얬다. 비 맞은 중처럼 혼자 구시렁대며 골똘해하는 이과수에 비해 하정미는 조용했다. 태평스러울 정도로. 머리를 싸맬수록 자꾸 조급함만 일었다. 하정미에게 도움을 청하고 싶은 심정이었다. 잠시 뒤였다. 앞 유리를 응시하고 있던 하정미가 이과수를 보며 말했다.

"갈이천정渴而穿井이라는 말이 있어요."

무슨 뜻이냐고 물으려다 말았다. 이젠 머릿속이 아예 엉켜 버려 수습이 가능한 것인지 싶었고, 무언가를 생각해 내야 한다는 게 이렇듯 고역스러울 수가 없었다. 기다리고 있을 브래디를 생각하자 정말 큰 일이라는 생각밖에 들지 않았다.

"목마른 사람이 우물을 판다는 말, 이게 그 뜻이거든요." 말을 멈추곤 하정미가 강 쪽을 봤다. 단양강이었다.

"원래는 목이 마르기 전에 우물을 파야 한다는 뜻인데, 아무튼 목마를 땐 우물을 찾게 마련이잖아요."

"그런데……?" 무슨 말을 하려고 저러나 싶어 이과수가 물었다.

"목마른 사람은 지배인하고 양민순이에요. 우물이 필요한 사람도 그 사람들이고요. 그런데 두 사람은 우물을 팔 수 없어요. 이 대리님이 파 줘야 목을 축일 수 있거든요." 그 말을 듣고 있는데 뭔가 보이는 듯도 했다.

"그래서?" 이과수가 다시 물었다.

"우물을 우리가 파 놓는 거예요. 그래서 말인데요, 이 대리님. 이거 어때요?" 이과수는 아예 하정미 쪽으로 몸을 돌렸다.

"지배인하고 양민순 두 사람을 한 데다 묶어요."

"묶다니?"

"따로따로 말고 한 군데다가요."

"그게 뭐냐고?"

듣다 보니 현실성이 있었고, 지배인과 양민순이 믿어줄까 싶기는 했지만 두 사람이 믿어만 준다면 괜찮은 생각이었다. 그런 생각을 다 하다니, 아니 가만히 생각할수록 기발한 얘기였다.

"대박인 거 같은데, 이거." 이과수가 두 손으로 하정미의 손을 잡았다.

"정말요?"

이과수는 자기도 모르게 대박 대박 소리가 나왔다. 더 생각하고 말고 할 게 없었다. 빨리 일을 시작하는 게 순서였다.

가장 초조한 사람은 브래디일 터였다. 그와 통화부터 해야 했다. 이런 걸 운명이라고 해야 하는지, 마침 핸드폰이 울렸고 브래디였다.

"도와줄 수 있겠어요, 이과수 씨?" 목소리가 급했다. 그도 결심한 모양이었다.

"고맙습니다. 브래디 선생님." 진심이었다. "통화할 일 있으면 지금 하시고 핸드폰은 정지시키세요. 먹통이 되게요." 브래디는 이과수의 말대로 하겠다고 했다. 브래디와 통화를 하고 난 뒤였다. 이과수가 말했다.

"자, 시작하자고. 하정미 씨."

"정말요?"

하정미는 신이 나 있었다. 하정미의 즉흥적인 생각이기는 하지만 이 일은 실패보단 성공할 확률이 더 높았다. 그 여파도 클 테고. 그런데 혹 잘못이라도 된다면, 생각하고 싶지 않았다.

"그 사람들 아예 거기다 가둬 버리면 어떨까?" 장난삼아 한 말인데 하정미가 정색을 했다.

"조이불강釣而不綱이라고 했어요, 이 대리님." 무슨 뜻이냐는 듯 쳐다보자 하정미가 말했다. "낚시질은 해도 그물질은 하지 말랬어요."

퀵서비스

하정미가 문구점을 검색했다. 예닐곱 군데가 나왔다. 그중 규모가 크고 가까운 곳을 로드뷰로 찾았다. 두 곳이 나왔다. 불과 사오 분이면 갈 수 있는 거리였다. USB를 산 뒤 다시 주차장으로 돌아와 노트북의 파일을 USB로 옮기는 동안 하정미는 지도로 새 장소를 찾았다. 둘을 오게 할 곳이었다. 브래디가 출국할 동안 아무런 지장을 주지 않을 정도의 거리와 시간이 보장되는 곳이어야 했다. 이과수와 하정미가 같이 있다고 해도 믿을 만한 곳, 하정미가 찾아낸 곳은 충주였다.

"웬 충주?" 이과수가 물었다.

"예전에 답사 따라다닐 때 가 본 적이 있어요."

"어딘데?"

"충주 미륵대원지요. 월악산에 있어요."

하정미는 한동안 친구와 절터를 찾아다니는 답사 프로그램에 참여한 적이 있다고 했다. 템플스테이는 매년 휴가 때면 해오던 하정미의 연례행사 같은 것이었다. 하긴 지난번에 템플스테이를 가려다 휴가를 얻지 못해 가지 못한 적이 있었다. 아마 그때 이과수가 물었을 것이다.

"하정미 씨 언제부터 절에 다녔어?"

"딱히 절에 다니겠다는 생각을 하고 다닌 거 아니에요."

"템플스테이 하고 그런다면서?"

"그렇긴 한데 전 절보다 절터가 더 좋아요."

"그게 그거지."

"참나, 그게 그거 아니거든요. 절은 채워져 있지만 절터는 비어 있어요. 그런데 둘이 같아요. 채워진 거나 빈 것이나."

이과수는 하정미를 봤다. 궁금했다. 빈 것이 채워진 거와 같다니?

"서로 엉켜 있어서 그래요. 연기라고 해요, 그걸. 비어 있지 않으면 채워진 걸 모르고 채워지지 않으면 빈 걸 모르거든요."

하정미가 점점 알 수 없는 말만 하고 있었다.

"아시겠어요, 이 대리님?"

"모르겠는데요, 하정미 님?"

스페인어가 전공인 하정미는 어학보다 역사와 문화 쪽에 관심이 있었다. 전통문화가 많이 남아 있는 불교 유적지 같은 데를 좋아했고 탱화나 탑, 절 그중 절터에 관심이 많았다. 몇 년을 주말이나 휴가 때면 답사팀으로 전국의 절이나 절터를 찾은 모양이었고 충주 미륵대원지가 그곳 중 하나라고 했다.

하정미가 핸드폰을 내밀었다. 로드뷰였다. 지도가 펼쳐 보여 준 곳은 충주 미륵대원지였다. 이과수는 고개를 갸웃했다. 생각해 보니 그곳은 중원 미륵리 사지였다. 지금껏 그렇게 알고 있었는데 이름이 바뀐 모양이었다.

"여기서 얼마나 걸릴 것 같아, 하정미 씨?"

시간은 중요했다. 적당히 시간이 걸려줘야 하는 거리여야 했고, 거기서 다시 움직인다 해도 또 시간이 걸려야 했다. 될 수 있으면 갇힌 듯 머물게 할 수 있어야 했다. 하정미가 승용차로 길 찾기를 하자 지도에 경로가 그려졌다. 한 시간 삼십 분이 걸렸고 월악산 자락을 끼고 돌아야 하는 길은 고개가 많았다. 그 정도면 괜찮은 거리였고 갇힌 느낌을 주기에 손색이 없었다.

"여기 골짜기가 꽤 깊어요, 이 대리님. 예전에 갔을 때 한참 들어갔던 거 같거든요."

"좋아, 거기로 하자고."

"다 내 덕인 줄 알아요." 하정미가 입을 삐죽,하며 말했다.

"절이 커?"
"고려 때 절인데 지금은 없고 말 그대로 절터예요. 석굴암처럼 석축이 있고 그 안에 미륵불이 서 있어요. 한 십 미터 정도 돼요."
"그렇게 커?"
"얼마나 귀엽게 생겼는데요."
"귀여워?"
"귀엽게 생긴 부처가 얼마나 많은데요. 삐딱하고 가분수 같은데도 기가 막히게 어울려요."
"빈 절터가 뭐가 그렇게 재밌어?"
"빈 절터엔 꼭 탑이 있어요. 덩그렇게요. 그게 꼭 사람 같다니까요. 감정도 있는 걸요. 오층 석탑하고 삼층 석탑하고 석등이 있는데, 미륵입상 쪽으로 공터가 있어요. 그게 꼭 비어 있으면서 꽉 찬 거 같이 느껴져요."
"하정미 씨 말 모순인 거 알지?" 이과수가 핸드폰을 꺼내며 말했다. 브래디가 핸드폰을 받으면 아직 실행할 수 없고 먹통이면 실행해도 된다는 뜻이었다. 브래디의 번호를 눌렀다. 먹통이었다.
"뭐가 모순이라는 거예요?" 하정미가 따지듯 물었다.
"비어 있는데 꽉 찼다면서?"
"정말이라니까요. 색즉공 공즉색, 이거 내 말이 아니고 부처님 말이거든요."

이과수는 아차 싶었다. 문자로 할 걸 그랬나, 하지만 이미 신호가 가고 있었고 저쪽에서 목소리가 들렸다.
"야, 이 대리. 너 그걸 말이라고 해!" 지배인이 다짜고짜 소리부터 질렀다. "양민순이 브래디를 만나기로 한 건 나도 알아, 이 자식아."
"제가 애도 아니고 자꾸 자식아 자식아 하지 마세요, 지배인님."
"이 자식 봐라."
"그럼 이거 끊습니다." 좀 세게 나갈 필요가 있었다. 그래야 믿을 것이었다. 일이 끝날 때까지, 브래디의 비행기가 이륙할 때까지 아니 이륙 전 한 시간, 그때까지 필요한 것은 인내와 침착함이었다. 그 후엔 어떻게 돌아가든 상관없었다.

"그래 좋아. 니 말이 맞는다고 쳐." 지배인의 말이 빨라졌다. "그런데 밑도 끝도 없이 브래디가 한국을 떠났으니, 그걸 믿으라고? 내가 바보로 보여?"

"정말이라니까요. 제이콥 쉬프 씨는 출국을 했다고 제가 말씀드렸고, 브래디는 사십 분 뒤엔 이륙입니다. 지금쯤 체크인을 하고 출국 게이트에서 어슬렁대고 있을 겁니다."

"왜 그걸 지금 얘기해?"

"조금 전에 알았으니까요. 전 어제 여길 왔습니다. 브래디하곤 어젯밤에 만났고요. 그가 제게 이메일을 보냈습니다."

"뭘 보냈다고?"

"제이콥 쉬프 파일이요."

"야, 이 대리. 너 어디야? 어디서 전화질하고 있는 거야!" 파일을 가지고 있다는 소리에 지배인이 흥분했다.

"자꾸 이러시면 저도 힘들어집니다."

지배인은 숨을 가다듬었다. 이 망할 이 대리가 이젠 갑질까지 하고 있었고, 건방이 도를 넘고 있었다. 하지만 참아야 했다. 다른 방법이 없었고, 어떡하든 이 대리를 붙잡고 얘기를 이어 가야 했다. 그러려면 자극이 필요한 게 아니라 설득이, 다른 것도 아니고 파일을 가지고 있다지 않은가. 그런데 이 자식 말이 사실일까?

"제이콥이 왜 그걸 너한테 준 건데? 논리적으로 좀 그렇잖아. 안 그래, 이 대리?" 지배인이 물었다.

"제이콥한테 받은 게 아니라 브래디한테 받은 거라니까요. 제이콥이 원래 저한테 주기로 한 거 아닙니까. 그런데 제이콥이 출국하면서 파일을 브래디한테 맡긴 모양입니다. 양민순이 왜 여길 왔는지 아세요? 브래디가 양민순하고 거래를 한 겁니다. 제이콥이 시킨 것 같았어요. 그래서 제가 브래디를 설득한 거고요. 거래를 포기하고 당장 한국을 떠나라고요. 안 그러면 지배인님한테 이르겠다고 했지요. 그 소리에 브래디가 자포자기한 거고요. 브래디가 무사히 미국으로 돌아가게 해 주는 대신 저한테 파일을 준 겁니다."

지배인은 혼란스러웠다. 도대체 어떻게 돌아가는 것인지. 그리고 보니 어쩌면 파일의 존재를 아는 사람이 더 있을지도 모르겠다는 생각이 들었다. 자칫 일이 번잡해질 수 있었다.

“이거 아는 사람 또 있어, 이 대리?” 지배인이 물었다.

“브래디 씨가 그러더군요. 파일을 제게 주고 나니 살 것 같다고요.”

“뭔 소리야?”

“브래디 외엔 없다는 얘깁니다.”

그 소리에 지배인이 좀 누그러졌다. “어디야, 이 대리?”

“충주입니다.”

“충주? 거긴 왜 간 건데?”

“지배인님도 아시다시피 전 하정미 씨하고 같이 있습니다. 하정미 씨는 제 약혼녀입니다. 저와 하정미 씨는 호텔로 돌아가지 않을 겁니다. 지금은 여행하는 중이고요.”

지배인이 웃었다. 약혼녀라니, 알다가도 모를 녀석이었다. 하지만 이제 자신이 상관할 일이 아니었다. 지금 중요한 것은 파일이었다. 파일이 이 대리에게 있었고, 그 파일들을 넘겨주겠다고 하지 않는가. 없는 파일을 주겠다고 할 수는 없었다.

“이 대리, 잘 들어. 양민순은 이 일을 몰라야 해, 알아?”

“압니다.”

“약속해, 이 대리. 이 일에서 양민순은 빼. 나하고 일을 끝내자고.” 지배인 목소리가 급했다.

“하지만 양민순도 알게 될 겁니다. 브래디 파일을 가지고 있다는데 가만히 있을 사람도 아니고요. 그땐 뭐라고 변명하겠습니까.”

“뭐 나하고 거래라도 하겠다는 거야?” 지배인이 소리를 질렀다.

“그럴 리가요. 그런 욕심 없습니다. 대신 보장은 해주셔야 할 것 같아서요. 지배인님도 그렇고 양민순도 그렇고 제가 파일을 가지고 있는 한 가만히 둘 사람들이 아니잖습니까. 제 안전을 보장해 주겠다는 사람과 대화할 수밖에요. 저도 살아야 하지 않습니까.”

“난 파일만 받으면 그만이야. 이 대리 너하고 하정미 퇴직금은 원칙대로 정산할 거고. 보너스도 줄게.”

“우릴 쫓지 않는다는 말도 해 주십시오.”

"그러지. 대신 다시는 내 눈앞에 나타나지 마. 파일은 따로 복사하지 않았겠지?"

"그걸 말씀드리지 않았네요. 복사했습니다."

"이럼 약속이 틀리잖아, 망할."

"저도 보험은 들어 둬야지요. 절 잡겠다면 무슨 수로 제가 막을 수 있겠습니까. 지배인님이 파일을 공개하지 않으면 공개할 사람은 없습니다. 이건 약속드리지요."

하긴, 지금으로서는 양민순 손에 파일이 들어가지 않은 것만도 다행이라고 생각해야 했다. 그거야말로 최악이었다.

"약속은 지켜. 알았지, 이 대리. 그러지 않으면……."

"알았으니까, 그만 겁주시지요."

"자 이제 어떻게 할까, 이 대리?" 지배인이 물었다.

"이쪽으로 오세요."

양민순은 지배인의 에스 클래스를 쏘아봤다. 손에는 커피 잔이 들려 있었다. 카페에서 주문한 더블 에스프레소였다.

"지배인이 통화를 하고 있습니다."

임장수였다. 짙은 선팅 너머로 지배인의 실루엣을 보고 있었다. 통화가 길어 보였다. 양민순은 시계를 봤다. 열한 시 오 분 전, 움직여야 할 시간이었다. 선팅 너머로 주변을 살폈다. 혹 브래디가 나타나지 않을까 해서였다. 브래디와의 만남을 지배인이 알게 할 수는 없었다. 그런데 지배인은 뭘 어디까지 알기에 여기까지 쫓아올 수 있었던 것일까. 아무리 생각해도 수수께끼였다. 설마 브래디와 만나는 것까지 아는 건 아니겠지. 핸드폰 벨 소리였다. 모르는 번호였다.

"양민순 여사님이신가요?" 처음 듣는 목소리였다.

"누구야?"

"그랑호텔 이과수 대리입니다."

이과수 대리? 비서실의 여자아이와 도피행각을 벌인다는, 아니 그보다 미국에서 한국으로 몰래 들어온 그 이과수 대리가 너란 말이지. 그걸 가장 먼저 안 사람은 자신이었다.

"그래요, 이 대리." 양민순이 미소 지으며 말했다. "우리 구면이지. 반가워요, 이 대리.” 그런데 이과수 대리는 어떻게 이 연락처를 안 거지? 그럴 줄 알았다는 듯 이과수가 말했다.

“어떻게 번호를 알았는지 궁금하지 않으세요?

여우 같은 자식, 양민순이 물었다. “그러네, 이 번호 아무한테나 알려주지 않거든.”

“브래디 선생이 알려줬습니다.”

“브래디……?” 양민순이 말을 멈췄다. 순간 머릿속이 복잡했다. 아니 엉켰다. 양민순이 조심스레 물었다.

“이 대리, 브래디하고 연락하고 지내는 사이야?”

“네, 여사님.”

“지배인이 움직입니다.” 임장수였다. 지배인이 탄 에스 클래스가 급하게 주차장을 벗어나고 있었다.

“쫓아.” 양민순이 작은 소리로 말했다. 임장수가 가속을 하자 지바겐이 주차장 안을 돌아 출입구 쪽으로 방향을 바꿨다. 에스 클래스가 주차장 입구를 벗어나고 있었다. 그 뒤를 찌그러진 K8이 따라갔다. 임장수가 순간 급정거를 했다. 양민순의 몸이 심하게 쏠렸다.

“브래디를 만날 시간입니다.” 임장수가 말했다. “브래디를 만나면 지배인을 볼 일도 없는 겁니다.” 양민순은 시계를 봤다. 브래디는 석굴 입구 정원에 와 있을 터였다. 임장수가 양민순에게 그걸 상기시키고 있었다.

“지금 바쁘니까 나중에 얘기하지, 이 대리.”

“바쁘시다는 거 알고 있습니다.”

“뭐라고 했어, 이 대리……?”

“브래디 선생 만나기로 한 거 안다고요. 그 일 때문이라면 바쁘실 필요 없을 것 같아서요.”

“무슨 말이야, 이 대리?”

“브래디 선생은 미국으로 갔습니다.”

“미국으로 가……?”

“조금 있으면 이륙입니다. 지금쯤 인천공항에서 탑승을 기다리고 있을 겁니다.”

양민순은 순간 욕을 뱉을 뻔했다. 무슨 날벼락 같은 소리인지! 믿기 힘들었다, 아니 믿고 싶지 않았고, 왜 이걸 이과수가 알고 있는 것인지. 그보다 브래디가 돈을 마다하고 여기를 떠났다고? 그걸 위해 그가 얼마나 공을 들였는데, 쉽게 결정을 내릴 수 있는 사안이 아니었다. 무엇이 그에게 그 돈을 포기하게 한 것일까.

"그걸 믿으라고, 이 대리?"

그보다 그랑호텔 이 대리가 브래디와 연락을 하는 사이였다니, 이러면 브래디가 속였다는 건데, 그럴 리 없었다. 브래디에게 돈은 중요했다. 아버지 양기찬을 위한 일 같았지만 원래 목적은 돈이었다. 적극적으로 접근한 게 그 때문이었고, 게다가 브래디는 노골적으로 돈 얘기를 했다. 그런데 제 발로 그 복을 차고 미국으로 가다니, 혼란스러웠다.

"장난하는 거야, 이 대리?" 양민순이 말했다. 쌩했다.

"그럴 리가요." 이과수는 담담했다.

"왜 내게 이런 말을 해주는 거지?"

"사실이니까요. 그리고 브래디 선생은 지배인하고 그리 돈독한 사이가 아닙니다. 알고 계신 줄 알았는데 아닌가요, 여사님?"

양민순이 허탈한 듯 물었다. "하고 싶은 말이 뭐야, 이 대리?"

"양 여사님이 갖고 싶은 물건 저한테 있습니다."

"물건이라니?"

"파일 말입니다. 양 여사님 아버님이 나오는 케빈 슈라이버 교수 필름하고 애버리지니 필름이요. 브래디 선생이 제게 한 부탁입니다. 양 여사님께 전해 달라고요. 자기는 비행기 시간 때문에 만나지 못한다고 하면서요."

"열한 시 약속은 뭐야."

"그건 저도 모르겠습니다. 중요한 건 브래디 선생이 양 여사님하고 한 약속을 어기지 않았다는 겁니다. 파일을 제게 주고 갔으니까요. 돈은 계좌로 부탁드린다고 전해 달라고 했습니다."

"이 대리, 거짓말하면 나한테 죽어요. 알아요?" 양민순의 목소리가 차가웠다.

"못 믿으시겠으면 브래디 선생한테 연락해 보세요."

"기다려, 이 대리."

양민순은 대기 버튼을 누른 뒤 브래디의 핸드폰 번호를 찾아 임장수에게 주었다. 임장수가 브래디의 핸드폰 번호를 눌렀다.

"먹통인데요." 임장수가 말했다.

"이 대리, 브래디가 먹통이야. 지금 장난해?"

"그걸 확인해 보라는 뜻이었습니다. 그래야 브래디가 한국을 떠났다는 걸 믿으실 거 아닙니까."

"그래서 뭘 어쩌자는 거지, 이 대리?"

"파일은 받으셔야지요."

이걸 믿어야 하는 것인지, 하지만 파일을 이 대리가 가지고 있다고 하지 않는가. 어차피 이 여정은 파일을 받기 위한 시간이었고 상대가 브래디일 뿐이었다. 물건을 손에 넣은 뒤에는 더 이상 맺을 인연도 아니었다. 그런데 그걸 이 대리가 가지고 있다는 얘기였다.

"믿어도 돼, 이 대리?"

"죽을 짓을 자청할 일은 없잖습니까, 여사님."

"어떡하면 되지?"

"이쪽으로 오시면 어떨까요?"

"이쪽이라니?" 그보다 확인할 게 있었다. 너무 급작스럽고 황당한 일이어서 아직 잘 납득가지 않는 게 있었다.

양민순은 공항 쪽에 선을 댔다. 그쪽 일을 봐주는 사람들이었다. 출국자 명단을 찾았다. 그걸 확인하는 데 걸린 시간은 이십여 분, 그런데 이상했다. 그쪽에서 성이 뭐냐고 물어 왔다. 그의 이름은 브래디, 그러고 보니 알고 있는 건 브래디라는 이름뿐이었다. 왜 성을 모르고 있었던 것일까, 왜 브래디의 철자조차 제대로 알고 있지 않았던 것일까. 출국자 명단에 'Brady'라는 이름을 가진 사람은 세 명이었다. 셋이 다 출국한 상태였다. 공교롭게 모두 LA였다. 하지만 이 정도 확인으로는 부족했다. 그렇다고 다른 방법이 있는 것도 아니었다. 양민순은 아버지에게 연락을 했다. 간병인이 아버지를 바꿔 주었다. 큰 기대를 하지는 않았다. 짐작대로 아버지도 브래디란 이름 외에 성을 알고 있지는 않았다. 들은 것 같은데 기억이 나지 않는다고. 방법이 없었다. 분명한 것은 브래디의 핸드폰 번호는 이제 없는 번호라는 사실,

출국 역시 사실인 것 같았다.

"거기가 어디야, 이 대리?" 양민순이 물었다.

"그보다 이 얘기는 해야 할 것 같습니다."

"얘기해 봐, 이 대리."

"더 이상 사람들 괴롭히지 마세요, 여사님."

"뭐라고?"

"제가 이걸 여사님께 드리는 건, 보시고 반성하시라는 의미입니다."

"야 이 대리, 너 어디야!"

이과수가 양민순과 통화를 하는 동안 하정미는 인터넷으로 퀵서비스 업체를 찾았다. 업체 두 군데가 나왔다. 거리 때문에 비용 문제가 생겼다.

"비용이 추가된대요." 하정미가 말했다.

"그 정도는 감수해야지."

그런데 하정미가 구체적인 장소를 말하자 업체가 또 추가 비용 얘기를 했다. 자기들도 어쩔 수 없다는 거였다. 퀵 기사들이 거부하면 돈을 더 주는 수밖에 없다고. 비용은 더 지불해야 했고 거리가 멀어 추가하기로 한 비용에서 또 추가 비용이 생겼다. 이과수가 보기에도 길이 험했고 왕복을 생각하면 쉽게 갔다 올 수 있는 거리가 아니었다. 거기다 한 장소를 가는데 두 대의 퀵 기사가 가야 하는 경우는 처음이라며 업체는 난감해했다. 너무 거리가 멀고 갈 사람도 없다는 게 이유였는데, 돈을 더 달라는 소리였다.

업체에서는 예약부터 하라고 했다. 그래야 시간을 맞출 수 있다고. 출발 시간을 말하자 잠시 뒤 업체에서 퀵서비스 기사 두 사람이 기다리기로 했다는 연락이 왔다. 그 말을 듣고서야 이과수는 지배인과 양민순에게 연락을 했다. 이과수는 로드뷰로 충주 미륵대원지가 있는 절터를 찾았다. 지도 링크와 절터 두어 곳을 캡처한 이미지를 지배인과 양민순에게 보냈다. 퀵서비스 업체에도 링크와 캡처 이미지 그리고 물건을 건네줘야 할 사람의 이름을 알려 줬다.

"네 시까지 가면 되는 거 맞지요?"

이과수가 건넨 작은 상자 두 개를 받아 들며 업체 직원이 물었다. 문구점에서

USB를 사면서 고른, 두께가 있는 단단한 작은 상자였다. USB를 넣기에 안성맞춤인 크기였고 작은 선물상자 같아서 보기도 좋았다. 너무 커도 또 작아도 관리하기 번거로울 터였다. USB는 에어캡으로 두툼하게 감싼 뒤 상자에 넣었다. 혹 모를 충격과 물에도 견딜 수 있어야 했다.

"퀵 기사님 두 분 가는 거 맞지요?" 이과수가 확인하듯 물었다.

"그러기로 했잖습니까." 업체 직원이 말했다. "이게 이름입니까?" 그가 상자 겉에 적은 이름을 보며 물었다. 이과수는 그렇다고 했다.

"연락처는 없네요?"

"제 번호로 하세요. 시간차 두고 도착하는 거 아시지요?"

"그럼요."

"잘 부탁드릴게요, 선생님." 하정미였다. 지배인과 양민순을 한 곳으로 오게 하자는 하정미의 발상은 기발한 한 수였다.

†

보슬비였다. 두 시간째 내리고 있었다. 오전에는 맑아서 설마 했는데, 일기예보대로 비가 내리고 있었다.

는개에 젖은 도담삼봉이 묵직했다. 그럼에도 바윗돌이 물에 떠있는 듯 중력감이 느껴지지 않았다. 는개 때문인 것 같았다. 그칠 듯 말 듯 비인 듯 아닌 듯, 안개비가 어슬렁거리듯 허공에 떠있는 듯했고 약하지만 일정한 흐름을 보이고 있었다.

비가 오는데도 주차장과 강 둔덕엔 도담삼봉을 보러 온 관광객들로 복작댔다. 벤츠 에스 클래스와 흰색 지바겐은 보이지 않았다. 이과수는 카페 안을 봤다. 아까 하정미가 들어간 카페였다. 별로 크지 않아 실내가 한눈에 들어왔다. 이청이 보이지 않았다. 도담삼봉 카페에 와 있겠다고 했는데, 이과수는 핸드폰을 했다. 목소리가 들렸다.

"왔소?" 이청이었다.

"카페인데 선생님이 보이지 않으셔서요."

"도담삼봉을 보고 있어요. 보슬비에 묻힌 도담삼봉이라니, 거기 있지 말고 이리

오시오."

이과수는 편의점에서 우산 두 개를 사 하정미와 이청이 있는 곳으로 갔다. 정도전 동상이 있는 앞쪽이었다. 의자에 앉은 정도전의 좌상이 꽃밭을 사방에 두고 우뚝 서 있었다. 사람들 사이에서 투명 비닐우산을 쓴 이청이 이쪽을 보며 웃고 있었다. 한쪽 어깨에 작은 백팩을 메고 있었다.

"안녕하세요, 선생님." 이과수가 환하게 웃으며 인사를 했다. 반가웠다.

"반가워요, 이과수 씨." 긴소매 셔츠의 손을 내민 이청이 악수를 청하며 웃었다. "여기서 보니 감회가 새롭소."

"저도 그렇습니다, 선생님."

호텔에서 본 뒤 이청을 다시 만난 건 이번이 처음이었다. 그간 이메일과 문자로 대화를 한 때문인지 종종 봐온 듯 이청이 익숙하게 느껴졌다.

이청이 하정미와 이과수를 번갈아 봤다.

"제 약혼녀입니다, 선생님." 이과수가 말했다.

"안녕하세요, 선생님." 하정미가 얌전히 고개를 숙여 인사를 했다.

"약혼녀가 있었어요, 이과수 씨?"

"그렇게 됐습니다, 선생님."

"반가워요, 이청입니다." 이청이 하정미에게 악수를 청했다. 하정미는 시인 이청을 만난다는 말에 들떠 있었다. 이과수가 그런 사람을 안다는 걸 신기해 했다. 그랑호텔 행사 때 초청한 인사이지만, 비서실의 하정미가 직접 이청을 만날 일은 없었다.

"제때 문자를 못 드렸습니다. 죄송합니다, 선생님." 이과수가 말했다.

"괜찮아요. 무슨 일이 있겠거니 했으니까."

"영월은 어떻게 오셨는지요?"

"농사꾼 친구가 있어요. 그 친구 덕에 쉬고 싶으면 매년 두어 달 살다 가곤 했지. 작년엔 와 보지 못해 이참에 온 건데 이 일하고 엉킬 줄 누가 알았겠어요. 택시를 탔는데 지도를 봤을 땐 금방일 것 같더니 근 오십 분 거리더군. 그래도 영춘부터는 길이 좀 곧았지." 이청이 산등성이 쪽을 보며 말했다. "저기 어디 같던데……."

"뭘 말씀인지요, 선생님?"

"권수진 감독이 영화를 찍는다는 데 말이오. 아는 게 있소? 지도를 보니까 도담삼봉 뒤가 온통 채석장이던데."

이과수는 기분이 좀 멍했다. 이청은 꽤 구체적으로 알고 있는 듯했다.

"맞습니다, 선생님. 영화 촬영은 어제 다 끝났다고 들었습니다."

"알고 있었구먼. 하여튼 난 이 사람들하고 그랑호텔이 모종의 관련이 있다고 생각하고 있어요. 어때요, 이과수 씨는?"

"저도 같습니다, 선생님. 그리고 이제 전 그랑호텔 직원이 아닙니다."

이과수는 이청에게 미국에서의 하루하루와 다시 한국으로 오게 된 이유 등 이런저런 얘기들을 들려주었다. 다 듣고 난 이청이 놀란 얼굴이었다.

"그런 일이 있었소, 이과수 씨?" 이청은 그 짧은 시간에 그토록 엄청난 일이 있었다는 게 놀라울 뿐이라고 했다. 게다가 그런 결심을 한다는 것은 인생이 걸린 문제인데 용케 결단을 내렸다며 대견하다고 했다. 이과수의 신상 걱정도 했다. 호텔 쪽에서 가만히 있겠냐는 거였다.

"걱정 안 하셔도 됩니다, 선생님."

"그래요?"

"저도 다 계획이 있거든요. 이미 실행 중이기도 하고요."

"지금 보니 보통 양반이 아니시구먼." 이청이 이과수의 어깨를 두드리며 말했다.

"궁금한 게 있습니다, 선생님."

"들어봅시다, 이과수 씨."

"어떻게 이 일을 아셨나 해서요. 잘 이해가 가지 않습니다. 권수진 감독도 그렇고 단양이나 채석장, 제가 알고 있는 걸 다 알고 계셨습니다."

"나도 아는 사람들이 있어요. 엄연히 사회생활을 하는 사람이고. 더 말해 줄까요, 이과수 씨?" 이과수는 궁금하다는 듯 이청을 봤다. 우산 끝에서 보슬비가 제법 굵은 물줄기를 만들며 흐르고 있었다.

"미 상공회의소하고 골드만 삭스 홍콩 사무실에서 우리 재정부 쪽에 권수진 감독의 영화 얘기를 물었다고 들었소." 이과수는 뚫어지게 이청을 봤다. 미 상공회의소하고 골드만 삭스라는 말이 이청의 입에서 나올 줄이야! 이런 건 호텔 내부에서나 아는 얘기들이었고, 밖에서는 알려고 해도 알 수 없었다.

“그 사람들이 왜 그걸 궁금해하는지 고민해 봤어요. 복잡하지 않았소. 권수진 감독이 찍는다는 영화가 월 스트리트와 관련이 있다는 소리였으니까. 그게 아니면 그 사람들이 관심을 가질 리 없어요.”

데이행사를 기획할 때였다. 지배인이 이과수를 불렀다. 할 얘기가 있어서라고 했는데, 가보니 얼굴이 잔뜩 구겨져 있었다. 지배인은 미 상공회의소와 골드만 삭스 홍콩 본부 얘기를 했다. 데이행사에 대해 이것저것 물어 왔다는데, 요점이 좀 애매했고 그 뒤로는 별다른 얘기가 없어 그게 전부인 줄 알았다.

“더 중요한 건, 그 사람들이 염탐을 했다는 거요. 도대체 지배인이라는 사람은 무슨 일을 벌이고 있는 거요.” 이청이 고개를 저으며 말했다. “내가 본 인터뷰 영상만으로도 나는 보다 큰 것들을 상상할 수 있었소. 그게 뭐든 그 영상은 엄청난 상상을 하게 했어요. 하도 벅차 생각하기도 싫소. 하지만 피하지 않을 거요.” 어조가 결연했다. 이과수는 생각이 복잡해졌다.

“자, 이 좋은 데서 그 얘긴 그만하고 풍광이나 구경합시다. 저 작은 돌산에서 난 숭고를 보지요. 어때요, 이과수 씨는?”

“그게 숭고인지는 잘 모르겠지만, 단순히 아름답다는 말로는 부족하단 생각을 했습니다.”

“잘 봤어요. 그 나머지가 숭고요. 세상은 그 자체의 존재로 남지 않아요. 어떤 식으로든 이름을 부여받지. 하나의 존재가 다른 존재와 살을 비비면서 화학 작용을 일으켜 그런 거요. 이때의 존재는 차원이 다르지요. 남모르는 승화의 과정을 겪은 뒤의 모습일 테니까. 저 삼봉이 그 경우요. 돌이라는 존재가 공간과 시간과 모양과 계절과 물과 살과 섞여 비벼지며 우리에게 관념의 심상을 갖게 하지요. 그게 지금 우리가 보고 있는 숭고요. 문제는 숭고가 두려움과 불안을 갖게 한다는 건데, 하지만 잘 봐요. 저기 저 삼봉은 숭고하지만 두려움을 주지 않으며 불안하게 하지도 않아요. 그저 평소의 마음으로 자신을 보게 하지요.”

“그게 갈비뼈가 있는 부처님 같은 상인 거잖아요, 선생님.” 하정미였다.

“잘 봤어요, 그거요. 훌륭한 분이시네요.” 이청의 말에 이과수가 웃었고 하정미가 따라 웃었다. “저기 저 삼봉이 그럴 수 있는 것은 희생 때문이오. 유구한 시간에 맞서거나 섞이며 부서지면서 이어 온 세월이 준 희생을 알아야 비로소 삼봉의 숭고를 볼 수 있어요. 자연의 견고함과 두려움 대신 부서질 줄 아는 숭고, 도담삼봉이 그 맛을 주고 있어요."

"그럼 두려움과 불안이 없는 숭고를 숭고랄 수 있나요, 선생님?" 하정미였다.

"중요한 얘기요. 내 생각이오만, 이젠 예전의 숭고만을 반드시 숭고라고 할 필요가 없어요. 두려움과 불안 대신 따뜻함과 위로를 주는 숭고, 인간을 아래에 놓고 하대하는 숭고가 아니라 인간과 어깨를 나란히 하며 말을 거는 숭고, 그게 저 삼봉이란 게 내 생각이오."

"멋져요, 선생님. 인간에게 말을 거는 숭고." 하정미가 손뼉을 쳤다.

"정도전 할 때 삼봉이 도담삼봉이 맞는지요, 선생님? 아니라는 말도 있는 것 같아서요." 이과수가 물었다.

"그래요. 개성 송악산이라는 사람도 있고 서울 북악이라는 사람도 있어요. 그야 학자들이 밝힐 일이고, 삼봉이 어떤 사람이오. 그가 아니었으면 민본이 조선의 아젠다가 될 수 없었을 거요. 어느 시대든 권력은 다 명분을 가지고 있었어요. 삼봉은 민본을 말했지만, 시대에 따라 민본과 자유가 달라졌지. 정도전의 사림이 꿈꾼 민본과 임시정부의 김구가 꿈꾼 민본은 다른 거요. 물론 김대중의 국민 역시 다르고. 이처럼 역사는 민본을 더욱 확장하는 쪽으로 발전해 왔소. 하지만 늘 그런 건 아니었어요. 때론 거꾸로 갔고 때론 정체했으며 나아가기도 했으니 말이오. 왜 그렇듯 한결같지 않았던 걸까. 역사를 사적으로 소유하려 한 사람들 때문이었소. 자신들의 욕망을 위해 모두의 이익을 사유화한 거지. 공포와 위협과 폭력을 무기로 말이오."

이청은 줄곧 비 내리는 도담삼봉을 보며 말했다. 그가 중얼거리듯 말했다. "나만이 생각을 한 게 아닐 거요……." 이청의 얼굴이 순간 굳어졌다.

"…… 혹 인터뷰 필름을 말씀하는 건지요, 선생님?"

"그래요, 정도의 차이는 있겠지만 그걸 본 사람이라면 다들 해 볼 수 있는 상상이지. 거기에 동의하느냐 아니냐가 다를 뿐, 난 그 사람들이 김구의 공화국을 꿈꿨다고 생각하지 않아요. 물론 그 옛날 정도전과도 다른 사람들이지. 당신의 나라, 당신의 꿈, 당신들의 미래, 내 말이 틀린 것 같아요, 이과수 씨?"

"아닙니다, 선생님. 요즘은 하도 참과 거짓을 구분하기 힘들어서요. 기존의 역사 상식이 마구 부정되곤 하잖습니까."

"그래요……." 이청이 도담삼봉으로 시선을 주며 말했다. "역사 자체를 보려고 하는 게 아니라 필터 하나를 끼우고 역사를 보려 해 그런 거요. 거기서부터는 역사가 자신의 이익과 신념에 부합하는지가 기준이 되지. 공공과 보편이란 게 파편화돼 생기는 일들이오. 그간 역사는 진실을 알려는 노력이었소. 그런데 진실이란 것 자체가 의심받고 있어요. 이 얼마나 큰 고난이오. 그렇다고 진실과 참된 역사를 이해하려는 노력이 멈춘 적은 없어요. 진실은 거짓과 관계없이 존재하기 때문이오. 그리고 우리 스스로 그걸 추구하지 않으면 사는 의미가 없어지거든. 그러면 다른 사람들한테 살아 보라고 권하지도 못하잖소." 이청이 웃었다. 이과수와 하정미가 같이 웃었다.

"내 말은 진실이 개인의 입장에 따라 대우받는 세계라면 우리 삶이 어떻게 되겠냐 이 얘기요……." 사이를 두곤 이청이 말했다. "거짓된 참은 합리화일 뿐이어서 그래요. 논리가 곧 진실이 아니란 뜻이오. 합리적이란 게 곧 선이 아니듯 말이오. 거짓을 포장하긴 쉬워요. 그래서 세상이 거꾸로도 가고 앞으로도 가고 그러는 거요. 그래서 그걸 분별하자는 거지. 그걸 구분하지 못한 사람에게 책임이 있다는 소리를 하자는 게 아니오. 다만 그는 게으른 거요. 좋은 나라와 좋은 사회는 쉬지 않고 가꿔야 지켜지는 것 아니겠소. 화분의 화초처럼 말이오. 그런데 그게 자꾸 흔들리고 있어요. 좋은 국가란 게 자꾸 개인의 이익과 신념으로 규정돼 그런 거요. 이 신념을 규정하는 가치 기준이 자본주의요. 자본주의는 사람처럼 먹거리도 주고 말썽도 일으키지. 그런데 그게 손쓰기 힘들 정도로 자라면서 이익의 범위가 좁아지고 나머지 사람들에게는 말썽꾸러기가 되지. 모르긴 해도 앞으론 국가가 도시의 모양으로 변할 거요. 그렇게 되면 통치자는 사람들을 더 쉽게 통제할 수 있을 테고. 그때가 진정한 민주주의의 위기가 될 것이요. 지금 우리는 그곳을 향해 달리고 있어요. 우리의 대부분은 그들과 같은 세력이거나 방관자들이고. 아니면 거기서 헤쳐 나올 힘이 없거나. 이 얼마나 딱한 일입니까. 이들이 숨을 쉬어 줘야 국가란 게 건강하지 않겠소. 국가 자체는 생명을 갖지 않아요. 그걸 운영하는 책임을 부여받은 사람과 그걸 위임한 사람들의 숨이 생명을 불어넣어 주는 거지. 이들이 무엇을 꿈꾸고 생각하느냐가 그 나라의 숨소리이자 향기요. 이게 민주 공화국이요. 민주주주의는 정치 체제가 아니라 욕망을 다스리고 관리하는 이론이자 기구요." 이과수는 자기도 같은 생각이라는 말을 하려다 말았다. 훈육된 욕망이 바로 그 주범이라고.

갑자기 이청의 목소리가 높아졌다. 그 소리에 하정미가 움찔했다.

"단언컨대, 그랑호텔은 그들만의 세계요. 지배인이란 사람은 그들만의 세계를 꿈꿨고 실행한 거였소. 투숙객들, 그들은 불량 식품을 산 바보들이 아니에요. 그들의 후원자였지." 이청이 무슨 말을 하려는지 이과수는 알고 있었다. "인터뷰 필름 속 그들의 말이 사실이 아니길 바랄 뿐이지요. 하지만 내 바람은 빗나갈 수도 있어요. 뭐 다 좋습니다. 문제는 그걸 멈추게 해야 한다는 것이니까. 그걸 할 수 있는 사람은 그걸 아는 사람들이오. 나도 그렇고 우리는 많은 것들을 알고 있어요. 그 때문에 내가 여기에 온 것이고. 우리가 그걸 멈추게 하지 못한다면, 누가 그걸 할 수 있을 것 같습니까?" 말을 멈추곤 이청이 이과수를 봤다. 이과수와 하정미가 동시에 이청을 봤다.

이청이 말했다.

"모든 것에는 선이란 게 있어요. 그걸 넘으면 문제가 생기지요. 그들은 이 땅과 나라를 팔았지만 이 땅과 나라를 지킨 사람은 그들이 아니었어요. 하지만 아직 이 땅과 나라를 구한 그들이 주인이 아니라는 게 문제입니다. 그들이 누군지 아시오?" 이과수와 하정미가 동시에 이청을 봤다. 이청이 미소 짓곤 말했다.

"경계인들이오. 경계는 힘의 원천이지요. 경계인은 그 힘을 가졌고 이 땅의 주인이 그들이에요. 하지만 이건 알아야 합니다. 이 땅과 나라를 판 사람은 그들이지만, 이 땅과 이 나라를 지키기 위해 목숨을 건 사람들은 경계인들이었어요. 경계는 공간의 중심을 말하는 게 아니라 시간의 중심을 말해요. 말하자면 중심이 없다는 소리지요. 고전과 현대가 같이 하며 중심과 변방, 혼돈과 질서, 이성과 감성의 동시성 말이오. 이게 힘입니다. 우리의 생존과 이 땅과 나라의 존재를 그 힘이 있게 해주었지요."

"멋있는 말이에요. 전 백 프로 공감해요, 선생님." 하정미였다.

이과수는 아까부터 주머니에 손을 넣곤 USB를 만지작대고 있었다. 이청에게 주려고 준비한 거였다. 브래디가 채석장에서 준 파일은 담지 않았다. 양민순도 마찬가지였다. 굳이 그 파일까지 줄 필요는 없을 것 같았다. 그 파일은 지배인에게 필요한 것이었으니까. 브래디도 그걸 염두에 두고 준 듯했다. 이과수는 주머니에서 USB를 꺼냈다.

"이거, 선생님 겁니다." USB를 건네며 이과수가 말했다.

"뭐지요, 이게?"

"파일입니다, 선생님. 미국 사람들이 만든 겁니다. 월 스트리트요. 선생님께 드리는 게 좋을 것 같아서요. 제 약혼녀도 동의했습니다." 하정미가 고개를 끄덕였다.

"오늘 많은 일이 있었습니다."

이청이 이과수와 하정미를 번갈아 봤다. 무슨 일이 있었냐는 듯. "몇 년은 걸려 겪어야 할 일을 수 시간에 겪었습니다, 선생님."

"맞아요, 선생님. 평생 살아도 이런 일 다시 겪을 일은 없을 거예요." 하정미였다.

"그래요?"

"그럼요, 선생님. 얼마나 무시무시했다고요." 하정미가 인상을 찌푸렸다.

"하정미 씨는 무서워 죽는 줄 알았답니다. 그런 사람이 큰일은 혼자 다 해냈습니다."

이과수는 어제 브래디와 있었던 일과 지금은 그가 공항에서 비행기를 기다리고 있을 거라는 얘기를 했다. 또 오늘 이곳에서 있었던 지배인과 양민순의 일, 뿐만 아니라 하정미의 지략으로 멋지게 둘을 날려 버리게 된 이야기, 지배인과 양민순의 경호원이 서로 격투를 벌였다는 얘기를 무용담처럼 말했다. 흥분한 하정미가 거들었다.

"다 미친 사람들 같았어요, 선생님."

"경찰이 출동을 했어요?" 이청이 물었다. "장난 아니었다니까요 선생님." 하정미가 신이 나 말했다.

"공공칠 제임스 본드가 따로 없었네요." 그 말에 하정미가 말했다. "맞아요, 선생님. 그리고 그 사람들 경찰이 있는데도 사고가 난 차를 그대로 몰고 돌진하더라니까요. 경찰을 아주 우습게 봤어요."

이과수의 브래디 얘기에 이청이 걱정된다는 듯 물었다.

"그 양반 아무 탈 없겠어요, 이과수 씨?"

"지금쯤 출국 수속을 밟고 있을 겁니다."

지배인과 양민순은 뭘 하고 있을까. 어쩌면 둘이 커피를 마시며 담소를 나누고 있지는 않을까, 물론 그럴 리 없었다. 핸드폰이나 문자가 없는 걸 보니 아직 그런 여유를 찾지는 못한 모양이었다.

"지배인이라는 양반 말이에요, 이과수 씨." 이청이었다.

"네, 선생님."

"파일 받고 나면 딴말하지 않겠어요? 후과 같은 것 말이오."

그럴 확률은 낮았다. 파일 때문이었다. 파일을 갖게 될 사람은 넷이었다. 이과수와 지배인 그리고 양민순. 이과수는 지배인과 양민순이 서로 같은 파일을 가지고 있다는 걸 알게 할 거였다. 중요했다. 둘의 손에 같은 파일을 들려줌으로써 긴장은 할지언정 둘 중 누구도 그걸 무기로 상대를 공격하기는 힘들 터이기 때문이었다. 서로에게 치명적일 수 있는 칼을 쓰는 바보는 없을 것이었다. 하지만 파일은 이과수에게 자신의 안전을 위한 방패일 뿐, 언제까지고 파일을 가지고 있을 수는 없었다. 그러다니, 그거야말로 끔찍했다. 그리고 또 한 사람, 이청. 그 누구와도 어떤 이익에 구애받지 않고 파일을 다룰 수 있는 사람은 이청뿐이었다.

"저희하고 저녁 먹어요, 선생님." 하정미가 말했다. "여기 먹거리 많습니다, 선생님." 이과수가 거들었다.

"제가 맛있는 거 사드릴게요, 선생님."

하정미가 이청의 팔을 잡으며 말했다. 그러고 보니 아침부터 배가 고프다던 하정미가 먹은 거라곤 마시다 만 망고주스와 조각 케이크 반쪽, 커피가 다였다.

†

지도상으로도 그랬다. 추정 시간이 한 시간 삼십여 분, 그런데 이십오 분이나 더 걸렸다. 가까운 거리가 아니었다. 고갯길은 월악산 자락을 따라 굽이굽이 이어졌다. 산은 녹음이 우거질 대로 우거져 팔월 한여름 같았다. 중간에 호수가 보였다. 다리를 건너자 길이 산자락으로 이어졌고 길 양쪽이 울창해 마치 숲속으로 들어가는 기분이었다.

뉴욕에서 돌아온 뒤 가 본 곳이 거의 없었다. 호텔은 자신의 전부였다. 호텔이 생활이고 몸이었다. 그 때문에 호텔에서 자고 호텔에서 일하고 쉬더라도 호텔에서 쉬었다. 그래서인지 교외로 나가면 산과 호수들이 낯설게 느껴졌다. 옛날 어머니 김숙녀와 살던 강원도 소읍조차 까맣게 잊힌 듯 가물가물했다. 소읍은 사방을 산이 에워싸고 있었다. 산은 높고 가팔랐다. 그런데 그게 낯설다니, 세월 때문인지 몰랐다.

"다 왔어, 제임스."

차영한이었다. 지배인은 눈을 떴다. 주차장이었다. 비가 내리고 있었다. 보슬비 같았다. 가랑비인가, 오는 동안 비가 왔었나? 잘 기억나지 않았다.

주차장엔 차가 몇 대 없었다. 뒤따라온 케이와 와이의 K8은 보닛이 찌그러져 있었다. 지배인은 버번 한 모금을 마신 뒤 차에서 내렸다. 새 소리뿐, 조용했다. 그 외에는 소음 하나 없었다. 앞쪽에 주차한 차가 움직였다. 엔진 소리가 고요에 묻혔다.

"이쪽이야, 제임스." 이구민이었다.

지배인은 주변을 둘러봤다. 이곳에 이과수가 있지 않을까? 어딘가에 숨어서 이쪽을 보고 있는지도 몰랐다. 망할 자식…….

이과수가 링크를 보내왔다. 주소와 장소가 표시돼 있었고 장소가 담긴 사진이 들어 있었다. 충주 미륵대원지. 이과수를 만나면 어떻게 할 것인지, 그냥 여기서 헤어질 것인지 아니면 호텔로 가자고 할 것인지. 오는 동안 지배인은 차영한과 이구민에게 그 얘기를 했다. 차영한은 데려가자는 쪽이었고 이구민은 어차피 마음이 떠난 사람이니 잊는 게 낫다고 했다. 지배인은 어느 쪽도 아니었다. 아직 생각할 게 있었고 판단이 잘 서지 않았다.

차영한이 앞에서 걸었다. 보슬비가 차츰 양이 많아지고 있었다. 지배인의 양 옆에서 케이와 와이가 따라 걸었다. 작은 다리를 건너 조금 걷자 오른쪽에 절터가 보였다. 안으로 들어서자 저 앞쪽에 탑이 보였다.

"저거 같은데……." 차영한이 핸드폰의 사진을 보며 말했다.

"탑 이름이 뭐라고 했지?" 지배인이 물었다.

"충주 미륵리 오층석탑이라는데……."

흰 가림막이 보였다. 자세히 보니 공사를 하는 중인 듯했다. 아까 본 석불은 가림막에 새긴 그림이었고, 뒤를 온통 가림막이 막고 있었다. 안으로 좀 더 들어가자 작은 탑이 나왔다. 이 대리가 말한 오층석탑 같았다. 탑에서 걸음을 멈춘 지배인은 가림막 쪽을 바라봤다. 커다란 불상 사진이 이쪽을 보고 있었다. 머리에 팔각 모양의 갓을 쓰고 이마에 점이 있었다. 머리와 몸이 비슷한 굵기로 만들어져 있었고 키가 컸다. 오른손을 가슴에 대고 왼손바닥에는 둥근 모양의 공 같은 것을 들고 있었는데, 흔한 부처의 얼굴이 아니었다. 근엄하거나 인자한 미소가 아니라, 어떻게 보면 희극적인 데다 놀이를 하는 병정의 모습 같기도 했다. 머리와 몸통의 불균형 때문인 것 같았다. 그렇다고 우습거나 보잘 것 없어 보이지 않았다. 알 수 없는 울림이 있었고 관대한 느낌을 줬다. 불상을 이렇듯 꼼꼼히 본 적은 없었다.

"불상 이름이 뭐라고 했지?" 지배인이 물었다.

"충주 미륵리 석조여래입상인데 고려 때 만들었고, 보물이라는대." 이구민이 말했다.

"석조여래입상이라……."

그런데 망할 이 대리는 왜 여기서 사람을 보자고 한 것일까? 무슨 수작을 벌이려고 이런 곳으로 사람을 부른 것인지. 지배인은 시간을 봤다. 4시 48분, 곧 5시였다. 아마 지금쯤 이 대리는 어디선가 이곳을 향해 달려오는 중일 터였다.

절터 입구 쪽에서 한 무더기 사람들이 들어오고 있었다. 단체로 온 관광객이었다. 비 때문에 길 양쪽으로 늘어선 나무 밑으로 들어가 걸었다. 나이가 든 남녀였고 누군가 인솔하고 있었다. 모두 같은 마을에 사는 주민들 같았다. 경상도 사투리를 썼고 다들 비슷한 모자를 쓰고 있었다. 지배인은 몸을 돌리려다 다시 그쪽을 봤다. 빗방울이 더 굵어진 듯했고, 관광객 뒤로 서너 명의 무리가 보였다. 지배인은 눈을 부릅뜨곤 뚫어지게 그들을 봤다. 저절로 고개가 갸웃거려졌다. 잘못 봤나…… 이상했다. 지배인은 다시 확인하듯 그들을 봤다. 차영한을 찾았다. 차영한은 가림막 쪽에 있는 작은 석등을 보고 있었다.

"이봐, 차 선생?" 차영한이 지배인 쪽으로 다가왔다. 손가락으로 입구 쪽을 가리키며 지배인이 물었다.

"저거 누구 같아?"

지배인이 가리킨 쪽을 보며 차영한이 물었다. "누굴 말하는……?" 차영한이 말을 멈추었다.

"검은 개량 두루마기에 검은 목도리 말이야, 차 선생……."

차영한은 자세히 사람들을 살폈다. 그러다 더듬듯 외쳤다. "제, 젠장. 양민순이잖아!"

"그러네!" 옆에 있던 이구민이 놀라 말했다.

"이 망할 자식이!"

지배인이 급하게 이과수에게 핸드폰을 했다. 받지 않았다. 다시 핸드폰을 했다. 마찬가지였다. 이 자식이 일부러 받지 않는 것 같았다.

양민순이 빗속에서 걸음을 멈추었다. 옆에는 임장수와 경호원 둘이 서 있었다. 양민순도 지배인을 본 것 같았다. 거리는 사십여 미터, 그 거리의 공간을 둘의 긴장이 채우고 있었다.

"전화 좀 받아, 이 망할 자식아!" 지배인이 목청을 높였다. 서너 번 끊었고 다시 급하게 핸드폰을 누르고 나서였다. 이과수의 목소리가 들렸다.

"네, 지배인님."

"지배인님? 너 뭐 하는 수작이야. 양민순이 왜 여기 나타나는 거야?"

"아, 양민순이 거기 갔어요?"

"그래, 자식아."

"양민순하고 지배인님 두 분을 제가 그곳으로 모신 겁니다. 참, 이건 제가 한 게 아니고 하정미 씨가 한 겁니다. 저한테 뭐라고 할 일이 아닌 것 같아서요."

"니가 죽고 싶어 환장을 했구나."

"작작 좀 하세요. 죽고 싶다니요, 살고 싶습니다. 그래서 이 짓도 하는 거고요."

가끔 성깔이 있는 녀석이기는 했다. 그럴 땐 그렇게 차가울 수가 없었다. 그래도 그렇지, 작작이라니?

"너, 어디야. 이 대리?"

"그보다 오토바이 안 왔습니까?"

"오토바이라니?" 잔뜩 골이 난 지배인이 겨우 숨을 몰아쉬며 물었다. 이 대리는 태연했다.

"어, 지금쯤 도착해야 맞는데……."

그때였다. 저쪽에서 오토바이 소리가 들렸다. 소리가 우렁찼고 절터에 갇힌 오토바이 엔진 소리가 공터를 요란하게 흔들었다. 오토바이 소리가 멈추었고, 헬멧을 쓴 남자가 이쪽으로 걸어오고 있었다. 한 손에 상자를 들고 있었는데 연신 핸드폰과 주변을 번갈아 보고 있었다. 한눈에 봐도 오토바이 퀵서비스 기사였다. 그가 지배인이 있는 탑 쪽으로 걸어오고 있었다. 헬멧이 비에 젖어 번들거렸다. 걸음을 멈춘 그가 탑을 훑었다. 지배인과 차영한이 그의 움직임을 보고 있었다.

"여기 맞는 거 같은데……." 그가 혼잣말을 하더니 빤히 지배인을 쳐다봤다. 그가 물었다.

"혹시 제임스 김 씨이신가요?" 그 소리에 이과수와 통화를 하느라 핸드폰을 잡고 있던 지배인의 손이 살짝 떨렸다.

"뭐요, 댁은?" 차영한이었다.

"퀵 배달 온 겁니다. 제임스 김 씨 맞아요?"

"그렇소."

"이거 받으시죠." 그가 상자를 내밀었다. "제임스 김 씨한테 온 거고, 보낸 사람은 이과수 씨입니다." 차영한이 상자를 받으며 지배인을 쳐다봤다.

"여기 사인 부탁드립니다." 퀵 기사가 말했다. 차영한이 사인을 했다.

"여보세요?" 핸드폰 속에서 이과수의 목소리가 들렸다.

"야 이 대리, 이거 뭐야……?" 지배인이 나지막이 물었다.

"뭐냐니요?"

"이 상자 뭐냐고?"

"아, 갔군요. 그거 파일입니다, 지배인님. USB에 담았습니다. 포장도 잘했고요. 약속대로 전 파일 드린 거고 지배인님은 받으신 겁니다."

해괴했다. 파일이란 말에 가슴을 쓸기는 했지만, 적어도 이런 식은 아니었다. 이건 비극도 희극도 아닌, 장르가 불분명한 막장극이나 다름없는 장면이었다.

"이 대리, 저기 양민순 저 여자는 뭐야. 왜 저 여자가 여길 와?"

"아, 양민순도 왔군요. 다 지배인님 생각해서 한 겁니다. 언제까지 다투실 거 아니잖아요."

"이 대리 너, 설마……."

"퀵 배달 확인을 했으니 전 이만 사라지겠습니다." 이과수가 핸드폰을 끊었다. 지배인이 핸드폰을 들여다보며 악을 썼다. "야, 이 대리. 야, 이 망할 자식아!"

양민순이 이쪽을 보고 있었다. 아까 그 자리에서 조금도 움직이지 않은 채였다.

양민순도 당황한 것 같았다. 아니 놀란 게 확실했다.

양민순이 핸드폰을 하고 있었다. 그때 소리가 들렸다. 오토바이 소리였다. 입구에서 또 한 대의 오토바이가 들어오고 조금 전 지배인에게 상자를 주고 나가는 오토바이와 새로 들어오는 오토바이 소리가 교차하듯 동시에 울렸다. 그 소리가 공터를 우렁차게 흔들었다. 오토바이 퀵 기사 둘이 엇갈리며 서로 손바닥을 마주치며 인사를 했다. 같은 업체 사람들인 모양이었다. 방금 도착한 오토바이 퀵 기사 역시 작은 상자를 들고 있었고, 한 손에는 핸드폰을 들고 있었다. 그는 지배인 쪽과 핸드폰을 번갈아 보며 걸어왔다. 오층탑 뒤 가림막 앞에는 조금 전 온 관광객들로 시끌시끌했다.

양민순은 이쪽을 뚫어져라 보고 있었다. 이쪽으로 오지도 그렇다고 뒤돌아 가지도 못했다. 지배인 역시 그쪽으로 가는 대신 그 자리에 붙박이듯 서 있었다. 가까이 온 오토바이 퀵 기사가 오층석탑을 위아래로 훑으며 말했다.

“이거 맞네.” 그가 중얼거리며 이리저리 주변을 둘러봤다.

양민순이 걸음을 옮기고 있었다. 어쩌자고 양민순이 이쪽으로 다가오는 것일까. 임장수와 경호원 둘이 양민순을 감쌌다. 지배인도 양민순 쪽으로 걸었다. 왠지 그래야 할 것 같았다. 차영한이 앞에 서고 케이와 와이가 양옆에 섰다. 이구민이 뒤에서 핸드폰으로 영상을 찍었다. 두 무리 사이 거리가 십여 미터, 아니 몇 발자국만 옮기면 서로의 머리칼에 맺힌 빗방울을 볼 수 있을 정도의 거리였다. 이어 누가 먼저랄 것도 없이 동시에 걸음을 멈추었다. 목소리 때문이었다.

“양민순 씨? 양민순 씨?”

오토바이 퀵서비스 기사였다. 그 소리에 임장수가 후다닥 그에게 달려갔다.

“뭐요?”

“양민순 씨세요?”

“그렇소.”

“퀵 배달입니다.” 퀵 기사가 상자를 내밀었다. 지배인이 받은 상자와 같은 크기 같은 모양이었다. 색깔도 같았다. 겉에는 양민순,이라고 적혀 있었고 임장수가 상자를 받자 퀵 기사가 말했다.

“사인 부탁합니다.”

그가 종이 쪽지를 내밀자 임장수가 얼떨결에 사인을 했다. 그리고 거의 동시였을 것이다. 지배인과 양민순이 이과수에게 핸드폰을 했다. 이과수는 받지 않았다.

"이 대리, 이 망할 자식!" 지배인이 빠드득 이를 갈며 중얼거렸다. 다시 버튼을 눌렀다. 손이 떨렸다.

"이 새끼가 정말!"

양민순이었다. 목소리에 잔뜩 독이 올라 있었다. 버튼을 누르다 통화 중이 걸리자 양민순이 핸드폰을 허공에 대고 흔들었다. 잠시 뒤였다. 문자가 들어왔다. 문자는 지배인과 양민순 핸드폰에 동시에 들어왔다. 지배인과 양민순은 거의 동시에 이과수가 보낸 문자를 읽고 있었다.

이과수입니다. 전 약속을 지켰습니다. 두 분은 원하는 걸 얻으셨고요. 굿 럭!

빗줄기가 아까보다 굵었다.

†

육지의 불빛들이 보이지 않았다. 가끔 망망대해를 항해하는 선박의 불빛뿐, 그 풍경은 대개 스산했지만 등대처럼 안도감 같은 걸 줬다. 어제오늘 일들이 그와 비슷했다.

그 시간에 인천공항을 출발하는 항공사는 두 군데뿐이었다. 네덜란드 항공과 터키 항공, 두 항공사 다 태평양을 건너는 대신 서쪽의 중간 기착지를 거쳐 대서양을 건너 미 대륙을 횡단해 LA에 도착하는 비행길이었다. 태평양을 건너는 것보다 배나 더 걸리는 거리였다. 네덜란드 항공은 두 번 비행기를 갈아타야 했고 터키 항공은 한 번밖에 갈아타지 않았다. 중간 기착지 체류 시간은 네덜란드 항공보다 터키 항공이 좀 짧았다. 인천공항 출발 시간은 네덜란드 항공이 한 시간이 더 빨랐다. LA 도착 시간은 불과 20분 차이, 네덜란드 항공이 20분 빨랐고 항공료가 좀 저렴했다. 하긴 11시간이면 갈 수 있는 거리를 28시간을 가야 했으니 당연했다. 더 고민할 필요가 없었다. 브래디는 네덜란드 항공을 골랐다. 아무튼 태평양을 건넌 한스 화이트보다는 비행 운은 좋지 않은 편이었다.

비행기 날개의 불빛이 규칙적으로 깜박였다. 창 아래 대지에는 불빛이 가득했다. 외로워 보였다. 얼마를 날았을까. 유라시아 어느 지역의 사막이거나 황야이거나, 불빛들이 사라지고 있었다. 어둠이 바위 같았다. 이제 다시는 한국에 오지 못할 수도, 아니 와야 할 이유가 없어진 것 같았다. 잠깐 잠이 들었다 깼다. 하늘을 봤다. 별이 많았다.

브래디는 이과수를 떠올렸다. 그가 아니었으면 비행기를 타지 못했을 수도 있었다. 그다음은 생각도 하기 싫었다. 그의 말이 떠올랐다. 채석장에서였다. 이과수가 마지막이라는 듯 말했다. "제 말대로 하세요, 브래디 씨." 그의 얼굴과 목소리에서 진심이 느껴졌다. 그가 다시 말했다.

"택시를 타세요, 브래디 씨."

렌터카 회사는 서울에 있었고 차는 인천공항 주차장에 세워 놓기로 했었다. 몸과 정신의 피곤을 어떻게 감당하려고 그러느냐는 그의 말이 고마웠다.

"제천에도 들를 겁니까?" 이과수가 물었다.

"고민 중입니다."

"지금 바로 출발하면 잠깐 들를 수는 있을 겁니다."

오랫동안 한 집에 산 탓에 이모부와는 그래도 정이 있었다. 이모부는 곶감을 상자에 넣어 보자기로 포장을 해 놓고 기다리고 있었다. 옛날 어머니와 이모가 같이 찍은 사진도 함께였다. 그렇다고 이 사진을 본 어머니가 옛날로 다시 돌아올 리 없었다.

어머니는 어떡하든 여길 벗어나고 싶어 했다. 마침 한국에 들른 아버지 육촌 형의 초청장 소리에 어머니는 희망 하날 잡은 듯 들떴다. 아버지는 찬물을 끼얹었다. "그럼, 두 번 배신하는 거야……." 어머니가 울먹였다. "그땐 그런 사람 많았잖아요." 초청장 얘기를 다시 꺼낸 사람은 어머니였다. 그땐 아버지도 동의했다.

LA에 온 지 두 해가 지나서였다. 아버지는 타국의 기를 이기지 못했다. 어린 꼬마 애들의 기조차. 어쩌면 배신자의 말로였는지도 몰랐다. 어머니는 실신했다. 살겠다고 찾아온 미국이 삶의 종착지가 되다니, 어머니는 손에 닿는 대로 일을 했다. 어머니가 쓰러지지 않았으면 지금보다는 나은 삶이었을까. 생활이 힘들어지자 별

게 다 돈으로 보였다. 양민순 일은 일종의 돌파구였다. 애버리지니 필름의 목적이나 정체, 이런 것에는 관심도 없었다. 돈이 된다면 그것으로 충분했다.

핸드폰을 정지시키기 전, 마지막으로 연락을 했다. 이모부한테는 들르겠다고 했고 이과수에게는 당신 말대로 하겠다고 했다. 마지막 통화 때였다.

"고맙습니다. 브래디 선생님." 고마워할 사람은 브래디 자신인데 그가 고맙다는 말을 했다. 그가 말했다.

"애버리지니 필름으로 돈을 버는 건 원하지 않습니다. 그 필름이 어떻게 만들어졌고 무슨 내용이 담겨 있으며, 누구의 고통이 담겨 있는지 알기 때문입니다. 더군다나 그걸 만든 사람들이 누구인지도 저는 압니다. 귀국은 책임지겠지만, 돈을 챙기겠다면 돕지 않을 겁니다." 브래디가 머뭇대자 그가 다시 말했다. "그런 사람은 믿지 마세요, 브래디 씨. 자기 양심도 배신하거든요. 이익 때문에 자신조차 믿지 못하는 사람들이잖습니까. 그리고 누군가가 이익 때문에 도덕과 상관없이 나를 쓰러뜨리려 든다면 그땐 어떻게 하시겠습니까." 고개를 끄덕이곤 브래디가 말했다.

"그런데 궁금한 게 있어요, 이과수 씨."

"말씀하시지요."

"왜 내게 잘해 주는 겁니까?"

"이 일이 제게 신념을 갖게 했고, 브래디 씨가 일조를 해 주셨잖아요."

"신념이요……?"

"제 행동에 대한 도덕성이나 윤리 같은 것 말입니다."

"그렇군요. 호의는 잊지 않겠습니다."

알겠다는 듯 이과수가 말했다. "굿 럭, 브래디 선생님."

통화를 하고 나서였다. 그 짧은 시간, 얼마나 초조하고 진땀이 흐르던지. 제임스와 양민순, 두 사람은 지금 무슨 생각을 하고 있을까? 죽이고 싶겠지. 하지만 다 잊어야 할 사람들이었다. 이과수 그도, 그러자 조금은 더 홀가분해진 기분이었다. USB를 통째로 이과수에게 준 건 잘한 일 같았다.

4부

특별행사

호텔이 필름을 찾아냈다는 얘기가 돌면서였다. 데이행사 일정을 잡기도 전이었는데, 어디서 알았는지 투숙객들의 기대감이 한껏 고조되면서 호텔이 술렁였다.

투숙객들은 당장 필름을 상영하라며 아우성이었다. 그럴까도 했지만 내부에서 의견이 갈렸다. 부정기적인 행사 프로그램을 만들어 투숙객들 요구대로 필름 상영을 하자는 쪽과 지금은 지탄받더라도 원래대로 데이행사 주간에 상영해 품위를 지키자는 의견이 맞섰다. 둘 다 일리가 있었고 그 때문에 논의가 길어졌다. 하지만 시간을 끌 수는 없었다. 어떤 식으로든 투숙객들을 진정시켜야 했고 기대감 역시 유지되도록 해야 했다. 이런저런 말이 나왔지만 결국 품위를 지키자는 쪽으로 의견이 모아졌는데, 품위는 단지 절차의 문제가 아니라 권위가 걸린 문제라는 의견에 힘이 실렸다. 논쟁에서 원칙론은 진리였다.

결정을 내리기는 했지만 투숙객들이 어떻게 나올지가 걱정이었다. 우려와 달리 투숙객들은 의연했다. 호텔을 믿고 기다려 줬으며 필름을 공개할 수 있었다. 예전의 데이행사와 다르게 '특별행사'라는 이름을 붙였다. 그 결정 덕에 지난 데이행사 때 미처 준비하지 못한 세미나를 열 수 있었고 반응이 의외로 좋았다. 애버리지니 필름을 이해시키는 데 도움이 된 것은 물론 데이행사를 보다 극적으로 이끌 수 있었다. 뿐만 아니라 투숙객들의 자정 능력과 필름을 바라보는 원숙한 관람 의식은 세미나가 준 영향이었다. 자칫 기대감 때문에 어수선할 뻔한 행사의 품위를 유지할 수 있었던 것도 세미나 덕이었다.

요즘도 그 감흥을 투숙객들이 음미하고 있다는 말은 과장된 게 아니었다. 투숙객들은 목이 말랐다는 듯 오래 묵혀 시큼해진 발효 음료를 위 속 깊이 흘려 넣었고, 너나없이 충격을 받았다. 충격은 여운처럼 퍼지더니 잔잔한 감동으로 되돌아왔다.

필름 상영이 끝난 홀은 만찬장으로 변해 있었다. 지난 데이행사와는 비교할 수 없는 축제 분위기였다. 개중에는 필름이 준 충격 때문에 당황한 사람도 있었지만 서로 위로하며 순화됐다. 뿐만 아니었다. 그들 스스로 토론을 하고 향후 미래에 대한 의견을 주고 받는 등 열정을 보였다. 현장에 설치된 카메라가 아니었다면 그들의 섬세한 감정과 행동의 흐름을 알지도 실감하지도 못했을 터였다. 투숙객들을 자유로운 상태에 둠으로써 솔직한 목소리를 듣겠다는 취지였는데 성공한 셈이었다. 그걸 위해 촬영 시설을 새로 갖췄고 꽤 많은 비용을 지출했다. 기존의 감시 카메라 대신 생생한 현장음을 잡아낼 수 있는 오디오 시설과 목소리의 강약과 말의 길고 짧음에 따라 대상을 줌인하고 아웃할 수 있는 카메라를 여섯 대나 설치했는데, 그 덕을 톡톡히 본 것이었다. 현장의 영상이 실시간으로 모니터에 송출돼 고해상도의 영상과 생생한 현장의 목소리를 날것으로 들을 수 있었고 현장의 긴장감을 그대로 전달받을 수 있었다.

물론 걱정도 있었다. 약속한 필름 상영이기는 하지만 워낙 내용이 충격적이어서 투숙객들이 어떻게 받아들일지 알 수 없었다. 그 우려를 가장 많이 한 사람이 최치영이었다. 지배인은 좀 달랐다.

“걱정하지 않으셔도 됩니다, 선생님.” 모니터를 보며 지배인이 말했다. “늘 그래왔듯 투숙객들은 집단의식이 강합니다. 스스로 불안을 못 견뎌 하는 스타일이기도 하고요. 아마 자신들의 안락을 위해서라도 웬만한 건 다 감수할 겁니다.”

“필름이 워낙 강해서 그래. 내가 다 움찔했으니까…….”

결과론적인 얘기지만, 둘 다 일리가 있었다. 처음엔 투숙객들도 영상이 준 충격을 감당하지 못하는 듯했는데, 시간이 좀 지나자 안정감을 찾아갔다.

모니터에서는 투숙객들이 술을 따르고 건배를 하며 토론을 하는 모습이 나오고 있었다. 마침 카메라가 투숙객 한 사람을 비추었고 막 잔을 비우고 난 그가 말했다.

"이런 감동을 느껴 본 적이 있나 싶습니다. 아내를 맞이하고 아들내미 둘을 얻었을 때를 빼곤 말이오."

그 말에 여기저기서 웃음소리가 들렸다. 모니터의 그의 얼굴과 목소리는 옆에서 보고 듣는 듯 생생했고 이어 다른 사람의 목소리가 들렸다. 건너의 남자였다.

"누군가 그러더군요. 행복은 없다고요. 혹 있다고 하더라도 신기루 같아서 잡을 수 있을 듯 없을 듯하다고요. 그 사람이 우릴 바보로 안 모양입니다. 우리가 본 게 행복이 아니고 뭡니까. 안 그렇습니까, 여러분?"

그 소리에 박수가 터졌다. 휘파람 소리와 환호성도 들렸다. 그리곤 약속이나 한 듯 투숙객들이 동시에 건배를 했다. 그 모습을 보며 지배인이 버번을 따라 입안으로 털어 넣었다.

"처음엔 저도 충격을 받았습니다." 건배를 하고 난 투숙객 중 한 사람이 말했다. "하지만 그 충격이 저는 불쾌하지 않았습니다. 왜냐하면……." 그가 말을 멈추었다. 벅찬 모양이었다. 그 시간이 길어지자 누군가 말했다.

"우리는 솔직해야 합니다. 하나하나의 장면이 무슨 족쇄 같았잖습니까. 내 몸을 틀어쥐는 것 같았지요." 걸걸한 목소리인데도 오디오 시설의 탁월함 때문인지 단어 하나하나가 또렷하게 들렸다. "하지만 저는 의문을 가졌습니다. 우리는 무엇을 원하는지, 무엇을 보고 있는지, 지금 이 장면이 무엇을 의미하는지. 그리고 알아차릴 수 있었습니다. 그 혹독한 잔인성은 다른 무엇으로 승화하게 하기 위한 도구였다는 것을 말입니다. 그러자 불편이 사라지기 시작했지요."

"우리도 살 만큼 산 사람들이잖아요." 다른 투숙객이었다. 목소리가 컸다. "쓰고 달고 떫고 신 맛이 무엇인지, 또 그 맛이 섞이면 어떤 맛일지, 나아가 새로운 맛이 만들어질 때는 아무 맛을 알지 못하는 것에서 시작한다는 진리를, 오늘 이 체험은 하얀 도화지에다 새 그림을 그려 넣는 것과 같은 것이었습니다. 화면 속 여자 아이와 노인, 그 둘의 행위가 고통이 아니라 환희로 보인 이유가 그 때문이라는 것을 알 수 있었지요. 어떻습니까, 여러분은?"

박수가 터졌다. 길게 이어졌고 그 소리가 좀 잦아들자 최치영이 읊조리듯 말했다.

"감동적이야……."

남의 칭찬에 인색한 그였다. 투숙객들이 서로 배려하고 동의하면서 일정한 합의를 통해 승화하는 모습을 보며 최치영은 속으로 놀랐다. 지배인도 다르지 않았다. 그 역시 상기한 얼굴을 감추지 못했고 차영한과 장진수 이구민은 애들처럼 엉덩이를 들썩였다.

"대성공입니다, 선생님." 이구민이 흥분해 말했다. "축제가 따로 없습니다." 장진수가 옆에서 거들었다.

울음소리가 들렸다. 오디오가 얼마나 생생한지 모두 이 공간 어디에서 들려오는 소리가 아닌지 착각할 정도였다.

투숙객들의 시선이 울음소리가 나는 쪽으로 쏠렸고 순간 모니터 안이 조용했다. 카메라가 자동으로 그쪽을 향하더니 사람이 보였다. 울음소리는 여자였다. 홀에는 침묵이 흘렀고 여자가 자리에서 일어나는 게 보였다.

"마음을 봤어요." 여자가 말했다. "우리는 어떤 마음을 가지고 있는 사람들일까요. 제게 물었죠. 그런데 대답이 없었어요. 제 자신이 답을 모르고 있는 거예요. 그래서 생각했죠. 피 한 방울 없는 피투성이 장면들을 보며 아무런 대답을 할 수 없다면 둘 중 하나예요. 거기에 동조한 것이거나, 거부한 것이거나. 그 질문을 다시 해봤어요. 여전히 대답할 수 없었어요. 그리고 결론을 내렸죠. 전 그들과 같은 사람이었던 거예요. 하지만……." 말을 하다 말고 여자가 또 큰 소리로 울었다. 옆의 투숙객이 여자를 감싸곤 도닥이는 게 보였다. 그때 목소리가 들렸다. 연미복을 입은 남자였고 그가 큰 소리로 외치듯 말했다.

"울지 마세요! 우리가 살아온 지난 삶을 봅시다. 누군가의 희생은 성장을 위한 당당한 과정들이었어요. 사람이 산다는 게 실은 그렇지 않습니까. 우리가 지금껏 살고 또 이만큼 산 것은 누군가의 희생 때문이었습니다. 희생은 고통이 따르고 역사는 어쩔 수 없이 잔인하고 이기적이란 것, 이걸 인정해야 다른 누군가의 미래가 열리고 꿈이 이루어지지요. 저 필름이 그걸 말하고 있는 겁니다. 희생, 그 꿀을 우리는 놓치지 않아야 합니다. 제 말이 힘이 되었길 바랍니다."

그의 웅변 같은 말이 끝나자 정적이 흘렀다. 이어 박수 소리가 들렸다. 투숙객들이 세차게 박수를 쳤고, 그때였다. 또 목소리가 들렸다. 그 역시 연미복을 입고 있었고 머리에는 탑햇을 쓰고 있었다. 연미복은 이미 호텔에서는 하나의 유행처럼 자리 잡은 지 오래여서 그의 모습은 자연스러워 보였다. 지배인의 연미복을 모방한 듯한 투숙객들이 곳곳에 있었는데, 그 때문에 좀 어설퍼 보이기도 했지만 그걸 신경 쓰는 사람은 없었다.

"지금 스스로 고백했듯 당신은 우리와 동행하는 사람입니다. 마음도 그렇고요. 울지 마세요. 우리는 우리의 길을 가면 그만인 겁니다. 앞의 분이 말했듯, 그걸 받아들이는 것이 미래를 여는 것이며, 이 광경은 슬픔이 아니며 고통은 더욱 아니라는 것, 바로 축복입니다. 자, 잔에 술을 채워 건배합시다."

투숙객들이 술을 따랐고 여자가 진정했는지 투숙객들과 잔을 들어 건배하는 모습이 보였다. 그러자 다른 투숙객이 말했다. 그는 필름에 대해 꽤 깊이 있는 얘기를 했는데 그의 말이 인상 깊게 들렸다.

지배인과 최치영이 숨을 죽였고 모니터 안의 투숙객들도 그의 말에 귀를 기울였다. 그가 말했다.

"앞의 분이 희생이라는 말을 하셨는데 천번 만번 공감합니다. 희생은 여러 모양으로 우리에게 나타났습니다. 측은함이나 혹독함 또는 고독과 외로움으로, 그러나 그것이 어떤 모양이든 고통은 희생이며 희생은 필연일 따름입니다. 어떤 결실을 위해선 반드시 그런 일이 벌어진다는 것, 필름은 우리에게 그 얘기를 해주고 있었습니다. 다시 필름을 보고 싶다고는 말하고 싶지 않지만 아이의 피투성이 몸만은 기억하고 싶습니다. 그 간절함을, 노인의 눈빛을. 자 여러분, 이걸 직시하고 사소한 감정 따윈 이성 안으로 던져 버립시다."

"그만 하세요!"

아까 그 여자였다. "오해를 하고 계시네요. 제가 운 것은 슬픔이 아니에요. 전 아이와 노인에게서 진정 사람의 모습을 봤어요. 그 둘이 제게 말을 걸었죠. 처음엔 뭘 묻는지 몰랐어요. 그런데 어느 순간 제가 그 두 사람하고 대화를 하고 있는 거예요. 인사도 하고요." 여자가 큰 소리로 웃었다. 자지러지듯, 그 웃음소리에 투숙객들이 웃었고 전염이 된 듯 퍼졌다. 여자가 웃음을 멈추곤 홀을 둘러봤다.

"피 한 방울 없는 피투성이, 이건 평화를 의미하죠. 그리고 우리는 장면 하나하나와 동화하면서 그들의 희생과 실험에 감동하게 됐죠. 그 힘든 고통을 감내하며 숨을 멈추지 않고 이어 가는 소녀의 가련한 노력. 이 얼마나 숭고하고 아름다운 모습인가요. 또 그걸 아랑곳하지 않고 자신의 임무를 수행하는 노인의 모습은 이를 악문 사슴 같은 모습이었죠. 그 둘은 인간의 숭고함과 거룩함을 목격하게 해주었고, 전 그걸 실감했죠. 제 눈물은 그걸 표현한 것이었어요. 이 잔인한 선물이 주는 아름다움을 축복으로 받아들이는 겸허와 용기, 이게 우리가 가져야 할 교양이죠. 자, 저를 동정하지 마세요. 제 눈물은 슬픔이 아니라 감동이기 때문이랍니다. 제가 건배 제의를 하겠어요. 여러분, 제 잔을 받아주시겠어요?"

투숙객들이 잠시 어리둥절한 모습이었으나 여자의 말뜻을 알아듣곤 기꺼이 박수를 쳤다. 여자의 건배 제의에 분위기가 무르익자 누군가의 목소리가 들렸다.

"우리가 이걸 희망과 꿈의 노래로 승화시킬 수 있었던 게 다 세미나 덕이 아닐까 합니다." 그 말에 홀이 조용해졌다. 잠시 뒤 옆의 투숙객이 말했다.

"동감입니다. 어떤 현상에는 의미가 보태져야 품격을 갖게 되지요. 명분도 탄탄해지는 거고. 세미나는 우리에게 그 선물을 줬습니다. 그리고 분분할 뻔한 필름에 대한 소감이 이처럼 하나의 목소리가 되고 우리에게 꿈을 던져줬다는 것, 이 대목에서 저는 호텔 측에 감사의 말을 전하고 싶습니다. 우리의 이 평화와 화합이 온전히 세미나의 힘에서 온 것이며, 이 특별행사가 그간의 기다림을 감동으로 보상했기 때문입니다. 그랑호텔과 투숙객들에게 축복이 가득하길 진정 바랍니다. 그게 나를 위한 것이며 우리를 위한 것이기 때문입니다!"

그의 목소리가 세찼다. 그가 다시 말했다. 사람들 앞에서 말해 본 경험이 많은 사람 같았다.

"물질 없는 과학은 존재하지 않지요. 그런데 과학으로도 우리의 존재를 규명할 수 없다는 현실이 역설적으로 영혼의 존재를 증명해 주는 게 아니겠습니까. 우리가 본 애버리지니 필름……." 그는 과학과 물질이 존재하는 한 영혼 역시 존재한다는 말을 거듭했다.

지배인과 최치영이 슬며시 웃었다. 평소 두 사람이 해 온 말을 그가 반복하고 있었다. 그가 말했다.

"저는 오늘 애버리지니 필름의 의미를 보다 분명히 알았다는 것에 희열과 도취를 느낍니다. 우리의 소망은 우리에게 영혼이 있다는 것을 아는 것이었습니다. 오늘 애버리지니 필름이 그걸 증명해 줬고 용기와 믿음까지 줬습니다. 우리의 승리이자 그랑호텔의 승리입니다!"

누군가 살짝 손바닥을 부딪쳤고 그게 신호이듯 박수가 쏟아졌다. 그리고 소리가 들렸다.

"영혼 불멸 영원!" 특별행사의 제목이었다. 투숙객들이 모두 그걸 외치고 있었다.

"영혼 불멸 영원! 영혼 불멸 영원!"

모니터를 보고 있던 지배인의 얼굴이 벌겋게 달아 있었다. 최치영도 다르지 않았다.

"세미나가 투숙객들에게 이성을 선물했습니다, 선생님." 차영한이었다.

"아니야 차 선생. 이성이 아니라 마술을 선물한 거야. 현실 속에서 가능한 마술." 최치영이 말했다.

맞는 말이었다. 자칫 무모하고 폐쇄적인 군중으로 돌변할 수도 있었던 투숙객들에게 영상과 세미나는 논리와 이성을 갖게 했다. 하지만, 지금 투숙객들이 느끼는 감흥은 그것과는 또 달랐다. 이성만으로는 설명하기 힘든, 그 너머의 어느 곳을 지향하고 있거나 이미 그곳에 도달한 형이상학의 모습이 저런 것일 수 있었다. 적어도 최치영이 보기에는 그랬다.

†

세미나는 최치영이 생각한 것이었다. 처음엔 다들 반기지 않았다. 겉으로 표를 내지 않은 것뿐, 자칫 시간을 끌다가 투숙객들의 기대를 식게 할 수 있었고 잔뜩 목이 마른 투숙객들에게 괜한 지루함만 안겨 김이 빠질 수도 있다는 이유였다. 설득력 있는 얘기였다.

"내 말대로 하게."

최치영이 의외로 완강했다. 결국 그의 말대로 세미나를 열어야 했고 대신 철저하게 준비하고 내용에 충실하기로 했다. 그는 직접 세미나 발표자로 나서는 열정까지 보여줬다.

특별행사 기간은 일주일로 정했다. 필름은 세미나를 한 뒤 사이를 뒀다가 상영하는 것으로 일정을 짰고 행사는 미리 카드 뉴스와 소책자를 통해 알렸다. 특별행사를 얼마 앞두고서였다. 카드 뉴스를 받아 본 투숙객 중에 떨떠름해하는 사람들이 있었다. 지난 데이행사에 대한 좋지 않은 기억 때문이란 얘기가 들렸다. 행사의 질에 대한 소리도 나왔다. 달랠 필요가 있었다. 행사를 앞두고 괜한 말이 나돌아 좋을 게 없었고, 세미나 준비는 그런 투숙객들을 염두에 둔 기획이기도 했다. 그 때문에 보다 체계적이고 이념과 형이상학적인 면을 강조해 정신적 자긍심을 안겨 줄 필요가 있었다. 그 역시 최치영의 생각이었다. 행사에서 공개할 자료 목록을 놓고 의견이 나뉘었는데 최치영은 월 스트리트 텍스트는 빼는 게 어떠냐고 했고, 지배인이 난감해하자 같은 자료라도 시기에 따라 가치가 달라진다며 자료 공개를 신중히 하자는 의미이지 다른 뜻은 없다고 했다. 차영한은 공개는 하되 발췌를 하는 것이 어떠냐는 의견을 내놨다. 지배인은 달랐다. 처음 기대했을 때보다 이과수가 넘겨준 자료가 많았고 수준도 높았다. 이과수에게 감사하다고 해야 할 정도였다. 투숙객들과 공유할 필요가 있었다. 호텔의 권위는 물론 신뢰와 비전까지 보여 주는 효과를 노릴 수 있었다. 의견이 쉽게 좁혀지지 않았는데, 결국 애버리지니 필름만 공개하기로 하는 선에서 결정이 났다.

세미나와 특별행사 사이에는 며칠의 공백이 있었다. 그게 행사의 흐름에 묘미를 줬다. 투숙객들에게 세미나의 내용을 논의하고 성찰하는 기회를 주자는 취지였는데 의도가 적중한 셈이었다.

호텔은 이전 데이행사 때보다 더 많은 비용을 지출했다. 특별행사답게 행사 방식만이 아니라 투숙객들에게 제공하는 서비스의 규모와 질을 높여 이전 데이행사와 차별을 뒀다. 막상 특별행사 주간이 시작되자 투숙객들의 세미나에 대한 열의와 관심은 예상을 넘었다. 행사에서 제외된 투숙객들의 항의가 있었지만 더는 문제 되지 않았다. 행사 참여자로 선정된 사람들의 힘이 그들을 압도했기 때문이었다. 이들의 역할은 세미나 때 두드러졌다. 토크쇼 형식으로 진행된 최치영의 시간이 유독 그랬다.

세미나 제목은 지배인이 정했다. 지난 행사의 제목이었던 '영혼과 불멸'에다 '영원'이란 글자를 추가했다. 영원은 소유의 개념을 한층 강조하기 위해 덧붙인 단어였다. 지배인은 이 세 단어에 자신의 모든 생각을 담았다고 자부했다. 최치영도 핵심을 짚었다며 좋아했다. 세미나 발표자는 네 사람, 최치영과 차영한 이구민 안숙희였다.

세미나가 끝나고 만찬이 이어졌는데, 분위기가 무르익자 지배인이 원탁을 돌며 투숙객들과 일일이 인사를 나눴다. 일정에 없었지만 특별행사 주간을 자축하고 투숙객들에게 고마움을 전하자는 지배인의 생각을 반영한 것이었다. 원탁에 둘러앉은 투숙객들은 음료를 마시거나 식사를 하며 이야기를 나눴고 애버리지니 필름 상영에 대한 기대감으로 가득 차 있었다.

실내악 연주는 슈베르트에서 재즈곡과 시티 뮤직으로 바뀌어 있었다. 중간에 라흐마니노프의 피아노 소나타가 있었고 파가니니의 '카프리스 24번'도 있었다. 곳곳에서 웃음소리와 잔 부딪치는 소리가 들렸다.

지배인은 투숙객 한 사람 한 사람에게 인사를 했다. 탑햇과 연미복 차림으로 환하게 웃으며 일일이 말을 걸었다. 지배인이 자기네 원탁에 머물 때마다 투숙객들이 한마디씩 했다.

"멋지십니다, 지배인님."

"선생 덕분입니다." 지배인이 환하게 웃으며 말했다. "물론 여기 계신 투숙객 여러분의 힘이지요."

투숙객들과의 자리는 오랜만이었다. 평소 교감하는 투숙객들을 제외하면 낯선 얼굴이 많았다. 새 투숙객들 때문이었다. 그만큼 뜻이 깊었고 감회도 달랐다.

"차영한 선생의 글이 제게 영감을 줬습니다." 말끔한 정장 차림의 중년 남자였다.

"고맙습니다, 선생. 아시겠지만, 워낙 능력이 출중한 사람입니다." 지배인이 차영한을 가리키자 그가 말했다.

"그분의 글이 저를 깨웠습니다." 그가 세미나 자료집을 들어 보였다. 표지에는 세미나 제목과 순서가 적혀 있었다.

영혼 · 영원 · 불멸

맨해튼의 별들 : 아젠다를 중심으로……………………차영한(미시역사이론가)

월 스트리트 : Endless Land……………………………이구민(천체문화이론가)

힐렐에서 자멘호프까지 : 메토이소노……………………안숙희(세계문학 교수)

차영한의 글은 투숙객들을 섬세하게 파고들었다. 미시역사이론가다웠다. 투숙객들의 반응은 남달랐고, 어떤 투숙객은 처음 알았다며 감탄했다.

"자, 여러분." 지배인이 투숙객들을 둘러봤다. "아시는 분도 계시겠지만, 녹산을 세상에 알려 떠들썩하게 한 사람이 차영한 선생입니다. 저분의 단점이라면 늘 시각이 새롭다는 것이지요." 투숙객들이 큰 소리로 웃었다.

올해 초 '녹산'이란 단어가 인터넷 검색어 상위에 오른 적이 있었다. 녹산은 경복궁에 있는 작은 동산이었다. 칼잡이 암살자로 변신한 일제의 지식인들이 명성왕후를 시해하고 불태운 곳이 녹산이었다. 그때 차영한이 언론 매체에 녹산에 대해 칼럼을 쓴 적이 있었다. 이후 다른 매체에도 비슷한 논조로 글이 나가면서 담론으로 번졌다. 차영한은 녹산의 토양과 지형, 식물의 분포, 풍수지리를 분석했다. 작은 동산에 불과한 녹산의 토양과 풍수지리가 명성왕후의 운명을 갈랐다는 얘기였다. 그러자 미시역사이론가가 풍수를 근거로 역사 속 인물의 운명을 분석했다는 게 문제가 됐다. 시해의 본질을 엉뚱한 데서 찾는 바람에 역사 왜곡을 초래했다는 게 요지였다. 자칫 명성왕후의 죽음이 일제의 만행이 아니라 녹산의 풍수가 문제인 것처럼 보일 수 있었기 때문이었다. 논란은 친일학자 문제로 번졌고 이를 감싼 일부 정치권 인사들의 발언은 걷잡을 수 없는 파장을 불렀다. 여론도 갈렸다. 차영한은 오해가 있다면 유감이라는 애매모호한 말로 논란을 키웠고, 반론을 한답시고 망국의 대한제국을 임시정부와 비교한 글은 조선과 대한제국의 무능이 일본을 행동하게 했다는 의미로 받아들여지기에 충분했다.

지배인이 조금 전 투숙객과 얘기를 마치고는 다음 원탁의 투숙객이 내민 손을 잡으려 할 때였다. 목소리가 들렸다.

"차영한 선생!"

쩌렁쩌렁했다. 어찌나 목소리가 큰지 몇몇은 잔을 떨어뜨리기도 했다.

"아직도 임시정부 요인들이 당달봉사라고 생각하십니까. 카이로에서 추축국이 우리를 일본의 노예라고 한 말이 미사여구인 줄 아십니까. 무능하고 분열을 하다니요, 그런 논리라면 친일파들이 잘했다는 소리가 아닙니까. 일제강점기 독립운동가들의 고통과 외로움을 알고 하는 얘기입니까!" 무척 격앙돼 있었다. "당시 우리 사회 엘리트들의 대부분이 친일파들이었습니다. 30년대에 이르면 이들의 반민족 행위는 극에 달합니다. 하지만 그 어려운 때에도 여전히 목숨을 걸고 독립운동을 한 사람들이 있었습니다. 그들의 적이 누구였는지 아십니까?" 그가 잠시 말을 멈추었다. 정적이 흘렀고 모두 숨을 죽였다. "자기 자신이었습니다. 이 얼마나 아이러니한 일입니까. 동지와 친구들이 변절한 시대에 독립운동을 하며 떠안아야 했던 고독과 외로움, 그들의 적은 일제였으며 종당에는 자신이었습니다. 혹 자신도 그들처럼 친일 변절자가 될까 두려워 스스로를 다그쳐야 했고 주변의 무심함은 물론 자신의 고독과도 싸워야 했습니다."

"임시정부는 의심받을 만합니다." 다른 누군가였다. "차영한 선생은 임시정부의 잘못된 부분을 지적한 겁니다. 물론 잘한 것도 있지요. 하지만 역사는 잘못한 것을 들춰 꼬집을 때 진정한 성찰을 할 수 있는 겁니다. 그게 국가 경쟁력으로 이어지는 것이고요."

"정말 못 들어 주겠군, 부디 선열을 욕보이지 마십시오. 러일전쟁 때 서울의 지배층과 지식인들이 누구 편을 들었는지 아십니까? 대한제국의 엘리트와 기득권층의 거의가 일제 편이었습니다. 대한제국을 삼키고 있는 그 와중에 말입니다. 아마 댁 같은 사람이 그때 살았으면 그 짓을 하지 않았으리란 보장이 있을 것 같습니까?"

그 말에 그가 버럭 외쳤다.

"이거 심한 거 아닙니까? 짓이라니요. 그리고 뭐 증거 있어요? 나 같은 사람이 친일했다는 증거 말입니다."

"임시정부를 당달봉사라고 말한 사람을 옹호하는 게 그 증거입니다. 아까 이구민 선생인가, 그분은 월 스트리트를 두고 지구 안의 우주라고 하던데, 이 말도 용인이 안 됩니다. 왜 다들 모두의 삶이 아니라 그들만의 삶을 말하는지, 왜 그러는 겁니까?"

그의 화살이 이구민을 향했다. 그러자 투숙객들의 시선이 이구민 쪽으로 쏠렸다. 이구민이 어리둥절한 표정으로 그를 보고 있었다.

"친근감을 주기는 하지만 내용이 편협하더군요. 아니 초점도 철학도 없다고 하는 게 맞을 듯합니다."

그 말에 이구민이 피식 웃었다. 뭐야, 저 사람. 그런 표정이었다. 이구민의 발표 방식은 차영한과는 좀 달랐다. 대화를 하듯 또는 이야기를 풀어놓듯 친근감을 줬다. 그 때문에 투숙객들은 자료집을 보다가 나중에는 이구민의 말을 듣기만 했다.

투숙객이 말한 월 스트리트가 지구 안의 우주라는 얘기는 이구민 글의 핵심이었다. 이구민은 천체문화이론가였다. 그의 발표문 제목은 '월 스트리트 : Endless Land', 이구민이 하고 싶은 말은 머리글에 있었다. 짧은 글 속에는 월 스트리트라는 단어가 무수히 등장했는데, 본문에는 맥락을 알기 힘든 낯선 사건들이 나열되어 있었고 나아가 케빈 슈라이버 교수라든가 미국 개척시대의 이야기, 세계 굴지의 가문들에 대한 비사 같은 것들이 연대기처럼 적혀 있었다. 개인권력이니 민간권력이니 하는 음모론에나 나올 법한 용어가 맥락 없이 이어지는가 하면 로스차일드와 록펠러, 제이피 모건과 골드만 삭스 같은 글로벌 금융기업의 약사와 15세기 갤리나 카락, 캐러벨 같은 범선의 종류와 바스쿠 다가마의 항해 얘기, 19세기 동양 삼국의 서세동점에 대한 각국의 반응과 리스본에서 카리브해로 이어지는 항로 그리고 뉴욕 맨해튼의 향토사 같은 것들이 적혀 있었다. 경제사를 적은 것인지 금융사를 적은 것인지 아니면 세계 지리사를 적은 것인지 알기 힘들었다. 맺음말에서는 네덜란드와 독일의 아메리카 유이민사를 언급한 뒤 엔드리스 랜드야말로 인류의 종착지가 아니겠냐는 반어성 강한 말로 월 스트리트를 옹호했다. 그의 심사가 뒤틀린 건 월 스트리트를 무슨 신성한 도시처럼 묘사한 머리글의 마지막 때문이었다. 뒤틀린 심사는 거기서 멈추지 않았다. 그가 말했다.

"저도 그리스인 조르바는 읽은 사람입니다. 하지만 메토이소노를 특별행사와 연결 짓다니, 이거야말로 비약 아닌가요?"

그가 말한 메토이소노는 이구민의 글이 아니라 다음 발표자였던 안숙희 교수의 자료집에 나오는 내용이었다.

지배인은 인상을 찌푸렸다. 자칫 그 어느 때보다 알차고 세련된 세미나의 내용과 화기애애하기만 한 만찬의 여흥이 이 사람 때문에 엉망이 되는 것 같아 슬슬 부아가 나고 있었다. 거른다고 했는데, 왜 이번에도 모르는 투숙객이 있는 것일까? 어쩌면 최치영이 데리고 온 투숙객인지도 몰랐다. 예전에도 그런 적이 있었다.

"안숙희 교수님은 화두를 던진 거예요. 요즘이야말로 힐렐 같은 사람이 필요한 세상 아니겠어요." 투숙객이었다. 여성이었다. 자리에서 일어난 여자가 말을 이었다. "김 회장이라고 불러 주세요. 저는 화학을 공부한 사람이죠. 하지만 저도 알 건 알아요. 안숙희 교수님은 충분히 할 수 있는 말을 한 건데 말씀이 지나치신 거 같네요."

그녀가 자료집을 들어 보였다. 안숙희 교수의 글이 있는 곳이었다. '힐렐에서 자멘호프까지 : 메토이소노'. 안숙희 교수가 말하는 힐렐이라는 인물은 바빌로니아 출신의 유대교 현자를 가리켰다.

"안 교수님이 에스페란토어로 발표문을 작성하신 데는 이유가 있다고 봐요. 평화죠. 평화는 안정에서 비롯돼요. 질서없이 안정은 없어요. 무질서는 다수에 의해 저질러지죠. 그래서 정돈된 소수가 필요한 거죠. 안정없이 발전이 불가능하다는 건 역사가 말해 주고 있어요. 그랑호텔이 추구하고 강조한 게 그거였죠. 이 정도면 이번 특별행사는 창조적이라고 해야지 비난할 일이 아니죠."

"제가 한 말씀 드려도 될까요?"

안숙희 교수였다. 시선이 모두 그쪽으로 쏠렸다. "유감이네요." 불쾌한 듯 안숙희 교수가 말했다.

세미나 발표 중 그녀는 줄곧 힐렐에 대해 설명했다. 힐렐이라는 사람은 비유로 가득한 경구로 제자들을 휘어잡는 것으로 유명한 랍비라는 것과 초능력이나 기적 따위 대신 공손함으로 타인을 설득한 진정한 현자라는 얘기였다. 독특한 화법 때문인지 사람들은 그녀의 말에 귀를 기울였다. 그녀가 말했다.

"내가 좋다고 여기지 않는 것은 다른 사람에게도 하지 말라. 모든 종교는 그 나머지의 설명일 뿐이다."

힐렐의 말을 인용한 대목인데, 그녀의 이 설명은 세미나 발표에 대한 부연 설명 같은 것이었다. 세미나 중 그녀가 조르바 얘기를 하면서 '순수한 영혼을 가진 인간의 자유'에 대해 설명할 때는 투숙객 모두가 열광했다. 마치 자신들이 그 자유를 만끽하고 있는 것처럼. 안숙희 교수의 설명이 끝나자 투숙객 한 사람이 손을 번쩍 들더니 말했다.

"한 번 더 들을 수 있을까요, 교수님. 감동적이어서요."

투숙객의 요구에 안숙희 교수는 그리스인 조르바의 한 대목을 직접 읽었다. 여러 번역본 중 이윤기의 번역본이 가장 문학다웠다며 그걸 인용한 거라고 했다. 조르바가 숨을 거두기 전 침대에서 유언을 남기는 장면이었다.

"…… 잠깐만 더 들어요. 신부 같은 게 내 참회를 듣고 종부 성사를 하려거든 빨리 꺼지는 건 물론이고 온 김에 저주나 잔뜩 내려 주고 꺼지라고 해요. 내 평생 별짓을 다 해 보았지만 아직도 못한 게 있소. 아, 나 같은 사람은 천 년을 살아야 하는 건데……."

낭독을 하고 난 안숙희 교수가 인사를 했다. "단톤." 에스페란토어로 감사합니다,라는 뜻이었다. 이어 그녀가 말했다. "월 스트리트는 지구에 있는 우주정거장입니다. 메토이소노는 월 스트리트의 정신이고요. 이번 그랑호텔 특별행사는 그 정신의 실천이지요."

그때였다. "뭔 소리를 하는 겁니까? 왜 또 이런 짓을 벌이는 거지요!" 투숙객들의 시선이 소리 나는 쪽을 향했다. 반사적이었고 순간 긴장이 흘렀다.

지배인도 그쪽을 봤다. 투숙객 사이에서 뭐야 저 사람 어쩌고 하는 소리가 들렸다. 저쪽에 있던 차영한이 급하게 지배인 쪽으로 왔다. "고찬수야 제임스. 젠장, 저 사람이 여길 어떻게 들어왔지."

"고찬수?" 지배인이 인상을 찌푸리며 물었다.

"그래 고찬수. 지난 데이행사 때 제 발로 나간 작자 중에 저 인간이 있었거든." 지배인이 끌끌 혀를 찼다. "내가 처리할게, 제임스." 차영한이 고찬수를 노려보며 말했다.

고찬수는 화가 나 있었다. 지난 데이행사의 기억이 겹친 탓이었다. 거기에 앵무새처럼 반복하는 이구민의 터무니없는 주장과 안숙희 교수의 비약이 섞이면서 더는 참을 수 없는 감정이 되고 말았다. 월 스트리트를 지구의 우주라고 한 이구민의 말에 잔뜩 화가 나 있었는데, 그것도 모자라 특별행사가 메토이소노의 실천이라니? 안숙희 교수는 보충 설명에서 메토이소노는 니코스 카잔차키스의 철학이자 조르바의 삶 자체를 상징하는 용어이며, 이번 호텔의 특별행사와 통하는 데가 있다는 소리를 거리낌 없이 했다. 거룩함, 그 고귀한 감정의 성취가 메토이소노이자 그랑호텔의 정신이라는 소리였다. 메토이소노를 그랑호텔에다 비교를 해! 고찬수는 다들 제정신이 아니다 싶었다.

"부정적으로만 볼 일이 아닙니다." 웬 투숙객이었다. "누구신지 모르지만, 저로

선 흠집이나 내자는 소리로밖에 들리지 않습니다. 우린 그랑호텔 덕을 본 게 많습니다. 그 힘을 빌려 살았고요. 잘 모르시는 모양인데, 그랑호텔은 가장 안전한 곳입니다. 제 생각입니다만, 선생은 심성이 배배 꼬인 분 같아 보입니다." 누군가 웃는 소리가 들렸다.

"나 참, 이 말을 해야 하나 어쩔까 했는데……." 고찬수였다. "카리스마를 현대 정치에 비유하다니. 이게 요즘 시대에 말이 된다고 생각하세요? 아니 오늘 말이 되지 않는 게 어디 한둘인 줄 아십니까?" 고찬수가 말한 카리스마는 최치영의 발표문에 나오는 말이었다. 그가 더 큰 목소리로 말했다. "왜 세상을 거꾸로 살려고 합니까, 왜지요? 누굴 위해서 그러는 겁니까?" 저쪽에서 최치영이 고개를 절레절레 젓고 있었다.

최치영의 세미나 발표문은 길지 않았다. 주제가 카리스마와 자유로 묶여 있었고, 그래서인지 '정치와 영혼'이라는 제목이 주는 추상성만큼이나 글의 곳곳에는 해석이 필요할 정도로 모순이 되는 부분들이 있었다. 그가 말하는 카리스마라는 단어는 역사 속에 등장하는 지도자들의 정치 행위를 가리켰다. 역사 발전의 동력이 거기서 나왔다는 취지였는데, 그 예로 최치영은 프랑스 혁명 때 국민공회 의장이던 생쥐스트 얘기를 했다. 그때 그의 나이 스물여섯, 생쥐스트는 로베스피에르와 공포정치를 한 혁명정부의 검사였다. 루이 16세를 비롯한 왕당파의 숙청을 주저하는 로베스피에르에게 생쥐스트는 이렇게 외쳤다. '루이가 무죄일 수도 있다. 그러나 루이가 무죄면 혁명이 유죄가 된다.' 그러니 루이는 죽어야 한다는 소리였다. 루이 16세는 단두대에서 사라졌고, 생쥐스트 역시 동지들에 의해 단두대에서 죽어야 했다. 로베스피에르도 같은 길을 걸었다. 생쥐스트와 로베스피에르가 사라진 뒤 프랑스가 다시 생쥐스트를 언급한 것은 1950년대였다. 역사적 인물의 이름을 따 거리 이름 짓기를 좋아하는 프랑스 사람들은 생쥐스트의 이름을 파리에서 오십 킬로 정도 떨어진 곳에다 붙여 놓았다. 그보다 온건적인 로베스피에르는 파리 인근에, 같은 당이지만 비둘기파에 속했던 당통은 파리 중심가에 동상을 세웠다. 최치영은 로베스피에르와 생쥐스트 같은 급진 혁명파에게 배울 만한 지혜의 하나로 카리스마를 꼽았다. 그리곤 러시아 푸틴의 인기 비결을 나열했는데, IS가 러시아 여객기를 날려 버리자 '테러리스트를 용서하는 건 신이 할 일이며, 그들을 신께 데려가는 건 내게 달렸다'

는 푸틴의 문장이야말로 카리스마 정치의 정점이라고 했다. 박정희 전 대통령 얘기도 했다. 우리나라를 근대산업국가로 이끈 사람이 박정희 장군 – 그는 '대통령' 대신 '장군'이라는 단어를 사용했다 – 이며, 여러모로 푸틴과 닮은 데가 많다고 했다. 최치영의 주제는 자유의 문제로 이어졌다. 소수의 자유가 진정 자유로울 때 새로운 제도와 부를 창조할 수 있다는 얘기였다. 역사적으로 볼 때 창조는 소수 혹은 뛰어난 개인의 능력에서 나왔으며, 이 같은 실증 사례는 우리에게 우생학을 외면할 수 없게 하는 요인이 되고 있다는 주장을 했다. 이 우월함이야말로 창조력의 근원이며 사실 혁명이란 게 다 그런 것이 아니겠느냐고 최치영은 말했다. 그때야 비로소 그들의 자유와 상상력이 사람들에게로 향하고 그게 곧 역사가 되는 것이라고. 역사는 그걸 누누이 강조해 왔으며 성리학으로 무장한 조선의 소수 엘리트와 메이지 유신의 존왕파, 반공을 통한 국력 증대를 외친 박정희의 혁명 공약, 나아가 새마을운동 정신과 20세기 말 월 스트리트의 신자유주의가 그 예라고 했다. 그러므로 이들 소수 엘리트에게 자유의 범위를 스스로 정할 권리를 주어야 한다는 주장은 언제나 타당하다고. 최치영은 이걸 자유의 '우월적 공공성'이라고 불렀다.

"저는 자유의 공공성이 무슨 뜻인지 도무지 모르겠습니다." 고찬수였다. 그가 사람들을 둘러보며 말했다. "게다가 우생학이란 말이 21세기에 왜 나옵니까. 하여간 저는 우월적 공공성이라는 말 자체가 웃깁니다. 그런 말을 들어본 적이 없어 그럽니다. 여기 그런 거 들어본 분 계십니까?" 그 말에 만찬장이 갑자기 토론 분위기가 됐다. 그때였다. 어디선가 달려 온 직원 둘이 고찬수의 입을 틀어막으며 제지했다. 순식간이었다. 고찬수가 직원들의 손을 뿌리치며 뭐라고 외치려 했지만 불가능했다. 직원 한 사람이 더 달라붙었고 고찬수가 끌려 나갔다. 입에서 잠시 손이 떨어진 틈을 타 그가 외쳤다. "우월적 공공성은 그들만의 자유를 말하는 것이 아닙니까. 자유를 그런 식으로 곡해……." 고찬수가 끌려 나가자 실내가 조용해졌다. 이어 목소리가 들렸다.

"자유라는 말 자체가 공공성을 전제한 것이오." 최치영이었다. 그가 투숙객들을 향해 팔을 저어 보이곤 말했다. "그걸 저 양반이 곡해한 겁니다." 지팡이를 곧추세우는 걸로 봐 단단히 심사가 뒤틀린 듯했다. "난 그걸 강조한 것뿐이지요. 자유란, 순수한 영혼을 가진 인간만 소유할 수 있어요. 자유는 자연의 상태가 아니라 인위적으로 주어지거나 얻는 것입니다. 그런 뒤 우리는 이전의 자신을 넘어 새로운 인간으로 태어날 수 있습니다. 그게 영혼의 자유이지요." 그의 목소리가 만찬장 구석구석으로 퍼졌다. 투숙객들이 최치영에게 집중했다.

"선생님께서는 우리에게 권리와 자유를 구분하지 말라는 말씀을 하시는 겁니다." 이구민이었다. 그가 자리에서 일어나 말했다. "우리는 언제나 그 문제와 부딪히며 살아왔으니까요. 자유는 선생님 가르침의 핵심입니다. 인간이기에 가능한 정신세계, 단순히 정신을 말하는 것이 아니라 그 너머에 존재하는 어떤 세계를 선생님은 강조하신 겁니다. 그게 영혼의 자유라는 것이지요."

"난 뜬구름 잡는 걸 싫어합니다." 최치영의 어조가 아까보다 부드러워졌다. 투숙객들의 긴장도 좀 풀어지는 듯했다.

"난 이념가들을 증오하고 있어요. 내가 형이상학자여서 하는 말이 아니에요. 그들은 영혼을 잃은 자들입니다. 나는 그 길을 가지 않기 위해 길고 고단한 여정을 마다하지 않았지요. 영혼이 머물 곳을 탐험하는 그 행위 말이오." 투숙객들이 고개를 끄덕였다. "이제 우리는 그 답을 찾아냈소. 용기가 필요했고 지혜도 필요했어요." 최치영이 돌연 웅변이라도 하듯 목소리에 힘을 주었다. "이제 좀 살만해졌고. 정치도 경제도 문화도, 그 덕에 좀 젠체하며 살고 있지 않습니까. 하지만 우리는 또 다른 숙제를 안게 됐어요. 운명처럼 말이오." 최치영이 미소 지었다. 기묘했다. "그리고 오늘 나는 여러분과 장대한 미래를 새로 설계하는 중입니다. 비로소 그 과실을 맛볼 기회를 얻은 것입니다. 그랑호텔이 있어 가능한 일이었어요. 지난 데이행사의 참담함을 다들 기억하고 있을 겁니다. 그게 우리에게 교훈을 주었지요. 고진감래라더니, 특별행사를 통해 비로소 그랑호텔의 진가를 확인할 수 있게 돼서 하는 말입니다. 믿읍시다. 그랑호텔을 믿고 이 여정의 주인이 투숙객 여러분이라는 것을 부디 믿어야 합니다. 그 특권을 손에 쥐세요. 이 기득권을 부디 포기하지 말아야 합니다. 우리의 현재가 내세에도 영원하기를 바란다면 말이오!"

박수 소리가 요란했다. 최치영이 지그시 미소 짓곤 지팡이를 쿵,하고 바닥에 찧었다. 그 소리가 정적으로 이어졌다. 누군가 꼴깍 침 삼키는 소리를 냈다.

"오늘 같은 날 이분 인사말은 들어야 하지 않겠습니까." 최치영이 지배인을 봤다. "바로 이 자리의 주인공, 특별행사를 통해 우리에게 기쁨과 미래를 열어 준 그랑호텔 지배인에게 인사 말씀을 청해 들어야 하지 않겠냐, 이 말입니다. 어떻습니까, 투숙객 여러분?"

"당연한 말씀입니다!"

"한 말씀 부탁합니다, 지배인님." 누군가 말했고 여기저기서 옳소, 그럽시다, 찬성합니다, 하는 소리가 이어졌다.

지배인이 자리에서 일어나 최치영에게 인사를 한 뒤 연미복 옷깃을 매만졌다. 그가 천천히 홀 안을 둘러봤다.

"옛 소비에트에 선각자가 있었습니다. 세상은 그들을 건신주의자라고 불렀지요." 목소리가 비장했다. "그들은 알고 있었습니다. 신은 불멸의 존재라는 것을. 그리고 꿈을 꾸었지요. 자신들이 그 존재이기를. 건신주의 철학의 핵심입니다." 건너의 최치영이 슬며시 웃었다. 지배인이 자기가 한 말을 하고 있었다.

"신이 되려는 인간은 누구보다 월등해야 했습니다. 그러려면 열등한 인간은 사라져 줘야 했지요. 건신주의자들이 그걸 실천했습니다. 신체적, 정신적 장애인을 가르고 열등한 민족을 불태웠습니다. 건신주의자들은 레닌을 장사 지내면서 자신들이 만든 장례위원회를 불멸화위원회란 별칭으로 불렀지요. 레닌은 인간의 손에 의해 신이 된 최초의 인간이었습니다. 21세기, 이제 우리가 건신주의자이며 투숙객 여러분이 그 자격을 갖게 되었습니다!" 다들 조용했다. 자료집을 들여다보거나 생수를 마시는 사람 하나 없었다.

"이보다 위대한 발견은 없습니다. 소유는 영혼의 존재를 묻게 했습니다. 소유를 체험한 자만이 할 수 있는 질문이며 철학입니다." 지배인의 목소리가 달떴다. "이 얼마나 감동적입니까. 다 함께 그걸 만끽합시다. 우리 손으로 직접, 이 벅찬 감동을 경험합시다!" 홀을 삼킬 듯 박수 소리가 울렸다. 엇박자로 시작한 박수 소리가 어느 순간 일체감을 갖고 있었다. 지배인이 다시 외치듯 말했다.

"그랑호텔은 새 역사를 기록할 것입니다. 투숙객 여러분에게 진정한 소유를 목격하게 할 것이며 불멸을 체험케 할 것입니다. 자, 이걸 보십시오. 영혼 불멸 영원, 이게 누구의 소유입니까. 바로 여러분과 나, 그랑호텔과 투숙객들의 것입니다!"

지배인이 소책자를 들곤 허공에 흔들었다. 약속이나 한 듯 투숙객들이 앞에 놓인 소책자를 집더니 높이 흔들었다. 투숙객들이 자리에서 일어나 박수를 쳤고 사방에서 원탁 두드리는 소리가 들렸다. 소책자에는 다음 주에 있을 특별행사 일정이 적혀 있었다.

〈특별행사〉

영혼 · 불멸 · 영원

–토요일 오후 2시–

인사말……………………………………지배인

애버리지니 필름 상영……………………기획실

월 스트리트 텍스트 해설…………………차영한(미시역사이론가)

오해

투숙객들은 만족했다. 호텔에 대한 그들의 신뢰는 그 어느 때보다 두터웠다. 오랜만에 맛보는 활기였고 환희였다. 애버리지니 필름이 준 효과였다.

최치영은 호텔의 미래가 활짝 열려 있다는 말로 자신의 심정을 대신했다. 투숙객들의 결집력과 활기가 특히 주목할 만하다고. 차영한과 이구민 장진수도 같은 생각이라고 했다. 지배인은 그 여느 때보다 자신감이 충만했다.

파일을 손에 쥐었을 때부터였을 것이다. 비로소 전체 그림이 눈에 들어왔고 애버리지니 필름을 보다 깊이 이해할 수 있었다. 말로 듣고 상상하던 것과 달리 애버리지니 필름은 많은 은유를 내포하고 있었다. 실제 필름 속 묘사의 수준은 상상하던 것과 차원이 달랐고, 충격적이지만 사건을 사유의 세계로 이끄는 힘을 가지고 있었다. 월 스트리트가 왜 세기말에 그 일을 자청했는지, 왜 그 일을 추구하고 원했는지 그 의미를 구체적으로 설명해 주고 있었다. 영혼의 존재와 혼연일체를, 그것이 그 일의 시작이었다는 의도를 애버리지니 필름은 명약관화하게 보여 주고 있었다. 그러므로 그때 그들의 행위는 영적인 세계를 갈구한 절박함이자 실행이었으며 그 자체로 숭고함이자 불멸성을 갖는 행위에 속했다. 지배인이 감동한 게 그 부분이었다.

특별행사 뒤였다. 투숙객들이 성명서를 발표했다. 길지 않았지만 지배인은 감동했다.

〈성명서〉

우리는 그랑호텔을 믿는다. 영혼과 불멸을 믿으며 우리는 영원하다!
–그랑호텔 투숙객들–

묵묵히 달려온 지난 여정을 투숙객들은 외면하지 않았다. 그들은 한발 더 나아갔다. 자신들이 누구이며 무엇을 원하는지 보다 분명하게 깨달았고, 그 소망을 위해 그랑호텔이 존재한다는 것을 스스로 확인하고 있었다. 소망과 책임이 둘이 아니라는 것도 자각했다. 과거와 현재를 넘어 미래를 기획하는 호텔의 노력과 미완으로 끝난 지난 데이행사를 거울삼아 이렇듯 우뚝 선 호텔을 향해 경외의 시선을 보냈다.

"유령 같은 사람들……." 지배인이 혼잣말을 했다. 얼굴에는 미소가 번졌다.

지배인은 가슴이 벅찼다. 누가 성명서를 작성했는지, 누구의 생각인지 알 수는 없지만 저 사람일 수도 이 사람일 수도 그 모두일 수도, 아니면 그 누구이자 아무도 아닐 수도 있는 사발통문 같은 익명성이 지배인은 좋았다. 집단이 무엇인지, 희생이 무엇인지 아는 사람들이었다. 희생의 본질은 익명성이 아닌가.

지배인은 찬찬히 성명서를 살폈다. 음미하듯. 그랑호텔의 투숙객들이라, 누구일까 이 사람들은. 그때가 떠올랐다. 오래전 예맥족이나 만주족, 여진…… 그리고 퉁구스계와 몽골족이 뒤섞인, 이 대리한테 뉴욕으로 가라고 말한 게 그날이었다.

†

이런 게 문제가 되다니……? 그것도 누구보다 사정을 잘 아는 내부에서 말이다. 예상하지 못한 일이었다. 지배인은 최치영이 오해를 한 게 아닐지 생각했다. 그는 좀 다른 것 같았다. 그가 물었다.

"진심이란 얘긴가?" 표정이 복잡해 보였다. 그 속엔 완강함 같은 게 녹아 있었다.

그 말에 지배인의 얼굴이 굳어졌다. 차영한과 장진수가 최치영과 지배인을 번갈아 봤다. 하지만 이보다 더 솔직한 얘기가 어디 있을까. 좀 분명히 말할 필요가 있었다. 커피 한 모금을 홀짝이곤 지배인이 말했다.

"특별행사 반응은 다 알지 않습니까, 선생님."

"오해인 듯해 그래, 제임스."

"그럴 리가요, 선생님. 아시듯 투숙객들은 아직 그 감흥을 잊지 못하고 있습니다. 어쩌면 그게 약이고 독인 듯해 그렇습니다. 세미나 때 반응만 봐도 알 수 있잖습니까."

"너무 앞선 게 아닌지 돌아보란 뜻이네. 그러다간 헛물만 켤 수 있어."

"투숙객들은 앞으로 웬만한 행사엔 감흥을 받지 못할 겁니다."

"내 말도 그래. 그런데 그런 식으로 다음 행사를 준비하겠다니, 그게 이해가 가지 않아. 아직 생각할 시간은 많아, 제임스."

새로운 시도였다. 호텔과 투숙객을 위한 일이었고, 최치영이 모를 리 없었다. 걱정은 이해하지만, 모든 일은 예측 속에서 대책이 만들어지게 마련이었다. 당연히 준비는 빠를수록 좋았다. 이 일도 그 취지였다.

"장 선생이 같이 한다는 말이 있던데, 맞는가?" 최치영이 보이차 한 모금을 마시곤 물었다.

"네, 선생님." 장진수였다.

"그래, 할 수 있을 것 같은가?" 좀 누그러진 목소리였다.

"제자 중 한 녀석을 부를 겁니다, 선생님. 아시아 영화제에서 감독상을 받은 친구인데, 새 감각이 새로운 시선을 만들지 않겠습니까. 젊고 똑똑한 친구여서 믿을 만합니다."

최치영이 끙 소리를 내곤 지배인을 봤다. 그게 무슨 뜻인지 지배인은 알 수 있었다. 지배인은 모르는 척했다. 확실한 것은 다음 데이행사 역시 특별행사 못지않은 새로운 작업이 될 것이라는 자신, 나아가 이 작업은 자무엘이 한 일과도 다를 터였다. 지배인은 그 확신을 하고 있었다. 시대가 바뀌었고 발상 역시 달라야 했으므로. 그런데 재탕이라는 말로 폄훼하다니. 잘 알지도 못하면서 재를 뿌리는 듯한 최치영이 지배인은 못마땅했다. 차영한과 장진수 이구민도 같은 생각인 듯했다. 세대 차이라고 해야 할까.

이바다 감독, 장진수가 데리고 오겠다고 한 사람이 그였다. 젊은 만큼 패기와 열정이 있었고 자질도 있어 보였다. 한번 보고 마음속으로 낙점을 해 둔 사람이었다. 그런데 왜 자꾸 딴지를 거는 것인지, 짚이는 데는 있었다.

"지나쳐 보여 그러네, 제임스." 오늘따라 최치영이 예민해 보였다.

"저로선 재현이라고 말하는 게 좋을 듯해서 그렇습니다. 차원이 좀 달라서요, 선생님."

"쯔쯧." 최치영이 혀를 찼다. "자네 일을 폄훼하거나 노고를 무시할 생각은 한 터럭도 없네. 호텔은 새것을 보여 주려는 고뇌를 게을리한 적이 없어. 나도 그랬고 자네 부친 강대식 어른은 더했지."

"외람됩니다만, 제 오판이 아니라 선생님이 오해하신 게 아닌가 해서 그렇습니다." 최치영의 눈이 반짝 빛이 났다. 오해,라는 말 때문인 듯했다. 지배인은 멈추지 않았다. "무슨 일인가를 새로 할 때는 예전보다 나아야 하지 않겠습니까. 그게 아니면 하지 않은 것만 못한 겁니다, 선생님."

"주무른다고 속이 바뀔 것 같은가?"

"지나치십니다, 선생님." 지배인의 목소리가 좀 올라갔다.

"이봐, 제임스." 차영한이었다.

"그래, 여기서 이럴 일이 아니잖아." 장진수였다. 어쩔 줄 모르겠다는 듯 둘이 최치영에게 고개를 숙여 보였다. 이런 일은 처음이었다.

잠시 뒤였다.

"뭘 하자는 겐가, 제임스?"

지배인의 입에서 옅은 숨이 흘러나왔다. "죄송합니다, 선생님. 하지만 재탕이라니요, 그런 식으로 살지 않았습니다." 재탕이란 말에 지배인은 모멸감을 느끼고 있던 참이었다. 억울하기도 했다. 중요한 것은 이바다 감독은 어느 모로 보나 이 일에 적합한 사람이었다.

"잘 생각해 보게." 최치영의 목소리가 차분했다. "2년이란 시간이 흘렀는데 행사 내용이 같다면 투숙객들이 용인할 것 같은가?"

"재료가 같다고 결과물이 같을 수는 없습니다. 특별행사의 감흥을 저 역시 기억하고 있고요. 부담이 될 정도로요. 그걸 극복하자는 취지입니다, 선생님."

차영한과 장진수가 지배인을 봤다. 표정으로 봐서는 이만 자리를 끝내는 게 어떠냐고 묻고 있었다. 물론 그게 예의겠지만 지배인은 그러고 싶지 않았다. 이 기회에 할 말은 하고 넘어가는 것도 나쁘지 않을 것 같았다.

"한마디만 하겠네." 최치영이었다. "자무엘은 꿈이 큰 사람이었어. 헨리 폴슨은 월 스트리트의 현재를 고민했지만 자무엘은 그 미래 전체를 고민했지." 무슨 말을 하려는 것일까? "파일을 보게. 케빈 슈라이버 교수 노트도 그렇고 월 스트리트 텍스트도 그렇고 자무엘은 단지 현재의 부를 추구한 사람이 아니야. 내가 자무엘 쉬프를 다시 본 이유가 그거야." 최치영이 소파 등받이에 몸을 기댔다. 좀 길게 얘기하겠다는 뜻 같았다. "대리 욕구란 게 있잖은가. 투숙객들이 종종 그럴 때가 있어, 어린애처럼. 그런 행동 심리 이면에는 욕망과 불안이란 게 숨어있지. 잘 드러나지는 않지만 알아야 해. 그게 참뜻일 테니까."

"압니다, 선생님. 투숙객들은 특별행사에 만족하고 있습니다. 투숙객들이 모험을 원하는 것도 아니고요."

최치영이 고개를 저었다. "이런 제임스. 오해일세. 그들은 쉰 적이 없어. 비록 자신들이 모험하지 않는다 해도 누군가 해주기를 바라지."

"일리가 있는 것 같습니다, 선생님." 장진수였다. "자신들이 모험을 하는 것과 다른 누군가 해주기를 바라는 건 다른 문제니까요."

지배인은 장진수를 쳐다봤다. 젠장, 무슨 소리들을 하는 것인지. 투숙객들의 얼굴을 봐놓고도 저런 말을 하나니. 이건 팩트가 아닌가. 호텔은 미뤘던 일을 해냈고 투숙객들은 성명서까지 내놓았다. 지배인이 성명서 얘기를 하자 최치영이 말했다.

"성명서 얘기가 나왔으니 말이네만, 잘 읽어 보게. 투숙객들은 특별행사를 통해 보상을 받은 듯 보이지만 그들은 여전히 뜨겁다는 말을 하고 있어. 식지 않았고 여전히 끓어오르고 있다고. 그 일을 호텔이 해주길 바라고 있지."

"우리한테 영감을 준 사람은 자무엘입니다, 선생님. 그 사람 생각이 곧 우리 생각이 됐으니까요. 그런 측면에서 제가 선생님하고 다르다고 생각하지 않습니다."

"그게 어디 우리 꿈이었는가. 우여곡절 끝에 특별행사를 치르긴 했지만, 우리 노력과 힘으로 얻은 열매가 아니란 소리네. 남의 열매로 좌판을 벌여 장사한 거와 뭐가 달라. 그런데 재탕을 하겠다, 될 법한 소린가."

"자무엘의 죄라면 너무 앞서간 것밖에 더 있습니까. 월 스트리트가 자무엘을 부추긴 측면도 있고요. 자무엘은 그 짐을 진 겁니다."

"말 한번 잘했네. 그걸로 다였을 것 같은가? 월 스트리트는 자무엘이 멈추는 것을 바라지 않았어. 스스로 모험을 하진 않았지만 그걸 즐기겠단 소리와 다르지 않았지. 지금 투숙객들이 비슷해. 이 정도는 삼척동자도 아는 얘기 아닌가. 행여 멈췄다가는 어느 순간 하나둘 하차하고 말 걸세. 나중에는 텅 빈 버스 한 대가 덜컹거리며 시내를 질주하고 있을 테지. 승객이 다 내린 것도 모르고. 일은 미리 막아야 한다는 얘기야. 승객이 한 사람이라도 내리고 있다면 이미 늦은 것이어서 그래."

"자무엘의 뜻은 그 자체로 고귀합니다. 그걸 실천했고요. 제가 하는 일은 자무엘을 모욕하는 게 아니라 그를 존중하고 추억하는 일입니다, 선생님."

"이건 알아두게. 월 스트리트가 자무엘을 내친 이유를. 월 스트리트는 자무엘의 의도를 충분히 알았어. 동의도 했고. 케빈 슈라이버 교수 노트를 보게. 월 스트리트가 자무엘의 의도를 자기화했다고 하지 않았는가. 겉으로는 자무엘을 배은망덕한 인간으로 보는 듯했지만 자무엘을 베꼈고, 자신들의 미래를 자무엘의 구상에 기대고 있었지. 다시 말하지만 월 스트리트가 자존심을 뭉개며 자무엘을 용인한 것은 자무엘의 기획이 가진 원대함 때문이었네. 자무엘은 목젖이 닳도록 자신의 신념을 강조했어. 한 치 앞을 본 게 아니라 장구한 미래를 염두에 둔 발상이었다는 소리네. 종교성과 이성이 결합한 그의 외침은 애버리지니 필름으로 구체화 됐고 월 스트리트는 적극 동조했지. 아까도 말했네만 그 짐을 자무엘이 떠맡고 월 스트리트는 뒤에서 욕망을 챙기며 쾌락을 음미했다는 게 달라." 최치영이 잔기침을 한 뒤 말했다. "그런데 문제가 생긴 거지." 지배인은 최치영을 봤다. 지배인과 차영한 장진수를 둘러보곤 그가 말했다.

"월 스트리트는 자무엘이 거기서 멈추자 화가 났던 거지. 그러다 자무엘이 엉뚱한 일을 벌이자 꼭지가 돈 거고."

"그럼 투숙객들이……?" 지배인이 우물거렸다.

"이제 얘기가 좀 통하는구먼." 최치영이 웃었다. "간단하지 않은가. 투숙객들도 마찬가지야. 누군가 계속 모험을 해주길 원하고 있어. 그 사람들 공통 심리 아닌가." 하지만 지배인은 최치영이 여전히 같은 말을 하고 있다는 생각을 했다. 그가 말했다.

"이건 알아야 해, 제임스. 이 대리 파일이 아니었다면 우린 여기에 이르지 못했어." 왜 이 대리 얘기를 꺼내는 것일까. 하필 이 순간에, 뭘 어쩌자고? "이 대리가 우리를 응원하기 위해 그 일을 한 것은 아니지만 결국 그런 뜻이 됐다는 소리네. 이 대리의 수고를 가볍게 여기지 말자는 얘기야. 그 빚을 덜기 위해서는 우리가 보다 한발 더 나아가야 하지."

"한발 나아가다니요?" 지배인이 물었다. 이 대리가 무슨 특별한 의도로 파일을 주기라도 했다는 소리로 들렸다.

"생각해 보게. 이 대리를 욕하지만 실은 이 대리가 아니면 특별행사고 뭐고 없었을 것이 아닌가. 다 이 대리가 준 선물 덕이야."

"이 대리가 충주로 우릴 부른 게 전화위복이긴 합니다." 차영한이었다.

"무슨 말이야, 차 선생?" 지배인의 목소리가 올라갔다. "이 대리는 필요에 의해서 파일을 줬어. 이 대리 입장에서 보면 충분히 그럴 이유가 있었지. 양민순한테 준 파일이 같은 것도 아니고. 우리하고 이 대리의 이해관계가 같을 수 없다는 얘기야. 그걸 내가 왜 용인해야 하지?"

이 대리와 이 일을 연관 짓고 싶지 않았다. 적어도 지배인에게 이 대리는 배신자, 그 이상도 이하도 아니었다. 그런데 쥐도 새도 모르게 사라진 이 대리 얘기를 왜 또 꺼내는 것일까.

"이 대리는 똑똑한 친구야. 책임감도 있고. 이과수의 능력을 알고 그 능력을 우리에게 준 이과수의 선택을 긍정하는 것도 일종의 성찰이지. 다 우리 좋자고 하는 소리네. 그리고 제임스?" 지배인은 최치영을 봤다. "예사롭게 보지 말게. 이 대리는 경고를 한 거야. 자네 말대로 왜 이 대리가 양민순하고 구분해 자료를 줬을 것 같은가. 그 뜻이 무엇인지는 우리가 알아야 해."

생각나는 게 있었다. 어쩌면 최치영이 우려하는 게 그것이 아닐까. 이 대리가 핸드폰으로 연락을 해 왔을 때였다.

퀵서비스를 통해 USB를 건네받은 뒤였다. 그때 이 대리가 한 말이었다.

"자무엘 얘기 새겨들으세요, 지배인님. 농담 아닙니다."

목소리가 진중했다. 브래디가 줬다는 USB 안에는 자무엘의 목소리가 들어 있었다. 그의 목소리가 거기 담겨 있을 줄은 몰랐다. 누군가와 통화를 하는 중에 녹음된 것이었는데, 녹음을 한 사람은 자무엘이 아니라 상대였다. 그의 목소리는 들리지 않았다. 짐작이지만 자무엘이 선택한 단어와 태도를 종합해 보면 그가 이처럼 예민한 대화를 나눌 만한 사람은 케빈 슈라이버 교수밖에 없었다. 당연히 녹음의 당사자는 케빈 슈라이버일 테고. 파일에서 자무엘이 한 말이었다.

> 압니다. 저 역시 월 스트리트 사람이니까요. 제 생각에는 월 스트리트는 소갈머리가 참새 가슴팍이지 않을까 싶습니다. 적어도 저는 월 스트리트 너머, 대서양과 태평양을 아우르는 고뇌를 했다고 자부합니다. 그런데 월 스트리트는 맨해튼의 스트리트와 애비뉴를 벗어나지 않았습니다. 모두의 이익이 아니라 자기 이익이 우선이었기 때문이지요. 저는 그들과 다릅니다. 누가 뭐라 한들 제가 꿈쩍이나 할 것 같습니까. 제가 만들어 준 거잖습니까. 그걸 공개하고 말고도 제가 알아서 할 일입니다. 걱정은 감사하지만 누구도 절 어쩌지는 못합니다. 헨리 폴슨이 와도 마찬가지입니다. 그 사람도 저 때문에 재미 본 사람 아닙니까.

하지만 자무엘이 모르는 게 있었다. 자신의 자신감과 달리 그즈음 월 스트리트는 자무엘을 자신들의 일원으로 받아들일 생각이 없었다는 것을. 어쩌면 그가 여전히 월 스트리트의 일원이었다 해도 마찬가지였을 것이다. 내부자에 대한 엄벌은 어느 집단이나 같기 때문이었다. 자만심과 사욕이 자무엘 자신을 망치고 있었다. 그리고 생각나는 게 있었다. 투숙객들이 성명서를 발표하자 지배인은 공고문을 발표했다. 투숙객들의 성명서에 대한 답이었다.

그랑호텔은 우리의 꿈을 이루게 할 것입니다.
월 스트리트의 실패를 그랑호텔이 보상할 것이며,
그 승리를 투숙객들에게 선사할 것입니다. 투숙객들에게 다음의 데이행사를!

"이건 바꾸세."

공고문을 읽은 최치영이 말했다. 최치영이 바꾼 문장은 한 줄이었다. 월 스트리트의 실패를 그랑호텔이 보상할 것이며,라는 문장은 이렇게 수정됐다. 월 스트리트는 동지다. 그랑호텔 투숙객들의 영혼과 불멸은 그들의 탐구로부터 온 것이며 우리는 혈맹이다.

기가 막혔다. 지배인은 이걸 막판에 원래 문장대로 고쳐 놓았다. 공고문은 카드뉴스와 문자 메시지로 투숙객들의 핸드폰으로 보내졌고 호텔 객실과 복도, 1층 로비와 승강기 앞 곳곳에 나붙었다. 그런데 왜 최치영은 공고문 발표하는 일까지 참견하고 나선 것일까.

"할 말 있는가, 제임스?" 최치영이었다. 여전히 못마땅한 듯 떨떠름한 표정이었다.

"저는 같습니다, 선생님."

"무슨 말인지 알기를 바라네." 최치영이 급하게 몸을 일으켰다. "후회하면 늦어." 장진수가 최치영을 부축했다. 지팡이를 단단히 짚은 채 최치영이 말했다.

"이 대리가 경고했잖은가. 자꾸 애버리지니 얘기를 해 월 스트리트를 자극하지 말라고. 난 이 대리가 그 조언을 한 게 아닌지 싶어. 오해는 자네가 한 거야." 쯧 소리와 함께 최치영이 문을 벌꺽 열었다. 단단히 화가 난 모양이었다. 최치영이 다시 말했다.

"이번 행사를 하면서 다시 알았네만, 여기 주인은 저 사람들이야. 투숙객들. 알고 있게." 최치영이 조금 전의 흥분과 달리 가만히 문을 닫았다. 그가 나가자 지배인이 중얼거렸다.

"젠장할……." 호텔 주인이 투숙객들이라는 것을 부정할 수는 없겠지만 그렇다고 그게 전부라고 할 수도 없었다. 지배인에게 투숙객들은 여전히 유령이었다. 그리고 이 대리가 한 말이 그런 뜻이었다니……, 그런데 이 대리 이 자식은 어디로 사라진 것일까?

할리우드 씬

차창 밖에다 가래침을 뱉곤 한스 화이트는 시동을 걸었다. 거칠게 마트 주차장을 빠져나가자 곧장 할리우드 대로였다.

"망할 자식……." 한스 화이트가 중얼거렸다.

길지 않은 통화인데도 기분이 영 젬병이었다. 매번 그랬다. 브래디 이 자식이 고의로 그러는 것 같기도 했다. 권수진 감독 입장은 이해하지만 심정은 자신도 다르지 않았다. 소문이 그런 건지 아니면 브래디가 잘 몰라서 하는 말인지 알 수 없었다. 제작사도 마찬가지였다. 다들 신경질적이었다. 마치 그게 자신의 책임이기라도 하다는 듯. 그러고 보니 브래디 말이 맞는지도 모르겠다는 생각이 들었다. 제작사 쪽에서 되레 발을 빼는 모양새라고 했다. 말이 되지 않았지만 듣고 보니 이해가 갔다. 한국 쪽에서도 비슷한 반응이라고 했다. 무슨 일이 있었던 것일까?

던킨 도너츠 사거리였다. 신호에 걸려 기다리는데 핸드폰이 울렸다. 미란다였다.

"로미오 것도 챙긴 거지요, 여보?"

"그럼. 지금 막 사서 나온 참이야."

"알았어요. 난 혹시 잊었나 해서요. 빨리 와요, 여보."

알았다고 하곤 한스 화이트는 다시 핸드폰을 집었다. 아까 브래디에게 밀러 씨하고 통화를 해 달라는 말을 한다는 게 깜박했던 것이다. 번호를 눌렀다. 받지 않았다. 신호가 바뀌고 있었다.

한스 화이트는 새로 산 백팩 위에다 핸드폰을 던지고 가속 페달을 밟았다. 인조 가죽으로 된 25달러짜리 중국산이었다. 중요한 것을 가지고 다닐 때는 허름한 백팩이 더 나을 듯해 인터넷에서 산 거였다. 아르마니 여행용 백팩을 썼는데 크기가 좀 컸고 괜히 시선을 끌어 좋을 게 없었다.

막힐 줄 알았는데 도로가 뻥 뚫려 있었다. 가속 때문에 소음이 컸다. 오래된 트럭이지만 힘은 조금도 뒤지지 않았다. 승차감이 좋다고 할 수는 없지만 혼자 타는 데는 아무 문제가 없었다. 트럭은 좋아하는 차종이었고 새 차를 사느니 집을 구하는 데 돈을 쓰는 게 낫겠다 싶어 차 욕심은 접었다. 무엇보다 트럭을 운전하다 보면 종종 자유로운 기분이 들 때가 있었다. 그게 좋았다.

미란다는 저녁을 해 놓고 기다리겠다고 했다. 그러라고 했다. 밖에서 식사할까 했는데 미란다가 싫다고 했다. 임신 3개월로 접어들자 생각 외로 입덧이 심했고, 달리 생각나는 게 없어 집에서 먹던 음식을 먹겠다고 했다.

"녹지 않았겠지……." 케이크 상자를 들어보며 한스 화이트가 중얼거렸다. 미란다 생일 선물을 사다가 로미오 물건까지 챙기느라 시간을 지체했다. 그보다 브래디 자식하고 통화를 하느라 시간이 더 걸린 것 같았다. 그런데 로미오라니, 데이브 생일도 이렇게 신경을 써 본 적이 없었다.

미란다와는 데이브 때문에 자주 다퉜다. 나이 차이가 주는 갈등 어쩌고 하며 미란다는 이상한 소리를 했다. 은근히 기분이 나빴다. 데이브 때문이라는 걸 뻔히 아는데 엉뚱한 핑계로 자기 합리화를 했다. 데이브를 데려오겠다는 얘기는 처음부터 알고 있던 일이었다. 여러 차례 의논하면서 못마땅해하기는 했지만 결국 합의를 볼 수 있었다. 그러자 이번엔 다른 이유를 들고나왔다. 이유는 매번 같았다. 다 큰 애를 왜 싸고도느냐는 것이었는데 말이 되는 소리를 해야지, 애 엄마한테 맡기면 그만인데 왜 일을 성가시게 만드냐는 미란다의 말은 설득력이 없었다. 물론 켕기는 데는 있었다. 데이브 걔가 좀 모자란다는 말은 하지 않았다.

미란다가 데이브에 대해 좀 순하게 굴기 시작한 건 선물 때문이었다. 선물로 어정쩡하게나마 미란다를 잠재울 수 있었고 그러자 숨을 좀 돌릴 수 있었다. 나머지 일은 뒤에 가서 생각하기로 했다. 우선은 데이브를 데려와야 했고 요즘 들어 데이브가 더 눈에 밟혔다. 데이브는 자주 메시지를 보내왔다. 언제 와, 아빠? 보고 싶어. 그 문구에 그 애의 마음이 다 들어 있었다. 그런데 일이 자꾸 늦어지고 있었다. 편집본까지 쥐고 있으면서 일이 진전되지 않자 제작사는 돈 지불을 미뤘다. 어떻게 될지 자신들도 알 수 없다는 거였는데, 어찌 된 일인지 브래디는 제작사 편만 들었다. 자기 모르게 무슨 빵부스러기라도 받아먹은 게 아닌지 의심이 들기도 했다. 그때만 해도 다들 들떠 있었고, 일이 잘될 것이라는 믿음을 가지고 있었다. 편집 전이기는 하지만 이 영화가 어떤 반응을 몰고 올는지 확신하는 분위기였으니까.

파티는 원래 촬영이 끝난 다음 주에 하기로 했었다. 권수진 감독은 촬영 파일들을 점검하느라 할리우드에 더 머물러야 했고, 막상 편집에 들어가자 귀국 일정을 늦췄다. 그러다 파티가 늦어졌는데 그게 오늘이었다.

여름이기는 하지만 제법 가을 티가 났고, 낮과 밤의 기온 차가 제법 컸다. 바람 때문에 체감 온도는 더 낮았다. 배우와 스태프, 제작자와 프로듀서 같은 사람들이 바비큐 화로 주변에 모여 있었다. 파티는 아직 시작 전이었다.

권수진 감독이 어깨에 걸친 카디건에 팔을 넣었다. 얼굴이 까맣게 타 있었다. 원래 가무잡잡하지만 할리우드의 뙤약볕이 얼굴을 더 검게 만든 듯했다. 브래디는 기분 좋게 취해 있었다.

“뭘 좀 먹었어요, 권 감독님?”

“부지런히 먹고 마시는 중이에요, 브래디.” 샴페인이 든 언더그라스 잔을 들어 보이며 권수진 감독이 말했다.

할리우드에서 촬영은 한 달 일정이었다. 예정보다 기간이 늘어나 피니시 필밍이 늦춰졌다. 촉박한 일정 때문에 권수진 감독은 단양 촬영이 끝나고도 제대로 쉬어 보지도 못한 채 할리우드로 날아와야 했다.

권수진 감독과의 작업은 두 번째, 브래디는 행운으로 여겼다. 그녀의 리더십과 연출력 때문이기는 하지만 인간적으로도 괜찮은 사람이었다. 지나치게 적나라한 시나리오를 권수진 감독은 자칫 무모하고 뻔한 스릴러나 서스펜스로 몰아가기보다 사실적인 심리 묘사를 통해 긴장을 극대화하는 연출을 구사했다. 언캐니 밸리라고 했던가, 권수진 감독은 인간 심리의 이중성이 주는 괴리감을 잘 활용할 줄 아는 사람이었다. 그러면서 서사의 흐름을 깨지 않았는데, 쉽지 않은 일이었지만 그녀는 해냈다.

한스 화이트의 시나리오를 두고는 말들이 있었다. 〈마터스〉와 비교했는데 자기 영화가 영화관에 걸리기도 전에 다른 영화의 비교 대상이 된다는 게 기분 좋을 리 없었다. 권수진 감독도 마찬가지였다. 한스 화이트는 불안해했다. 왜 그러는지 브래디는 알고 있었다. 마터스 때문이 아니라 자무엘을 의식한 것이었다. 이걸 아는 사람은 브래디뿐이었다.

"어이, 브래디?"

한스 화이트가 스테이크 살점을 질겅질겅 씹으며 이쪽으로 오고 있었다. "망할……." 브래디가 혼잣말을 하며 한스 화이트 쪽은 쳐다보지도 않았다. 권수진 감독이 키득키득 웃었다.

"사람이 부르는데 쳐다보지도 않고 그래, 브래디."

"한잔할래요?" 샴페인 잔을 들어 보이며 브래디가 물었다.

"아니, 좀 있다 갈 거야. 오늘이 미란다 생일이거든. 한 잔 갖다 드릴까요?" 권수진 감독을 보며 한스 화이트가 물었다.

"아뇨, 전 이걸로 됐어요." 권수진 감독이 거절하자 한스 화이트가 어깨를 으쓱했다. 잠시 침묵이 흘렀고 그걸 깨려는 듯 한스 화이트가 물었다.

"아직도 그렇게 생각하세요?"

"뭘 말이죠?" 권수진이 무슨 뜻이냐는 듯 한스 화이트를 봤다. 브래디도 한스 화이트를 쳐다봤다.

"엔느요."

그 말에 권수진 감독이 기가 차다는 표정을 지었다. 옆에서 브래디가 이맛살을 찌푸렸다. 지금껏 그걸 문제 삼는 사람은 한스 화이트뿐이었다.

한국에서 할리우드로 오고 첫 촬영을 하던 날이었다. 다들 긴장했지만 권수진 감독은 여유가 있었다. 현장과 시나리오를 장악한 사람만이 할 수 있는 태도였다.

"액션……!"

권수진 감독이었다. 낮은 목소리지만 단호했다. 한스 화이트는 옆에서 모니터를 보고 있었다. 엔느의 오뚝한 코와 동그란 이마, 건강한 피부가 눈에 들어왔다. 엔느는 벨기에에서 온 베트남 출신 아이였다. 열아홉, 누가 봐도 십 대 중반 아이였다. 엔느의 상대역 존 윤은 한국계였다. 할리우드에서 조연과 단역으로 활동한 게 사십 년이 넘는 육십 줄의 배우였다. 존 윤은 리우진시와 외모마저 흡사했다. 한창 촬영 중일 때였다. 존 윤의 손이 분주해졌다. 목소리가 들렸다. "커엇……!" 다들 그쪽으로 고개를 돌렸다. 한스 화이트였다. 그걸 본 스태프들이 모두 황당하다는 표정을 짓고 있었다. UFO라도 목격한 것처럼. 한스 화이트가 엔느 쪽으로 가고 있었다. 그가 뭐라고 하자 엔느가 웃었다. 이어 존 윤에게 뭐라고 말을 걸었고 그가 굳은 표정으로 한스 화이트를 쳐다봤다. 카메라 렌즈를 통해 전달된 모니터에는 엔느의 얼굴이 클로즈업돼 있었다. 자리로 돌아온 한스 화이트가 말했다.

"이거 한 번 더 갑시다."

"뭐죠?" 권수진 감독이 물었다.

"우려했던 게 현실이 됐잖습니까. 아메리카 인디언으로 하자고 처음부터 그랬잖아요. 이게 뭡니까. 인도차이나 쪽하고 아메리카 인디언은 때깔이 다르다니까요." 인종 차별을 하는 듯한 한스 화이트의 발언은 이번이 처음이 아니었다.

"적당히 하슈, 제이콥 쉬프 씨!" 브래디가 불같이 화를 냈다. 촬영장이 순간 조용해졌다. 사람들이 브래디를 쳐다봤다. 브래디가 한스 화이트를 제이콥 쉬프라고 불렀기 때문이었다. 무슨 일인지 브래디가 부르르 몸을 떨었다.

"됐어요, 브래디. 그만 일이나 하죠." 권수진 감독이 브래디의 어깨를 다독였다.

사람들이 거의 다 온 듯했다. 얘기도 한창 무르익은 듯 파티장이 북적였다. 다들 영화 얘기를 하고 있었다. 이번 영화에 대한 기대가 컸고, 그 때문에 분위기가 좋았다.

"수고 많았어요, 한스 화이트 씨."

권수진 감독이 샴페인 한 모금을 마시며 말했다. 다 끝난 마당에 얼굴을 붉히고 싶지 않았다.

"천만에요. 당신의 재능을 볼 수 있어 좋았습니다." 한스 화이트가 말했다.

"고마워요, 그렇게 봐주시니." 권수진 감독이었다. 그녀가 브래디를 보며 물었다. "기분은 좀 어때요?" 의도적이었다. 적당히 손뼉을 쳐주고 사라지게 하는 게 좋겠다는 듯. 그 의도를 안 브래디가 굿굿,하며 연신 어깨를 으쓱거렸다.

“좋은 밤이오, 권 감독.” 밥 밀러였다. 투자사인 플랫폼 회사의 총괄 책임자였고 파티는 그가 마련한 것이었다. 한스 화이트는 회사 사람들에겐 별말을 하지 못했다.

“그러게요, 날아갈 것 같네요.” 권수진 감독이 말했다.

“캐스팅은 정말 끝내줬소, 브래디 씨.” 밥 밀러가 브래디의 어깨에 팔을 얹으며 말했다.

“솔직히 좀 아쉽지 않았어요, 밀러 씨?” 한스 화이트였다.

“아쉽지 않은 일이 어디 있어요. 최선을 다하는 거뿐이지. 안 그래요?” 그 말에 한스 화이트가 더듬거리듯 말했다. “말하자면, 뭐 이런 거요. 내 시나리오를 담지 못한 것 같고, 이러면 작품의 완성도에 문제가 생기지 않을까, 이런 염려 말이오.”

“뭔 소립니까, 여태 다 같이 고생해 놓고.” 밥 밀러였다. 저쪽에서 브래디가 대놓고 침을 뱉었다. 그가 말했다.

“이보세요, 한스 화이트 씨. 시나리오에서 그처럼 관념적인 단어를 구사하는 게 뭐 좋은 건 아니지 않소, 안 그래요?”

한스 화이트가 웃었다. “나 참. 브래디. 분명히 말하지만 난 꿈과 영혼을 교차시키기 위해 노력했다니까. 시나리오의 잔혹성은 영혼을 소유하게 된 인간의 대가였다 이 얘기요. 누구도 대가 없이 영혼을 볼 수는 없는 거니까. 브래디 당신이 관념이라고 말한 그 말에는 그 뜻이 담겨 있다 이 얘기요. 그런데 그 의미가 다 빠졌잖소.”

“그만하죠.” 권수진 감독이었다.

“내 말 더 들어보라고, 브래디. 난 영혼을 믿어. 이게 뭐 잘못됐소?” 한스 화이트가 따지듯 말했다.

“잘난 척 좀 그만합시다. 역겨우니까.” 브래디가 노골적으로 화를 냈다. 잠시 틈이 생겼고 브래디가 한스 화이트 옆으로 가더니 귀에 대고 속삭였다. “이봐요, 한스. 좀 조심하는 게 어때. 뭐 돈 때문에 한 걸 가지고 그렇게 빼겨. 알 만한 사람끼리.”

권수진 감독과 밥 밀러가 무슨 말인가 싶어 둘을 번갈아 봤다. 둘이 어깨를 으쓱하곤 잔을 부딪쳤다.

“뻑 유, 뻑 유!”

갑자기 한스 화이트가 버럭버럭 소리를 질렀다. 턱 밑의 기다란 수염이 흔들렸다. 살집이 가득한 뱃살이 출렁였고, 화풀이라도 하듯 러시아산 코냑 두 잔을 연거푸 입에다 털어 넣었다. 한스 화이트의 고함에 사람들이 이쪽을 보고 있었다. 코냑을 마시고 난 한스 화이트가 머리를 쥐어뜯으며 씩씩댔다.

"갑니다." 목소리에 잔뜩 골이 나 있었다.

"아쉽네요, 한스. 이제 막 시작인데." 권수진 감독이었다. 한스 화이트가 풀장을 지나 건물 안쪽으로 향하자 브래디가 웃으며 손을 흔들었다.

"잘 가요, 한스. 그런데 음주 운전 아니야, 저 친구?"

한스 화이트가 뒤를 향해 손을 저어 보였다. 브래디가 혼잣말을 했다. "한심한 새끼." 그때였다. 걸음을 멈춘 한스 화이트가 돌아서더니 말했다. 사람들이 다 듣고 있었고 목소리가 꽤 컸다.

"이봐, 브래디. 니 아빠 백인 꼬맹이들이 장난으로 쏜 총에 맞은 거라면서."

순간 브래디의 눈이 확 돌았다. 그와 동시였다. 튕기듯 브래디의 몸이 한스 화이트 쪽으로 향했고 또 그와 동시에 권수진 감독의 양팔이 브래디의 허리를 감았다.

"참아요, 브래디."

권수진 감독이었다. 브래디의 눈꺼풀이 떨렸다. 그러쥔 주먹 안에 순간 땀이 고였고 이를 가는 소리가 들렸다. "저런 인간 다시 볼 일 없어, 브래디. 괜히 깽값 물지 말고." 권수진 감독의 손이 브래디의 등을 도닥였다.

후우, 후우 후우우우-. 브래디가 거친 숨을 토했다. 호흡이 잘 진정되지 않는 모양이었다. 그리곤 그가 울었다. 살자고 온 미국 땅이었는데, 브래디는 받아들이기 힘들었다. 인디언 영화를 너무 많이 본 백인 아이들의 장난이었다니! 정말이지 이 나라의 인종 차별은 저주받아 마땅했다.

단양에서였다. 권수진 감독과 셋이 강으로 놀러 간 적이 있었다. 남한강이라고도 하고 단양강이라고도 했다. 강에는 유람선이 있었다. 장회나루였다. 사진을 찍고 식당에서 도토리묵 무침과 파전을 안주로 동동주를 마셨다. 그나마 그때는 유대감이라는 게 좀 남아 있을 때였다. 괜히 술김에 개인사를 털어놓은 게 실수였다. 아버지 얘기를 들은 권수진 감독이 브래디의 손을 잡으며 위로했고, 한스 화이트는 안된 일이지만 그 정도는 종종 있는 일이며 동양인과 인디언을 혼동하는 건 사실 백인에게는 자연스러운 일이라고 했다. 게다가 십 대 아이들이라면 그럴 확률이 더 높을 것이라고. 유색인종만 골라 총 쏘는 연습을 했다면 믿기 힘들지만 아마 서부 영화를 많이 본 아이들일 가능성이 크다고. 안주 대신 스니커즈를 씹으며 한스 화이트가 물었다.

"이봐, 브래디. 총알이 매그넘이래, 스페셜이래?"

†

할리우드 하이웨이를 지나는데 차가 막혔다. 사고가 난 모양이었다. 누군가 수신호를 했고, 교통경찰관은 보이지 않았다. 급정거 때문에 케이크가 하마터면 바닥으로 떨어질 뻔했다.

미란다의 생일 선물과 로미오의 선물은 뒷자리에 있었다. 미란다의 생일 선물로 가방을 샀다. 미란다는 정장을 좋아했고 펜디 게 어울릴 터였다. 로미오에게 줄 옷을 살 때는 애견 전문 의류 쇼핑몰 '바니인 할리우드'까지 가야 했다. 로미오는 아이리시 세터에 속하는 애교가 많은 개량종이었는데, 미란다는 로미오라면 죽고 못 살았다. 이럴 때는 데이브 생각이 났다. 로미오의 절반만이라도 데이브의 생일을 챙겼더라면. 어쨌거나 미란다는 로미오 옷을 보면 감격할 것이었다. 생일이 아니어도 선물은 전략적으로 필요했다. 효과는 좋았다. 하지만 데이브가 좀 모자란다는 걸 알게 되면 갈등은 다시 시작될 수도 있었다. 그때는 좀 대차게 나갈 생각이었다.

하이웨이 토끼굴을 빠져나오자 언덕이 보였다. 가로등이 서너 군데 꺼져 있었고 오래된 것 같은데 여태 그대로였다. 언덕을 올라 산자락을 끼고 돌면 저수지로 들어가는 초입이었다. 저수지 길은 멀홀랜드 하이웨이로 이어졌다. 집은 할리우드 저수지 근처였다. 미란다는 호수를 좋아했다. 세가 좀 비싸기는 했지만 마음에 들어 했고 세 부담은 지금처럼 일하면 별문제가 될 것 같지 않았다. 이번 영화가 성공해 준다면 계획은 더 순조로울 터였다.

저수지 초입을 지나고 있었다. 할리우드에서 집으로 가는 길은 곳곳에 경사가 있었다. 꽤 굽은 길이었고 폭도 넓지 않았다. 최근에는 공사용 차량이 자주 다닌 탓에 꽤 신경을 써야 했다. 밤에 트럭이 움직이는 경우는 거의 없었는데 웬일인지 요즘에는 밤에도 트럭들이 보였다. 프랭클린 애비뉴를 지나 홀리 드라이브로 접어들었을 때였다. 핸드폰 벨 소리가 울렸다. 보나 마나 또 미란다일 거였다.

“하이, 미란다 양.” 한스 화이트는 일부러 목소리를 밝게 했다.

“어디예요, 당신?”

“거의 다 왔어, 미란다.”

“길 안 막혀요?”

“괜찮은데 왜?”

“큰 트럭들이 뻔질나게 다니는 거 같아서요.”

“요즘 공사가 많잖아. 홀리 드라이브니까 곧 도착할 거야.”

홀리 드라이브에서 런연 캐니언 상공이 보였다. 그쪽은 아직 노을이 남아 있었다. 트럭이 호수 길로 들어서고 있었다. 속도를 줄이면 낮에는 여기서도 집이 보였다. 안개가 없는 날에는 가끔 저 멀리 거실 창으로 스탠드 불빛이 새어 나오는 게 보였다. 가끔 그림자가 창에 비쳤는데 미란다였다.

한스 화이트는 한 손으로 핸드폰을 눌렀다. 여러 번 신호가 가고서야 목소리가 들렸다.

“아빠.” 데이브였다.

“하이, 데이브.” 데이브와 통화는 일주일만이었다.

“뭐하고 지냈어, 데이브?”

“무척 바빴어, 아빠. 손님이 꽤 됐거든. 근데 아리아나가 자꾸 삥을 뜯어.” 데이브의 목소리가 들떠 있었다.

“따끔하게 한 소리 해줘. 정신 차리게.”

“알았어, 아빠. 당장 그럴게.”

“아빤 니가 자랑스러워.”

“나도 아빠가 자랑스러워. 그런데 아빠, 사람들이 왔었어. 똥짤막한 땅딸이하고 선글라스를 쓴 콧수염인데 아빠를 찾았어.”

“언제?”

“글쎄…….”

“글쎄라니, 데이브. 잘 기억해 봐.”

"아마, 꽤 된 거 같은데. 맞아, 꽤 됐어."

"누구라고 하던, 데이브?"

"몰라, 그냥 아빨 막 찾다가 모른다니까 갔어."

"그랬군, 아무튼 다음 주엔 아빠가 데이브한테 갈 거야."

"정말?"

"그럼."

핸드폰을 끊고 나자 대시보드에 붙여 놓은 노을 사진이 눈에 들어왔다. 데이브가 보내준 사진이었다. 데이브는 종종 메시지에다 사진을 첨부했다. 아이패드로 찍은 거라고 했다. 선물 받은 것이라는데, 누가 준 거냐고 묻자 대답하지 않았다.

사진에는 마이애미의 일출이 담겨 있었다. 줄리아 모텔 지붕 뒤로 붉은 태양이 둥둥 떠 있는 풍경이었다. 셀카를 찍어 일출 사진에 자기 사진을 합성한 것도 있었다. 이탤릭체로 귀여운 말도 적었다. 제법 솜씨가 좋아 컬러 프린트를 해 팬시점에서 코팅을 했다. 그런데 똥짤막한 땅딸이라니, 콧수염은 또 뭐고. 한스 화이트는 고개를 갸웃했다. 아는 사람들 같지가 않았다. 얼마 전 메시지에서도 데이브는 그 얘기를 했었다. 그때도 오래전 일이라고 했는데, 그게 문제였다. 데이브는 시간관념이 부족했다. 오래된 일인지 최근의 일인지 잘 구분하지 않았다. 잊고 있다가 문득 생각나면 얘기하는 것 같았다. 그래도 시간이 꽤 지난 일 같은데 데이브가 그걸 기억하고 있다는 게 기특했다.

트럭이 굽은 길을 지나 내리막을 달리고 있었다.

†

호수에는 명함이 둥둥 떠 있었다. 명함과 종이 쪼가리 같은 것들이 섞여 있었는데 불에 타다 만 흔적이 그대로였다.

존은 깨진 앞 유리에 붙은 명함을 떼어 냈다. 짙은 선글라스를 받친 그의 콧날이 유난히 오뚝했다. 선글라스를 손가락으로 치켜올리곤 명함을 봤다.

파라다이스 픽처스, 연출 감독 겸 시나리오 작가. 한스 화이트. 할리우드에서는 흔한 명함이었다.

트럭 뒤의 절반은 호수에 잠겨 있었다. 운전석의 사람은 남자였다. 얼굴과 몸이 불에 타 알아보기 힘들었다. 덩치가 꽤 있었고 살집이 터져 붉은 속살이 보였다. 트럭은 앞부분이 물에 잠겼다가 한 번 뒤집힌 것 같았는데 상황이 좀 복잡해 보였다. 단순히 물에 담겼다 뒤집힌 게 아니라 아예 방향을 바꿔 거꾸로 박혀 있었기 때문이었다. 어쩌다 저런 모양이 됐는지 몰라도 존은 수사가 필요할 수도 있겠다는 생각을 했다. LA에서 이런 식의 교통사고는 자주 있는 게 아니었고 대개는 단순 교통사고에 불과한 경우가 많았다. 가끔 범죄와 관련이 있을 때도 있었지만 흔하지 않았다. 대마초를 피우곤 남의 차를 훔쳐 몰다가 사고를 내는 경우도 있었는데, 그런 사고 중에는 청소년들이 저지른 것들이 있었다.

존은 차량번호를 조회했다. 차주는 제이콥 쉬프, 이름이 명함과 달랐다. 다시 차량번호를 확인했다. 번호는 정확했다. 좀 이상하다는 생각에 존은 다시 차 안을 살폈다. 다른 뭔가 있을까 해서였다. 대시보드에 사진이 붙어 있었다. 코팅을 해 물 한 방울 들어가지 않은 사진이었다. 얼마나 단단히 붙였는지 물을 머금었을 텐데 꿈쩍도 하지 않았다. 사고와 관련해 챙겨야 할 중요한 물건 같지는 않았다. 노을을 담은 풍경 사진에는 글씨가 있었다. 나 데이브야, 아빠. 난 매일 아빠를 기다려.

"아들이 있군……."

존이 중얼거렸다. 물이 찬 동승자석에는 백팩이 있었다. 중국산 싸구려 물건이었다. 백팩을 열자 스테인리스 상자가 나왔다. 안에 상자 하나가 더 있었고 스토리지가 들어 있었다. 아마 영화와 관련한 이런저런 자료들이 저장돼 있겠지. 시나리오나 배우들의 연락처 같은 것들. 물이 들어가 쓸 수 있을지 모르겠지만 나중에 조사팀이 오면 챙기게 제자리에 놔둬야 했다. 존은 스토리지를 백팩에 넣으려다 순간 멈추었다.

"개자식들……!"

자기도 모르게 욕이 나왔다. 셔터 소리 때문이었다. 늘 봐야 하는 기자 인간들이었고, 몇몇은 아는 기자들이었다. 인터넷 신문과 일간지, 주간지, 케이블 티브이와 파파라치까지. 다들 개하고 사촌이라도 되는지 잘도 냄새를 맡고 달려왔다.

"이봐 존, 사건이야 사고야?" 콘이라는 별명의 인터넷 신문사 기자였다.

존이 아니라는 손짓을 하곤 스토리지를 백팩에 넣었다. 순간이었다. 스토리지가 백팩이 아니라 저수지 물속으로 풍덩 빠지고 말았다. 아차 싶어 손을 뻗어 물속을 헤집었는데 생각보다 깊었다. 물속은 급경사였다. 발을 조금 앞으로 내딛자 금방 가슴까지 빠졌다. 포기하는 게 좋았다. 조사팀에서 트럭과 시신을 수습하며 물속을 조사할지 몰랐다.

"똥파리 같은 자식들……!" 존이 웃는 얼굴로 기자들을 향해 손을 흔들었다.

기사는 보도 자료를 그대로 베낀 듯했다. 언론사끼리 토씨까지 같은 데가 있었다. 어제 존이 본 그 사고였다. 기사 중앙에는 트럭 앞이 저수지에 잠겨 있는 사진이 실려 있었다. 그런데 이상했다. 트럭 앞이 아니라 뒤가 물에 잠겨 있어야 하지 않을까. 존이 본 트럭의 방향이 그쪽이었다. 이상한 것은 또 있었다. 같은 사고가 분명한데 사망자 이름이 어제 확인한 것과 달랐다. 차량등록증에는 제이콥 쉬프라는 이름이 적혀 있었다. 그런데 그 이름이 아니었고 명함에 적혀 있던 한스 화이트도 아니었다. 기사와 사진 설명에는 모두 '딕 코헨'이라는 이름이 적혀 있었고 직업이 전직 배우로 나와 있었다.

경찰은 트럭이 멀홀랜드 드라이브 쪽으로 가는 중이었다고 했다. 사고 지점은 몬트레이크 드라이브 초입, 사고를 당한 사람은 딕 코헨이란 사람이다. 운전 부주의였다. 경찰은 그의 혈액에서 강한 알콜 성분이 검출됐다며 음주 운전을 사고 원인으로 지목했다. 고갯길에서 가드레일을 들이받고 추락한 포드 트럭은 그 충격으로 불이 났고 머리가 부서진 딕 코헨은 얼굴을 알아보지 못할 정도로 그을려 있었다. 딕 코헨의 시신을 발견한 사람은 근처에서 선인장밭을 운영하는 리차드 펜 2세라는 술주정뱅이 남자였다.

기사에는 딕 코헨이 포르노 배우 출신이라는 내용이 적혀 있었다. 그리 알려진 사람이 아니었고, 그걸 그만둔 뒤 시나리오 작가로 변신했는데 포르노 배우 출신으로는 드문 성공 사례라고 했다.

"시나리오 작가가 맞긴 하군." 존이 중얼거렸다.

사고 트럭 사진 옆에는 얼굴이 있었다. 딕 코헨, 그의 얼굴이었다. 현장에서 본 그의 얼굴은 몸까지 까맣게 타 버려 이 사진이 그의 얼굴인지 아닌지 존은 알 수 없었다.

존은 기사를 좀 자세히 읽었다. 기사에는 딕 코헨뿐 아니라 그의 아내라는 사람 얘기도 있었다. 여배우 출신이라는데 이름이 제니 왓슨이었다. 들어본 듯 아닌 듯 했다. 기사에는 그녀가 환경 운동에 열심이었고, 스릴러 영화 〈34계단의 귀환〉에 출연해 갑작스레 인기를 얻은 배우라고 적혀 있었다. 제니 왓슨은 슬로우 패션을 옹호하고 중저가의 농구화를 즐기는 적극적인 환경 운동가였다. 중국식 인민복을 즐긴다는 그녀는 이미 두 해 전에 죽은 사람이었다. 헤로인 과다 투약이 원인이었고 즉사였다. 솔턴 호수 근처 조슈아 트리 국립공원에 있는 자신의 트레일러에서라고 했다. 그런데 왜 그때 죽은 아내 사진을 여기다 걸어 놓았는지, 존은 알 수 없었다.

성묘

정오가 되자 눈이 그쳤다. 내일은 동해안과 충청 이남 지방을 제외하곤 눈이 그칠 거라고 했다. 동해안은 오늘도 폭설이었다.

지배인은 서둘렀다. 2시간 40분 거리, 눈이 녹지 않은 구간이 있었고 그 때문에 시간이 더 걸릴지 몰랐다. 브레이크를 밟아 속도를 좀 줄였다.

"제기랄, 뿌리라니……." 지배인이 중얼거렸다.

어제는 김숙녀의 제사였다. 사실 딱히 제사를 지내 본 적이 없었다. 명절 때도 그랬다. 상을 차려 놓고 혼자 제사를 지낸다는 게 낯설고 어색했다. 차라리 산소를 찾아 절을 하든 묵념을 하든 그게 더 편했다. 그 때문에 김숙녀의 기일에는 강원도에 있는 산소를 찾아 절을 했다. 지배인 방식의 제사였다. 그렇다고 자주 산소를 찾지는 않았다. 지금까지 두어 번, 작년에는 데이행사 때문에 갈 엄두를 내지 못했다. 그런데 뿌리라니……, 지배인은 다시 가속을 하며 입안에 고인 침을 휴지에 뱉었다.

차창으로 찬바람이 들어왔다. 바람을 쐬자 기분이 좀 나아졌다. 그런데 왜 또 사람 속을 긁는지. 호텔이 새 분기점을 맞고 있다는 거야 지배인도 모르지 않았다. 그게 사실인지 아닌지는 관심이 없었다. 특별행사 때문에 뜻하지 않은 우환도 따랐으니까. 최치영은 자연스러운 현상이니 크게 걱정할 일이 아니라고 했다. 예전에도 그런 때가 있었다고. 그러며 강대식 얘기를 했다. 예전 강대식 때처럼 위기일 수도 또 전환기일 수도 있다고. 지금이 그렇다고. 다음 데이행사에 대한 복안 때문이라는 건 알겠는데 같은 말을 되풀이하자 지배인은 짜증이 났다.

최치영하고는 자꾸 의견이 갈렸다. 재탕 얘기가 나오면서 더 그랬다. 최치영의 오해 정도로 이해하려고 했지만 꼭 그렇게만 볼 일 같지가 않았다. 특별행사의 후유증은 복합적인 데가 있었다. 투숙객들은 벌써부터 다음 행사를 기대하느라 들떠 있었다. 걱정이 될 정도였다. 지나친 성공이 부른 참사라고 해야 할까. 호텔에 대한 애정 때문이라는 것은 알지만 다들 어딘가 성급해 보였다. 최치영은 더 한 듯했다. 툭하면 옛날얘기를 꺼내는 것도 그렇고 별것 아닌 일로 까탈스럽게 굴었다.

최치영이 강대식하고 함께 한 지난 세월을 부정할 생각은 없었다. 하지만 그때를 자꾸 강조하자 무슨 의도가 있는 게 아닐까 싶었다. 요즘 들어 그게 심해지자 지배인은 최치영이 불편해지기 시작했다. 그도 그걸 아는 듯했다.

"가난과 희망이 공존하던 시절이었네. 시쳇말로 까라면 깠지. 다들 잘 해냈고."

최치영은 그게 그랑호텔을 만든 비결이라고 했다. 처음 듣는 얘기도 있었다.

"이제 말이네만, 강대식은 자네를 후계로 생각한 적이 없어. 어떡하든 강창섭을 살려 호텔을 맡길 생각이었지." 놀라지 않았다. 알고 있는 얘기였으니까. "하지만 그게 어디 사람 힘으로 될 일인가. 강창섭은 가망이 없었거든. 그런데도 강대식은 거기에 매달렸어. 그대로 뒀다가는 호텔의 미래를 장담할 수가 없었지. 시간은 기다려 주지 않는 법이거든. 그래서 내가 나섰고 그 대안이 자네였지."

다행히 김철민은 자질이 있었다. 리더 자질도 보였고 그걸 안 강대식은 최치영의 조언을 거절하지 않았다. 물론 지금의 김철민은 그때와는 다른 사람이었다. 뉴욕대 시절의 제임스 김도, 더는 강대식의 하녀 김숙녀의 아들 김철민이 아니었다. 강대식의 양자, 그랑호텔의 지배인 김철민이자 제임스 김, 그리고 결코 강철민이 될 수 없는 그 자신일 뿐이었다. 어쨌든 지금의 자신을 있게 해준 사람이 최치영이라는 사실, 그걸 잊은 적은 없었다. 그즈음 그가 한 이 말 역시 지배인은 잊지 못했다.

"강대식 어른이 그러더군. 뿌리가 튼튼해야 흔들리지 않는다고."

"무슨, 말씀이신지요……?" 지배인이 물었다.

"살다 보면 사방이 적이야. 누군가 나를 쥐고 흔들 땐 다 이유가 있지. 그땐 정말 뿌리가 필요해. 그래야 남이 돕더라도 도와. 무슨 뜻인지 알게 될 걸세."

어제도 최치영은 그 말을 했다. 지배인의 머릿속은 온통 그 생각으로 가득 차 있었다. 젠장 그래서 뭘 어쩌라는 것인지. 뿌리라……, 최치영은 왜 또 그 얘기를 하는 것일까?

국도 중간에 신도시로 이어지는 고가도로가 나왔다. 그곳을 벗어나자 지방도가 이어졌다. 지방도에는 눈이 그대로였다. 다시 국도가 나왔고 그 길은 좀 나았다. 차영한은 눈이 많을 거라며 같이 가겠다고 했다. 지배인은 거절했다. 번거로웠고, 어머니 김숙녀한테 갈 때 누구와 같이 가 본 적이 없었다. 김숙녀를 만날 때는 오롯이 김숙녀와 둘만의 시간이기를 바랐다. 김숙녀 역시 김철민 외에 누구와 같이 지내본 적이 없는 사람이었다. 김숙녀는 눈을 감을 때도 혼자였다. 그게 마음에 걸렸고 이제는 끝내고 싶었다. 화장해 납골당으로 옮길까 생각했지만 딱히 그럴 이유가 없었다. 김숙녀의 몸이 머물던 곳, 그곳에 김숙녀를 놔두는 것, 그게 김숙녀가 바라는 것이며 김숙녀에게는 더 편할 수도 있었다.

동네 사람에게 연락을 했다. 허 노인이었다. 김숙녀의 산소를 찾아준 사람이 그였다. 지배인이 묘지 얘기를 하자 그가 물었다.

"파묘를 하겠다는 겐가?"

"네, 어르신."

"이장이오, 화장이오?"

"어떤 게 좋겠습니까?"

"누가 요즘 묘를 써."

"저도 그렇습니다."

"갈 데는 있소?"

"아닙니다. 근처에 뿌리는 게 어떨까 싶습니다."

"잘 생각했소. 사람이란 게 살다 가면 그걸로 끝이지. 핏줄 아니면 누구 하나 맡아 줄 사람도 없고."

허 노인은 작은 여자의 몸인 데다 세월이 하도 지나 화장은 잠깐이면 될 거라고 했다. 눈 때문에 습기가 있어 차이는 있겠지만 얼추 두 시간이면 넉넉하게 일을 마무리할 수 있을 것이라고. 사례는 충분히 하겠다고 하자 신경 쓰지 말라며 사람은 알아서 맞춰 놓겠다고 했다.

차창으로 보이는 산과 들이 온통 눈이었다. 흰 무명 치마를 펼친 듯 산자락을 따라 눈밭이 이어져 있었다. 고갯길이었다. 거길 넘자 다시 고개가 나왔고 다시 산이었다. 그곳부터는 지방도였다. 도로 양옆으로 산이 무슨 성처럼 늘어서 있었다. 곳곳이 눈이었고, 쌓인 눈이 또 다른 모양의 산을 만들었다. 응달이든 양지든. 고개를 넘자 또 고개가 나왔다. 지배인은 낯이 익었다. 저쪽 산자락 어디 같았다. 김숙녀와 같이 오른 적이 있었다. 봄이었고, 김숙녀에게는 모처럼 한가한 날이었다. 그런데 좀 헷갈렸다. 봄나물을 뜯으러 간 곳이 저쪽 산비탈인지 아니면 그 건너인지.

김숙녀는 장돌뱅이였다. 면 단위의 장날에 맞춰 물건을 팔러 다녔고 장이 쉴 땐 이웃 군 소재지로 원정을 갔다. 장사가 잘 안되거나 장이 서지 않는 날은 품팔이를 했다. 농사일이 많은 봄부터 가을까지는 품팔이가 더 돈벌이가 됐다. 겨울에는 읍과 면 소재지 장마당을 돌았고, 하루도 쉬지 않고 일을 해야 먹고 살 수 있었다. 어릴 때는 김숙녀를 따라 장마당을 다녔다. 김숙녀는 머리띠와 머리핀, 모조 진주 목걸이와 반지, 팔지 같은 액세서리, 목도리와 스카프, 때수건 같은 것들을 팔았다. 방물장수처럼. 점심때가 되면 김숙녀가 준 돈을 쥐고 중국집으로 갔다. 김숙녀는 자리를 비울 수 없다며 집에서 가져온 주먹밥을 나물 따위와 섞어 먹었다. 그 뒤로는 짜장면을 먹지 않았다. 그때의 맛을 느낄 수가 없었다. 중학교 때부터는 장마당에 가지 않았다. 김숙녀가 모은 돈으로 젖을 짜는 염소와 닭을 키웠고 얼마 지나자 소를 사 키울 수 있었다. 가축을 돌보는 일만으로도 바빴다. 여름에는 꼴을 베고 가을이면 이웃을 돌며 일을 해주고 볏단을 구해 소여물로 가져왔다. 추운 겨울, 새벽에 일어나 여물을 쑤는 일은 귀찮고 힘들었다. 눈 덮인 산비탈에서 섶나무를 베 단으로 묶어 굴린 뒤 지게에 지고 내려오는 일은 위태롭기도 했다. 그러다 멧돼지를 만나 줄행랑을 치다 넘어져 나무 그루터기에 찢긴 허벅지를 수건으로 동여맨 적도 있었다. 그 흉터가 지금도 있었다. 김숙녀와 같이 품팔이를 하기도 했다. 어엿한 소년 가장이었고 김숙녀 못지않게 돈을 쥘 때도 있었다. 그 재미에 고되기보다 즐거웠다. 돈이 모이는 걸 눈으로 확인하는 것이 얼마나 놀라운 일인지 그때 알았다. 물론 세상의 거의 모든 일이 돈으로 가능하다는 것도 어렴풋이 알았다. 그즈음 김숙녀는 몸이 약해 자주 앓아누웠다. 그때그때 병원에 가지도 못했다. 지배인은 조금만 더 일을 하면 김숙녀가 벌지 않아도 먹고 살 수 있겠다는 생각에 더욱 힘을 냈다.

고갯길을 오르고 있을 때였다. 핸드폰 벨이 울렸다. 비서실의 이한별이었다.

"미국인한테 전화가 왔습니다, 지배인님."

"누군데?"

"지난번에 전화한 사람 같은데, 지배인님을 바꿔 달라는 소리 같았습니다."

"그게 다야?"

"누가 죽었다는 말을 했습니다."

"누가 죽어?"

"제이콥이라는 이름이었습니다."

얼마 전이었다. 브래디가 소식을 전해 왔다. 제이콥이 죽었다는 문구와 함께 그가 링크를 보내왔다. 링크를 따라가자 기사가 나왔다. 얼굴 사진이 있었다. 제이콥이었다. 그런데 이름이 달랐다. 딕 코헨. 저수지에 박힌 트럭은 제이콥, 아니 딕 코헨 소유라고 되어 있었다. 아내는 제니 왓슨, 제이콥의 아내는 스칼렛이었다. 제니 왓슨이라니, 처음 보는 얼굴이었고 이름이었다. 제이콥이 포르노 배우 출신이라는 것도 말이 되지 않았다. 뭐가 뭔지 알 수 없었다. 제이콥이 죽었다는 것인지, 딕 코헨이란 사람이 죽었다는 것인지. 하지만 기사의 사진은 누가 보더라도 뉴욕대 동기 제이콥 쉬프의 얼굴이었다. 혹시 싶어 마이애미 줄리아 모텔로 전화를 했는데 받지 않았다. 데이브의 핸드폰도 마찬가지였다. 브래디에게 이메일을 했다. 읽지 않았고 답도 없었다. 제이콥의 죽음이 교통사고 때문이라는데, 믿어야 하는지 어떤지 알 수 없었다. 제이콥이 한국에 왔을 때 생각이 났다. 사업 때문이라지만 지배인이 보기에 그때 제이콥이 구상한 체인점인지 뭔지는 전혀 사업성이 없었다.

김숙녀의 산소는 소나무가 빼곡한 산속에 있었다. 혼자 사는 김숙녀를 장사 지내고 봉분까지 만들어 준 사람이 허 노인이었다. 생각할수록 고마운 사람이었다. 하지만 막상 상주인 지배인은 그때 김숙녀의 죽음을 몰랐다. 한국에 있을 때였고 한창 유학을 준비하고 있을 때였다. 강대식은 그에게 김숙녀의 죽음을 알리지 않았다. 지배인은 김숙녀의 죽음을 뉴욕에 가서야 알았다. 기가 막혔다. 나중에 한국으로 돌아온 지배인이 힘들게 입을 열었다.

"왜 그때 말하지 않으셨습니까?"

"뭘 말이냐?" 강대식이 등이 배기는지 몸을 뒤틀었다.

"김숙녀요. 어머니 장사는 제가 치렀어야 하지 않았나 해서요. 절 낳아 주신 분 아닙니까."

강대식이 가래 끓는 소리를 내더니 냅다 소리를 질렀다. "다 니놈 잘 되라고 생각해 한 거야, 이놈아. 미국에 가 공부할 놈이 그 정도 일로 마음이 흔들리면 어쩌나 싶어 니놈 자리라도 잡고 나서 소식 전한 거고." 강대식이 의외로 거칠게 반응을 했다. "그런데 그걸 지금 나한테 따지는 거냐?" 따지자고 한 건 아니었다. 더군다나 강대식에게 말이다. 하지만 정말 궁금했었다.

"사내새끼 속이 간장 종지만 해 가지고, 쯧." 강대식이 혀를 찼다. 그런데 그 정도 일이라니, 생각해서 그런 거라고? 강대식이 언제부터 자기를 생각해 줬다는 것인지.

"돈 들여 먹여 주고 재워 주고 미국 같은 대국에 가 공부할 돈까지 줬는데, 네 놈이 나한테 할 소리가 아니지." 강대식이 쉽게 흥분을 놓지 못했다. 본능적으로 느낌이 왔다. 강창섭 생각이 났을 터였다.

"마음이 상하셨다면, 사과드리겠습니다. 제가 잘못했습니다." 그 후로 강대식 앞에서 어머니 얘기는 입 밖에 내지 않았다.

산소로 올라가는 길은 좁고 경사가 있었다. 예전엔 흙길이었는데 시멘트 포장이 돼 있었다. 바퀴의 절반이 눈에 빠졌다.

산자락에 차를 세워 놓고 소나무 숲으로 들어서자 길이 갈라졌다. 지배인은 걸음을 멈추었다. 눈 때문인지 기억이 아리송했는데 허 노인이 먼저 와 있다면 발자국이 있을 텐데 깨끗했다. 아마 다른 길로 간 모양이었다.

한국으로 돌아와 처음 김숙녀의 산소를 찾았을 때 길 안내를 한 사람이 허 노인이었다. 그가 낫으로 풀 따위를 걷어 내며 똑바로 걸었다. 아마 그때 그가 걸은 길이 가운데 길이었을 것이다. 지배인은 그쪽으로 걸었다. 얼마를 걷자 또 길이 갈렸다. 지배인은 망설이지 않았다. 기억이 맞는다면 오른쪽 길이었다. 경사가 있는 산 둔덕을 오르자 저 아래 사람이 보였다. 봉분도. 산소라고 하기엔 터무니없이 빈약한,

눈이 쌓이기는 했지만 봉분은 알아볼 수 있었다. 봉분이 남아 있다는 게 신기했다.

허 노인 외에 두 사람이 더 있었다. 허 노인이 데리고 온 일꾼들이었다. 지배인이 다가가자 허 노인이 인사를 했다. 땅을 헤치다 말고 남자 둘이 인사를 했다. 옆에는 새끼줄 타래 네 다발이 놓여 있었다. 봉분이 헤쳐져 있었고 웅덩이가 보였다. 얼마를 더 파자 유골이 나왔다. 관은 허물어져 형체가 없었다.

"묘를 잘 쓴 거여." 허 노인이 말했다. "관하고 살이 죄다 썩어지고 흔적이 없잖소. 땅이 좋은 거지. 봐, 뼈다귀가 뽀송뽀송허잖어."

뼈를 추린 뒤 한지에 가지런히 펼쳤다. 유골이 얼마 되지 않았다. 유골을 새끼 타래에 올려 불을 지피고 시간이 좀 지나자 누런 유골이 백색으로 변했다. 새끼 두 타래가 아직 남아 있었다.

일꾼들이 직접 분골을 하겠냐고 물었다. 그들이 내준 절구에 뼈를 넣고 공이질을 했다. 바스락 소리가 났다. 경쾌했다. 김숙녀의 몸이 긴 잠에서 깨어나 기지개를 켜는 소리였다. 지배인은 김숙녀의 몸을 처음 만지는 듯했다. 어렸을 때 김숙녀의 젖을 빨기는 했는지, 잘 기억이 나지 않았다. 아마도 일하러 다니기 바쁜 김숙녀는 젖 물릴 시간도 내지 못했을 터였다. 분골을 하고 나자 남자 둘이 더 잘게 빻아야 한다며 공이질을 했다. 거의 밀가루처럼 곱게 부수고서야 공이질을 멈췄다. 그들이 뼛가루를 뿌리라며 지배인에게 손짓을 했다. 유골을 한 움큼 쥐고는 주변에 뿌렸다. 손안이 따뜻했다. 김숙녀의 체온이었다. 아직 덜 빻아진 싸래기 같은 유골 알갱이가 누렇게 변한 갈참나무 이파리에 소리를 내며 떨어졌다. 벌써 했어야 할 일이었다. "어머니……." 지배인은 작게 김숙녀를 불렀다.

국도도 지방도도 거의 눈이 녹아 질퍽했다. 지배인은 가속 페달을 밟았다. 할 일을 하고 나자 마음이 급해졌다. 그날 할 일을 미룬 적은 없었다.

라디오를 켰다. 노래가 나왔다. 디제이 덕이라는 예전 그룹의 노래였다. 뉴욕에서 돌아왔을 때 가끔 들은 적이 있었다. 가사가 특이했다. 젓가락질 잘해야만 밥을 먹나요. 잘못해도 서툴러도 밥 잘 먹어요. 그러나 주위 사람 내가 밥 먹을 때 한마디씩 하죠. 너 밥상에 불만 있냐……. 노래를 듣고 있자 이 대리 생각이 났다. 망할 자식! 그래, 이과수 너 내 밥상에 불만 있었냐? 배신자 자식아. 속하고 겉이 완전 다르잖아. 뭔 불만이 그렇게 많아. 기다려, 이과수 대리. 널 찾아 줄 테니까. 염병할, 날 배신해……! 그저 시인 이청이라면 깜박 죽어 가지고. 가만있자, 이청 이 양반은 뭐지? 이청과 특별히 다툴 일은 없었다. 그는 지배인 자신과는 다른 세계의 사람이었고 이익을 나눌 상대도 아니었다. 호텔에 해가 되지 않는다면 관심을 가질 이유도 뭣도 없었다. 그런데 왜 이청 그 양반 생각이 나는 것일까. 이 대리 이 자식은 어디로 사라진 것일까? 확실한 것은 지금 한국에 없다는 것, 땅으로 꺼졌는지 하늘로 솟았는지 아는 사람도 없었다. 하정미도 연락이 닿지 않았다. 둘이 같이 갔을 것이라는 짐작밖엔. 그렇다고 아예 한국을 떠날 사람들은 아니었다. 이 대리 같은 부류는 외국 생활하기에 적당하지 않았다. 약속대로 하정미와 함께 퇴직금을 정산해 보냈다. 그 후 연락이 되지 않았다. 슬슬 부아가 치밀더니 화딱지가 나면서 욕이 튀어나왔다. 그러다가도 어느 순간 화가 풀렸다. 이 대리가 파일을 주지 않았다면, 그 뒷일은 생각하고 싶지 않았다. 이 대리는 지배인에게 주기도 하고 앗아 가기도 한 사람이었다. 최치영은 이 대리를 높이 평가했다. 호텔을 구한 사람이 이 대리라고, 임무를 다하지 않았느냐고. 이 대리만큼 책임감 있고 완벽하게 일을 해낸 사람이 어디 있느냐고. 하긴 이 대리 같은 사람을 옆에 두고 일하는 것은 흔한 기회가 아니었다. 성실하고 책임감 있는, 그렇지만 이 대리가 잘한 것은 아니지 않은가. 스스로 그 공을 무너뜨리다니. 마지막 통화 때였다. 이 대리 이 자식이 말했다.

"다신 그러지 마십시오."

"무슨 소리야, 이 대리?"

"이한별을 불러올렸던데 걔한테는 그러지 마시라고요. 힘 있는 사람이 누구 한 사람 인생을 망가뜨리는 거 쉽습니다."

"니가 뭘 안다고 그래, 임마. 누이 같아서 그런 거야. 그게 다라고."

"지배인님답지 않게 왜 이러십니까."

"야, 이 대리. 내가 하정미 인생을 망치기라도 했다는 거야?"

"하정미 씨가 거짓말을 했다는 겁니까?"

망할 자식, 그렇게 오해라고 말해 줬는데……, 더 말하지 않았다. 정말 누이 같아서 하정미를 안을 때도 있었다. 자신이 순수해지는 기분이었다. 그런데 한 사람의 인생을 망치다니, 이 자식이 말을 함부로 하고 있었다. 그리고 최치영, 그는 왜 이 대리 얘기만 나오면 예민해지는 것일까?

한 시간, 그 정도면 호텔에 도착할 수 있었다. 그러고 보니 차영한에게 연락한다는 걸 잊고 있었다. 아침에 통화를 하며 다시 전화를 준다고 했는데, 핸드폰 번호를 누르려는데 벨이 울렸다. 최치영이었다. 그와의 불편함도 그렇지만 그의 입에서 나온 뿌리,라는 말을 들은 뒤로는 자꾸 낯설게 느껴졌다. 하지만 어쩌겠는가, 원래 뿌리가 그런데. 지배인은 핸드폰을 받았다.

"일은 잘 마무리했는가, 제임스?" 최치영의 목소리가 건조했다.

"예, 잘 마쳤습니다, 선생님."

"유골은?"

"산에다 뿌렸습니다."

"잘했네, 조심해 올라오게."

핸드폰을 끊고 가속 페달을 밟으려는데 앞에 트럭이 있었다. 조금 전에는 보이지 않던 트럭이었다. 언제부터 달리고 있었는지 잘 기억나지 않았다. 어느 순간 갑자기 나타나 바위처럼 달리고 있다는 느낌이었다. 그런데 고작 그 말을 하자고 연락을 했다는 건가?

가속을 하려는데 앞의 트럭이 방해하는 듯했다. 망할, 지배인이 투덜거렸다. 무슨 말을 하려고 했던 것일까, 최치영은. 특별히 궁금한 게 있는 것 같지는 않던데. 앞 트럭의 속도가 너무 느렸다. 덩치 때문인가. 단양 채석장 근처에서 본 덤프트럭과 비슷한 크기였다. 25톤 정도, 트럭은 차선을 바꿀 생각이 없는 것 같았다. 제 속도를 유지했고 같은 차선을 고집하고 있었다. 가속을 하기 위해선 차선을 바꿔야 했다. 사이드미러와 룸미러를 봤다. 뒤에도 트럭이 있었다. 앞의 트럭과 같은 차종이었다. 룸미러로 본 트럭은 앞 트럭과 달리 속도가 꽤 있어 보였다. 속도도 그렇지만 얼핏 보니 운전이 꽤 거칠었다.

"뭐야, 저 자식……."

두 개 차선의 국도에서 저 덩치가 과속을 하다니, 상식적이지 않았다. 트럭은 급정거를 하더라도 밀린다고 하던데, 저러다 실제 트럭이 급정거라도 한다면 영락없이 중간에 끼고 말 터였다.

"미친놈 아니야. 속도 좀 줄여, 망할 자식아!"

지배인이 룸미러를 보며 외쳤다. 사이드미러를 봤다. 옆 차선에는 차가 없었다. 지금이 차선을 바꿀 때였다. 양손으로 핸들을 잡곤 다시 옆 차선을 확인했다. 그런데 이상했다. 뒤의 트럭이 아까보다 속도를 높이는 듯했고 순간 지배인은 핸들을 잡은 손에 힘을 주었다. 급가속을 한 트럭의 속도가 무슨 빛의 속도처럼 느껴졌다. 그와 함께 잔뜩 힘을 받은 엔진 소리가 통째 날아와 귓속에 와 박히고 있었다. 지배인은 자기도 모르게 비명을 질렀다. 미처 차선을 바꾸기도 전이었다. 뒤 트렁크를 치받고 난 트럭의 머리통이 승용차를 구기고 있었다. 찰나였다. 지배인은 룸미러를 통해 그 장면을 똑똑히 본 듯했고 그 뒤론 아무 기억이 나지 않았다.

†

"추잡한 자식." 대니얼이 중얼거렸다. 그 소리를 들은 조지가 째려봤다. "뭐라는 거야, 대니얼?"

"추잡하다고, 임마. 그런 건 집에서 해. 여긴 공공장소잖아." 대니얼이 툴툴대며 바지춤을 추슬렀다. 콧수염을 다듬다 말고 조지가 거울 속의 대니얼을 보며 웃었다. 재밌다는 듯. 훤칠한 키의 조지 옆에 서 있는 대니얼의 모습이 더 땅딸막해 보였다. 가끔 툴툴대는 대니얼이 귀엽기도 했다.

"이게 다 쥬시 때문이야. 한숨도 못 잤거든." 조지가 콧수염을 털어내며 말했다. 손에는 손톱 가위가 들려 있었다.

"걔가 달려든 거야?" 대니얼이 물었다.

"내가 시동을 걸었지." 낄낄거리는 대니얼을 뒤에 두고 조지는 화장실을 나왔다. 뒤에서 대니얼의 목소리가 들렸다. "어이 조지. 다음부턴 같이 재미 좀 보자고."

"꿈 깨, 땅딸이."

젠장, 대니얼이 찍 침을 뱉었다. "배고픈데 뭣 좀 먹자고." 대니얼은 배고픈 걸 참지 못했다. 당이 떨어진 사람처럼 말을 더듬고 손을 떨었다.

대니얼이 맥도날드 가게 쪽으로 가고 있었다. 맥도날드라니, 조지는 내키지 않았다. 터미널 쪽에 있는 쉑쉑버거가 조지는 더 취향에 맞았다. 사실 조지가 쉑쉑버거를 찾는 데는 다른 꿍꿍이가 있었다. 그쪽에는 면세점이 있었고, 사내자식이 어찌나 향수를 좋아하는지 조지는 공항에 올 때마다 그곳에서 시향하는 걸 취미로 삼았다.

"그 작자 이름이 뭐라고 했지?" 대니얼이 빅맥 한 입을 베어 물며 물었다. 30온스짜리 콜라를 한껏 빨아 대는 바람에 변기에서 물 내려가는 소리가 났다.

"자무헬이래, 자무엘이래……?" 대니얼이 물었다.

"자무엘이군." 핸드폰을 들여다보며 조지가 말했다. 입안에는 감자튀김이 물려 있었다. S사이즈 감자튀김이어서 양이 적었다. 조지는 다이어트를 하는 중이라며 빅맥은 거들떠보지도 않고 낯 가리는 계집애처럼 튀김만 깨작댔다.

"성은?" 조지가 다시 핸드폰을 봤다. "쉬프, 자무엘 쉬프."

"뭐 하는 작자야?" 대니얼은 햄버거를 반도 먹지 않았는데 벌써 콜라가 바닥나 있었다. "나도 몰라. 리옹에서 온다는데 호텔에 와서 연락한다고 했어."

"물건은?'

"그때 가져온다고 했고. 그건 그렇고 대니얼. 이번엔 정신 똑바로 차려야 해. 먹는 것 좀 그만 밝히고."

"젠장, 먹는 게 이 일하고 무슨 상관인데."

"니 창자가 과민성이잖아. 화장실에 처박혀 있는 바람에 일을 망쳤다고."

"그러는 넌. 머리를 몇 번이나 만져 대고 옷은 왜 그렇게 주물럭대는데. 망할, 그 때문에 제때 어딜 가기나 하겠어."

"이런 우라질 자식을 봤나. 이 일을 누구 때문에 하는데, 뭘 알고서 떠들어, 이 똥짤막한 자식아." 둘의 목소리가 높아졌다. 대니얼이 의자를 차며 성깔을 부렸고 주변 사람들이 이쪽을 힐끗거렸다.

"이봐, 똥털. 그따위로 굴면 네 녀석이 잠들었을 때 이빨을 몽땅 뽑아 버리고 말 거야." 대니얼이 씹다 만 빵부스러기가 입에서 튀어나와 퍼졌다. 그 소리에 조지가 움찔했다.

"헤이." 저쪽에서 직원이 다가왔다. "조용히 해주시겠습니까, 손님?

"뭐야 이 망할 자식은." 대니얼이었다.

"이러시면 경찰을 부를 겁니다."

"이봐, 갈 거니까 그만 하슈." 조지가 말했다. 겉으론 고분고분해 보였지만 말투는 협박이었다.

에어버스가 대서양을 건너고 있었다. 곧 프랑스 영공이었다. 대니얼은 줄곧 잠만 잤다. 조지에게는 다행이었다. 그렇지 않으면 내내 큰 소리로 떠들어 대는 바람에 승무원과 실랑이를 벌였을 터였다.

대니얼이 부스스 눈을 떴다. 창밖은 육지였다. 시간을 보니 대략 이십 분쯤 뒤에는 제네바에 도착할 수 있었다. 제네바에서 아네시까지는 렌트한 차로 가기로 했다. 일은 당일에 해치우고 곧장 파리로 간 뒤 돌아와야 했다. 그 자식이 묵는 곳은 임페리엄 팰리스 호텔, 카지노가 있는 4성급이었고 근처에는 오락장과 나이트 클럽, 미니 골프장과 보트 대여소가 있었다. 녀석의 보트는 정박장에 있다고 했다. 워낙 보트를 좋아해 장기 대여를 했고, 아예 거기서 살다시피 한다고. 주로 아침 일찍 활동하는 편이었고 그 시간이면 사람이 별로 없을 거라고 했다. 그때가 일을 할 시간이었다.

조지는 핸드폰을 열어 사진과 신상을 확인했다. 생긴 걸로 봐서는 뭐 그리 대단한 놈 같지가 않았다. 뉴욕 어디서든 흔히 볼 수 있는 금융가 월급쟁이, 딱 그 얼굴이었다. 그런데 이 자식이 월 스트리트 거물이라니, 왜 그쪽 사람들은 이 자식을 못 잡아 잡숴 안달이 나 계신 걸까. 하긴 그런 것까지 알 필요는 없었다. 궁금해할 이유도.

조지는 좌석에 꽂힌 소책자를 꺼냈다. 항공사 자체 홍보와 유럽 각지의 관광지를 소개하는 글들이었다. 기후 변화에 대한 짤막한 글이 보였다. 파리기후협약 얘기가 와닿았다. 조지가 말했다.

"이봐, 디젤 벤츠를 모는 놈들은 죄 이빨을 뽑아 버리자고. 어때, 대니얼."

"좋지. 뒷일은 니가 책임질 거야?" 대니얼이 낄낄거렸다.

조지는 환경주의자였다. 스위스 항공하고 델타항공의 항공료는 같았다. 델타항공이 스위스 항공보다 5분 정도 더 걸렸고 출발 시간도 1시간 30분이나 늦었다. 어쨌든 스위스 항공의 에어버스를 고른 건 시간 때문이었다. 델타항공을 탔다가는 자칫 일을 망칠 수 있었고 어떤 봉변을 당할지 몰랐다. 그 때문에 환경주의자인 조지의 철학이 적용되기 어려운 구조였다. 조지는 인터넷으로 예매할 때는 이산화탄소 배출량을 기준으로 가성비를 따져 표를 끊었다. 두 항공사의 기종은 이산화탄소 배출량에 있어 차이가 있었다. 스위스 항공이 372kg, 델타항공이 341kg, 항공료는 스위스 항공이 낮았지만 보잉기인 델타항공보다 배출량이 많았다. 좌석 수 때문이었다. 조지는 이번 일을 마치고 돌아가면 항공사별 바이오 항공유 사용 비율을 알아봐야겠다는 생각을 했다. "이런 망할…… 뻑큐, 뻑큐." 대니얼이 잠꼬대를 하고 있었다. 잠꼬대를 욕으로 하다니, 추잡한 녀석이었다.

5부

산하비에르

최치영이 유튜브를 볼 줄은 몰랐다. 의외였다. 백지우가 알려 준 듯했다. 이메일에는 며칠 전에 올린 콘텐츠 얘기가 적혀 있었다.

시간이 상대적이라는 말을 실감하는 중이네. 우리가 서로 다른 시간을 사는 듯해 본 생각이야. 덕분에 유튜브는 잘 보고 있네. 교민들 얘기가 애틋하더군. 농장 얘기는 이색적이고. 그보다 자네와 하정미 씨 얼굴을 볼 수 있어 좋았네.

유튜브 채널을 개설한 건 하정미가 산하비에르에 온 다음 해였다. 그간 쌓인 콘텐츠가 꽤 됐다. 하지만 개설한 기간에 비하면 많은 콘텐츠라고 할 수 없었다. 다른 채널에 비해 업로드 횟수가 적었고 대신 좀 알차다고 해야 할까. 하정미의 의욕 덕이었다. 구독자와 조회수가 꽤 됐는데 언어 때문에 그런 듯했다. 유튜브 콘텐츠에는 3개 국어를 사용했다. 한국어와 스페인어 그리고 영어. 스페인어는 하정미의 전공이었고 영어는 이과수가 맡았다. 하정미가 스페인어를 하는 걸 이과수는 이때 처음 봤다. 대학에서 스페인어 전공을 했다는 것을 알고는 있었지만, 하정미가 실제 스페인어를 할 거라는 생각은 해 보지 못했다.

하정미의 유튜브 운영 방식은 까다로웠다. 단순히 이국의 볼거리를 전달하는 데

초점을 맞추지 않았고 산하비에르 농장과 1천 킬로미터에 이르는 이구아수까지, 하정미는 부에노스아이레스의 다운타운과 농장 근처 하비에르강과 파라나강, 산타페주 몇몇 도시의 풍물을 부지런히 담아 올렸다. 하정미는 인터뷰에 재능이 있었다. 스페인어를 다 잊어먹었다며 엄살을 부렸는데, 막상 현장에 가면 술술 나왔다. 어떨 땐 하고 싶은 말이 있으면 스페인어로 다 할 정도였다. 한국에서 사찰과 역사 유적지 답사 프로그램에 따라다닌 경험이 콘텐츠를 만드는 데 도움이 된 듯한데, 가장 큰 힘은 하정미의 스페인어였다. 만나는 연령대가 다양했는데 다들 하정미에게 호의적이었다. 자기 동네를 회상하는 내용과 풍경이 세대마다 달랐고 그 때문에 이야기가 다양해졌다. 하정미는 세대별로 다르게 회상하는 기억의 차이를 의도적으로 교차 편집을 했는데 효과가 꽤 좋았다. 그들 스스로도 세대 간의 이질감을 알고는 놀라워했다.

콘텐츠에는 종종 농장 사람들과 태호 선배가 출연하기도 했다. 또 다른 농장을 탐방해 넣기도 했고 농장주는 미국인이거나 브라질, 아르헨티나 현지인 등 제각각이었다. 그런 만큼 사연도 다 달랐다. 태호 선배의 큰아버지와 같은 시대에 이민을 온 한국인들도 마찬가지였다. 아르헨티나 이민 1세대가 그 사람들이었다. 하지만 그때 온 대부분의 사람들은 지금은 부에노스아이레스에 살고 있었다. 사십여 년 전 황무지였던 산하비에르에 발을 들여놓은 한국 이민자들은 풀과 잡목투성이 땅을 개간해 먹고 살아야 했다. 하루하루가 고단한 삶이었고 결국 버티지 못하고 이곳을 떠났다. 이들이 왜 이곳에 오게 됐는지 하정미는 자료 조사를 하고 당사자를 인터뷰해 유튜브에 올렸다. 대한제국 때 제물포항을 떠나 하와이나 멕시코의 사탕수수 농장과 선인장 농장에서 목숨을 걸고 살아야 했던 애니깽 얘기를 비교해 넣기도 했다. 하정미는 방송을 잘했는데, 의외로 음색이 좋았고 예능 기질도 있었다. 그런 사람이 호텔에서 전화나 받고 지배인 시중을 들고 있었다니. 최치영의 이메일에도 그 얘기가 적혀 있었다.

하정미 씨는 다시 봤네. 똑똑하고 재능이 많아. 여태 내가 그걸 몰랐어. 어디 방송국 같은 데서 일을 해야 할 사람이 호텔에 와 있지 않았는지 싶었지. 스페인어는 손색이 없어 놀랐네. 라틴어 공부를 한 적이 있어 아네.

하정미가 처음 유튜브를 한다고 했을 때 이과수는 관심이 없었다. 관심 분야가 아니었고 꼭 해야 할 이유도 없었다. 지금은 달랐다. 하정미 못지않게 신경을 썼고 하다 보니 재미가 있었다. 콘텐츠에 따라 반응이 즉각적이어서 그 매력이 보통이 아니었다. 구독자는 한국인보다 외국인이 많았고 국적도 다양했다. 가장 많은 구독자는 아르헨티나 현지인들이었다. 아시아 사람이 자기들 얘기하는 걸 재미있어한 것 같았다.

하정미가 처음 아르헨티나에 왔을 때였다. 하정미는 낯설어했고 숫기도 없었다. 그만큼 바깥 활동이 적었다. 걱정이 될 정도였다. 저러다 적응에 실패하면 어쩌나 싶었으니까. 이과수도 이곳 생활이라고 해야 1년 남짓, 하정미보다 10개월 정도 앞선 것이어서 아직 적응했다고 볼 수 없을 때였다. 특히 태호 선배의 농장 일에 적응하는 게 힘들었다. 태호 선배는 농장 관리 책임자였다. 큰아버지 소유의 농장은 워낙 경작지가 넓었고 아무리 기계와 종업원들이 있다고 해도 농사는 농사였다. 휴경지까지 포함한 경작지는 3천4백 헥타르, 이중 매년 농사를 짓는 경작지가 2천 헥타르에 이르렀다. 한국식 도량법으로 6백만 평이 넘는 논을 경작해야 하는 기업농이었고, 당연히 한국에서는 상상도 하지 못할 규모였다. 휴농을 하며 경작을 해 규모가 줄어든 거라고는 하지만 일이 줄었다는 느낌은 들지 않았다. 전용 도정 시설까지 갖춘 쌀농사는 한국과 농사 개념 자체가 달랐다. 가축이 있어 벼농사 외에도 손이 가는 데가 많았다. 육우만 해도 600두에 이르러 기계식으로 키운다고는 해도 사람 손을 거쳐야 일이 돌아갔다. 밭과 논이라고는 근처에도 가본 적 없는 이과수에게 농사일은 어설프고 고됐다. 자연환경도 한몫했다. 한국과 달리 홍수나 가뭄이 오면 아예 논을 갈아엎어야 했다. 새 떼는 공포의 대상이었다. 오리 같은 새 떼가 하늘을 덮치면 2, 30헥타르, 6~9만 평 정도는 순식간에 사라졌다. 거기다 틈틈이 농지 개간도 해야 해 쉬는 게 녹록하지 않았다. 그만큼 땅이 많은 곳이었고 팜파스 지역답게 파라나강을 낀 너른 대지는 비옥했다.

산하비에르의 한국인 농장은 다 비슷한 사연을 가지고 있었다. 수십 년 이민사는 80년대로 거슬러 올라갔고, 칠십 대 중반인 큰아버지는 죽도록 고생해 지금의 농장을 일군 당사자였다. 이곳에서 여전히 농장을 하며 살고 있는 사람은 그가 유일했다.

아무튼 막상 와서 본 그의 농장은 어마어마했고, 이과수가 도착했을 때는 마침 파종기여서 하루하루가 바쁘게 돌아갔다. 건답식 직파를 하는 바람에 물이 가득한 논에 비행기로 파종을 하는 곳과는 일이 달랐다. 물을 빼 논을 말린 뒤 파종기로 파종을 하고 다시 파라나강 지류의 수로를 터 물을 댔다. 태호 선배의 농장 일은 배울 게 많았다. 이 일을 해 온 게 십 년, 이미 이곳 생활에 젖어 있었고 형수와 딸과 아들은 부에노스아이레스에서 살고 있었다. 형수는 옷 가게를 했는데 가게와 집이 모두 플로레스타 코리아타운에 있었다. 고만고만한 높이의 건물이 다닥다닥 붙은 골목길이 사방으로 뻗어 있었고 거리는 한국 식당과 슈퍼가 들어서 낯설지 않았다. 예전에는 유태인들이 옷 가게를 하며 살던 동네였다는데 지금은 한국인들이 운영하는 상가로 변신한 곳이었다. 도매를 하는 한인 옷 가게가 몰려 있어 시장은 늘 아르헨티나 전국에서 온 소매 상인으로 복작댔다. 지방에서 관광버스를 빌려 단체로 옷을 사러 왔는데 돌아가는 게 한국의 남대문이나 동대문 상가 비슷했다. 태호 선배는 아이가 아파 바쁜 농장 일을 하면서도 될 수 있으면 1, 2주에 한 번은 부에노스아이레스에 갔다 오곤 했다. 척추염이라는 데 고치기 힘든 희귀성 질환이었다. 아이는 정기적으로 병원에 입원을 해야 했고 한 번 입원하면 기간이 길었다.

하정미가 부에노스아이레스에 온 게 이맘때였다. 이과수가 파종기에 왔듯 하정미가 왔을 때도 파종기였다. 이과수가 먼저 손을 내민 것이기는 하지만 막상 하정미가 오겠다고 하자 은근히 걱정이 됐다.

부에노스아이레스 공항은 늘 복작대는 곳이었다. 게이트 저쪽 너머에 하정미가 보였다. 하정미가 두리번대더니 이쪽을 본 것 같았다. 푯말에는 한글로 '하정미 씨를 환영합니다!'라고 적었다. 푯말을 본 하정미가 입을 가리고 웃었다. 한 손은 커다란 캐리어를 끌고 있었다. 하정미가 나오자 이과수가 다가가 와락 안았다. 한참 동안 잔뜩 힘을 준 채였다. 1년이 채 되지 않았는데 몇 년이 지난 기분이었다.

"숨 막혀요, 이 대리님."

"아직도 이 대리야?"

"그러는 이 대리님은요. 푯말에다 하정미 씨,라고 썼잖아요. 우리가 뭐 아직 호텔 직원인 줄 아는 거죠?" 이과수가 웃었다.

하정미는 긴 여정 때문에 좀 초췌했다. 하긴 인천공항에서 아메리칸 항공을 타고 댈러스까지 13시간 남짓, 거기서 5시간을 기다린 뒤 같은 항공사 비행기를 타고 부에노스아이레스주에 있는 미니스토로 피스타리니 공항까지 10시간을 날았던 것이다. 장장 28시간이었다. 그 때문에 태호 선배의 승용차를 빌려 부에노스아이레스까지 오려다 산타페 공항에 세워 놓고 일부러 국내선을 타고 부에노스아이레스까지 온 거였다. 28시간을 날아온 하정미를 승용차에 태울 수는 없었다. 부에노스아이레스에서 산하비에르까지는 6백 킬로미터, 승용차로 7시간 정도 거리였다.

하정미를 데리고 미니스토로 피스타리니 국제공항에서 국내선을 타러 호르헤 뉴베리 공항으로 갔다. 부에노스아이레스 서쪽 끝에서 시내를 사선으로 가로질러 다시 동쪽 끝으로 간 셈이었다. 택시를 탔는데도 1시간이 걸렸다. 비싸기는 했지만 대중교통을 이용하면 2시간에서 길게는 3시간을 각오해야 할 수도 있었다. 하정미에게는 벅찬 일이었다. 호르헤 뉴베리 공항에서 산타페 공항까지는 1시간 정도, 그나마 산하비에르에서 가까운 공항은 그곳뿐이었다.

하정미는 피곤했는지 산타페까지 1시간을 내리 잠을 잤다. 공항에서 잠이 든 하정미를 깨워 주차장으로 나오자 오후 4시였다. 거기서 다시 승용차로 산하비에르까지 2시간을 달려야 했다. 편도 1차선 도로는 거의 직선이었다. 오는 내내 하정미는 양옆으로 끝없이 펼쳐진 농장과 지방 도시의 들과 나무와 강 같은 풍경들을 보느라 정신이 없었다. 한국이 한없이 작게 느껴진다고 했다. 비행기에서 잠을 자서인지 눈이 반짝반짝했다.

"이구아수가 멀어요?" 하정미의 말에 이과수가 웃었다.

"왜 웃어요?"

이과수도 그런 질문을 했었다. 산타페 공항에 도착했을 때 태호 선배가 트럭을 몰고 마중 나와 있었다.

태호 선배에게 연락을 한 게 단양 일이 끝나고 브래디가 무사히 LA에 도착했다는 소식을 들은 뒤였다. 아르헨티나에 가고 싶다니까 대환영이라고 했다.

"너 정말이냐?"

"그렇다니까, 선배."

서울을 떠날 때 심정은 반반이었다. 설레기는 했지만, 한편 대책 없이 이게 뭘하는 짓인가 싶기도 했다. 그럼에도 태호 선배하고의 약속을 지킨 건 당분간 아무 생각 없이 살고 싶어서였다. 아니 잊고 싶었다. 그랑호텔과 그와 관련된 것들이라면 떠올리는 것 자체가 싫었다. 나머지는 가서 생각하기로 했다. 평소 자신의 생각처럼 아무것도 선택하지 않을 자유, 아마 그때까지도 그랬던 듯싶다.

"여기서 이구아수가 멀어, 선배?"

"가 보게?"

"내 버킷 리스트잖아." 언젠가 꿈에서 본 무지개 숲, 이과수는 그 환상의 아열대 폭포가 어쩌면 이구아수일지도 모른다는 생각을 한 적이 있었다. 그 얘기를 하자 태호 선배가 말했다. "제대로 찾아왔네."

다음 날이었다. 태호 선배는 이과수를 데리고 이구아수로 갔다. 트럭에서는 생풀 냄새가 났다. 이과수는 이곳 특유의 습지 냄새일지 모른다는 생각을 했다. 태호 선배는 열심히 운전만 했다. 이과수가 차창 밖을 보며 말했다.

"이구아수가 마음에 들면 농장에서 살 거고……."

"아니면?"

"나머진 갔다 와서 결정하자고, 선배."

"그럼 들어보나 마나네."

태호 선배는 쉬지 않고 운전을 했다. 가도 가도 끝이 보이지 않았다. 언제 도착한다는 말도 없었다.

"가도 가도네."

"뭐가?"

"왜 이렇게 자꾸 가, 선배?"

농장에서 이구아수까지는 거리가 꽤 됐다. 구글 지도로 대충 봤을 때는 대여섯 시간 정도 걸리려니 했는데 아니었다. 알고 보니 이구아수까지는 1천 킬로미터가 넘는 거리였고 쉽게 갈 수 있는 곳이 아니었다. 거기다 비슷한 평원과 수목과 작은 마을이 끝없을 듯 이어지자 시간이 흐른다는 생각이 들지 않았다.

이구아수는 정말 멀었다. 태호 선배가 사정없이 밟아댔는데도 새벽 네 시에 출발해 저녁 다섯 시가 다 돼 도착을 했다. 시간감과 공간감이 잘 느껴지지 않았다. 이

먼 거리를 가 보고 싶다는 말 한마디에 군말 없이 길을 나선 태호 선배도 대단하다 싶었다. 그 뒤로는 두 번 다시 아구아수에 가자는 말을 하지 않았다.

"어때?"

태호 선배가 핸드폰의 카메라 셔터를 누르며 물었다. 뒤에는 이구아수 폭포가 펼쳐져 있었고 물보라가 여기까지 날아왔다.

"좋은데, 선배." 긴코너구리를 쓰다듬으며 이과수가 말했다.

"그럴 줄 알았다."

폭포는 마음에 들었다. 꿈에서 본 그 숲은 아니지만 무지개가 있었고 폭포는 거대하고 소리는 우렁찼다. 더 고민하고 말고 할 것도 없었다.

농장을 둘러본 하정미는 믿을 수 없다는 표정이었다. 한국에서는 볼 수 없는 지평선을 보고 난 하정미는 멍한 표정으로 그 끄트머리 어딘가를 보고 있었다.

"지구가 둥근 게 맞나……?" 하정미가 혼잣말을 했다.

"왜?"

"그냥 평평한 게 끝없이 펼쳐진 거 같아서요."

농장을 둘러본 뒤 하정미를 데리고 근처 식품점에 들렀다. 동네 구경도 시켜주고 이구아수에 갈 때 먹을 간식거리를 사기 위해서였다. 식품점을 도맡아 하는 마리아나가 이과수를 반기다 하정미를 보곤 얼굴이 굳어졌다. 물건을 주문하자 마리아나가 이과수를 째려보고는 던지듯 봉지와 과자를 내놓았다. 하정미가 이상하다는 듯 이과수를 쳐다봤다.

마리아나는 이과수를 좋아하는 현지 여자아이였다. 메스티자, 백인과 인디헤나 혼혈이었다. 눈이 예뻤고 멋있는 턱선을 가지고 있었다. 마리아나는 이과수를 오빠라고 불렀다. 오빠라는 단어를 아는 아르헨티나 여자애들은 많았다. 한국 드라마 때문이었다. 다들 오빠라는 단어를 연인이라는 뜻의 아만테로 오역해 이해했고, 원래의 뜻은 모르거나 안다 해도 안중에 없었다. 한국에서도 같은 의미로 쓰곤 하는 걸 생각하면 마리아나의 해석은 틀리지 않았다. 마리아나는 이과수를 미오,라고도 불렀다. 자기 거,라는 뜻인데 마리아나는 눈 하나 깜짝하지 않고 그 말을 했다. 10대의 마리아나는 이과수에게 동생일 뿐이었고 동생이라는 한국말을 가르쳐 준 뒤 그 뜻을 말하자 마리아나가 펄쩍 뛰었다. 마리아나는 한국을 워낙 좋아했다. 드라마와 케이팝, 영화가 범인이었다. 한국 마니아답게 화장품도 한국산을 썼다. 안티에이징하고 보습제를 좋아했고, 부에노스아이레스에 갔을 때 사다 준 적도 있었다. 바람이 심한 벌판이어서 보습제는 이해가 가지만 십 대 여자아이가 왜 안티에이징이 필요한지 알 수 없었다. 이과수가 가겠다고 인사를 하자 마리아나는 본 체도 하지 않았다.

"재 왜 저래요, 과수 씨?" 하정미가 이상하다는 듯 물었다.

"뭐가?"

하정미와는 새로 마련한 집에서 지냈다. 그동안의 농장 숙소 생활을 접고 처음 마을 사람들과 섞여 살기 시작했다. 집은 산하비에르 시내 초입에 있었다. 시내라고 해야 2층이 넘는 건물은 눈을 씻고 찾아봐도 없었다. 워낙 땅덩이가 넓고 인구가 많지 않아 굳이 건물을 높일 이유가 없었다.

첫날밤이랄까, 하정미가 잠든 뒤였다. 이과수는 조용히 밖으로 나왔다. 멀리 공지선이 보였다. 한참 보고 있자니 왠지 자꾸 눈물이 나왔다. 처음 이구아수 폭포를 봤을 때처럼. 그게 슬픔인지 뭔지 알 수는 없지만 눈물이 곧 슬픔일 수는 없었다. 섹스 때문인가? 슬픈 것 중에는 때론 섹스가 포함됐다.

"과수 씨?"

언제 잠이 깼는지 하정미가 문을 열고 이쪽으로 오고 있었다. 눈물을 본 하정미가 놀랐다. 고향 생각이 나서 그러는 거냐고 했다. 아니었다. 사랑도 때론 슬픈 것이라고 하자 하정미가 새초롬해 물었다.

"좋다는 뜻이에요, 나쁘다는 뜻이에요?"

이과수는 하정미의 어깨를 감싸며 강쪽을 봤다. 하비에르강이었다. 그곳의 들과 숲을 지나면 파라나강이었다. 하비에르강 쪽은 달빛이 가득했다. 보름달이었다. 샛강 뒤로는 섬 하나가 있었다. 아열대상록활엽수와 아사쿠 나무로 만든 수상 가옥이 있는 곳이었다. 살 곳을 잘못 찾은 나무들이었다.

"옛날 옛날에 정미 씨……."

하정미가 빤히 이과수를 봤다. 무슨 말을 하려나 싶은 모양이었다. 사람 욕심이 어디까지인지, 어디까지가 욕심이고 꿈인지, 사람은 무엇으로 사는지, 이과수는 그 얘기를 했다.

"그랑호텔이란 데가 있었어, 정미 씨." 하정미가 이과수의 어깨에 머리를 기댔다. "거기 비싼 데에요?"

"말도 못하게 비싸지."

"가 봤어요?"

"그럼. 거기 사람들은 다들 소원이 있었어. 소원이 너무 커서 꿈이 너무너무 컸고, 꿈이 너무너무 커서 담을 수 없을 정도였지. 그런데 그 사람들은 너무너무 큰 꿈을 너무 자주 꾸었기 때문에, 누구도 그걸 좇아갈 사람이 없었어. 그런데 정미 씨?" 하정미가 어깨에 기댄 머리를 끄덕였다. "그 사람들이 무슨 꿈을 꿨는지 알아?" 하정미가 끄덕이던 머리를 멈추곤 물었다.

"부자가 되는 거? 좋은 차나 집을 갖는 거?"

"더 넓게 상상해 봐."

"하늘을 나는 꿈?"

"아니 그보다 더."

"구름 위에서 자는 꿈?"

"딩동댕, 그 사람들 꿈은 좀 무시무시했어. 사람을 잡아먹는 꿈이었지. 피를 빨아먹고, 뼈를 바르고 살을 뜯어내 구워 먹었지. 그럼 자기 목숨이 질겨진댔어."

"그만, 과수 씨. 다 벌 받을 거야."

"전설이 있어. 여기서 들은 거야."

"재밌는 거예요?"

"불쌍한 인디헤나 소녀 얘긴데, 그 애가 무척 못생겼었나 봐. 마을 남자들이 다 그 애를 외면했대. 얼마나 못생겼는지 그 애의 부모조차 외면할 정도였어. 사랑받고 싶었는데, 그 누구한테도 사랑받지 못했지. 절망한 그 애는 결국 자살을 했어. 그 애가 죽으면서 유언을 남겼대. 다음 생에 태어나면 모든 남자와 키스하게 해달라고. 그 애가 죽은 자리에는 풀이 자랐어. 그게 담배야."

"뭐라고요……?" 하정미가 이과수를 봤다. 간단한 얘기인데, 그 애가 담배로 태어났다니까 좀 복잡해진 모양이었다.

“그 애는 자기 뜻대로 소원을 이뤘어. 세상 모든 남자와 키스를 하게 됐으니까.”
“슬퍼, 과수 씨.”
“그 애는 꿈을 이루고 키스를 했지만, 그 애와 키스를 한 남자들은 죽어가기 시작했어. 그 애가 자신의 목숨을 버렸듯, 자신과 키스를 한 남자들도 죽게 한 거지. 그리고 사람들은 영원히 그 애를 미워하고 손가락질해. 세상 모든 사람들한테 미움의 대상이 된 거야.”
하정미하고 이구아수에 갔을 때였다. 막상 이구아수를 직접 보고 난 하정미는 입을 다물지 못했다. 이과수가 처음 이구아수를 봤을 때와 다르지 않았다.
“근데 너무 멀어서 자주는 못 오겠다. 그치, 과수 씨?” 물보라 세례를 맞은 하정미가 머리를 쓸어 올리며 말했다. 하정미의 젖은 청바지에는 긴코너구리가 매달려 있었다.
“어떤 거 같아, 과수 씨?”
“뭐가?”
“우리 같이 있는 거.”
“처음부터 다시 사는 기분.” 하정미가 웃으며 입을 맞췄다.
이과수도 마찬가지였다. 그간 아르헨티나에서의 고단한 시간들이 사라지고 태초로 거스른 듯 설렜다. 게다가 이과수의 걱정과 달리 산하비에르에 잘 적응한 하정미 덕에 일상마저 풍요로워졌다. 하정미의 유튜브 채널이 현지인들에게 호감을 사면서 이곳의 생활에 재미마저 느꼈다. 능숙한 스페인어를 무기로 하정미는 농장 사람들은 물론 현지인과 거리낌이 없었고 그런 하정미를 사람들은 좋아했다.

†

최치영은 이메일을 보낼 때는 으레 하정미의 유튜브 얘기를 했다. 자신의 관심사를 이쪽에 맞춘 듯한 그의 배려로 볼 수도 있지만 왠지 거북했다. 잦은 이메일도 그렇고 일부러 유튜브를 챙겨 보는 듯한 그가 좋게만 보이지 않았다. 누군가 자신을 지켜보는 기분, 아니 훔쳐보고 있다는 생각은 그가 어떤 다른 목적을 가지고 있는 게 아닌지 의구심을 갖게 했다. 그러자 조심스러워졌고, 그 부담이 고민으로 바뀌었다.

우선 최치영의 이메일을 열어 봐야 하는지가 판단이 잘 서지 않았다. 처음엔 이메일을 받고도 아예 열어 보지 않았다. 그러다 어느 정도 시간이 지나자 하나둘 열어 보게 됐고 나중에는 짧게나마 답을 하기도 했다. 꾸준히 이메일을 보내는 최치영의 노력 때문일 수 있지만 거기 담긴 내용 때문에 그랬던 듯싶다. 그게 반복되자 처음의 거부감이 사라졌고, 이메일을 읽는 것도 조금은 자연스러울 수 있었다. 그런데 다른 고민이 생겼다. 그렇게 거부감을 갖고 있던 최치영의 이메일을 읽고 있는 자신을 자각하게 되면서 든 생각이었다. 이러다 시간을 되돌리는 것은 아닌지. 그럴지도 모른다는 생각이 들자 그가 예전과는 다른 느낌으로 다가왔다.

짜증이 난 적도 있었다. 최치영의 밀어붙이는 듯한 이메일 공세가 생각보다 집요했기 때문이었다. 호텔은 이제 이과수와는 무관한 곳이었다. 알고 싶지 않았고, 알려고 하지도 않았다. 그걸 아는지 모르는지 최치영은 줄기차게 이메일에다 호텔 얘기를 적어 보냈는데, 당연히 지배인 얘기가 뒤따랐고 투숙객들의 동정과 근황 같은 것들이 담겨 있었다. 그게 마치 정기적인 소식지를 받아 읽는 기분이었다. 그 시간이 길어지자 이과수의 태도에도 변화가 생겼다. 반복이 준 효과였다. 최치영이 의도한 건지는 알 수 없었지만 지금은 처음의 거부감과 고민 같은 것은 거의 사라지고 없었다. 가스라이팅, 그와 비슷했다.

이메일이 와 있었다. 그제 보내 놓고 또 무슨 얘기를 하려나 싶었다. 이메일을 열까 하다가 잠시 망설였다. 이것도 습관이었다.

나 최치영일세.

이메일 제목이었다. 그런데 이메일 계정이 달랐다. 'geewoo-back', 백지우의 이메일 계정이란 소리였다. 백지우는 최치영이 불러준 것을 적은 뒤 자기 계정으로 이메일로 보냈다. 최치영이 불러준 것을 백지우가 윤문을 한 건데 예전에도 그런 적이 있었다. 둘이 사제 간이기는 해도 사실 그리 좋은 관계는 아니었다. 최치영의 초청을 박차고 나간 사람이 그였으니까. 최치영이 그걸 의식했는지 이메일에 그 말을 적었었다.

정해진 적과 동지는 없네. 서로 가르치고 배우고 또 싸우고 화해하다 보면 경계가 사라지지. 백지우 이 친구가 그 경우야. 그를 자네와 비교해 본 적이 있어. 두 사람 다 깊은 인상을 줬지. 제임스 소식을 전한다는 게 얘기가 옆으로 샜네만…….

그러며 최치영은 둘의 능력이 무엇인지, 또 그 능력으로 자신들이 어떤 일을 할 수 있는지 잘 안다고 했다. 이과수와 백지우의 위기 대처 능력을 높이 평가하고 있으며 실은 그런 것이야말로 진정한 능력이라는 얘기를 했다. 그런데 제임스 소식이라는 게 뭘까……?

얼마 뒤였다. 최치영이 이메일을 보내왔는데 이번에는 자기 계정이었다. 백지우 얘기가 적혀 있었다. 최치영은 백지우를 치켜세웠다. 그는 실행 파일을 구사할 줄 아는 사람이며 그런 면에서 이과수와 비슷하다고. 젊은 나이답지 않게 섬세한 데다 침착하며 추진력이 있다고. 그걸 자산으로 결과물을 만들어 낼 줄 아는 능력이 탁월하다고 최치영은 적었다. 최치영은 단양 얘기도 했다. 자기는 그 일을 이과수 프로젝트,라고 부른다고 했다. 좀 거창하게 들렸다.

최치영은 이과수가 모르는 얘기도 했다. 이과수가 호텔에서 일할 때 얘기였다. 하도 길어 최치영이 작심하고 썼구나 싶었다. 다 읽고 나자 그런데 왜?라는 의문이 들었다. 느낌이 묘해서였다. 백지우를 통해 자기 얘기를 하려 했다는 느낌, 그게 무엇 때문인지 알 것도 같았다.

보훈처에 있을 때였네. 이 친구가 부탁을 해 왔어. VIP실 얘기를 했지. 알고는 있었지만 그땐 좀 지켜보자 싶었네. 그러던 차에 백지우가 연락을 해 왔어. 얘기가 의외였어. 제자라고는 해도 자기 길을 걷는 작가였고, 누구보다 시선이 분명한 사람이었으니까. 그런데 자기 입으로 그런 소리를 하다니, 백지우의 미세한 변화야 알고 있었지만 학창시절과 이후 그의 글을 봐온 나로서는 쉽게 가늠할 수 있는 얘기가 아니었지. 사람은 쉽게 변하지 않거든. 백지우도 그런 사람이려니 했지. 하지만 조금은 예상한 일이기는 했네. 사람 마음이란 게 다 거기서 거기 거든.

백지우가 양민순의 회고록을 맡았을 즈음이었네. 그때 눈치챘어야 했다는 생각이 그제야 들지 뭔가. 나한테 연락을 했다는 건 다른 목적이 있어서일 테니까. 그가 말하더군. 살고 싶다고. 놀랐네. 막차를 탄 느낌이 없지 않지만, 백지우는 전형적인 386세대의 후예야. 자네와는 좀 거리가 있는 얘기일 수도 있지만, 이게 무슨 뜻인지 알리라 보네. 청년기를 그 풍토에서 살았고 그 가치를 익힌 사람이야. 민주화 세력이 정권을 잡으면서 386세대가 기득권에 편입됐을 때 그 역시 그 부류의 범주에 속했지. 하지만 알고 보면 언제 그들이 진정한 기득권이었던 적이 있는가. 정권을 잡았지만 위태로웠고 대중의 변덕을 신뢰하기에는 늘 위험 부담을 안고 살아야 했지. 그들로선 숙명 아닌가. 기득권으로 불리기에는 여전히 부족한 집단이었지. 앞으로도 그럴 가능성이 커. 무슨 일이든 하루아침에 이루어지는 경우는 없는 법이니까. 그 친구가 말했지. 진심이라고. 뭘 원하냐고 물었더니 그냥 불안하다고만 했어. 가만히 웃었어. 직감이었네. 그게 무슨 뜻인지 알았거든. 아마 이대로는 더 나은 삶을 살기가 힘들 것이라는 생각을 한 모양인데, 하긴 그걸 알고도 살겠다고 나서는 배짱을 가진 사람이 얼마나 되겠나. 기득권이 누군지, 그 주인이 누구인지 깨달은 지금 그는 망설이지 않았어. 여전히 신분과 부가 세습되는 곳, 그걸 알고도 그런 삶을 유지한다는 건 쉬운 일이 아니지. 내가 말했지. 같이 살자고, 행복하게. 진심이었네. 그리곤 한 소리 해줬지. 질서는 바뀌지 않는다고 말이네. 그게 뒤집어지려면 세상이 먼저 뒤집어져야 하거든. 그런 일이 어디 가능한가. 왠지 아는가? 그랑호텔을 보게. 다들 호텔을 투기하지만 투숙객이 되고 싶어 안달이지 않은가. 자신이 기득권이 되는 것까지 마다하지는 못하는 법이거든. 섭리야, 이건. 그런데 그걸 가질 수 있는 사람은 정해져 있어. 나름 이력이 있어야 하고 전통도 구비해야 하지. 뿌리 말일세. 그래야 기득권이 될 자격이 있어. 그랑호텔을 생각하면 이해가 갈 걸세. 새로운 부자와 지식 관료들이 들어왔지만 진정한 투숙객들은 아니네. 양민순 같은 사람이 예가 될 거야. 그런 사람이 참된 투숙객이지. 한순간 기우는 듯해도 결코 무너지지 않을 사람 말이네. 백지우에게 물었네. 진짜 기득권과 가짜 기득권의 차이를 아느냐고. 머뭇거리더군. 그래서 말해 줬지. 그랑호텔이 왜 특별행사를 하는지, 특별행사가 무엇을 뜻하는지, 왜 사람들이 호텔 행사에 참여하려는지 그걸 곱씹으라고. 거기에 답이 있다고. 그리곤 무슨 얘기 끝에 백지우가 VIP실 얘기를 했어. 그게 뭘 의미하는지 무슨 다른 말이 필요하겠는가…… 욕망이란 게 그래.

최치영은 한동안 직접 이메일을 보내왔다. 백지우를 통할 때와 자신이 직접 보낼 때를 구분했고, 그럴 때는 얘기의 내용이 달랐다. 얼마 전 이메일에서였다. 지배인 얘기가 있었는데, 그의 얘기는 오랜만이었다. 아마 지배인 소식을 이렇듯 자세히 적은 게 그때가 처음이 아닌가 싶었다.

…… 제임스가 중심을 잃은 듯해. 느낌이 그래. 별일 아니겠거니 하고 넘어갈 수도 있지만 다들 같은 생각인 걸 보면 그게 아닌 듯해 걱정이 돼네. 이국 생활에 여념이 없는 자네에게 이 얘기가 무슨 소용일까 싶네만, 그래도 자넨 그랑호텔 식구였지 않은가.

식구라니, 그리고 지배인의 근황이 자신과 무슨 상관이란 것일까. 그러면서도 이과수는 지배인에게 뭔가 문제가 생겼다는 얘기에는 은근히 신경이 쓰였다. 최치영은 특별행사 얘기를 했다. 무엇 때문인지는 모르겠지만, 지배인이 못마땅한 게 그 행사와 관련이 있다는 소리처럼 들렸다. 최치영은 길게 그 얘기를 적었다.

특별행사 얘기는 지난번에 적어 자네도 알지 않는가. 자네가 준 자료 덕을 톡톡히 봤고, 이게 다 자네 공이었다는 걸 우리는 알고 있네. 그 때문에 그걸 넘어서야 한다는 숙제를 안게 되기는 했지만. 제임스는 어깨에 힘이 잔뜩 들어가 있어. 특별행사를 치른 자긍심 때문인 모양인데, 그게 언제 적 일인데 여태 단물을 빨고 있는지, 그보다 제임스가 간과한 게 있네. 이게 다 이과수 자네 덕이었다는 것, 그걸 자꾸 잊고 자기가 한 것인 양 착각을 하는데, 이해는 하네만 자네더러 배신자라는 건 너무 나간 거지. 좀 딱하다는 생각도 들고. 그리고 이건 알고 있으라고 적네. 자네에 대한 우리 생각은 다 같네. 물론 자네에게 이 일이…….

최치영은 이런 식의 이메일을 계속 보내왔다. 생소한 얘기도 있었다. 재편집인지 재탕인지 그런 말이 적혀 있었는데, 무척 흥분해 있었고 처음 듣는 소리여서 이과수는 주의 깊게 읽어야 했다.

…… 아무튼 제임스가 혼자 북도 치고 장구도 쳐. 재편집이라니, 듣고 보니 재탕을 하겠다는 소리하고 다를 게 없었네. 이 무슨 해괴한 소리인가. 투숙객들을 생각하면 꿈에서조차 해선 안 될 일이지. 강대식 어른을 생각하면 더 그래. 이걸 알면 그 어른이 뭐라고 하시겠는가. 특별행사 때 제임스가 고생한 건 아네만…….

지배인이 무슨 일인가를 꾸미는 모양이었다. 최치영은 그게 못마땅한 듯했는데, 이 정도 내용만으로는 뭐가 문제라는 것인지 알기 힘들었다. 지배인의 좌충우돌이 어디 하루 이틀 일인가. 좀체 한시도 가만히 있지 못하는 사람, 그의 성정이 원래 그랬다. 하지만 최치영이 이메일에다 굳이 그 말을 적은 걸 보면 작은 문제 같아 보이지는 않았다. 그런데 재편집은 뭐고 재탕은 뭔지. 이건 좀 다른 얘기 같았다.

뒤를 읽다 보니 최치영의 말이 좀 이해가 갔다. 특별행사에서 써먹은 애버리지니 필름을 재편집해 데이행사용으로 치르겠다는 얘기였다. 지배인이 그걸 다음 데이행사의 복안으로 내놨다는데, 그게 읽고도 잘 믿어지지 않았다. 최치영이 잘못 안 것이 아닐까. 적어도 이과수가 아는 지배인은 그럴 사람도, 또 그런 잔꾀로 일을 하는 사람이 아니었다. 꼼꼼하고 강직한 사람, 그 역시 지배인의 성정중 하나였다. 최치영은 지배인이 직접 한 말이라고 했다. 그 얘기 나온 지가 이미 오래전이라고. 특별행사 때도 그런 말을 한 적이 있었고 그때는 그저 여러 아이디어 중 하나려니 했는데 그게 아니더라는 것이었다. 그 뒤 교통사고로 데이행사를 치르지 못하게 되자 몸이 불편해진 지배인이 나름대로 내놓은 새로운 복안인가 했는데 그것도 아니었다고 했다. 그런데 또 재편집 얘기를 하자 최치영이 참지 못한 듯했다.

제임스는 여전히 의족을 낯설어 하네. 아마 적응을 하지 못해 그런 모양인데, 심정은 알지만 그런 일은 어차피 자신과의 싸움이 아닌가. 분노하다 슬퍼하고 그러다 체념하는 것. 그 뒤 평화가 찾아오지. 그런데 제임스가 그 분노 조절을 못해. 자기 마음만 다칠 걸세.

지배인의 교통사고 얘기는 지난번 이메일에도 있었다. 자세하지 않아서 그저 그런 사고려니 했는데 그게 아닌 모양이었다. 의족이라니, 그 말에 놀라기는 했지만 교통사고라는 게 어디 지배인만 겪고 사는 일일까 싶었다. 그 사고로 데이행사가 무산됐다는 소리인데 사고 후유증이 가볍지 않은 모양이었다. 혈기 넘치는 중년의 상징, 평소 지배인 제임스의 모습이었다. 그런 사람이 의족이라니.

이메일은 더 이어졌다. 사고 후유증이 지배인의 심적 변화에 적지 않은 영향을 미친 것 같다는 얘기였는데 이것도 수긍이 갔다.

짐작했는지 모르겠지만, 사실 그간 제임스하고 갈등이 이전과 결이 좀 달라. 느낌이 그래. 나도 사람인지라 그게 반복되다 보니 회복이 안되더군. 재편집 얘기는 접은 줄 알았는데, 그게 더 상황을 좋지 않게 만든 게 아닌가 싶기도 하고. 투숙객들이 뭐라고 할지 제임스가 그걸 모를 리 없을 텐데 말이네. 제임스의 건강과 이 일은 별개라는 뜻이네. 자네 생각이 나서 그래. 어렵게 애버리지니 필름을 구해 준 사람이 이 대리 자네 아닌가. 이러면 예의가 아니지. 제임스하고 이번 데이행사를 치르는 게 가능한 일인지, 별 생각을 다 해 봤네. 그 걱정 때문에 잠을 설친 적이 한두 번이 아니야…….

최치영, 알 수 없는 사람이었다. 그의 이메일은 마치 떼를 쓰는 듯 보였고 들으라는 듯 귀에 대고 주저리주저리 억지로 연설을 하는 느낌이었다. 애버리지니 필름을 찾아 주기는 했지만 그 일은 호텔이나 지배인을 위한 것이 아니었다. 필요에 의해, 또 그 일로 인한 후과로부터 자신을 보호하기 위한 보신이었을 뿐, 말하자면 이과수 역시 살자고 한 일이었다. 그런데 지배인은 왜 그런 생각을 한 것일까. 몸 때문이라고 하기에는 이해가 가지 않았다. 무엇이 그를 그쪽으로 내몰고 있는 것일까. 최치영은 이메일 끝에다 난데없이 시인 이청 얘기를 적었다. 이청 얘기를 할 줄은 몰랐다.

이청이 책을 냈네. 이 친구 고집이 보통이 아니야. 샌님 같지만 입 속에 칼을 물고 있는 사람이지. 평소 그의 외유내강을 알아서 그래. 제임스가 그걸 못 견뎌 해. 이런 일은 의연해야 하는데, 그러니 내가 더 속이 탄달 밖에. 제임스의 행동이 어쩌면 이청의 책 때문이 아닐까 생각해 봤네.

이메일에는 파일이 첨부되어 있었다. 이청의 책을 찍은 사진 파일이었는데 서론의 일부였다. 사실 이청의 책 출판을 이과수는 일찍부터 알고 있었다.

최치영과 달리 이청과는 예전부터 자주 이메일을 주고받아 왔고, 이메일은 주로 이청이 보내왔다. 그는 이메일에다 이과수가 준 파일에 대해 꼬치꼬치 물었다. 어찌나 집요한지 없는 말을 만들어 들려줘야 할 판이었다. 하지만 다 말할 수는 없었다. 실은 모르는 게 있기도 했고 숨겨야 할 것들이 적지 않았다. 어쨌든 이청은 집요했고 어떨 때는 사나흘에 한 번씩 이메일을 보내 오기도 했다. 그는 이과수가 들려준 얘기들을 그때그때 참고하는 듯했는데, 그걸 자료로 뭘 쓰는 것 같았다. 이과수는 묻지 않았다. 그게 최치영이 말한 이 책이었다.

이청의 책 얘기를 안 건 두 주전 그가 보내온 이메일을 통해서였다. 짐작은 하고 있었지만 그가 책 얘기를 직접한 것은 그때가 처음이었다. 그러다 다음 주에 책이 나온다는 이메일을 보내왔는데, 그게 이번 주였다. 이청은 책이 나오면 우편으로 보내주겠다며 주소를 알려 달라고 했다. 이과수는 인터넷 서점에다 해외 배송으로 주문해 사 보겠다며 사양했다. 그게 예의일 것 같았다. 그러고 보니 최치영은 책이 서점에 깔리기 전 이미 받아 봤다는 소리였다.

알 수가 없어. 이청이 어떻게 이렇듯 속속들이 알고 있는지, 자네도 알다시피 그 친구는 그해 데이행사에 잠깐 참여한 게 전부 아닌가. 이후 일이야 내가 어찌 알겠냐만은, 다른 사람도 아니고 이청이 낸 책이야. 언론이 가만히 내버려 둘 리도 없고, 이게 어디 작은 일인가…….

†

벨 소리였다. 핸드폰 저쪽에서 하정미의 목소리가 건너왔다.

"차 탔어, 과수 씨."

"니 마나님 무사히 모실 거니까, 걱정하지 마라."

산타페에서 태호 선배의 트럭을 탄 모양인데, 옆의 태호 선배의 목소리가 같이 건너왔다.

이제야 마음이 좀 놓이는 듯했다. 인터뷰어는 아르헨티나 최초 이민자 중 새로 소개받은 사람이었다. 그간 몇 번 시도하다 이제야 약속을 잡았는데, 노인은 여든 중반의 고령이었다. 나이가 많아 병원과 집을 오갔고 그 때문에 일정 잡기가 쉽지 않았다. 그러다 갑작스레 일정이 잡혔는데 시간이 빠듯할 수밖에 없었다. 원래는 이과수가 같이 가기로 한 일이었다. 그런데 갑자기 일이 생겨 태호 선배가 급하게 산타페에 가야 했고, 둘 중 한 사람은 농장에 남아 있어야 했다. 태호 선배는 다음 날까지 일을 보느라 산타페에서 하루를 자야 했고, 부에노스아이레스에 가는 하정미를 산타페 공항에 데려다주고 다음 날 같이 오기로 한 것이었다.

노인과의 인터뷰가 아니더라도 하정미는 일정 자체가 빠듯했다. 인터뷰를 한 뒤 교포들이 운영하는 가게 두 군데를 탐방한 뒤 절에 들러야 한다고 했는데, 막상 가보니 탐방할 가게가 두 군데나 더 있었고 그 때문에 시간이 더 걸렸다고 했다. 그렇다고 절에 들르는 걸 포기할 수는 없었을 터였다. 하정미가 처음에 산하비에르에 오자마자 알아본 데가 절이었다. 부에노스아이레스와 투쿠만주 두 곳에 선원이 있었는데, 워낙 거리가 멀어 투쿠만에 있는 선원은 포기해야 했다. 다행히 부에노스아이레스에는 선원과 절이 같이 있어 부에노스아이레스에 갈 때면 하정미는 절을 찾곤 했다.

머피의 법칙

의족이면 다 될 줄 알았는데, 서둔 게 문제였다. 그게 이렇듯 일을 크게 만들 줄은 생각지도 못했다. 후회가 밀려왔다. 양쪽 대퇴부가 조각나 깁다시피 한 큰 수술인데다 후유증이 심하고 염증까지 있었다. 의사는 고관절이 온전한 게 이상할 정도라고 했다. 고관절이 문제가 아니라 그러다 자칫 죽을 수도 있었다고. 의사의 겁박에 최치영이 거들었다. 다 죽은 목숨을 살려 놨더니 객기를 부린다며 핀잔을 줬다. 그렇다고 재입원을 하게 될 줄은 몰랐다. 잠깐의 부주의가 실족으로 이어졌고, 그 후과는 컸다. 재수술을 해야 한다는 의사의 말에 저절로 한숨이 나왔다. 퇴원도 두 달은 지나야 가능할 거라고 했다. 그마저도 빠른 거라고. 일상적인 활동은 꼬박 일 년이 넘게 걸려야 하고 어쩌면 다리를 절어야 할지도 모른다고 했다.

"좀 마셔, 제임스."

차영한이 물잔을 건넸다. 입술에 하얗게 꺼풀이 인 지배인이 안쓰러운 모양이었다. 불현듯 찾아오는 통증은 죽을 맛이었다.

"투숙객들은 뭐래?" 물잔을 받아 들며 지배인이 물었다.

"수시로 문의가 와. 자넬 걱정하는 거지."

"챙겨. 식구들 아닌가." 지배인이 찬물 한 컵을 다 들이켜곤 말했다. 차영한이 다시 잔을 채우자 지배인이 반을 더 비웠다.

“이심전심이지, 뭐. 노아고 방주잖아.”
“표현이 좋군. 최치영 선생은?”
“요즘 VIP 쪽하고 연락이 잦은 모양이야. 여론이 워낙 안 좋으니까 자문할 일이 많아진 거지. 백지우도 VIP 쪽으로 들어갈 모양이던데.”
“백지우가?”
“예전에 최치영 선생이 알아본다고 했었잖아. 이제야 일이 성사된 모양이야. 아는 사람이 다 그쪽 인물들이고.”
“하긴 백지우 유능한 사람이지. 별걸 다 알아낸 사람이니까.” 핸드폰 소리였다. 지배인의 핸드폰에서 나는 소리였다.
“최치영 선생님이야, 제임스.” 차영한이 핸드폰을 건네며 말했다. 핸드폰을 귀에 대자 저쪽에서 최치영의 목소리가 건너왔다.
“좀 어떤가, 제임스?”
“여전합니다만, 처음 같지는 않습니다.” 지배인이 애써 웃으며 말했다.
“이거 참, 뭔 타이밍이 이러나…….” 최치영이 머뭇거렸다.
“무슨 일 있으십니까, 선생님?”
”백지우 이 친구가 보훈처에 있잖은가?”
“VIP 쪽으로 간다면서요.”
“그건 다음 달 일이고, 그나저나 이 말을 해야 하나 어쩌나 했네만…….” 최치영이 한숨을 내쉬었다.
“말씀하시지요, 선생님.”
“하긴 어차피 알아야 할 일이긴 해. 며칠 전이었네, 제임스. 백지우가 그러더군. 다음 달 호국 인물이 항일 을미의병장 김백선 장군이라고.”
“정말입니까?” 지배인이 환하게 웃으며 물었다.
“내 말 들어보게, 웃을 일이 아니야. 그래서 내가 자네 집안 얘기를 했지. 김백선 장군은 백지우도 잘 알잖는가. 그 때문에 이 친구가 더 알아본 모양이야. 조금 전 연락이 왔는데, 사실이 아니라는 거야.”
“뭘 말씀인지요, 선생님……?”
“자네 어머니가 김백선 장군의 혈족이라는 게 우리가 알고 있던 사실 아닌가. 자네한테는 외고조부가 되는 거고."

"그런데요……?"

"그게 아니란 거지. 문중 말로는 자네 외증조모가 경주 김씨 집안 수양딸 노릇을 한 적이 있었다는 거야. 경주 김씨라면 김백선 장군 집안이 아닌가. 그 집안의 수양딸이었다는 얘기인데, 그런데 그게 우리가 알고 있던 거하고 좀 달라. 거 있잖은가, 법적으로는 그냥 두고 구두로 수양딸이라고 해 놓고 왕래하는 거. 그 때문에 문중에서도 혼선이 있었나 봐. 외증조모가 그런 케이스인 거지."

"그럼 족보는 뭡니까?"

"뭐 굳이 말하자면 다른 문중 족보에도 그런 경우는 있어. 구두로 내려오는 걸 적다 보니 잘못 적기도 하고 그런 거지. 문중에서도 그 얘기는 벌써 정리가 된 모양이야. 우리만 모르고 있었어. 족보 정리도 작년에 끝났고."

"……."

"듣고 있는가, 제임스?"

그러므로 최치영의 말은 더 이상 제임스 김, 김철민이 김백선의 외고손이 아니라는 소리였다. 자기도 제임스를 항일 을미의병장 김백선의 외고손으로 알고 있었는데, 그게 아니더라고. 지배인은 아무 말도 하지 않았다. 아니, 아무 말도 할 수 없었다. 그리고 잠시 뒤, 시간이 조금 더 지나고서야 날벼락을 맞은 듯 슬슬 타격이 왔다. 이게 무슨 소리지……? 하긴 뭐 젠장할, 그리고 이제야 하는 말이지만 김백선 그 인물이 어떤 사람인지 알고 싶은 적은 없었다. 의병장이라기에 그런가 보다 했고, 과거에 대해 별 관심이 없는 지배인에게 김백선 장군 역시 알아도 몰라도 그만인 인물이었다. 언제였더라, 김백선에 대해서는 백지우에게 보다 자세한 얘기를 들을 수 있었다. 그쪽은 그가 전문가였으니까.

백지우가 말했다.

"항일 을미의병장 김백선 장군의 죽음은 을미의병기 의병사에서 중요한 사건입니다."

김백선 장군의 죽음은 학계에서도 논란이 많아 자주 언급되는 연구 대상이며 이제는 새로운 시각으로 이 사건을 봐야 한다는 게 말의 요지였다.

"새로운 시각이라니요, 백 선생님?" 지배인이 물었다.

"우리 역사는 당 시대 기득권의 시각으로 적은 게 대부분입니다. 기록이란 게 글자를 알아야 적을 수 있는데 글을 모르는 일반 백성은 자기 얘기조차 남이 적어줘야 기록으로 남길 수 있었지요. 반면 기득권층은 마음만 먹으로면 자기네 얘기를 얼마든지 기록으로 남길 수 있었습니다. 물론 자기들 시각으로 말입니다. 하지만 이제는 그들의 기록을 다른 시각으로 들여다봐야 할 때가 왔다는 겁니다."

김백선의 죽음이 그 경우라고 했다. 이 사건에 대한 기록은 모두 당 시대 기득권인 유생들이 적은 것들이었다. 백지우는 훗날 김백선이 막돼먹은 사람으로 알려진 게 그 때문이라고 했다. 핵심은 신분 차별이었다.

양반 유생들이 의병을 일으킨 이유는 명확했다. 그 시대 이 땅의 주인은 그 사람들이었고, 그 땅에 사는 백성들의 정신적 지주 역시 그들이었다. 한 마디로 그 시대 마지막 기득권, 농토와 신분의 주인이 그 사람들이었던 것이다. 백지우는 의병이 주로 삼남에서 일어난 게 그 이유라고 했다. 황해도 이북은 조선 시대에는 지역 차별과 부의 불평등으로 재산도 권력도 가진 게 없는 사람들이 살았고, 그러므로 굳이 의병을 일으켜 지킬 재산이 그리 남아 있지 않았다고. 하지만 아래 삼남 지방은 많이 달랐다. 조선의 농지 대부분이 그곳에 있었고 소유자는 양반 유생들이었다. 그들은 자신들의 신분과 부를 지켜야 했다. 나중에 이들 역시 친일과 반일로 갈리며 부를 지키고 희생하는 방법이 달라졌을 뿐, 양반 유생들은 조선 말기 쇠락한 유교적 신분 질서의 붕괴가 자신들의 기득권을 지키는 데 아무 도움이 되지 않는다는 것을 누구보다 잘 안 사람들이었다. 그러므로 당 시대의 흐름과 달리 유교적 질서가 지배하는 구시대를 지키기 위해서는 의병을 일으켜 왜를 물리쳐야 했고 개화 역시 막아야 했다. 성리학의 부활과 왕정의 강화, 하지만 이미 멸망한 지 2백 년이 훌쩍 넘어 흔적도 찾기 힘든 명나라를 사대하기 위해 목숨을 건 그들의 호소는 명분이 부족했고 논리적으로 설명이 불가능했다. 그들이 꿈꾼 세상은 조선이 아니라 성리학적 질서가 지배하는 성리학의 세계였으니까. 요즘으로 말하면 헌법 위에 이들이 있는 것이나 다름없다고 백지우는 말했다. 자신들의 신념이 나라와 백성보다 먼저인 특이한 사람들이라고. 물론 이 땅에서 5백 년을 지탱한 유교 정신은 평민과 천민들에게 그대로 세뇌돼 임금을 살리고 외세를 물리쳐야 한다는 유생의 주장과 평민들은 주장이 다르지 않았다. 하지만 그 궁극의 목적과 동기까지 같을 수는 없었다. 조선의 마지막 기득권의 극단적 계몽주의가 단말마적으로 드러난 시대적 사태, 을미 의병기 유생 봉기의 단면에는 그런 양면성이 있었다. 그런 그들에게 포수 출신 평민 의병장의 양반에 대한 저항은 용인할 수 없는 불충이자 사회 질서의 교란이었다.

김백선은 유인석과 동지였다. 유인석은 호좌의진이라는 의병 부대의 장이었고, 이후에는 러시아에서 항일을 이어갔다. 하지만 유인석은 애초에 의병진의 장을 맡을 생각이 없는 사람이었다. 제자들의 호소로 의병장이 됐고, 이후 김백선은 그와 같은 의진에서 충주성 전투와 그 외 여러 전투에서 선봉장으로 싸워 공을 세웠다. 그런 김백선이 그의 손에 의해 처형을 당한 것이었다. 가흥전투가 사건의 시작이었다. 가흥은 충주 외곽지역이었다. 그곳에서 일본 수비대와 전투를 벌인 김백선 부대는 병력이 부족하자 전투에 참여한 의병장들과 본진에 지원병을 요청하기로 의견을 모았다. 그런데 지원병을 보내기로 한 본진이 약속을 어겼던 것이다. 이 때문에 의병진은 가흥전투에서 패배했고, 본진으로 돌아온 김백선은 분을 못 이겨 칼을 빼 들고 항의했다. 이걸 군율 위반으로 본 유인석은 김백선의 목을 베어 버렸다. 백지우는 이 부분을 명확히 했다.

"명분은 군율 위반이지만 뒤에는 드러나지 않은 비겁함이 있습니다. 마침 의병진은 그 전후로 전투 성과가 지지부진했고 기강을 바로잡아 심기일전해야 한다는 의견이 팽배해 있었지요. 그 때문에 가흥전투의 패배를 누군가 책임져야 했습니다. 그러던 차에 김백선이 부상한 부하들을 데리고 본진으로 돌아왔던 것입니다. 김백선이 그때 목격한 게 밥을 먹고 있는 유인석을 비롯한 제장들의 모습이었습니다. 그러자 김백선이 화가 치밀어 칼을 빼 들고 저항하고 나선 겁니다. 이렇듯 김백선이 칼까지 빼 들고 나선 것은 그날 의병 지도부가 밥을 먹으며 술을 곁들이고 있었고 이걸 본 김백선이 분을 참지 못한 것이라고 했지요. 본진으로 돌아와서도 부상을 당한 부하들이 죽어 나가는 판이었으니 이해할 만도 합니다."

"그런 게 있었군요……." 지배인이 중얼거렸다.

"중요한 것은 김백선의 목이 날아간 뒤 처벌된 사람이 아무도 없었다는 것입니다. 가흥전투에서 패한 사람이 김백선만이 아니었거든요. 그것만 봐도 왜 유인석이 김백선의 목을 날려야 했는지 충분히 짐작할 수 있는 일이지요. 양반이 밥을 먹는데 감히 상을 엎다니, 그의 입장에서는 말이 안 되는 일이었던 겁니다. 여기서 눈여겨

봐야 할 것은 자신이 지나쳤다는 것을 안 김백선이 스스로 칼을 버리고 무릎을 꿇었다는 사실입니다. 유인석은 외면했습니다. 그리곤 속히 처형을 하라고 닦달합니다. 다른 의병장들이 말렸음에도 유인석은 고집을 꺾지 않았습니다. 당장 처형하지 않으면 자기 목을 치라고 호통을 쳤지요. 그가 그렇게 고집을 부린 것은 신분 질서에 대한 무례를 도저히 용서할 수 없어서였던 것입니다. 이성적으로는 나중에 처벌하더라도 결코 전투 중에 주력 전투원인 포수들의 리더를 하루 만에 목을 벨 수는 없는 일이었지요. 지휘관으로서 선택해서는 안 될 일을 하고 만 겁니다. 김백선의 처형이 이루어지고 난 뒤 호좌의진은 빠르게 무너집니다. 일부 학자는 어차피 관군 때문에 무너질 수밖에 없었다고 하는데 그건 결과론적인 얘기지요. 저는 과정을 작게 취급해 결과를 부각하는 것은 적어도 학자의 태도가 아니라고 봅니다. 중요한 일일수록 작은 일이 큰 결과를 가져오는 경우가 많기 때문입니다. 김백선은 처형 직전 마지막으로 고향의 어머니를 보게 해달라고 했습니다. 물론 유인석은 이마저 거절했습니다. 사실 첩지를 받아 절충장군에 오른 김백선은 유인석이 함부로 대해도 되는 상대가 아니었습니다. 조선시대 절충장군은 무신 정3품 당상관입니다. 소설가 김성동은 용문산 포수 우두머리인 도꼭지 김백선을 가리켜 최초의 평민 출신 의병장이자 영남의 신돌석과 더불어 남돌석 북백선이라는 말이 있을 정도로 출중한 총댕이 싸울아비 의병장이었다고 기록에 남겼을 정도이지요."

그런 김백선의 피가 자신의 몸에 흐르고 있었다니. 그러나 최치영의 말이 사실이라면 지배인은 그 자부심이란 것이 실은 강대식이 심어준 선동이었다는 소리가 될 수도 있었다. 그러고 보니 진작 어머니 김숙녀에게조차 김백선 얘기를 들은 적이 없었다는 것을 지배인은 떠올렸다. 김백선 장군 추모회를 주관하는 종친회에서 어머니 김숙녀 얘기를 하는 것 역시 들은 적이 없는 듯했다. 왜 이제야 그 기억이 나는 것일까.

핸드폰 너머에서 최치영의 헛기침 소리가 들렸다. 말이 없자 최치영이 짐짓 낸 소리였다.

"제가 항일 의병장의 후손이 아니다, 이 말씀이시지요?"

"일이 그렇게 됐네."

순간 짜증이 났다. 그래도 그걸 자긍심으로 삼았는데, 그간 흔들리지 않았던 것도 그 때문이었는데, 좀 더 알아볼 게 있지 않을까? 하지만 최치영의 말은 사실일 가능성이 컸고 더군다나 보훈처장 백지우가 알아본 일이라고 하지 않는가. 문중에도 확인을 했고.

지배인은 외치고 싶었다. 그럼 나는 누구냐고? 그 의문이 사라지는 메아리처럼 공허하게만 느껴졌다. 물어볼 데도 없었다. 김숙녀도 강대식도 이젠 여기 없는 사람들이었다. 하긴 원래 살아온 삶이 뿌리도 기둥도 없는 태생이기는 했다. 그런 자신이 이 일 하나로 없던 뿌리가 뽑힐 일이 있을까. 아니, 뿌리야 만들면 그만 아닌가. 사실 어느 뿌리인지가 중요한 것이 아니라 어느 뿌리가 더 오래 가는지가 더 중요하지 않을까. 자신이 하는 일이 실은 이런 일들이 아니었는가. 두 번 다시 자신의 옛 모습으로 돌아가지 않을 것이며, 김숙녀의 수모를 대물림하는 일은 없을 것이었다. 그러자 조금은 숨을 쉬어도 될 것 같았다.

"괜찮습니다. 제가 뿌리가 되면 됩니다. 안 그렇습니까, 선생님?" 지배인의 목소리가 살짝 떨렸다.

"진정하게, 제임스. 당장 무슨 일이 난 것도 아니고, 아무튼 그건 나중에 따로 얘기하세."

최치영이 차마 끊지 못하는 것 같아서 지배인이 먼저 끊었다. 태연하려고 했지만 어쩔 수 없이 흔들렸고 속마음을 보이고 싶지 않았다. 지금 이 감정도. 그런데 이처럼 몸이 힘들 때 또 일이 생기다니. 머피의 법칙이 따로 없었다. 세상에는 왜 아직 모르는 것이 이렇게 많은 것일까.

최치영과 통화를 하고 나자 다시 통증이 밀려왔다. 몸을 헤집는 듯. 근래에 이렇게 심한 적이 있을까 싶었다.

"개 같군……." 지배인이 으드득 이를 갈았다. "간호사 부르게, 제임스." 차영한이 급하게 콜벨을 눌렀다.

젠장, 그나마 그게 나름 자긍심이었는데, 그 때문에 지지리 못나고 고생만 죽도록 하다 간 김숙녀가 고맙기도 했는데. 김백선 장군의 외고손이 그랑호텔 지배인 김철민인 줄 알았는데……, 지배인의 얼굴 살이 겹을 이루며 일그러졌다. 통증과 스트레스가 겹친 참담함이 고스란히 담겨 있었다.

간호사가 링거를 바꾼다며 새 걸 걸었다. 무통 주사도 섞인 듯했다.

“힘들지, 제임스?” 차영한이었다.

뭔가가 가슴 한쪽을 짓눌렀다. 비록 개인사에 불과한 일일 수는 있지만 호텔로서는 버거운 일 하나를 얻은 거나 다름없었다. 당장 벽수산장 철거가 거론될 게 뻔했고, 강대식으로부터 선대에 이르는 친일부역행위 역시 다시 수면으로 떠오를 터였다.

핸드폰 소리였다. 차영한이 핸드폰을 받았다.

“최치영 선생님이야, 제임스.” 젠장, 왜 또 전화인지. “바꿔 달라셔.” 핸드폰을 받아 들자 최치영이 다짜고짜 물었다.

“미 상공회의소에서 전화 온 뒤로 다시 연락받은 거 있나, 제임스?”

“없습니다.” 아직 남아 있는 통증을 참으며 지배인이 말했다.

“이상하구먼, 골드만 삭스 쪽에서 연락을 했다는데…….”

“골드만 삭스라니요?”

“그쪽 사람이 호텔하고 통화를 했다는 게야.”

최치영은 미 상공회의소에 근무하는 제자에게 들은 거라고 했다. 최치영의 말이 맞는다면 예전에 이한별이 보고한 것 외에는 없었다. 혹시 그걸 말하는 건가? 행사와 관련해 이것저것 물었고 이전보다 내용이 구체적이라는 인상을 받았다. 지배인은 대꾸하지 말라는 지시를 했고 궁금한 게 있으면 서면으로 요구하라고 했다. 얼마 뒤 다시 연락이 왔고 이번에도 이한별이 전화를 받았다. 그런데 사람이 달랐다. 그는 마구 영어로 지껄이더니 일방적으로 전화를 끊었다고 했다. 전화를 받은 이한별이 대충 알아듣곤 보고를 했다. 이한별의 보고에서 귀담아들을 만한 건 없었다. 그런데 어떻게 알았을까. 아직 행사를 하기 전이었고 회의를 한 것뿐인데, 찝찝하기는 했지만 신경 쓰지 않았다.

“어떻게 할 텐가, 제임스?” 걱정되는지 최치영이 물었다. “예전에 이 대리도 그런 말을 한 적이 있어, 그래.” 그런 적이 있기는 했다. 대수롭지 않은 듯해 그 말 역시 그냥 넘긴 기억이 났다.

다시 통증이 몰려왔다. 무통 주사가 소용없었다. 차영한이 간호사를 부르겠다며 밖으로 나갔다.

"다 하는 소리 아닐까요, 선생님." 통증을 참느라 지배인이 이를 악물며 말했다.

"잊을 만하면 생각이 나." 최치영이 끌하고 혀 차는 소리가 들렸다. "마크 하디라고 했다는데, 우리도 아는 이름이잖은가. 강대식 어른을 뉴욕으로 초청한 그 사람 말이야. 그가 한국에 왔다가 연락한 거라는데 그러다 그만둔 모양이야. 아마 특별 행사 뒤인 것 같기도 하고, 미 상공회의소가 물어 온 게 그즈음 듯해 그래." 답답하다는 듯 최치영이 말했다.

최치영과 핸드폰을 끊고 난 지배인은 이한별에게 연락을 했다. 최치영의 말이 맞았다. 이한별은 마크 하디라는 이름을 기억하고 있었다. 그때 그 중요한 이름을 빼놓고 지배인에게 보고를 한 것이었다. 부주의하고 무지했다.

"일 제대로 못해, 쌍년아!" 지배인은 차영한에게 이한별을 다시 일 층 안내 쪽으로 내려보내라고 했다. 통증이 더 심하게 몰려왔다.

"간호사 좀 불러, 차 선생."

"곧 올 거야, 제임스."

차영한은 의리가 있는 사람이었다. 이처럼 힘들 때 옆에 있어 주다니. 지금 지배인 옆에는 그뿐이었다.

지배인은 몸서리를 쳤다. 식은땀이 흘렀고, 룸미러 속 덤프트럭이 환영처럼 나타났다 사라졌다. 트럭 운전사는 술을 마신 것도, 졸음운전을 한 것도 아니라고 했다. 핸드폰을 하다 그랬다는데, 아직도 뒤에서 돌진하는 덤프트럭의 사각 그릴이 하마의 머리통처럼 선명했다. 그 장면이 온몸을 휘감을 때는 고의라는 생각을 지울 수 없었다. 그게 자꾸 사람 속을 뒤집어 놨다. 지배인이 중얼거렸다. "아, 김백선……."

영혼과 형식

어제 책이 도착했다. 이청이 다시 주소를 물어 와 할 수 없이 알려줬는데, 일주일 만에 책이 온 것이었다. 기분이 묘했다. 시인 이청에게 책 선물을 받다니.

〈영혼과 형식〉, 책 제목이었다. 비평집이었고 사회비평과 문화비평이 섞인 듯했다. 아직 다 읽지 않았지만 진지하고 심각한 내용을 쉽게 쓴 듯해 읽기 편하겠다 싶었다. 최치영이 이메일에서 말한 것과 달리 특별히 비난할 만한 게 있을 것 같지도 않았다.

최치영은 이메일에서 노골적으로 화를 냈다. 이청의 책 때문이었는데, 지난 이메일에서는 지배인을 진정시키는 모양새더니 이번엔 자기가 흥분하고 있었다. 그 역시 감정의 동요를 숨기지 못하고 있었다. 그 바람에 내용이 길어졌고 읽다 보니 몇몇 대목에서는 이해가 가는 데도 있었다. 벽수산장 얘기가 그랬다.

중앙청이라고 아는지 모르겠네. 예전에 일제가 총독부로 사용하던 바로크 양식의 돔 건물이지. 그만한 근대 건축 문화유산은 없었어. 해방 후 정부청사와 국회의사당으로 사용하다 일제 잔재라며 흔적도 없이 부숴 없앴지. 이젠 벽수산장마저 시골 뒷간 취급을 당하게 생겼어. 문화적 상상력의 한계라고 할밖에. 이청의 글이 그런 류에 속하지. 슬플 뿐이네. 오천 년 과거사 중 한 부분에 불과한 일제하 엘리트의 문화 행위를 친일 프레임으로 몰고 가다니, 그게 다가 아니야. 이청은 그랑호텔뿐 아니라 투숙객들까지 비난하고 있어. 한 시대의 엘리트이자 근현대가 남긴 소중한 인적 자산, 이들이야말로 산업 사회가 선진국으로 들어설 수 있도록 맨 앞에서 시대를 이끈 선구자들이 아닌가. 이청이 이걸 호도하고 있어. 자격 없이 의료 행위를 하는 돌팔이 의사와 다를 게 뭐 있는가.

최치영이 분노하고 있었다. 이해는 하지만 불편하기도 했다. 최치영 같은 인물이, 그것도 이청 같은 사람을 상대로 돌팔이라니. 이청이 어떤 시인인지 모르는 사람이 없는데, 최치영이 흥분한 나머지 너무 나가는 게 아닌지 싶었다.

책을 펼쳤는데 최치영이 비난하느라 인용한 부분이었다. 최치영의 흥분에 비하면 아무리 봐도 이청의 글은 크게 상식선을 넘어 보이지 않았다. 벽수산장은 반드시 철거되어야 하며, 이를 청산하는 일은 다시는 치욕의 역사를 반복하지 않기 위한 징벌이자 교훈이라는 주장을 했는데 읽다 보니 그간 숱하게 있어 온 얘기를 반복한 것이어서 그걸 유독 이청의 말인 양 비난할 일은 아니었다. 최치영의 비난은 더 이어졌다.

이청이 외눈으로 그랑호텔을 보고 있네. 문제는 그가 호텔의 실상을 호도하고 있다는 거지. 그가 얼마나 시대를 역행하는지, 또 그의 정서적 건강이 어떤지 의문을 갖게 하는 대목이 여기네. 그를 다시 보는 듯해 난감할 뿐이네.

최치영의 비판은 〈영혼과 형식〉 119쪽에서 227쪽 사이에 집중돼 있었다. 이청의 주장이 크게 틀려 보이지는 않았지만 최치영의 입장에서는 다르게 보일 수도 있겠다는 생각이 들었다.

이청의 글은 노골적이었다. 그의 비판 상대는 모두 지식인이거나 엘리트라 부르는 전문집단이었다. 애초에 말 많은 사람들을 상대로 글을 쓰기로 작정한 듯했고, 어찌 보면 용감하다고 해야 할 정도였다. 최치영 같은 사람이 가만히 있는 게 오히려 이상하지 않을까. 작정하고 덤벼든 상대에게 가만히 있을 사람은 없었다. 그게 이청의 의도라면 의도일 수 있겠다 싶었다. 책에는 이런 내용이 있었다.

…… 그들은 약속을 어겼다. 지난 시대가 낳은 악습과 구태 속에서 자신들은 예외인 듯 군다. 이제 이들은 다른 모습으로, 또 쉽게 구분하기 힘든 형태로 집단화하고 있다. 이기와 부가 교차하지만 그 지점을 알 수 없고, 혼돈을 초래함으로써 사회적 편중조차 의식하지 못하게 만드는 기괴한 구조, 이 비정상적인 현상은 대중의 문화 향유란 측면에서도 비슷하게 나타난다. 그게 일상이 됐다.

그러므로 그랑호텔이 어떻게 존재하고 어떻게 이어져 왔는지 이를 빌려 말할 수 있을 것이다. 투숙객들, 그들이 누구인지도. 벽이 있다. 메타인지의 불능과 오염된 욕망은 누군가의 은밀한 기획이 존재하기 때문에 가능한 것들이다. 눈을 떴으나 보지 못하는 사회, 우리가 사는 곳이 그 수렁일 수 있다는 의심은 이제 확신이 됐다. 그들의 짓이다.

최치영을 자극한 곳이 이 부분이었다. 그랑호텔이 어떻게 존재하고 어떻게 이어져 왔는지 이를 빌려 말할 수 있다. 투숙객들, 그들이 누구인지도……. 이청이 아킬레스건을 건드리고 있었다. 그럼에도 최치영의 말은 껄끄러운 데가 있었다. 이청을 편들자는 게 아니라 평소 그를 생각하면 지금 최치영의 모습은 왠지 가벼워 보이기 때문이었다. 아무리 이과수 개인에게 보내는 이메일이라고는 하지만 평정심을 잃은 듯한 모습은 그의 논리를 이해하는 데 별 도움이 되지 않았다. 비난은 더 이어졌다.

예전에는 알지 못했네. 그 친구에게 이런 무지와 폭력이 있었는지, 하긴 그의 시만 봤지 산문은 처음이잖은가. 인간답지 않은 삶이 무엇인지 묻고 싶은 심정이네. 불과 반세기만 거슬러 올라도 보통의 인간들이 어떤 삶을 살다가 생을 마쳤는지, 그 일생이 얼마나 비참했는지 어렵지 않게 알 수 있지. 이청이 그걸 모를 리 없어. 그 시대의 암울을 벗게 하고 삶을 긍정과 희망으로 살게 한 사람들이 누구였는지. 그런데 그 호혜도 모르고 그랑호텔을 들먹거리다니, 그간 남은 연마저 달아나는 듯해 안타까울 뿐이네…….

이청의 꼼꼼함 때문인지 몰랐다. 더 읽어 봐야 하겠지만, 그의 글은 깨알 같다는 표현이 맞을 정도로 밀도가 있었고 긴장감이 느껴졌다. 그는 지속적으로 또 광범위하게 얘기를 확장했다. 파일 얘기가 거기에 속했다. 이청의 파일 얘기는 꽤 구체적이었다. 이과수 자신도 모르는 내용이 있었고, 이청은 어디선가 다른 자료를 더 참고한 듯했다. 자신이 준 자료를 바탕으로 한 게 전부이겠거니 했는데, 그걸 넘어서 있었다. 분석한 내용은 치밀하고 새롭기도 했다. 그게 공감의 폭을 넓히고 역설적으로 최치영의 감정 이입의 강도를 높여 준 듯했다. 호텔 데이행사와 애버리지니 필름을 둘러싼 월 스트리트, 이청은 가감이 없이 그 부분을 건드렸다. 하긴 그 얘기를 하기 위해서는 이 셋 중 어느 하나라도 빠지면 일관성도 논리도, 무엇보다 문제의식이 성립할 수 없었다.

이청은 의도적인 데다 주도면밀했는데, 그랑호텔을 적은 대목에 이르면 그게 더 두드러졌다. 그게 최치영을 더 예민하게 만든 모양이었다. 하지만 이청의 글에 반박할 여지는 별로 없어 보였다. 다 사실이었으니까. 그냥 넘어갈 수도 있는 부분 같은데도 이청은 이과수가 준 파일을 참고해 설명을 붙였고, 이 얘기의 핵심 자료인 케빈 슈라이버 교수의 노트를 인용해 깊이를 추구함으로써 독자의 이해를 도왔다. 빈틈을 허락하지 않았다. 자료의 풍요와 기민함 때문에 글의 적확성이 저절로 확보되었고, 그게 글에 대한 신뢰로 이어졌다. 이청은 나아가 케빈 슈라이버 교수가 적은 애버리지니 필름과 월 스트리트에 대한 고뇌, 또 그랑호텔이라는 실례를 통해 자신의 우려를 부각하는 데 집중했다. 그 때문에 세계사를 아우르는 근현대사를 언급했고, 특히 남북전쟁 뒤 미국사와 벨 에포크 시기의 유럽 100년의 평화와 이후 세계사의 여정, 세계의 중심이 미국으로 옮겨간 뒤 작금의 냉전적인 현대사와 신자유주의 말기의 금융위기 때 얘기들까지, 이청은 이런저런 얘기들을 빠뜨리지 않고 세심하게 다루려는 노력을 곳곳에서 보여 주었다. 읽다 보니 그 얘기가 그랑호텔의 역사와 많이 닮았다는 생각이 들었다. 세계사의 구조 속에서 조선 말기와 대한제국 시기를 바라본 이청의 시선 때문인 것 같았다. 미처 생각해 보지 않은 것들이었다. 밖에서 보니 안이 보인다고 해야 할까. 나아가 이청은 호텔 내부 일이나 다름없는 애버리지니 필름을 정면에서 다루었고 그 배경이 그랑호텔이라는 점을 분명히 했다. 최치영의 비난이 그곳에 집중된 이유를 알 것 같았다. 이청은 각 쪽마다 주를 달았고 하도 자세해 어떤 쪽에선 본문보다 주가 더 많은 데도 있었다. 참고한 책과 자료도 상당했다. 그게 그의 주장과 근거에 대한 또 다른 믿음을 갖게 했고, 독자로서는 나쁠 게 없었다. 특히 케빈 슈라이버 교수 노트를 자주 인용한 게 적절해 보였는데, 그 자료가 주는 믿음은 독자의 마음을 움직이기에 충분했다. 어느 부분은 이과수 자신의 생각을 적은 것이 아닌가 싶기도 했고, 생각이 좀 다르다고 느껴지는 대목도 있었다. 헨리 폴슨 얘기는 인상적이었다. 특히 헨리 폴슨이 금융위기 때 보인 태도에 대한 그의 글에 눈길이 갔다.

> 헨리 폴슨은 미 재무부 장관 입장에서 리먼 브라더스를 보지 않았다. 골드만 삭스 최고 경영자, 헨리 폴슨뿐만 아니라 부시 행정부가 모두 그 입장이라고 봐야 한다. 이 사람들은 정부보다 기업 활동이 더 중요하다고 생각한 시카고학파와 동맹 관계가 아닌가. 이것이 의미하는 것이 무엇인지가 중요하다. 이들은 자신들의 동맹을 자신들의 규율로 보장하고 싶어 한 사람들이다. 자신들의 자유, 다른 얘기는 수사에 불과하다. 자무엘이 2008년 헨리 폴슨을 상대로 한 게임의 원인을 제공한 지점이 여기이다.

이청은 2008년 자무엘이 한 일도 놓치지 않았다. 물론 케빈 슈라이버 교수의 노트를 참고한 것이겠지만 이청의 눈은 정확하게 앞뒤를 꿰고 있었다. 비록 무위로 끝나기는 했어도 자무엘의 행위가 무엇을 의미하는지 이청은 분명하게 짚고 있었다. 이청이 자신의 해석을 덧붙여 적은 대목이었다.

> 부르주아 경제는 두 의미를 갖는다. 시장이 존재하는 목적은 공공성이 아니라 사적인 이유이며 이들이 생산한 상품을 얻으려는 소비자들의 동기는 필요가 아니라 보편 욕망이다. 여기에 변수가 있다. 이들이 말하는 인류는 우리 상식과는 다른 의미를 띠고 있다는 점을 주목해야 한다. 선민, 이 용어의 맥락을 알면 이해가 쉬워진다. 영혼 역시 특정 계급, 혹은 특정 인류의 소유라는 독점의식과 선민의식에서 기인한 개인의 신념이 만들어 낸 괴물에 불과하기 때문이다. 이 관념이 골수 깊이 박혀 있다는 증거가 그의 글에 일목요연하게 정리돼 있다.

이청은 월 스트리트가 왜 자무엘의 제안을 받아들였는지를 두고는 자무엘이 제

시한 내용이 무엇이었는지 알면 이해할 수 있을 것이라고 했다. 당연했다. 자무엘의 지향은 세 가지에 집중돼 있었고 그중 하나가 기록이었기 때문이다. 영상은 그의 입장에서는 지극히 상식적인 선택이었다. 월 스트리트가 혹한 이유가 이 때문이었고 그 시도는 집단지성이 합의한 일종의 계약 같은 것이었다. 이청은 이 목적성과 노력은 합리적이며 행위는 합목적적이었다고 적었다. 이청이 제대로 흐름을 따라가고 있었다. 그러면서 이청은 자무엘이야말로 월 스트리트를 넘는 욕망의 폭주전차라며 주홍 글씨로 적었다.

월 스트리트는 사적이며 은밀하다. 이들의 성향이자 취미라고 할 수 있다. 집단이지만 개인이고 군집이지만 개체인 존재. '영혼'에 대한 열망이 영화제작을 수익 창출의 수단으로 삼지는 않았지만, 세계를 대상으로 한 현실 속에서의 실현을 목적으로 한 도구로서 충분히 효과적이라는 것을 알고 있었다. 여기에는 월 스트리트 특유의 풍토가 빚은 해프닝이자 에피소드가 숨어있다. 여타의 예술이 그렇기는 하지만 영화는 판타지 요소가 강하다. 허구를 넘는, 혁명이 그랬으며 과학이 그랬다. 혁명가는 신념을 만들고 과학자는 가설을 만들었다. 예술과 혁명은 여러모로 닮았다. 그것을 안 그들은 자신들이 도달하고자 하는 상상과 가설을 구현하는 데 영화 장르만 한 것이 없을 것이라는 판단을 했다. 평소 그들의 생활 방식이나 신념, 물질을 무형의 가치로 상승시키는 역할로도 영화 형식의 선택은 꽤 효과적이며 극적이었다고 할 수 있다.

이청은 케빈 슈라이버 교수 역시 자신과 같은 주장을 하고 있다며 노트의 한 대목을 더 인용해 넣었다. 그는 시종 케빈 슈라이버 노트를 비중 있게 취급했다. 전문을 길게 넣었는데 자연스러웠다.

월 스트리트의 영화제작이 영혼 때문에 벌어진 해프닝이라는 말은 수사일 수 있다. 그것을 아는 사람은 그들 외에 없기 때문이다. 사실일 것이다. 20세기 초 월 스트리트는 이미 다른 경로로 그와 유사한 일을 여러 번 경험한 적이 있다. 철강왕 카네기와 석유왕 록펠러, 시리얼왕 켈로그와 철도왕 해리먼, 세계적인 화학 제품의 거물 듀폰과 글로벌 금융기업 J · P 모건, 이들의 이름은 어떤 명예를 가지고 있는가? 다윈의 진화론으로 우생학의 깃발을 내건 사람들, 이처럼 삿된 학문을 도구로 추구한 대상은 자본의 승리였다.

자본이란 권력과 이들의 철학은 로플린의 말 속에 기꺼이 들어 있다. '기업이 더 좋은 상품을 생산하려 하듯 인간도 그렇게 만들려는 것이다. 인간 재생산에 대기업의 방법을 적용한 것이 우생학이다'. 이처럼 자무엘의 유혹(?)에 월 스트리트가 흔쾌히 응한 데는 우생학을 섬기던 그들 선대의 혈청이 새겨져 있었기 때문이다. 이 경우 경험과 후천적 획득의 결과물이 유전될 수 있다는 후성유전학의 주장은 설득력을 갖는다. 그런 면에서 자무엘은 어리석기도 한 사람이다. 그 역시 그 부류에 속했고 스스로 자신을 몰랐던 것뿐이다. 그리고 그들은 자신들의 욕망을 학습해 자신의 유전형질을 공진화시킨 자무엘이 미웠을 수도 있다. 환상과 이익을 모두 챙기겠다는 다층적인 욕망의 충동, 이 세계에서는 어차피 영혼도 욕망도 게임에 불과하다는 진의를 안 그들은 그 꿈을 실천했으며 충분히 잔인했다. -케빈 슈라이버 교수 노트 237쪽.

이청은 케빈 슈라이버 교수의 글에 덧붙여 시리얼왕 켈로그가 '인종개량재단'이라는 재단을 세운 일과 미국에서 단종법이 폐지될 때까지 강제로 단종 수술을 받은 미국인이 6만 5천여 명에 이른다는 사실을 적었다. 물론 일제의 731부대와 나치의 생체 실험 얘기도 있었고 나아가 한국 정부의 우생학을 통한 사회적 훈육의 잔인함도 낱낱이 꼬집었다.

우생학을 부르짖은 프란시스 갈톤의 섬뜩한 선언을 예로 든 이청은 우리 역시 일제를 통해 받아들인 서구 학문에 우생학이 있었음을 상기시켰다. 또 이런 의식은 이광수 같은 지식인에 의해 민족개조론으로 변질돼 일제에 동조하는 논리로 쓰였고, 때론 집단에게 비뚤어진 각성을 요구하는 반사회적인 집단 폭력의 기능으로, 개인의 열등감을 상기시키고 그 위에 군림하고 파괴하는 압박의 논리로 이용됐다고 이청은 적었다. 또 60년대부터 90년대까지 한국 정부는 장애인에게 강제로 불임 수술을 했으며, 그 일은 불과 삼십 년 전에 벌어진 일이었다는 사실, 그러면서 21세기의 그랑호텔이 재삼 그 상스러운 일을 공공연히 옹호하고 있는 게 아닌지 의심하고 있으며, 이 글은 그 전례를 상기하고 적극적으로 차단하려는 절박한 작업의 일환이라고 강조해 적었다. 또 이청은 '오 스펜서여, 적자생존이라니!'라고 외치듯 추임새를 넣었는데, 이 대목에서 그가 좀 흥분한 듯 보였다. 그는 이처럼 철저하게 물화한 세계에서 인간은 영혼마저 물화의 세계로 편입시키는 무지를 주저하지 않고 있으며, 그 일 이전에 우리 스스로 물화의 의미를 되돌아보는 행위가 선행되어야 했다는 얘기를 안타깝다는 듯 적었다.

최치영은 이 대목도 비난했다. 이청의 우생학 논리는 잘못된 비유이며, 거기에 그랑호텔을 끌어들이는 행위는 지나치다 못해 이청을 시인으로서의 자질마저 의심하게 한다고 적었다.

이과수는 둘의 끝을 보는 듯했다. 돌이킬 수 없는, 최치영이 노골적으로 이청의 자질을 들고나왔기 때문이었다. 그 역시 집요했다. 그는 이청의 글 중 애버리지니 필름의 한 장면을 묘사한 부분을 물고 늘어졌다. 이청이 애버리지니 필름의 하이라이트라고 할 수 있는 부분이 여기라며 직접 묘사한 대목이었다. 하지만 막상 읽어보니 애버리지니 필름이나 케빈 슈라이버 교수의 노트가 적고 보여 준 함량에 비하면 양적으로나 질적으로 초라했다. 감정 이입은커녕 이청이 사실을 적은 것인지 의심을 해야 할 정도였다. 최치영이 비판하고 어쩌고 할만한 일이 아니었던 것이다.

이청은 차마 있는 그대로 적지 못한 게 분명했다. 그는 그대로 적는 것 자체가 죄악일 수 있다는 생각을 했는지도 몰랐다. 최치영은 그걸 아는지 모르는지 비난을 퍼부었는데 그나마 호의를 보인 부분은 책의 서문을 두고 언급한 대목 정도였다. 이청은 서문에서 자신의 사적 성찰이 이 글의 출발이었다는 점을 고백했고, 이과수는 그의 고백을 읽으면서 글이 주는 무게 때문에 저절로 숙연해졌다. 진정 때문이었다. 글에서 그의 마음이 고스란히 느껴졌다. 최치영도 〈영혼과 형식〉 자체는 비평을 목적으로 하고 있지만, 그 시작은 성찰을 전제하고 있다고 한 이청의 서문만은 좋게 받아들였다. 그래서인지 그 부분을 언급한 최치영의 글은 좀 설득력이 있었다.

책의 서문은 담담한 듯했는데 그 분위기 때문에 그의 마음이 고스란히 느껴졌다. 이청은 자신이 그랑호텔의 투숙객 중 한 사람이었다는 사실을 너무 늦게 알았다고 고백했다. 그리고 그게 자의든 타의든 스스로 그랑호텔의 동숙자였다는 것을 인정하는 게 이렇듯 사람을 고통스럽게 한다고 했다. 그랑호텔에서의 이틀이 지금 식탁에 앉은 자신을 서글프게 하고 있으며, 지금껏 살면서 느낀 두려움보다 이후 살면서 느껴야 할 두려움이 더 크다면서 자책하듯 적었다. 서문에는 이런 내용이 있었다.

> …… 하여 이 시대 우리의 존재란, 까다로운 식탐으로 요리 재료의 원산지를 따지며 유기 농작 운운하는 사이비 채식주의자의 볼썽사나운 허세와는 달라야 하지 않을까. 바짓가랑이의 흙을 두려워하는 나락의 채식주의자들이여, 눈뜰 때다.

이청은 이과수가 준 필름의 출처를 알아본 것 같았다. 서문에는 자료의 출처를 아는 것은 아주 중요한 일이라며 그를 위해 나름대로 노력했다는 얘기가 적혀 있었다. 여기저기라는 말을 쓴 걸로 봐 이청은 지인을 모두 동원한 것 같았다.

이과수는 슬며시 웃음이 나왔다. 필름의 출처를 아는 사람이 있을 리 없었다. 알아냈다면 오히려 그게 이상할 터였다. 이청은 자기 얘기를 들은 지인들 대부분이 필름을 순수한 다큐멘터리로 생각하더라고 했다. 자기 말은 믿지도 않더라고. 어떤 교수 친구는 이청의 말에 동조는커녕 영화는 영화일 뿐이라며 되레 이청을 진정시키고 나선 일도 있었다고 했다. 이청은 더 알아보는 것을 포기한 듯했다. 그렇다고 멈춘 것은 아니었다. 증거가 없는 한 결론이 있을 리 없다고 적었기 때문이었다. 이 책이 그 증거라고 했다.

서문을 읽다 이과수가 놀란 대목이 있었다. 끝부분의 글 때문이었다.

> 나는 그것들을 폐기했다. 입에 담기조차 힘들다. 소아성애자가 스너프 필름을 소지한 기분, 입안의 침을 모두 그곳에 뱉어주리라. 양심의 손이 그곳을 가리키고 있다.

그러며 이청은 혹 자신의 글에 대한 증거를 내놓으라며 누군가로부터 추궁당할지도 모르겠다고 적었다. 그때 보여 주어야 할 자료가 그 자료이기 때문에 하는 말 같았다. 그럼에도 이청은 자료들을 폐기했고, 그 일을 후회하지 않는다고 했다.

이과수는 이청에게 이메일을 보냈다. 책은 잘 받았다고, 아직 다 읽지 않았지만 읽어 보겠다고. 지금까지 읽은 내용만으로도 이청 선생님이 책에서 하려는 말이 무엇인지 잘 알 것 같다고. 최치영 얘기는 하지 않았다. 그러고 보니 생각나는 게 있었다. 최치영이 이메일에서 한 말이었다. 이과수는 아까부터 그 말을 떠올리고 있었다. 그가 자신의 영혼관을 피력한 대목이었는데, 그 부분에서는 이청과 최치영의 이메일이 중첩되는 듯 보였다. 하지만 이청의 이메일과는 사뭇 다른 감흥을 갖도록 했고 이과수가 유심히 읽은 부분이 그 대목이었다.

나는 영혼을 믿지도 또 믿지 않는 것도 아니네. 다만 이 안에 내가 알지 못하는 무엇인가가 있다는 것. 난 그걸 보고 싶은 따름이야. 그랑호텔도 투숙객들도 다들 그걸 궁금해했거든. 자네는 어떤가? 자네 안에 무엇이 있는지 궁금한 적이 있는가?

읽고 나자 생각이 복잡해졌다.

안녕, 당신의 이름은

통지문을 돌렸다는 얘기를 들은 뒤 잠이 오지 않았다. 통지문이 투숙객들에게 미친 영향은 컸다. 여차하면 배를 갈아타야 할 수도 있다는 뉘앙스에 동조하는 투숙객들이 있었다. 딱히 통지문 때문이라고 할 수는 없겠지만 마침 행사가 미뤄졌고 투숙객들의 판단에 혼란을 주기에 충분했다. 이구민과 장진수까지 동요하는 듯했고, 거기에 양민순이 또 나타나 신경을 쓰게 만들었다.

배를 갈아타다니, 그럴 수는 없었다. 더는 갈 데가 없다는 소리 아닌가. 설마 최치영이 그걸 바라는 것은 아닐 터였다. 그런데 이구민과 장진수는 왜 최치영의 변죽에 설왕설래하는 것일까. 그보다 양민순은 뭘 어쩌자고 다시 나타나 어슬렁거리는 것인지. 환상이라는 최치영의 수사를 믿기라도 한 것일까. 모르기는 해도 다들 착각하고 있었다. 이바다 감독하고 진행하는 일 때문이라는 얘기를 듣기는 했지만, 그래도 통지문은 심했다.

†

폭식은 일종의 의례였다. 뭔가 고민해야 할 일이 생기면 폭식을 하고는 했다. 그렇게 지독하게 나태해지거나 혹사를 하고 나면 길이 보이는 듯도 했다.

지배인은 움켜잡은 양갈비를 입 안에 넣고 씹었다. 입에서 쩝쩝 소리가 났다. 연거푸 버번을 털어 넣고는 질겅질겅 고기를 섞어 씹었다. 배고픈 소처럼. 버번하고 양고기 즙이 섞인 액체가 입가로 흘러나왔다. 눈은 쏘듯 벽의 대형 모니터를 보고 있었다. 드론으로 찍은 벽수산장이 자료 화면으로 나왔다. 화면 한쪽으로 경복궁이 보였다. 특별행사로 만회했다 싶었는데 이렇듯 다시 고난이라니. 고역스러웠다. 이미 김백선 건으로 한동안 진 빠진 시간을 보냈고, 사고 때문에 지각력이 무뎌진 게 아닌지 의심한 적도 있었다. 자신의 말과 행동, 지배인은 모든 것을 지각하고 인지하기 위해 애썼다. 그 과정을 의식이 알고 있다는 것을 느끼려고 했다. 자신을 의심해야 하는 심정, 믿기지 않았다.

벽수산장 철거는 후유증이 컸다. 하긴 언제까지 버틸 수 있을지 장담할 수는 없었다. 이제야 현실이 된 것일 뿐, 그럼에도 막상 벽수산장을 철거하겠다는 통보를 받자 아뜩하다 못해 참담했다. 최치영도 별 대안이 없는 듯했다.

"객관적으로 보면 말일세……."

뒷말은 듣지 않아도 뻔했다. 시기만 알 수 없을 뿐 어차피 사라질 운명이었다, 뭐 그런 말이 아니었을까. 이제야 결정 난 게 오히려 이상한 게 아니냐고.

사유 재산에 대해선 일정한 보상을 하겠다는 통보가 왔다. VIP실에 가 있는 백지우가 힘을 써 좋은 조건으로 진행할 수 있었다고 최치영은 말했다. 그런 와중에 터져 나온 최치영의 통지문은 자기 과시처럼 보였다. 종종 최치영은 자신의 존재를 확인하고는 했는데, 이런 식일 줄은 몰랐다. 그도 늙은 것일까. 그보다, 최치영의 눈치를 봐야 하는 이 상황이 지배인은 짜증스러웠다. 거기다 양민순은 왜? 양민순은 셈이 복잡한 여자였다. 얽혀 있는 게 많았고 밝혀야 할 것도 있었다. 파일의 소유자는 자기뿐이어야 한다는 듯, 그때까지도 양민순은 그런 태도였다. 이 대리가 지배인에게도 파일을 넘기자 뭔가 잘못됐다는 것을 알았을 테고 그 뒤부터 태도가 바뀌기 시작했다. 그 태도가 이제는 다른 방식으로 나타나고 있다는 게 문제였다.

지배인은 탑햇을 매만졌다. 모서리가 구겨져 있었고 연미복은 태가 나지 않았다. 그게 신경 쓰였다. 이래저래 술만 는 것 같았다. 다리를 다친 뒤 버번을 더 자주 마셨다. 통증 때문이었는데 스스로 걱정이 될 정도였다. 자리에서 일어날 때는 저절로 한쪽 다리가 굽었다. 의족에 힘을 준다는 게 멀쩡한 다른 다리에 힘을 줘 그런 듯했다. 그 때문인지 근육량이 늘지 않았다. 의족을 한 몸처럼 대해야 하는데 그 습관이 잘 붙지 않았다. 손으로 감아쥔 지팡이가 이물질처럼 느껴졌다. 미처 지팡이를 도구로 인식하지 못해 생긴 현상이었다. 권위의 상징이던 지팡이는 교통사고 장애인임을 증명하는 표식으로 전락해 있었고, 위안이라면 지팡이에 의지하는 일이 서서히 익숙해지고 있다는 것. 좀 더 노력하면 축구는 못해도 의족으로 걷는 것 정도는 문제가 없을 것이라는 의사의 말이 농담은 아니겠다 싶었다.

데이행사는 좀 일찍 공고했다. 책임감 때문이었다. 투숙객들의 데이행사에 대한 기대를 붙잡아 두기 위해선 그래야 했다. 준비할 것들이 그 어느 때보다 많았다. 막상 결정하고 나자 앞만 볼 수 있었다. 최치영의 반대와 이에 동조하는 사람들이 있었지만 신경을 꺼 두는 게 정신 건강에 이로웠다.

지금까지 잘못된 판단을 한 적은 없었다. 자신을 믿을 수 있어야 무슨 일을 하든 가능했고 상대 역시 그걸 받아줄 줄 아는 사람이어야 했다. 최치영이 그랬고 투숙객들이 그랬다. 다들 호텔에서는 같은 길을 걷는 동행인들이었다. 하지만 호텔 밖은 달랐고 그들은 이 법칙의 적용을 받지 않았다. 그렇다고 그들만의 법칙이 있는 것 같지도 않았다. 그럼에도 잘도 굴러갔다. 시인 이청 같은 사람이 거기에 속했다. 그는 저 너머의 세계에 있는 사람이었다. 최치영도 손을 놓고 골머리만 앓았다. 하긴 이청은 그의 목소리가 미치는 거리에 있는 사람이 아니었다. 국내는 물론 해외 언론과 수시로 인터뷰를 하는 이청의 공격적인 태도가 문제를 키웠다. 사람들이 그랑호텔에 다시 관심을 두기 시작했고, 대중의 관심이 쏠리자 이런저런 예상치 못한 일들이 생겼다. 대개는 이슈에 묻어 자기 과시를 하려는 사람들이 대부분이었지만 그런 게 쌓이면 흉내가 아니라 실제 현실로 이어지는 경우가 종종 있었다. 거기에 벽수산장 건이 터지자 엎친 데 덮친 격으로 폭발력은 거칠 것이 없었다.

"하지만 늘 희망은 있었네."

최치영이 말했다. 얼굴이 굳어 있었다. "강대식 땐 이보다 더한 일도 있었지. 결국 이겨냈고 앞으로 나아가지 않았는가." 숱하게 들어온 말이었다.

"이번엔 경우가 다른 거 같습니다, 선생님."

최치영이 고개를 저었다. "장담하네. 비슷한 경로로 마무리될 거야." 무슨 뜻이냐는 듯 지배인이 최치영을 봤다.

"생각해 보게. 강대식 땐 어떻게 역경을 이겨냈을 것 같은가. 시간이었어. 알면서 잊거든. 벽수산장 건만 해도 그래. 처음하고 관심이 달라. 차츰 사람들의 뇌리에서 멀어질 거야. 자기 일도 아닌데 누가 그런 것까지 신경 쓰고 살겠나. 언론도 그렇고, 먹을 걸 주면 열정이 사라져."

"요즘은 정보가 많잖습니까."

"아는 게 많으면 뭘 하나. 그 때문에 진짜 가짜 구별도 못해. 그 게으름의 약점이 뭔지 아는가. 단순하고 쉬운 것만 찾아. 상상력과 창조력이 영 젬병인 건 말할 것도 없고 남이 만든 길을 걷다 생을 마쳐야 하지. 끔찍하지 않은가. 하긴 어차피 세상은 힘 있는 사람들이 바꿔. 투숙객들 같은 사람들 말이네."

맞는 말인 것 같았다. 벽수산장이야 수순이라고 해도 더는 건드릴 게 무엇이 있을까. 이청의 책과 인터뷰는 한때 언론의 먹거리가 될 수는 있겠지만, 뭘 바꿔 놓지는 못할 터였다. 대중 역시 마찬가지였다. 최치영 말대로 기억력이 사고력이 될 수 없었고 정보가 다 개념화되는 것도 아니었다. 기억이든 개념이든 사유하지 않으면 알아도 알지 못한 게 되고 결국 잊게 마련이었다. 그러고 보니 뭔가 보이는 것도 같았다.

"명심하게, 제임스."

최치영이 호탕하게 웃었다. "밀어붙여, 자네 특기 아닌가." 그 말이 묘하게 사람 마음을 틀어쥐었다. 그간 최치영을 향한 억하심정이 사그라지고 한층 소심해 있던 지배인에게 활력이 되고 있었다. 하지만 지배인은 알고 있었다. 경계해야 할 인물 역시 최치영이라는 것을, 어느 순간 그랑호텔이 각축장이 된 듯한 분위기는 최치영 그 때문이었다.

"데이행사 준비는 어떤가, 제임스?"

몰라서 묻는 게 아닐 터였다. 확인하고 싶은 거겠지. 일은 꽤 진전이 있었고 막상 뚜껑을 열면 최치영도 놀랄 것이었다. 지난 데이행사나 특별행사 때와는 또 차원이 달랐다.

"애버리지니 필름의 또 다른 버전이 될 겁니다. 장담합니다, 선생님." 최치영이 알 듯 모를 듯 미소 지었다. 뭘까 저 미소는……. "이바다 감독은 능력이 있는 친구입니다. 겪어 보니 일을 빨리 익히고 한 수 더 둡니다."

사실이었다. 이바다 감독은 창발적인 기질이 있는 사람이었다. 그의 생각이 보태지자 내용이 한층 탄탄해졌고, 새 방향을 설정하는 데 도움이 된 것은 물론 일 진행까지 순조로워졌다.

"다시 말하네만, 투숙객들을 실망하게 해서는 안 되네."

역설 같았다. 지배인이 이바다 감독하고 진행하는 일이 보잘것없으므로 투숙객들이 실망할 것이고 그게 곧 호텔의 위기를 부를 것이라는, 하지만 최치영이 잘못 안 것이었다.

"투숙객들도 좋아할 겁니다, 선생님." 좀 더 강하게 말할 필요가 있었다.

"자신 있는가?"

"월 스트리트가 못한 걸 우리가 하겠다는데 이처럼 큰일이 어디 있습니까." 최치영이 고개를 끄덕이곤 지배인을 쳐다봤다.

"자넨 진담을 농담으로 듣고 있어. 월 스트리트는 농담이 아니라 진담을 원했거든."

"농담이라니요, 선생님. 우리가 하는 일입니다. 환상 따위와 비교할 게 아닙니다."

"그 사람들이 무모하긴 했어도 뜻은 숭고했지……." 최치영이 말했다. 혼잣말처럼. "영혼과 불멸이라니, 눈물겹지 않은가. 소중한 건 남겨 둘 줄도 알아야지. 그런데 재탕이라니, 이런 제임스……."

최치영이 쯧 소리를 내곤 잠시 생각에 잠겼다. 지배인 제임스, 어쩌면 그는 의외로 단순한 사람인지도 몰랐다. 목적이 분명하고 급하게 행동을 하다 보면 그렇게 보이기 십상이었다. 그게 때론 장점으로 또는 단점으로 일의 결과를 다르게 가져왔다. 이번 일이 그런 종류였다. 정신이 나가지 않고서야. 저러다 양민순에게 되레 약점만 잡힐 수 있었다. 양민순이 어떤 사람인지 귀띔해 줬건만 왜 자꾸 엉뚱한 소리를 하는지. 누구의 편을 들고 싶은 생각은 추호도 없었다. 투숙객들이 두려울 뿐, 그걸 원하는 사람은 없었다. 어차피 다들 호텔 투숙객들이었고 편들고 말고 할 게 없는 사람들이었다. 하지만 양민순은 여느 투숙객들하고는 다른 사람이었다. 제임스가 그걸 가볍게 보고 있었고 어쩌면 문제를 키울 수도 있었다. 더 겪어 봐야 하겠지만,

앞으로 이 일이 어떤 식으로 되돌아올지 최치영은 그게 걱정이었다.

"필름은 환상이 아닌가, 제임스." 최치영이 말했다.

"환상이라니요, 선생님?" 지배인이 정색을 했다.

"월 스트리트가 사이키 조명을 틀어 놓고 칼춤을 췄거든."

지배인은 그 말을 월 스트리트가 자기들끼리 그저 놀이를 한 것이 아니냐는 뜻으로 받아들였다. 그럴 수도 있겠지, 그게 장난이었다면.

"그거 진짜 칼이었잖습니까, 선생님."

"춤을 추는데 왜 진짜 칼이 필요한가. 사람 벨 것도 아닌데. 그저 칼 흉내만 내면 돼. " 그 말에 지배인이 웃으며 말했다. "진짜 칼하고 가짜 칼은 다릅니다, 선생님. 그럼 춤이 달라지거든요. 진짜 칼은 섬뜩하잖습니까. 그래야 집중도 되고."

지배인은 자꾸 최치영하고 어긋나는 느낌이었다. 하긴 요즘 뭐 제대로 맞는 게 있기나 한지. 그 시간이 길어지자 거리감 같은 게 생겼다. 현실을 위해 환상이 필요하다니, 게다가 건신주의자와 불멸화위원회가 다 그 차원의 수사에 불과하며 그러므로 환상은 필요하고 모험을 멈출 수는 없다는 최치영의 말은 그 자체가 모순으로 보였다. 하지만 그걸 극복하는 것은 호텔과 자신이 할 일들이었다. 물론 모험은 존재와 깊은 관련이 있었다. 어쩌면 그걸 알고 최치영이 저런 말을 한 것이 아닐까. 칼춤 운운이 실은 그 의미가 아니었을까…….

"재탕이라……." 최치영이 혼잣말을 하며 고개를 갸웃했다. 그가 보기에 지배인의 노력은 낭비일 수 있었다. 그렇다고 지배인이 쉽게 접을 리 없었다. 좀 더 일찍 말했어야 하는데, 최치영은 후회했다.

이구민이 아니었으면 그조차 몰랐을 것이었다. 지배인이 지시하면 주로 차영한이 나서고 세부적인 진행은 이바다 감독이 한 모양이었다. 프로젝트도 모양새를 갖춘 듯했는데, 그래 봐야 모두 책상머리에서 자판이나 도닥이는 일에 지나지 않을 터였다. 재탕이든 재현이든 거기서 거기라는 소리 같았으니까. 그게 아니라면 지배인이 따로 뭔가 숨기고 있는 것은 아닐까. 하지만 지금까지 상황으로 봐 그럴 가능성은 없어 보였다. 이구민은 지배인이 이바다 감독에게 각서까지 쓰게 한 것 같다고 했다. 당연했다. 애버리지니 필름을 보여 줬다는 것은 호텔의 심장을 드러낸 것과 같은 것이니까. 각서란 소리에 이바다 감독이 멈칫했다는데, 하지만 결국 받아들였고 그 정도는 예상할 수 있는 일이었다. 그에게 건넨 보상이 만만치 않은 듯했고 이바다 감독도 그걸 무시하기 힘들었을 것이다. 이구민 말로는 지배인이 옛날 밀레니엄을 앞두고 벌어졌던 월 스트리트의 숨은 전설을 들려주자 그가 놀라더라고 했다. 애 같은 신인 감독을 데려다 고작 편집 따위로 주물러 보겠다니, 일이 터무니없이 돌아가고 있었다.

"젊은 친구가 생각보다 욕심이 있어 보였습니다." 이구민이었다. 미심쩍어 최치영이 물었다. "그게 다인가?"

"이바다 감독은 애버리지니 필름을 전혀 다른 시각으로 접근했습니다. 신성이라는 측면에서 그랬습니다. 케빈 슈라이버 교수의 현장 필름에 나오는 참여자들은 그걸 증언하는 신성한 목격자이자 증인들이었고 월 스트리트 텍스트는 그에 대한 오래된 목판이었습니다. 제임스가 무척 만족한 듯했습니다."

하긴 재탕을 통해 그런 서사가 가능하다는데, 지배인이 그런 반응을 보인 것도 무리가 아니었다. 달리 큰 노력도 돈도, 또 시간을 들이지 않아도 될 터이니까. 생각만 해도 벅찼겠지. 투숙객들은 아직 애버리지니 필름의 감흥이 채 가시지 않은 상태였고 어느 정도 그림만 받쳐 주면 별문제가 되지 않을 것이라고 판단했을 터였다.

"그런데 좀 이상했습니다." 최치영은 이구민을 봤다.

"둘이 쓰는 용어가 편집이니 재편집이니 그랬는데 왠지 그 의미가 각별하게 느껴졌습니다. 다른 뭔가 있는 것이 아닐까 생각이 들기도 했고요. 이바다 감독이 투숙객들에게 기대를 걸어도 좋다는 메시지를 줄 필요가 있다는 말을 했다는데, 제임스가 동의했고 얼마 전엔 홍보팀한테 팸플릿 시안을 제출하라는 지시도 한 모양입니다."

"내용을 아는가?"

"제임스가 정한 문구인데, '영혼의 참관자, 투숙객들이 전하는 새 증언'이라는 문장을 표지에 넣어 디자인하라고 했습니다. 영혼의 존재와 불멸 그리고 그 목격자가 호텔 투숙객들이라는 메시지를 강조하자는 취지라고 했습니다."

이구민은 그 문장이 이번 데이행사에 월 스트리트가 직접 관여한다는 일종의 암시를 포함하고 있는 것이라고 했다. 지배인이 그걸 마치 워터마크처럼 생각하는 것 같더라고.

최치영이 미간을 찌푸렸다. 자기도 모르게 입에서 끙 소리가 나왔다. 이거야말로 허구 아닌가. 갈수록 첩첩산중인 듯했고 그렇다고 자신의 힘으로 어떻게 할 수 있는 것도 아니었다. 과거는 소중했다. 그러므로 잊을 수도 없고 잊어서도 안 되는, 숭고함은 그렇듯 긴 세월을 두고 만들어지는 숙명을 안고 있었다. 그런데 이런 식이라면 더는 애버리지니 필름도 케빈 슈라이버 교수 노트도 제 가치를 보존하기 힘들 수 있었다. 그게 무슨 뜻을 담고 있든, 원본의 숭고함은 사라지고 제임스의 고집만 남겠지.

최치영은 제임스가 자무엘과 비슷한 류의 인간이란 생각을 했다. 위험했다. 지배인은 이바다 감독이 쓰는 작업실조차 알려 주지 않았다. 최치영만이 아니었다. 그걸 알려 준 사람이 이구민이었다.

"삼십팔 층입니다, 선생님." 지배인 방이 있는 곳이었다.

"가 봤는가?"

"네, 선생님." 어쩐 일인지 지배인이 자기를 데리고 가 주더라고, 왜 이제 그 얘기를 하느냐는 듯 최치영이 이구민을 봤다.

"죄송합니다, 선생님."

지배인은 이바다 감독의 숙소를 작업실 옆방에다 마련해 줬다. 그의 동료 넷에게도 그 옆에 방을 내주고 같이 일을 하게 한 모양이었다.

"자넨 어떤가?"

"뭘 말씀이신지요, 선생님?"

"재편집 말이야. 이바다 감독도 그렇고 뭐 이 일이 투숙객들에게 먹힐 거라고 보냐 이 말이야"

이구민이 뜸을 들였다. 잠시 뒤였다. "실은 전 제임스하고 생각이 다릅니다. 제임스도 그걸 압니다. 그리고……."

"뭔가?"

"장진수도 그렇습니다." 뜻밖이었다. 장진수는 처음부터 지배인과 같은 생각이었고 이바다 감독을 데려온 사람이 그였다.

"무슨 일이 있었는가?"

"지배인이 차영한 선생을 통해 이바다 감독하고 일을 하고 있습니다. 재입원을 하고 나온 뒤부터 사람이 변한 것 같다고 했습니다. 장 선생은 제임스가 원본을 훼손하고 있다고 생각하고 있습니다. 저도 그렇습니다, 선생님. 여태 그 고생을 하고 투숙객들에게 갖은 지탄을 받으면서도 굳건하게 잘해 왔는데, 뿐만이 아니라 특별 행사는 성공적이었잖습니까. 그런데 그걸 무너뜨리려 한다는 것이지요. 자무엘의 전철을 밟겠다는 소리밖에 더 되겠습니까, 선생님."

이구민도 맺힌 게 있는 듯했다. 그럴 수 있었다. 그간 지배인이 그를 대해 온 방식을 보면.

"그래서?" 최치영이 물었다. 보다 분명한 제임스의 생각을 알고 싶었다.

"제임스는 이미 자무엘이나 다름없습니다. 산으로 가는 느낌, 그렇게 현실적이던 사람이 이렇듯 거꾸로 이해를 하다니……." 이구민이 말을 흐렸다.

최치영은 안타까웠다. 무엇이 제임스를 그쪽으로 이끌고 있는지, 지금 그에게 필요한 것은 현실을 직시하고 처음의 자신으로 돌아오는 것이었다. 그런 뒤 제대로 된 대안을 찾아 자기 앞가림을 모색하는 것, 이 감수성은 원래 제임스 그의 소유가 아니었는가. 그걸 되찾기만 하면 그 스스로 재편집 건은 얼마든지 되돌릴 수 있을 것이었다.

최치영은 이 대리를 떠올렸다. 결과물을 생각하면 이과수만 한 인물은 어디에도 없었다. 모두 그걸 알고 인정했을 때 이과수 대리는 여기 없었다. 그런데 그건 무슨 말일까? 다른 뜻이 있는 것 같다는 이구민의 말, 이바다 감독이 투숙객들에게 기대를 갖도록 메시지를 줄 필요가 있다고 했다는데, 그걸 제임스가 동의했다는 말…….

†

지배인은 인터폰을 하려다 그만두었다. 저 앞 소파에 있는 리모컨을 가지러 가기 싫어 이서진을 부르려다 그만둔 참이었다. 목발을 짚고 소파까지 가려니 귀찮았고 의족에 의지하려니 또 이물감과 통증이 싫었다.

버번 한 잔을 삼키곤 노트북을 열어 파일을 클릭했다. 차영한이 다운 받아 놓은 것이었다. 거기 고찬수가 나왔다.

"쥐새끼 같은 자식……." 모니터에서는 고찬수의 인터뷰 장면이 나오고 있었다.

기자의 질문에 고찬수가 열심히 떠드는 중이었다.

그가 방송에 나온 게 두 주 전이었다. 예상했어야 했다. 그런데 어떻게 언론이 그를 찾아냈는지 그게 의문이었다. 어쩌면 고찬수가 먼저 언론을 찾았을 수도 있었다. 이런 게 다 시인 이청 때문에 벌어진 일일 터였다. 그러자 또 부아가 치밀었다. 뭐가 뛰니까 뭣도 뛴다더니, 고찬수가 간이 배 밖으로 나온 모양이었다. 특별행사를 한 게 언제인데, 그런데 고찬수한테는 문제가 있었다. 인터뷰에서 그는 특별행사를 직접 목격한 것처럼 말했는데 사실이 아니었다. 세미나 때 고찬수가 소란을 피우자 지배인은 애버리니지 필름 상영 때는 그를 초청자 명단에서 빼 버렸다. 결국 그는 필름을 볼 수 없었고 세미나에 참석한 게 전부였다. 그런데 고찬수는 직접 보기라도 한 것처럼 자기 멋대로 언론에 나발을 불었다. 제대로 걸렸다 싶었다.

지배인은 기획실의 차영한에게 고찬수를 손보게 했다. 차영한은 고찬수를 검찰에 고소해 버렸다. 모든 게 그에게 불리하게 돌아갔다. 예상대로 고찬수는 착각한 게 아니라 일부러 그런 짓을 벌인 것이었다. 예전 데이행사 때 본 인터뷰 필름과 특별행사 때 세미나 자리에서 들은 얘기를 뒤섞어 떠든 것이 인터뷰의 전말이었다. 거기에 이청의 책이 신념을 불어넣어 주었을 테고. 그걸 제대로 일깨워 준 게 차영한의 고소와 검찰의 수사였다. 차영한은 고소장에 고찬수가 허위 사실을 유포했다고 명시했다. 검찰은 원하는 대로 움직여 줬다. 고찬수의 말이 허위 사실이 되려면 특별행사 때 상영한 영상이 공개되어야 하는데 그런 일 없이 수사가 진행됐다. 고찬수는 기소됐고, 언론에 보도되면서 다시는 이 일에 나서는 일은 엄두도 내지 못할 터였다. 고찬수가 인터뷰에서 한 말 중에 이런 게 있었다.

기자가 물었다. “그랑호텔이 그렇다는 겁니까, 투숙객들이 그렇다는 겁니까?”

“다 한 패 아닙니까?” 고찬수는 의기양양했다.

“증명할 수 있습니까?”

“답답하면 캐 보시든가.”

“명예 훼손이 될 수 있어 그럽니다.”

“일단 고소로 조지고 보자는 게 그쪽 전략 아닙니까. 뭘 하든 결과는 같을 겁니다. 그리고 그 사람들은 그런 거 신경 안 씁니다. 아무거나 다 먹는 거지들 아니오.”

“망할 자식…….”

지배인이 양갈비 한 쪽을 집어 들었다. 연태주를 들이키곤 버번을 따랐다. 먹은 갈비만도 근 20킬로그램이었다. 인터폰을 눌러 커피와 과일을 더 가져오게 했다.

숨이 찼다. 턱이 뻑뻑해 좀 쉬었다 씹어야 했다. 이렇듯 씹고 또 삼키기를 이틀, 하지만 지배인은 멈출 생각이 없었다. 마시고 씹는 동안 그간의 일과 인간들을 복기하며 쳐내야 할 것과 챙겨야 할 것들이 보다 명료해지고 있었다. 연거푸 마신 술이 생각의 속도를 빠르게 했다. 더 빠르게 씹고 마셔야 했다.

한동안 양민순을 보지 않아 숨통이 트이는 듯했다. 최치영이 감싸고 도는 바람에 내내 불편했는데, 알고 보니 양민순은 지난주부터 호텔엔 들락거리지 않는 모양이었다. 하지만 그 정도로 끝내고 그만둘 사람이 아니었다. 어디서 그런 힘이 나오는 것일까, 양민순이 원하는 것이 무엇일까. 그게 찜찜했다.

양민순을 내치지 못한 것은 최치영 때문이었다. 그 일을 두고 최치영과 자주 의견이 갈렸다.

"안아야 하네, 제임스. 그래야 큰일을 해. 양민순이 의도한 건 아니지만 우리가 덕 본 것도 있지 않은가." 브래디와 이 대리 건을 말하는 모양인데, 지배인은 받아들일 수 없었다.

"양민순 얘기는 그만하시지요, 선생님."

"이 말은 해주고 싶네. 양민순은 진국이야. 호텔 투숙객 중에 그만한 인물이 어디 쉬운가. 처음을 생각해 봐. 사실 우릴 각성케 한 사람이 양민순이었어. 가볍게 보지 말란 뜻이네."

최치영이 지그시 눈을 감았다. 최치영은 예전 일 하나를 떠올리고 있었다. 지배인에게는 말하지 않았지만, 최치영이 이처럼 조심스러운 데는 이유가 있었다. 양민순은 은밀한 사람이었다. 겉과 속이 크게 다른.

언제였더라, 최치영은 양민순의 연락을 받은 적이 있었다. 양민순의 연락은 그때가 처음이었다. 양민순의 첫마디가 다짜고짜 양해를 구한다는 말이었는데, 사정이 좀 그렇다며 목소리가 경직돼 있었다. 무슨 일이냐고 묻자 양민순이 주저했다.

"뵙고 말씀드리죠, 선생님."

양민순은 의례적인 안부만 묻곤 핸드폰을 끊으려 했다. 직감이었다. 최치영은 지금이 아니면 다시 얘기를 들을 수 없을지도 모른다는 생각이 들었다.

"말한 김에 들어 보세, 양 여사. 엉뚱한 얘기만 했잖소." 잠시 뒤였다. 양민순이 뜸을 들이더니 입을 열었다.

"…… 브래디가 준 파일, 지배인도 가지고 있잖아요, 선생님. 그게 제 계획을 망쳤고요. 이과수 대리가 일부러 그런 거니 뭐 어쩔 수 없는 일이긴 해요. 선생님께선 짐작하시겠지만, 애버리지니 필름하고 케빈 슈라이버 교수 현장필름을 같이 공개하려던 게 제 계획이었고요. 알고 계시지요, 선생님?" 물론 알고 있었다. "그런데 지배인이 저하고 똑같은 필름을 갖는 바람에 다 틀렸지 뭐예요. 시간이 지났는데도 그 일이 잊히질 않네요. 그래서 당분간 선생님만 믿고 기다려 볼 생각이에요."

"거리를 두겠단 소린가?"

"그렇게 봐주시면 고맙고요, 선생님."

최치영은 막연히 생각하고 있던 자신의 짐작이 맞을지도 모르겠다는 생각을 했다. 양민순이 왜 거리를 두려고 하는지. 아마 자신의 계획 자체가 어그러졌다는 판단을 했을 테고, 어찌 보면 양민순의 생각은 위험하고 그만큼 실현 가능성이 떨어졌다. 그럼에도 애버리지니 필름을 공개하고 양기찬과 강대식이 나오는 케빈 슈라이버 교수의 현장필름 중 강대식 부분만 공개해 강대식과 그랑호텔을 악마화하는 것, 아마 그랑호텔 자체가 대상이라기보다 지배인을 상대로 한 계획이었을 터였다. 호텔을 건드릴 수는 없었겠지. 그건 투숙객들을 건드리는 일이 될 것이었다. 그게 다가 아니었다. 차마 입 밖에 내지 않은 것뿐, 모르긴 해도 제임스의 사고와 양민순을 떼어 놓고 생각하기 힘들 수도 있다는 것, 그간 혼자만 해 온 생각이었다. 물론 양민순에게 직접 들은 것도 증거가 있는 것도 아니었지만 최치영은 제임스의 말이 자꾸 걸렸었다. 트럭이 고의로 그런 것 같다는 소리를 제임스는 꽤 여러 번 했기 때문이었다.

"지금은 앞만 보려고 해요, 선생님."

최치영은 망설이다 말을 꺼냈다. "짐작이네만……." 조심스러웠다.

"짐작이라고 하셨는데……." 양민순이 말끝을 흐렸다. 눈치 빠른 양민순이 그걸 안 듯했다.

최치영은 사이를 뒀다.

"…… 그런가요, 선생님?" 양민순이 조심스럽게 물었다.

더 숨길 필요가 있을까. 최치영이 말했다.

"양 여사 짐작대로네." 잠시 공백이 생겼고, 그 순간 최치영은 지배인을 떠올렸다. 이어 최치영이 말했다. 염려 말라듯. "우리끼리니 알고 지내자는 것뿐이네."

"은혜라고 생각하겠습니다, 선생님."

양민순의 목소리가 차분했다. 이 얘기는 아무도 몰랐다.

†

지배인은 그 일이 충격으로 다가왔다. 최치영도 그런 것 같았는데, 그 소식을 전혀 엉뚱한 곳에서 들어 더 그런 듯했다. 최치영은 그걸 미 상공회의소와 연결 지었다. 지배인은 납득하기 힘들었다. 논리적으로 잘 연결이 되지 않았다.

미 상공회의소 얘기만 나오면 최치영은 예민했다. 지배인 역시 미 상공회의소로부터 연락을 받아 오기는 했지만 별 게 아니었다. 직접 통화한 적도 없었고 달리 얘기를 전해 들은 적도 없었다. 지난번에 마크 하드인지 그 사람 때문에 이한별을 징계한 일이 있었지만 그 때문에 무슨 일이 생기지는 않았다.

최치영이 말했다.

"난들 더 알겠나. 나도 제자 놈이 들려 준 게 다인데." 하지만 그게 다라는 최치영의 말이 왠지 잘 믿음이 가지 않았다. 그가 말했다. 뭘 궁금해하는지 안다는 듯.

"그 친구도 그게 다인 듯해 그래. 물론 똑똑한 친구지. 월 스트리트뿐 아니라 할리우드도 그렇고 이쪽저쪽에 두루 사정이 밝아."

최치영은 제자가 그 일을 알고 있어 자기도 무척 놀랐다고 했다. 자무엘도 그렇고 로이라는 사람도 그렇고, 그 얘기를 듣고 나자 미 상공회의소가 새삼 다르게 보이더라고 했다.

"숙고해야 하네." 최치영의 목소리가 진중했다.

"다 지난 일 아닙니까, 선생님."

"아니야. 그건 하나의 예야. 누구든 그런 일을 겪을 수 있어서 그래. 과거이자 미래란 소리네."

제자는 하버드 출신이었다. 유학을 떠난 뒤에도 최치영과 줄곧 연락을 하며 지냈고, 그는 월 스트리트에서 헤지펀드 매니저로 일하며 할리우드 영화 쪽과 방송가의 엔터테인먼트 투자에도 관여 한 그 분야의 전문가였다. 그러다 한국으로 들어오고 싶어 상공회의소에 몸을 담았고, 어차피 다시 미국으로 돌아갈 사람이었다.

"그게 다가 아닌 듯해서요."

지배인이 말했다. 최치영은 제자가 말을 아끼더라고 했다. 그렇다고 아무리 제자이지만 더는 물을 수 없었다고. 그나마 우선 궁금한 얘기는 얼추 들은 것 같아 최치영도 거기서 멈춘 것이었다고.

그가 들려준 얘기 중에는 로이 소식이 있었다. 그나마 로이의 소식은 나았다. 문제는 자무엘이었다. 그의 얘기는 뭐 하나 속 시원한 게 없었다. 자무엘은 지배인에게 각별한 존재였다. 제이콥의 형이어서가 아니라 그는 애버리지니 필름을 기획하고 실행한 당사자였다. 이 지점에서 그의 의미는 더욱 크게 다가왔고, 그만큼 자무엘의 죽음은 지배인에게 큰 사건에 속했다. 그의 죽음에는 석연치 않은 데가 많았다.

왜 자무엘에게 그런 일이 생긴 것일까? 짐작은 가지만 그게 현실로 이어졌다는 게 지배인은 잘 믿기지 않았다.

자무엘이 사라진 곳은 아네시호였다. 여느 때처럼 단지 놀러 간 것뿐이라는데 그곳이 자기 무덤이 되고 말았다. 그런데 상공회의소 제자에게 들었다는 최치영의 말에는 납득하기 힘든 것이 있었다. 경찰의 발표를 그대로 적었다는 그쪽 언론의 인터넷 기사를 찾아봤을 때도 그랬다. 그걸 보여 주자 최치영도 같은 생각이라고 했다. 하지만 더 이상의 얘기는 알 수 없었고 알아볼 곳도 없었다. 현지 경찰조차 사실을 잘 모르는 듯했고 언론 역시 뭐가 뭔지도 모르고 베껴 쓰기 바빴던 것 같았다.

거기에 비하면 할리우드는 좀 나았다. 워낙 믿거나말거나식 소문이 많은 곳이기는 하지만 전혀 근거 없는 얘기가 떠돈 적은 없었기 때문이었다. 할리우드 쪽에도 자무엘에 대해 아는 사람이 좀 있는 듯했는데, 유독 한스 화이트의 죽음을 놓고는 말이 많았던 모양이었다. 우선 그의 이름이 문제였다. 할리우드는 그의 본명조차 헷갈려했는데 제이콥 쉬프를 본명으로 알기도 했고, 딕 코헨 혹은 한스 화이트를 그의 본명으로 알고 있는 사람도 있었다. 제이콥이 의도한 것은 아니지만 그는 자신을 미스터리한 인물로 만들어 놓고 사라린 사람이었다.

제이콥 쉬프와 한스 화이트, 딕 코헨이라는 존재. 나아가 자무엘 쉬프와 제이콥 쉬프의 관계, 그리고 그들의 죽음이 월 스트리트와 관련이 있다는 것. 그와 별개로 할리우드에서는 별 존재감이 없는 로이에 대한 소문까지 나돌았다. 세상에 비밀은 없었다. 할리우드가 로이까지 알고 있다는 것은 남모르는 존재가 있다는 것을 의미했다. 물론 그 존재를 알 수도, 어떤 목적으로 존재하는지도 알 수 없었다. 할리우드답게 서사가 있었고 나름대로 설득력이 있었다는 것만 짐작할 수 있을 뿐. 그 때문에 다들 쉬쉬했는데 그럼에도 할리우드가 자무엘과 로이에 대해 갖는 의문은 정당했다. 제이콥도 마찬가지였다. 소문 중에는 이런 게 있었다. 자무엘에 관한 얘기였는데 잡다하지만 꽤 구체적이었다.

자무엘은 로젠으로 볼일을 보러 가는 중이었다고 했다. 그것도 혼자. 그런 자무엘이 갑자기 아네시로 가 요트를 탔다는 걸 사람들이 이상하게 생각한 모양이었다. 자무엘에게는 여자가 있었고 대개 같이 움직였기 때문이었다. 호수는 자무엘이 자주 가던 곳이었다. 그는 요트에 능숙한 사람이었고, 뉴욕과 선더베이에서도 자기 요트를 몰던 경험이 있어 요트가 뒤집혀 익사했다는 얘기 자체를 사람들은 믿지 않았다. 날씨도 험악하지 않았다고 했다. 더군다나 그곳은 바다가 아니라 호수였다. 나중에는 또 다른 얘기가 들렸는데, 자무엘이 술에 취해 요트를 몰다 생긴 사고라 했다. 경찰은 자무엘이 마셨다는 영국산 싸구려 벨즈를 증거로 보여 주었다. 요트 안에는 아네시 구시가지 마켓에서 산 고산 치즈와 그제 바젤에 갔다 산 돼지고기로 만든 소시지 부르스트, 건포도를 넣은 로지넨 쿠헨 그리고 알자스 지방의 맥주 피셰르가 어지럽게 널려 있었다. 로지넨 쿠헨은 사과향 때문에 자무엘이 자주 먹는 음식이었다. 하지만 결정적인 것은 자무엘이 미국산 버번 메이커스 마커의 마니아였다는 사실이었다. 부드러운 맛 때문이었는데, 버번 원액에서 맥아와 옥수수 맛을 구별했고 품종을 알아맞힐 수 있을 정도였다. 그런 그가 벨즈를 마셨다니. 더군다나 자무엘은 슈피리어호 선더베이의 오두막을 처분하기 위해 캐나다로 가기로 일정이 잡혀 있어 그가 아네시호에서 요트를 몰았다는 얘기는 의문만 키웠다. 소문이라고는 하지만 합리적이었고 설득력도 있었다. 석연치 않기로는 로이 오커너도 다르지 않았다. 뉴욕 타임스에서 직장을 옮긴 그는 이후 부동산 투자 신탁 회사 리츠와 웰스 파고에서 일했는데 그 경험은 그가 미네소타와 사우스다코다를 자신의 근거지로 한 배경이 됐다. 사실 이 얘기는 하도 오래 전의 것이어서 왜 새삼 주목을 받는지 이해가 가지 않았다.

로이는 좀 자유롭게 살고 싶어 했다. 유튜브에 열심이던 게 그 때문이라고 했다. 기자 생활에 대한 향수도 있었고 그 경험은 채널을 운영하는 데 도움이 됐다. 로이는 생각보다 많은 것을 알고 있었던 듯했다. 유튜브와 인스타그램에서 공개한 내용은 일부에 불과했고, 그가 손에 쥐고 있던 특종이 세상에 알려지는 것은 시간 문제였다. 그의 특종은 애버리지니 필름과 관련한 것들이었다. 케빈 슈라이버 교수와 까를로스 빼냐, 리우진시 그리고 엘라에 관한 얘기들 말이다. 자기 밥벌이를 하기도 바빴을 텐데 아무리 전직 기자라고는 해도 두 가지를 병행한다는 것은 쉬운 일이 아니었다.

로이가 취재한 케빈 슈라이버 교수 얘기는 좀 놀라웠다. 심장 마비로 알고 있던 케빈 슈라이버 교수는 실은 자살이라고 했다. 다행히 유서가 있었고 원본이 로이의 손에 들어와 있어 의문의 여지가 없었다. 케빈 슈라이버 교수의 여동생한테 얻은 것이라고 했다. 케빈 슈라이버 교수는 유서에서 자신의 소심함을 자책했다. 까를로스 빼냐는 멕시코로 도망치다시피 사라졌는데 리우진시를 데리고서였다. 자신은 물론 리우진시도 안전하지 않다는 걸 안 것 같았다고 했다. 그렇다고 리우진시를 데리고 가다니, 그 후 둘의 행적을 아는 사람은 없었다. 로이의 취재는 엘파소에서 끊겨 있었다. 까를로스 빼냐를 봤다는 뚱뚱보 여자는 멕시코 치와와시에 사는 사람이었다. 로이는 우연히 그녀를 만날 수 있었고 까를로스 빼냐 얘기를 들을 수 있었다. 까를로스 빼냐 감독과 리우진시는 치와와주를 벗어나지 않은 듯했다. 엘라의 시신은 촬영 현장에서 뉴욕의 한 시체 안치소로 옮겨진 모양이었다. 그걸 본 사람은 안치소 경비원뿐이었다. 물론 시신의 이름이 엘라라는 것을 그는 알지 못했다. 누구 한 사람 죽어 나가도 티조차 나지 않는 8백만 명이 넘는 도시에서 그런 일은 흔했다.

로이는 애버리지니 필름 촬영 당시 현장을 영상에 담았던 촬영 감독을 취재한 모양이었다. 그러던 중에 사고를 당한 듯했고, 로이의 실종 역시 자무엘만큼이나 논리적이지 않았다.

로이의 죽음은 미네소타에 있는 슈피리어호에서 들려왔다. 그를 마지막으로 본 사람은 동네 사람이었다. 캐나다와 국경을 맞댄 피전강 하류 작은 리조트가 있는 호숫가였다. 그런데 좀 애매한 대목이 있었다. 그가 실종된 곳이 주립공원 안이라고 했는데, 그게 미국 쪽인지 캐나다 쪽인지 명확하지가 않았다. 로이를 목격한 사람은 리조트에서 일하는 직원이었다. 이름이 짐이었는데 그는 아침에 조깅을 하다 로이를 봤다고 했다. 마침 숙소를 나온 로이는 조깅을 하는 중이었고, 코스는 리조트 남쪽 호숫가에 있는 보트장 쪽이었다. 짐이라는 남자 역시 그쪽으로 달리기를 하고 있었는데, 그가 본 장면은 보트장에서 체조를 하는 웬 남자의 모습이었다고 했다. 그가 로이였다. 날씨가 추워 남자가 수영을 할 것이라고는 생각하지 못했을 뿐 아니라 그곳은 보트장이어서 수영을 하기에 적합한 곳이 아니었다고 했다. 그런데 로이는 수영을 했고 짐이라는 사람이 다시 그곳을 지날 때는 그가 없었다고 했다. 옷과 힙색 하나가 놓여 있었을 뿐이었다고. 그는 곧바로 경찰에 신고를 했는데 그 뒤로는 어떻게 됐는지 자기도 모른다고 했다. 나중에 경찰은 로이의 숙소에서 노트북과 카메라, 녹음용 펜, 수첩 같은 소지품을 확인했는데 핸드폰은 발견되지 않았다. 경찰은 로이를 실종자로 처리했다.

로이가 슈피리어호에 간 것은 제3의 인물을 만나기 위해서일 가능성이 컸다. 수첩에 적힌 내용 때문이었는데, 적다 만 듯한 메모에는 인터뷰 예정, 연락할 것. 애버리지니 현장 필름 연출자 혹은 다른 목격자, 모레 자무엘, 동생 필름 건은 거절할 것, 선더베이 오두막 매매 수월할 듯…… 나머지 자세한 것들은 만나 봐야 함, 같은 메모들이 두서없이 적혀 있었다. 내용으로 봐 로이가 만나기로 한 사람은 캐나다 국경 근처 어딘가에 사는 듯했고 그를 만난 뒤 선더베이로 갈 계획이었던 것 같았다. 경찰은 로이의 시신 찾는 일을 포기했고 수사는 거기서 끝났는데, 이번에도 경찰의 발표에는 미심쩍은 데가 있었다. 우선 미국이든 캐나다든 주립공원에는 리조트가 없었고 보트장도 없었기 때문이었다. 피전강 하류에는 침엽수가 즐비했고 끝없이 펼쳐진 숲이 대지를 이루고 있는 곳이었다. 물도 그리 많은 데가 아니었다. 슈피리어호와는 좀 떨어져 있어 보트장을 설치하기에도 적당하지 않았다. 한 마디로 그럴 만한 지형을 갖춘 곳이 아니란 소리였는데, 경찰의 발표대로라면 로이가 머문 곳은 주립공원과 다른 지역을 합성해야만 그런 그림이 나왔다. 로이는 자신이 사라질 때까지 – 죽었는지도 모르지만 – 자무엘의 죽음을 알지 못한 듯했다.

지배인은 말이 없었다. 그만큼 자무엘의 죽음은 그에게 크게 다가왔다. 그리고 궁금한 사람이 있었다. 브래디, 그와 소식을 주고받은 게 꽤 오래전이었다. 예전에 제이콥의 죽음을 알리곤 감감무소식이었으니까. 이메일로 연락을 했지만 답이 없었다. 이 대리는 알고 있을 수도 있었다. 그나마 브래디와 연락할 만한 사람은 이 대리 정도뿐일 테니까.

브래디는 아직 할리우드에 살고 있었다. 그는 그곳을 떠나고 싶어 했다. 하긴 원한다고 되는 일이 얼마나 될까. 그가 잘하는 일은 영화일 뿐이었다. 다른 일은 해본 적이 없는 그에게 재취업을 위해 공백을 감수하는 게 얼마나 어려운 일인지 그도 알고 있었던 모양이었다. 무엇보다 집안 형편이 그걸 허락하지 않았을 터였다. 가족을 데리고 그런 모험을 하다니, 불가능했다. 아내가 도와 그나마 버틸 수 있었던 모양인데, 여성으로서는 드물지만 중고 자동차회사 딜러였고 그 일을 재미있어 했다. 수입도 괜찮았다. 아내의 주급은 늘 상위권에서 맴돌았다. 어머니의 병은 그저 그랬다. 제천 이모부가 준 곶감을 어머니에게 주었을 때였다. 곶감을 깎아 달라고 해 아내가 깎는 시늉만 하자 덜 깎였다며 다시 깎으라고 했다. 처녀 적 이모와 찍은 어머니 사진을 보여 주자 누구냐고 물었다. 어머니는 언니 얼굴은 물론 자기 얼굴도 알아보지 못했다. 어머니가 유일하게 기억하는 얼굴은 아버지뿐이었다. 아버지의 고등학교와 대학 때 사진을 본 어머니는 사진의 주인이 아버지라는 걸 또렷하게 기억하고 있었다. 어머니가 희미하게 웃었다. 그러다 입을 삐죽이더니 울었다. 아버지가 죽었을 때 어머니는 울지 않았다. 대신 사나흘이 지나자 근 보름을 울기만 했다. 어머니는 아버지의 대학 친구들을 원망했다. 제천에 살 때였다. 아버지의 친한 친구가 어머니를 찾아왔다. 아버지는 술에 절어 정신조차 차리지 못했다.

"다들 그렇게 생각합니다." 그가 말했다.

"지열이 아빠, 친구 배신하고 그럴 사람 아니라니까요." 어머니가 말했다.

"다 분 건 맞잖습니까."

"저이가 책 보내 달라고 한 게 아니잖아요."

"그렇다고 친구들을 불면 어떡합니까."

"방첩대가 어떤 데인지 알잖아요. 일주일을 잠도 안 재우고 때리고 고문하는데 그거 버틸 사람이 어디 있어요?"

소용없었다. 한번 배신자로 찍힌 아버지는 죽을 때까지 배신자였다. 어머니는 항변했다. 책을 보내 준 당신들은 잘못이 없고 군대에서 그 책을 받아 본 아버지만 나쁜 사람이라니. 죽음 앞에 이름 몇 개 댄 걸 두고 배신자라며 평생 숨죽여 살게 하는 게 말이 되느냐고. 어머니가 옳았다. 비록 책을 보내 준 친구들의 이름을 대기는 했지만 고문을 견디지 못한 것뿐, 그 정도는 얼마든지 있을 수 있는 일이었다.

브래디는 다시 권수진 감독과 일을 했으면 했다. 쉽지 않았다. 이번에는 운이 권수진 감독을 비켜 갔다. 브래디는 안타까웠다. 그녀의 열정과 능력, 하지만 그녀를 살린 한류가 이번엔 권수진 감독을 받아주지 않았다.

영화를 다 만들어 놓고도 진행이 지지부진했다. OTT 플랫폼은 물론 극장에서도 개봉하지 못하고 시간만 까먹고 있었다. 개봉까지 갈지도 의문이었다. 애버리지니 필름과 월 스트리트 얘기가 언론에 비치기는 했지만 그때뿐이었다. 애버리지니 필름 자체가 실체없는 거짓 뉴스로 취급됐고, 가장 타격을 받은 곳은 한국 쪽 제작사이자 플랫폼 회사였다. 권수진 감독을 믿고 처음 투자사에 이름을 올린 OTT회사는 온라인 개봉이 미뤄지자 극장 개봉을 노렸는데 그마저 무산되자 빚더미에 올라앉았다. 극장이 조합을 통해 상영을 거부했는데 이유는 알 수 없었다. 똥줄이 탄 권수진 감독이 인맥을 동원해 지원에 나섰고 할리우드에서도 거들었지만 오히려 그쪽에서 힘을 쓰지 못했다. 권수진 감독은 공동 연출자이자 시나리오 원작자인 한스 화이트가 한 말이 떠올랐다. 그때는 그게 무슨 말인지 관심이 없었다. 한스 화이트가 공동 연출 욕심을 내느라 고집을 부리는 것이라고 생각했을 뿐. "시나리오가 어디서 온 건지 알면 놀랄 거요." 한스 화이트의 말에 권수진 감독이 미적지근한 반응을 보이자 그가 다시 말했다. "목숨줄 걸고 쓴 거요. 이건 알아주쇼."

권수진 감독은 초조했다.

"뜸을 좀 들여 보자는 거 아닐까요, 감독님?" 브래디가 말했다. "제 말은 시간이 좀 걸릴 수도 있겠다 뭐 그런 뜻입니다……."

하지만 권수진 감독은 브래디가 왜 그런 말을 하는지 알지 못했다. 권수진 감독만이 아니었다. 한국 플랫폼 회사의 그 누구도 왜 영화를 다 만들어 놓고도 이런 일이 벌어졌는지, 그 때문에 할리우드 제작사와 그쪽 관계자에게 연락을 한 모양인데 딱히 이렇다 할 대답을 해 준 사람도 아는 사람도 없었다. 어쨌든 요즘도 브래디는 기회만 되면 할리우드를 뜨겠다는 생각에는 변함이 없었다.

†

얼마 뒤였다. 미 대사관의 아는 영사가 연락을 해 왔다. 별일 없냐는 사적인 안부였다. 그 외에 다른 말은 없었다. 그런데 별일이 없냐니? 지배인은 그 말이 걸렸다. 예전에 연락을 한 적이 있다는 마크 하디 얘기가 생각났다. 골드만 삭스가 아니라는 게 그나마 다행이었다. 그거 빼곤 한동안 다른 일은 없었다.

최치영은 왜

노인의 집에서 절이 멀지 않다고 했다. 마침 수요일이어서 참선법회에 참석한 뒤 아는 사람 집에서 자기로 한 모양인데, 이런 기회가 아니면 일부러 법회만을 위해 부에노스아이레스에 오기는 힘들 수 있기 때문이었다.

노인은 한국전쟁 때 살아남은 인민군 포로였다. 남이나 북으로 가지 않고 제3국을 선택한 사람 중 한 분이었다. 인터뷰 요청을 했지만 쉽지 않았다. 노인은 병원에 있었고 언제 나올지 알 수 없었다. 그러다 이제야 노인을 만나게 됐는데 사연을 듣다 보니 착잡했던 모양이었다. 문산에서 포로 교환을 할 때 중립국 인도로 갔는데 그곳에서 일이 잘못되고 말았다고 했다. 처음엔 멕시코로 가기로 하고 인도로 간 것이었고, 받아주기로 한 멕시코 정부가 약속을 어기는 바람에 인도에서 2년을 더 머물고서야 아르헨티나로 올 수 있었다. 그들을 받아준 나라 중에는 브라질이 있었다. 브라질에 살고 있는 1세대 한인들이 그때 온 포로들이었다. 노인들 얘기를 한국 공중파 방송국이 다큐멘터리로 만들어 방송한 게 있었다. 하정미는 그걸 몇 번씩 돌려 봤다. 반공포로 노인은 4명, 방송 당시 이미 다들 80세에 가까운 나이였고 여전히 사회 활동을 하고 있었다. 아르헨티나 한인회를 만든 사람이 그들이었다. 그 중 한 사람은 초대와 2대 한인회 회장을 지냈는데, 한인들이 영주권을 가질 수 있도록 아르헨티나 정부의 승인을 받아 낸 당사자였다. 초기 한인 이민자들은 영주권이 없었고 영주권은 한인회를 만든 뒤에야 가능해졌다고 했다. 지금은 다들 자리를 잡아 어엿한 아르헨티나 중산층으로 살고 있었다. 노인들의 꿈은 다들 같았다. 고향으로 돌아가는 것, 고향을 떠난 지 반세기하고도 사반세기가 지나고 있었지만 그 꿈을 접은 노인은 없었다. 이젠 모두 아흔이 넘었고 돌아가신 분도 있었다. 산타페 공항에서 비행기를 타기 전이었다.

"떨려, 과수 씨."

이과수는 하정미를 안았다. 역사책 속에나 있을 법한 인물을 만나는 기분, 그 때문인지 하정미는 여느 때와 달리 많이 긴장했다. 이과수는 비행기 트랩을 오르는 하정미를 보고서야 차를 돌렸다.

†

산타페에서 하정미를 태우고 돌아오는 길이었다. 절에서 있었던 법회 얘기를 하던 하정미가 혼자 훌쩍였다. 고향에 가고 싶어 하는 노인의 눈이 사슴의 눈망울처럼 가슴을 치더라며 주르륵 눈물을 흘렸다. 차마 노인 앞에선 눈물을 보이지 못했는데 자꾸 눈물이 난다고.

하정미는 잠이 든 듯했다. 선잠인 것 같았다. 머리를 자주 뒤척였고 문득 부스스 눈을 뜨곤 이과수를 봤다. 이틀의 일정도 그렇지만 여느 때와 달리 긴장한 탓에 감정 소모가 큰 모양이었다.

하정미가 가만히 이과수의 손을 가슴에 안았다. 집에 오는 내내 가슴에 얹은 손을 놓지 않았다. 집에 도착하자 하정미는 저녁이고 뭐고 잠부터 자겠다며 방으로 들어갔다. 하정미가 방으로 들어가는 걸 보고서야 이과수는 자기 방으로 들어갔다. 그다음 주였을 것이다. 농장에서 돌아온 이과수는 평소처럼 자기 방에서 노트북을 펼쳤다. 오전에 하정미가 올린 반공포로 인터뷰 영상에 대한 한국 쪽 구독자들 반응도 그렇고 불현듯 한국전쟁이 궁금했다. 그러고 보니 생각 외로 한국전쟁에 대해 아는 게 없었다. 유튜브에는 한국전쟁 당시 기록 영상들이 꽤 많이 올라와 있었다. 미국에서 제작한 것도 있었고 한국 사람들이 제작한 개인 채널도 있었다.

거제도 포로수용소 영상물을 보고 있을 때였다. 노트북 알림에 이메일이 와 있었다. 최치영이 보낸 것이었다. 영상 하나를 다 보고서야 이메일을 열었다. 이메일이 길었는데, 이렇게 긴 이메일은 처음인 듯했다. 늘 그랬듯, 최치영은 유튜브 얘기로 시작했다. 하정미가 올린 반공포로 얘기와 절에서 있었던 법회 얘기를 했다.

제3국으로 간 포로의 근황을 알게 해 줘 고맙네. 우리 비극을 담다니, 취지가 좋아. 개인의 비극이 역사의 비극이던 시대는 말 그대로 비극의 시대가 아닌가. 다시는 그런 시대가 오지 않아야 하지. 부에노스아이레스의 법회 모습을 보게 될 줄은 몰랐네. 현지인과 교포가 스님의 말씀을 듣는 모습이 퍽 인상 깊더군. 스님의 '공'에 대한 말씀이 새삼 와닿았고. 불교의 '공'은 고뇌와 위로를 주지. 고집멸도라고 하지 않는가. 공이 다 그걸 품고 있어.

유튜브 얘기를 하고 난 최치영은 좀 민감한 얘기를 했다. 호텔 얘기였는데, 굳이 이런 소식을 전할 필요가 있을까 싶었다. 초점이 지배인한테 가 있었다.

제임스가 마음을 먹은 모양이네. 장진수와 이구민하고 거리를 둔 것도 그렇고 행동이 예전 같지 않아. 나도 더 소원해진 느낌이고. 염려는 하지 않네. 여기가 어딘가. 그랑호텔이 아닌가. 다시 만나야 할 사람이고 또 여길 떠나서는 살 수 없는 사람들이지.

뜻밖이었다. 장진수와 이구민, 지배인하고는 친구 사이 아닌가. 측근이기도 하고. 소원하다는 말을 쓴 걸 보니 무슨 일이 있는 것 같았다.

이메일에는 양민순 얘기가 있었다. 예전 이메일에서 잠깐 언급한 적이 있기는 하지만 특별한 얘기가 아니어서 흘려들은 적이 있었다. 지배인 얘기를 같이 했는데, 최치영은 둘에게 객관적 시선을 보이면서도 어느 순간 양민순 쪽에 비중을 두는 듯했다. 다른 소식도 있었다. 지배인이 재수술을 했다는 소식은 그렇다고 해도 벽수산장이 철거됐다는 얘기는 좀 충격이었다. 언젠간 벌어질 일이란 건 알고 있었지만 막상 소식을 듣자 꽤 낯설었다. 인터넷에 들어가 보니 벽수산장 얘기가 사방에 널려 있었다. 벽수산장 철거 기사와 철거 장면을 담은 영상물과 사진들이었다.

이과수는 벽수산장에 대해 누구보다 잘 알았다. 어쩌면 지배인보다도 더. 사사가 계기였다. 호텔과 관련한 자료를 찾다가 안 것들인데, 나중에 사사를 쓰면서 참고할 생각이었다. 얘기가 꽤 멀리 거슬러 올라갔다.

그랑호텔과 벽수산장은 샴쌍둥이 같은 존재였다. 강대식이 왜 벽수산장에 집착했는지, 친일 부역자라는 혹독한 사회적 지탄을 감수하면서까지 왜 그렇듯 벽수산장을 지키려 했는지, 골수 친일부역자의 모범으로 알려진 윤덕영과 얽힌 강대식 선대 얘기 때문에 무척 놀란 기억이 났다. 찾은 자료 중에는 논문이 있었다. 그때 적은 내용은 이 논문을 참고한 것이었다. 그 기억이 새로웠다.

> 이런 경우는 적다. 친일 부역자의 재산을 국가에 귀속하는 것을 법원이 허락하지 않았기 때문이다. 법리가 윤리를 앞서면 이처럼 엉뚱한 일이 생긴다. 윤덕영의 공이라고 해야 할까. 어쨌든 서촌 옥인동 땅 54%가 윤덕영 소유였다는 사실은 놀랍다. 1만 6천 평의 대지에 저택만도 8백여 평 규모다. 벽수산장은 프랑스 귀족의 별장 설계도로 지은 전형적인 르네상스식 건축물이다. 프랑스 대리석과 황금옥을 사용하고 지하 1층부터 지상 3층을 장식한 붉은 벽돌의 벽수산장은 영락없이 호텔을 지켜주는 사천왕의 모습이다. 호텔 앞 큰 정원에 있는 정원수와 연못의 다리는 당시의 것 그대로이다.
>
> 벽수산장의 규모는 상상을 넘는다. 그중 눈여겨보아야 할 것은 조선 진경산수의 배경이자 여항 문학의 근거지인 서촌과 인왕산 자락 송석원을 개인의 주거지로 사용했다는 점이다. 벽수산장의 소유가 얼마나 탐욕스러운 사유 재산에 속하는지 알 수 있는 대목이다. 벽수산장의 주인이 바뀐 것은 해방 직전이다. 이때 주인이 전범 기업 미쓰이다. 그러다 해방 후 윤덕영의 양자 윤강로에게 넘어갔다. 그 뒤 여러 차례 소유권이 바뀌면서 적산가옥이 됐다가 병원 건물로 불하되는 과정을 거쳤는데, 이후 한국전쟁 때는 조선민주주의인민공화국 청사로 쓰인 적이 있었다. 전쟁 후에는 미군 장교 숙소로 사용됐고 1954년에 언커크라는 한국통일부흥위원단 본부 건물이 됐다. 언커크의 이전으로 몇 개월 뒤 공매물로 나온 벽수산장은 민간의 손으로 넘어갔는데 그 주인이 강대식이다. 강성봉은 벽수산장을 아들 강대식의 이름으로 매입했고 그랑호텔 역사의 시작이 그 지점이다.

이후 최치영은 한동안 이메일을 보내지 않았다. 이과수도 관심에서 멀어진 듯했고. 어느 날이었다. 오랜만에 최치영이 이메일을 보내왔는데 이번에도 양민순 얘기가 들어 있었다. 지난번보다 자세했는데 그 무게가 그때와 많이 달랐다.

연기라고 했네. 인과율 말이야. 근원 없는 게 어디 있으며 맥락 없는 서사가 어디 있겠는가. 양민순하고 그랑호텔은 꽤 질긴 인연으로 맺어진 사이지. 제임스가 이제야 그걸 안 모양이야. 그래서 말해줬네. 같이 가야 할 사람이라고. 제임스가 발끈하더군. 다 서로 좋자고 한 말인데, 제임스가 오해를 해 고민이 크네…….

읽다 보니 얘기가 좀 복잡할 수도 있겠다는 생각이 들었다. 양민순 얘기가 그랬는데, 지배인 선대와 얽힌 양민순의 집안 얘기는 대략이지만 알고 있는 내용이 있었다. 이과수는 얽히고설킨 두 집안 얘기를 정리하느라 애를 먹기도 했다. 한 예로, 선대의 일이 두 사람에게 끼친 영향이 생각 외로 적어 보였는데 그게 잘 이해가 가지 않았다. 그 때문에 오히려 어렵게 찾은 자료를 의심해야 하는 게 아닌지 싶었고, 둘은 선대 때의 일 자체를 모르는 듯도 했다. 지배인이 유독 그랬다. 아이러니하지만 그 이유를 이과수는 브래디를 통하고 나서야 조금이나마 이해할 수 있었다.

지배인은 선대의 일에 관심 없었다. 양민순은 달랐다. 아버지의 영향 때문인 듯했는데, 그 문제에 관해서라면 양민순은 예민했다. 둘의 태생이 다른 것만큼 선대를 바라보는 시선이 다른 거야 당연한 것이었다. 단양 일은 양민순이 선대의 일 때문에 지배인과 부딪친 최초의 사건이었다. 그때까지도 지배인은 왜 양민순이 자신을 적대시하는지, 또 양민순이 왜 설치는지 알지 못했다. 좋든 싫든 자신의 선대가 준 후과라는 것을 그는 몰랐다. 다만 지배인의 의식 깊이 새겨져 있는 서자 의식, 자신이 강씨 집안 사람이자 아니기도 하다는 열등감, 자신을 옥죈 그 차꼬의 틀에 갇혀 있던 게 원인이었다. 문제는 지배인 태도가 그렇다 보니 양민순과 지배인의 갈등이 선대를 잇는 두 집안의 충돌로 봐야 할지 애매했다. 자신을 제임스 강이 아니라 제임스 김으로 알고 있는 사람을 강씨 집안 혈육의 일원으로 놓고 보는 게 부자연스러웠던 것이다. 하지만 지배인 제임스 김은 엄연한 강대식의 생물학적 자식이었다. 성이 다를 뿐, 지배인도 그걸 부정한 적은 없었다. 선대가 남긴 기득권이 준 특혜를 거부한 적은 없었으니까. 그러면서 지배인은 자신의 유불리에 따라 강대식과의 관계를 바꾸는 처세도 보여 줬다.

이과수는 이메일을 읽다가 고개를 갸웃했다. 양민순 얘기 때문이었는데, 이쯤 되면 알아서 짐작해야 하는 게 아닐까 싶었다.

오래전인 듯싶네. 자네가 준 파일을 양민순이 없앴어. 자칫 무슨 일을 치를 것 같아 아버지 말을 듣기로 했는데, 양기찬이 한을 푼 듯해 효도한 기분이라고 했지. 그게 다 자네 덕이라는 거야. 알고 있으라고 적은 거네. 그리고 얘기가 있기는 한데, 이 얘기는 나중에 하도록 하세. 알면 섬뜩할 걸세.

섬뜩하다……, 곰곰이 생각하다 이과수는 혹시 싶었고 그러다 저절로 모골이 송연해졌다. 상상하고 싶지도 않았고 현실성도 떨어졌다. 두 집안의 먼 악연을 누구보다 잘 알지만 그 이상은 너무 나간 것일 수 있었다. 그런데 그게 사실이라면…….

이과수가 찾은 자료를 최치영이 보기라도 했다는 것일까. 호텔 컴퓨터에 자료를 저장해 뒀으니 그럴 수 있었다. 오히려 이제 봤다는 게 이상해 보였다. 어쨌든 최치영도 그렇고 지배인 역시 지금은 모두 알고 있다고 보는 게 맞을 터였다. 저장한 자료의 대부분은 호텔 사사를 위한 것들이었고 일부 자료를 토대로 한 것이지만 어느 정도 정리한 초고 파일도 있었다. 호텔을 떠나면서 이 자료를 지배인에게 말하지 않았는데 어차피 누군가 보게 될 것이란 생각 때문이었다. 대한제국 때를 정리한 파일에는 두 집안의 갈등이 그때부터였을 수 있다는 내용이 포함돼 있었다. 어찌어찌해 그걸 알아냈고, 지금 생각해 보면 자신이 봐도 신기했다.

이 얘기는 역으로 거슬러 올라가야 실감이 났다. 강대식의 가장 큰 약점인 혈육 문제와 집안의 친일 문제는 강대식의 오랜 아킬레스건이었다. 이 문제가 그를 평생 괴롭혔고 이런저런 해결 방법을 찾았지만 한 번도 제대로 풀린 적이 없었다. 그 해결책을 생각해 낸 사람이 최치영이었다. 이 일은 최치영의 역할을 빼놓을 수 없었다. 하는 일이 다를 뿐 강대식과 최치영은 목표 의식을 공유한 사람들이었다. 그만큼 정서적 연대가 강했고 죽이 맞았다. 그런데 강대식에게는 또 다른 아킬레스건이 있었다. 양기찬이었다. 양기찬과 얽힌 두 집안의 기이한 보복 행위가 뜻밖에 신문 기사로 남아 있었다. 이과수는 그때의 신문 자료를 운 좋게 찾을 수 있었다. 이과수가 찾은 여느 자료들과 다르게 날짜가 있어 생동감을 줬다.

기사에는 강성봉과 양천석이란 이름이 버젓이 나와 있었다. 강성봉이 아들 강대식과 살인사건에 휘말렸다는 내용인데, 강성봉 부자와는 관계가 없는 것으로 보도됐지만 기사 내용을 보면 개운하게 결말이 난 게 아니었다. 이과수는 당시 기사를 파일로 만들어 보관했는데, 지금과는 다른 맞춤법과 용어 때문에 꼼꼼히 읽어야 했다.

부유시체인양.

수상경찰서는 지난 십일 오시 경 노량진 강변에서 이십팔 세가량으로 추측되는 사인불명의 시체를 발견 인양하여 보관하고 있는데 이 젊은이의 소지품은 현찰 사백오십 환 이외는 신분을 확인할 만한 하등의 증거품이 없어 경찰 당국에서 사인과 신분 수사에 부심하고 있다. 일부에서는 때마츰 지난 육 일 시내에서 무뢰배들이 난동을 일으켜 체포한 적이 있는데 무뢰배 중 일인이 딸라를 보여 주며 양천석 씨가 주었노라고 말을 해 심문했는데 양씨는 부인을 하고 다른 한 무뢰배가 강대식 씨 이름을 대 강씨에게도 물어봤는데 또 부인하는 고로 수사가 난관에 직면하게 되었다고 하였다. 강씨의 짚차 운전수 이모 군은 강씨와 함께 한 지 어언 삼 년이지만 강씨가 무뢰배를 만나는 것을 본 적이 단 일회도 없었다면서 강씨와 무뢰배는 아무 상관이 없는 사이라고 기자 본인에게 증언하였다. 양씨에게도 물어본 바 같은 대답을 해 수상경찰서에서 발견한 무뢰배의 시체가 누구의 소행인지 수사하는데 어려움을 겪을 것이 확실해 보이는 고로 앞으로도 수사는 지속적으로 난관을 벗어나지 못할 것이라고 예고하고 있다. 한편으로 종로경찰서 박 형사는 이같이 희박한 근거를 예로 삼아 시내의 거부 2인을 수사 물망에 올리는 것은 무리이며 검찰로 넘어가기 전 임의로 사건을 종결할 생각이 없지 않음을 고심하는 중이라고 전하였다.

기사의 요지는 한 젊은이의 죽음이 오리무중에 빠졌다는 소리였다. 기사에 등장하는 양천석은 양기찬의 부친이자 대한제국 때 거부 양택길의 손자를 말했다. 후속 기사가 없었고 또 이외에 다른 자료를 찾을 수 없어 더 알 수는 없었지만, 강대식과 양천석은 선대에 이어 이때도 그 앙금을 붙잡고 으르렁대고 있었던 듯싶다. 중요한 것은 그런 선대의 악연이 한국전쟁 뒤 언커크 건물과 그 뒤 1999년 밀레니엄 때로 이어졌다는 것이었다. 이 얘기의 흐름과 의미를 이과수 자신은 잘 모르고 있을 때였다. 나중에 데이브한테 가져온 파일을 보고서야 이 일과 연결 지을 수 있었고 그 인연에 이과수는 놀랐다. 강대식과 양기찬이 관련된 내용이 엉뚱하게도 케빈 슈라이버 교수의 노트 속에 들어 있었기 때문이었다. 이과수는 숨이 멎는 듯했다. 놀라움 때문이 아니라 기괴해서였다. 그 때문에 같은 대목을 몇 번인가 확인하듯 읽어야 했는데 내용과 표현이 하도 구체적이고 상세한 탓에 눈으로 보는 듯 생생했다.

두 집안의 악연은 해방 뒤 더 절정으로 치달았다. 표현이 좀 그렇지만 극적이었고 스릴마저 느껴졌다. 벽수산장을 놓고 벌인 둘의 다툼도 그렇고 특히 케빈 슈라이버 교수가 노트에 적은 강대식과 양기찬의 뉴욕 얘기는 또 다른 둘 간의 긴장 관계를 보여 주고 있었다. 뉴욕 거리의 강대식과 양기찬이라니, 쉽게 상상할 수 있는 장면이 아니었다. 어쨌든 브래디의 말과 케빈 슈라이버 교수의 기록 덕에 이과수는 두 집안의 오랜 갈등과 양민순의 등장을 더욱 현실성 있게 바라볼 수 있었다.

이과수는 폴더를 열었다. 케빈 슈라이버 교수의 노트 파일이 있는 폴더였다. 사실은 잊고 있던 물건이었다. 더는 이 일과 그랑호텔, 그 어느 것과도 관련이 있거나 엮이고 싶지 않았고 그쪽의 냄새라면 염증이 났다. 파일을 모조리 없앤 건 그때의 모든 것들과 단절을 하기 위해서였다. 그런데 그 파일 중 하나를 이과수는 끝내 없애지 못했는데, 그게 케빈 슈라이버 교수의 노트였다. 정확하게 말하면 예전에 제이콥 쉬프가 빠뜨리고 준 나머지 파일, 왜 그 노트를 남겨 뒀는지 지금도 이유를 알 수 없었다. 그 파일이 지금 이과수의 눈 앞에서 먼지를 뒤집어 쓴 채 노트북 한 구석에 누워 있었다.

케빈 슈라이버 교수는 생각보다 많은 것을 적고 있었다. 자무엘 얘기는 물론 로이 얘기도 마찬가지였다. 거의 자무엘에게 들어 안 것들을 적은 것 같았는데 케빈 슈라이버 교수와 로이는 직접적인 접촉이 없었기 때문에 그런 것이 아닐까 싶었다. 특히 주한 미군 얘기가 그랬고, 대략 알고는 있었지만 이 얘기가 눈에 들어왔다.

자무엘은 따로 알아본 게 있는 것 같았다. 그는 로이의 부대 얘기를 했다. 로이 얘기를 하려면 그의 주둔지를 빼놓을 수 없다.

로이의 부대 이름은 캠프 캐슬, 로이는 부대장의 부관이었다. 부대와 마을 주민과의 마찰은 작은 문제가 아니었다. 마을 주민들의 소란이 사령부에 알려지자 일이 커졌는데, 주둔군이 점유한 토지가 사유지라는 게 문제가 됐다. 땅 주인은 20여 명의 주민들이었다. 부대장의 입장이 이만저만 난처한 게 아니었다. 그때 구세주처럼 나타난 한국인이 양기찬이라는 사람이었다. 로이가 데리고 온 사람이라고 했다. 그 한국인은 직접 마을 사람들을 설득하고 자기 돈으로 땅을 사 부대에 기부까지 하며 해결에 나섰다. 땅 구조가 복잡해 맹지까지 사야 했고, 땅의 일부는 주한미군이 쓰고 일부는 주둔지 부대장에게 선물했는데 그가 다시 마을에 기부하는 바람에 주둔군과 마을과의 관계가 예전보다 좋아졌다. 양기찬은 마을 사람들의 땅을 사 해결에 나선 것은 물론 마을에 따로 현금을 기부해 양쪽 마음을 다 얻었다. 그는 로이의 부대에서 천사로 소문이 났고 마을에는 공덕비가 세워졌다. 공덕비에는 주둔지 부대장과 로이 그리고 '양기찬'이라는 한국인 이름이 새겨졌다. 부대 안에서는 공이 모두 로이에게 돌아갔다. 부대장은 상급 부대에 훈장을 상신했고 로이는 그 공으로 훈장을 받았다. 전투 한번 하지 않고 무공 훈장을 받은 사람은 주한 미군사에서 그가 처음이라고 했다. 양기찬에게는 부대장이 따로 공로패를 줘 고마움을 표시했다.

왜 이렇듯 낯설까. 그 일과 관련해 로이가 이렇듯 비중이 있는 사람이었는지, 아마 호텔과는 인연을 끊겠다고 마음을 먹자 건성으로 봐서 그런 게 아닌가 싶었다. 어쩌면 자무엘보다 로이를 더 후하게 생각한 케빈 슈라이버 교수의 편견 때문이 아닌지. 그 일과 관련해 로이는 참관인에 불과할 터인데, 그럼에도 케빈 슈라이버 교수는 로이에 대해 자세히 언급했다.

케빈 슈라이버 교수가 적은 캠프 캐슬은 동두천 시내 북쪽에 있던 다섯 개 캠프 중 하나의 부대였다. 로이의 주둔 시기를 따져 보니 90년대 중반으로 보였다. 케빈 슈라이버 교수의 기록이 사실이라면 동두천 어딘가에 남아 있을지 모르는 공덕비에서 양기찬과 로이의 이름을 볼 수 있을 터였다. 케빈 슈라이버 교수의 글은 밀레니엄 때로 이어졌다.

로이는 제대한 뒤 고향 뉴욕으로 돌아왔다. 신문사에서 일했고 나중에는 웰스 파고에 적을 뒀다. 그뒤 뉴욕에서도 양기찬이란 한국인과 연락하며 지냈고 그게 지금의 인연으로 이어진 듯하다.

양기찬은 한국의 현찰 갑부였다. 로이는 자무엘에게 그걸 강조했다. 월 스트리트의 헌신자이기를 원하며 충성심도 강하다고. 로이가 자무엘에게 들려준 얘기 중에는 한국이 IMF 체제에 들어갔을 때도 그의 사업은 전혀 지장이 없었으며 예전보다 더 많은 부를 축적한 사람이라는 정보가 들어 있었다. 주지할 것은 마침 월 스트리트가 한국을 차후 주요 글로벌 금융 소비시장으로 꼽았다는 것과 그 사실이 이래저래 시기적으로 큰 영향을 미치고 있었다는 점이다.

한국인의 초청은 시사하는 바가 크다. 별것 아닐 수 있는 두 사람의 초청 문제는 넓게 보면 워싱턴과 월 스트리트가 태평양 연안국과 동북아, 나아가 한국을 보는 태도와 관련이 있다고 봐도 무방했기 때문이다. 동북아의 지정학적 상황이 워싱턴과 월 스트리트에 어떤 이익과 불이익으로 작용할지, 이 지역의 영향력이 커진 작금의 국제적 상황으로 봐 이 얘기는 매우 중요한 사안으로 취급됐다.

워싱턴에서는 중국과 일본을 중심에 놓고 전략을 짰다. 중국을 견제하고 공략하는데 일본 외의 다른 세력 얘기가 나온 게 그 때문이었다. 일본과 한국을 동맹으로 묶는 것은 당연한 전략적 선택이었다. 내부에서도 이걸 놓고 이견은 없었다. 대만은 유동적이었다. 중국 때문이었는데, 그럼에도 일본과 한국 대만을 묶는 이 블록은 워싱턴뿐 아니라 월 스트리트의 공공연한 입장이었다. 이는 단지 글로벌 시장의 문제가 아니라 안보가 걸린 문제였기 때문이다. 하지만 워싱턴이 일본과 한국을 다루는 방식은 근본부터 달랐다. 태평양 전쟁의 트라우마는 일본의 국력을 썩 달가워하지 않았고, 그 국력이 워싱턴이 아니라 북경을 상대로 쓰이기를 원했다. 워싱턴이 일정한 동북아의 군사적 긴장이 유지되길 원한 것도 같은 맥락이었다. 한반도의 남북 간 긴장 역시 워싱턴은 같은 차원에서 다뤘고, 한국은 워싱턴을 위협하는 존재가 아니었기에 이 구도는 늘 효과가 있었다. 북한이 문제이기는 했지만 실은 그 나라는 러시아와 중국과의 협상 테이블에 올릴 메뉴였다. 일본 역시 원했고, 워싱턴은 그쪽에 힘을 실어 동북아의 주도권을 일본이 갖도록 전략을 구사했다. 만일 동북아에서 참사가 난다면 일본을 병참 기지로 삼고 한국과 북한 그리고 대만의 바다와 하늘이 전투 지역으로 전환될 터였다. 이는 1950년 한국전쟁 당시 일본을 병참 기지로 해 한반도에서 전쟁을 치른 미국의 입장에서 조금도 달라진 것이 아니었다. 중국 역시 압록강 가까이 오는 미군을 저지하기 위해 김일성을 도운 사례에서 보듯 그때의 지정학적 조건을 여전히 자국의 이익을 위한 방패로 사용하겠다는 의지에는 변함이 없었다. 지금이나 그때나 미국과 중국과 일본에게 한반도는 완충 지대였고 대만도 마찬가지였다. 그리고 한 가지 더, 워싱턴이 한국전쟁 전의 애치슨 라인을 여전히 고수하고 있다는 점은 시사하는 바가 크다.

케빈 슈라이버 교수는 한반도와 관련한 냉전 문제에 밝은 사람이었다. 그는 20세기 중반의 고착된 냉전 구도가 한반도를 중심으로 재구축되고 있으며, 이 냉전적 구도가 변할 가능성은 없을 것이라고 적었다. 한반도는 어차피 미국을 비롯한 주변 강대국 간의 냉전 구도를 위한 대리전의 장이라는 점을 그는 잘 알고 있었고, 앞으로 통일이 된다 해도 마찬가지라고 했다. 중국과 러시아 때문이었다. 한국의 국경은 중국과 러시아와 접경을 이루고 있었고 역사적으로 힘의 균형이 변할 때마다 두 나라가 적극 개입해 왔기 때문이었다. 한국은 자국 내 정치의 기류에 따라 냉온이 극명하게 교차하는데 그 이유도 거기서 찾았다. 주변 정세가 자국의 정치 역학에 영향을 미친다는 의미 같았는데, 정국 주도권을 보수정권이 갖는지 진보정권이 갖는지에 따라 정책 방향이 갈리는 게 그 때문이라고 했다. 하지만 어느 쪽이 됐든 워싱턴의 의지를 거부한 정권은 없었다는 게 케빈 슈라이버 교수의 결론이었다. 결국 워싱턴과 일본이 원하는 대로 돌아가게 마련이었고 분단국가인 한국 정부가 선택할 수 있는 폭은 극히 제한적이었다. 반면 중국과 러시아까지 감안해야 하는 워싱턴과 월 스트리트가 생각하는 한반도에 대한 시각은 광범위했고, 두 세력은 각자의 이익에 따라 고민하는 방향도 달랐다. 안보와 경제는 늘 같이 물렸지만 이익을 추구하는 방식에서는 각자의 전략을 구사했다. 워싱턴과 월 스트리트는 이 문제를 공유하기 위해 애썼는데 케빈 슈라이버 교수는 해법에 있어서는 늘 이견이 있곤 해 별 소득이 없었던 것 같다고 적었다. 케빈 슈라이버 교수는 이 문제를 동북아권에서 중국이 지향하는 바와 그것을 바라보는 워싱턴과 월 스트리트의 시선을 참고해 경제적 비전과 역량이라는 측면에서 적어 나갔다. 그의 글은 옛날 중국의 핑퐁 외교를 언급해 작금의 맥락을 들여다보고 있었다.

중국 제조업의 글로벌시장 점유력은 워싱턴으로서는 골칫덩이였다. 러스트 벨트 문제는 이미 회복 불능 수준이었고, 선벨트가 그 문제를 해결해 줄 것도 아니었다. 어쨌든 중국의 공격적인 WTO 가입은 저부가가치의 세계시장 공략이라는 현실적 충격으로 나타났고, 차이나 쇼크는 제조업 보기를 먼 산 보듯 한 미국에게 중산층의 구조 조정을 이끄는 데 결정적인 역할을 했다. 귀엽게만 보이던 핑퐁 외교 이후 덩샤오핑의 흑묘백묘에 기반한 개방 정책과는 비교가 되지 않을 정도였다.

하지만 그와 상관없이 워싱턴의 고민은 깊었다. 비록 미국식 교육으로 학습한 시카고학파의 전령들이 제 나라로 돌아가 월 스트리트의 우군으로 활약하고는 있었지만, 망한 신자유주의를 등에 업고 활동하기에는 부담이 되고 있었다. 레이건과 대처의 수완에서 힌트를 얻은 이후 지금에 이르기까지 신자유주의는 정치적으로도 경제적으로도 자국에게 손해를 입힌 적이 없었기 때문에 이들은 당황할 수밖에 없었다. 그러는 동안 시대가 바뀌었고 힘의 균형이 깨지기 시작했다. 물론 오랫동안 공산품으로 재미를 본 중국이 그 물에서 벗어날 수는 없었다. 그것이 신자유주의든 뭐든, 자본주의라는 수렁에 발을 들인 이상 온몸을 던져 시장을 선점하고 패권을 쥐는 게 현실을 살아가는 이치였다. 중국이 모를 리 없었다. 글로벌 경제의 중심이 뭔지 안 중국은 재빠르게 글로벌 금융시장을 겨냥하기 시작했고 전망을 밝게 봤다. 이제 그 영역 역시 더는 월 스트리트와 런던만의 정글이 아니었던 것이다. 패권과 강권 정치를 내세우고 국제적으로는 다자주의를 선포한 중국의 공격적인 대외 전략은 서서히 효과를 발휘했고, 반도체와 AI, 재생에너지에 국가적 역량을 쏟는 중국의 영향은 가늠하기 힘들 정도였다. 다만, 영구적인 시진핑 체제를 중국 인민이 어떻게 받아들일지 또 그 사회를 지탱하는 권위적인 관료주의가 시장과 국내외 투자환경에 어떤 요소로 작용할지는 미지수다. 그게 어떤 결과를 가져오든 그 결과는 엄청난 파급을 만들어 낼 것이다.

워싱턴과 월 스트리트는 새 아이디어가 필요했다. 중국의 야심을 꺾어야 했고 나아가 세계로 뻗어나간 시카고 보이즈들을 다시 훈육해 새 자본주의를 선교하도록 해야 했다. 고전적 경제자유주의와 신자유주의를 모두 해체하고 새 자본주의 질서를 구축하는 것, 아직 그 효능은 제한적이기는 하지만 결과는 누구도 예측할 수 없다. 이걸 결정하는 게 자원안보와 환경안보다. 글로벌 금융의 투자와 회수가 그걸 중심으로 이루어졌고 누가 누구 편이고 누가 누구 편을 드는지, 하지만 아무리 세계 지리와 정치 경제의 지정학을 꿰뚫는다 해도 이 역학을 미리 알 수 있는 방법은 없었다. 부닥쳐서야 비로소 알 수 있을 뿐, 동북아도 마찬가지였다. 월 스트리트와 워싱턴의 궁극적인 고민은 어떻게 하면 중국을 여전히 예전의 중국으로 묶어둘 수 있을지에 집중됐다. 그 대안으로 내세운 게 동북아의 군사적 긴장과 한국과 대만의 IT 산업의 자율권을 제한하는 것이었다. 나아가 일본 자위대의 군사적 사용 범위를 확대하고 일본 내 총생산량이 오로지 중국과 맞서는 데 사용되도록 유도하는 일은 이 구상의 핵심 전략이었다.

이과수는 생경했다. 한국인을 초청하는 데 국제 관계까지 고려했다는 듯한 케빈 슈라이버 교수의 글이 부자연스러웠기 때문이다. 게다가 이처럼 길고 장황하게 적다니, 다만 여지는 있었다. 이 일을 자무엘이나 월 스트리트의 시선으로 볼 게 아니라 워싱턴의 입장으로 보게 되면 복잡하기는 하지만 신선해질 수 있었다. 또 밀레니엄을 앞둔 그해 자무엘에게 죽을 맞춰 준 월 스트리트의 움직임을 십수 년에 이르는 시간적 흐름을 통해 접근함으로써 의미를 재해석하고 역사성을 부여해 확장하자는 의도로 생각해 볼 수도 있었다. 그러려면 밀레니엄을 앞두고 글로벌 시장을 바라보는 월 스트리트의 시선과 금융위기 이후 워싱턴과 월 스트리트의 내부 경향을 지적하는 것은 당연했다. 이렇게 함으로써 자무엘의 행위는 그 자신의 개인사가 아니라 월 스트리트와 워싱턴, 나아가 인류의 불확실한 미래와 인간 내면의 고질적 불안심리가 만들어 낸 욕망을 해소하고 충족한다는 보다 근원적인 담론으로까지 발전시키기 위한 시도로 읽을 수 있기 때문이었다. 아무튼 이과수는 기억을 더듬듯 나머지를 읽었다. 한국과 관련된 내용이었고 케빈 슈라이버 교수 개인의 시각이 들어있어 다시 보고 싶었던 대목이었다.

한국과 일본, 사실 워싱턴이나 월 스트리트는 두 나라를 그리스와 터키처럼 보지 않았다. 한국이 식민지 시대의 역사적 트라우마 때문에 일본과 손을 잡을지 반신반의하기는 했지만, 결론은 다들 문제가 없다는 쪽으로 의견이 모아졌다. 내셔널리즘 시각으로 보면 한국 내의 일본과 관련한 세력은 몇 개의 스펙트럼을 보이는 것으로 파악됐는데, 일본과 적극적인 관계를 지향하는 친일과 종일, 숭일세력이 대표적이다. 이들은 어차피 친미와 친일이라는 범주 안에서 생존해 왔고, 사회의 주류가 그쪽 사람들로 이루어져 존재해 왔다는 사실을 워싱턴은 늘 고무적으로 받아들였다. 이들의 정권 유지와 연장의 힘은 친일과 친미를 통해 구사돼 왔고, 보다 극단적인 종일과 숭일세력 역시 자신들의 기득권 유지를 위한 정치적 전략의 핵심 재료로 이 구도를 이용했다. 그러므로 이들의 친미 친일은 자신들의 생존을 넘어 영구적인 권력 유지와 밀접한 관련이 있었고 이들의 탐욕은 지친 적이 없었다. 이 때문에 워싱턴의 민주당과 공화당은 한국 내 보수정권이나 진보정권을 대하는 방식은 전통적으로 같았고 실패한 적이 없었다. 비록…….

어쨌든 그의 글이 장황하기는 했지만, 이 내용을 안 로이는 반응이 달라졌다. 로이는 보다 적극적으로 초청 얘기를 했고 자무엘도 거부하지 않았다. 당연했다. 그 역시 워싱턴과 월 스트리트의 적자였으니까. 그래도 조심스러웠는지 자무엘은 로이에게 한국인의 신분을 보장할 수 있는 공신력 있는 제3의 추천인을 요구한 모양이었다. 가능한 모든 정보를 취합해 달라는 부탁을 했고 자무엘은 독자적으로 알아낸 정보가 꽤 있는 듯했다. 그럼에도 로이에게 같은 요구를 한 것은 크로스 체크를 하자는 취지인 듯하다고 케빈 슈라이버 교수는 적었다. 로이가 보증인으로 내세운 인물은 미 상공회의소 쪽 사람이었다. 그 뒤 초청은 자무엘의 생각대로 진행됐고 순조로웠다. 케빈 슈라이버 교수는 로이의 초청을 진행하는 대신 몇 가지 조건을 붙였다고 했다. 그 내용이 자세히 적혀 있었다.

자무엘은 한국인 입장은 고려하지 않았다. 머무는 동안 안내할 사람을 붙일 생각이었고 자신 외에 다른 사람과 접촉해서는 안 된다는 얘기를 했다. 혹 뉴욕에 지인이나 가족이 있더라도 만나지 않아야 한다는 조건이 있었다. 안내자와의 대화에도 제약이 있었다. 가족이나 개인 신상에 관해 묻지도 말하지도 않아야 했다. 한국으로 돌아가서도 마찬가지였다. 뉴욕에서 보고 들은 것은 물론 뉴욕에 갔다 왔다는 사실조차 혼자만 아는 비밀이어야 했다. 로이는 양기찬에게 그 얘기를 했고 양기찬은 고개를 갸웃하는 시늉을 하더니 초대만 해 준다면 깊이 감사할 따름이라며 조건에 응했다. 며칠 뒤였다. 골드만 삭스 싱가포르 주재원이라는 사람이 자무엘에게 연락을 해 왔다. 다른 한국인 얘기가 나온 게 이때였다. 자무엘 말로는 헨리 폴슨이 골드만 삭스 그룹 종합금융부문 이사로 있을 때 같이 일한 적이 있는 사람이라고 했다. 마침 헨리 폴슨이 골드만 삭스 최고 경영자가 되면서 그를 불러들였고 그는 다시 맨해튼으로 돌아올 수 있었다. 그가 마크 하디였다. 그가 한국인 한 사람을 소개했는데, 예전부터 한국 지점 일을 협의하며 교류를 하던 사람이라고 했다. 사무소가 종합금융 업무로 확대되면서 지점 일이 많아진 탓이었다. 자무엘은 마크 하디를 알고 있었다.

마크 하디 얘기는 자세했다. 내용으로 봐 이과수는 어쩌면 케빈 슈라이버 교수가 자무엘에게 들은 것 외에 다른 경로로 알아낸 게 있는 것이 아닐까 싶었다. 케빈 슈라이버 교수는 마크 하디가 자무엘에게 강조한 것이 앞으로 한국 부동산 시장에 관심이 있다면 반드시 알아둬야 할 한국인이라는 것과 월 스트리트의 한국 시장 진출에 교각 역할을 할 사람이라는 점을 주목해 달라는 말을 했다는 얘기를 적었다. 이 얘기를 다른 사람들은 모르게 해 달라는 요구를 했다고도 했다. 자무엘은 그 약속을 지켰고 양기찬이라는 한국인과 같은 조건으로 초청하면 어떻겠느냐는 제안을 했는데, 대신 자무엘은 양기찬이라는 한국인을 통해 나머지 안내를 받도록 요구를 한 모양이었다. 창구를 한 곳으로 정해 번잡함을 피하자는 생각인 듯했다. 자무엘은 이와 별도로 정보를 더 얻었다고 했다. 미 상공회의소를 통해서였다. 미 상공회의소에서 알려 온 둘에 대한 정보는 다른 모든 조건을 충족했다. 그 누구보다 미국을 사랑했고, 월 스트리트를 우러러보며 존경하는 것은 물론 글로벌이란 이름에 깜박 죽는 한국 정부와 제도권 금융, 그리고 부동산과 지하 경제를 틀어쥔 사람들, 좀 더 알아보니 둘은 합법과 비합법의 경계를 넘나들며 일을 했고 그 기조를 사업 철학으로 삼았다. 당시 한국이 처한 IMF와의 관계가 더욱 그렇게 만든 듯했다. 초청 결정이 나자 자무엘은 자신이 직접 둘의 뉴욕 체류 기간 관리를 맡아 줄 사람을 찾았다. 한국계 미국인이었고 평소 아는 사이라고 했다.

케빈 슈라이버 교수의 노트는 강대식으로 이어졌다. 이 얘기 역시 자무엘을 통한 것 같았고 자무엘은 자신이 알아본 것과 마크 하디에게 직접 들은 내용들을 취합해 케빈 슈라이버 교수에게 들려준 듯했다. 신기했다.

마크 하디는 아버지 로버트 하디의 유언을 실현하기 위해 부단히 애썼다. 아버지의 일기를 책으로 펴내기 위해 그는 한국 정부의 관심있는 관료와 상의해 왔다고 했다. 미 상공회의소를 통해서였다. 한국 정부는 사업가 여럿에게 그 얘기를 했고 그 중 한 사람이 후원을 하겠다고 나섰다. 강대식이라는 한국인이었다. 그는 마크 하디를 위해 후원회를 조직했고 출판 비용의 일체를 대겠다고 했다. 싱가포르에 근무하던 마크 하디는 그의 초청으로 한국을 방문했고, 후원회 이름은 한국인이 정했다.

'로버트 하디 씨 한국전쟁 참전 회고록 출판 추진 후원회'.

마크 하디는 감동했다. 한국인은 실제 로버트 하디 씨의 한국어와 영어판 참전 일기 출판 비용 전부를 댔고 거기에 따르는 각종 행사도 알아서 추진해 성사시켰다. 싱가포르에 있으면서 마크 하디는 자주 그에게 연락을 했다. 도울 게 있으면 돕겠다고 했고 출판 진행이 어떻게 돼 가는지 점검을 했다. 강대식이라는 한국인은 진심으로 최선을 다했고, 그의 헌신에는 마크 하디의 신분이 작용하고 있었다. 그는 마크 하디가 어떤 인물인지 잘 알고 있었고 자신의 사업에 도움이 될 수 있을 것이라는 판단을 한 듯했다. 그는 한국의 유명 호텔의 경영주였다. '그랑호텔', 프라이빗 시스템이었고 미 상공회의소는 더 많은 것을 아는 듯했지만 말을 아꼈다.

〈한국전쟁, 스모크 밸리 천도리의 겨울〉, 책 이름이었다. 한국전쟁 당시 로버트 하디는 미 45사단 145 대공 포병대대 신임 장교로 소위 계급장을 달고 있었다. 그의 아내는 스물세 살, 루이지애나주 치킨아가씨 선발 대회에서 대상을 받은 여성이었다. 로버트 하디는 쿼드50을 다루는 대공포대 소속이었는데, 그가 주둔한 곳은 한반도 정중앙 양구의 서화였다. 서쪽으로 펀치볼이 있고 동쪽으로는 고성이었다. 로버트 하디 부대는 천도리라는 마을의 골짜기를 따라 고지로 이동을 했다. 미군들은 그곳을 스모크 밸리라고 불렀다. 안개가 하도 많아 붙은 이름이었다. 그의 포부대는 중공군 진지를 상대로 큰 전과를 올렸으며, 한때 '단장의 능선'과 '피의 능선' 전투에도 참여했다. 중공군 점령지인 문등리 일대를 향해 쿼드50을 쏘아대는 것이 그들의 임무였다. 대공포라고는 하지만 보병 지원에서도 탁월한 성능을 보였고 작전은 성공적이었다.

로버트 하디 일기에는 거기서 보고 겪은 일들이 자세히 적혀 있었다. 그가 목격한 것 중에는 언덕처럼 쌓인 한국군 병사들의 시체에서 군표를 뜯어낸 뒤 시체 몇 구를 모아 수류탄을 터뜨려 조각내 살 조각 하나에 군표 하나를 동봉해 화장한 뒤 후방 가족의 품으로 보냈다는 얘기가 있었다. 어떤 한국군 병사는 한밤중 칠흑 같은 벙커에서 하도 목이 말라 손을 더듬다 찾은 탄통의 물을 마시다 보니 옆에서 죽은 전우한테서 흘러나온 피였다는 얘기도 있었다.

참전 일기는 미국과 한국에서 동시에 출간됐다. 책은 한국보다 미국에서 더 인기가 있었고, 뉴욕의 출판 기념회에 마크 하디는 강대식을 초청했다. 하지만 무슨 일 때문인지 강대식은 참석하지 못했는데, 그때 이루지 못한 초청에 대한 보답이라며 마크 하디는 강대식을 초청했다.

생각해 보니 이 노트는 지배인에게 주지 않은 파일이었다. 그 기억이 불쑥 떠올랐다. 아마 이 기록을 알면 최치영은 물론 지배인과 양민순이 뒤집어졌을지 몰랐다. 다행이었다. 그런데 왜 그때 이걸 주지 않았는지, 그게 잘 기억나지 않았다.

최치영의 이메일은 지배인 얘기로 바뀌어 있었다. 내용이 앞에서 적은 양민순을 떠올리게 했는데, 어쩌면 지배인 얘기를 하기 위해 이런저런 얘기를 한 게 아닌지 싶었다.

제임스 얘기는 하지 않겠네. 달라질 게 없을 듯해 그래. 불편한 몸이라지만 마음만 먹으면 못할 게 없는 사람 아닌가. 제임스 성정이 원래 그렇거든. 그걸 양민순하고 비교를 하게 돼. 그 여자, 진득한 데다 보통의 인내심을 가진 사람이 아니야. 이건 제임스가 배워야 해. 요즘은 부쩍 옛 생각이 나고는 해 나도 늙었구나 싶지만 꼭 그 때문만은 아니라는 생각을 했네. 솔직히 나로서는 특별행사보다 예전에 자네와 치른 데이행사가 더 기억에 남아 있네. 어수선하기는 했지만 순수했고 열정이 있었지. 새 시대를 보여 주겠다는 의지와 의욕 하나만은 거칠 게 없었거든. 잔재주가 아니었다는 뜻이네. 옛일은 다 좋아 보일 수 있지만, 진정성은 갖췄다는 얘기야. 이 얼마나 숭고한 경험인가.

이메일을 읽다 보니 이과수는 예전의 일 하나가 떠올랐다. 추억처럼, 그리고 그때 그 일은 우연이었을 가능성이 컸다. 세상 곳곳에서는 우연이라는 힘이 더 세게 작동을 하고 있었고, 그게 여러 사람의 삶을 바꿔 놓았다. 밀란 쿤데라가 가벼움을 참지 못했듯, 우연은 사람을 무기력에 빠지게 하는 주범이었다. 어쩌면 이과수는 그때의 자신이 그 전형이 아니었을까 생각했다.

그리고 그건 우연이었다. 편의점에서였다. 도시락을 사 들고 계산하려는데 머리 위에 걸린 티브이 모니터에 공고문이 떠 있었다. 어떤 성우의 목소리와 함께였는데 흔치 않은 일이라고 했다. 그랑호텔이 공개 채용을 하다니. 프라이빗 시스템을 고수하는 기업답게 수시 채용이라는 방식을 고수했고 이번 공개 모집은 누구도 예상하지 못한 일이라고 했다.

도시락을 사 들고 집으로 오자마자 인터넷을 뒤졌다. 웃기는 건, 아무리 뒤져도 그랑호텔 홈페이지를 찾을 수가 없었는데 알고 보니 그랑호텔은 홈페이지가 없었다. 이해하기 힘들지만 사실이었다.

면접 때였다. 면접이라고는 해도 호텔리어로서 자긍심이라든가 소망 같은 것은 없었다. 그때는 그곳이 어디든 어서 취직이나 하자는 절박함이 먼저였으니까. 취직을 위해 필요한 것은 용기뿐이었다. 이번에도 또 한 번 낙방의 쓴 잔을 감수하겠다는 각오, 그 용기 없이는 힘든 시도였다.

한참 면접이 진행되고 있을 때였다. 다들 긴장했고, 면접을 보면서 목소리를 떠는 사람도 있었다. 그럼에도 그는 호텔리어가 얼마나 소중한 직업인지 얼마나 봉사정신이 강해야 할 수 있는 일인지 설명했고, 그 일의 적임자가 자신이라고 주저 없이 말했다. 이과수에게 그런 각오가 있을 리 없었다. 다만 열심히 주어진 업무를 책임을 다해 일할 수 있다고 말한 게 전부였다. 그게 무슨 일이든, 진심이었다. "무슨 일이든?" 면접관 중 한 사람이 되물었다. 그가 차영한이었다. 사실이었다. 무슨 일이든 맡겨만 준다면 열심히 할 자신이 있었다.

물론 공개채용 공고를 보고 지원은 했지만 이과수는 자기가 그곳에 들어갈 수 있으리라고는 생각하지 못했다. 꿈에도. 이미 근 십수 번의 입사 시험에서 쓴맛을 본 이과수에게는 비정규직조차 하늘의 별처럼 보일 때였고, 그런 류의 꿈을 꿀 때는 조심해야 할 징크스가 많았다. 게다가 그랑호텔이라니, 그곳은 아무나 들어갈 수 있는 곳이 아니었다. 그럼에도 이과수가 입사 지원을 한 것은 다시 말하지만 자포자기라는 배짱 덕이었다.

176번, 면접번호였다. 번호와 이름이 호명되고 면접실로 들어 갈 때 이과수는 이런 심정이었다. 될 대로 되라는 식의 자세, 그 때문인지 이과수는 떨리기는커녕 씩씩하고 당당했다.

"지원 동기가 뭐지요?" 면접관이 물었다. 그가 이구민이었다. 이런 걸 묻기도 하는구나,라고 이과수는 생각했다.

"열심히 살고 싶어서입니다, 그게 존재를 규정하기 때문입니다." 그렇게 대답한 것 같기도 하고 아닌 것 같기도 했다. 그런데 존재,라니. 왜 그따위 말이 튀어나왔는지 알 수 없었다. 어쩌면 절박함이 만든 농담 같은 것이 아니었을까.

"우리 사회의 가장 아픈 곳이 어디라고 생각하지요?" 다른 면접관이 물었다. 그가 차영한이었다. 이과수는 그를 쳐다봤다. 아픈 데라니? 이제야 질문다운 질문을 들은 기분이었다. 이과수는 차분하게 말했다.

"아픈 데는 많습니다. 그게 사회인 거죠. 그러므로 사회는 그 문제를 해결하기 위해 돌아갑니다. 그건 누구나 원하는 겁니다. 이것이 그랑호텔의 존재 이유일 겁니다."라고 대답한 것 같기도 했다. 왜 그런 대답을 했는지, 지금 생각해 보면 그 역시 터무니없기는 마찬가지였다. 옆의 남자가 물었다. 그는 탑햇을 쓰고 있었고 그 때문에 좀 우습다는 생각을 했는데, 맞춤 정장인 듯한 검은 연미복은 묘한 포스를 풍겼다. 그런데 이 사람은 왜 저런 복장을 하고 있는 것일까? 그 생각도 잠시, 목소리가 들렸다.

"연준이 리먼 브라더스를 어떻게 할 것 같소?"

정신이 번쩍 들었다. 아니 반짝였다는 기억이다. 연미복 인간은 앞의 두 면접관과는 전혀 다른 질문을 했다. 이과수는 당황하지 않았다. 그럴 수가 없었다. 인터넷에서 웹서핑을 하며 무수히 들은 글로벌 금융의 우두머리, 그러므로 절대 잊을 수 없는 연준이라는 이름.

"리먼 브라더스는 이미 세상에 없는 존재입니다." 리먼 브라더스가 파산하기 전인 데도 이과수는 그렇게 말했다. 그가 씩 웃더니 물었다.

"왜 그렇게 생각하지?"

"할 일이 없기 때문입니다. 하지만 연준은 할 일이 넘칩니다."

"리먼 브라더스가 할 일이 없기 때문이라……."

"서브프라임 모기지로 먹고 산 사람들 아닙니까. 그런데 그게 다 날아갔습니다. 그들이 할 일이 없는 건 당연합니다."

"그게 다인가?"

"헨리 폴슨은 리먼 브라더스를 놔둘 생각이 없습니다. 실은 그게 가장 큽니다."

"그래?" 그래,는 자세히 말해 보라는 뜻이었다.

"헨리 폴슨이 한 행동을 보면 그렇습니다. 그는 그만한 힘을 가지고 있고 그의 생각이 변할 이유는 조금도 없습니다."

그가 의자 뒤로 몸을 기대더니 쳐다봤다. 느낌이 왔다. 이과수는 확신했고 일주일 뒤 합격 전화를 받았다. 그게 자신의 대답 때문인지 아닌지, 실은 알 수 없었다. 확실한 것은 운일 가능성이 높았다. 그러므로 능력주의는 격식과 명목, 그 이상 의미의 수사가 아니었고 공정의 다른 꼼수일 뿐이었다. 그리고 오늘 문득, 이과수는 그때의 일상이 평화였는지도 모른다는 생각을 했다. 비정규직부터 그랑호텔에 입사하기까지 웹서핑으로 보낸 그 시간이, 아련했다. 그리고 생각했다. 무기력은 현실을 이기는 데 아무 도움이 되지 않는다는 것을. 현실은 용기가 필요한 것이 아니라 무지가 필요하다는 것, 알고도 모르는 체할 줄 아는 것, 그 시간은 그 지혜를 깨닫기 위한 인고의 시간이 아니었을까. 하지만 말이 평화지, 그것은 고통의 다른 이름일 뿐이었다.

이런저런 대답을 하고 난 뒤 나지막이 숨을 내쉬는데 목소리가 들렸다. 연미복 인간이 물었다.

"헨리 폴슨이 왜 리먼을 팰 거라고 생각하나?"

이과수는 멀뚱멀뚱 그 인간을 쳐다봤다. 패다니, 뭔 말을 저렇게 하지? 아무튼 이과수는 이렇게 대답했다. "숭고입니다. 아니 순수함인지도 모르겠습니다." 그러자 그가 웃었다. 아주 박장대소를 했다. 왜 저럴까, 저 인간은? 어차피 기대하지 않은 입사 시험이었다. 이과수는 마저 말을 해야겠다고 생각했다. "자본주의에서 돈은 숭고 자체입니다. 힘이 거기서 나옵니다. 헨리 폴슨은 그걸 쥔 사람입니다. 그러므로 헨리 폴슨은 숭고 자체라고 봐야 합니다." 생각해 보면 말이 되지 않는 답이었다.

"그래서?" 그 인간이 물었다.

"숭고는 영혼에서 오기 때문입니다."

영혼이라니, 평소에 관심조차 없던 그 단어가 왜 거기서 튀어나왔는지 아무리 생각해도 이과수는 이해할 수 없었다. 그리고 그게 무엇이든, 그해 이과수에게 가장 큰 뉴스는 제임스 김이라는 그랑호텔 지배인을 만난 일이었다. 그러고 보니 이과수를 취직시켜 준 빽이 리먼 브라더스 같기도 했다. 멀고 먼 태평양 건너 리먼 브라더스는 망하고 이과수는 살아남은 것이었다. 그런데 영혼과 숭고라, 무슨 생각으로 그런 말을 했던 것일까? 그 귀하디귀한 단어를. 어쩌면 최치영 말대로 절박함이 그 말을 하도록 만든 것은 아니었을까. 절박함과 처절함이야말로 숭고의 본질일 터였다. 아무런 의미도 목적도, 인지도 할 수 없는. 그 순수와 맹목이 준 선물, 그때 자신의 삶이 그런 류의 것이 아니었을까……. 그건 그렇고, 왜 최치영은 이러는 것일까. 왜 자꾸 옛날 일을 들춰 습기 가득한 기억들을 떠올리게 하는 것인지, 아니 왜 호텔 얘기를 자꾸 하는 것인지. 그 바람에 이과수는 뇌의 어느 깊은 골짜기에서 잠자고 있던 의식 하나가 기지개를 켜는 느낌이었다. 그 때문일까, 이과수는 어느덧 예전보다 더 선명하게 자신의 옆으로 다가와 있는 최치영의 존재를 느끼고 있었다.

†

호텔 얘기가 적혀 있었다. 이청은 이과수가 하고 싶은 얘기를 한 것이 아니라 하고 싶은 말을 감추기 위해 적은 느낌이었다. 뭔지는 모르지만 얘기를 하다 만 듯한. 서문을 읽은 소감을 겸해 적은 것 같은데 내용이 의외였다.

선생님이 말씀하신 영혼 얘기 때문에 생각이 많아졌습니다. 그랑호텔은 제가 머물던 곳입니다. 먹을 것과 입을 것을 준 삶의 터전. 아마 제게 영혼이 있다면 그곳의 영향을 가장 많이 받았을 것입니다. 이런 생각을 했습니다. 내 안에는 무엇이 있는지……, 자꾸 생각이 깊어지는 듯해 고민입니다.

이청은 이 말이 좀 난감하게 읽혔다. 영혼 얘기는 그렇다고 해도 고민이 깊어지다니. 자신의 영혼에 그랑호텔이 영향을 미쳤다는 말이 묘한 의문을 갖게 느껴졌다. 이메일에는 영상 주소가 걸려 있었다. 유튜브 링크였다. 한국전쟁 뒤 제3국으로 간 포로들의 노정을 알고 있는 이청은 그들을 담은 영상이 각별한 감동으로 다가왔다. 상가가 보이고 간판에는 한글이 있었다. 한인이 운영하는 상가들이었다. 스케치하듯 거리 풍경이 지나고 노인이 보였다. 아흔 중반 노인의 목소리에서 회한 같은 게 느껴졌다. 그만의 세월과 시간, 그의 심정이 온전히 담긴. 하지만 그 세월을 알아주는 사람은 없었다. 그 자신뿐, 하긴 누구든 자기 삶의 대부분은 혼자만 알고 가는 게 생이자 운명이었다.

종이인형

우수아이아는 다음 주였다. 현지인들도 가 보고 싶어 하는 여행지였다. 같이 가면 좋겠지만 농장 일 때문에 힘들었다. 다행히 우수아이아 현지에 사는 교민이 도와주기로 해 그나마 안심이 됐다. 태호 선배가 소개한 사람이었다.

이과수가 걱정을 하자 태호 선배는 부에노스아이레스에서 출발하는 비행기표를 끊었고 하정미를 공항까지 데려다주겠다고 했다. 태호 선배는 딸아이와 한인회 일 때문에 이미 잡힌 일정이 있었다.

우수아이아 건은 케이블 티브이에서 들어온 일이었다. 방송국에서 화면을 쓰겠다며 연락이 온 적은 있었지만 일을 맡아 달라는 것은 처음이었다. 하정미는 긴장했다. 하지만 늘 그랬듯, 우수아이아 일 역시 혼자서 잘 해낼 거였다. 엄살을 부리다가도 막상 부닥치면 하정미는 용감해졌다.

†

최치영은 위기라고 생각한 것 같았다. 지배인 때문이었는데, 이메일을 읽어 보니 무슨 각오라도 한 사람처럼 보였다. 이미 이메일에서 여러 차례 비슷한 얘기를 한 적이 있기는 했어도 이번 반응은 지난번보다 더 심각해 보였다. 걱정이나 염려 수준을 훨씬 넘어 있었고, 나름 무슨 생각인가를 해 둔 게 있다는 소리로 들렸다.

제임스가 서두르고 있어. 미룬 행사였으니 그 부담이 오죽할까. 더 미뤘다가는 투숙객들이 어떻게 나올지 알 수 없는 일이기도 하고. 투숙객들, 이 사람들 소도 같은 사람들 아닌가.

지배인을 이해하는 듯한 최치영의 말은 뒤로 가면서는 분위기가 달라졌다. 자칫 호텔 내부의 문제가 투숙객들한테 번지게 되면 일이 커질 수도 있어 그런 것 같았는데, 그 얘기는 이해가 갔다. 최치영은 초심 얘기를 했다.

늘 문제는 있었네. 그걸 알고도 제임스가 저러는 건지 싶기도 하고, 그러다 보니 나도 마음이 급해졌어. 방법은 있겠지 싶어 다행이기도 하고. 다만 초심으로 돌아가는 것, 호텔이 어떻게 존재해 왔으며 투숙객들이 무엇을 원하는지, 그때의 초심을 제임스가 되돌아보도록 해야 해. 그게 가능하다면 풀지 못할 문제도 아니란 생각이네. 제임스가 어떻게 나올지 알 수야 없지만, 최선은 다할 생각이야. 뒤는 운명이라고 생각하기로 했네.

최치영의 초심 얘기는 와닿았다. 순수를 잃지 않는 것. 그게 일에 대한 성실성과 가치, 성공을 담보했으니까. 최치영 말대로 지배인한테는 그걸 깨닫게 하는 것이 우선일 수 있었다. 그의 입장에서는 하지 않아도 될 고민을 하고 있는 셈이었다.

이메일은 예전의 제이콥 헨리 쉬프 얘기로 거슬러 올라가 있었다. 하긴 이 얘기의 시작은 그곳이었다. 애버리지니 필름이 추구한 내용이 무엇이냐는 자문이었고, 그리고 그 행위가 갖는 의미, 애버리지니 필름을 시도한 자무엘과 월 스트리트의 심정이 지금 자신처럼 절박하지 않았겠냐는 뜻 같았다. 그러며 그는 제이콥 헨리 쉬프로부터 그 일에 이르기까지 꼬박 100여 년의 시간이 필요했고, 그즈음 인류에게는 새 시대를 필요로 했을 것이라는 점을 강조하듯 적었다. 이과수는 그 말이 그 어느 때보다 새 패러다임의 절박함을 원한 게 그 시대가 아니었냐는 의미로 읽혔다.

그랑호텔의 역사는 물론 투숙객들의 전통에도 흠이 될 거야. 우리가 왜 고군분투 했는지, 차근차근 곱씹으면 왜 이게 중요한 문제인지 알 수 있을 것이네. 그때 그들이 한 일이 무엇이며 고뇌의 소산이 무엇이었는지, 나아가 제이콥 헨리 쉬프가 무엇을 고뇌했는지. 그의 런던 교령회와 대한제국의 무당, 그 존재를 알고 실천에 나선 자무엘의 결단과 용기, 다 역사 아닌가. 그 족적이 남긴 신작로를 밟으며 우리는 나아간 것이고. 그런데 제이콥이 그걸 나 몰라라 하고 있어. 이렇게 무책임할 때가 다 있는가.

이과수는 마치 최치영이 자신을 통해 지배인에게 훈계한다는 느낌이었다. 기분이 묘했다. 제이콥 헨리 쉬프를 언급한 것도 그렇고 런던 교령회와 대한제국 그리고 자무엘의 용기 같은 얘기는 이과수를 더 깊은 기억 속으로 이끌고 있었다.

최치영은 애버리지니 필름의 가치를 강조하고는 그 왕관을 제이콥 헨리 쉬프, 나아가 자무엘과 월 스트리트의 머리에다 씌웠다. 이 맥락을 잘 보라는 듯. 이전 이메일에서 보지 못한 새 주장도 있었다. 지배인뿐 아니라 투숙객들에게도 초심을 돌려주어야 한다는 얘기가 그중 하나였다. 그런데 그보다 중요하게 읽힌 게 있었다. 제이콥 헨리 쉬프와 자무엘 같은 사람이 지금 호텔이 필요로 하는 사람이라는 말이 적혀 있었는데, 이게 무슨 말인지 싶어 이과수는 그 대목을 다시 읽었다. 말 그대로 그랑호텔의 작금을 생각해 볼 때 뭔가 돌파구를 마련해야 하는데 그 출구가 사람이 아니겠냐는 뜻이었다. 그 예로 최치영은 제이콥 헨리 쉬프와 자무엘을 꼽았다. 치밀함과 추진력은 물론 앞을 보는 안목을 갖춘 자질 정도는 있어야 그랑호텔과 투숙객들을 챙길 수 있지 않겠느냐고. 제이콥 헨리 쉬프와 자무엘이 그런 인물이라는 얘기였다. 그러며 그는 제이콥 헨리 쉬프와 자무엘, 그 둘이 없었다면 그랑호텔의 패러다임은 존재하지 않았을 것이라는 얘기를 거듭해서 했다. 그는 호텔에 인재가 없다는 얘기와 연결지어 또 그걸 강조했고 투숙객들의 상상을 자극한 힘이 온전히 애버리지니 필름에서 온 것이며, 그 둘의 노력과 희생이 준 보석이 그것 아니겠느냐고 했다.

제임스가 소중한 것들을 훼손하고 있네. 그걸 지적하는 일도 이젠 지쳤어. 명심하게. 애버리지니 필름은 건재하며 우리를 지켜주고 있어. 그걸 다시 투숙객들에게 돌려줘야 해. 우리가 할 일이 그런 일이네.

최치영은 끝에다 답을 달라는 말을 적었다. 뭘 물은 것도 아니고 숙제를 준 것도 아닌데 답을 달라니? 그 때문에 이과수는 그 말을 다시 생각해야 했다. 지배인 얘기 때문이었는데 공교롭다고 해야 할지, 아니면 이 역시 그저 여러 우연 중 하나로 받아들여야 하는 것인지…….

최치영으로부터 이메일을 받기 얼마 전이었다. 이메일 알림이 보여 최치영인가 했는데 지배인에게서 온 거였다. 이과수는 놀랐다. 지배인의 이메일은 최치영한테 처음 이메일을 받았을 때보다 더 사람을 당황하게 만들었고, 그래서인지 열어 볼 엄두가 나지 않았다. 자신은 그에게 배신자 그 이상도 이하도 아니었다. 그런 지배인이 이메일을 보냈다는 걸 어떻게 받아들여야 하는지. 이과수는 망설였다. 그러다 사흘인가가 지나서야 이메일을 열었는데 막상 열어 보니 지배인은 그리 적대적이지 않았다. 의외였다. 욕이라도 실컷 할 줄 알았는데 그런 것도 없었다.

오랜만이야, 이 대리. 갑자기 생각나 적는 거니까 부담 갖지 마. 이 대리가 준 파일은 지금도 고맙게 생각하고 있어. 꿈을 현실로 보게 해 줬잖아. 애버리지니 필름, 그게 오늘 그랑호텔을 있게 하고 투숙객들에게 자긍심을 줬으니까. 자무엘은 호연지기가 있는 인물이야.

맥이 빠졌다. 다행이라고 해야 할지, 아니 과잉 친절이라고 해야 할까. 그것도 모자랐는지 지배인은 자기 얘기를 하며 예전 그랑호텔 직원 이과수 대리 대하듯 했다. 그간 최치영의 우려가 민망해 보일 정도였다. 최치영이 말한 재편집 얘기와도 결이 달랐는데, 지배인은 자기가 추진하는 일에 대해 자신감을 가지고 있었고 전망도 밝게 봤다.

호텔은 전망이 밝아, 이 대리. 투숙객들이 더 많아졌고 심사를 강화했는데도 지원자가 늘었어. 미래를 걱정하는 사람이 많아졌다는 뜻이지. 이 대리한테는 빚진 기분이야. 하지만 더 이상 고맙다는 말은 하지 않을게. 날 배신했잖아. 안 그래, 이 대리? 뭐 이 얘기는 그만하지. 그리고 이건 내 얘기인데, 자무엘이 실패한 월 스트리트의 꿈, 애버리지니 필름과 케빈 슈라이버 교수 필름, 그걸 재현해 투숙객들에게 보여 줄 생각이야. 우리 손으로! 예전의 방식과는 좀 다를 거야. 꽤 진행이 됐다는 것만 말하지. 장담하는데 월 스트리트가 우릴 다시 보게 될 거야.

최치영이 허풍을 떤 건가? 아니면 지배인이 별것 아닌 걸 일부러 떠벌리는 것인지도. 하지만 이과수는 더 이상 신경 쓰지 않았다. 이미 최치영에게 들어 별 감흥이 없었고, 무엇보다 이과수 자신의 일이 아니었다. 그리고 얼마 뒤였다. 지배인이 또 이메일을 보내왔는데 답을 하지 않아서 그런가 싶었다. 열어 보지는 않았다. 그러자 이번에는 차영한이 이메일을 보내왔다. 지배인이 시킨 것 같았다. 역시 열어 보지 않았는데, 지난 인연은 돌이키지 않는 게 좋을 것 같다는 생각 때문이었다. 그런데 이상하게 편하지 않았다. 인연의 힘 때문인가. 어쨌든 신경이 쓰였고 그렇게 며칠을 망설이다 이과수는 지난번처럼 이메일을 열었다. 내용은 길지 않았다. 다행이었다. 차영한은 자기 얘기인지 지배인 생각인지 이렇게 적었다.

유튜브는 잘 보고 있어, 이 대리. 멀리 있는 사람이라는 생각이 들지 않아 좋아. 그러고 보니 꽤 시간이 지났어. 하지만 이 대리 몸에 밴 그랑호텔 냄새는 여전하지 않을까, 그런 생각을 해 봤어. 나도 그렇고 제임스도 그래.

최치영이 다시 이메일을 보내왔다. 그 역시 답장을 하지 않아서 그런 것 같았다. 어쩔까 망설이다 이메일을 연 것은 제목 때문이었다.

자네가 사는 곳을 아네.

자극적이었다. 최치영은 그걸 십분 활용한 듯했다. 이과수는 놀라지 않았다. 마음만 먹으면 누구를 시켜서든 죽은 영혼도 찾아낼 사람이 그였다. 신경이 쓰였는데 뒤의 문장이 더 그랬다.

비밀이 세상을 움직이지. 나만 아니 신경 쓰지는 말게.

틀린 말 같지 않았다. 그랑호텔이 살아온 저력과 지금의 번영이 모두 비밀스러운 것들이었으니까. 그런데 사는 곳을 알고 있다니, 평범할 수도 있는 그 말이 이과수는 섬뜩하게 느껴졌다.

최치영은 케빈 슈라이버 교수 얘기를 했다. 그의 노트를 인용해 제이콥 헨리 쉬프 얘기를 했는데, 그의 업적과 그가 한 일들이 실은 역사의 이면 같은 것이 아니겠냐는 얘기였다. 이면이란 것이 실은 비밀스러운 영험 같은 게 아니겠냐는 말도 있었다. 하긴 애버리지니 필름이야말로 은밀함이 빚은 영험의 결과물일 수 있었다. 반면 케빈 슈라이버 교수가 말한 것처럼 한 개인의 신념을 실천한 사적인 사건에 불과한 것인지도 모르는 것이었고, 거기서 순수를 찾기는 힘들었다. 그럼에도 그 일은 동기가 무엇이든 모두 신념이란 말로 승화하고 있었다.

이과수는 케빈 슈라이버 교수를 떠올렸다. 아마 그의 글에 나오는 대목이었을 것이다. 자무엘의 행위를 적은 부분이었고, 거기서 그는 소유와 영혼 그리고 실존, 그 개념을 공들여 정의하고 있었다. 글은 독특했다. 사실과 허구를 넘나드는 듯, 그 때문에 그의 목소리가 생생하게 다가왔다. 케빈 슈라이버 교수는 어느 대목에서는 이 형식을 적극 활용했고, 또 다른 곳에서는 참고하라는 듯 설명처럼 적었다. 내용으로 봐서 그는 이 글을 애버리지니 필름 제작 전에 적은 것이 아닐까 싶었다. 글은 개행을 하며 이어졌다.

새롭지 않을 수 있지만 그가 한 말이라는 점에서 새롭다. 불안의 역사는 깊다. 이 모든 것의 뿌리가 그곳이다. 던컨 맥두걸도 그걸 고민했던 모양이다. 왜 그는 영혼의 무게가 궁금했던 것일까? 그리고 해냈다.

그의 실험은 다분히 철학적이다. 영혼을 물질로 파악하다니, 탈레스는 몰라도 아낙시만드로스가 들었다면 웃을 일 아닌가. 그럼에도 던컨 맥두걸의 주장은 높이 사야 한다. 실험은 그런 의미에서 꽤 현실적이고 인간적이다. 물론 종교적 취지와는 거리가 있었지만 그는 인간이라면 누구나 영혼을 보고자 하는 순수한 마음을 갖고 있다는 것을 인정한 사람이다. 영혼이 실존을 담지하고 실존이 영혼을 담지하는, 그러므로 실존이 영혼이고 영혼이 실존이라고 할 수 있다. 그는 영혼의 무게를 21그램으로 정했다. 그걸 곱씹자 그의 의도가 보였다.

이 말은 케빈 슈라이버가 한 말이 아니었다. 앞의 문장과 맥락을 볼 때 누군가와 나눈 대화 내용을 토대로 한 것처럼 보였기 때문이었다. 그는 그걸 적지 않았는데, 읽다 보니 이 말의 주인이 누구인지 추정할 수 있는 대목이 있었다. 이 부분을 케빈 슈라이버 교수는 구어체로 적었다. 그 때문에 글이 편하게 느껴졌다.

…… 예를 들어보지요, 마크 하디 씨. 저와 같은 생각을 하시는 것 같아서요. 1961년 4월 12일, 인류 최초의 우주인 유리 가가린이 우주에서 지구를 보고 나서 한 말이 뭔지 아세요?

'하늘은 캄캄하며 지구는 푸르다.'

사람들은 그가 하이쿠 같은 잠꼬대를 한다고 비난했지요. 그 정도는 참아줄 만했습니다. 하지만 1969년 7월 20일, 인류 최초로 닐 암스트롱이 달에 첫발을 디뎠을 때는 차원이 달랐습니다. 달이 인간에게 보여준 것이 먼지 구덩이 외에 아무것도 없었기 때문이지요. 그들은 별말이 없었습니다. 이미 뱉은 몇 마디 말조차 의미를 찾기 힘들었고 인지력이 사라진 사람들 같았지요. 우리 같은 일루미나티가 충격을 받는 건 당연했습니다. 달에 간 최초의 인류, 닐 암스트롱과 버즈 올드린, 이 둘은 자신들이 달에서 본 게 아무것도 없다고 말한 것이 전부였으니까요. 이건 뭐 코미디도 아니고, 인간이 달에서 살아 돌아올 확률은 0.0017프로. 그런 닐 암스트롱이 지구로 돌아와 한 말이 뭔지 아십니까?

'한 인간에게는 작은 한 걸음이지만 인류 전체에게는 위대한 도약이다', 말이 된다고 보세요, 마크 하디 씨?

자신들의 업적에 취한 것뿐, 버즈 올드린은 평소 시를 좋아하던 취향대로 '장엄한 폐허'라는 표현으로 자신의 실망을 에둘러 표현했지요. 그나마 양심이 좀 있는 사람이었습니다. 하지만 두 사람이 달에서 들고 온 시커먼 돌덩이와 달에 찍힌 발자국 사진을 보여 주며 자랑할 때 일루미나티는 삶을 통째 고뇌해야 했습니다. 자신들이 싼 똥 봉지를 달에다 버리고 왔다며 시시덕거리고 있을 때는 말을 하지 않았을 뿐이지 다들 돌아가시기 직전이었지요. '인류는 달을 정복했지만 결국 알게 된 것은 지구다'. 고작 지구를 알기 위해 달에 가다니, 믿을 수 없었던 겁니다. 적어도 그들이 우주에서 본 것은 지구나 달이 아니라 다른 어떤 것이어야 했으니까요. 그게 영혼이든 뭐든, 하지만 지구보다 못한 먼지 구덩이 외에 이들이 본 것은 없었습니다. 그 때문에 수 천 년을 이어온 종교적 신념이 위태로워졌지요. 차라리 어린 왕자가 살고 있더라고 뻥이라도 쳐주었으면 하는 심정이었으니까요. 이는 비단 일루미나티만의 문제가 아닙니다. 신을 믿고 따랐던 인류의 정신이 궤멸할지도 모르는 일이었으니까요. 그렇다고 일루미나티의 내세관과 영혼관이 흔들리지는 않았습니다. 천만에요. 다만, 영혼의 존재와 불멸에 대한 믿음이 1969년 티브이 브라운관에 등장한 달의 표면을 보고 난 뒤와 같지 않았다는 것, 이런 무책임한 일이 어디 있습니까?

자무엘이 마크 하디와 나눈 대화를 적은 것이었다. 자무엘이 고조부 제이콥 헨리 쉬프에게 영향을 받았다는 얘기를 적은 대목에서는 그의 고뇌의 정체를 보다 진지하게 느낄 수 있었고 그의 접근이 철학적인 사유에서 나온 것이라는 것도 알 수 있었다. 자신의 목적을 암스트롱과 버즈 올드린의 예를 들어 주장한 것도 그 차원에서 읽혔다. 케빈 슈라이버 교수가 대화체로 적은 곳에는 이런 내용이 있었다.

자무엘은 숨을 돌렸다. 마크 하디는 어디서부터 말해야 하는지 고민스러웠다. 잠시 뒤 그가 말했다.

그 일은 고조부 어른과는 관계없잖습니까. 그분이 돌아가시고 난 뒤의 일이니까요.

하지만 달을 보며 느꼈던 인류의 고뇌는 보편적인 것입니다. 시대를 넘는 질문이라는 것이지요. 자무엘이 반박했다.

케빈 슈라이버 교수는 두 사람의 주제가 종교적 시각이 아닌 인간의 보편적 의문에 기반하고 있다는 것을 강조했다. 달 착륙이 영혼의 존재에 대한 인간의 꿈을 앗아갔다는 얘기는 소중한 얘기로 들렸다.

그의 다음 글은 꽤 철학적이었다. 칸트의 숭고미를 언급해 개념을 확장하는 시도를 했고, 자연을 언급하며 무無 혹은 공空을 얘기하고 거기서 숭고를 가려냈다. 케빈 슈라이버 교수는 의미가 없거나 실체가 비어 있는 상태여야 숭고가 발현된다는 말을 했다. 다분히 동양적인 취향이었다. 그러다 보니 어딘가를 향해 짜 맞춰 얘기하는 듯한 인상을 주기도 했는데, 특히 자신의 주장을 강조할 때가 그랬다. 물질이 경계를 의미한다는 표현은 좀 뜬금없어 보였다.

착각한 것이 있다. 물질은 경계를 의미한다. 몸과 영이 한덩어리인 존재, 이게 물질의 본령이다. 그런데 한계가 있다. 불멸, 하지만 그 불확실성은 늘 치명적이다. 불안은 보다 본질의 문제다. 그들은 과감하게 답을 구했다. 제 발로 궁극을 찾아 나선 것이다.

왜 이 기록이 낯설지 않은 걸까. 생각해 보니 이 얘기는 지배인과 투숙객들이 수없이 나누고 궁금해한 것과 거의 대동소이했다. 그와 비슷한 취지의 말이 케빈 슈라이버 교수 노트에도 적혀 있었던 것이다. 하긴 사람의 호기심이란 게 다들 비슷하지 않을까.

케빈 슈라이버 교수는 자무엘과 마크 하디가 나눈 대화를 더 적어 나갔는데, 구체적이어서 둘 사이를 이해하는 데 도움이 됐다.

마크 하디가 놀란 표정을 짓더니 물었다.

니콜라스 미노비치라고 했소?

그래요, 마크 하디 씨. 그 루마니아 과학자 말입니다. 그는 교수형을 당할 때 사람 몸에서 무슨 일이 일어나는지 알고 싶어 했어요. 그 역시 영혼을 보고 싶어 한 사람이었지요. 실험할 사람이 없어 본인이 직접 실험 대상이 됐다고 했습니다. 처음엔 천장에 줄을 매달고 유아용 침대에 누워 머리를 올가미에 넣은 뒤 다른 쪽의 줄을 잡아당겼다고 했지요. 얼굴이 보라색으로 변하고 시야는 흐려졌으며 휘파람 소리가 들렸다고 했습니다. 이런 시도를 예닐곱 번 했다더군요. 한 번에 26초 정도 교수형을 견뎌냈는데, 미노비치는 그때의 고통이 극심했으며 통증은 2주나 갔다고 했습니다.

마크 하디가 놀란 표정을 짓자 자무엘은 좀 더 자세히 설명을 했다. 자신이 하는 일이 니콜라스 미노비치의 실험과 비슷하다고, 그렇다고 자신이 그 대상이 될 생각은 추호도 없다며 농담을 했다. 니콜라스 미노비치는 왜 그처럼 무모한 짓을 한 것일까, 단순히 호기심 때문에? 아니면 미친 사람이어서? 그럴 리 없었다. 그 역시 궁금했던 것이다. 그 후에도 그는 영혼이 물질이라는 자기 확신을 증명하기 위한 실험을 멈추지 않았기 때문이다. 무모한 게 아니라 집요한 사람이었다.

케빈 슈라이버 교수는 자무엘 얘기도 했다. 자무엘에 대해 그리 호의적이지 않다는 걸 생각하면 이 글은 그 예상에서 좀 빗나가고 있었다. 그 때문에 글이 어딘가 엇나간 듯 보이기도 했다.

애버리지니 필름을 제안하고 실행한 자무엘이 어떻게 그런 믿음을 갖게 됐으며, 그 실천을 하기까지 어떤 여정이 필요했는지에 관한 내용이었는데, 여기까지는 이해가 가는데 마치 자무엘과 던컨 맥두걸을 같은 시선으로 보는 듯한 태도는 그 대목을 다시 읽게 만들었다.

…… 영혼의 무게를 확인하겠다는 던컨 맥두걸의 의지를 실현하겠다는 말과 다르지 않았다. 시간의 격차는 장애가 되지 않는다. 의지와 꿈의 문제일 뿐이다.

던컨 맥두걸의 이야기를 적은 뒤 자무엘의 얘기로 넘어간 케빈 슈라이버 교수는 제이콥 헨리 쉬프를 언급했다. 그 얘기는 토막처럼 이어졌는데, 누구의 말인지, 누구와의 대화인지는 모르겠지만 요지를 이해하는 데는 지장이 없었다. 구어체로 적은 케빈 슈라이버의 문장은 같은 방식으로 이어졌다.

메모는 신선했습니다. 한국의 무당 얘기 때문이었지요. 런던의 교령회와 다르다고 했거든요. 영혼을 만나는 방식이 그랬는데, 런던 사람들처럼 폐쇄적이고 소극적이지 않아 참신했다고 했습니다. 사람이 많은 곳에서 공개적으로 그 일을 했다고 했으니까요. 무당이 망자와 대화를 나눈 뒤 영혼을 불러내면 사람들은 무당이 불러낸 영혼과 소통을 하더라고 했습니다. 교령회에 비하면 방식 차체가 실존적이었습니다. 고조부께서는 그 기록을 태평양을 건너는 코리아호의 자기 방에서 남기셨다고 했지요. 아마 뉴욕 교령회 설립에 대한 기본 골격을 그때 구상하신 듯했습니다.

읽다 보니 자무엘이 한 말을 적은 것이었다. 글은 서너 행을 띄운 뒤 이어졌는데, 여기서 자무엘은 영혼에 대한 고조부의 생각과 경험을 온전히 자신의 것으로 받아들이고 있는 듯한 태도를 보였다. 이전과 달리 그를 다시 보게 만든 대목이 이 부분이었다.

고백하자면, 영혼이 물질이라는 논제를 증명하기 위한 윗세대의 노력은 제게 영감을 불어넣어 주었습니다. 영혼을 눈으로 보겠다는 말과 그리 다르지 않았으니까요. 놀랍지 않습니까.

자무엘은 자신의 행위를 정당화하고 그 행위의 근거로 고조부를 적극적으로 끌어들이고 있었다. 그간 그의 말과 행동을 생각해 보면 이는 당연한 것이기도 했다. 나아가 자무엘은 던컨 맥두걸 박사의 논문을 자신의 행위를 정당화하기 위한 방증 자료로 사용한 듯 보였고, 케빈 슈라이버 교수도 그걸 참작해 자기 생각을 적은 듯했다.

'영혼을 볼 수 있다!' 이 카피와 다르게 제이콥 헨리 쉬프는 자신의 꿈을 이루지 못했다. 월 스트리트에 나돈 팸플릿의 카피가 그 효능을 발휘하기 전, 1920년 생을 마쳐야 했기 때문이다. 그로 인해 뉴욕 교령회는 말만 무성했을 뿐 실제 모임을 열지는 못했다. 그 바람에 갖은 소문이 돌았다. 이후 고조부의 팸플릿을 모방한 자무엘은 고조부의 카피를 변형해 비슷한 의미로 썼다.

'영혼을 보고 손으로 만져 보자!'

고조부를 오마주한 이 카피는 한국의 무당과 굿이 준 영혼관을 개념화한 것이었다. 고조부와는 결이 좀 달랐던 것이다. 그중 종이인형 얘기는 결정적이었다고 할 수 있다. 종이인형의 모습은 조형적으로나 개념적으로도 신비하고 기이한 느낌을 주기에 충분했고 호기심마저 충족시켰다. 고조부가 그림으로 묘사해 남긴 모양인데 자무엘은 글로만 적었다.

다음 글은 두 행을 건넌 뒤 이어졌다. 중간에 뭔가를 적으려다 남겨 둔 듯했고 줄곧 문어체로 이어졌다.

자무엘은 영혼이 질량을 가졌다는 던컨 맥두걸의 논문을 읽고서 감동한 것 같았다. 마치 빛이 입자이자 파장이듯, 그러므로 블랙홀에 갇힐 수 있듯. 그 알고리즘이 자무엘에게 고조부의 메모를 동시에 떠올리게 한 듯했다.

고조부의 생각이 엉뚱한 게 아니라는 그의 확신은 거기서 온 것이었다. 그의 믿음은 더 굳건해졌다. 그러던 중 고조부의 메모에서 종이인형과 대화하는 한국의 무당 얘기를 읽었고, 그게 일종의 변이를 일으키고 있었다. 자무엘은 그걸 '영감'이라는 말로 표현했다. 영감은 더 자유롭게 진화했으며 자무엘은 스스로 질문하고 답했다. 종이인형이 아니라 인간의 몸이 그 스스로 영혼의 존재를 증언해 줄 것이라고 믿기 시작한 것이다. 그는 종이인형을 영혼의 실존 즉 존재의 실체라는 철학적 물음에 대한 물적 증거로 활용했다.

자무엘은 고조부 제이콥 헨리 쉬프뿐 아니라 윗세대 석학들의 영혼에 대한 그 많은 탐구와 연구를 빠뜨리지 않고 참고했다. 영혼과 물질의 겹침, 이 개념은 여태 인간이 가지고 있던 영혼관과는 전혀 다른 의미의 진보적인 성격을 띠고 있었다.

이과수는 그를 다시 봤다. 이렇듯 새롭고 구체적으로 그가 다가오다니, 생각하지 못한 일이었다. 그 일을 실천하기까지 그가 보여 준 사유의 여정들은 결코 녹록한 게 아니었다. 왜 예전에는 이런 것들이 눈에 들어오지 않았던 것일까. 비록 나중에 엉뚱한 길을 가기는 했어도 그의 실천은 결코 쉬운 것이 아니었다. 이과수는 그 시도가 그만의 행동이자 신념을 넘는 차원의 실험으로 읽혀졌다. 인간 본연의 절박함이 준 용기, 그의 패착은 불운일 뿐 그리고 그의 미완은 그 자신이 아니라 다른 쪽에서 원인을 찾아야 하는 것이 아닐까 하는 생각이 들었다. 가령, 케빈 슈라이버 교수의 현장필름을 간과한 자무엘의 무신경 같은 것 말이다. 헨리 폴슨을 가볍게 대한 그의 경솔함도 마찬가지였다. 케빈 슈라이버 교수의 촬영을 자무엘이 알았는지 또 그가 인정했는지는 알 수 없지만, 분명한 것은 케빈 슈라이버 교수의 현장필름이 말해 주듯 자무엘이 일을 체계 없이 확장시켰다는 것만은 분명한 사실이었다. 그 증거는 여러 곳에 있었다. 욕심 때문인지 뭔지 자무엘은 초심을 잃었고 흔들렸다. 그게 그를 궁지로 몰아넣었던 것이다.

읽다 보니 케빈 슈라이버 교수가 언급한 대한제국의 무당 얘기였다. 그는 런던 교령회와 대한제국의 무당을 비교했는데, 런던 교령회와 뉴욕 교령회의 관련성에도 불구하고 그는 제이콥 헨리 쉬프의 결정에 직접적인 영향을 준 것이 대한제국의 무당이라는 점을 또 강조했다. 그는 제이콥 헨리 쉬프의 글을 그대로 인용해 그 얘기를 했다.

> 무당의 말은 생전 처음 듣는 언어였다. 그의 언어는 영혼의 소리 그 자체인 듯했고, 가족은 무당이 들려준 그 목소리와 말투가 망자가 살아 있을 때의 것과 똑같다는 증언을 하고 있었다. 가족은 감동했고 그들과 영혼은 서로 알아들었다. 그들의 소통은 다 노래와 각자의 언어로 이루어져 있었고 그 점이 나는 놀라웠다. 그가 직접 들려준 말이다.
>
> '무당을 통해 영혼이 하는 말을 전해 듣고 또 가족은 자신들이 하고 싶은 말을 전할 수도 있습니다. 놀라운 것은 가족끼리만 알고 있는 걸 무당이 듣고 알려 준다는 것입니다. 그러면 모두 감동해 울음을 터뜨리지요.'

여길 읽을 때였다. 이과수는 잠시 전율이 일었다. 구체적으로 누가 한 말인지 알 수는 없지만, 당시의 누군가가 직접 제이콥 헨리 쉬프에게 들려준 말이어서 신뢰와 생동감마저 느껴졌다. 누구일까? 물론 한국인일 가능성이 높았다.

> 영혼을 만나고 목소리를 들을 수 있다는 이 유혹은 언제 들어도 질리지 않았다. 자신이 원하는 영혼을 만날 수 있고, 그 영혼이 들려주는 이야기를 듣고 전할 수 있

는 대한제국 무당과 사람들은 선택받은 사람들이다. 매력적이다. 이제 런던의 교령회는 한물갔다.

종이 인형을 통해 영혼이 물질이라는 내 상상이 틀리지 않았다는 걸 확인한 셈이다. 아버지 모세스 쉬프가 인간이 영혼을 불어넣었기 때문에 돈이 영혼을 갖게 됐다는 말과 다르지 않았다. 먼 동양의 작은 나라에서 그 실존을 목격하게 될 줄이야. 무당의 대화 상대는 종이인형에 깃든 영혼이며, 기적이 여기에 있었다.

이과수는 이 대목을 곱씹었다. 무당의 대화 상대는 종이인형에 깃든 영혼이며, 기적이 다른 곳에 있지 않았다……. 지치지 않는 제이콥 헨리 쉬프의 말년의 열정과 꿈을 목격하는 듯해 이과수는 경외감이 느껴졌다. 대한제국 무당의 영혼관과 여전히 지구의 어느 땅 위에서 자신의 꿈을 위해 애쓰고 있을 제이콥 헨리 쉬프의 휴식 없는 영혼이 손에 잡히는 듯했던 것이다. 나아가 이과수는 케빈 슈라이버 교수가 남긴 노트의 가치와 그의 해석 역시 예전과 다른 차원으로 눈에 들어왔다. 대한제국으로부터 한 세기가 지나 자무엘에 이르기까지의 시공간을 한곳에 모은 듯, 그 기록이 더욱 빛나 보였던 것이다. 영혼을 목격하기 위한 한 인간의 부단한 전진이자 고뇌였을 그 일들이.

숭고함, 이과수는 저 먼발치에서 자신을 보는 듯 거리를 둔 채 몽환처럼 그걸 느끼고 있었다. 지금 자신이 무엇을 하고 있는지 그리고 이 행위가 무엇을 의미하는지, 이과수는 자신에게 묻고 있었다.

이과수는 눈을 감았다. 시간을 거스르듯, 별이 역주행하듯 빅뱅의 순간을 향해 맨몸으로 돌진하는 듯한 기분, 무슨 일이 벌어지고 있는 것일까. 최치영은 이메일에다 이런 말을 적었다. 그 한 줄이 머리에 와 박혔다.

우리는 귀의하네. 흙과 물과 별과 하늘 그리고 바람으로. 잊지 말게. 자네 영혼을 여기다 놓고 가지 않았는가…….

이청에게 쓴 이메일 생각이 났다. 이런 내용을 적었었다. 그랑호텔은 제가 머물던 곳입니다. 먹을 것과 입을 것을 준 삶의 터전……. 최치영은 마치 이청에게 쓴 이메일을 보기나 한 사람처럼 그 얘기를 했다. 자네는 영혼을 여기다 놓고 가지 않았는가……. 사건의 지평선이라고 했을 것이다. 그곳을 지나면 정말 돌아올 수 없는 것일까? 최치영은 아니라고 했다. 그곳이야말로 모든 것을 다시 시작하는 시작점이라고, 영혼이 그와 비슷하다고. 이과수는 가만히 주먹을 말아 쥐었다. 시간이 고여 있는 것처럼 느껴졌다. 그게 물질인 듯 만져졌고 손가락 사이로 빠져나가고 나자 서서히 과거가 채워졌다.

하정미

유튜브의 수익이 생기자 하정미는 눈빛이 달라졌다. 대신 그 일에 쏟아야 할 시간과 정성이 그만큼 늘어났고 콘텐츠를 만들어 내느라 더 머리를 짜야 했다. 그렇다고 콘텐츠 때문에 고민하는 것 같지는 않았다. 오히려 콘텐츠가 너무 많아서 바빠 죽을 지경이라며 엄살 아닌 엄살을 부렸고 벽에 붙은 일정표는 늘 빽빽했다.

채널에는 새 인물로 캐릭터가 쓰였다. 어디서 구했는지 하정미는 이구아수 캐릭터와 긴코너구리 캐릭터를 영상에 넣어 썼다. 이과수와 하정미의 사진을 애니메이션으로 만든 거였다. 그쪽을 전혀 모르는 이과수는 AI가 만든 것이라는 걸 알곤 놀랐다.

"이걸 AI가 했다고?"

"그렇다니까."

"가능해?"

"얼마 안 있으면 농장 기계도 AI가 운행하고 관리해 줄걸." 하정미가 웃었다. 하지만 AI건 뭐건, 결국 인간이 시켜야 결과물을 내놓는 기계 아닌가.

"한참 모르시네, 이과수 씨. 언제까지고 AI가 시키는 대로 살 것 같아?"

그런가? 아무튼 하정미는 AI가 스스로 진화하고 있으며 새로 등장한 캐릭터도 AI가 자기 마음에 들지 않으면 고쳐 버릴지도 모른다고 했다.

캐릭터를 두고는 구독자들 간에 의견이 갈렸다. 재미있다는 반응이 대부분이었지만, 자연스럽지 못하다는 쪽과 조금만 더 캐릭터의 개성을 살려 다듬으면 좋겠다는 댓글이 있었다. 까다로운 댓글도 있었다. 그는 한글로 댓글을 달았는데, 캐릭터가 외국인인지 한국인인지 어중간해 보여 모양새가 어정쩡하다고 했다.

관심 고맙습니다. 근데 캐릭터는 누가 봐도 한국 사람인데용~. 며칠 뒤였다. 하정미의 답에 댓글이 달려 있었다.

"과수 씨, 이 사람 댓글 좀 봐." 댓글에는 이런 내용이 적혀 있었다. 제 말은 영혼이 그렇다는 겁니다. 얼굴은 한국인인데 영혼이 아닌 듯~~~~.

"이 사람 웃기지 않아?"

†

"내가 할까?" 하정미였다. 좀 불안해 보인 모양이었다.

"노 프라블럼."

이과수가 어깨를 으쓱했다. 정말이냐는 듯 하정미가 이쪽으로 고개를 뺐다. 하정미가 운전을 한 게 한 시간 정도. 이과수가 눈을 붙인 시간이 그 정도 되는 것 같았다. 그 덕에 졸음이 가셔 있었다. 새벽의 일만 아니었으면 이렇게까지 피곤하지는 않았을 거였다. 그래도 이 속도면 한 시간쯤 뒤에는 로사리오에 도착할 수 있을 터였다.

"이거 마셔, 과수 씨." 냉보온병 뚜껑을 내밀며 하정미가 말했다. 얼음을 넣은 보리차였다. 정신이 번쩍 들었다.

"손은 괜찮아?"

"괜찮은데." 이과수가 손을 펴 보였다.

며칠 비 소식이 없을 거라고 했는데, 어제 오후 갑작스레 비가 내렸다. 이런 적이 한두 번이 아니기는 하지만 며칠 쨍쨍하던 하늘이 갑자기 심통을 부렸다.

하늘은 맑았다. 어제 오전 내내 그랬다. 그러던 게 오후가 되자 갑자기 소나기가 쏟아지더니 두 시간 정도 이어졌고 순식간에 수로를 넘고 논을 쓸었다. 그리 긴 시간이 아니어서 별일이 있을까 했는데, 비가 그치고 얼마 뒤였다. 태호 선배 핸드폰으로 이웃 농장 사람이 연락을 해 왔다.

"배수관이요?"

태호 선배의 목소리가 올라갔다. 빗물에 배수관이 휩쓸렸다는 것이었다. 파라나강과 수로를 잇댄 배수관이었다. 제법 내리기는 했어도 이 정도 비에 배수관이 휩쓸리다니, 그쪽 역시 갑작스러운 소나기 때문에 혹시나 해서 배수관과 수로를 둘러보러 나갔다가 자기네 쪽은 멀쩡한데 휩쓸린 이쪽 배수관을 발견한 모양이었다. 급하게 태호 선배하고 배수관 보수를 하러 나섰다.

토요일이어서 종업원들은 퇴근하고 없었다. 아직 날이 어둡지 않아 서둘러서 갔다 오면 될 듯해 나선 길이었고, 가보니 파라나강 지류 쪽이 문제였다. 지류는 파라나강 본류에서 흩어지듯 거미줄처럼 수로를 만들며 퍼졌다. 그중 쓸 만한 곳에다 배수관을 설치해 논으로 물길을 이었다. 가보니 배수관 하나가 튕겨 나와 아예 삐딱하게 놓여 있었다. 그 틈으로 물이 엉뚱한 데로 넘쳤고 둑이 망가져 있었다. 대용량 배수관이어서 제 자리에 돌려놓는 게 쉽지 않았다. 주변 수로의 흙둑을 다지고 겨우 작업을 마친 뒤 둘러보니 사방이 어둠이었다.

그때까지도 집으로 돌아오는 길이 그렇게 험난할 거라고는 생각하지 못했다. 핸드폰 손전등은 늪 같은 숲길에서는 큰 도움이 되지 않았다. 비추는 거리가 짧아 몇 번이나 길을 잘못 들어야 했고, 그러자 태호 선배가 헤맸다. 그곳 지리에는 익숙하다 못해 대동여지도라도 만들어 낼 사람이 헤매기 시작하자 대책이 서지 않았다. 이과수가 한 것이라고는 태호 선배의 뒤를 열심히 좇아가는 것뿐이었다. 아니면 대충 어림잡아 저쪽이 아니냐고 말해 보는 정도가 전부였다. 태호 선배는 뭐에 홀린 것 같다며 작은 지류와 습지를 몇 번이나 오갔다. 하긴 평소에는 그저 그런 숲이나 초지였다가 폭우라도 쏟아지면 갑자기 늪이나 물바다로 변하는 곳이 파라나강 지류였다. 지류가 만든 습지는 길 건너 농장 못지않게 방대했다. 이런 곳에서 길을 잃다니, 그것도 밤에.

"뭐 이런 경우가 다 있냐?" 태호 선배가 투덜댔다.

이상하기는 했다. 한참 가다 보면 아까 지난 곳이었고 어떤 길은 지나온 길이라고 생각했는데 아니었다. 늪지라고는 해도 여기는 아마존이 아니었고 열대우림도 아니었다. 고작 파라나강 수변에서 이게 무슨 난리인지.

안개였다. 젖은 옷과 살에 진흙이 눌어붙어 온몸이 눅눅했다. 비는 그쳤지만 낮은 기압과 안개 때문인지 기분까지 영 찝찝했다. 안개는 파라나강 본류 쪽에서 흘러오고 있었다. 습지에 쌓인 안개가 일정한 흐름을 유지하며 움직였고 두꺼운 안개층 때문에 가시거리는 점점 짧아졌다.

핸드폰 손전등의 효능이 아까보다 훨씬 못했다. 어둠은 그나마 나았다. 하지만 안개는 무슨 거대한 산 그림자처럼 늪을 잠식하며 시야를 방해했다.

"여기가 어디 같냐?"

"그걸 나한테 물으면 어떡해, 선배." 막상 태호 선배가 그렇게 말하니까 진짜 큰일이라는 생각이 들었다. 불빛이 저 앞에 보이는데 왜 길이 없는지, 지방도를 달리는 자동차 전조등이 쏜살같이 하늘 이쪽에서 저쪽으로 사라지고 있었다.

"일단 가 보자. 뭐든 나오겠지." 태호 선배가 걸음을 빨리했다. 빗물을 머금은 진흙과 수풀 때문에 장화를 신은 발이 자꾸 미끄러졌다. 작은 경사의 흙더미가 시도때도 없이 나타났고 그걸 구분하지 못해 헛딛거나 넘어졌다. 손은 그때 다친 거였다. 작은 경사였고 미끄러지면서 땅을 짚는다는 게 손을 삐끗한 모양이었다.

"괜찮냐?"

태호 선배가 걱정스레 물었다. 그땐 통증이 없었다. 작은 물웅덩이가 있어 손에 묻은 흙을 씻어 내고는 태호 선배를 따라 걸었다. 앞에서 태호 선배가 말했다. "이거 골 때리네." 또 길을 잘못 든 모양이었다. 그곳이 가시덤불 속이라는 걸 안 건 얼마 뒤였다. 그리고 우리가 거기에 갇혔다는 것, 가시덤불이라고는 해도 키가 높지 않아 미처 깨닫지 못한 것이었다.

"왜 이래. 잘 생각해 봐, 선배."

"진짜라니까."

태호 선배와 거길 벗어나는 데만 삼십 분 넘게 잡아먹은 것 같았다. 불쑥 나타나는 가시덤불은 신경을 곤두서게 했다. 가시에 찔리지 않기 위해 조심해야 했고, 바닥이 미끄럽고 질퍽한 데다 작기는 하지만 수시로 출몰하는 웅덩이에 발이 빠져 힘을 소모해야 했다. 장화 안에 물이 차 수시로 쏟아냈다. 그러는 동안 팔과 등은 온통 가시가 할퀴어 쓰라렸다. 걸음을 멈추고 돌아보니 여전히 잡목이 빽빽한 숲이고 안개였다.

"별일이네, 이거." 태호 선배가 구시렁거리며 슬슬 짜증을 냈다. "이거 또잖아. 환장하겠네……." 지쳤는지 태호 선배가 잠시 쉬자고 했다. 걸음을 멈추고 주변을 둘러봤다. 안개가 더 심해지고 있었다.

"어느 쪽이 서쪽 같냐?" 태호 선배가 물었다.

"이쪽 아니야?" 이과수가 앞을 가리키며 말했다. 지금껏 서쪽이라고 생각하며 걷던 방향이 그곳이었다.

핸드폰 손전등 빛이 약해져 있었다. 시간을 보니 자정이었고 말문이 막혔다. 일을 마치고 여기서 헤맨 게 네 시간이 넘는 듯했다. 배수관을 보수하느라 보낸 시간이라고 해야 불과 한 시간 반 남짓. 그동안 하정미에게 연락이 온 게 두 번, 별일 아니라고는 했지만 시간을 확인하고 나자 걱정이 됐다. 로사리오 일 때문이었다.

"우리 실종 신고해야 하는 거 아니냐?"

"그러게. 숲하고 안개에 우리 완전히 갇힌 거 같은데, 선배." 이과수가 헛웃음을 지었다.

"숲도 안개도 아니다. 우리한테 갇힌 거야, 이거."

기운을 좀 차린 태호 선배가 자리에서 벌떡 일어나더니 다시 성큼성큼 걸었다. 뭔가 단단히 마음을 먹은 듯. 얼마를 걸었을까.

"좀 늦춰, 선배."

대답이 없었다. 다시 불렀는데 마찬가지였다. 태호 선배가 보이지 않았다. 뒤에서 부지런히 따라 걸었다고 생각했는데, 얼핏 안개 속 저 앞에 뭔가 보였다. 다가가 보니 나무였다. 이파리가 울창한. 생각해 보니 이과수가 들은 아까의 발소리는 태호 선배가 아니라 자기 발소리였다.

안개는 여전했다. 이과수는 걸음을 빨리했다. 숲이 나왔고 나뭇가지와 가시덤불이 불쑥 나타나 몸을 할퀴었다. 서두는 바람에 두어 번 웅덩이에 빠져 둔덕을 기어올라야 했고, 거길 지나자 진흙이 있는 평지였다. 질퍽했다. 바람이 불고 있었다. 바람은 잡목과 나무를 스칠 적마다 가만히 속삭이는 듯했다. 그 소리는 가지런하고 음울했지만 신비했다.

이과수는 혼자였다. 불빛이 보였다. 그게 안개 속에서 둥둥 떠다녔다. 잘못 본 게 아닌가 싶어 이과수는 눈을 비볐다. 이런 것을 실제로 본 적이 있나 싶기도 했다. 반딧불이처럼 노랗고 푸른빛을 머금은 알갱이들이 나타났다 사라졌다. 그러다 갑자기 빛이 이과수의 주변을 맴돌았다. 홀린 듯, 이과수는 허공을 봤다. 그러다 발이 미끄러지는 바람에 웅덩이에 빠지고 말았다. 손을 펴 웅덩이의 둔덕을 잡았다. 그러다 웅덩이를 벗어났는데 옷은 흠뻑 젖어 후줄근한 데다 진흙투성이였다. 숨이 찼다. 힘을 다 쏟은 탓에 기운 차릴 여력도 없었다. 그런데 이상했다. 웅덩이에서 벗어났다고 생각했는데, 그렇게 온 힘을 쓰고도 이과수는 여전히 웅덩이 안이었다. 몸의 절반이 웅덩이에 걸쳐 있었고, 발을 뻗으려 하자 막대기처럼 뻣뻣한 게 움직이는 게 쉽지 않았다. 손끝조차도.

반쯤 뜬 눈으로 하늘을 봤다. 허공 어디쯤이었고, 불빛을 머금은 알맹이들이 하나씩 사라지는 게 보였다. 서서히 안개가 걷히듯, 하늘이 푸르스름해지고 숲과 나무의 윤곽이 보다 또렷이 눈에 들어왔다. 그 과정이 하도 느리게 이어져 이과수는 긴 시간이 흐르는 것처럼 느껴졌고 그 덕에 천천히 숨을 가다듬을 수 있었다. 좀 살 것 같았다. 주변을 봤다. 새소리가 들렸다. 그런데, 그 많던 불빛은 어디로 사라진 것일까? 눈을 크게 뜨곤 하늘을 보는데 저 뒤에서 소리가 들렸다.

"야, 이과수?"

이과수는 천천히 몸을 일으켰다. 일어나 보니 물이 겨우 장딴지 높이였다. 기가 막혔다. 가슴 깊이 숨을 마시곤 뱉었다. 새소리가 아까보다 요란했다. 그 소리가 온몸의 살을 흔들어 깨웠다. 고개를 들어 앞을 봤다. 늘 다니던 국도가 보였다. 가까웠다. 이과수가 빠진 웅덩이로부터 불과 십이삼 미터, 차폭등을 주렁주렁 매단 엄청 큰 트럭 한 대가 빠르게 질주를 하고 있었다. 저벅저벅 발소리가 들렸다.

"뭔 사람이 대답이 없어?" 태호 선배였다.

"어, 선배……."

"근데, 너 여기서 뭐하냐?" 웅덩이 안에 우두커니 서 있는 이과수를 보며 태호 선배가 물었다.

"그러게……."

손을 펴 살폈다. 그 난리를 피운 것에 비하면 꽤 멀쩡했다.

†

알리시아의 집은 로사리오 시내에 있었다. 중심가였고, 테라스가 있는 2층이었다. 집 앞 도로변이 주차장이었다. 차를 세우고 문을 두드리자 알리시아의 아들이 문을 열었다. 이름이 후안이었다.

방에 있던 알리시아가 거실로 나와 하정미와 이과수를 맞았다. 휠체어를 탄 그녀를 뒤에서 며느리가 잡고 있었다. 노르마라고 했다. 자리를 잡고 앉자 그녀가 커피를 내왔다. 후안이 이과수에게 날씨가 덥지 않느냐고 물었고, 차에 에어컨이 있어서 괜찮았다고 하자 노르마가 웃었다. 알리시아는 80대 중후반, 아들 후안은 나이가 60대 초반, 며느리 노르마는 50대 중반쯤 돼 보였다.

알리시아는 실내에서도 휠체어를 타야 움직일 수 있었다. 척추 수술을 한 적이 있는데 몇 년 전부터는 그 후유증으로 걷지 못한다고 했다. 척추를 다친 것은 오래전이었다. 마요 광장에서 집회를 하다 군인들이 휘두른 곤봉에 맞아 크게 다쳤는데 제대로 치료를 하지 않아 후유증이 심해졌다고 했다. 결국 수술을 해야 했고 그 뒤로는 휠체어에 의지해야 했다. 그 때문에 부에노스아이레스 광장 집회에 참석하지 못한다고 했다. 로사리오에서 부에노스아이레스까지는 먼 거리였다. 알리시아는 같이 활동하던 에베 데 보나피니의 부고 때도 가지 못했는데 그 때문에 한동안 우울증을 앓은 적이 있다고 했다. 그 사람이 누구냐고 묻자 '5월 광장 어머니회'를 만든 창립 회원 중 한 사람이라고 했다. 후안의 말로는 그녀를 위해 국가가 사흘을 애도 기간으로 선포했다고 했다.

알리시아는 지금도 딸 아나를 찾으며 살고 있었다. 그녀의 꿈이었는데, 실은 그 일은 불가능해 보였다. 여태껏 딸에 대한 소식이라고는 희미한 풍문조차 들을 수 없었기 때문이었다. 실종 당시 아나는 19살, 오빠 후안은 21살이었다고 했다. 알리시아는 자신의 고통은 딸 아나에 비하면 아무것도 아니라고 했다. 하정미가 심각한 표정을 짓자 알리시아가 화제를 돌리려는 듯 물었다.

"우리 마리아나는 어찌 지내고 있수?"

"잘 지내요, 알리시아. 식품점이 안된다고 불만이 많은 것 빼고는요." 하정미가 말했다.

"요새 장사 되는 데가 어디 있겠수."

"다들 그렇게 사는 거죠, 뭐." 옆에서 노르마가 말했다. 겉으로는 평화롭지만 당연히 아르헨티나 어디가 됐든 사정이 좋은 곳은 없었다.

"남자 친구는 있습디까?" 알리시아가 물었다.

"마리아나가 눈이 높은 것 같아요." 하정미의 말에 알리시아가 후안에게 물었다. "걔가 올해 몇 살이지?"

"글쎄, 스물하나 둘 됐나……." 후안이 하정미를 봤다. "스물하나예요." 하정미의 말에 "한창 높을 때구먼."하고는 알리시아가 웃었다.

마리아나의 엄마는 루이사, 그녀는 알리시아의 조카였고, 알리시아는 마리아나한테 이모할머니였다.

하정미가 알리시아와 얘기하는 동안 이과수는 카메라 설치를 했다. 카메라 위치와 알리시아가 자리할 곳을 살폈다. 촬영 장비는 핸드폰 하나와 소형 캠코더 둘, 이과수는 하정미와 얘기하고 있는 알리시아의 옷깃에 무선 마이크를 끼웠다. 거실은 그리 크지 않았지만 알리시아와 인터뷰를 하기에는 적당했다. 준비를 하고 난 이과수가 하정미에게 눈짓을 했다.

하정미는 알리시아에게 유튜브를 보여 줬다. 그리곤 어떻게 자기가 알리시아를 알게 됐는지, 유튜브 채널은 아르헨티나는 물론 한국과 미국 영국 스페인 멕시코 브라질 등 세계 각국의 사람들이 보고 있다고 하정미가 말했다. 알리시아에게 유튜브 채널을 보여주자 후안과 노르마가 놀랐다. 스페인어로 현지 사람들과 능숙하게 대화를 하는 하정미 때문이었다.

알리시아의 사연을 알게 된 것은 우연이었다. 하정미가 유튜브를 한다는 걸 안 마리아나가 자기 이모할머니 얘기를 했다. 마리아나는 하정미에게 이모할머니가 더러운 전쟁의 피해자이며 부에노스아이레스 광장에서 행진을 하고 정부를 상대로 항의와 집회를 사십 년 넘게 하며 살고 있다는 얘기를 들려줬다. 아르헨티나 사람은 물론 세계는 독재자가 벌인 그 짓을 '더러운 전쟁'이라고 부른다고 했다. 사실 그 일은 전쟁이라기보다 '만행'이나 '학살'이라고 부르는 게 더 정확했다. 그때의 일로 아르헨티나에는 아직도 딸이나 아들 같은 가족을 찾아 헤매는 사람들이 있었고, 마리아나의 이모할머니도 그들 중 한 사람이었다. 그 얘기를 들은 하정미는 마리아나의 엄마 루이사에게 그녀를 만나게 해 달라고 했는데 루이사가 망설였다. 이모가 들어줄는지도 그렇고 별로 좋은 얘기도 아닌데 싶은 모양이었다. 하정미는 자기 할아버지 생각이 나서 그런다며 꼭 이모할머니를 만나게 해 달라고 몇 차례 더 얘기를 했다. 말이나 해 보겠다며 루이사가 중간에서 다리를 놨는데 알리시아가 흔쾌히 승낙을 했다. 오히려 알리시아가 더 인터뷰를 반겼다.

알리시아의 허락으로 인터뷰가 성사되기는 했지만 일정을 잡는 게 쉽지 않았다. 산하비에르에서 로사리오까지는 만만한 거리가 아니었고, 인터뷰 하나만을 위해 시간을 내려니 틈이 잘 나지 않았다. 농장 일이 바빠 더 그랬다. 그러다 로사리오에서 축제가 열린다는 소식을 들은 하정미는 그걸 기회로 삼았다. 축제는 세계 각국의 예술가들이 벌이는 공연 예술로 채워져 있었다. 퍼포먼스나 춤, 만담, 거리 연극이 공연될 예정이었는데 이 축제에 한국의 공연 단체가 참여하고 있었다. 콘텐츠가 굴러들어 온 셈이었다. 하정미는 콘텐츠 하나를 같이 할 수 있겠다는 생각에 알리시아와 같은 날로 일정을 잡았다. 그게 이날이었다. 하정미는 기대가 컸다. 다만 축제가 주말이어서 알리시아 사정이 어떨까 했는데 알리시아도 주말이 좋겠다는 얘기를 해 왔다. 공무원인 아들 후안이 집에 있을 때 해야 손님 대접도 하고 알리시아 시중을 들 수 있기 때문이라고 했다. 알고 보니 노르마도 시간제 공무원이었다. 둘은 아이 셋을 두고 있었고 셋 다 부에노스아이레스에 나가 살고 있었다.

인터뷰가 거의 끝나 갈 무렵이었다. 하정미가 한국에도 아르헨티나와 비슷한 어머니 모임이 있고 똑같은 역사가 있다고 하자 알리시아가 알고 있다고 했다. 자기네가 만든 '5월 광장 어머니회'처럼 한국에도 '5월 어머니회'라는 게 있으며 그게 광주민주화운동 때문에 만들어졌다는 것, 이 두 단체가 교류를 하고 있다는 것도 알리시아는 잘 알았다. 그러며 알리시아는 한국의 어머니들과 대통령이 방문해 희생자를 조문한 적도 있다고 알려줬다. 그뿐 아니라 한국에서 아르헨티나 어머니들에게 상을 준다기에 이쪽에서 한국을 방문하기도 했는데, 그때 알리시아는 몸이 아파 가지 못했다고 했다.

"거긴 독재자들을 어떻게 했수?" 알리시아가 물었다.

"감옥에 가기는 했지만 곧 나왔어요. 그걸로 다 끝났고요." 하정미의 말에 알리시아가 아르헨티나는 좀 다르다고 했다. 지금도 가해자들을 처벌하기 위해 찾고 있고 실종자를 찾는 일을 정부가 돕고 있다고 했다. 그렇다고 정부가 아주 협조적인 것은 아니라고 했다. 이미 너무 많은 시간이 흐른 데다, 그때 잃어버린 자식과 혈육을 찾아 나선 어머니와 가족들은 한 사람씩 고인이 돼 실종자를 찾는 일이 더 힘들어졌다고 했다.

"아나를 찾을 뻔한 적이 있었어요." 후안이 말했다.

"어머, 그래요?" 하정미가 후안 쪽으로 카메라를 돌렸다. "군인들이 사람들을 비행기에 태워 라플라타강에다 떨어뜨려 죽였는데, 그중 한 사람이 헤엄쳐 살아남은 일이 있어요. 그 사람이 아나를 봤다고 했지요."

아나가 실종된 곳은 학교 근처라고 했다. 연극반이었던 아나는 연습을 마치고 친구들과 근처 카페 거리 쪽으로 걷고 있었다. 늦은 밤이었지만 친구들이 같이 있어 괜찮다고 생각했다. 그때 같이 납치된 친구가 둘, 그렇게 셋이 순식간에 트럭에 태워졌다. 그걸 본 사람은 그 동네에 사는 아나 또래의 남자였다. 목격자는 그 청년이 유일했다. 그가 그였고, 그는 목격자라는 이유로 아나와 같은 처지가 됐다.

"처음엔 안 믿었어요." 후안이 어깨를 으쓱하며 말했다. "우리나라 군인들이 그런 짓을 한다는 걸 다들 믿고 싶어 하지 않았지요. AAA라고 있어요. 준군사 사조직인데 거기서 정부가 불순분자로 지목한 사람들을 납치했거든요. 하지만 그거와 아무 상관이 없어도 납치를 했어요. 아나가 그 경우인 거지요." 그러며 후안은 굳이 아나가 납치된 이유를 찾으라면 그때 아나가 연습하던 연극이 고골리의 소설 〈외투〉였다는 것과 작가가 러시아 사람이라는 것, 그게 이유가 될 수 있을까 싶었지만 아무리 생각해도 그것밖에는 없더라고 했다. 정부는 빨갱이와 불순분자를 잡는 게 목적이라고 했지만 그건 핑계였다. 사실 그들은 자신들의 정권을 유지하기 위해 반대파나 비판적인 사람들을 없애는 일에 혈안이 돼 있었기 때문이었다.

"그 젊은이 이름이 휴고였수." 알리시아가 말했다. 라플라타강에서 살아남은 남자를 말하는 거였다. "아나가 웬 장교 손에 끌려가는 걸 그 남자애가 봤다고 했어요. 그 장교가 누군지는 몰라요. 아무리 뒤져도 찾을 수가 없었거든. 그런데 휴고가 라플라타강에서 살아 돌아온 뒤 또 사라진 거야. 아주 영원히. 어느 구덩이에 유골로나마 남아 있으려나……." 알리시아가 울었다. "아나, 아나……." 노르마가 알리시아의 어깨를 감쌌다. 알리시아가 계속 흐느끼자 후안이 말했다. 어머니가 우는 건 아나가 어떻게 됐는지 모르기 때문이라는 거였다. 그게 무슨 뜻인지 후안은 자세히 설명했다.

"군인들이 젊은 여자애들을 납치해 임신을 시켰어요. 아이를 낳으면 부잣집이나 장교들 집에 입양을 시켰지요."

"……왜, 왜요?" 하정미가 놀라 물었다.

"우익 사상을 가진 사람의 가정에서 우익 사상을 가진 아이로 자라게 해야 한다는 게 이유였어요. 아이를 빼앗은 뒤 산모는 비행기에 태워 바다나 강에다 떨어뜨려 죽이거나 총으로 쏴 죽인 뒤 묻었지요. 거기가 라플라타강이에요. 어머니는 혹시 아나가……." 후안이 말을 하다 말고 알리시아 쪽으로 갔다.

"그만 진정해요, 엄마. 인터뷰 마저 하셔야지요."

"속도 상했었수." 알리시아가 울음을 멈추며 말했다. "광장에서 아나를 찾아달라고 행진할 때 사람들이 다들 믿지 않았거든. 그게 사실이라고 해도 지독하게 안 믿어주더군. 이유는 없었수. 이유도 없이 믿지 않다니, 이게 말이 된다고 생각하우?" 하정미가 가만히 고개를 저었다. "왠지 아우?"

"왜죠, 알리시아?" 하정미가 물었다. 목소리가 떨렸다.

"자기 일이 아니니까 그렇지, 왜겠수?"

후안 말로는 사람들이 그 일을 믿기 시작한 게 어머니들이 행진을 하고 5년인가가 지난 뒤라고 했다. 부에노스아이레스 근처 그랑부르 공원묘지에서 수백여 구의 유골이 발견되면서였다. 두개골에는 총알구멍이 있었고, 한 해군 장교가 그때 일을 폭로하면서 아르헨티나가 충격에 빠졌다고 했다. 장교는 자기 손으로 납치하거나 잡아 온 남자와 여자들을 비행기에 태워 라플라타강이나 대서양에 던져 버렸는데 비행기에 태워진 사람들은 이미 고문으로 반죽음 상태였고 모두 발가벗겨져 있었다고 했다. 후안은 그때 사용한 비행기가 나중에 미국에 팔려 스카이다이버들이 사용하고 있었다며 흥분해 말했다. 그게 한 여기자에게 발견이 돼 사람들에게 또 한번 충격을 줬다고. 그런데 비행기를 발견한 여기자 역시 군인들한테 잡혀갔다가 살아남은 생존자였다. 그 비행기는 아르헨티나 정부가 사들여 지금은 만행을 저질렀던 해군사관학교에 전시돼 있다고 후안은 말했다.

"그게 불과 얼마 전이었다우." 알리시아였다. "아나는 그래도 낫수. 잡혀간 임산

부도 많았고 거기서 강제로 임신당한 여자아이들도 있었지. 불과 나이가 열다섯 열여섯 그랬수. 강제로 임신당한 아이들은 출산 때 눈을 수건으로 가린 채 아이를 낳게 했다고 하지 뭐유. 임산부가 자기 아이를 보지 못하게 말이우. 아이를 낳게 한 뒤에는 그 자리에서 다 죽였다고 했수."

"왜, 왜요, 알리시아……?" 놀란 하정미가 말을 더듬었다. 이해가 가지 않는다는 듯 미처 말을 마치지 못했고 차마 입을 다물지 못했다.

"왜긴 왜겠수. 애를 낳게 한 뒤 쓸모없으니까 죽인 게지. 바다에 던지고 구덩이에 묻고. 임산부 몸으로 잡혀 온 아이 중에는 고문을 받느라 고통 때문에 비명을 지르며 용을 쓰다가 아이를 출산하기도 했수. 그러면 옆방에 있던 간호사가 아이를 데려갔지. 하지만 난 안다우. 아나한테는 그런 일이 벌어지지 않았다는 걸 말이우. 절대, 아나한테는 그런 일이 벌어지지 않았노라 약속해 달라고 성모께 셀 수 없이 기도했거든."

알리시아가 성호를 그었다. 노르마가 알리시아의 손을 잡았다. "우리가 외친 게 이거였수. 자식을 꼭 산 채로 돌려 달라고, 죄를 저지른 사람들을 반드시 처벌해 달라고 입술이 닳도록 외치고 외쳤다우." 하정미가 알리시아의 손을 가만히 잡으며 말했다.

"이렇게 힘든 얘긴 줄 몰랐어요. 미안해요, 알리시아." 하정미의 목소리가 아까보다 더 떨렸고 몸까지 떨고 있었다. 이윽고 눈물이 그렁그렁하더니 주르륵 볼을 타고 흘렀다.

"울지 말아요, 아가씨. 이러면 내가 미안하잖수." 알리시아가 하정미의 손을 잡으며 말했다. 하정미가 울자 후안과 노르마가 당황한 것 같았다.

"뭔 사연인 거유?" 알리시아가 물었다. "울음소리에 보이는 게 있어 내 그러우."

"그래요, 알리시아. 네, 맞아요." 이과수가 말했다. 이어 서툰 스페인어로 알리시아와 후안, 노르마를 번갈아 보며 말했다. "정미 할아버지가, 한국의 독재자가 보낸 군인의 총에 맞은 희생자였거든요. 아까 알리시아가 말한 광주라는 곳에서요. 그때 총에 맞아 알리시아처럼 평생 휠체어에서 사셨지요." 그 말에 알리시아와 후안, 노르마가 놀랐다. 어떻게 자기네와 이렇게 똑같은 일이 다 있을 수 있느냐고.

"이런, 그런 줄도 모르고 내 얘기만 했수. 미안해요, 정미." 알리시아가 하정미의 등을 감쌌다. 후안과 노르마가 하정미를 달랬다.

"정미는 할아버지 휠체어에서 자랐거든요."

"어쩌다 그 몹쓸 일을 당하신 거유?" 알리시아가 하정미를 보며 물었다. 대신 이과수가 말했다.

"그곳 고등학교 교사셨어요. 군대가 총을 쏴대니까 제자들 찾으러 간다고 시내 나가셨다가 총을 맞았지요. 그런 사람이 한둘이 아니었거든요."

"맙소사, 그랬구먼. 그래, 할아버지 건강은 어떻수?"

"돌아가셨어요. 그 몸으로 힘들게 사신 거죠." 이과수의 말에 하정미가 진정하곤 몸을 바로 했다.

"미안해요. 알리시아. 제가 지나쳤죠?" 하정미가 말했다.

"그런 소리 말우. 날 만나자고 한 이유를 알아 되레 좋수."

"맞아요, 정미. 상처는 서로 안는 거예요. 우린 같은 처지니 얼마나 좋은 만남이에요. 안 그래요, 엄마?" 후안의 말에 알리시아와 노르마가 그럼 그럼,하며 분위기를 환기시켰다. 하정미가 미소를 지으며 가만히 합장을 하더니 중얼거렸다. 알리시아와 가족을 위한 기도였다.

"한국식으로 알리시아를 위해 기도를 한 거예요." 이과수가 말하자 다들 알아듣곤 고맙다고 했다.

"고마워요, 정미. 그리고 이건 알아야 하우. 내가 왜 힘든 데도 아가씰 만난 줄 아우?" 하정미가 아까와 달리 반짝이는 눈으로 알리시아를 봤다. "잊지 말아 달라고, 그 얘기를 하기 위해서였수. 세계 어느 나라 사람이든 다신 우리 같은 일을 겪어서는 안 된다는 말을 하기 위해서 말이우. 그러려면 싸워야 한다고, 진실은 싸워서 지켜지는 거라고 말하고 싶어서였수."

"어머니는 누구에게도 이 얘기를 피하지 않으세요. 늘 당당하게 말하죠." 노르마였다.

"다시는 이런 일이 있으면 안 되잖아요. 어느 나라 사람이든지요. 우리가 바라는 건 그게 다입니다." 후안이었다. "그러려면 잊지 않아야 합니다. 잊으면 또 그런 일이 벌어질 테니까요." 후안은 지금만 해도 많이들 그때의 기억을 잊고 산다고 했다. 그게 안타깝다고. 그런 만큼 정부의 성의도 줄었다고, 이거야말로 좋지 않은 징조라고.

“저녁 먹고 가요. 우리가 준비했어요.” 노르마가 말했다.

창밖으로 동네 공원이 보였다. 나무가 많아 울창했고, 하늘이 푸르렀다. 산하비에르의 소나기가 생각이 난 이과수가 로사리오엔 비가 안 왔냐고 묻자 노르마는 비가 오기는 했지만 조금밖에 안 왔다고 했다. 노르마가 차린 이른 저녁을 먹고 나자 하정미가 축제를 보러 갈 건데 같이 가겠냐고 물었다.

“같이 가시겠어요, 노르마?”

노르마는 호의는 좋지만 그러긴 힘들다고 했다. 이따가 이웃이 방문을 하기로 했다고, 그리곤 같이 가지 못해 마음이 그렇다며 후안과 노르마가 미안해했다.

축제가 열리는 우르키자 공원은 걸어서 이십 분 정도면 갈 수 있는 거리였다. 하정미가 차를 가져가야 하는지 어떨지 몰라 하자 축제를 보고 돌아가려면 근처 주차장에 차를 대는 게 좋을 거라고 후안이 말했다.

“서두르는 게 좋아요, 정미. 주말엔 사람이 많은 데거든요.”

우르키자 공원 곳곳이 무대였다. 이미 공연이 펼쳐지고 있었고 공연은 대개 나무가 둘러 있는 공터나 잔디밭에서 이루어졌다. 산발적이었고 사람들은 이곳저곳을 돌아다니다 마음에 내키는 공연을 골라 볼 수 있었다. 일정표가 있어 장소와 시간에 따라 선택해 볼 수 있었지만 처음 온 곳인 데다 넓어서 막상 공연을 하는 특정 장소를 찾느라 적지 않은 발품을 팔아야 했다.

하정미는 몇몇 공연 장면을 촬영하고는 사람들과 인터뷰를 하기 시작했다. 이과수는 열심히 하정미의 인터뷰를 카메라에 담았다. 즉흥적인 인터뷰지만 종종 인상 깊은 얘기를 만날 때도 있었다. 다른 사람을 소개받을 수도 있었고, 산하비에르에 살고 있는 한국인 유튜버라고 하면 다들 기꺼이 인터뷰를 받아줬다.

로사리오는 체 게바라와 리오넬 메시의 도시였다. 거기에 걸맞게 사람들은 열정적이고 활기가 넘쳤다. 여기 사람들은 체 게바라보다 메시를 더 좋아했다. 이곳 사람만이 아니었다. 부에노스아이레스나 다른 지역에서 왔다가 들른 사람들도 마찬가지였다. 그러고 보니 로사리오 지방정부의 조치가 이해가 갔다. 지방정부는 자기네 지역에서 태어나는 아기에게 메시라는 이름을 짓지 못하게 했다. 이곳에서의 성자는 체 게바라가 아니라 메시였다. 실제로 사람들은 체 게바라에 대한 질문에 잘 대답하지 못했다. 체 게바라가 로사리오에서 한 일이 없어서 그런 건지 몰랐다. 아르헨티나를 위해서도 체 게바라는 한 게 없었고, 아르헨티나인이지만 정작 여기서는 이방인이었다. 월드컵을 국가 간 목숨을 건 전쟁쯤으로 여기는 이곳 사람들에게 메시야말로 진정한 전사였다.

"체 게바라 아세요?" 하정미가 남자에게 물었다.

"어디 살죠?"

"이미 죽은 사람이고요, 로사리오가 고향인 사람이에요."

"죽은 사람이라면 난 몰라요." 이번에는 여자에게 질문을 했다. "체 게바라에 대해 어떻게 생각하세요?"

"그 남자를 말하는 거죠? 축구공 광고에 나오던데, 맞죠?" 하정미는 체 게바라가 축구공 광고에 나오는지는 모르고 있었다. "멋지지 않아요, 베레모하고 별이요." 그렇게 말하곤 여자가 까르르 웃었다. "아 그 꽃미남 말하는 거군, 수염이 멋지던데." 그제야 자기도 안다는 듯 남자가 말했다.

"그럴 수 있겠네요. 감사합니다." 하정미가 둘에게 인사를 했다. 이런 반응은 두 젊은 연인만이 아니라 나이가 좀 있는 중년의 연령대에서도 쉽게 찾아볼 수 있었다.

"아르헨티나 사람이란 얘기는 들었어요." 카우보이모자를 쓴 남자가 아내를 보며 어깨를 으쓱했다. "그런데 그 사람이 로사리오 사람이래요?"

"쿠바 사람 아닌가, 아니에요?" 그의 아내였다. 그러자 옆에 있던 다른 남자가 말했다. "혁명가잖아요, 미국 CIA한테 죽었다고 알고 있어요." 대충 이런 대답들이었다. 그때였다. 아까 인터뷰를 한 젊은 여자가 갑자기 환호성을 질렀다. 그녀가 겅중겅중 뛰며 손가락으로 하늘을 가리켰다. 하늘에 띄운 거대한 풍선 두 개에 매달린 현수막에 메시의 얼굴이 그려져 있었다. 사람들의 시선이 일제히 하늘을 향했고 누가 먼저라고 할 것 없이 메시, 메시하며 그의 이름을 부르기 시작했다. 그러자 주변 사람들이 다 같이 어깨동무를 하더니 겅중겅중 뛰었다. 자본주의를 타도하려던 체 게바라는 자본주의의 꽃이 되었고, 메시는 아르헨티나에서 신이 됐다는 얘기가 왜 생겼는지 알 것 같았다.

"시간 다 됐어, 하정미." 이과수가 말했다.

벌써 해가 뉘엿뉘엿 지고 있었다. 공원 가로등에 불이 들어왔고 사람들이 아까보다 더 많았다. 저쪽 한 곳이 시끌시끌했다. 그 소리에 사람들이 그쪽으로 몰렸고 환호성이 들렸다.

“먼저 가 있어, 과수 씨. 저거 찍고 갈게.” 하정미가 핸드폰용 짐벌 셀카봉을 들고 그쪽으로 갔다.

이과수는 천문단지 뒤쪽으로 갔다. 한국 팀이 공연한다는 곳이 거기였다. 공연 장소까지 가는 동안 이과수는 스케치하듯 캠코더를 켠 채 걸었다. 도착해 보니 벌써 공연을 하고 있었다. 다행히 시작한 지 얼마 되지 않는 듯했다. 축제가 주로 공연 예술로 이루어지다 보니 해가 져서야 시작하는 팀들이 있었다. 조명 때문이었다. 조명 효과를 최대한 살리겠다는 취지 같았고 한국에서 온 공연팀도 그중 하나였다.

소책자에는 한국 공연팀이 행위 예술을 하는 걸로 나와 있었다. 한국의 무속을 예술로 승화시킨 일종의 퍼포먼스였다. 시간은 32분, 사진 속에서 출연자들은 흰색 한복을 입고 있었다. 관람객은 많지 않았다. 시간이 좀 지나자 사람들이 조금씩 늘어나기 시작했는데, 특이한 몸짓의 퍼포먼스와 한국 고유의 악기 소리 때문인 것 같았다. 이과수는 이 공연이 낯설지 않았다. 퍼포먼스라고는 해도 한국의 전통춤과 무속의 춤사위를 섞은 몸짓이었고, 음악은 아쟁과 북으로 소리를 내 한국 특유의 음악적 정서가 담겨 있었다. 그중 한 남자는 한 가운데서 고개를 뒤로 젖히곤 팔과 다리를 뒤틀듯 사방으로 내뻗었는데, 만약 그 사람이 누워 있다면 만卍자 모양일 터였다. 그는 무슨 고통 같은 걸 표현하느라 그런 몸짓을 하는 것 같았는데, 그 움직임이 음악의 박자와 리듬에 잘 맞춰져 있었다. 박수와 탄성이 들렸다. 브라보, 하고 외치는 소리가 들리고 어느 순간 공연자들의 움직임이 느려졌다. 너무 느려서 그처럼 격한 움직임 뒤에 그처럼 느린 움직임이 이어지리라고 예상하기 힘든 움직임이었다. 그게 묘한 감흥을 불렀는데, 한국 전통의 독특한 동작이 섞이면서 초현실적인 느낌을 줬다. 그 대목에서 사람들이 숨을 죽였다. 그걸 찍고 보느라 정신이 팔린 이과수는 그제야 아직 하정미가 오지 않았다는 것을 알았다. 혹시 싶어 주변을 둘러봤다. 하정미는 보이지 않았다. 은근히 걱정이 됐다.

이과수는 촬영을 하다 말고 아까 하정미와 헤어진 쪽으로 갔다. 갑자기 펑펑,하는 소리가 들렸다. 동시에 주변과 하늘이 환해졌고 사람들의 환호성과 박수 소리가 섞여 들렸다. 폭죽이었다. 불꽃은 파라나강가 쪽에서 터졌는데 하도 불꽃의 규모가 커 바로 머리 위에서 불꽃이 퍼지는 듯했다. 하정미에게 핸드폰을 했다. 이 소란에 핸드폰 소리가 들릴까 싶었는데 예상대로였다. 다시 핸드폰을 했다. 받지 않았다. 이과수는 사람들을 헤치며 앞으로 나아갔다. 몇 개의 공연장을 지났고 좀 걷다 보니 아까 거기였다. 주변을 살폈다. 하정미가 보이지 않았다. 이과수는 주변 여기저기를 살폈다. 불꽃이 아까보다 더 화려했다. 절정으로 치닫는지 폭죽 소리가 더욱 요란했고, 저쪽에서 한 무리의 사람들이 환호성을 지르는 게 보였다. 이과수는 그쪽으로 캠코더를 향하곤 걸었다. 사람 목소리가 들렸다. 불꽃 터지는 소리와 환호성, 거기에 누군가 외치는 소리가 섞여 있었다. 여자 목소리였다. 마침 불꽃이 터졌고 캠코더 창에 사람들 머리 위로 우뚝 솟은 사람 실루엣이 보였다. 춤을 추는 것인지 뭔지, 그런데 낯이 익었다. 이과수는 얼른 캠코더를 치웠다. 하정미였다. 돌로 된 기다란 탁자 위에 올라가 몸짓을 하는 중이었고, 하도 움직임이 기이해 여태 저런 몸짓을 본 적이 있는지 싶었다. 하정미가 중얼거렸다.

"소이 알리시아, 소이 알리시아…… 소이 소이 알리시아……." 자세히 들으니 중얼거리는 게 아니라 입안에서 혀를 굴리며 웅얼대는 듯했는데, 목소리의 크고 작음과 높고 낮음 때문에 무슨 주문을 외는 소리처럼 들렸다. 하정미를 찾은 건 다행이지만 이게 갑자기 무슨 일인가 싶어 이과수는 멍하니 하정미를 쳐다봤다.

마침 우르키자 공원 앞 파라나강의 불꽃놀이가 끝나고 저쪽 문화센터가 있는 플래그 공원 쪽에서 불꽃놀이가 이어지고 있었다. 그쪽에서 터지는 폭죽 소리는 아주 작았고 그 때문에 불꽃이 갑자기 음소거가 된 영상처럼 느껴졌다. 다시 하정미의 목소리가 들렸다. "소이 알리시아, 알리시아 알리시아 소이 알리시아……!" 그 소리가 폭죽과 섞여 묘한 화음을 만들어냈다. 하정미의 외침이 절규처럼 변하고 있었고 주변에는 사람들이 빠르게 늘어났다. 하정미를 공연자로 착각한 것 같았다. 이과수는 얼른 하정미의 몸짓과 사람들의 반응을 캠코더에 담았다. "소이 알리시아, 알리시아, 나는 알리시아…… 알리시아 알리시아……." 그리고 어느 순간이었다. 하정미가 퉤퉤하고 침을 뱉었다. 사람들이 뒷걸음을 하며 어, 어 하는 소리가 들렸고, 이과수는 이걸 찍어야 하나 어쩌나 하다가 하정미의 퉤퉤 소리가 신호라도 되는 것처럼 가까이 캠코더를 들이댔다. 하정미는 이과수를 보지 못한 것 같았다. 아니 아무것도 보지 않았고 볼 생각도 없는 것 같았다. 하정미는 오로지 자신의 몸짓에 몰입할 뿐, 눈은 허공도 그 어느 곳도 아닌, 딱히 어디라고 할 수 없는 어느 한 곳을 응시하고 있었다.

하정미가 팔을 휘리릭 저었다. 움직임이 아까보다 느려진 느낌이었다. 어느 순간 몸과 팔의 움직임이 어긋난 것 같은 동작으로 이어졌고, 느린 몸짓은 아무 의미와 규칙없이 그저 마음 가는 대로 움직이고 있었다. 그게 묘한 울림을 줬다. 몸과 팔 동작이 어긋난 듯 뒤틀린 움직임 때문에 그런 것 같았는데 그 몸짓이 좀 슬퍼 보였다. 이과수는 카메라를 늘어뜨린 채 멍하니 하정미를 쳐다봤다. 저쪽 플래그 공원 쪽에서 날아온 불빛이 하정미의 몸에 실루엣을 만들었다. 실루엣은 너울처럼 격하게 또 가만히 움직였다.

"퉤퉤 퉤. 소이 알리시아, 알리시아 퉤 퉷, 알리시아, 나는 알리시아 알리시아……."

하정미의 목소리가 리듬을 탔다. 거기에 맞춰 웬 소리가 들렸다. 소리는 여기저기서 들려왔는데 여러 사람이 내는 소리였다. 주변 사람들이 하정미의 소이 알리시아 소리를 따라 하고 있었다. 하정미가 그 소리를 내면 사람들이 따라 했고, 사람들이 그 소리를 내면 하정미가 그들을 따라 했다. 어떤 사람은 하정미의 몸짓까지 따라 했다. 그리고 잠시 뒤, 다른 누군가 그걸 따라 했고 그게 주변 사람들에게 이어졌다. 그 동작이 주변으로 물결처럼 퍼졌다. "소이 알리시아, 소이 알리시아, 소이 소이 나는 알리시아 알리시아……." 그 소리를 여럿이 또 동시에 내자 어느 순간 웅얼웅얼하는 소리로 들렸다. 소리는 웅웅웅, 우우웅하는 울림으로 변했고 동굴의 공명음처럼 허공을 메우곤 되돌아와 울렸다. 어떤 사람은 하정미가 퉤퉤 퉷,하고 침 뱉는 것까지 따라 했다.

이과수는 이 상황이 믿기지 않았다. 현실과 초현실이 엉킨 듯, 그리고 무엇보다 이 광경은 한 번도 상상해 본 적 없는 이상하고 비현실적인 장면이자 현상이었다.

사람들이 집단으로 내는 웅웅웅, 우우우웅 소리는 이제 일정한 리듬과 고저를 유지하고 있었다. 하정미의 소이 알리시아 소리는 속삭임처럼 때로는 외침으로, 그게 고조에 이르렀다 싶으면 퉤퉤 퉷,하고 침을 뱉는 것으로 바뀌었다. 귀신을 쫓듯 욕을 하는 듯, 그리고 하정미는 제자리에서 맴돌며 탈춤을 추듯 어깨를 들썩였는데, 휘리릭 팔을 젓다가 다리를 들었다 놓는 움직임의 되풀이는 일정한 리듬을 만들어 내고 있었다. 어떨 때는 살풀이춤을 추듯 느리게 움직이다가 어느 순간 작은 꿈틀거림으로 변하기도 했다. 저런 몸짓은 한국 사람만이 낼 수 있는 몸짓이었다.

하정미의 움직임이 바뀌고 있었다. 도무였다. 하정미가 제자리에서 겅중겅중 뛰기 시작하자 이과수는 돌로 된 탁자가 무너지지 않을까 걱정이 됐다. 겅중겅중 뛰는 동작이 빨라지자 탁자와 하정미의 발 사이의 간격이 점점 멀어졌고 그에 맞춰 사람들의 소이 알리시아,라는 중얼거림도 빨라졌다. 그때였다. 누군가 겅중겅중 뛰기 시작했고 잠시 뒤 옆의 사람이 따라 했다. 이어 아까처럼 전염이라도 된 듯 근처의 사람들이 하정미처럼 겅중겅중 뛰었다. 무슨 집단 최면이라도 걸린 사람들 같았고, 하정미와 그들이 스스로 공연자이자 관람자였다. 그 때문에 이과수는 그들에게 압도당한 기분이었다.

이과수는 캠코더를 늘어뜨린 채 그 광경을 봤다. 찍을 엄두가 나지 않았다. 하정미는 눈을 감은 듯 뜬 듯, 그러다 가늘게 눈을 뜨곤 주변을 천천히 훑어봤다. 그러다 이과수의 눈과 마주쳤는데 하정미가 씨익 웃었다. 잘못 봤나? 아니었다. 하정미는 분명 이과수를 보고 웃었다. 숨이 턱 막혔다. 이과수는 캠코더로 하정미를 찍었다. 저 얼굴과 표정, 놓치고 싶지 않았다. 그리고 어느 순간 하정미가 뚝, 움직임을 멈추더니 마치 중심을 잃은 것처럼 쓰러질 듯하면서도 용케 중심을 잡으며 다시 움직임을 이었다. 숨소리가 들렸다. 거칠었다. 지친 건지 몰랐다. 저러다 돌 탁자에서 떨어지기라도 하면, 그 생각을 하며 이과수는 한 손을 하정미 쪽으로 뻗었고 그 와중에도 캠코더를 멈추지 않았다. 그때였다. 하정미가 외쳤다. "소이 알리시아, 소이 알리시아 나는 알리시아 알리시아 알리시아……!" 그 소리가 순간 악악악악,하는 절규로 변했다. 금방이라도 쓰러질 것처럼 몸을 휘청거리더니 허리를 꺾어 소리 높이 외쳤다. 하정미의 알리시아 소리가 절정으로 치달았다고 느낀 순간이었다. 이과수는 재빨리 하정미에게 다가가 팔을 뻗었다. 반사적이었다. 캠코더의 어깨끈이 이과수의 손끝에 매달려 있었고 허공에다 몸을 날리듯 하정미가 이과수 쪽으로 쓰러졌다. 이과수는 하정미를 안 듯 두 팔을 펼친 채였는데, 다행히 그곳으로 하정미가 안착을 하고 있었다. 아주 짧은 순간이었다. 극도의 긴장과 안도감, 그리고 그 소리가 무슨 커다란 환청처럼 들려왔다. 사람들의 박수 소리였다. 이어 환호성이 하정미와 이과수의 몸을 덮쳤다.

하정미는 눈을 감은 채 거칠게 숨을 내쉬었다. 이과수는 눕듯 안긴 하정미를 내려다봤다. 얼굴이 온통 땀이었고 번들거리는 볼에는 미소가 있었다. 그리고 목소리가 들렸다. 하정미가 가만히 눈을 뜨더니 또렷이 말했다. "나 목말라, 이과수."

산하비에르 집으로 돌아오는 4시간 동안, 하정미는 3시간 30분을 내리 잠만 잤다. 한밤중이었고 고속도로와 국도를 번갈아 달리는 동안 하정미는 한 번 깼을 뿐이었다. 그때 하정미가 한 말이었다.

"하늘에 떠 있는 게 아니라 하늘을 밟고 있는 기분이었어. 몸은 강철이 된 느낌이었고 그러면서 내가 물처럼 흐르는 기분…… 알아, 과수 씨?"

"알아, 하정미."

하정미는 생수 한 병을 다 마시곤 다시 잠이 들었다. 잠시 작게 코를 곯았고 그 뒤로는 조용했다. 마치 영혼 속으로 숨어든 듯 미동도 없이 잠을 잤다.

하정미의 잠은 넓고 먼 푸른 공간으로 자신을 침잠시키고 있는 것처럼 보였다. 맑은 얼굴 때문인 것 같았다. 그런 하정미가 천진하다 못해 순수 그 자체처럼 보였다. 그리고 이상하지만 이과수는 그 순간 하정미의 얼굴에서 엘라의 얼굴을 떠올리고 있었다. 애버리지니 필름 속에서 본 엘라의 그 창백한 얼굴을. 엘라를 내려다보며 가만히 미소 짓던 리우진시의 모습을, 아마 그즈음 엘라는 숨을 거두었고 리우진시는 엘라를 보며 미소 지었다. 그처럼 급박하고 처참한 순간에 리우진시는 어떻게 그렇듯 평안한 미소를 지을 수 있었을까. 그 섬뜩하기만 한 리우진시의 미소가 평안하게 느껴진 것은 왜일까? 무엇이 그에게 그 같은 심리적인 안정을 가져다준 것일까? 어쩌면 리우진시는 엘라를 보고 있던 게 아닌지 몰랐다. 그는 엘라와 자신 사이 어느 공간을 보고 있었고, 눈은 초점을 잃은 듯 무언가를 쫓아 응시하고 있었다. 어떤 무엇이 그의 시선을 이끌고 있었는지, 아니 그때 리우진시가 본 것은 무엇이었을까……?

새벽 1시, 산하비에르 초입이었다. 어둠 저 속에서 파라나강의 물소리가 들리는 듯했다. 자연이 내는 소리들, 거기에 인공의 소리는 없었다. 시간이 어둠 속을 부유하는 듯 느껴졌고 마치 시공간을 눈으로 보는 듯하기도 했다.

조금 전 잠에서 깬 하정미는 조용히 차창 밖 어둠을 보고 있었다. 하정미가 말했다.

"과수 씨, 저거 공간인 거 같아 시간인 거 같아……?" 이과수는 하정미 쪽 앞 유리를 힐끗 보곤 말했다.

"내 눈엔 어둠뿐인데?"

"잘 봐, 과수 씨. 우리하고 저 어둠이 같지 않아. 우리가 어둠이고 어둠이 우리고. 시공간이 다 그걸 머금고 있고."

"그런가?"

"그럼."

약간의 둔덕이 있었다. 이과수는 가속 페달에 힘을 줬다.

"물아일체物我一體라고. 이거 우리 할아버지가 좋아하는 말인데, 이 밤에 여기서 그걸 보네."

하정미가 이과수 쪽으로 손을 뻗었다. 물을 달라는 것 같았다. 이과수는 생수병을 건넸다. 병마개를 돌리며 하정미가 말했다.

"할아버지 생각이 났어, 과수 씨. 우리 할아버지가……."

김학수 정위

자료일세.

오랜만에 온 이메일이었다. 심정적으로는 그 간극이 잘 느껴지지 않았다. 이메일 내용도 그렇지만 그간 학습하듯 들춰낸 기억이 간극을 메운 탓이었다. 그래서 의도적으로나마 최치영에게서 멀어지려고 했는데 잘되지 않았다. 한번 몰입하기 시작한 의식은 이미 그럴 저항력을 잃은 상태였고, 어떨 때는 이메일을 기다리고 있는 자신을 보기도 했다. 그럴 때는 자괴감이 일었다.

최치영이 보낸 자료는 처음 보는 것이었다. 물론 들어본 적도 없었다. 제목이 간단해 별것 아니려니 했는데, 열어 보니 단순히 소식을 묻고 자료 하나 보내는 정도가 아니었다. 그보다 신기했다. 이런 걸 찾아내는 사람이 다 있구나 싶었으니까.

이메일은 길었다. 따로 첨부한 파일이 있었는데, 다 읽고 나자 최치영이 왜 길게 이메일을 적었는지 알 것 같았다. 첨부 파일은 그토록 찾던 고문서를 손에 쥐었을 때처럼 흥분과 성취감을 안겨 줬다. 저절로 그 속으로 빨려드는 듯했고, 그간 거리를 두려던 노력조차 한순간에 유야무야되고 말았다. 그런데 최치영은 왜 이걸 보낸 것일까?

데스크가 제자네. 내 사정을 아는 그 친구가 자료를 보내왔어. 아직 보도하지 않은 따끈따끈한 자료라고 했지. 밑에 기자가 특종을 한 것이라는데, 그 친구 말로는 모레 언론에 공개될 예정이라고 했지.

데스크라는 사람은 일선 기자가 기사로 꾸민 원고를 통째 최치영에게 보냈다. 특집 기획기사라고 했다. 첨부한 파일에는 '비망록'이라는 이름이 붙어 있었고 확장명이 'pdf'였다. 파일을 열어 보니 논문이었다.

놀랄 걸세. 제이콥 헨리 쉬프, 비망록의 주인이 그 사람이었네. 자네나 나나 그의 유고 글은 회고록이 전부 아닌가. 그것도 케빈 슈라이버 교수가 적은 노트를 통해 접한 게 전부이지. 그의 비망록을 보게 될 줄 누가 알았겠는가. 비록 제약이 있기는 하지만, 이 논문은 제이콥 헨리 쉬프를 보는 시선에 전혀 다른 방식으로 도움을 주고 있어. 흠잡을 데가 없는 자료이네.

기사에는 제이콥 헨리 쉬프의 친필 메모지 몇 장이 사진으로 실려 있었다. 논문 저자가 제공한 것이라고 했다. 옆에는 인터넷에서 흔히 볼 수 있는 제이콥 헨리 쉬프의 사진이 걸려 있었다.

최치영은 이메일에다 논문 저자가 어떻게 자료를 찾아냈는지, 그가 뭘 하는 사람인지, 그러므로 그의 논문이 얼마나 큰 신뢰감을 갖게 하는지 등등을 자세히 적었다.

비화가 있더군. 이걸 찾아낸 사람 얘기야. 이름이 강영수라고 했어. 대한무역투자진흥공사 텔아비브 무역관 차장을 지낸 사람인데, 일에 대한 책임감뿐 아니라 지적 호기심이 많은 사람 같았지. 중동 업무가 전문인데, 카사블랑카에서 근무를 했고 히브리어와 이디시어를 배웠다고 했지. 〈유태인 오천 년사〉가 그의 저서라고 하더군. 강영수는 유대인을 연구하는 게 자신의 업무였네. 그 일을 수행하다 얻은 정보를 논문으로 쓴 거라고 했지. 논문은 그걸 조사하고 연구한 결과물이야. 비망록이 원본이 아니어서 실망할 수도 있겠지만, 강영수는 제이콥 헨리 쉬프의 비망록에서 중요하다고 생각되는 부분은 모두 인용했기 때문에 원본과 별다른 차이가 없을 것이라고 했지. 걱정할 일이 아니라는 소리지. 하지만 그의 노력에도 불구하고 제이콥 헨리 쉬프의 비망록을 적은 이 논문이 공개되더라도 이 글이 무엇을 의미하는지 아는 사람은 없을 것이네.

논문 제목일세.

'러 · 일 전쟁과 유대 자본가에 관한 연구 – 제이콥 헨리 쉬프의 일본 전쟁 자금 지원을 중심으로–'

머리말에 이런 게 있었네. 자료를 구하기까지의 여정에 대한 기록인데, 코트라 해외 연수 중 유럽유대인 언어 이디시어를 배우기 위해 콜롬비아 대학에 간 동기가 적혀 있었지. 러 · 일 전쟁과 제이콥 헨리 쉬프에 관한 이 자료는 대학 도서관에서 찾은 것이라고 했어. 그는 '찾았다'라는 말 대신 '발견'이라는 단어를 썼더군. 그가 배웠다는 이디시어는 유대 지방에서 쓰는 언어야. 문자는 히브리어를 쓴 모양인데, 탈무드 논쟁을 할 때 이 언어를 사용한다고 들었네.

제이콥 헨리 쉬프의 회고록은 알고 있지만, 비망록은 강영수라는 사람이 처음 발견한 것이라고 보면 틀리지 않아. 논문은 제이콥 헨리 쉬프와 대한제국 얘기가 중심이었네. 강영수는 그와 관련한 대목을 따로 추려 주에서 보강했는데, 일부 내용은 부록으로 붙이는 배려를 잊지 않았어. 비망록 중 대한제국과 관련한 부분을 따로 떼어 붙였다는 뜻이야. 아쉬운 것은 강영수가 부록에다 제이콥 헨리 쉬프의 비망록을 풀어 쓰듯 윤문을 해 제이콥 헨리 쉬프의 친필이 주는 아우라를 그대로 느끼기에는 부족하지 않을까 걱정했는데, 강영수는 이 역시 사실이라는 측면에서 원본을 훼손한 부분은 없노라고 자신을 하고 있었지. 말했듯, 걱정할 수준이 아니라는 얘기였네.

보면 알겠지만, 논문 부록은 제이콥 헨리 쉬프의 창덕궁 오찬이 배경이야. 자네에게 보낸 게 이 부분이지. 아무리 제자가 준 것이라고는 해도 통째 다 내줄 수는 없지 않은가. 감동적이었네. 제이콥 헨리 쉬프가 창덕궁 오찬에 참여한 장면에서 그 감정이 고조됐지. 강영수는 이 대목을 말투만 다를 뿐, 비망록이 적은 내용을 그대로 옮기다시피 했다고 했어. 하도 현장감이 느껴져 소름이 돋을 정도였지. 길지만 지루하지 않을 듯해 이 부분은 전부 보내겠네.

논문은 최치영이 말한 그대로였다. 지루하지 않았다. 지루하다니, 몰입도가 컸고 영감마저 안겨 주었다. 특히 최치영이 골라 보낸 부록의 일부는 영화의 한 장면을 보는 듯 생생했다. 오래전 일인데도 현실감은 물론 그 현장의 시공간감이 올올이 느껴졌고, 진작 알았으면 좋았겠다 싶은 얘기와 인물에 대한 정보는 깊은 잔상을 남겼다. 아마 예전에 이 자료를 봤다면 지금까지와는 다른 사고와 맥락으로 이 일들을 이해하지 않았을까.

첫 장면은 창덕궁 오찬이었다. 글 속에는 그때의 창덕궁 모습이 손에 잡힐 듯 묘사돼 있었다. 사람들도 그랬다. 그걸 시작으로 제이콥 헨리 쉬프와 그의 일행 그리고 역사책에서나 들어봤을 법한 인물들이 곳곳에 등장을 하고 있어 놀라움을 줬다. 이 장면이야말로 이 자료의 중요성을 한층 부각하고 가치를 극대화해 주는 대목이 아닐까. 그리고 논문에는 양민순의 선대가 등장하고 있었다. 읽으면서 설마했는데, 사실이었다. 눈이 번쩍 뜨였다. 뿐만 아니라 지배인 제임스의 선대 강일준의 장부에서 본 듯한 얘기가 들어 있었고 이과수는 자연스레 그걸 케빈 슈라이버 교수의 노트와 연결 지어 생각할 수 있었다. 전율이 일었다. 이게 도대체 갑자기 어디서 나타난 자료인지. 비망록을 옮기면서 강영수라는 사람이 가졌을 흥분이 고스란히 느껴졌다. 그 역시 대한제국 때의 이 얘기를 천 년 전 수수께끼를 풀듯 신비감에 젖어 적은 듯 보였기 때문이었다.

최치영은 강영수의 논문 때문에 지금까지와는 다른 종류의 자긍심을 갖게 됐다고 했다. 최치영 역시 이 얘기를 애버리지니 필름과 연결해 생각한 모양이었다. 비망록이 그 후의 여정을 필연으로 만들어 주었으며 어쩌면 그 필연이 이 시대 그랑 호텔의 아젠다로 이어진 것이 아닐까 생각한 것이었다.

이과수는 강영수의 비망록 중 이 부분이 유독 눈에 들어왔다. 생동감을 넘어 마치 자신이 그 자리에 있는 듯한 이 장면에서 이과수는 어떤 기시감을 느끼고 있었다. 그 먼 옛일에서 기시감이라니, 하지만 사실이었다. 강영수의 문체 때문인지도 몰랐다. 강영수는 제이콥 헨리 쉬프의 비망록을 좀 자유로운 방식으로 윤문을 했는데, 그게 가독성을 높이고 현실감까지 부여했다. 특히 군악대 얘기가 그랬다.

황실 군악대의 연주는 다채로웠다. 대한제국 애국가와 미국과 일본, 독일의 국가가 있었고 이탈리아 가곡을 비롯해 독일 행진곡과 무곡, 가곡 그리고 왈츠도 있어 곡들이 다양했다. 악기도 그랬다. 플루트와 피콜로, 오보에, 색소폰 그리고 트럼본과 트럼펫, 트라이앵글, 드럼, 심벌즈로 이루어진 악단은 여느 제국의 브라스밴드 못지않았다. 창덕궁 오찬은 훌륭했다.

이과수가 매료된 부분이 여기였다. 창덕궁과 근처 소나무 숲이 머릿속에 그려졌고 황실 군악대 얘기는 생소하면서도 그 현대성 때문에 놀라지 않을 수 없었다. 이어 제이콥 헨리 쉬프가 창덕궁 뜰에서 오찬을 하는 장면에서는 그 현장성이 주는 사실감에 이과수는 압도당한 기분이었다. 가독성도 마찬가지였다. 논문을 읽으며 이런 가독성을 경험하는 것이 흔한 경험은 아니었다.

연주를 끝낸 군악대 대원들이 한곳에 모여 있었다. 제이콥은 아까부터 그쪽을 봤다. 이어 무리 중 한 사람을 향해 제이콥이 걸음을 옮겼다. 키가 훤칠했고 유럽인 같았지만 어쩌면 러시아 사람인지도 몰랐다.

제이콥은 걸음을 멈추고 요시다를 불렀다. 요시다가 저쪽에서 뛰어왔다. 제이콥이 악단장을 가리키며 말했다.

"저 사람과 얘기를 해야겠소, 요시다 씨."

"악단장 말씀인지요, 쉬프 선생님?" 제이콥은 그렇다고 했고, 악단장에게 인사를 할 수 있겠냐고 물어봐 달라고 했다. 요시다가 가서 몇 마디 주고받더니 이쪽으로 그를 데리고 왔다.

"잘 생겼는데, 제이콥." 찰스가 말했다. 그가 요시다와 이쪽으로 다가오자 제이콥과 찰스는 그들 쪽으로 걸음을 옮겼다. 제이콥이 먼저 인사를 했다.

"부탁을 들어주셔서 감사합니다, 악단장님." 제이콥이 정중하게 몸을 굽히며 손을 내밀었다. "제이콥 헨리 쉬프라고 합니다."

"얘기를 나눌 수 있게 돼 기쁩니다, 쉬프 선생님." 악단장이 말했다.

"찰스라고 합니다, 찰스 오커너." 찰스가 옆에서 손을 내밀며 말했다. "이 작은 나라에 이처럼 훌륭한 군악대가 있으리라고는 미처 상상하지 못했습니다. 연주가 아주 훌륭하더군요, 악단장님." 찰스도 군악대의 연주에 감동을 받은 모양이었다.

"프란츠 에케르트라고 합니다. 최소의 격은 갖추려고 노력했습니다." 그러곤 그가 제이콥을 향했다. "프로이센 억양이 있으시더군요. 한때 프로이센 왕립악단 단장을 지낸 적이 있습니다. 저는 슐레지엔이 고향이고요."

에케르트의 고향 슐레지엔은 프랑크푸르트 동북쪽 폴란드 접경지역이었다. 제이콥이 태어나고 자란 프랑크푸르트와는 꽤 떨어진 곳이었다. 제이콥은 오래전에 고향을 떠나 지금은 미국인으로 살고 있으며 독일어의 절반은 잊은 것 같아 보통 난감한 게 아니라며 농담을 했다.

"군악대가 세련돼 멋집니다. 악단장님." 찰스였다. 그러자 에케르트는 다들 그렇게 말한다면서 굳이 칭찬을 마다하지 않았다. 그는 심지어 일본 군대도 대한제국 군악대를 부러워할 정도라고 했다.

"황제 전용 악단이었습니다만, 육 년째인 지금은 군부 군무국 보병과에 속한 군악대로 활동하고 있지요."

에케르트가 군악대원들을 가리키며 말했다. 얼마 전에 대한제국 애국가를 만들라는 황제의 요구가 있어 요즘은 거기에 정신을 쏟고 있다고 했다.

"군악대가 사용하던 악기 때문에 처음엔 무척 애를 먹었습니다. 사용하던 러시아 악기와 새로 가져온 독일 악기를 같이 쓰는 바람에 음조가 맞지 않았거든요. 연습조차 난관이었는데, 나중에 빈에 있는 메르만 회사에서 새 악기를 주문해 들여오고서야 제대로 연습을 할 수 있었지요. 그 덕에 지금은 다들 노련한 연주가들이 됐답니다." 제이콥과 찰스가 군악대원 쪽을 보며 고개를 끄덕였다.

군악대원들의 복장은 꽤 인상적이었다. 치장한 게 많았다. 길거나 짧은 칼을 차고 단화를 신었는데, 바지 아래쪽 장딴지에는 각반을 두르고 있었다. 융으로 된 모자 뚜껑은 붉은색이고 검은색 줄이 둘러 있었다. 모자 앞쪽에는 금색 태극 문장이 그려져 있었는데, 모자 앞에는 깃털로 만든 대를 꽂아 이들이 군악대원들이란 걸 한눈에 알아볼 수 있었다. 견장은 악기 모양의 금사직이었다.

에케르트가 군악대원들이 있는 쪽을 보며 누군가를 불렀다. 한 사람이 이쪽으로 뛰어왔다. 한국인이었다. 그는 이화가 새겨진 검은색 융으로 된 제복을 입고 있었는데, 소매에는 적색 융이 둘러 있었고 금색 원형 단추가 달려 있었다.

"군악대 대장입니다, 쉬프 선생님." 에케르트가 말했다.

"만세! 군악대 김학수 정위입니다."

남자가 구호를 외치며 경례를 했다. 갸름한 얼굴형에 콧수염이 나 있고 긴 칼을 찬 꽤 점잖아 보이는 사람이었다. 황제 의전장이라고 했다.

제이콥은 잘됐다 싶었다. 어쩌면 이 사람은 알 수도 있지 않을까. 그들의 몸짓과 악기 그리고 외침과 혼잣말, 그들을 둘러싼 한국인들이 무슨 생각으로 그 자리에 있었는지. 천변의 거리에서 무당의 굿을 본 뒤 제이콥은 내내 머리에서 그 생각을 떨치지 못했었다. 무엇인가에 옷자락을 잡힌 듯. 어쩌면 황제 의전장이라는 이 사람에게 도움을 받을 수 있을지도 몰랐다. 에케르트와 인사를 하려고 한 게 실은 이 때문이었다. 군악대 군인이 다 한국인이었고 이들은 악기를 다루는 사람들이었다. 특히 군악대 악단장인 한국인 악사라면 거리에서 본 연주와 악사들, 그리고 무당이라는 여자에 대해 알고 있을 가능성이 컸다.

제이콥 헨리 쉬프는 기회를 잡았다 싶었다. 그런데 그 잠깐 사이 문제가 생기고 말았다. 제이콥의 이 계획이 다소 어긋났기 때문인데 요시다가 웬 사람 셋을 데리고 왔고 한국인이었다. 정부의 고위 관리라고 했다. 한 사람은 나비넥타이를 하고 머리가 짧았는데, 그 때문에 제이콥은 그가 일본인인 줄 알았다. 그는 자신을 의정부 참정대신이라고 소개했다. 박제순이라는 이름이었고, 다른 한 사람은 턱수염이 긴 데다 온통 수염이 얼굴을 덮고 있었다. 요시다는 그를 탁지부 대신이라고 소개했다. 그는 자기 이름이 민영기라고 했다. 두 사람 다 정부의 장관급 고위 관료였는데, 능숙하지는 않았지만 영어를 할 줄 알았다. 제이콥은 이미 여러 고위 관리와 인사를 나누고 난 뒤였고 이들도 그런 인사 중 하나여서 길게 얘기를 나눌 생각이 없었다. 그 두 사람도 제이콥이 인사치레로 자신들을 받아주고 있다는 걸 알고는 다른 곳으로 자리를 옮겼다. 그런데 어느새 왔는지 또 다른 한국 사람이 제이콥을 기다리고 있었다. 그는 제이콥에게 줄곧 말을 시켰고 그 때문에 제이콥은 그를 떨쳐 내느라 애를 먹어야 했다. 그는 말이 많은 편이었는데, 묻지도 않은 자기소개를 장황하게 했고 통역만으로는 그가 무슨 말을 하려는지 의도를 알 수 없었다.

"궁내부 특진관이랍니다, 쉬프 선생님." 요시다가 말했다. 그게 무슨 일을 하는 거냐고 묻자 황제의 행사를 보좌하는 게 그가 하는 일이라고 했다. 제이콥은 이렇게 찾아와 인사해 줘서 고맙다고 하고는 자리를 피하려 했다. 그러자 그가 또 말을 시켰다. 끈질긴 사람이었다.

"윤덕영이라고 합니다, 시후 어른. 어른께서는 미국에서 어마어마하게 큰 은행의 대표라는 말을 들었습니다. 마침 대한제국을 찾아 주신다는 소식을 듣고 시후 어른을 뵈러 왔습니다."

요시다의 통역을 들은 제이콥은 어서 용건을 말하라고 했다. 최소한 예의는 지켜줘야겠다는 생각이었다. 그는 길게 얘기했는데 요시다의 통역을 듣고 난 제이콥은 놀랐다. 당찼고 한편 무례하기도 했다. 요시다의 말로는 그가 대한제국의 사업가들을 많이 알고 있는데 황송하지만 시간을 내주면 그 사람들을 소개하겠다는 말을 했다는 것이었다. 제이콥은 어이가 없었다. 이 사람은 뭘 어떻게 알고 있기에 이런 말을 하는 것인지. 이런 사람은 빨리 떨쳐 내는 것이 좋았다. 제이콥은 분명하게 노,라고 말하고는 고개를 저었다. 확실한 의사 표시였다. 이어 요시다에게 자신이 이 나라에 온 목적은 여행일 뿐 사업과는 아무 관련이 없다는 걸 분명히 말해 주라고 시켰다. 요시다가 길게 말하는 것으로 봐 다른 내용을 덧붙이는 듯했고 갑자기 요시다의 목소리가 단호해졌다. 보다 못한 요시다가 한 소리하는 듯했고 그제야 그가 주뼛주뼛 다른 곳으로 자리를 옮겼다. 그것으로 끝인가 싶었는데 이번에는 통감부 사람이 요시다에게 요청을 해 왔다. 그 역시 사람을 데리고 왔다. 조선인 갑부인데 그가 제이콥 헨리 쉬프 씨하고 이야기를 나눌 수 있게 해달라는 부탁을 했다는 것이었다. 통감부 사람의 말을 듣고 난 요시다가 난감해했다. 사전에 약속된 게 아니었고 윤덕영이라는 사람도 거절했는데 같은 일로 쉬프 선생을 번거롭게 할 수는 없었다. 쉬프 선생도 거절할 게 뻔했고 예의도 아니었다. 그러자 통감부 사람이 다른 제안을 했다. 제이콥 헨리 쉬프가 힘들면 그의 친구라도 만날 수 있게 해달라고. 둘 중 누구라도 만나게만 해주면 상관없다는 투였다. 요시다는 통감부 사람이 조선인에게 뭔가 단단히 받아먹은 것 같다며 제이콥에게 귀띔을 했다. 그러며 상대가 통감부 사람이니 조선인한테 체면이나 세우게 찰스 오커너 씨한테 말이나 붙여 보도록 해주는 게 어떠냐고 했다. 제이콥은 그 정도는 알아서 하라고 했다. 요시다가 저쪽에 있는 찰스 오커너에게 가더니 뭔가 얘기를 주고받았다. 요시다가 뭐라고 했는지 뜻밖에 찰스 오커너가 승낙을 했다. 신이 난 통감부 사람이 한국인을 데리고 왔다. 그는 양복을 입고 있었는데 헐렁하고 좀 누추해 보였다. 그는 찰스 오커너에게 연신 허리를 굽혀 인사를 했다. 통감부 사람이 그의 이름을 알려줬고 그가 다시 자기 이름을 강조하듯 두어 번 더 말했다.

양택길, 그의 이름이었다. 찰스 오커너가 양택길이라는 한국인을 만난 시간은 길지 않았다. 통역이 옆에 붙어 있어야 했고 양택길을 위해 통역이 그 자리에만 있을 수가 없었다. 통역이 잠시 자리라도 비우면 양택길은 벙어리가 됐다. 양택길이 찰스 오커너에게 한 얘기는 말이 좀 되지 않았다. 그는 자신이 유통업에 관심이 있으며 어떻게 하면 미국에서 부자가 될 수 있는지를 물었는데 하도 뜬금없는 소리여서 찰스 오커너는 허허허,하고 웃기만 한 모양이었다. 그게 무슨 뜻인지도 모르고 그는 방법을 알려 주면 금과 호랑이 가죽을 선물하겠다고 했다. 10대 때부터 유통업으로 잔뼈가 굵은 찰스 오커너였지만, 그때부터 아예 말을 하지 않았다. 잔뜩 실망한 찰스 오커너가 그를 만난 시간은 7, 8분에 불과했다. 그 짧은 시간에 그런 말을 한 양택길이란 사람의 배짱도 알아줘야 했다. 찰스 오커너도 무례하기는 하지만 자신의 호기심을 표현한 그 용기만은 사겠다며 예의만은 지켜줬다. 그러자 양택길이 시간을 더 내달라고 떼를 썼고 그 얘기를 들은 요시다가 통감부 사람과 양택길에게 호통을 쳤다.

이과수는 읽기를 멈추었다. 약간의 심호흡이 필요했다. 감정의 변화 같은 것, 안개가 걷히듯 뭔가가 확연해지고 있었다. 예전의 그 일, 이과수는 그때를 떠올렸다.

호텔 사사를 만들기 위해 자료 조사를 하면서 강일준의 장부에서 읽었던 얘기, 거기에 나오는 얘기와 지금 이 얘기가 무슨 우연처럼 겹치고 있었다. 강일준과 강성봉 2대에 걸친 장부는 정확하게 지금 강영수의 이 논문, 나아가 제이콥 헨리 쉬프의 회고록에도 똑같이 등장하는 장면이었다. 강일준의 장부에 이름 없이 미국인 대부호라고 적혀 있던 사람이 바로 이 제이콥 헨리 쉬프였던 것이다. '시후'는 '쉬프'의 취음이었고, 그때 발행한 황성신문을 찾아봤다면 어렵지 않게 알 수 있는 내용이었다. 물론 제이콥 헨리 쉬프의 고손자 제이콥이 지배인을 만나러 한국에 왔을 때 창덕궁에서 그가 한 말도 그때 이해할 수 있었을 것이었다. 제이콥은 자신의 고조부가 제이콥 헨리 쉬프이며 쿤롭의 행장이라고까지 말하지 않았는가. 허탈했다. 마치 멀고 먼 길을 일부러 돌아온 기분이었다. 하지만 어쩌랴, 현실은 상상을 가두지 않는가. 그러므로 100년이 훌쩍 넘는 그때의 기록이 지금 눈앞의 이것이라고 상상하기는 힘들지 않을까. 그때 이걸 알았다면 오히려 그게 비정상적일 수 있었다. 이과수는 케빈 슈라이버 교수의 노트도 떠올렸다. 거기에도 겹치는 데가 있었다. 그 때문에 이과수는 노트의 기록과 자신이 예전에 찾아 정리한 내용을 종합하면 다른 뭔가가 나와 줄 수도 있지 않을까 싶었다. 강영수란 사람의 논문을 읽다 보니 그간 의문으로 남아 있던 여러 정보가 좀 더 체계적이며 논리적으로 제자리를 찾아가는 듯했고 예전 강일준의 장부 기록 역시 새롭게 읽혔기 때문이었다.

이과수는 강영수의 나머지 글을 읽어 내려갔다.

제이콥 헨리 쉬프는 서둘렀다. 오찬이 고조에 이르렀을 때였고, 오찬이 끝나기 전에 그를 다시 만나야 했기 때문이다. 김학수 정위, 아직 그와 할 얘기가 남아 있었다. 웬 사람들 때문에 엉뚱한 데다 시간을 허비했고 그 때문에 제이콥 헨리 쉬프는 마음이 급했다.

제이콥은 요시다에게 김학수 정위를 찾아 달라고 부탁했다. 저쪽에 군악대 대원들이 모여 있었는데, 비슷한 복장 때문에 누가 누구인지 알기 힘들었다. 그렇지 않아도 동양인 얼굴을 구별하는 데 애를 먹던 제이콥은 더 헷갈렸다. 제이콥의 말에 그쪽으로 간 요시다는 곧 그를 찾아 이쪽으로 데리고 왔다. 제이콥 앞에 선 김학수 정위가 경례를 했다.

"만세, 김학수 정위입니다."

제이콥이 손사래를 쳤다. 자신이 아쉬워 찾은 것이니 격식을 차려야 할 사람은 자기라며 그를 가만히 있게 했다. 그가 웃었다. 제이콥은 될 수 있으면 정확하게 통역을 해 달라고 요시다에게 말했다. 좀 중요한 걸 물을 것이며 조금이라도 의문이 있으면 다시 물어 답을 들은 뒤 통역을 해 달라고. 요시다가 염려하지 말라며 자신 있어 했다.

제이콥의 입에서 무당과 굿이라는 말을 들은 김학수 정위가 놀랐다. 그가 요시다에게 무슨 말인가를 했고 요시다가 통역을 했다.

"도대체 미국 사람이 무당과 굿을 어떻게 아느냐고 묻습니다."

제이콥이 천변에서 본 굿 얘기를 하자 김학수 정위가 고개를 끄덕이며 요시다에게 뭐라고 말을 했다. 그의 얘기를 듣고 난 요시다가 좀 놀랍다는 듯 말했다.

"실은 이 사람 사촌이 무당이랍니다, 쉬프 선생님."

제이콥은 행운이 굴러들어 온 기분이었다. 이때다 싶어 제이콥은 여태 궁금했던 질문들을 쏟듯 내놓았는데, 김학수 정위는 찬찬히 요시다의 통역을 들으며 무슨 말인지 알겠다는 듯 가만히 고개를 끄덕였다. 제이콥은 김학수 정위에게 굿을 할 때 목관 악기를 다루는 악사들이 무당과 어떤 관계인지 물었고, 얘기를 듣고 난 김학수 정위가 차분히 말했다.

예상대로 그는 그 방면에 대해 잘 알았다. 그는 무당이라는 사람들의 신분과 성별에 대해 말했는데, 여자뿐 아니라 남자도 무당이 있으며 그런 사람들을 박수무당이라고 부른다고 했다. 나머지 남자들은 돈을 받고 굿을 돕는 전문적인 악사들이라고 했다. 김학수 정위는 자기 사촌 누이와 큰어머니가 무당인데, 둘이 대를 이어 무당일을 하고 있다는 말도 했다. 제이콥은 또 한 번 스스로 찬탄을 했다. 사람을 제대로 만났기 때문이었다. 김학수 정위는 직접 큰어머니의 굿을 도운 적이 있다고도 했다. 사촌누이가 무당이 되기 위해 내림굿을 할 때 도운 적이 있으며, 그 얘기를 들은 제이콥이 내림굿이 뭐냐고 묻자 그가 자세히 설명했다.

요시다는 자신이 제대로 알아들은 것인지 확인을 하느라 그에게 자주 말을 시켰고 그런 뒤에야 제이콥에게 통역을 했다. 요시다는 자기 통역이 마음에 드는지 만족하는 것 같았다. 요시다가 말했다.

"사촌 누이는 원래 무당이 되는 걸 원하지 않았답니다, 쉬프 선생님. 그래서 열다섯에 개성이란 곳으로 시집을 갔는데 한동안 잘 살다 스물두 살에 무병이라는 걸 앓다 소박을 맞고 쫓겨나다시피 고향으로 돌아와 결국 내림굿을 한 뒤 무당이 됐답니다."

"무병이 뭔지 자세히 설명을 부탁한다고 해요."

제이콥의 말에 요시다가 통역을 하자 김학수 정위가 좀 길게 설명하는 듯했고, 요시다가 들려준 얘기는 이랬다.

김학수 정위의 누이가 앓았다는 무병은 꽤 혹독했다. 시댁에 있는 동안 누이는 음식을 잘 먹을 수 없어 시어머니가 용하다는 침쟁이를 찾아다니며 침을 맞히고 약을 구해 먹였다고 했다. 그나마 입에 풀칠을 하는 집안이었고 시댁 식구도 호의적이었다. 그런데도 전혀 나을 기미를 보이지 않았고 시간이 지나면서는 비썩 말라 뼈다귀만 남을 정도의 몸이 됐다. 언젠가부터 하루 종일 울더니 근 세 달을 울기만 했다고 했다. 그리곤 말없이 잠만 잤는데, 어느 날 갑자기 자리에서 벌떡 일어나 방구들이 들썩일 정도로 겅중겅중 뛰면서 신이란 신은 다 불러대다가 혼절을 하고 말았다. 마침 시누이가 아파 무당을 불러 액굿을 하고 있었는데, 방 안에서 시름시름 앓던 사촌누이가 마당으로 나와 대신 굿대를 잡고 날뛰는 바람에 굿은 끝까지 하지도 못했고 결국 친정으로 쫓겨 와 자기 어머니에게 내림굿을 받고는 무병이 싹 나아 무당이 됐다는 거였다. 그 이야기를 들은 제이콥은 정신이 몽롱해지는 기분이었다. 제이콥은 더듬거리듯 그 말이 사실이냐며 물었고, 요시다는 김학수 정위가 직접 겪고 본 것을 얘기한 것이어서 틀림이 없을 거라며 흥분해 말했다.

"무당에게 영혼은 무엇이오?"

제이콥이 물었다. 요시다가 그에게 전했고, 김학수 정위가 말했다. 목소리가 차분했고 눈에서 빛이 났다.

"영혼은 사령과 생령이 있습니다. 사령은 죽은 사람의 영혼이요, 생령은 산 자의 영혼입니다. 무당은 진오귀굿으로 사령을 부르고 생령은 산오귀굿으로 부르지요. 가끔 산 사람이 잠을 자는 동안 영혼이 육신을 벗어나기도 하는데, 바깥을 떠돌다 육신을 잘못 찾아드는 바람에 자신의 몸이 아닌 남의 몸을 찾아드는 경우가 있지요. 그러면 남의 영혼이 몸으로 들어온 사람은 죽거나 혼수에 빠져 사경을 헤매곤 하지요. 사령 중에는 나쁜 영들이 있어 저승으로 가지 못하고 이승을 떠돌며 사람들을 괴롭히기도 하는데, 총각 영은 몽달귀신이라고 하고 억울하게 밖에서 죽은 영은 객귀라고 부르지요."

"몽달귀신이라, 자세히 설명해 줄 수 있습니까, 김학수 정위님?"

총각이란 말에 제이콥은 천변에서 본 원앙굿이라는 말이 생각났다. 영혼결혼식이라고 했고 어쩌면 김학수 정위가 말한 몽달귀신과 관련이 있을 것도 같았다. 제이콥의 얘기를 들은 요시다는 길게 얘기했고, 얘기를 듣고 난 그가 미소 짓더니 말했다.

"잘 보셨습니다. 혼사를 치르지 못하고 죽은 몽달귀신은 삼태귀신이라고 하고 처녀 귀신은 손각시라고 하지요. 둘 다 혼사를 치르지 못해 어른 대접을 받지 못하고 죽은 귀신들이지요. 이런 귀신은 죽어서도 신령 대접을 받지 못합니다. 정상적인 조상신으로 대접받지 못한다는 뜻입니다. 그런 귀신끼리 혼인을 시켜 온전히 죽은 귀신으로 만들어 조상신으로 모실 수 있게 하기 위해 치르는 굿이 영혼 결혼이지요. 한성부와 경기에서는 결혼 영혼식이라고 하고 넋결혼이라고도 부른답니다."

요시다의 통역을 들은 제이콥은 김학수 정위의 말이 쏙쏙 귀에 들어왔다. 천변에서 본 원앙굿이 왜 그렇게 시끌벅적했는지, 또 거기 있던 종이인형의 의미도 더 잘 이해할 수 있을 것 같았다. 제이콥이 다시 물었다.

"그러니까 김학수 정위님의 말씀은 영혼 결혼이란 게 귀신끼리의 결혼 자체가 목적이 아니라 둘의 결혼을 통해 완전한 어른으로 만들어 조상신으로 모시기 위한 것이다, 이 말인 것이요?"

"잘 이해하셨습니다, 어르신. 채 살지 못한 죽음은 채 죽지 못한 죽음이지요. 그래서 완전히 죽은 넋으로 만들어 완전한 죽음이 되게 하려는 것입니다. 이때 무당은 넋두리를 해 제 명을 살지 못해 원한이 맺힌 혼백을 달래지요." 김학수 정위가 말을 덧붙였는데, 요시다는 이 대목을 통역하면서 서너 차례 더 물어야 했고 그걸 종합해 제이콥에게 통역을 하느라 애를 먹었다. 요시다는 꽤 꼼꼼하게 통역을 했고 김학수 정위는 나쁜 혼백과 굿의 의미, 그리고 굿이란 게 원래 궂은 일과 관련이 깊으며 산 사람을 위해 당장 현실적인 처방을 내는 것이 목적이라는 말을 했다. 그러면서 굿이란 행위는 죽은 사람을 달래 산 사람을 살게 하기 위한 방편이며 그게 굿의 진정한 의미라고. 그런데 처음 듣는 말이 있었다.

"혼백이라. 무슨 뜻이오, 김학수 정위님?" 제이콥이 물었다.

"사람이 죽으면 혼은 하늘로 가고 백은 땅으로 가지요. 혼은 사람의 기를 말하며 백은 몸을 말한답니다. 이 둘이 온전해야 산 사람이라 할 수 있을 것입니다."

"넋은 무엇이오. 아까 넋결혼이니 넋두리니 하지 않았소?"

"넋이 곧 혼입니다, 어르신."

"그럼 나쁜 혼백은 무엇으로 달래야 하는 것이오?"

"진오귀굿입니다. 온전히 굿을 다하려면 꼬박 이틀 낮 사흘 밤을 해야 합니다. 무당은 영혼에게 살아 있는 사람과 같은 대우를 하지요. 영혼이 산 사람과 다르지 않기 때문입니다. 하지만 아무 때나 만날 수 있는 게 아니어서 꿈이나 환영을 통해 보거나 만날 때도 있습니다. 사람들은 스스로 그걸 하지 못해 무당이 다리를 놔 줘야 합니다. 그걸 다리굿이라고 하지요. 그래야 꿈과 환영이 아니어도 굿을 통해 영혼과 만날 수 있게 되는 것이랍니다."

"진정 그들은 죽음 뒤를 믿는 것이오?" 제이콥이 다시 물었다. 김학수 정위가 미소를 짓더니 차분히 말했다.

"영혼은 산 사람과 죽은 사람 모두에게 있지요. 이는 영혼은 사라지 않으며 불멸이라 그런 것입니다. 살아서 착한 영혼은 죽어서 극락으로 가고, 살아서 악한 영혼은 죽어 지옥으로 가지요. 극락은 서쪽에 있습니다. 그곳을 서방정토라고 부르지요. 사철 꽃이 피고 새가 우는 극락과 달리 지옥은 억만지옥과 칼산지옥, 불산지옥, 독사지옥, 구렁지옥, 물지옥, 불지옥 같은 여러 지옥이 있지요. 하지만 무당은 저승을 이승처럼 또 다른 삶이라고 여깁니다. 저승의 영혼이 이승의 영혼과 같은 주인이기 때문이지요. 다만 이승의 연이 저승으로 이어지지 않는다는 게 다를 뿐입니다. 이승의 어머니와 자식이 저승에서도 어머니와 자식으로 이어지지 않기 때문입니다. 전혀 다른 세계에서 전혀 다른 사람으로 살아가는 또 다른 삶이 저승이라 그런 것입니다."

요시다의 통역을 듣고 난 제이콥은 생각이 복잡해졌다. 무당이라는 사람들의 세계가 생각보다 넓고 깊은 듯 보였기 때문이었다.

제이콥은 확인하듯 요시다에게 제대로 통역한 게 맞느냐고 물었다. 요시다가 펄쩍 뛰었다. 자기는 온 정신을 집중해 김학수 정위의 얘기를 듣고 있으며, 자기가 알고 있는 조선어와 일본어 중 가장 적당하고 의미가 통하는 단어를 고른 뒤 다시 적당한 영어 단어를 찾아내 통역을 하느라 진땀을 빼고 있다고. 그러며 요시다는 실은 조금 혼란스럽고 이해하기 힘든 부분이 있기는 하지만 거기서부터는 자신이 할 수 있는 게 아닌 것 같으니 이해해 달라고 했다. 알았다고 하곤 제이콥이 다시 전해 달라며 말했다.

"새로운 삶의 연속이 저승이라면 영혼은 극락으로 간 것이오, 아니면 지옥으로 간 것이오. 그 얘기를 들려줬으면 합니다, 김학수 정위님."

그 얘기를 들은 김학수 정위가 눈을 감았다. 그가 중얼거렸다. 입안에서 부지런히 혀를 놀리며 뭔가를 말했는데 마치 무슨 주문을 외는 듯 보였다. 뜻밖이어서 요시다와 제이콥은 빤히 그를 쳐다봤다. 어느 순간 그의 웅얼거림이 말이 돼 들렸다.

"…… 밝은 길은 시왕길이오, 넓고도 어두운 길은 칼산지옥이오. 꽃가지 꺾지 말고 시왕세계 극락세계 상상구품 연화대요. 지년으로 왕생극락하소서 나무아미타불……." 그가 말을 멈추곤 눈을 떴다. 얼굴에 은은한 미소가 있었다. 이어 그가 조용히 말했다. "사람이 죽으면 응당 이승을 떠나 저승으로 가고, 거기선 누구나 새로운 생을 시작하지요. 하지만 그곳에는 아무런 한계가 없습니다. 지옥과 극락의 경계조차 있는 듯 없는 듯 흐리지요. 전승과 이승과 저승이 윤회하듯 이어져 삶이 단절되지 않기 때문입니다."

제이콥은 지금까지 들어보지도 알지도 못한 내세관을 듣고 있었다. 이 사람 말대로라면 이승과 저승을 굳이 구분할 필요가 있을까. 교령회에서도 들어보지 못했고 자신의 종교에서조차 듣거나 배운 적 없는 얘기였다. 이승의 사람이 저승으로 가 새로운 삶을 산다는 말은 내세를 말하는 것이기는 하지만, 내세가 아닌 또 다른 현세를 사는 듯해 내세는 다를 것이라는 기존의 생각을 무너뜨리고 있었다. 그런데 지옥과 극락의 경계가 흐리다니, 거기다 이승의 어머니와 자식이 저승에서는 아무런 사이가 아니라는 그의 말은 곱씹을수록 낯설었고 한편 신선하기도 했다. 무슨 뜻일까? 제이콥이 그걸 묻자 김학수 정위가 요시다에게 설명을 했고, 고개를 갸웃하며 그의 얘기를 듣는 요시다의 얼굴이 좀 놀란 표정이었다. 요시다가 말했다.

"이 사람 말로는 김학수 정위 자신도 박수의 피가 흐르고 있답니다."

"아까 말한 남자 무당을 말하는 것이오?"

"네, 쉬프 선생님. 여자처럼 맑은 영혼을 가진 남자들이 박수가 된답니다."

제이콥이 확인하듯 다시 물었다. "조금 전 이 사람 말이 그런 뜻인 거요, 요시다 씨?"

"그렇습니다, 쉬프 선생님. 누이가 하는 공수 하나하나가 귀에 쏙쏙 들어와 박힌 걸 보면 자신 역시 분명 박수의 피가 흐르고 있으며 영혼도 그런 모양이라고 합니다. 그리고……." 요시다가 말을 멈추곤 머뭇댔다.

"왜 그러시오, 요시다 씨?"

"이 사람 말이 어떻게 들리실지 모르겠습니다만, 실은 이승과 저승의 경계가 없다는 것은 혼령의 경계도 없다는 걸 말하기 때문에 이는 삶과 죽음의 경계 또한 없는 것으로 받아들여야 한답니다. 마치 있는 듯 없는 듯, 그 때문에 이승의 연이 저승의 연으로 이어지는 게 아니라는데 아무튼 그렇게 생각하는 게 이해하기 쉬울 거랍니다."

"이승의 연이 저승으로 이어지지 않는다, 하지만 앞에서는 저승 또한 이승과 이어지는 또 하나의 삶이라 하지 않았소…… 다시 설명해 달라고 해 보시오, 요시다 씨."

제이콥은 잘 이해가 가지 않았고 그걸 알고 싶었다. 이승과 저승, 그 경계와 구분을.

김학수 정위의 대답을 듣고 난 요시다가 머리를 긁적이며 말했다. 이번에는 김학수 정위보다 요시다의 얘기가 더 길었다.

"그러니까, 이 사람 얘기는 이승과 저승이 이어진 것도 이어지지 않는 것도 아니기 때문에 삶과 연의 의미를 다시 봐야 한다는 말 같습니다. 삶은 연이 아니며, 연 또한 삶이 아니며 또 이승에서의 연이 저승에서는 연이 아니지만 삶과 연은 영혼을 통해 서로 이어지기 때문에 결국 이승과 저승은 이어져 있지 않지만 넘나들기도 하는 것이랍니다. 그건 모두 있음이라는 테두리 안에 있는 것이며 아무튼 아까하고 비슷한 얘기 같기는 한데, 있음이란 의미 역시 없음과 다르지 않은 것으로 봐야 해서 그 자체를 구분하는 것이야말로 부질없는 일이랍니다. 이치라는 게 서로 통해 그런 거라는데, 말 그대로 이어진 것도 이어지지 않은 것도 아닌 뭐 그런 상태로 이해하는 게 아는 것의 참뜻이랍니다. 말하자면 이승과 저승이 동시에 있다 뭐 이런 얘기 같은데, 아무튼……." 요시다가 잠시 맘을 멈추었다. 제이콥이 쳐다보자 아까처럼 머리를 긁적이고는 그가 말했다. "외람되고 송구스럽지만 저도 실은 잘 이해가 가지 않습니다, 쉬프 선생님."

요시다가 횡설수설하고 있었다. 그 때문에 제이콥은 더 혼란스러워졌다. 요시다의 잘못 같지는 않았다. 처음 듣는 이 세계가 낯설고 차원이 다른 것뿐. 이승과 저승이 동시에 있거나 아닐 수도 있다니, 하지만 있다 없다라는 것이 '있다'라는 범주 안에 있는 것이라는 이 말은 존재론을 다툴 때나 나올 법한 논리가 아닌가. 그러므로 이 존재론적 판단은 무당의 말을 통할 게 아니라 철학적 사유를 거쳐야 하는 사안이자 영역이 아닐까.

김학수 정위가 가만히 미소 짓고 있었다. 당신의 혼돈을 안다는 듯, 그 때문인지 방금의 혼란스럽던 심정과 다르게 제이콥은 그의 표정에서 왠지 모를 신뢰를 느끼고 있었다. 신비롭기도 했다. 경계가 있는 듯 없는 듯 흐리다…… 그리고 있음이 없음과 다르지 않고 그 자체가 있음이라는 그의 말이 제이콥은 마음에 들었다. 그런 세상은 어떤 세상일까? 생각해 보니 이건 철학이 아니라 무당 방식의 사유를 해야 얻을 수 있는 답이 아닐까 싶기도 했다.

김학수 정위가 얘기를 마쳤을 즈음이었다. 살갗에서 잔잔한 소름이 돋았다. 막 영적 체험을 하고 난 사람처럼, 나아가 어떤 기운에 싸인 듯한 자신의 낯선 모습을 제이콥은 보고 있었다. 제이콥은 김학수 정위의 손을 잡았다. 이 사람을 만난 일이 얼마나 잘한 일이고 행운인지. 그가 고마울 따름이었다. 무슨 일인지 요시다가 주변을 두리번대며 제이콥을 제지하는 시늉을 했다.

"왜 그러시오, 요시다 씨?"

"조선인 고위 관료들이 관심을 갖기 시작했습니다, 쉬프 선생님." 요시다가 제이콥을 한쪽으로 끌며 말했다. 무슨 상관이냐는 듯 제이콥이 쳐다보자 요시다가 말했다. "하급 장교와 길게 이야기를 나누는 미국 귀빈을 조선 관료들이 좋게 보고 있지 않습니다, 쉬프 선생님."

제이콥은 아직 김학수 정위와 할 얘기가 남아 있었다. 제이콥의 반응이 시큰둥 하자 요시다가 말했다. 자기 말을 덧붙이는 듯했는데, 요시다는 조선인에게 틈을 줘서는 안 된다는 말을 꽤 엄숙한 표정으로 했다. 지나친 친절을 보이면 무례해지기 때문이라는데 한국인들이 실제 그런지는 알 수 없었지만 제이콥이 보기에 일본인이 한국인을 대하는 태도에는 적지 않은 편견이 들어 있었다. 요시다의 참견도 그와 다르지 않았고 제이콥은 요시다 말고도 여러 일본인을 통해 이와 비슷한 얘기를 들은 적이 있었다.

요시다가 제이콥의 귀 가까이에 대고 말했다. "조선 정부 고위 관료들이 김학수 정위한테 좋지 않은 영향을 줄 수도 있습니다, 쉬프 선생님." 그러며 그는 조선인 중에는 영어와 독일어를 할 줄 아는 사람들이 있어 혹 그들이 김학수 정위를 시기라도 할까 그게 염려된다고 했다. 제이콥은 이해할 수 없었다.

"요시다 씨. 내가 왜 김학수 정위와 이야기를 나누는지 또 무슨 이야기를 나누는지 알지 않소. 이게 시기의 대상이 되다니, 요시다 씨는 이해가 가시오?"

"저야 물론 잘 알지요, 쉬프 선생님." 그러곤 요시다가 김학수 정위 쪽을 힐끗 보곤 목소리를 낮춰 말했다. "김학수 정위가 근신 중이라는 얘기를 들었습니다."

"그게 사실이요?"

제이콥이 요시다와 김학수 정위를 번갈아 보며 물었다. 요시다가 고개를 끄덕였다. 난감했다. 그게 사실이라면 더 이상 김학수 정위와 얘기를 나누기는 힘들 수 있겠다는 생각이 들었다. 요시다의 말대로 도움을 받자고 만난 상대에게 오히려 해가 가게 할 수는 없었다. 더군다나 근신 중이라고 하잖는가. 제이콥은 김학수 정위 쪽으로 가 한국식으로 정중하게 고개를 숙여 인사를 했다.

"진심으로 감사드립니다, 김학수 정위님."

김학수 정위가 조용히 미소 지으며 고개를 끄덕였다. 그리곤 천천히 몸을 돌려 걸음을 옮겼다. 말은 하지 않았지만 다 알고 있으니 미안해할 것 없다는 듯. 저만치 걸어가는 김학수 정위를 보며 제이콥이 혼잣말을 했다.

"모르긴 해도 저 사람처럼 명석하고 선한 사람이 있는 대한제국이 언제까지고 이렇게 살지는 않을 거요. 안 그렇소, 요시다 씨?"

"무슨 뜻인지요, 쉬프 선생님?" 요시다의 물음에 답하려는데 저쪽에서 찰스 오커너가 부르고 있었다. "이봐, 제이콥. 이쪽으로 와서 이것 좀 보라고."

이과수는 꿈을 꾼 것인지 생시인지, 좀 아득하다는 생각을 했다. 아마 우주의 어느 블랙홀에 또 다른 차원의 세계가 있다면 이과수는 그곳이 여기일지 모른다는 생각을 했다.

양택길이라. 그 이름이 등장하는 것도 그렇고, 제이콥 헨리 쉬프와 윤덕영 같은 인물이 나오는 이 장면은 지금 이 시공간을 한순간에 헝클어뜨려 놓고 있었다. 일부는 이미 강일준의 장부에서 본 듯한 장면과 내용들이기는 하지만, 제이콥 헨리 쉬프의 목소리로 듣는 이 얘기는 아예 느낌이 달랐다. 이과수 자신이 정리해 남긴 자료가 있었고, 케빈 슈라이버 교수의 노트에도 비슷한 얘기가 나온 적이 있지만 그것과 또 달랐다. 시작이 있고, 그 시작의 시작이 시작으로 이어지고 끝이 없을 듯 이어지는 시작의 지점이 그곳이었다는 허탈감. 케빈 슈라이버 교수도 노트에다 그와 비슷한 얘기를 적은 게 있다는 기억이 떠올랐다. 꽤 구체적이었고, 그리고 그 얘기는 김학수 정위와 제이콥 헨리 쉬프가 나눈 무당 얘기와 같은 류의 것이었다. 지금 이 모든 이야기의 시작인 자무엘과 제이콥, 나아가 지배인 제임스 김이 추구한 욕망의 시원이 실은 뉴욕이 아니라 대한제국의 수도 한성부에 있는 창덕궁일 수도 있었던 것이었다.

강영수의 논문을 읽으면서 이과수는 줄곧 제이콥 헨리 쉬프와 케빈 슈라이버 교수의 노트를 겹쳐 떠올려야 했다. 떼려야 뗄 수 없는, 그게 또 다른 상상을 불렀다. 이과수는 그 현상이 어떤 기이한 울림 같은 느낌이었다.

이과수가 떠올린 것은 케빈 슈라이버 교수가 찍었다는 필름의 한 장면이었다. 뉴욕에서의 강대식과 양기찬의 모습은 지금 비망록의 한 대목과 비슷했다. 그곳에서 강대식과 양기찬은 초라하기 짝이 없었는데, 그 모습이 영락없이 촌스러운 이방인의 몰골이었다. 한편 둘이 좀 멍청해 보이기도 했는데 볼품없이 입맛을 쩝쩝 다셔대는 모습은 측은해 보이기도 했다. 게다가 아무 의미 없이 이리저리 고개를 두리번거리는 바람에 보는 사람의 머리가 다 어지러울 지경이었다. 자신들이 무엇을 하는지, 무엇 때문에 그곳에 있는지 둘은 인식하지 못하는 듯했다. 무지의 촌뜨기들, 그걸 뭐라고 할 수는 없지만 괜히 화가 났고 연민마저 느껴졌다. 그것이 그때 그들의 진정한 모습이었다는 것, 그리고 강대식과 양기찬이 그 현장에 있었다는 사실, 이걸 부정할 수는 없었다.

두 사람은 연미복 차림이었다. 이과수는 지금도 그 모습을 이해하기 힘들었다. 아니, 고통스러웠다. 강대식과 양기찬 둘만이 아니라 마치 파티에 간 듯 그 자리의 사람들 모두가 같은 차림이었다. 그럼에도 두 사람은 누군가 급하게 빌려준 연미복을 얻어 입은 것처럼 헐렁해 한결 비루해 보였다. 길지 않은 영상이지만 워낙 해상도가 좋고 근접 촬영을 한 탓에 그 모습이 더 선명하게 다가왔다. 얼굴이 그리 밝아 보이지 않았고, 마치 오지 말아야 할 곳에 끌려온 듯한 모습이었다. 그에 비해 수십 명의 월 스트리트 사람들은 무도장의 인사들처럼 담소를 나누거나 뭔가 열심히 자기들끼리 이야기를 하며 웃기 바빴다. 거리 때문에 말소리가 잘 들리지는 않았지만, 모두 그 현장의 참관자이자 필름 제작자가 자신들이라는 것을 뽐내듯 당당한 태도들이었다. 카메라가 담은 사람은 대략 6, 70여 명, 강대식과 양기찬은 필름 초반에 보이곤 다시 나타나지 않았다. 마지막 장면의 그가 누구인지는 모르겠지만 그의 얼굴이 카메라 쪽을 보고 있었다. 이어진 영상은 잔뜩 클로즈업된 그의 경직된 얼굴이었다. 조금 전 해맑게 웃고 있어서인지 그 순간의 무표정이 더 굳어 보였다. 무서울 정도로.

강영수의 논문에는 이런 내용이 있었다. 비망록과 그 자신의 생각을 섞어 적은 듯한 이 대목이야말로 대한제국과 뉴욕을 잇는 잃어버린 고리의 진짜 모습이 아닐까.

제이콥 헨리 쉬프의 비망록은 엄격했다. 그는 자신이 직접 영적 체험을 한 듯 적었다. 그가 대한제국의 무당과 굿을 영적인 예술이라는 말로 표현한 것만 봐도 알 수 있다. 대한제국에서의 자기 체험을 얼마나 신성한 눈으로 보고 있었는지, 나아가 제이콥 헨리 쉬프는 그곳에서의 체험 이후 런던 교령회에 대해서는 의심의 눈초리를 보냈다. 교령회 사람들이 실제 영혼을 만났는지도 알 수 없다고 했다. 모든 사람이 영혼과 소통한다는 교령회의 설정이 과장됐다는 말도 했다. 그러므로 교령회를 통해 영혼을 만나거나 목격하는 것 자체가 불가능한 일일 수 있다고. 반면 대한제국에서 본 무당의 굿에 대한 그의 평가는 사뭇 달랐다. 비망록에 적힌 내용이다.

영적인 것이란, 조직적이거나 의도된 게 아니라 자연스러워서 스스로 자신의 의도를 알 수 없을 때 체험할 수 있다. 교령회는 이걸 모르는 사람들이 모여 만든 단체다.

이 대목에서 강영수는 자신의 생각을 보다 강조하듯 적었는데, 자기 의견을 이처럼 강하게 피력한 부분은 이곳이 유일했다.

아마 제이콥 헨리 쉬프는 뉴욕 교령회 설립을 앞두고 자기 신념을 다시 확인해 본 듯하다. 절대적 신념이 아니라 상대적 신념. 그러므로 자신의 신념을 한층 믿을 수 있었던 것 같다. 단언하건대, 제이콥 헨리 쉬프의 영적인 행위에 대한 집착과 전진은 대한제국의 무당에 대한 신뢰에서 기인한 것들이었다. 그는 같으면서 다른 것이 무엇인지 안 사람이다. 그것을 증명이라도 하듯 이런 글이 보인다. 이승과 저승의 경계가 없다는 김학수 정위의 내세관은 동시성과 중첩을 의미하며, 제이콥 헨리 쉬프는 그 경계의 혼돈을 이승과 저승을 잇는 가교로 변주해 이해하고 있었다는 것, 그러므로 이승의 모든 것이 저승에서도 구현될 수 있다는 그 자신의 해석 말이다.

이과수는 급하게 케빈 슈라이버 교수 노트 파일을 열었다. 거기에 이와 비슷한 말이 있었다. 그 말에 어느 정도 수긍을 한 기억이 났다.

노트는 지난번에 읽다 만 페이지였다. 제이콥 헨리 쉬프가 귀국 후 쓴 회고록을 인용한 부분이었다. 청계천에서 만난 무당을 회상하는 장면이었는데, 그의 개인적이고 사소한 감정의 흐름을 읽을 수 있어 유독 기억에 남아 있었다.

제이콥 헨리 쉬프는 그때 마음을 정한 것 같았다. 왜 영적인 것에 그는 이렇듯 집착한 것일까. 이승과 저승의 구분에 대해 왜 그렇듯 집착을 했던 것인지. 자신의 체험이 준 독특한 경험 때문이라고 할 수 있지만 보다 근본적인 것은 자신과 인류, 그 미래와 불안에 대한 직접적인 감정 이입의 강도 때문이었는지도 모른다. 그 대안으로 그는 자신이 영적인 사람이기를, 또 그 존재이기를 바란 것은 아니었는지. 회고록을 보자. 이 대목이야말로 그의 의지와 소망이 적나라하게 드러난 장면이 아닐까.

'긴 여행이 주는 여독 때문일까, 미개한 아시아 국가의 혼란과 무지가 주는 미혹 때문일까. 세속을 넘는 무엇이 존재하는 영험. 교령회가 친교의 느낌이라면 대한제국의 무당은 영적인 예술행위를 수행하는 듯 보였다. 작위가 없어 자연스러웠으며, 정교함과 엄숙함마저 갖췄다. 인형은 단지 사람 흉내를 내기 위한 모방이 아니었다. 존재의 본질에 대한 고뇌와 실험 정신 없이는 할 수 없는, 그러므로 이 행위는 절박하고 절대적이란 느낌을 준다. 신묘함, 하지만 이들에게 중요한 것은 존재나 본질이 아니라 시공이다. 시간과 공간 그 경계의 혼돈을 통해 이승과 저승이 이곳에서는 공존의 시공간으로 받아들여졌기 때문이다. 그런 태도가 영혼을 보게 하고 말하도록 하면서 소통을 하게 한 듯하다. 이승과 저승이라는 시공간이 현실과 섞이면서 비현실적이지만 초현실적인 차원의 인식을 할 수 있게 한 것도 모두 거기에서 온 것들이다.

이들의 실천과 발상은 내 상상을 초라하게 만든다. 그가 여성이라는 것도 놀랍다. 영혼을 만나 대화하는 사람, 영혼을 마중하는 영적인 인간, 영혼의 존재를 확인해 주는 사람. 그 때문일까? 주변 사람들이 다 그녀에게 흠뻑 빠져 있었다. 무엇이 그녀에게 그 힘을 준 것일까?

제이콥 헨리 쉬프는 대한제국 무당에게 극존대를 보였다. 그는 무당을 우러러봤고 존재 자체를 영적인 현상으로 바라봤다. 무당의 정신과 영혼관이 보여준 독창적인 시선, 그리고 그것을 바탕으로 한 무당의 행위가 그에게 이전과는 다르게 새 기운으로 작용한 듯했다.

케빈 슈라이버 교수는 이걸 자무엘과 연결 지어 설명했다. 자무엘이 보인 밀레니엄 이전과 이후의 행동을 고조부의 연속선상으로 파악한 그로서는 당연한 생각으로 보였다. 그는 자무엘이 영혼관에 대해 자신의 생각을 피력한 부분에서는 꽤 자세히 이야기를 전개했다. 물론 그 역시 제이콥 헨리 쉬프의 기록으로부터 자유로웠던 것은 아니지만 케빈 슈라이버 교수는 이 부분을 명확히 해 객관성을 유지하려 애썼다.

자무엘의 영감이 도달한 데가 그곳이다. 그 여정의 시작은 별 게 아닐 수도 있다. 그 역시 처음부터 구체적이지는 않았기 때문이다. 문제의식이라고 해야 혹 영혼을 보게 된다면 고통을 수반할 수도 있을 것이라는 나름의 고민, 그 수준이었을 테니까. 또 죽음이지만 죽음이 아닌 상태에 이르면, 그리고 그게 가능하다면 자신이 원하는 것을 볼 수 있지 않을까 생각한 게 전부였을 수 있다. 하지만 그에게는 원칙이 있었다. 종이인형을 통하거나 손을 잡고 텔레파시를 교환하는 간접적인 방법이 아니라 보다 직접적이어야 한다는 것. 그리고 그 증거를 남겨 사람들이 보고 믿을 수 있도록 해야 했다. 그 아이디어가 자무엘의 영감을 자유롭게 한 듯했다.

이과수는 읽기를 멈췄다. 짚어볼 게 있었다. 자무엘의 역할과 그의 결심, 그리고 자무엘의 변주를 가능하게 한 제이콥 헨리 쉬프의 탐구와 대한제국 무당의 영혼관에 대해 확고한 신념을 갖기까지 그가 지나온 그간의 여정 말이다. 이미 드러난 일들이기는 하지만 점검할 필요가 있었다. 그가 거쳐야 했던 런던에서의 경험과 그 과정 없이는 대한제국에서의 경험을 통한 그의 진정성을 믿기에는 한계가 있을 수도 있었기 때문이었다. 런던 교령회는 대한제국 무당과 굿을 다른 차원으로 읽게 만든 동력이었다. 그러므로 제이콥 헨리 쉬프가 그 바쁜 와중에도 끈을 놓지 않고 영혼에 대한 호기심을 충족하기 위해 애쓴 데는 다른 조력자가 있었을지도 모른다는 의문은 어쩌면 당연한 것이었다. 그런데 실제 그런 사람이 있었다. 그 사람이 아서 코난 도일이었다. 이과수는 이 부분을 눈여겨봤다.

이 얘기가 케빈 슈라이버 교수의 노트에 있었다. 그의 기록은 제이콥 헨리 쉬프의 회고록을 근거로 한 것이었고, 그만큼 신뢰가 갔다. 그는 제이콥 헨리 쉬프의 무당 얘기를 아서 코난 도일과 관련지어 설명을 해 나갔다. 그는 아서 코난 도일이 교령회에 미쳐 있었다고 적었는데, 제이콥 헨리 쉬프의 메모에 자세히 그 내용이 있더라고 했다. 케빈 슈라이버 교수는 제이콥 헨리 쉬프가 아서 코난 도일과 꾸준히 교류했고 연락을 끊지 않았다고 했다. 그 부분을 그는 이렇게 적었다.

제이콥 헨리 쉬프는 구분하는 걸 좋아했다. 그의 독특한 자아의식 때문이었다. 자신의 교령회가 런던의 교령회와 어떻게 다른지 그는 솔직히 적었다.

19세기 중후반과 20세기 초반은 교령회 열풍이 세계 곳곳을 떠돌 때였다. 미국은 물론 유럽과 러시아, 일본까지 건너가 영적 호기심을 충족시킨 교령회는 실은 미국이 시작이었다. 제이콥 헨리 쉬프는 이걸 나중에 안 모양이었다.

케임브리지 대학이 '망령학회'라는 단체를 설립한 것은 1851년, 이 이야기의 시작은 1843년 조지 벡이라는 부부가 살던 뉴욕의 작은 마을 하이즈빌의 한 통나무 주택으로 거슬러 올라간다. 아이들 장난으로 밝혀진 그 일은 대서양을 건너 정체와 상관없이 주변으로 퍼져나갔다. 런던이 가장 심해 그와 관련한 단체와 연구소가 우후죽순 생겨났다. 하지만 제이콥 헨리 쉬프는 옥스퍼드 대학의 '현상학회'와 1882년 영국 심령연구자들의 최고 모임인 '심령연구학회'를 영혼의 실체에는 제대로 접근조차 하지 못한 부실한 단체로 간주했다. 그럼에도 많은 예술가와 지식인이 교령회에 참가한 것은 교령회에 대한 적지 않은 맹신이 원인이라고 생각했다. 그 때문에 자신들이 평생 일군 지적 신조와도 배치되는 행동을 했고 자신의 업적마저 폄훼하고 있다고.

제이콥 헨리 쉬프는 새로운 무엇인가가 필요한 시기라고 생각했다. 절박했다. 자신이 생각한 교령회와 런던 교령회를 구분 짓기 위해라도 그래야 했다. 그즈음 때맞춰 나타나 준 것이 한국의 무당이었다. 제이콥 헨리 쉬프는 영혼을 탐구하는 일에 한국의 무당을 적극 참고했다. 하지만 생각대로 잘되지 않은 듯했고, 그게 1919년까지 그의 흔적들이다. 그 무렵 그는 한 통의 편지를 받았다고 적었는데 그 사람이 아서 코난 도일이었다. 세계가 전쟁으로 혼란에 빠져 있을 때였고, 그 와중에 러시아 혁명세력을 도와 승리로 이끈 제이콥 헨리 쉬프는 돈이 영혼을 가진 존재라는 경험을 또다시 깊이 체득하고 있었다.

아서 코난 도일의 편지는 그를 깨웠다. 그는 전쟁 때문에 충격을 받은 듯했는데, 남은 생을 심령학회를 위해 살 것이라며 편지의 내용을 온통 그 얘기로 채웠다. 제이콥 헨리 쉬프의 메모에는 이런 게 있었다. 아서 코난 도일의 편지를 받은 뒤 그가 적은 것으로 보인다.

케빈 슈라이버 교수는 아서 코난 도일이 그럴 수밖에 없었던 이유도 적었다. 그간 회고록으로 전해오던 기록과 제이콥 헨리 쉬프가 남긴 메모를 종합해 적은 건데, 아서 코난 도일의 영혼관과 그의 집착을 잘 알 수 있게 하는 내용들이었다. 글은 개행을 하며 이어졌고 강조를 하기 위해 그런 것 같았다.

아서 코난 도일은 자식 얘기만 했다. 전쟁에서 죽은 아들에 대한 죄책감 때문이라고 했다. 그는 아들의 영혼을 만나기 위해 교령회에 참여하는 것이며 영혼이 물질인지 아닌지에 대해서는 관심이 없다고 했다. 뉴욕에다 교령회를 만들겠다는 제이콥 헨리 쉬프의 계획에 대해서는 달가워하지 않았다. 이미 런던 교령회가 있는데 괜히 제이콥 헨리 쉬프가 쓸데없는 일을 벌이고 있다며 시큰둥해했다. 제이콥 헨리 쉬프는 답장을 했다.

런던과 뉴욕은 다른 곳이오. 월 스트리트와 내 동료들은 다른 존재이며 세계관이나 영혼관 역시 그와 같다고 장담할 수 있소. 선생의 심정은 충분히 이해하지만 내 구상은 분명 의미가 있는 일이오. 다만 내 삶의 터전인 월 스트리트와 이곳의 내 동료들이 런던의 친구들과 별 탈없이 우정을 나눌 수 있기를 바랄 뿐이오.

제이콥 헨리 쉬프의 메모에는 뉴욕으로 돌아온 뒤 한동안 교령회의 경험 때문에 혼란스러웠다는 얘기가 적혀 있었다. 아서 코난 도일에게도 그 얘기를 한 것 같았다. 하지만 그는 아랑곳하지 않았다. 제이콥 헨리 쉬프에게 쉬지 않고 자기가 속한 교령회 얘기를 편지로 보내왔고, 그 때문에 그는 수시로 교령회에 참여한 듯한 착각이 들 정도라고 했다. 아서 코난 도일은 편지에다 이렇게 적었다.

제이콥 헨리 쉬프 씨께.

유령은 있습니다. 저는 직접 보고 느끼고 만진 적도 있습니다. 다만 우리 외에 다른 사람에게 보여 주지 못했다는 것, 우리가 해결해야 할 숙제입니다. 제 결심은 확고합니다. 킹슬리의 유령을 만나겠다는 이 일념은 죽은 뒤에도 변하지 않을 것이며, 그 아이의 유령을 만나면 사과부터 할 것입니다. 그동안 모은 인세 20만 파운드는 심령연구학회에 기부하기로 했습니다. 유령은 있습니다, 쉬프 씨. – 아서 코난 도일

케빈 슈라이버 교수는 제이콥 헨리 쉬프가 아서 코난 도일의 편지 때문에 오랫동안 고민을 한 것 같다고 적었다. 유령을 확인하고도 사람들에게 보여 주지 못했다는 아서 코난 도일의 말 때문인 것 같다고 했다. 그는 제이콥 헨리 쉬프가 아서 코난 도일의 이 말을 미처 깨닫지 못했을 수 있지만 그가 영혼을 물질로 인식하고 있었다는 얘기로 알아들은 것 같더라고 했다. 그 편지 이후 제이콥 헨리 쉬프와 아서 코난 도일 간의 소통은 없었던 듯싶다. 별다른 편지가 보이지 않았고 드물게 아서 코난 도일이 보낸 편지 중에는 화석 조작 사건 얘기가 있었는데 그 일에 자신이 연루됐다는 모함 때문에 골머리를 앓고 있더라고 했다. 편지에서 그는 학자고 뭐고 다 쳐죽일 놈들이라며 흥분을 했다고 했다. 자기가 다니던 골프장이 필트다운인 발굴 현장과 가까워 생긴 오해인데, 누군가 의도적으로 자신의 영혼관과 교령회를 질투하는 자들이 계획적으로 자신을 모함했기 때문이라고 적었다. 그러며 아서 코난 도일은 자기는 교령회의 정식회원이지만 다윈의 진화론을 누구 못지않게 존중한다고 했는데, 이어 잃어버린 고리를 찾자고 그런 한심한 짓을 하기에는 자신의 양심이 여전히 쌩쌩하게 살아 있다며 불같이 화를 내더라고 했다. 그는 독일과 프랑스, 자바 같은 데서 발견한 네안데르탈인과 크로마뇽인 그리고 자바인이 영국에는 없다는 게 인류사적으로 볼 때 뭐 그리 대단한 수치일 수 있겠느냐며 자신은 필트다운인 화석 조작과 관련이 없다는 점을 제이콥 헨리 쉬프 선생님께서는 믿어주리라 본다고 적었다고 했다.

케빈 슈라이버 교수는 아서 코난 도일이 필트다운에서의 일을 자세히 적은 데는

제이콥 헨리 쉬프가 혹 영혼을 믿는다는 자신을 불결하게 생각할까 싶어 열심히 적은 것 같다고 했다. 아서 코난 도일은 덧붙여서 영혼과 교령회 그리고 필트다운인 화석은 전혀 다른 세계의 문제이며, 이를 혼동하는 것 자체가 한심한 일이라고 말하더라고 했다. 그리고 확신하듯 케빈 슈라이버 교수는 제이콥 헨리 쉬프의 노력과 이후 여정을 훗날 21세기의 시대상과 연결 지었고 거기서 바롯한 자신의 생각을 가감 없이 적었다.

둘은 다르지 않았다. 마치 밈처럼 복제하고 전수해 이윽고 새 전통을 만들었다. 제이콥 헨리 쉬프는 꼼꼼히 적은 자신의 기록을 유산처럼 남겼고, 자무엘은 그걸 정독할 수 있었다. 자무엘의 영감은 새로운 것이 아니다. 독창성 운운은 괜히 그의 자만심만 부추길 뿐이다. 이제야 이 여정의 끝이 보이는 듯해 기쁘다.

이과수는 착잡했다. 어수선하다고 해야 할까, 원치 않은 긴 여행을 한 것처럼. 거기다 제이콥 헨리 쉬프의 비망록을 적은 강영수의 논문과 부록은 말하기 힘든 생각의 깊이를 남겨 놓고 있었다.

다 최치영 때문이라는 생각이 들었다. 그가 아니었다면, 그러다 이과수는 문득 이런 생각을 했다. 이 생각이야말로 자기변명이 아닌가. 그간 그와의 소통은 어느덧 자연스러움으로 변해 있었고 진정성이란 이름까지 갖추고 자신 옆에 바싹 다가와 있었기 때문이었다. 사실 이 결과는 그 스스로 몰고 간 측면이 컸다. 부담스럽다면서 자진해 그 속으로 걸어 들어가는 이중적인 행보는 이제 불가역적인 상태에 이르렀고 최치영의 친절과 케빈 슈라이버 교수의 노트가 섞이면서 생긴 화학적인 현상은 새 분자식을 만들어 놓고 있었다. 물론 그 현상의 열매는 이과수 자신이 만든 것들이었다. 하지만 어쩌랴, 지금 이 순간 강영수의 논문이 준 감동과 충격이 그것들을 압도하고 있는 것을. 이과수는 최치영에게 이메일을 보냈다.

김학수 정위 얘기는 감동적입니다, 선생님. 이 자료를 읽을 수 있도록 기회를 주신 선생님께 진심으로 감사드립니다. 그간 궁금했던 것들을 알게 되자 그것들이 저를 설득한 기분입니다.

이과수는 생각했다. 김학수 정위, 아니 강영수의 논문과 케빈 슈라이버 교수의 노트, 거슬러 올라가면 그 모두가 애버리지니 필름을 파종하며 복제했던 서로의 종자들이 아니었는가. 오래전 이과수 자신의 노트북에 들어 있던 그 파일들이 그랬듯이. 파일의 폴더 이름은 aborigine였다. 그 안의 파일 둘은 kevin schreiber film과 WALL TEXT, 이외 다른 여러 파일들이 모두 애버리지니 필름을 추종하고 있었다. 그때의 그 파일들이 이과수에게 기억을 더듬게 했고, 강영수의 논문과 겹치면서 새 감회를 불렀다.

이과수는 최치영에게 보내는 이메일에다 그걸 숨기지 않았다.

강영수의 논문이 아니었으면, 또 그의 윤문이 아니었다면 제이콥 헨리 쉬프의 긴 행적의 진실을 이처럼 실감하지 못했을 것입니다. 그게 이 여정을 다시 보게 하고 자무엘의 한계와 가능성에 대해 다시 생각할 기회를 주었습니다. 이 변화가 저도 놀랍습니다. 그런데 궁금한 게 있습니다, 선생님. 왜 제게 이걸 보내셨는지요?

이메일을 보내고 나서였다. 이과수는 후회했다. 왜 이걸 제게 보내셨는지요,라니. 그 말을 할 필요가 있었을까. 쓸데없는 말을 적었다는 생각에 발송 취소를 하려고 보니 같은 포털의 사이트의 계정이 아니었다.

강창섭 생각이 났다

지배인은 성질을 내곤 버번을 털어 넣었다. 며칠째 먹은 음식이라고는 버번과 연태주뿐이었다. 취하지도 않았다. 버번을 마신 잔을 또 바닥에 팽개치려 하자 차영한이 정색을 했다.

"그만해, 제임스."

지배인의 손이 허공에서 멈췄다. 지배인은 차마 잔을 던지지 못했다.

"나도 힘들어. 이성을 찾자고." 그렇게 말하곤 차영한은 자기도 모르게 쓴웃음이 나왔다. 이성이라니, 최치영과 붙어 다니는 걸 목격한 사람이 한둘이 아닌데, 그걸 알았으니 흥분은 당연한 것이었다. 하지만 속은 어떨지 몰라도, 아직은 최치영이 지배인을 거부했다고 볼 수는 없었다. 어쩌면 지배인은 양민순 때문에 저러는 건지도 몰랐다. 양민순이 호텔 출입을 하지 않은 지가 꽤 됐고 장진수가 귀띔해 주지 않았다면 몰랐을 터였다.

"알았소이다, 차 선생님."

지배인이 버번 잔을 내려놓으며 농담을 했다. 자신도 알고 있었다. 차영한이 아니면 심통을 부려 볼 사람조차 없다는 것을. 하지만 최치영을 만나는 일은 시간 낭비가 아니었을까. 재편집 건을 두고 이견이 있기는 했지만, 그일 때문에 최치영과 노골적으로 다툰 적은 없었다. 시간이 좀 걸리는 것뿐 그 정도는 설득할 수 있다고 믿었고 어쩌면 그가 먼저 손을 내밀지도 모를 일이었다. 강대식과의 지난 수십 년처럼 지배인과의 인연 역시 그에 못지않았기 때문이었다. 게다가 최치영은 꽉 막힌 사람이 아니었다.

“이유가 뭐래, 차 선생?” 지배인이 버번 한 모금을 홀짝이곤 물었다. 무슨 말이냐는 듯 차영한이 지배인을 봤다.

“장진수 말이야.”

“알잖아, 제임스.” 그 말에 지배인이 버번 잔을 내려놓으며 차영한을 봤다. 잠시 뒤였다. 차영한이 어렵사리 입을 열었다. 좀 난처한 표정이었다.

“자네가 이바다 감독만 상대하잖아. 그거 좋게 보이지 않아. 이바다 감독을 데려온 사람이 장진수고. 둘은 사제지간 아니야.”

“자세히 말해 봐, 차 선생.”

“정말 몰라서 그래, 제임스?” 지배인이 고개를 끄덕였다. “나 참, 이바다 감독하고 둘이 할 게 아니라 장 선생을 통해 이바다 감독을 움직이는 게 맞는다는 거야. 내부 규율 문제도 있고 그게 장 선생 체면도 살리는 거고. 나만 이 생각을 하는 게 아니야.”

“아이디어 낸 사람이 이바다 감독이야. 뭐가 문제란 거지?”

지배인은 장진수를 두둔하는 차영한이 못마땅했다. 차영한뿐이 아니었다. 다들 이해할 수 없는 말과 행동들을 했다. 이바다 감독과 이 일을 고민하는 것만도 벅찬데 뭔 시답지 않은 소리로 또 신경을 쓰게 만드는지. 사고만 아니었다면 벌써 데이 행사 정도는 치르고도 남았을 일이었다. 올해는 무슨 일이 있어도 치러야 했고 당연히 결과도 좋아야 했다. 그걸 젊고 능력있는 이바다 감독에게 맡긴 건데 뭐가 문제라는 것인지. 사람이 바뀌지 않으면 세상 역시 바뀌지 않는 것은 이치 아닌가. 시스템은 도구일 뿐, 사람에 따라 쓰임의 질과 방향이 달라지는 일은 흔했다. 이 엄연한 사실을 왜 잊는 것일까. 걸리적거리는 게 많았다. 무엇보다 이바다 감독이 혼신을 다하는 모습을 눈으로 보고 있지 않은가.

“처음과 끝이 보여야 손에 잡는 스타일입니다.” 이바다 감독이 말했다. “그림이 아직 덜 그려졌거든요.” 처음엔 무슨 말인가 했다.

그는 혹사하듯 자신을 대했다. 그 엄격함이 지배인은 마음에 들었다. 오히려 그의 건강을 걱정해 줘야 하는 것이 아닌지 싶을 정도였고, 그 뒤로는 이바다 감독만 눈에 들어왔다.

데이행사와 재현 그리고 이바다 감독, 지배인은 이번 일이 그 결합에 달려 있을 것이라는 판단을 했다. 차영한은 달가워하지 않았다. 편애가 장진수에게 심경의 변화를 불렀고 주변에 좋지 않은 신호로 작용한다는 우려 때문이었는데 지배인도 알고 있었다. 하지만 그거야 잠깐의 오해일 뿐 결과가 좋으면 풀 수 있는 문제라고 생각했다. 그렇다고 숏제 진영을 바꾸다니, 지배인은 이해하기 힘들었다.

"연락해 볼까, 제임스?"

"누굴?"

"장 선생 말이야." 지배인은 망설였다. 최치영 때문이었다. "장진수는 우리 사람이야. 장 선생도 그걸 원하고."

"그렇다고 패거리를 져?" 지배인의 눈까풀이 파르르 떨렸다. "예송논쟁을 하던 시대도 아니고, 왜 쓸데없는 데다 정력을 낭비하게 해."

그 문제라면 차영한도 지배인 편이었다. 보다 근본적인 것은 이게 다 최치영에게서 온 것이라는 것, 그걸 모르는 사람은 없었다. 다만 최치영이 거론되는 이 상황을 투숙객들이 알면 내분으로 비칠 수도 있었고 그 때문에 표현을 자제해 온 것뿐이었다. 단순히 의견 충돌 때문인지 무엇인지 투숙객들이 알 리 없었다.

하지만 백지우와 양민순, 이구민 그리고 장진수마저 한패로 묶인 듯한 그림은 결코 바람직하지 않았다. 요즘 들어 그게 더 두드러지는 느낌이었다. 간이라도 빼 줄 것 같던 백지우가 어느 순간 거리를 두기 시작했고 이구민은 가타부타 말도 없이 코빼기도 보이지 않았다. 거기다 장진수마저 거리를 두자 오기가 생겼다. 예전 같으면 생각할 수 없는 일들이었다. 단호할 필요가 있었다.

연미복의 옷깃이 목에 끼는지 지배인이 손가락을 틈에 넣었다. 살이 찐 탓이었다. 사고를 당한 뒤 운동량이 부쩍 줄었다. 불편한 다리로 할 만한 운동이라고 해야 재활 수준이었고, 그럼에도 의사는 그게 중요하다고 했다. 신경 쓰지 않았다. 운동 대신 늘어난 것은 식탐뿐이었고 매일 섭취하는 열량이 어마어마했다.

"장진수는 거두는 게 어때, 제임스." 차영한이었다. "이구민은 내가 만날게. 우린 친구잖아."

"친구라……." 지배인이 혼잣말을 하며 버번을 잔에 따랐다. 어쩌면 장진수를 향한 단호함은 트라우마 때문일 수 있었다.

아마 그때부터였을 것이었다. 무슨 징조처럼 비슷한 일들이 하나둘 나타났고 그중 대표적인 게 단양에서의 일이었다. 그 중심에 이과수와 하정미가 있었다. 그 둘이 가져올 불길함을 일찌감치 알았어야 했다. 결국 이과수의 등짝에 배신이라는 단어를 붙였지만 모든 것이 끝난 뒤였다. 차영한은 이과수의 단양 건은 이미 지난 일이고 이제는 잊혀진 거나 다름없다며 너무 예민해 할 필요가 없다지만 그간의 일로 몸의 피폐와 정신적 상실을 겪고 난 지배인에게 그 일은 어느 때보다 예민하게 복기되고 있었다. 사람한테 받는 상실과 배신감은 여타의 실망감과는 성격이 달랐고 결코 익숙해질 수 있는 정서가 아니었다. 그뿐이 아니었다. 이후 최근까지 최치영을 중심으로 한 백지우와 양민순이 보인 일련의 행보는 기시감을 갖게 했다. 왜 이과수가 떠오르는 것일까. 누군가의 기획이 아닌지 의심해야 했고 이 거리감은 다분히 의도적이어서 자연스럽지 않았다.

최치영만은 놓치고 싶지 않았다. 나아가 친구라는 오랜 우정 역시 놓고 싶지 않았다. 지배인은 애써 자신을 다독였다. 다행히 최치영은 더 적대적이지 않았고 장진수와 이구민도 아직 자신의 울타리에서 완전히 벗어난 게 아니라는 사실, 그걸 직시하자 위안이 됐다.

"차 선생이 알아서 해." 지배인이 말했다. "장진수, 우리 친구잖아." 지배인이 웃자 차영한이 같이 웃었다. 하긴 장진수가 다시 움직여 준다면 굳이 차영한의 제안을 막을 것까지는 없었다.

"최치영 선생님도 만나 보면 어떨까……?"

지배인이 가만히 고개를 끄덕였다. 어차피 한 사람의 우군이라도 더 있어야 한다면 장진수와 이구민을 놓치지 않는 게 상식이었다. 최치영 선생 역시 믿고 같이해야 할 사람일 테고. 강대식이 그랬듯 그와의 깊은 연대와 끈끈함, 그리고 둘이 호흡을 맞춰 일군 그랑호텔의 산 역사, 자신도 그 그늘에서 벗어난 사람이 아니었다. 하지만 독해질 필요는 있었다. 지금까지보다 더, 그러자 오기가 생겼다. 최치영의 경험과 판단력을 무시하기는 힘들지만 그가 늘 옳은 판단만 해 온 것은 아니었다. 그와의 갈등을 이견 정도로 볼 것인지, 아니면 이참에 아예 배를 갈아타자는 결심으로 봐야 할지. 그건 차영한도 확신하지 못하고 있었다. 그리고 그 모호함과 불확실성이 어느 순간 이바다 감독에게 마음이 가게 했을 터였다.

며칠 뒤였다. 차영한이 최치영을 만났다. 그가 가져온 소식은 별 게 없었다. 큰 기대를 한 것은 아니지만 속은 끓었다. 최치영이 시간을 좀 두자는 말을 했다는데, 하도 의례적이어서 생각하고 말고 할 것도 없었다.

"그 양반 원래 카리스마가 있잖아." 무슨 뜻이냐는 듯 지배인이 차영한을 봤다.

"눈치를 보게 해서 그래. 그게 사람을 곤혹스럽게 하고."

씁쓸했다. 어쨌든 본질은 만나지 말자는 얘기가 아닌가. 지배인은 지그시 이를 물곤 눈을 감았다. 이바다와 차영한, 둘을 데리고 보란 듯이 데이행사를 치르고 말 터였다. 나아가 그랑호텔의 지배인이자 제임스 김, 자신이 여전히 이곳의 지배인이라는 사실. 이걸 상기시키고 자각하게 할 필요가 있었다. 강해야 했고 작은 틈조차 보이지 않아야 했다. 그러자 결기가 생겼다. 행사만 잘 치르고 나면 모두 예전 투숙객들이자 오늘의 투숙객, 그들 역시 변하지 않는 그랑호텔의 투숙객일 뿐이었다. 원래 인간이란 동물이 다 유목민 아닌가. 먹을 것을 찾아 유랑하는 야성, 그 습성이 변한 적이 없었다. 친목과 배신은 삶의 방편일 뿐, 옳고 그름과는 하등 상관이 없었다. 하이에나와 다를 게 없는, 인간 역시 그런 류의 동물 중 하나였다. 때론 파리떼처럼 체면도 뭣도 없이 당장 원수라도 질 것처럼 굴다가도 먹을 게 생기면 어김없이 돌아와 동지가 되는, 그런 일은 흔했고 그게 이 세계 그랑호텔의 삶이었다.

투숙객들은 때론 흩어졌다 모이면서 그랑호텔의 역사를 만들었고 자신들의 보신을 지켰다. 죽일 듯 달려들다가 눈물겹게 화해하고 포옹하는 이 관습을 유지하기 위해서는 야성을 찾아 줘야 했다. 강함과 카리스마도 갖게 해야 했다. 최치영이 그런 유목인 중 하나였다. 그런데 최치영은 뭐가 그렇게 못마땅한 것일까. 애버리지니 필름을 재현하는 게 제이콥 헨리 쉬프와 월 스트리트를 모욕하는 일이라니, 조언치고는 말이 심하다는 생각이 들었다. 둘만 알자는 얘기로 들었는데 여기저기 퍼뜨린 사람이 그였다. 차영한이 어디서 그 소문을 들은 모양인데 그답지 않았다.

"나도 전하자니 힘들어, 제임스."

차영한은 최치영이 이바다 감독을 얕잡아 보는 것 같더라는 말도 했다. 믿기지 않았다. 국내뿐 아니라 국제 영화계에서도 인정받은 젊은 감독이 그였다.

이바다 감독과 팀원이 일하는 작업실에 갔을 때였다. 차영한이 부축을 했다. 의족이 여전히 이물질처럼 느껴졌는데, 그 때문에 지팡이에 몸을 의지해야 했다. 원래는 이런 용도가 아니었지만 몇 번 그러고 나자 무감해졌다.

이바다 감독은 자기 작업실에 누군가 오는 걸 병적으로 싫어했다. 지배인도 예외가 아니었다. 더군다나 갑작스런 방문에 이바다 감독은 발작을 하다시피 했다. 지배인은 이바다의 호통에 어안이 벙벙했다.

"지금 뭐하시는 겁니까. 남의 작업실에!"

지팡이를 짚은 채 어정쩡한 자세로 이바다 감독을 쳐다봤다. 차영한이 한마디 하려고 하자 지배인이 말렸다. 이유나 들어보자는 생각이었다.

"일할 때 누가 오는 걸 싫어하거든요. 제 아내도요."

"그랬군, 그걸 몰랐어." 지배인이 어색하게 웃었다. "그래도 이건 심하잖아, 이 감독. 다른 사람도 아니고." 차영한이었다. 방문자가 그랑호텔 지배인이라는 의미였고 위계를 강조한 말이었다.

"전 그런 거 상관 안 합니다. 일이 잘못되는 것보단 까탈스러운 게 나으니까요."

차영한은 아무 말도 하지 못했다. 지배인이 보기에도 틀린 말이 아니었다. 그 소리에 언짢았던 기분이 눈 녹듯 사그라들었다.

"알았어, 이 감독. 대신 오늘은 좀 봐주면 안 될까?" 지배인이 껄껄 웃었다. 이바다 감독이 후배에게 눈짓을 했다. 그가 의자를 가져왔다.

"그림은 좀 그려졌는가?" 지배인이 의자에 앉으며 물었다.

"요즘은 게임에 빠져 있습니다."

지배인의 안색이 굳어졌다. 게임이라니, 한가하게 컴퓨터 게임을 하고 있었다고? 일 초가 금싸라기 같은 시간에, 게다가 아직 그림도 그려지지 않았다면서, 머리를 짜내고 온종일 토론하고 시뮬레이션을 해도 모자랄 판에 무슨 소리를 하는 것인지.

"게임 해 보셨습니까?" 이바다 감독이 물었다.

"게임이라니, 나하곤 먼 동네 얘기지……." 못마땅하다는 듯 지배인이 퉁명스레 말했다. 이바다 감독이 슬며시 웃었다. "이 게임이 저한테 영감을 주고 있습니다. 이게 우릴 도울 수도 있거든요."

"무슨 소리야, 이 감독?" 차영한이었다.

"보시겠습니까?" 차영한에게는 신경도 쓰지 않고 이바다 감독이 지배인을 모니터 가까이 오게 했다. 차영한이 지배인을 부축했고 의자를 이바다 감독 옆으로 옮겼다.

"대개 게임이 그렇지만 이것도 만렙 이후의 콘텐츠가 무엇이냐가 매력의 척도입니다. 유닛은 스타크래프트 초기 형태를 답습하고 있지만 친목질을 장려하는 것은 물론 친목질을 통한 집단과 개인을 다 동격으로 대우합니다. 한 마디로 모든 룰을 허용하겠다는 뜻입니다. 뉴비라 할지라도 올드비 같은 유저와도 차별이 없습니다. 망겜의 우려가 있기는 하지만 무료이기 때문에 신경 쓰는 사람은 없습니다. 거기다……."

"이봐, 이 감독." 지배인이었다. "그쪽 사람들 전문 용어란 건 알겠는데 날 이해시키려면 우리 같은 사람도 알아들을 수 있는 말로 해 줘야지."

"그러죠. 아무튼 이 게임은 소수만 즐깁니다. 출시된 지도 일 년이 채 되지 않았고요."

"우리나라 게임인가?" 차영한이 물었다.

"그렇습니다. 개인이 만든 건지 기업이 만든 건지 알려진 게 없습니다. 게임과 전혀 상관없는 사람들이 만든 거라는 얘기도 있습니다. 소문일 뿐입니다."

"때려 부수고 뭘 얻고 그러던데, 이것도 그런 내용인가?"

"부수고 죽이는 건 다 같습니다. 종족도 있고 로보틱스나 메카닉 같은 스타크래프트의 유닛 타입을 그대로 도입해 즐길 수 있게 해 놨습니다. 그런데 다른 게 있습니다. 여기에도 현실 세계처럼 집단과 개인이 존재합니다. 집단의 구성원은 제한이 없습니다. 레벨업을 하기 위해 집단에 들어가지만 개인과 크게 달라지는 건 없습니다. 하지만 조건이 있습니다. 개인이 집단과 같은 대우를 받으려면 선언을 해야 합니다. 앞으로 오로지 개인이라는 단독자로서 집단 혹은 세계와 맞짱을 뜨겠다는 공개적인 선언이요. 이런 사람에게는 집단과 같은 대우를 합니다. 하지만 결코 쉬운 게 아니기 때문에 대개는 집단에 들어가려고 합니다."

"그러면 뭘 얻을 수 있는 거지?" 지배인이 물었다.

"얻다니요?"

"그렇게 열심히 하면 뭘 줄 거 아닌가."

"만렙을 말씀하시는 건데, 만렙에도 레벨이 있어 여정은 끝나도 끝난 게 아니라고 보시면 됩니다. 이 게임 이름이 미르질입니다."

"뜻이 있나?"

"미르는 용의 옛말이니까, 말하자면 용이 되려고 하는 게임이란 소립니다. 그런데 여기서 용 즉 미르는 그냥 신성한 상상의 동물을 의미하는 것이 아니라 일종의 환유의 성격을 가지고 있습니다. 신성성과 전능한 힘, 영원성과 무형의 모습 같은 다채로운 성취를 고유의 능력으로 갖는 존재 말입니다. 레벨의 마지막 단계에 이르면 쿼크라는 이름을 얻게 됩니다. 물리학 용어인데 미르의 전 단계라고 보시면 됩니다. 여기서부턴 진짜 전쟁을 해야 합니다. 각자 얻은 능력을 가지고 겨루는 것이지요."

"쿼크끼리 싸워 이기면 뭘 얻는데?"

"몸입니다."

지배인은 의외로 게임이란 게 복잡하다는 생각이 들었다. 유저들은 집단과 개인의 자격으로 게임상에서 몸을 얻기 위해 전쟁을 한다는 소리인데, 그런다고 뭐가 달라진다는 것인지. 이바다 감독은 이때부터의 존재를 미르,라고 부른다고 했다. 몸을 가진 쿼크, 이바다는 쿼크는 빅뱅 때 생긴 입자로 양성자와 중성자를 구성하는 원자핵보다 작은 입자라고 했다. 그 개념을 그대로 가져온 게 이 게임의 쿼크였다. 이들 쿼크들이 전쟁에서 이기게 되면 미르로 발전했다. 쿼크가 중성자와 양성자가 되고 이윽고 원자가 되듯.

말하자면 미르질은 영혼을 얻기 위한 긴 여정이었다. 이전의 유저들은 영혼도 몸도 없이 전쟁을 하다 쿼크가 돼 몸을 얻은 뒤 영혼을 얻기 위해 새 전쟁을 시작했다. 거기서부터가 진짜 싸움의 시작이었다. 미르가 된 뒤에는 영혼을 얻기 위해 미르 간에 전쟁이 벌어지는데 전쟁 방식은 이전과 같았다. 친목질을 할 수 있으며 개인의 자격으로 싸울 수도 있었다. 나아가 자기 고유의 능력을 구성원들에게 나눠주고 전투를 하게 할 수도 있었다. 이때 미르는 자신의 몸을 드러내고 구성원들을 지휘하며 군림했다. 구성원들은 몸을 얻은 미르를 우러러보며 복종하고 전투에 나셨다. 중요한 것은 미르가 된 유저에게는 집단을 운영할 수 있는 비용이 지원됐다. 이 칩은 은행에서 실제 현금으로 바꿀 수 있는 유가증권과 같았다. 이바다는 미르질 게임을 만든 쪽이 은행과 별도 계약을 한 것 같다고 했다. 미르질의 진정한 맛이 여기에 있는 듯했다.

"게임을 했는데 돈을 준다는 거야?" 지배인이 의아해 물었다.

"그렇습니다."

"아무 대가 없이?" 차영한이었다.

"물론입니다."

"미르는 어떻게 생겼는가?" 지배인이 물었다.

"미르마다 다릅니다. 제공하는 캐릭터를 선택해 자신의 몸으로 사용하기 때문입니다. 거기다 자신의 레벨이 준 권한을 이용해 자기만의 치장을 합니다."

여기서 승리한 미르는 다음 단계로 넘어갈 수 있는데 이 단계에 이르러야 진정한 미르라고 할 수 있었다.

"뭘 얻을 수 있지?"

"아까 말씀드린 대로 영혼입니다."

"영혼이라……?"

"그렇습니다. 비로소 미르 중의 미르가 되는 겁니다. 영혼을 얻은 자는 자신의 취향이나 유닛을 반영해 새 게임을 만들어 유통시킬 수 있습니다. 이 게임이 부여한 모든 능력을 다 가질 수 있는 거지요. 여기서부터 그는 별도의 수익 사업을 할 수 있습니다. 미르질을 만든 쪽에선 수익에 전혀 관여하지 않습니다."

"그 때문에 이 게임을 하는군. 이게 다인가?" 지배인이 물었다. 생각했던 것과 달리 꽤 흥미 있었다.

"아닙니다. 존재를 얻어야 합니다. 미르가 된 자들이나 영혼을 얻은 자들의 공통점은 자신의 존재가 없습니다."

"존재라니, 아까 몸을 얻었다고 하지 않았어?"

"이때 얻은 몸은 유한합니다. 유저들과 전쟁을 하다 사라질 수도 있고 다른 몸으로 변하기도 합니다. 그러므로 진정한 미르가 아닌 겁니다. 영혼을 얻었다 하더라도 다시 게임에 동참해야 합니다. 영원히 사라지지 않는 불멸의 몸을 얻기 위해서는요."

"불멸의 몸이라…… 그럼 몸과 영혼이 같다는 소린 아닌가?"

"정확히 보셨습니다. 이 게임의 가치가 거기에 있습니다. 이때 얻은 몸은 소멸하지 않습니다. 어떤 위협과 무기로부터도 영원하고요. 그러므로 미르의 절대자가 되는 것입니다. 현실 세계에서 영혼은 볼 수 없는 존재지만 미르질에서는 영혼을 볼 수 있습니다. 실제 현실에서 힘을 발휘하기도 하고요. 새 몸을 얻음으로써 자신의 실체를 보여 줄 수 있고 다른 유저들은 영혼의 존재를 확인할 수 있습니다. 영혼과 영혼을 가진 몸, 그걸 모두 보는 겁니다."

"어떻게 그걸 보여 줄 수 있다는 거지?" 지배인이 물었다. 목이 말랐다.

"영혼과 결합한 자들의 몸은 다릅니다. 이 게임 역시 다른 게임과 마찬가지로 문자 채팅과 음성 채팅을 할 수 있습니다. 물론 영상 채팅도요. 내장된 카메라로 자신의 모습을 실시간으로 보여 주며 게임을 할 수도 있습니다. 몸은 영혼을 얻은 미르에게만 부여되는 특권입니다. 될 수 있으면 자신의 문자와 말 그리고 실제 모습을 보여 주는 게 좋습니다."

"누구에게 말인가?"

"AI한테요. 인공 지능이 탑재돼 게임을 하는 동안이거나 혹 게임을 하지 않더라도 이 게임의 인공 지능이 감지 가능한 상태라면 늘 미르를 모니터링합니다."

"왜 그걸 하지?"

"불멸의 존재자로서의 자격을 갖춘 미르인지 판단하는 기준이 되기 때문입니다. 그가 사용하는 문자의 단어나 말의 교양, 그러니까 유저가 말을 하면 AI가 말의 단어와 억양, 음색 같은 정보를 통해 그가 화가 났는지 인내심이 있는 사람인지 등등의 소양을 판단합니다."

"영혼을 얻은 유저들이 자기 존재를 드러낼 때의 모습도 AI가 판단해?"

"그렇습니다. 영혼을 얻은 존재자들의 몸은 모두 AI의 모니터링 대상입니다. 사실 몸은 그가 그래픽으로 구현한 것이니까요."

"그게 끝인가, 이 감독?" 차영한이었다.

"아닙니다." 이바다 감독은 이 지점 역시 진정한 미르들이 치러야 하는 전쟁의 연장이라고 보아야 한다고 했다. 그러고 보니 미르질이라는 것이 영원한 영혼을 얻기 위한 것이 아니라 영원한 싸움을 위한 게임 같다는 생각이 들었다. 이걸 안다는 듯 이바다가 말했다.

"영혼과 몸을 다 얻었다고 해도 다른 유저에게 보여지는 것과 영원성을 유지하는 것은 다른 문제거든요. 다시 말하면 자신의 영혼을 자유자재로 다룰 수 있어야 합니다. 거기서부터는 주어진 영혼을 누리고 보존하는 것이 아닌 능동적인 자기 창발이 있어야 가능합니다. 이 경지에 이르면 영혼을 보여 주고 싶을 때 보여 줄 수 있으며 감추고 싶을 땐 감출 수 있습니다. 또 시간의 흐름과 무관하게 자신을 드러내고 감출 수도 있습니다. 한 마디로 전지전능한 존재가 되는 겁니다. 시공을 초월한 존재요."

이바다 감독은 이런 미르를 제외한 나머지 유저들은 미르의 추종자로 살아간다고 했다. 복종과 추종을 미덕으로 여기며 목숨까지 버리는. 그걸 잘 관리하는 미르가 진정한 미르였다. 미르들의 수익은 상상을 넘을 정도였다.

"그건 누가 주지, 이 감독?" 이해가 가지 않는다는 듯 지배인이 물었다.

"저도 모릅니다. 하지만 누군가 줍니다. 미르도 유저도 누가 자신에게 돈을 주는지 모릅니다. 알려고도 하지 않습니다. 돈만 받으면 되니까요."

"그러니까, 미르의 몸과 영혼이 곧 수익으로 연결이 된다 그 말이지?"

"형체는 단지 자신의 존재를 드러내는 권위의 수단이 아니라 부의 보전과 연결이 됩니다. 이게 이 미르질의 참 모습이자 영혼을 가지려는 이유지요."

"정부의 제재 같은 건 없어?" 지배인이 물었다.

"있습니다. 하지만 뭐 노골적으로 수익 사업을 하는 것도 아니고 갈취를 하는 것도 아니니 법적으로 저촉 받을 게 없습니다. 사행성이다 뭐다 이런 얘기가 잠깐 나온 적이 있지만 돈을 거는 게 아니어서 그 얘기도 안 먹혔습니다."

이바다 감독은 이 게임에 참여할 수 있는 유저 자격이 내국인으로 한정돼 있다고 했다. 게임 업계에서는 이걸 이단 행위로 여겼다. 무료로 게임을 유포하는 것을 넘어 돈을 펴 주고 있었기 때문이었다.

"이거 가상으로 봐야 해, 현실로 봐야 해?"

"게임이지만 현실입니다. 현실이자 게임이고요. 일종의 시뮬라시옹인 거지요. 누구나 원본이 될 수 있다는 측면에서 이만큼 매력적인 게임을 찾기 힘들 겁니다. 이런 식으로 움직이는 게 현실적으로 맞기도 하고요. 영혼인지 미르인지 그게 다 이 게임의 체제 속에 가두기 위한 미끼라고 보시면 됩니다."

"장진수가 사람을 제대로 데려왔어." 지배인이 덥석 이바다 감독의 손을 잡고 세차게 흔들었다.

"자넬 믿는다는 뜻이야, 이 감독." 차영한이었다.

외롭지 않았다. 고독할 필요도 없었다. 최치영한테 얻은 상실감도 장진수와 이 대리에게도 더는 배신감을 가질 필요가 없었다. 갑자기 기운이 솟는 듯 지배인이 지팡이에 힘을 주며 의자에서 벌떡 몸을 일으키며 말했다.

"이 감독 덕에 내가 다시 살아." 이바다 감독이 고개를 숙여 보였다. "기운이 펄펄 나, 이 감독."

†

지배인은 새 연미복을 입었다. 이걸 평상복처럼 입기 시작한 지 꽤 됐다. 행사나 특별한 일이 있을 때 골라 입던 옷인데, 평상복으로 입기에 편하다고 할 수는 없지만 이 옷 때문에 자신이 바로 서는 듯해 정갈해지는 기분이었다. 그런 뜻으로 만든 옷이기도 했고 옛 선비들이 그랬듯 옷차림 하나로 태도를 정하고 남이 자신을 알아보게 할 수 있었다.

두벌의 옷이 있지만 새로 세 벌을 더 주문했다. 살이 쪄 이전 연미복이 맞지 않아 치수를 늘려야 했고, 음식 때문에 자주 얼룩이 져 어차피 여분이 필요했다. 주문을 넣으면서 몇 가지 장식과 맵시를 바꿔 달라고 했다. 새로 맞춘 옷은 생각보다 잘 만들어져 있었다. 하지만 새 연미복 차림의 지배인을 보는 사람들의 시선은 예전과 달랐다. 지배인은 신경 쓰지 않았다. 뭐든 시간이 지나면 익숙해질 테니까.

차가 막혔다. 그럴 때마다 긴장이 됐다. 불편한 다리 때문에 손으로 작동할 수 있게 운전석을 개조했는데, 그게 아직 서툴렀다. 운전을 자주 하지 않아서 그런 것 같았다. 어차피 익숙해져야 했고, 그러기까지는 시간이 더 필요할 터였다.

사거리에서 우회전 신호에 따라 핸들을 꺾었다. 요양병원이 보였다. 차영한이 갈이 가 주겠다는 걸 거절했다. 어머니 김숙녀에게 갈 때처럼 혼자 가고 싶었다. 사적인 일일수록 혼자 있고 싶었고 그게 편하고 좋았다. 운전대를 돌리는데 미끈거렸다. 닦는다고 했는데 양갈비 기름이 손에 남아 있었다. 그런데 강창섭 생각이 나다니, 다시는 이런 일이 없을 줄 알았는데…….

강창섭 나이 칠십 중반, 놀라울 뿐이었다. 사람 목숨이 얼마나 질긴지 강창섭을 보면서 알았다. 강창섭은 40년 넘게 중환자실과 요양병원을 오가며 저 삶을 사는 중이었다. 그런 그가 또 생각나다니, 약해진 건지 몰랐다.

강대식의 장례 때였다. 상주는 지배인 혼자였다. 자신을 호텔 후계로 삼아준 강대식, 그의 원래 후계자는 강창섭이었다. 그러므로 상주는 강창섭이어야 했다. 그가 살아 있었다면 자신은 여기서 이렇게 존재하지도 않았을 것이었다. 강창섭은 원래 똑똑한 사람이었다. 차석으로 육사를 졸업했고, 군인으로도 성공할 가능성이 컸다.

"신체 건강하지 머리 좋지, 창섭이 만 한 인물은 어디에도 없다." 강대식이 한 말이었다.

"창섭이 형은 잊으세요, 아버지. 건강을 위해서도 그렇고 호텔의 미래를 위해서도 그렇고……." 지배인이 말을 끝내기도 전이었다. 강대식이 버럭 소리를 질렀다.

"이런 호로자식을 봤나! 니가 창섭이 발끝이라도 쫓아갈 줄 아냐. 쟤가 지금은 저래도 여기 대빵이 될 놈이었어. 생각해 호텔을 맡겨줬더니 뵈는 게 없구먼."

호로자식이라니, 자기가 김숙녀를 건드려 낳은 자식이 누군지 몰라서 저런 소리를 하는 것일까.

강대식의 기준은 언제나 강창섭이었다. 그리고 강대식의 판단은 옳았다. 강창섭은 능력뿐 아니라 착하기까지 했다. 최치영도 그 얘기를 했다.

"머리 좋고 착해서 사람들한테 믿음을 줬지. 호텔 미래는 강창섭이 있으면 걱정할 게 없을 거라고들 했어."

그런데 왜 강창섭 생각이 난 것일까? 그에게 갔다 온 게 2년 전. 그때도 오늘처럼 불현듯 강창섭 생각이 났었다. 그에게 가족이 있다는 것을 상기시켜 주려는 듯, 가족이라니…… 강대식이라면 몰라도 자신이 그와 가족일 수는 없었다. 강대식의 피를 나누긴 했어도 피의 연대감을 느껴 본 적이 없었다. 강대식의 지시로 호텔을 맡긴 했어도 어쩔 수 없는 후계자였을 뿐, 강대식의 마음이 시킨 일이 아니라는 것을 아는 지배인은 불안했다. 하지만 강대식 없는 강창섭의 삶은 더 이상 아무 의미도 맥락도 존재하지 않았다. 그러므로 지배인에게 강창섭은 더는 아무런 존재가 아니었다. 숨 쉬는 주검일 뿐.

강창섭은 서너 차례 병원을 옮겼다. 그럴 적마다 병원에서는 지배인에게 연락을 하곤 했다. 그러고 보니 강창섭의 가족이 맞기는 한 모양이었다. 강창섭의 일 때문에 병원이 자신에게 연락을 하는 걸 보면 말이다. 지배인은 피식 웃음이 나왔다. 그럴 때마다 사람을 보내 될 수 있으면 시설이 좋은 요양병원을 찾게 했다. 좋은 요양병원이라니, 자기가 생각하기에도 이상했다.

강창섭은 눈을 감고 있었다. 수십 년째. 눈두덩이가 늙어 보였다. 지배인은 자세히 그의 눈을 살폈다. 혹 안에서 눈동자가 움직이지는 않는지. 물론 그럴 수는 없었다. 아마 지금쯤 강창섭의 몸은 눈 뜨는 행위 자체를 잊어버렸을 터였다. 죽은 것인지 산 것인지, 그조차 구분하기 힘들었다. 사람이 저런 몰골로 숨을 쉴 수도 있다는 것을 지배인은 믿을 수 없었다.

강창섭의 손등을 만져 봤다. 차가웠다.

“살아 있는 거 맞습니까?” 지배인이 간호사에게 물었다.

“그럼요.” 무슨 소리냐는 듯 간호사가 정색을 하며 모니터를 가리켰다. “보세요, 이거.” 모니터에는 심전도와 혈압, 산소포화도 같은 것을 알리는 숫자판이 보였다.

강창섭의 손등에서 손을 떼며 지배인이 말했다. “날 원망하지 말아요. 강대식이 아무 말도 없이 죽었잖수.”

“이거 보이시죠?” 간호사가 손가락으로 모니터의 숫자를 가리켰다.

“그리고, 내가 할 수 있는 것은 이것밖에 없어요. 강창섭 당신이 죽어 가는 걸 지켜보는 거…….”

배다른 형, 아니 강대식의 혈손, 그의 연명 장치에 손댈 수 있는 권한을 가진 사람은 없었다. 강창섭 그 자신 밖에는. 그리고 저런 식으로도 사람이 산다는 것, 강창섭한테 갔다 올 때면 지배인은 숨을 쉰다는 것이 무엇인지 새삼 생각하곤 했다. 숨을 쉰다는 것, 그 행위를 삶으로 볼 수는 없었다.

“오늘 또 똑똑한 형이 나한테 한 수 가르쳤수.”

강창섭의 얼굴을 내려다보며 지배인이 말했다. 어쩌면 평온해 보이기도 하는 흰 얼굴의 주검을. "죽을 때를 아는 것이 중요한 게 아니라 죽어야 할 때를 알아야 한다는 거. 명심할게, 창섭이 형……." 지배인이 혼잣말을 했다.

그런데 기분이 왜 이럴까. 강창섭이 준 기운 때문일까. 문득 그를 찾은 일이 후회가 됐다. 왜 강대식 그 사람만 생각하면 또 무너지는 기분이 드는 것일까. 이제, 아니 이미 그의 영토에서 벗어난 지 오래이지 않은가. 머저리처럼 아직도 그 그늘에서 허덕이고 있다니. 비록 예전의 몸이 아니고 작은 균열이 있기는 해도 투숙객들은 여전히 호텔을 믿었고 지배인을 믿었다. 사실 변한 것은 없었다. 열정과 꿈, 모두가 그대로였다. 호텔 객실은 더 거대한 모습으로 보란 듯 세상을 내려다보고 있지 않은가. 이럴 때일수록 마음을 다잡아야 했다. 모든 병의 근원은 마음에서 온다고 했다. 그리고 옆에는 차영한이 있고 이바다 감독이 있었다. 차영한이 장진수를 만나면 그 역시 돌아올 사람이었다. 이구민도 마찬가지겠지. 최치영도 다르지 않을 터였다. 그럴 사람이 아니었다. 강대식을 봐서라도. 그 역시 여길 떠나서는 존재할 수 없는 그랑호텔의 투숙객이 아닌가.

†

"그러다 엿 되는 수가 있어, 대니얼. 내 얘기가 아니라 허스키가 한 소리야."

"알았어, 젠장." 대니얼이 투덜거렸다.

"꼴통 같은 자식……." 핸드폰을 끊곤 조지가 중얼거렸다. 이 정도면 알아들었겠지.

어쨌거나 서울은 먼 곳이었다. 가본 적도 없었다. 지금까지 가본 아시아 국가는 일본과 홍콩, 싱가포르가 전부였다. 모두 먼 곳이긴 하지만 한국은 느낌이 달랐다. 핵폭탄으로 미국을 겁박하는 유일한 나라, 그런 나라와 얼굴을 맞대고 있는 나라가 사우스코리아였다.

대니얼의 핸드폰을 끊고 잠시 뒤였다. 다시 벨 소리가 울렸다. 허스키였다.

"대니얼 아직 안 들어왔어요, 허스키." 조지는 선수를 쳤다.

"알려 줄 게 있어서 연락했소." 허스키의 목소리가 더 쉰 듯했다. "댁 콧수염은 미는 게 어떻소?"

“뭐요!” 조지가 손바닥으로 콧수염을 감싸며 버럭 소리를 질렀다. “이거 심한 거 아니요?”

“심한 건 그쪽이오. 개성도 좋지만 눈에 띄어 좋을 게 없어 하는 소리요. 그쪽 생각해 하는 말이다 이 얘기요.”

“그 얘긴 그만 하슈. 그런데 꼭 그래야 하는 거요?”

“뭘 말이오?”

“숨은 쉬게 하라니, 그게 얼마나 까다로운 작업인지 알기나 하고 하는 소리요?”

“대니얼인지 뭔지 그 친구가 있잖소.”

“대니얼도 그 일은 꺼려 그래요. 그냥 확 갈겨 버리는 게 훨씬 쉬워 그런 거요.”

“그 친구 그 일 하나는 타고났던데 뭘 그러슈. 하여간 숨은 쉬게 하시오. 내 얘기가 아니라 저쪽 얘기요.”

조지는 다시 대니얼에게 연락을 했다. 목소리가 겨우 들렸다. 약에 절어 인사불성이었다. 하여튼 시키는 대로 하는 수밖에. 모가지가 둘이 아닌 이상, 보수도 보수지만 슈피리어에서처럼 또 실수를 하게 되면 아예 이 바닥에서 추방을 당할지도 몰랐다. 그건 죽음을 의미했다. 슈피리어 일은 생각만 해도 아찔했다. 대니얼 자식의 책임이 컸다. 약만 하지 않았어도 그런 하찮은 실수는 하지 않았을 것이었다. 아니, 조지 자신의 실수이기도 했다. 애초에 대니얼에게 맡긴 게 문제였다. 후과는 컸다.

슈피리어에서 돌아오고 사나흘이 지난 뒤였다. 초저녁이었다. 조지는 대니얼과 스테이크를 먹고 있었다. 파인애플과 완두콩, 토마토 통조림을 곁들였다. 둘 다 좋아하는 음식이었다.

저녁을 먹기 시작한 지 십여 분이 지났을까, 허스키한테 연락이 왔다. 지금 문 앞에 있으니 잠깐 나오라는 거였다. 밴이 보였다. 그쪽에서 누군가 손짓을 했다. 그쪽으로 가자 문이 열리더니 사내 넷이 권총으로 허리를 쿡쿡 찌르며 타라고 했다. 다른 한 놈은 옆에서 기관총을 만지작대며 실실 웃었다. 대니얼이 저항하려 하자 사내 하나가 50구경 매그넘 손잡이로 뒤통수를 찍었다. 대니얼이 머리를 감쌌고 금세 피가 흘렀다. 사내 넷이 다짜고짜 조지와 대니얼을 밴에 구겨 넣었다. 밴이 출발하자 동시에 눈이 가려졌다.

웬 수영장이었다. 산속 외딴집이었고, 저 아래 멀리 시내가 내려다보였다. 불빛은 수영장을 비추는 보안등이 하나였다. 보안등 밑에는 식탁이 있었다. 사내 서넛이 조지와 대니얼을 식탁으로 데려가더니 앉으라고 했다. 식탁에는 스테이크와 파인애플이 차려져 있었다.

"드슈." 웬 백인이 말했다. 키가 2미터가 훌쩍 넘었고 〈쉐도우 맨〉에 나오는 스티븐 시걸을 닮았다. 그런데 기가 막혔다. 이런 꼬락서니로 이걸 먹으라니. 이 자식들이 돌았나. 아무리 좋아하는 스테이크와 파인애플이라지만 상식을 넘는 짓이었다.

"이거 너무하는 것 아뉴?" 조지가 참지 못하고 말했다. 뒤에서 대니얼처럼 50구경 매그넘 손잡이가 날아왔다. 다행히 피는 나지 않았다. 대니얼의 목에 피딱지가 보였다.

"드슈." 그 자식이 말했다.

시키는 대로 하는 게 좋을 것 같았다. 조지가 대니얼에게 눈짓을 하며 먼저 스테이크를 썬 뒤 포크로 찍었다. 스테이크 몇 점을 씹었을까. 갑자기 사내들이 조지와 대니얼을 수영장 안으로 밀어 넣었다. 꽤 깊었다. 발을 딛고 서자 어깨가 간신히 나왔다. 대니얼은 똥짤막한 키 때문에 눈썹 근처에서 물이 찰랑였다. 조지는 자기 어깨를 잡으라고 했다. 그러고서야 대니얼은 숨을 쉴 수 있었다.

그때부터가 고난이었다. 이 자식들은 도무지 말이 없었다. 모든 걸 행동으로 했는데, 교대로 수영장을 지켰고 물에서 나가려고 하면 다시 밀어 넣었다. 웬 녀석이 한 번 더 그러면 눈을 멀게 해주겠다며 베트남전에서 쓰던 대검으로 긋는 시늉을 했다. 시키는 대로 했다. 먹을 건 제때 줬다. 메뉴는 스테이크와 파인애플, 일주일 내내 하루 다섯 끼 스테이크와 파인애플을 먹어야 했다. 남기면 더 내왔고 다 먹을 때까지 기다렸다. 그런데 좀 심각했다. 꼬박 7일을 물속에 있어야 했기 때문이었는데 문제는 거기서 오줌과 똥을 싸고 그 자리에서 스테이크와 파이애플을 먹고 그 자리에서 잠을 자야 했다는 것이었다. 미칠 지경이었다. 그러니까, 이 징벌의 목적은 처먹이고 내리 싸게 하고 처자든가 말든가 내버려 두는 게 목적이었다. 그러다 스스로 생명에 회의를 느껴 죽고 싶은 심정이 들게 하는 것. 나흘이 되자 정말 그런 생각이 들었고 실제 땅딸이 대니얼이 죽고 싶다는 말을 했다. 말만 하지 않았을 뿐이지 조지도 같은 심정이었다. 풀어 주면서 스티븐 시걸이 말했다.

"다신 그러지 마슈." 슈피리어 일을 말하는 거였다. 조지와 대니얼은 잔뜩 기가 죽어 알겠다고 했다.

집에 돌아온 대니얼이 말했다. 보트피플 출신의 선배들한테도 이런 얘기는 들어본 적이 없었다고, 이유도 없이 살인을 하는 베트남 마피아지만 이렇게 이유가 있는 혹독한 징벌은 상상도 하지 못했다고.

"서울에 가 본 적 있어, 조지?"

대니얼이 기가 죽은 목소리로 물었다. 조지는 처음이라고 했다. 대니얼은 서울에 아는 친구들이 있다고 했다. 시드니 BTK에서 일하다 도망간 친구들이었다. BTK는 Born to Kill의 약자였다. 그들의 서울행은 살기 위한 선택이었다. 보스가 잡혀 들어가는 바람에 조직이 와해 됐고 수배가 내려져 더 이상 그곳에선 버틸 수가 없었다.

탱고 바 '수르'

하정미는 막무가내였다. 자기를 우습게 봐 그런 거라는데, 사실이 아니었고 자존심이 상할 일도 아니었다.

"다른 뜻이 아니라니까." 이과수가 당황해 말했다.

"이청 선생님한테까지 말할 필요 없잖아." 하정미는 로사리오 얘기만 하면 그러는 것 같았다. "그게 좋아? 내 몸에 다른 사람 영혼이 들어왔다는데 그게 좋아할 일이냐고?" 뾰로통한 입술이 그대로였다.

"아니 좋다 나쁘다 그런 게 아니고, 로사리오에서 그 모습이 고결해 보였다는 거야. 그래서 보기 좋았고. 그 순간 하정미라는 사람이 숭고해 보였어. 그 말을 한 건데 왜 이렇게 화를 내."

"그런 모순이 어딨어. 남의 영혼이 들어왔다면 내가 아니란 소리잖아. 그런데 내가 숭고해 보였다는 게 말이 돼? 누가 시킨 게 아니라 그건 나였다고. 알리시아 얘기를 듣다 보니 할아버지가 생각난 거고."

"기억도 못한다면서?"

"다 기억하지 못하는 것뿐이지 내가 시킨 거라니까, 내 의식이. 그런데 빙의라는 게 말이 돼?"

"빙의는 비유한 거고, 난 하정미라는 사람의 영혼을 봤다는 소리를 한 거야. 그게 마치 빙의라도 된 거처럼 보였다는 얘기고. 그러니까 자신의 영혼에 자신이 빙의가 된 뭐 그런 상황인 거지. 기억 안 나?"

"뭘?"

"집에 올 때 내내 잠만 잤잖아. 그때 내가 뭘 봤는지 알아. 잠든 얼굴에서 영혼 같은 걸 봤어. 아마 영혼이 있다면 하정미의 얼굴 같을 거라고 생각했어. 내가 하정미의 영혼을 본 목격자야. 그때를 기억하지 못하는 게 영혼 때문일 수도 있어."

"무슨 말이야, 그게?"

"자신의 영혼을 자신이 미처 의식하지 못한 것일 수도 있다는 거지. 어쩌면 미처 따라가지 못한 것일 수도 있어. 인디언 얘기 있잖아. 영혼이 따라오지 못할까 봐 말을 멈추고 그런다잖아. 몸이 앞서다 보니 하정미의 영혼이 따라오지 못한 거라고."

"그래서 뭘 어쩌라고?" 하정미가 좀 풀어진 거 같았다. 이때다 싶었다. "돈 내놔." 하정미의 눈이 동그래졌다.

"하정미의 영혼을 목격하고 증명해 준 사람이 나야. 상은 줘야지." 하정미가 웃었다. 빵 터졌다는 듯.

"나도 내 영혼을 보고 싶은 사람이라고."

그 소리에 하정미가 웃음을 멈추곤 빤히 쳐다봤다. 그리고 며칠이 지나서였다. 다시 하정미와 말씨름을 해야 했다.

농장 일이 좀 늦게 끝난 날이었다. 같이 남아 일하던 종업원 한 사람과 저녁을 먹고 집으로 돌아온 참이었다. 하정미가 저녁을 해 놓고 기다리고 있다는 걸 몰랐고, 저녁을 먹고 들어간다는 말을 하지 않았다는 걸 집에 와서야 알았다. 하정미는 밥상을 차려 놓고 기다리는 중이었다. 하정미 혼자 밥을 먹어야 했는데 뻘쭘해진 이과수가 비집듯 건너 의자에 엉덩이를 걸치며 별 관계가 없는 태호 선배 얘기를 꺼냈다.

"태호 선배 오늘 형수한테 갔어." 하정미는 수저질만 했다. "요즘 옷 가게가 말이 아닌가 봐. 도매상들이 다 울상이라더라고." 뻔한 얘기였다. 하정미는 밥을 다 먹어 가는 중이었다. 된장국 냄새에 침이 돌았다.

"좀 남겨 주면 안 될까?" 하정미가 힐끗 이과수를 보곤 밥 한 공기를 내왔다. "고맙습니다, 하정미 씨."

슬쩍 웃곤 된장국을 두어 수저 뜨며 노트북을 열었다. 이메일 때문이었다. 트랙터 견적서를 달라고 했는데 농장에서 확인을 한다는 게 깜박한 것이었다. 120마력짜리 낡은 트랙터를 160마력짜리로 교체하기 위한 견적이었다. 태호 선배 말로는 120마력짜리 트랙터는 15년이 넘은 거라고 했다. 원래 수명이 10년, 수리비가 더 들어갔다. 이왕 견적을 받는 김에 6톤짜리 트레일러 한 대를 더 받아 보기로 했다.

계정에 로그인을 했다. 도착한 견적서는 없었다. 물건을 팔기 싫은가, 그런 생각을 하며 계정을 닫으려는데 광고성 이메일 저 밑에 이메일 하나가 보였다.

가을입니다, 이 선생님.

백지우가 보낸 거였다. 이과수는 하정미를 힐끗 봤다. 앞에는 따뜻한 흰 쌀밥이 놓여 있었다.

된장국 한 수저를 뜨며 이메일을 클릭했다. 사진 한 장이 첨부돼 있었다. 가을 풍경이었다. 한국은 단풍이 한창이었다. 전형적인 한국의 산, 사진에는 길게 이어진 능선길이 보이고 억새가 즐비했다. 그 틈에 하얀 개망초가 홍일점처럼 숨어있었다.

"가을이야, 하정미."

이과수가 모니터 가득 사진을 띄우곤 하정미 쪽으로 노트북을 돌렸다.

"가 보고 싶어." 사진을 본 하정미가 말했다.

"한국의 가을은 달라, 그렇지?"

"소백산이네." 하정미가 주방으로 가며 말했다.

"어떻게 알았어?"

"저 능선길은 소백산밖에 없어. 봄 철쭉이 천상이야."

"소백산 철쭉이 유명하단 소리는 들었어."

"연화봉에서 비로봉으로 가는 길이 백두대간인데 거기 능선이 그렇거든. 능선은 능선길대로, 철쭉은 철쭉대로." 하정미는 산하고 절 얘기가 나오면 다른 사람이 됐다.

"여름에 비 때문에 도중에 내려온 적이 있어." 하정미가 건너 의자에 앉으며 말했다. "그땐 희방사 길이 아니라 죽령길이었는데 거기가 지대가 좀 높아. 그날 유독 추웠어. 갑자기 비가 쏟아지니까 정신이 없더라고,"

아르헨티나에서 하정미가 산에 간 적은 없었다. 갈 만한 산은 많았다. 대부분 세계적인 명소였다. 6천 미터가 넘는 산이 50개가 넘었고, 안데스산맥을 따라 이어진 국도는 유명했다. 굳이 아르헨티나만 고집하지 않는다면 칠레와 페루, 볼리비아를 포함한 안데스 일대는 잉카제국의 유적이 있었고 기후대가 다양해 자연 풍경도 볼 게 많았다. 남쪽의 설산에서 온대와 아열대숲까지. 하지만 하정미는 그건 산이 아니라고 했다. 하정미가 말하는 산의 기준은 한국의 산이었다.

"그 사람은 왜 자꾸 연락하는 거야?" 커피를 홀짝이며 하정미가 물었다. 이과수는 수저를 뜨다 말고 하정미를 봤다.

"이메일 봤어?"

"아니, 그냥 보였어. 최치영 선생님도 그렇고, 한두 번인 줄 알아?" 최치영하고 연락하고 지낸다는 건 하정미도 알고 있었지만 그 얘기를 꺼낼 줄은 몰랐다.

"별거 아닌 거 알잖아."

"왜 그래, 이과수 씨답지 않게."

뭐가 궁금한 걸까? 그보다 이과수는 하정미가 어떻게 생각할까 신경이 쓰였고, 될 수 있으면 이런 일에 하정미가 신경 쓰는 걸 바라지 않았다.

"걱정하지 마. 우리 잘살고 있잖아."

"신경이 쓰여서 그래." 하정미가 또 무슨 말인가 하려 하자 이과수가 말했다.

"말할게. 말하지 뭐."

무슨 뜻이냐는 듯 하정미가 이과수를 봤다. 이과수가 노트북을 덮으며 말했다.

"진심이야, 이건." 하정미가 비스듬히 앉은 자세를 바로 했다. "그 뒤 나한테도 영혼이 있을까, 영혼이 있다면 나는 어떻게 그걸 알 수 있을까, 뭐 그런 생각을 해 봤어."

"그 뒤라니, 과수 씨?"

"로사리오 말이야. 하정미가 로사리오에서 그런 것처럼. 그런데 나는 아무도 내 영혼을 봤다는 사람도 또 그걸 말해 준 사람도 없어." 하지만 최치영과 이메일을 주고받으며 나눈 이런저런 생각에 대해서는 말하지 않았다. 이청에게 이메일을 보내면서 한 얘기도 마찬가지였다.

하정미가 뜨악한 표정으로 말했다. "큰일 낼 사람이네, 과수 씨. 무슨 그런 생각을 하고 그래."

"호기심이야. 누구나 해봄직한, 알잖아."

"알다니, 뭘?"

"애버리지니 필름."

"그만해, 과수 씨!" 하정미가 버럭 소리쳤다. "그 사람들 닮고 싶어, 과수 씨?" 하정미의 얼굴이 일그러졌다. 끔찍한 뭔가를 본 사람처럼.

"미안 미안, 취소."

하지만 진심이었다. 어느 순간 한 번 생긴 의문과 질문은 더 깊고 넓어졌다. 그러자 의문과 질문 그 자체가 궁금해졌다. 의심은 좀체 사그라지지 않았고, 그 속으로 좀 더 깊이 들어가 보고 싶었다.

이 불신은 어디서 오는 것일까. 강영수의 논문이 펼쳐 보여 준 창덕궁의 오찬과 제이콥 헨리 쉬프와 김학수 정위의 대화 그리고 청계천의 무당. 그것들이 알게 모르게 체화돼 자신의 질문이 돼 있었고 하정미의 로사리오 일은 현실 속에서 그 질문을 하도록 자극했다. 그리고서야 이과수는 비로소 자기 쪽을 볼 수 있었고 자연스레 확신 같은 게 생기기 시작했다. 자무엘의 애버리지니 필름과 제이콥 헨리 쉬프의 소망, 이 모든 것의 처음이었을 청계천 무당의 굿과 그들이 가리킨 영혼관, 특히 자무엘, 그를 바라보는 시선이 예전과 달라졌고 그 변화를 자각하게 되자 퍼뜩 정신이 들었다. 왜 자무엘이 다르게 보이는 것일까. 그리고 질문할 수 있을 것 같았다. 자신은 영혼을 믿는지, 아니 영혼이 있는지? 이 질문의 느낌이 이과수는 나쁘지 않았다. 미처 알지 못한 미지를 가는 듯한 이 은밀한 자문이.

"호텔 얘기는 입 밖에도 내지 마. 알았지, 과수 씨?" 하정미가 쌩한 목소리로 말했다.

"알아, 하정미."

"진짜다." 하정미가 손가락을 내밀었다. 이과수는 물끄러미 하정미를 봤다. "나 참, 지배인이 날 뭘로 보는 줄 알아?" 하정미가 빤히 이과수를 봤다. "배신자로 생각해."

하정미가 내민 손가락을 접으며 말했다. "가스통 레뷔파라고 알아 과수 씨?" 처음 듣는 이름이었다.

"누군데?"

"프랑스 등반가야. 보이저 2호가 우주로 가면서 인류의 사진을 가져갔는데 거기에 산악인으로 그가 들어 있어. 그는 산은 다른 세계라고 했어. 지구와 동떨어진 독립된 신비의 왕국, 그 왕국에 들어가기 위해선 의지와 애정뿐이랬어. 무슨 말 같아, 과수 씨?"

"순수함 뭐 그런 건가. 그런데 그 사람이 왜?"

"정말 보이저가 되고 싶어서 그러는 건지 궁금해서. 그게 과수 씨의 삶에 어떤 의미인지도 궁금하고." 하정미는 무엇을 알고 있기에 이런 얘기를 하는 것일까?

"의미는 살면서 만들어지잖아." 이과수가 말했다.

"그러면 늦어." 하정미가 그릇을 담은 쟁반을 들고 주방으로 가며 말했다. "내가 아무것도 모르고 이런 말 하는 것 같아?"

†

이청이 부에노스아이레스에 오다니, 생각지 못한 일이었다. 유일하게 존경하는 시인이었고 만나고 싶은 사람이었다. 그를 본 게 벌써 수년 전, 그때 찍은 사진이 추억으로 남아 있었다.

이청이 아르헨티나에 온다는 건 하정미가 알았다. 티브이에서였다.

"이청 선생님이야, 과수 씨!"

하정미가 티브이를 가리켰다. 목소리가 상기돼 있었다. 아르헨티나 국영 티브이는 한국 관련 방송을 자주 했다. 한국 음식과 전통문화, 갖가지 대중문화와 티브이 예능 프로와 쇼, 드라마를 비롯해 내용이 다양했다. 그런데 그날 한국 관련 문화 뉴스에 시인 이청 얘기가 나왔다. 플로레스타 코리아타운과 이청의 얼굴이 보였는데, 잠깐이지만 사진은 분명 이청의 얼굴이었다.

"뭐라는 거야?"

"부에노스아이레스 대학교에서 한국 문학 강연을 한대. 가 봐야 하는 거 아냐, 과수 씨?"

물론이었다. 그런데 좀 문제가 있었다. 시기적으로 다음 달 초순은 농장 일이 바쁠 때였다. 이달부터 다음 달이 바짝 신경을 써 일을 해야 하는 시기였고, 막상 그때가 되면 일이 어떻게 돌아갈지 알 수 없었다. 이과수는 이청에게 이메일을 보냈다.

아르헨티나 티브이에서 선생님이 오신다는 소식을 들었습니다. 여기서 선생님 소식을 들어 감격했습니다.

다음 날이었다. 이청이 답장을 보내왔다.

그걸 알다니, 뜻밖이네. 일이 바빠 거절했는데 자꾸 요청을 해 어쩔 수 없었지. 내가 아니어도 그 정도 강연할 사람은 많거든. 자네한테는 강연하고 돌아와 연락할 생각이었지.

이청은 오래전 도담삼봉 얘기를 했다. 이과수에게 그때 그 일은 추억이 아니라 기억이었다. 그 기억이 이과수에게는 단양 사건으로, 하정미에게는 끔찍한 일로 남아 있었다. 이청은 궁금하다며 이메일 끝에다 이렇게 적었다.

하정미 씨한테 안부 묻더라고 전해 줘요. 그런데 한국을 떠난 지가 언제인데, 아예 눌러 살 작정을 한 거요?

삶은 종착지를 향하는 여정이었다. 중간 기착지를 거치고서야 도달하는 마지막 끝, 거기가 종착지였다. 기착지가 여러 곳일 수도, 시간이 많이 걸릴 수도, 또 종착지에서의 삶이 더 짧거나 길 수도, 그렇지만 종착지가 어디인지는 누구도 알 수 없었다.

이청이 난감해 했다. 부에노스아이레스로 만나러 가겠다는 말이 부담스러운 모양이었다. 이청은 괜히 먼 길 오느라 애쓰지 말라며 말렸다. 그 때문에 일정을 마치고 연락하려 했던 것이라고. 비행 시간을 빼면 아르헨티나 체류 기간은 이틀, 시간으로 따지면 순수 체류 시간이라고 해야 40시간에 불과할 것이라고 이청은 이메일에다 적었다.

이과수는 답장을 했다. 부에노스아이레스 대학교 강연장으로 이청을 만나러 가겠다는 내용이었다. 이렇게라도 하지 않으면 언제 이청을 볼 수 있을까 싶었고, 책 얘기도 그렇고 막연하지만 이청과 할 얘기가 있을 것도 같았다.

한국과 아르헨티나는 날씨가 정반대였다. 10월에서 다음 해 3월까지는 우기였고 한국은 가을과 겨울, 봄이 지나는 계절이었다. 우기 때는 홍수가 흔했다. 그럴 때는 산타페 공항의 결항이 잦았다. 이륙 일정을 잡아 놓고도 비행기가 뜨지 않을 때도 있었다.

비는 며칠을 내렸다. 그날은 비가 오지 않는다는 일기 예보가 있었고, 산타페 공항에 연락을 해 보니 비만 오지 않는다면 늦게라도 비행기가 뜰 거라고 했다. 비가 올 확률은 20프로, 그걸 믿고 출발한 길이었고 공항도 그걸 기준으로 운행 일정을 잡은 모양이었다. 우선은 산타페까지 가고 볼 일이었다.

처음부터 길을 잘못 선택한 게 문제를 만든 듯했다. 그걸 알게 된 건 사고 지점에 도착하고 난 뒤였다. 산하비에르에서 고속도로를 타기 위해서는 두 노선의 국도 중 하나를 선택할 수 있었다. 두 번째 선택지인 남쪽으로 이어진 국도를 탄 뒤 산타페 쪽으로 달렸다. 산타페에 거의 다 와서였다. 갑자기 차가 막혔다. 비 때문에 지반이 약해진 근처 농경지와 둔덕에서 흘러든 토사가 국도로 밀려와 길을 막고 있었다. 토사는 무슨 용암처럼 흘러 쌓여 있었다. 고속도로를 탔어야 했다.

이과수는 근 삼십 분 넘게 씨름을 하고서야 거길 빠져나올 수 있었다. 그런데 트럭이 말썽이었다. 이러다가는 자칫 비행기를 놓칠 수 있었다. 트럭은 포기해야 했다. 산타페에서 자동차 수리점을 하는 아는 현지인에게 견인을 부탁하고는 공항까지 갈 차를 찾았다. 산타페를 지나는 차는 많았다. 구걸이 쉽지 않았다. 다행히 산타페 시내를 통과하는 트럭 하나를 얻어 탈 수 있었다. 시내에서 택시를 타고 부리나케 공항으로 가자 비행기가 뜨기 십 분 전이었다. 운이 좋았다. 한 시간여를 날아 이청이 강연을 한다는 부에노스아이레스 대학에 도착했을 때였다. 강연은 이미 끝나 있었고 강의실에는 아무도 없었다.

이청을 찾는 일은 어렵지 않았다. 한인회에 연락을 하자 그쪽 사람이 이청이 있다는 식당을 알려 줬다. 플로레스타 한인 상가 지역에 있는 한식당이었다. 알고 보니 한인회 사람 둘이 이청과 같이 있었다. 한 사람은 아는 사람이었다. 이청이 묵을 호텔도 그쪽에서 정한 거라고 했다.

식당엔 사람들이 꽤 많았다. 이제 막 저녁 식사를 시작하는 중이었고 목살 양념구이와 제육볶음, 된장찌개가 차려져 있었다. 토사 때문에 곤욕을 치렀다는 말에 이청도 그렇고 모두 놀랐다. 이청도 우기라는 것을 알고 있었고 그 때문에 이과수가 오지 못할 것이라고 생각한 듯했다.

"태호 씨는 잘 있지요?"

한인회의 이종규 씨가 물었다. 그는 태호 선배와 같은 시기에 이민을 왔고 나이도 비슷해 친했다. 태호 선배는 한인회 일이라면 광복절이나 한인의 날, 한인 이민자의 날은 물론 심지어 먼 리오 네그로주의 라마르케에서 열리는 토마토 축제까지 챙겼다. 한인회와 문인협회 사람들은 고국에서 온 시인 이청을 귀빈으로 대했다. 그중 한 사람이 이청과 책 얘기를 했다. 재아문인협회 사람인데, 이청의 책을 읽은 사람은 그가 유일했다. 류정수, 그 역시 시인이라고 했다. 알고 보니 강연은 부에노스아이레스 대학교와 한국학 연구센터가 주최하고 한인회와 재아문인협회가 공동으로 후원한 거였다.

"루카치의 제목을 빌린 이유가 있으신지요, 선생님?" 류정수라는 사람이었다. 자리가 좀 시끄러웠지만 유독 중저음인 그의 목소리 때문에 일순간 잡담이 멈추었다.

이청이 말했다.

"영혼의 의미도 그렇고 형식의 의미도 그렇고, 더 자세히 살피면 다르면서 같다고 할까, 아무튼 그 수준에서 생각해 주시면 제가 편할 듯합니다."

"루카치 책은 꽤 힘들게 읽었습니다, 선생님. 다 이해한 것도 아니고요. 이청 선생님 책은 우리 얘기를 해 와닿았습니다. 미묘하기는 하지만 같으면서 달랐다는 말씀에 저도 동의합니다."

사람들이 웃었다. "무슨 말이 그래, 류 선생?" 옆 사람이었다. 그러자 한국학 연구센터에서 나왔다는 사람이 말했다. "같으면서 다르다, 매력 있는데요. 하긴 진실은 그 미묘한 차이에서 갈리는 거 아니겠습니까."

"이렇게 맛있는 음식을 두고 제 얘기만 해서 되겠습니까." 이청이 말했다.

"이청 선생님 말씀이 맞아." 이종규 씨였다. "금강산도 식후경이라는데 중요한 얘기는 이따 하고 시장할 텐데 밥부터 먹자고. 드시지요, 선생님."

밥과 함께 술잔이 돌고 나자 이청이 여기서 소주를 마시니 별미처럼 느껴진다고 말했다. 그러자 누군가 그게 한국보다 소줏값이 비싸서일 거라고 했다. 그 소리에 다들 웃었다. 식사가 거의 끝나 갈 즈음이었다.

"류 선생님이 모실 거지요?" 이종규 씨였다.

"박 선생님하고 같이요." 류정수 씨가 한국학 연구센터의 박 선생님이란 사람을 가리키며 말했다. 식사 후 일정이 잡혀 있는 모양이었다. 이청과 같이 할 사람은 둘, 류정수 씨와 박 선생님이란 사람이었다.

†

출입문 양쪽 유리에 글씨가 보였다.

BAR SUR.

탱고 바였다. 협회 쪽에서는 이청 선생님이 부에노스아이레스까지 왔는데 탱고춤은 보고 가야 할 것 아니냐며 여길 코스로 잡았다고 했다. 늘 관광객이 찾는 곳이었고 예약을 해야 올 수 있는 관광코스였다. 오래전 왕가위 감독이 영화를 찍어 유명한 곳이었고, 알고는 있었지만 이과수는 이곳이 처음이었다. 박 선생이라는 사람 덕이었다. 산하비에르에서 이청을 만나기 위해 재난을 헤치고 여기까지 왔는데 자신이 양보하는 게 맞는 것 같다며 자진해 뒤로 빠졌다. 미안했지만 그렇다고 다시 양보할 수도 없었다. 이과수는 고맙다고 하고는 모른 척 그의 제안을 받아들였다.

"미안해서 어떡하지요." 이과수의 말에 박 선생이란 사람이 웃으며 말했다. "나중에 밥 한 끼 사셔야 합니다."

바 예약은 재아문인협회에서 한 모양이었다. 비용 역시 거기서 부담한 듯했고, 예약비에 입장료와 음식값이 포함돼 있었다. 바는 겉모습과 달리 규모가 그리 크지 않았다. 한꺼번에 많은 사람이 들어가기 힘들었고 예약도 거기에 맞춰 받은 듯했다.

9시부터가 영업시간이었다. 생각보다 영업시간이 늦었다. 이십 분 정도 일찍 도착했는데, 이과수 일행 말고도 일찍 온 사람들이 있었다. 중년 부부와 젊은 단체 관광객, 연인이나 친구끼리 온 사람들이 있었다. 국적이 다양했다. 미국과 캐나다, 일본 홍콩 스페인, 한국 사람은 이과수 일행뿐이었다. 생각 외로 아시아 사람이 꽤 됐다.

이과수는 이청과 사진을 찍었다. 하정미가 유튜브에 쓸 것들이었다. 류정수 씨가 찍어줬는데 바 건물 벽에 붙은 조명등과 건물 벽을 배경으로 한 사진이 괜찮았다. 바 수르는 반세기 넘게 영업을 해 온 곳이었다. 오랜 시간의 흔적이 건물 곳곳에 남아 있었고 실내는 바깥보다 더 인상적이었다. 사소한 물건 하나하나가 다 고전적으로 보였다. 르네상스 때 소품을 보는 듯했는데, 원목으로 된 카운터 테이블과 손님들이 앉은 탁자와 의자, 작은 양초와 식탁보들이 맞춤인 듯 잘 어울렸다. 전자음이라고는 하나도 섞이지 않은 반도네온과 바이올린, 피아노 소리는 시간을 거스르는 듯한 기분을 줬다. 이청은 그 분위기와 음악에 흠뻑 젖어 있었다.

샴페인이 나왔다. 저녁을 먹은 뒤여서 다른 음식이 필요하지 않아 땅콩을 안주로 했다. 류정수 씨가 그래도 아르헨티나에 왔으니 여기 음식 맛은 봐야 하지 않겠느냐며 이청에게 엠빠나다를 시켜 줬다. 엠빠나다는 남미식 고기 군만두였다. 공연은 10시가 넘어 시작됐다.

이과수가 말했다. “시간이 갇혀 있는 기분입니다, 선생님.”

“전 세 번째인데도 같은 기분입니다.” 류정수 씨가 맞장구를 쳤다.

“이과수 씨는 처음이에요?” 이청이 물었다. 이과수가 그렇다고 하자 류정수 씨가 이청에게 물었다. “왜 그런 느낌이 드는 걸까요?”

“공간 때문이 아니겠어요. 이과수 씨가 말한 갇힌 시간하고 같은 의미이기도 하고. 이처럼 고전과 현대를 한 음율에 담은 음악도 드물 겁니다.”

피아노 소리가 들렸다. 그 소리가 귀를 자극했다.

탱고 음악 연주가 시작되자 모두의 시선이 연주자 쪽으로 향했다. 피아노 연주자는 백발의 남자였다. 반도네온과 바이올린 연주자 역시 나이가 있어 보였다. 기타 연주자는 희끄무레한 턱수염 때문에 연주자가 아니라 지휘자처럼 보였다. 그들의 연주가 만든 탱고 선율이 실내를 전혀 다른 공간으로 환기시키고 있었다. 조금 전

한식당에서의 왁자함과 밤거리에서 만난 빌딩과 자동차와 사람들, 다시는 그들과 만날 수 없도록 먼 곳으로 데려가고 있는 듯 느껴졌다. 정적이자 소리 그리고 사물들, 그것들이 하나의 사건처럼 한순간에 전혀 다른 모습으로 변했다. 그 때문일까, 그 선율에 몰입한 사람들의 모습이 처음 왔을 때와 다르게 보였다.

음악은 반도네온 소리가 주였다. 거기에 다른 연주자의 악기 소리가 섞이면서 탱고 음악이 한층 풍요로워졌다. 모두 막 잠에서 깬 듯 좀 몽롱한 모습들이었다. 이과수가 이청 쪽으로 몸을 숙이더니 목소리를 낮춰 말했다.

“음악을 들으니까 생각나는 게 있습니다, 선생님.” 이청이 이과수를 향해 몸을 기울였다. “선생님께서 아까 루카치에게 영혼은 삶의 궁극을 탐구하려는 인간의 노력이며 그 내면의 요동 같은 것이라고 하셨잖습니까.” 이청이 식당에서 한 말이었다. “전 그게 숭고와 무엇이 다른지 생각했습니다. 지금 이 장소가 그 말을 떠올리게 해서요, 선생님.”

“그래요, 아마 같은 얘기일 겁니다.” 이청이 말했다. “하지만 루카치와 달리 21세기를 사는 우리 인간이 여전히 그 자격이 있는지 묻고 싶었어요. 영혼이란 관념이 여전히 소중하게 간직할 만한 충분한 가치가 있는지, 또 우리는 그걸 호명할 자격을 가진 존재인지, 이런 걸 탐구해 보자는 생각이지요.”

얼마 전 받은 이청의 이메일에도 비슷한 얘기가 있었다. 이메일을 읽으며 이상하게 이청에게 설득당하는 기분이었다. 숭고란 말이 그랬다. 이청이 말한 숭고는 이중의 의미를 가지고 있었다. 미적 가치는 물론 삶의 가치를 담을 수 있는 일상의 태도, 그러려면 일정한 도덕과 윤리를 갖추어야 하며 그 토대 위에서 삶이 비로소 자유로울 수 있다는 규율 같은 것 말이다. 나아가 이청은 영혼의 존재에 대해서도 얘기했다. 그게 관념이든 현상이든 인간에게 영혼은 여전히 존중의 대상으로 남아 있는 것인지, 그리고 삶이 숭고의 가치를 갖기 위한 유일한 상수가 영혼이 아닌지, 루카치가 철학자와 예술가 얘기를 했다면 이 상수를 통해 이청은 우리의 삶이 갖는 일상과 그 일상의 존엄을 얘기하고 있었다. 일상의 숭고, 그러면서 이청은 사실 일상이라는 말처럼 섬뜩한 것도 없을 것이라고 했다.

“그게 아우라 아니겠습니까.” 류정수 씨였다. 그 역시 목소리를 낮춰 말했다. 여태 이과수와 이청의 얘기를 가만히 듣고만 있던 그였다.

하정미 생각이 났다. 하정미의 몸짓이 뿜어낸 후광, 그거야말로 아우라가 아니었을까. 홀로 무대에 선 무희처럼 스스로에게 몰입해 주위를 휘감듯 이끌던 하정미의 몸짓과 표정 말이다. 이과수는 눈을 감았다.

음악 소리가 섬세했다. 바는 규모가 작아 피아노 건반을 건드리는 연주자의 손가락 움직임 소리가 들릴 정도였다. 사실성이 극대화되다 보니 오히려 사실성이 사라진 느낌이었다. 공간을 흐르는 선율, 그게 시간과 섞여 잔잔하게 율동하고 있었다. 파르르 떠는 듯한 날갯짓으로 허공을 나는 잠자리의 비행처럼. 이과수는 손을 감아쥐었다. 숨이 가빴다. 말로 표현하기 힘든, 그 감정의 동요를 받아들이고 있는 자신을 의식하며 이과수는 몽환감 같은 걸 느꼈다. 손등에 뭔가 닿은 느낌이었다. 따뜻했다. 이과수는 눈을 떴다. 이청의 손이었다. 이청이 표정으로 묻고 있었다. 괜찮은가……? 이과수가 고개를 끄덕이며 웃었다. 하지만 속은 달랐다. 가슴이 답답했고 울렁였다. 머리에서 두통이 느껴지고 여기서 뛰쳐나가 달리다가 거리 한가운데에서 외치고 싶었다.

연주가 끝나자 가수가 노래를 불렀다. 이과수는 그제야 이런저런 사물들을 하나씩 감지할 수 있었다. 공간의 빛깔과 비록 눈으로 볼 수는 없지만 공기의 입자가 바뀌는 현상을. 감아쥔 손이 젖어 있었다.

스페인계 특유의 음색, 남자 가수의 목소리가 오감을 각성시키고 있었다. 이과수는 고개를 갸웃했다. 왜 지금 그가 떠오르는 것일까? 한 번도 본 적 없는 그의 얼굴이 오랜 이웃처럼 생생하게 머리에서 그려지고 있었다. 혼란스러웠다. 이과수는 가수의 노래를 향해 귀를 열었다. 단순하지만 날카롭게 반복하는 탱고 선율, 그게 순간의 몰입도를 높이고 있었다. 귀는 가수의 목소리가 아니라 선율 그 자체를 향했다. 순수, 어쩌면 제이콥 헨리 쉬프가 청계천의 무당에게 몰입했을 때의 감정이 이런 것은 아니었을까. 그렇다면 조금은 이해할 수 있을 것도 같았다. 류정수 씨가 아는 노래인지 콧소리로 작게 따라 했다. 가수의 목소리가 사라지자 다시금 현실로 돌아온 듯, 이과수는 다시 천천히 주변을 둘러봤다. 이청이 보였다. 이과수를 보고 있었다. 입 모양으로 그가 물었다. 괜찮아요, 이과수 씨? 이과수는 고개를 끄덕였다. 이청다웠다. 타인의 감정을 작은 얼굴 표정만으로도 알다니. 그리고 허공 어디쯤이었다. 조금 전 몽환에서 벗어난 이과수는 이번에는 그 허공에서 생생한 현실

하나와 마주하고 있었다. 제이콥 헨리 쉬프의 모습이 지워지고 어떤 파일 하나가 둥실 떠 있었다. 어떤 문장들이 하나둘 행렬을 갖추곤 이과수 쪽으로 걸어 오고 있었다. 강영수의 논문, 그걸 읽었을 때의 감흥이 지구 반대편에서 탱고 선율과 함께 자신의 뇌 신경 곳곳을 깨우고 있었다. 신화가 된 제이콥 헨리 쉬프, 그가 허공에 두둥실 그림자 모습으로 떠 있었고 대한제국에서 뉴욕으로, 서울의 그랑호텔과 단양 그리고 부에노스아이레스의 바 수르까지, 다시 말하면 그 여정의 시간이 탱고 선율 하나에 묶여 이 시공간에 모여 열병을 마친 병정들처럼 도열한 채 고정돼 있었다. 케빈 슈라이버 교수의 힘이었다. 그의 손끝이 그려낸 모든 것들은 신화가 됐고 지금 그 신화의 힘을 이과수는 온몸으로 느끼고 있었다. 저승은 이승과 같은 삶이자 또 다른 삶이며, 이승의 연이 저승으로 이어지지 않는다는 김학수 정위의 말에 제이콥 헨리 쉬프가 느꼈을 감흥과 경이를 이과수는 음미하고 있었다.

댄서가 춤을 추고 있었다. 무도복 차림의 남녀 한 쌍이었다. 춤이 없는 탱고를 상상할 수는 없었다. 그 때문인지 사람들의 환호성이 아까보다 더 요란했다.

“밀롱가가 없었으면 탱고 춤도 없었을 겁니다, 선생님.” 류정수 씨가 목소리를 낮춰 말했다. “원래 부두 노동자가 많은 곳이었거든요. 탱고로 노동의 피로를 풀고 자신을 위로했지요.”

댄서의 춤은 화려했다. 이과수는 그게 마치 다른 세상 사람의 몸짓처럼 보였다. 나비넥타이를 매고 양복을 입은 남자와 붉은 옷의 날렵한 여자, 두 댄서의 춤이 만들어 낸 옷자락의 바람이 이쪽까지 날아왔다. 이들의 춤이 아까의 몽환을 재생하는 듯 느껴졌고, 몽환은 너무 가까이 밀착한 현실이 만든 착시일지도 모른다는 생각이 들었다.

“숭고 말입니다.”

이과수가 말했다. 아까처럼 속삭이듯. “저도 선생님하고 같은 생각입니다.” 이청은 이과수를 봤다. “이메일에다 쓰신 글이 생각나서요.”

이청은 이과수의 손을 잡았다 놓았다. 순간 이청은 심정이 좀 복잡해졌다. 오래전이기는 하지만 지금 이과수의 행동은 예전에 본 그가 아니었다. 그 모습을 이청은 아까부터 지켜보고 있었다.

“예술은 영혼 같은 거라고 하셨잖습니까?” 이과수가 말했다.

이청이 고개를 끄덕이곤 이과수의 손등을 도닥였다. 혹 그걸 말하는 건가? 강영수라는 사람의 논문, 논문은 마치 전설을 읽는 기분이었다. 시공을 움켜쥐듯 감정을 장악한 힘은 강력했고 신비로웠다. 이과수에게 보낸 이메일에서였다. 이청은 이런 말을 했다.

종교는 영혼을 구하지만, 예술은 영혼에게 질문을 하지. 인간은 질문하는 존재여서 그래. 상대가 영혼일지라도. 영혼스러움 혹은 영혼 같은, 이 말은 영혼을 향한 인간들의 지독한 추궁들이지.

이 얘기도 적은 것 같았다. 이청은 이과수가 예전의 그 같지 않다는 생각을 했고 그걸 숨기지 않았다.

생각이 나 적네. 도담삼봉, 그때 비가 왔지. 돌 세 무더기가 그런 감흥을 주다니. 공간을 사유하는 기분, 내게 돌이 진공을 체험하도록 해 줬어. 공간은 또 다른 공간을 만들어 냈고, 그러므로 떠 있는 것도 붙박힌 것도 아니었지. 그때 내가 체험한 것이 숭고였지. 자네 옆을 보게. 시공이 어떻게 우리를 대하는지. 이 연기를 이해해야 진리를 이해할 수 있지 않을까 싶네. 어느 하나의 겸손, 그걸 부정하는 순간 우리는 스스로 파멸할 테니까.

이과수가 답을 해왔다. 이런 말이 적혀 있었다.

불안합니다, 선생님. 도피처럼요. 그 역시 하나의 세계였는데, 세상 어디에 있어도 결코 작지 않은 넓이와 크기를 갖는, 그곳에서 저는 작은 돌멩이였습니다. 휩쓸리고 떼밀리다 멈추라면 멈추고 가라면 갔습니다. 그게 저를 작게 만들었습니다. 제가 출발한 곳, 도피의 시작으로 돌아가는 것, 그곳에 제 영혼을 두고 오지 않았는지 돌아봤습니다.

이과수는 영혼은 어떤 언어를 사용하느냐고 물었다. 질문이지만 자기 고백으로 들렸다. 마치 무슨 일을 겪어서 심적 변화를 겪은 사람처럼 느껴졌다.

영혼은 어떤 언어를 사용하는지, 그보다 제 영혼은 어떤 언어를 사용하는지, 다른 사람의 언어에 더 관심을 두고 산 게 아닌지 고민했습니다. 그러자 제 목소리가 들리는 듯했습니다.

사진이 첨부되어 있었다. 누구인지 알 수 없었다. 밤이었고, 가로등과 불꽃 그리고 푸르스름한 하늘이 배경이었다. 로사리오에서 있었던 축제라는데, 사진 속에서 누군가 춤을 추고 있었다. 사실 춤인지 뭔지 알기 힘든 거친 동작이었고 다른 사진에서는 사람들에게 가려져 몸 동작이 잘 보이지 않았다.

다음 사진은 얼굴 한쪽이 살짝 드러나 있었다. 시선을 비스듬하게 하고 있어 이쪽을 보려는 것인지 고개를 돌리는 중인지 알 수 없었다. 그리고 마지막 사진, 비록 옆 모습이지만 사진의 얼굴이 누구인지 이청은 알 수 있었다. 이과수의 아내 하정미였다. 웃고 있었다. 실은 표정을 분간하기가 어려웠다. 웃는 듯 아닌 듯했으니까. 이과수의 설명을 읽고서야 이청은 사진 속 하정미의 몸짓과 웃음을 이해할 수 있었다. 이과수는 하정미가 마치 빙의를 한 듯 신비스러웠다고 적었는데 그의 설명이 아니더라도 하정미는 그렇게 보였다. 무당이 도무를 추는 것과 흡사한 동작도 그렇고 옆 모습으로 본 웃는 얼굴이 유독 그래 보였다. 그 느낌은 거기서 온 것이었다.

하정미의 기운이 저를 깨웠습니다. 전 그걸 받아들였습니다. 아니, 그러기로 했습니다. 그러자 저를 볼 수 있었고, 영혼이 있다는 믿음을 갖게 했습니다. 제게 영혼이 없었다면 저는 하정미의 영혼을 알아보지 못했을 테니까요.

이청은 답장을 보냈다.

영혼이라, 칸트는 이성으로도 알 수 있는 것이 아니라고 했네. 인간이 이성으로 할 수 있는 게 얼마나 있는지 의문이기는 하지만, 그 말은 철학도 과학도 알기 힘들다는 뜻이지. 어디 그뿐일까. 불가지에 대한 불문가지, 나도 그 언저리에 서 있네.

탱고 춤이 끝나 가고 있었다. 사람들이 박수를 쳤다. 박수가 길게 이어졌다. 얼굴이 모두 상기해 있었다. 이과수는 머릿속이 온통 탱고 선율로 채워져 있었다. 바수르 자체가 탱고 선율로 만들어진 느낌마저 들었다. 마치 그 선율이 사람들 속으로 빙의해 들어간 듯했고, 그리고 알 수 없는 뭔가가 살갗을 베고 지난 것처럼 몸이 아렸다.

"탱고가 시 같은데요, 선생님." 류정수 씨가 박수를 치며 말했다.

"고마워요, 류 선생. 이 좋은 델 오게 해 줘서요." 이청이 말했다.

"선생님하고 올 수 있어서 좋았습니다." 그렇게 말하곤 류정수 씨가 이과수를 봤다. "어떠세요, 이 선생님은?"

"다른 세계에 갔다 온 기분입니다." 류정수 씨가 무슨 뜻이냐는 듯한 표정을 지었다. "이 세계이자 이 세계가 아닌, 뭐 이곳저곳이요." 류정수 씨가 어색하게 웃곤 더 세게 박수를 쳤다.

댄서가 손님들에게 사진 찍는 시간을 줬다. 손님들은 댄서와 사진을 찍거나 연주자와 나란히 서서 사진을 찍었고 바 곳곳을 배경으로 사진을 찍기도 했다. 여자 댄서가 다가와 어디서 온 사람들이냐고 물었다. 류정수 씨가 한국이라고 하자 북한인지 남한인지 물었다. 류정수씨가 사우스코리아라고 하자 매우 먼 곳에서 왔다며 탱고 춤을 가르쳐 주겠다고 했다. 류정수 씨가 손사래를 치며 이과수를 가리켰다. 그러자 이과수가 자리에서 일어나며 혼잣말을 했다. "이거 처음인데……." 말은 그렇게 했지만 사양 한번 하지 않고 자리에서 일어나는 이과수를 이청과 류정수 씨는 의외라는 듯 바라봤다. 하도 선뜻 나서기에 두 사람은 이과수가 탱고 춤을 출 줄 아는 사람인 줄 알았다.

"화이팅, 이 선생." 댄서가 내민 손을 잡고 나가는 이과수를 향해 류정수 씨가 외쳤다.

이과수는 등 뒤에서 들려오는 그의 목소리를 들었고, 어쩐 일인지 홀 가운데 섰는데도 당황스럽거나 사람들이 의식되지 않았다.

댄서가 다리를 뒤로 빼고 고개를 숙여 인사를 했다. 이과수가 따라서 인사를 했다. 한 번도 해 보지 않은, 무대에서나 하는 서양식 인사법이었다.

바 가운데서 댄서가 이과수의 손을 잡고 자세를 잡았다. 댄서가 이과수에게 한쪽 무릎을 굽히라고 했고 거기에 자기 다리를 올렸다. 이과수의 자세가 불안정해 보였다. 댄서가 이과수의 자세를 고쳐 줬고 그 자세에서 춤이 시작됐다. 이과수는 댄서가 시키는 대로 몸을 움직였는데 서투른 게 눈에 보였다. 그렇게 두어 바퀴 홀을 돌고 나자 이과수의 몸놀림이 좀 나아진 듯했다. 물론 어설프기는 했지만 조금 전과 달리 의외로 유연해진 몸이 제법 댄서의 춤을 따라 하는 것 같기도 했다.

이과수의 춤동작에 댄서가 놀라는 표정을 지었다. 사람들이 박수를 쳤다. 댄서가 좀 과감하게 이과수를 이끌었다. 이과수가 제법 한다 싶은 모양이었다. 이과수가 호흡을 맞추느라 애썼고, 그럼에도 적당히 춤 태가 나 보였다. 그걸 본 반도네온 연주자가 연주를 시작했다. 잠시 후 피아노와 바이올린 연주자가 합세했는데, 아까 연주한 피아졸라의 '리베르 탱고'였다.

이과수의 동작이 아까보다 훨씬 자연스러웠다. 움직임도 한층 부드러웠다. 둘의 춤은 탱고의 음율을 타며 부드럽게 때론 땅을 박차듯 절도 있게 움직였고, 댄서의 몸놀림은 시간이 지날수록 더 화려해졌다. 섬세하지는 않았지만 그걸 따라 하는 이과수가 놀라울 정도로 빠르게 적응하고 있었다. 그 때문에 사람들이 또 박수를 쳤고 휘파람 소리를 내며 환호성을 질렀다.

"뭐야, 이 선생 춤꾼이잖아." 류정수 씨였다. "그렇지요, 선생님?" 류정수 씨가 이청을 봤다.

이청이 웃었다. 이과수가 춤꾼일 리 없었다. 무난하게 따라 하고는 있지만 탱고를 배운 사람의 동작이 아니었다. 그래도 탱고 춤은 처음이라며 계면쩍게 일어선 사람이 저럴 수 있나 싶었다.

이청은 이과수의 얼굴을 봤다. 곧게 세운 목은 당당해 보였고 얼굴은 환해 보였다. 긴장은커녕 여유를 부리는 바람에 오히려 댄서가 당황한 모습이었다. 댄서가 다리를 길게 빼며 몸을 돌리자 이과수가 거기 묻혀 같이 움직였고 뭐라고 말을 건넸다. 그리고 어느 순간이었다. 둘의 춤동작이 섞여 있었다. 그러다 갈라지고 또 이어졌는데, 손을 맞잡고 앞으로 뻗더니 선을 따라 걷듯 둘이 일정한 방향으로 발을 내디뎠다. 탱고 선율이 그 둘의 얼굴과 몸을 휘감는 듯했다.

이과수는 자유로웠다. 서툴지만 거리낌 없는 그의 몸짓에서 그게 보였다. 잠시 뒤 댄서와 이과수가 제자리에서 한 바퀴 돌더니 성큼 이청과 류정수 씨 쪽으로 다가왔다. 그 동작이 꽤 유연해 마치 미끄러지는 것처럼 보였는데 류정수 씨가 그 날렵한 동작에 탄성을 질렀다. 이과수가 댄서와 제자리에서 맴돌다가 이청과 눈이 마주쳤다. 가까웠다. 이청이 이과수에게 엄지손가락을 세워 보였다. 댄서의 손을 잡은 팔을 뻗은 채 이과수가 몇 걸음 더 이청 쪽으로 다가오더니 몸을 굽혔다. 이청이 손을 내밀면 닿을 거리였다. 이과수의 얼굴이 이청을 보고 있었다.

"고맙습니다, 선생님."

그리곤 이과수가 싱긋 웃었다. 이과수가 다시 말했다. "자무엘을 이해할 수 있을 것 같습니다." 또렷했다.

이과수가 댄서와 미끄러지듯 저쪽으로 멀어졌다. 이청은 가지고 있던 물건 하나를 순식간에 빼앗긴 기분이었다. 뭐라고 한 거지, 아니 무슨 뜻일까? 고맙다는 말은 그렇다고 해도 자무엘을 이해할 수 있다니…….

이과수는 댄서와 홀 가운데 있었다. 댄서가 아까처럼 이과수를 이끌었고, 이과수의 몸이 자연스레 따라갔다. 한쪽에서 중년 부부가 탱고 춤을 추고 있었다. 춤을 출 줄 아는 사람들이었다. 중년 부부는 댄서와 이과수의 춤을 방해하지 않으려는 듯 작은 공간을 만들어 춤을 췄다.

댄서가 이과수의 몸을 어깨로 살짝 미는 게 보였다. 몸을 뒤로 좀 젖히라는 뜻 같았다. 이과수가 몸을 젖히자 댄서가 재빠르게 원을 그리더니 뒤로 몸을 빼 사선을 만들었다. 상체는 이과수에게 붙이고 다리는 거리를 두고 떨어진 자세였다. 불안정해 보였지만 꽤 매력적으로 보였다.

이청은 그 모습을 몽환처럼 보고 있었다. 마치 반도네온 소리가 음이탈을 한 것처럼 무엇인가가 어긋난 듯도 했다. 웅웅 우우우웅, 이탈한 악기 소리는 멈추지 않았다. 이청은 고개를 흔들었다. 그제야 반도네온 소리가 제대로 들리는 듯했다. 그러고 보니 악기 소리는 정상이었다. 그런데 자무엘을 이해하다니. 무슨 생각을 한 것일까, 아니 이과수는 무슨 말을 하고 싶은 것일까……?

이과수와 댄서가 바닥을 미끄러지고 있었다. 박수 소리가 들렸다. 둘의 현란한 발동작이 절정을 향하고 있었다. 그러다 이과수의 눈이 이청과 마주쳤고, 이과수가 웃었다. 이청도 웃었다. 자무엘을 이해할 수 있다는데, 자무엘이라면 케빈 슈라이버 교수의 노트에 숱하게 등장하는 그 문제의 인물이 아닌가. 월 스트리트의 허세를 상징하는 듯한 그의 처세와 행위가 이청은 못마땅했다. 애버리지니 필름을 만든 문제의 인물, 그 악몽과 논란의 출처가 다 자무엘이라는 사람의 비행에서 비롯하고 있었다. 고조부 제이콥 헨리 쉬프의 단점만 베낀 듯한, 이청은 그런 그를 도무지 용인할 수 없었다. 그런데 그를 이해하다니…….

연주의 흐름으로 봐 막바지 같았다. 한풀 꺾인 듯, 시작과 끝 그 사이 어디에 선율과 춤이 머무는 중이었다. 음악이 잔잔하게 음율을 타자 둘의 움직임이 거기에 맞춰 움직였다. 자연스러웠다.

춤의 절정과 마무리, 그 주도권이 악기에 있었다. 이과수와 댄서의 움직임이 순간 빨라졌다. 반도네온 소리가 단숨에 목적지에 도달한 사람들처럼 튀는 듯한 격음을 내더니 멈추었고, 동시에 이과수와 댄서의 몸이 정지했다. 뚝, 그리곤 악기의 소리와 움직임이 동시에 적막을 만들어 냈다. 이과수가 고개를 곧추세우곤 이쪽을 봤다. 잠시 정적이 이어졌고, 여기저기서 환호와 박수 소리가 들렸다.

"브라보, 브라보 브라보!"

춤을 끝낸 댄서가 이과수에게 인사를 했다. 이과수도 커튼콜을 하는 배우처럼 인사를 했다. 이어 둘이 손을 잡고 손님들을 향해 방향을 바꿔 가며 인사를 했다. 쉬익 쉬익, 하고 세차게 휘파람 소리가 났다. 류정수 씨가 내는 소리였다. "브라보, 이 선생!"

†

호텔로 가는 택시 안에서였다. 류정수 씨는 방향이 달라 택시를 타고 먼저 떠난 뒤였다.

"무슨 뜻이오, 그게?"

이청이 물었다.

"자무엘 얘기 말인가요, 선생님?" 이과수가 말했다. 알고 있었다는 듯.

"뜻밖이어서 그래요."

"말 그대로입니다, 선생님. 선생님께 보내 드린 강영수 논문 있잖습니까."

“덕분에 아주 잘 읽었어요.”

“그걸 읽다 보니 고조부 제이콥 헨리 쉬프도 그렇지만 자무엘이 새삼 눈에 들어왔습니다. 선생님은 어떻게 생각하시는지 모르겠지만 그간 제게 자무엘은 악 같은 존재로 비쳤거든요. 그런데 강영수의 논문을 읽고 보니 맥락을 보게 됐고 그를 다른 시선으로 이해하게 됐습니다.”

“맥락이라고요, 이과수 씨?”

“이 일이 장장 백 년이라는 시간을 두고 벌어진 거잖습니까. 그러다 보니 역사라는 걸 생각하게 됐습니다. 인간의 욕망 또는 의지와 용기 같은 것들이 그 맥락 안에서 느껴지고 받아들여졌지요. 그러자 제가 보였습니다. 선생님도 말씀하셨잖습니까.”

“뭘 말이오?” 이청이 물었다.

“숭고 얘기요. 도담삼봉에서 하신 말씀이 가슴에 남아 있었거든요. 참 좋은 말이란 생각을 했습니다.”

“무슨 말이 하고 싶은 거지요, 이과수 씨?”

“인간의 끊임없는 의지와 용기, 하지만 결실을 맺지 못했잖습니까. 제 말씀은 제이콥 헨리 쉬프와 자무엘이 같은 용기와 미덕을 가진 사람들이라는 것입니다.”

“미덕이라고 했소, 이과수 씨?” 이청이 놀라 물었다.

“그들에게 영혼은 인간에 대한 경외, 혹은 존중을 위한 노력이자 실천이 아니었는지 해서요, 선생님. 시대가 다를 뿐, 그 긴 시간 차는 아무 장애가 되지 못합니다. 압니다. 제이콥 헨리 쉬프와 자무엘의 목적과 동기가 어떻게 다른지, 그리고 자무엘의 방식이 얼마나 말도 안 되는 것이었는지, 또 얼마나 무모한지. 그렇다고 그의 열정과 용기, 아니 그가 인간의 존엄을 믿고자 한 의지마저 폄훼해서는 안 된다는 생각을 했습니다. 인간에 대한 믿음을 확인하기 위한 행위의 하나로 선택한 것이 그것이었을 수 있어서 그럽니다, 선생님. 김학수 정위의 영혼관을 실존적 입장에서 바라보고 실행한 실존주의자가 자무엘 그 사람이 아니었는지. 제이콥 헨리 쉬프조차 생각만 있었을 뿐 실천하지 못한…….”

이청은 눈을 감고 있었다. 조금 전 옆모습으로 본, 눈 하나 깜짝하지 않는 이과수의 얼굴에서 막 혼란을 느낀 참이었다.

“나 좀 봐요, 이과수 씨.” 이청이 눈을 감은 채 말했다.

“네, 선생님.”

“어디서부터 말해야 할지 난감한데, 똑같이 강영수의 논문을 본 우리가 이처럼 다른 생각을 하고 있을 줄은 몰랐어요. 적어도 같은 생각을 했겠거니, 물론 꼭 그 기대를 한 것은 아니지만 그렇다고 이런 얘기를 예상하지는 않았어요. 그런데…….”

“선생님이 말씀하신 겁니다.”

“뭘 말이오?”

“숭고요, 선생님.”

이청은 놀랐다. 아니 그 말을 어떻게 자무엘의 행위와 연결 지을 수 있다는 것인지. 무슨 일이 있었던 것일까, 이과수는?

“오독한 거요, 이과수 씨.” 이청의 목소리가 굵었다. “암, 그렇고 말고…….”

“아퀴 이따모스.” 택시 기사가 룸미러 속에서 말했다. 호텔 앞이었다.

†

심란했다. 이청에게 이메일을 보내고 나자 몸 어딘가를 다친 것처럼 불편했다. 알지 못하는 누군가가 자신의 몸을 굼뜨게 스치는 듯한 불쾌감, 최치영 생각이 났다. 그가 보내준 이메일이.

자네 영혼은 여기다 놓고 가지 않았는가…….

“사진 어디 있어, 과수 씨?” 하정미였다. “동영상이면 더 좋고.”

“무슨 동영상?”

하정미가 뭘 말하는지 몰라서 묻는 게 아니었다.

“토사 때문에 난리였다면서, 그거 찍었으면 줘, 이청 선생님 것도.”

그 난리에 동영상을 찍다니, 그 생각을 할 겨를이 없었다. 사진도 겨우 찍었는데. 비행기 시간 때문에 온통 정신이 거기 가 있었다. 바 수르의 사진은 핸드폰에 들어 있었다. 바 건물을 배경으로 한 것과 바 안에서 찍은 것들, 사진을 보여 주자 하정미가 탄성을 지르며 자기도 가 보고 싶다고 했다. 언제 콘텐츠로 만들어 유튜브에 올려야겠다고.

"바가 끝내 주더라고. 우리 언제 가자." 이과수가 말했다. 하지만 그날 길에서 잤다는 말은 하지 않았다. 같이 들어가자는 이청의 말에 잘 곳이 있으니 염려 말라고 해 놓고 보니 막상 갈 곳이 없었다. 아니 갈 곳이 없는 게 아니라 갈 곳이 있고 싶지 않았다.

"토사는, 국도에 잔뜩 흙더미가 있었다면서?"

"사진 있잖아."

"동영상 말이야."

이과수가 고개를 젓자 하정미가 살아서 돌아온 건 좋은데 유튜버 마누라 생각해서 그런 건 좀 챙기라며 구시렁댔다. 사진은커녕 비행기 시간을 놓칠까 봐 거기서 나오기도 빠듯했다는 말에 하정미가 입을 삐죽대곤 말했다.

"이청 선생님은 뭐라고 하셔?"

"뭘?"

"과수 씨가 아무 말도 안 하지는 않았을 거 아니야."

어디까지 말해야 하는 것일까, 어디까지 말을 해야 하정미가 납득할 수 있을까? 이청에게 이런 말을 한 기억이 났다. 택시에서 내리기 바로 전이었다.

"이 말씀은 드리고 싶습니다, 선생님."

"해 봐요, 이과수 씨."

"좀 자유로워진 느낌, 아니 전 자유롭습니다. 정말입니다, 선생님."

"그래요……?"

"뭔가를 선택했다는 홀가분함, 아니 선택하지 않은 불편을 벗었다는 느낌, 그게 절 자유롭게 해 준 거 같습니다. 어쩌면 선택하는 자유가 선택하지 않는 자유를 압도했다고 할까, 아무튼 그게 좋습니다, 선생님."

"충분히 이유가 있는 말이긴 해요." 이청이 말했다. 그러며 그는 자유에는 양심이 따른다는 말을 했다. 선택도 마찬가지라고.

하정미에게 그 얘기를 하자 천천히 고개를 흔들더니 말했다.

"혼란스러워, 과수 씨."

"뭐가?"
"이청 선생님하고 과수 씨가 같은 얘기를 한 것 같지가 않아서……."
하정미의 눈치는 알아줘야 했다. 하긴 이청하고는 말할 수 없는 간극 같은 게 있었다. 그게 무슨 큰 생각의 차이라기보다 사물을 받아들이는 빛깔이 다른 것뿐이었다. 그런 건 대개 경험이 달라서 오는 것들이었다. 아니, 그러고 보니 분명한 차이가 있는 것 같기도 했다. 제이콥 헨리 쉬프는 그렇다고 해도 자무엘을 보는 시선에서는 확실히 거리가 느껴졌다. 그런데 하정미는 무엇을 알기에 저런 말을 하는 것일까. 궁금했지만 묻지 않았다. 다만 이과수는 이렇게 말했을 뿐이었다.
"알아, 하정미."
"알면 뭐 해, 날 이해시키지 못하는데."

†

최치영이 이메일을 보내왔다. 지배인 얘기가 적혀 있었다. 꽤 안 좋아 보였는데 상황이 생각보다 꽤 심각한 듯했다.

제임스의 불운에 대해서는 따로 말하지 않겠네. 측은지심이야 어떻게 말로 다 할 수 있겠는가. 사람이라는 게 다 비슷한 역경을 겪으며 늙고 병들어 죽어 가지. 물론 제임스는 흔한 경우가 아니야. 왜 그걸 모르겠나. 아쉬운 것은 아쉬운 대로 놔둔 채 사는 것도 삶 아닌가. 그러다 망가지기도 하는 거고. 솔직히 나도 알 수가 없어 그래. 그건 그렇고 요즘 들어 제임스 이 친구가 낯설어져 고민이 크네. 나도 이젠 좀 지친 것 같기도 하고…….

낯설어진다, 최치영의 그 말이 가볍게 보이지 않았다. 그래서인지 최치영과 지배인의 갈등이 선을 넘었다는 생각이 들었다. 왜 지배인은 변한 것일까?
최치영의 이메일은 더 이어졌다.

안 좋은 일은 비우는 게 답이지. 그래야 좋은 일이 채워져. 벽수산장이 그 경우야.

벽수산장이 사라진 그랑호텔의 새 모습에서 나 역시 그걸 봤고. 자네도 놀랄 거야. 남산은 물론 충무로와 을지로 세종로, 북촌과 저 아래 서촌이 그랑호텔 침대 위에서 한눈에 내려다보이거든. 객실의 유리벽이 뿜어내는 빛이 서울 곳곳에 밝은 빛을 주고 있어. 투숙객들의 미래를 보는 듯해 감흥이 묘했네. 그리고 이건 알고 가세. 월 스트리트는 배울 게 많은 곳이야. 우리 재산이기도 하고.

이과수는 계정 하나를 열었다. 평소 쓰지 않는 G메일이었다. 이걸 다시 열어 보게 될 줄은 몰랐다. 최치영이 이메일 끝에 적은 월 스트리트 얘기, 왠지 그 얘기가 불현듯 이메일 저장고에 쟁여 있던 옛 파일 하나를 들추게 했다. 파일은 중요 편지함에 들어 있었다. 월 스트리트가 만든 텍스트를 읽은 뒤 요점을 적어 보관한 것이었는데, 최치영의 월 스트리트 얘기가 그때 생각한 것과 밀접해 보였다. 'WALL TEXT', 생경했다. 하지만 지금의 생각을 그때도 하고 있었다는 것, 왜인지는 알 수 없지만 이과수는 이 파일을 최치영에게 보내 줘야겠다는 생각을 했다.

엽서

심정은 이해하지만, 지난번처럼 대수롭지 않게 생각한 최치영이 시큰둥하게 나오면 또 바보가 될지 몰랐다. 일리는 있었다. 외풍을 견디는 내성이 예전 같지 않다는 게 문제이기는 하지만 혈연 어쩌고 하는 소리에 지배인은 자기도 모르게 위축이 됐다.

"소득이 없었잖아. 차 선생." 지배인이 말했다. 볼멘소리였다.

역시 변한 것은 없었고 설마 한 게 오히려 문제를 키운 듯했다. 그런데도 차영한은 또 그 소리를 하고 있었다. 무슨 근거로 최치영이 그런 말을 하는지 확인해야 했다. 가볍게 볼 일이 아니었다. 더군다나 최치영이 직접 한 말이라고 하지 않은가. 최치영과 이과수가 연락을 하고 지낸다는 얘기는 사태의 심각성을 제대로 일깨워 주고 있었다. 선을 한참 넘는 일이었고, 그동안 막연히 생각한 것들이 하나둘 사실이 돼 눈에 들어오고 있었다. 지배인은 하루하루가 고역이었다. 그런데 이 대리 이 망할 자식이 또 엿을 먹이다니!

지배인은 입안의 버번을 삼켰다. 마치 오물을 비우듯. 그리곤 옷소매로 입가를 쓱 닦고 양갈비 하나를 집어 들었다.

"행사하고 관련이 있다는 소린 뭐야, 차 선생?" 질겅질겅 고기를 씹으며 지배인이 물었다.

"그게 아리송해, 제임스. 이바다 감독을 못마땅해하는 건 그렇다 해도 왜 이과수하고 연락을 하는지……."

지배인이 끙 소리를 냈다. 무슨 일을 꾸미기라도 한다는 것일까. 핏줄이라니, 말이 되는 소리를 해야지.

"가자고, 차 선생." 지배인이 자리에서 일어나며 말했다. "이게 뭔 짓거리인지, 퉤." 지배인이 카펫에 침을 뱉었다. 가래와 양갈비 찌꺼기가 섞여 걸쭉했다.

마음이 급했다. 갑자기 할 일이 많아진 것처럼. 앞에서 걷는 지배인의 몸이 한쪽으로 기우뚱거렸다. 의족 때문이었다. 지배인은 자꾸 지팡이를 짚은 쪽으로 무게중심을 뒀다. 의족에 힘을 주는 버릇을 들여야 하는데 여전히 그게 서툴렀다. 습관이라기보다 심리적인 것이었다. 의족과 지팡이를 같이 쓰는 바람에 의전용 지팡이는 제구실을 하지 못한 지 오래였다. 지팡이에 대한 숭배와 의족으로 인한 수치심, 이런 게 섞여 적응을 막고 있었다.

차영한이 문을 여는데 이서정이 서 있었다. 막 노크를 하려 했던 듯 손이 어중간하게 허공에 멈춰 있었다.

"엽서가 왔습니다, 지배인님." 이서정이 손에 들고 있던 종이를 내밀었다.

"엽서……?"

말 그대로 작은 종이쪽지였고, 엽서였다. 요즘에 누가 엽서를 보낸다는 말인가. 그런데 좀 이상했다. 소인을 보니 시간이 꽤 지나 있었다. 잘못 왔나? 엽서를 차영한에게 주려다 다시 봤다. 자신에게 온 게 맞았다.

지배인은 엽서를 들고 자리로 되돌아왔다. 의자에 앉아 찬찬히 엽서를 살폈다. 엽서에는 그림이 있었다.

"기다릴게, 제임스." 차영한이 말하곤 방을 나갔다.

지배인은 확인하듯 다시 이름을 봤다. '지배인 김철민', 제임스 김이 아니라 김철민이었다. 자신의 이름이었고 자기한테 배송된 엽서가 틀림없었다. 소인을 봤다. 아까 뭘 잘못 본 게 아닌가 싶어 다시 확인한 건데, 어떻게 이런 일이 가능한 것일까. 달나라에서 오는 것도 아닌데 엽서 한 장 배달하느라 수년이 걸리다니. 말이 되지 않았다. 어떤 망할 자식이 어디다 처박아 뒀다가 이제야 발견한 모양이었다. 보낸 사람은 '이과수', 어디서부터 잘못된 것일까.

지배인은 접시의 양갈비 하나를 집어 입에 물었다. 갈비를 잡느라 손에 묻은 양갈비 기름이 엽서에 묻었다. 인상을 찌푸리곤 인터폰을 눌렀다.

"이 엽서 언제 온 거야, 이서정 씨?"

"조금 전 이한별 씨가 가져왔습니다, 지배인님." 인터폰을 1층 안내 쪽으로 연결하게 했다. 이한별과 근무하는 한조은이 인터폰을 받았다.

"이한별 바꿔."

"나그네 투숙객 때문에 객실에 올라갔습니다. 오면 연락드리라고 할까요, 지배인님?" 지배인은 그러라고 하곤 엽서의 그림을 봤다.

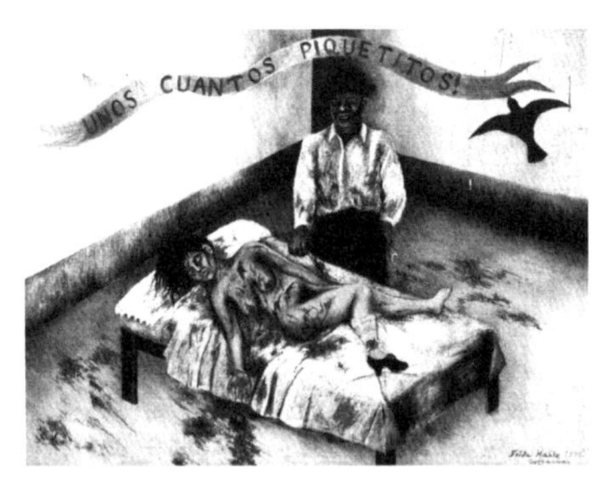

〈단지 몇 번 찔렀을 뿐〉(1935), 프리다 칼로.

그림이 섬뜩했다. 뒤의 글은 손으로 쓴 글씨였다.

마이애미에 비가 왔습니다.

오늘은 맑았습니다.

데이브는 확실히 좋은 녀석입니다. 아이패드를 선물로 줬더니 기뻐했습니다.

데이브하고 있는 동안 행복했습니다.

"행복하다고……?"

지배인이 혼자 말했다. 엽서를 당장이라도 북북 찢어버릴 것 같더니, 손에 든 채 부르르 떨기만 했다. "망할 자식, 날 가지고 놀아……."

그런데 이 뭣 같은 상황에서 왜 또 이 자식이 나타나는 것일까. 옆에 있었다면 따귀를 갈겨도 시원찮았을 터였다. 그림은 왜 이렇게 험악하고. 왜 지금 또 나타나 사람 속을 뒤집어 놓는지. 행복하다…… 그런데, 왜? 차영한 말대로라면 그간 최치영과 이과수가 주고받은 이메일이 한두 번이 아닌 모양이었다. 상습적이었고 기간도 꽤 된 듯했다. 이 망할 자식이 보낸 이메일은 잘 읽지도 않더니, 그런데 이메일을 읽고도 답을 하지 않는 심보는 또 뭘까? 차영한의 이메일에도 이 대리는 아무 반응을 보이지 않았다. 그 뒤로는 이메일을 보내지 않았는데, 자존심 때문이 아니라 역시 배신자는 어쩔 수 없다는 생각 때문이었다.

또 욕이 나왔다. 망할 자식……, 그러고 보면 이과수 이 자식이야말로 이상한 녀석이었다. 아니면 자신이 이상한 것일까. 화가 나다가도 어느 순간 사그라드는 건 또 뭔지. 하긴 그나마 마음 놓고 속 얘기를 하며 지낸 사람은 이 대리가 유일했다. 차영한이 있지만 둘은 달랐다.

호텔을 떠나기 전, 이 대리는 늘 지배인 옆에 있었다. 좋든 싫든 부닥쳤고 기분이 상해도 서로 눈치로 알아서 대할 정도로 빠삭했다. 밥을 먹을 때도 그렇고 뭘 하더라도 이 대리와 같이 한 적이 더 많았다. 웬만한 일은 이 대리를 통해 처리했고, 공적이든 사적이든 대화를 가장 많이 나눈 사람 역시 이 대리였다. 그 생각을 하자 기분이 더 뭣 같아졌다.

이메일을 적고 나자 맥이 풀렸다. 대단한 걸 적은 것도 아닌데, 지배인은 다시 곰곰이 생각에 잠겼다. 머릿속에서 이 대리와 최치영이 겹쳐 떠올랐다. 늙은 여우, 역시 알기 힘든 상대였다. 지혜롭고 관용이 있는 것처럼 보이지만, 어디까지나 자신의 이익을 위한 것이었을 뿐, 그럼에도 다들 최치영을 우러렀다. 그는 악일까, 차악일까. 그게 악이든 차악이든 그의 무기는 드러난 권력이 아니라 그걸 움직이는 힘이었다. 그랑호텔의 진정한 권력자는 그가 아닐까. 이게 그를 외면할 수 없게 했다. 그리고 솔직할 필요가 있었다. 더 일을 망치기 전에, 그런데 사실일까? 강대식의 자식이 아닐 수도 있다는 말, 너무 황당해 별 대수롭지 않게 넘겼는데 혈연이니 뿌리니 그 말이 그 뜻일 줄은 생각하지도 못했다. 차영한도 웃기만 했다. 강대식과는 결코 좋은 사이였다고 할 수는 없지만 혈연까지 부정하지는 않았다. 이미 운명이었고 애증이 돼 버린 과거사가 아닌가. 제임스 김이 아니라 제임스 강이라고 해도 어쩔 수 없는, 그렇게 살아온 세월이 반세기를 넘었고. 그런데 최치영의 말은 근거가 있는 것일까? 이 대리가 조사한 자료라지만 처음 듣는 얘기였고 자료는 구경조차 해 본 적이 없었다. 이 노인네가 함부로 떠들어 댄 것이 아닌지. 그런데 왜? 지배인은 거의 반사적으로 핸드폰 번호를 눌렀다.

†

A4용지로 세 장이었다. 포인트를 좀 크게 해 그런 듯했다. 백지우가 용지를 가지런히 해 최치영에게 내밀었다.

"생각보다 내용이 깁니다, 선생님."

"이 대리 이 친구가 할 말이 많은 모양이군." 소파에 비스듬히 기대 있던 최치영이 안경을 바꿔 썼다. 핸드폰 소리였다. 최치영의 핸드폰에서 나는 소리였다.

"지배인입니다, 선생님." 백지우가 핸드폰을 들어 보이며 말했다.

"제임스……?" A4용지를 뒤적이던 최치영이 손을 멈췄다. "어떡할까요, 선생님?"

"놔두게. 이거 내용이 많구먼."

"이과수 선생은 우리하고 생각이 좀 다른 것 같습니다." 백지우가 핸드폰을 덮으며 말했다.

"내 읽어 보지."

이과수의 이메일은 주로 자무엘 얘기에 초점을 맞추고 있었다. 일부만 보내는 거라는데, 하지 않은 얘기가 또 있다는 소리였다. 그때 그가 이런 생각을 했다는 게 의외였다. 그보다 이과수의 솔직한 태도가 마음에 들었다. 이메일을 보내 놓고 너무 나간 게 아닌지 걱정했는데, 그 우려와 다르게 이과수가 적극적이었다. 제대로 이해도 한 것 같았다. 고민한 흔적이 보였고 심경에도 변화가 있는 게 느껴졌다.
최치영은 기분이 좋았다. 기대해도 좋을 것 같았다.

목표 하나는 확실한 집단이다. 하지만 약점이 있다. 자칫 그게 부메랑이 될 수도 있다. 소유를 발명한 위대함이 희화될 수 있기 때문이다. 이 역설과 야만은 모순이지만 훌륭한 무기다. 자무엘의 행위 역시 이 선상에서 이해하는 것이 합리적이다. 다른 결과를 가져오기는 했지만 취지만은 거기서 벗어나지 않았기 때문이다. 하지만 곱씹을 대목이 있다…….

최치영은 이과수의 이메일을 백지우에게도 읽게 했다. 이메일을 다 읽고 난 백지우가 말했다.
"이 친구 생각 외로 통찰이 있는데요, 선생님."
"적게."
백지우가 부리나케 노트북의 한글 문서를 열었다. 잔기침을 하고 난 최치영이 이메일 내용을 불러줬다.

좋은 얘기 고맙네. 그때 이 생각을 했다니, 놀라워. 그리고 이 얘기는 해야 할 듯해 적네. 월 스트리트 없이 지구적 사고는 불가능해. 굳이 이걸 강조하는 것은 월 스트리트와 척을 져 좋을 게 없어 그래. 자네 취지는 이해하네. 월 스트리트라고 왜 부족한 것이 없겠나. 하지만 이건 알아 두게. 불완전한 것과 권력은 달라. 어떤 식으로든 서열은 존재하고 그 결정을 힘이 한다는 이 원칙이 변한 적은 없거든. 월 스트리트를 염두에 두자는 소리가 이 뜻이지. 그리고 자네가 곱씹겠노라고 한 대목은 나도 충분히 동의하네. 해석은 분분하고 그게 새 생각을 하게 하지. 초록은 동색이라고 하지 않던가. 월 스트리트를 떼어 놓고 사유하는 게 얼마나 무모한 일인지 알자는 의미야. 사족 같네만 서두는 게 좋을 것 같아 그러네.

말을 멈추곤 최치영이 고개를 끄덕였다. 이제 됐다는 뜻이었다.
"제 생각을 넣어도 될까요, 선생님."

"하고 싶은 말이 있는가?"
"하루라도 빨리 선생님 뜻을 알게 할 필요가 있을 것 같아서요."
"좋을 대로 하게."
백지우는 최치영의 말이 끝나는 데다 이렇게 적었다.

선생님의 뜻은 이 선생님도 충분히 알리라 생각합니다. 제 생각입니다만, 이 말씀은 드리고 싶어서 몇 자 적습니다…….

†

시각차가 컸다. 이과수는 그걸 자무엘과 제이콥 쉬프에게서 찾아야 한다고 생각했는데, 최치영은 다르게 본 것 같았다. 하지만 월 스트리트를 그랑호텔과 비교하는 일은 받아들이기 힘들었다. 이 지점에서 최치영과 갈리고 있었다.

자무엘과 제이콥 헨리 쉬프, 둘을 같이 묶는 것도 그랬다. 두 사람은 비슷하면서 다른 사람들이었다. 월 스트리트와 그랑호텔을 비교하는 것만큼이나 합리적이지 않았고, 거기다 밀레니엄 때와 지금을 그대로 대입하는 바람에 현실성도 떨어졌다. 지배인을 자무엘과 비교하자 노발대발한 사람이 최치영이 아닌가. 지배인도 결국 그 짝이 나지 않았느냐고. 이메일에는 백지우가 덧붙여 적은 게 있었다. 이과수를 이해시키기 위한 것 같았는데, 너무 조심스레 말하는 바람에 취지를 잘 살리지 못한 것 같았다. 그런데 그가 따로 적어 보낸 게 있었다. 읽다 보니 생각이 비슷한 데가 있었다.

월 스트리트에 대한 선생님의 생각은 확고합니다. 훗날 자무엘 씨의 운명이 어떤 식으로 결말이 났는지 아니까요. 선생님은 그걸 무시해선 안 된다고 하셨습니다. 보다 중요한 것은 호텔의 전통을 보전하고 맥을 잇는 차원에서 데이행사를 마쳐야 한다는 점입니다. 그리고 이 얘기는 하지 않으려고 했습니다만, 이제 선생님은 제임스에 대한 기대는 접으신 듯합니다. 서둘러야 한다는 말씀이 그 뜻 같습니다.

수긍이 갔다. 백지우는 맥락을 보고 있었다. 이미 삼십 년이 지난 일이었고, 여전히 그 자장 안에 있다고는 해도 그때와는 분명 다른 시대를 지나고 있다는 점, 이과수가 최치영에게 느낀 간극이 거기였고 백지우 역시 이 부분을 지적하고 있었다.

최치영의 오해 중에는 투숙객들에 대한 시선이 포함돼 있었다. 투숙객들이 보수적이라는 그의 말은 절반만 맞았다. 몇몇 투숙객의 의견을 전부인 것처럼 단정해 생기는 현상이었다. 적어도 이과수의 경험상 투숙객들만큼 열린 사람들도 드물었다. 생존 때문이었고 저항은 오히려 외부가 더 심했다. 부단한 노력과 고뇌, 어느 한순간 게으름을 피우거나 생각이 멈추는 찰나 전통은 무너지게 마련이었다. 그런데 왜 최치영은 자꾸 월 스트리트에 집착하는 것일까.

이과수는 답장을 보냈다.

이과수입니다, 백 선생님. 최치영 선생님은 그랑호텔에서 가장 개방적인 학자이십니다. 선생님이 그 말씀을 하셨다는 게 저로서는 좀 생경합니다. 보수를 지키려면 진보가 필요하다는 걸 누구보다 잘 아는 분이 선생님이 아닌지요. 제가 우려하는 것은 월 스트리트는 우리와 상관없다는 것입니다. 뿐만 아니라 여기는 맨해튼이 아니라 그랑호텔입니다. 선생님께서 그걸 잊으신 듯해…….

이메일이 길어졌다. 하지만 월 스트리트와는 아무 상관이 없다는 것, 그 말은 적어야 했다. 중요한 문제였다. 어쩌면 최치영의 오류는 시대를 구분하지 않은 데서 온 것일 수 있었다. 20세기와 21세기는 달랐다. 이 부분에서 그답지 않게 시공간감이 떨어져 보였다. 구습이 준 관성에서 그 역시 벗어나지 못하고 있었던 것이다. 21세기의 그랑호텔은 이제 스스로 그 일을 해내고 감당할 힘을 가지고 있으며, 양기찬과 강대식이 맨해튼을 어슬렁대며 티격태격하던 20세기가 아니기 때문이었다. 이과수는 그게 답답했다.

우리는 지난 시대와 다른 세상에서 살고 있습니다. 그때로부터 이미 한 세대가 지나 또 다른 인간들이 이곳에 살고 있지요. 우리가 누구인지 우리 스스로 정할 수 있는 시대를 우리는 살고 있습니다. 백 선생님도 알고 있지 않을까 생각합니다. 김학수 정위의 시대를 통해 이미 그 경험을 하지 않았습니까. 비로소 우리가 누구인지, 우리가 무엇을 해야 하는지. 그 답을 주었으며 그가 제게 그 힘을 줬습니다. 그 뒤 제 사유는 달라질 수 있었습니다. 강영수라는 사람의 논문, 그게 아니었다면 지금 이 생각에 이르지 못했을 것입니다. 하물며 백 년 전 그 한마디로 지금의 저를 알게 한 김학수 정위의 교훈은 말해 무엇 하겠습니까. 이 시대 어느 한 사람, 투숙객들 누구 하나 그때를 비켜 존재할 수 있는 사람은 없습니다. 이 얘기 선생님께 꼭 전해 주셨으면 합니다.

이과수는 제이콥 헨리 쉬프가 창덕궁 오찬에서 김학수 정위에게 영감을 받은 것처럼, 이 모든 것의 근원이 그곳이라는 걸 강조했다. 이 얘기는 지난 이메일에서도 한 적이 있었다. 반복하는 것처럼 보일 수도 있지만 요지는 우리의 영혼관이 이후 모든 것의 시작이 아니겠냐는 뜻이어서 아무리 강조해도 지나치지 않을 것 같았다.
그날 밤이었다. 최치영이 이메일을 보내왔다. 백지우는 이과수의 이메일을 곧바로 최치영에게 전했고 그가 즉답을 해 온 것이었다. 백지우를 통해서였다. 글 곳곳에 그 특유의 고집이 들어 있었다.

의미를 모르셔서가 아니시랍니다. 다만 어떤 실천을 할 것인지, 그러려면 월 스트리트의 전례라든가 그들의 입장이 고려 대상이 될 수밖에 없다는 경험칙을 지적하신 것이었답니다. 선생님 특유의 이성과 논리, 합리 같은 철학적 사유와 경험을 충분히 고려한 말씀이라고 생각하시면 될 듯합니다. 저 역시 나쁠 게 없다는 생각입니다. 뭐든 두들겨 볼 필요는 있지 않을까 싶어 드리는 말씀입니다.

월 스트리트, 월 스트리트! 이과수는 자기도 모르게 젠장 소리가 나왔다. 백 년이나 훌쩍 넘어 다시 우리 앞에 돌아왔다는데 무슨 소리를 하는 것인지. 이과수는 흥분했고 답장을 하면서도 그 흥분이 잘 가시지 않았다.

이번에도 최치영 선생님이 그대로 읽으실 수 있게 해 주십시오, 백 선생님.
이런 얘기를 들은 기억이 납니다. 과학이 발달하면 과학의 힘으로 신이 있는지 없는지 알 수 있을 것이라고요. 인류가 그 질문을 했을 때가 20세기 초였습니다. 물론 그 답을 준 사람은 지금까지 없었습니다. 이제 우리가 답해야 합니다. 저 자신을 향한 질문이며, 자문은 질문이 아니라 사유에 속하지요. 그 답을 우리가 가지고 있습니다. 의심하지 않아도 됩니다, 선생님. 신과 영혼은 다릅니다. 제가 드릴 수 있는 말씀은 월 스트리트와 자무엘처럼 길을 혼동해 패배하지 않을 것이며, 지금 우리는 그 힘과 자격을 가지고 있다는 것입니다.

지치는 느낌이었다. 같은 말을 또 하자니 고역스럽기도 했다. 목이 탔다. 제이콥 헨리 쉬프가 말하고 자무엘이 확신하여 실천한 이 간단한 논리를, 그리고 어찌됐든 자무엘은 실패한 사람이라는 것, 잊지 말아야 했다.

예전의 선생님 말씀이 생각났습니다. 제이콥 헨리 쉬프와 자무엘의 역할을 해 줄 사람이 필요하다고 하신 말, 그땐 그게 무슨 말인가 했습니다. 그리고 지금 다시 저는 제이콥 헨리 쉬프를 떠올리고 있습니다. 케빈 슈라이버 교수와 자무엘 역시 떠올랐습니다. 그러자 피부에 와 닿았습니다. 그들이 놓친 오류가 눈에 들어왔지요. 이런 기분 처음입니다, 선생님.

20세기 마지막 인간답게 육체에 직접 메스를 가함으로써 답을 얻고자 한 자무엘 쉬프, 이제 그런 시대는 지났습니다. 생각해 보면 그게 얼마나 무모한 발상이자 패착이었는지, 이제는 다른 답을 찾아야 합니다. 대한제국의 무당과 굿, 김학수 정위의 영혼관을 관통하는 사유라면 생각 외로 답이 쉬울 수도 있습니다. 그러므로 그 순수의 시작이 우리 영혼이었다는 사실, 월 스트리트를 잊어야 하는 이유가 바로 여기에 있습니다, 선생님.

이메일을 보내고 한 시간이 채 지나지 않아 답이 왔다. 최치영이 직접 적은 글이었다.

자네에게 기대한 바가 크네. 자네가 한 일이 결코 작지 않기 때문이지. 이 충만함이 나 혼자의 생각이 아니길 바라네. 그리고 이 말은 하지 않으려고 했는데, 제임스하고 나눌 의리가 이제 무엇이 더 있겠는가. 재탕이라니, 이 얘기는 더 하지 않겠네. 하지만 살아야 하지 않겠는가. 호텔이 살아야 투숙객들이 살 테고, 투숙객들이 살아야 호텔이 살지 않겠는가. 월 스트리트 얘기는 그 취지였네. 우린 제법 잘해 왔어. 명심하게.

이과수는 답장을 했다. 앞의 이메일과 뉘앙스를 좀 달리해 보냈다. 그래서일까, 이번에도 최치영이 곧바로 답을 해 왔다.

이걸 상기하세. 투숙객들이 이미 애버리지니 필름을 경험했다는 사실. 자네도 알다시피 여긴 그랑호텔이야. 애버리지니 필름을 통해 애버리지니 필름을 다시 말해야 하는 현실, 이제 그 너머를 우리는 가야 하지. 그게 우리끼리 가능한 것인지? 이 고민은 좀 진중할 필요가 있어. 더닝 크루거 효과라는 말이 있지 않은가. 제임스가 그걸 몰라 저 짝이 난 거야. 제임스는 이제 맛이 갔어. 자네 말은 소중하게 생각하겠네. 그리고 호텔 입장에서는…….

이과수는 이제야 속이 좀 뚫리는 기분이었다. 시종 답답했는데, 최치영의 완강함이 좀 수그러든 듯 보였기 때문이었다. 그런데 최치영이 뜻밖의 얘기를 했다.

사람이 갈 걸세. 자네도 알 만한 사람이야.

다음 날 아침이었다. 밥알이 어디로 넘어가는지, 점심과 저녁을 먹는 둥 마는 둥이었다. 사람을 보내겠다니, 곰곰이 생각해 보니 왜 그렇게 흥분해 말했는지 후회가 됐다. 답답해 한 말이 너무 앞서 나간 게 아닌지 싶었다.

최치영은 산하비에르 주소를 알고 있었다. 하긴 예전에도 그런 말을 비춘 적이 있었다. 그렇다고 사람을 보내다니, 여기까지 사람이 오게 할 수는 없었다. 하지만 보내지 말라고 해서 그만둘 사람이 아니었다.

저녁을 먹고서였다. 하정미가 커피를 내왔다. 커피잔을 받아 들며 이과수는 힐끗 하정미를 봤다. 평소대로라면 저녁을 먹은 뒤 각자 방으로 가 하정미는 유튜브 채널에 댓글을 달거나 영상 편집을 하고 있을 터였다. 이과수는 농장 일을 점검하고 와 있을지 모르는 최치영과 백지우의 이메일을 찾아 읽곤 늦은 밤 안방 침실에서 하정미와 잠이 들었겠지.

"브라질 파젠다 산타 이네스 내추럴이야, 중배전이고."

커피 종류에 별 관심이 없는 이과수는 그게 아프리카든 브라질이든 콜롬비아든 상관이 없었다. 산미가 강하면 강한 대로 구수하면 그 맛대로 마셨다.

"재가 왜 이러나 싶어?" 하정미가 웃으며 물었다. 이과수가 고개를 끄덕였다. "우리 몇 년째지?" 몰라서 묻는 게 아닐 터였다. 왜 묻느냐는 듯 하정미를 봤다.

"일 년 먼저 왔지, 과수 씨가?"

"십 개월인가, 아마 그럴걸."

"한국 생각 많이 나?"

"뭐가 궁금해?"

"우리 둘 사이에 무언가가 끼어드는 느낌. 알아, 과수 씨?"

이과수는 굳이 말하지 않았다. 무엇을 말하려는지 알 것 같기 때문이었다. 최치영과의 그간 소통을 아는 하정미가 가만히 있는 게 오히려 이상했으니까. 이과수도 그걸 신경 쓰고 있었고.

"끼어드는 건 상관없어, 과수 씨. 다만……." 하정미가 말을 멈추었다. 이과수는 커피를 마시다 말고 하정미를 봤다. 잠시 뒤였다.

"내가 여길 온 게 과수 씨 때문일까……?"

그러고 보니 이런 얘기를 이렇듯 진지하게 한 적은 없는 것 같았다. 굳이 그래야 한다고 생각하지도 않았고 그런 얘기를 나눠야 할 상황이 있었던 적도 없었다. 그런데 하정미가 새삼 그걸 묻고 있었다.

"다른 내가 돼 보고 싶었어. 그동안 나는 오로지 직장인으로 살아왔어. 직장 생활만 근 10년이었으니까. 엄마와 아빠의 딸이기도 했지만. 그런데 다른 내가 되고 싶더라고. 혼자서는 힘들겠다 싶기도 했고. 그러다 누군가와 같이 하는 나도 괜찮을 것 같다는 생각을 했어. 그리고 과수 씨가 눈에 들어왔어. 오해는 마. 어쩔 수 없이 선택했다는 소리는 아니니까."

이과수가 웃으며 물었다. "그래서?"

"그래서? 그래서 이과수라는 사람을 선택한 거야. 다른 나로 살아 보고 싶다는 마음이 있을 때는 왠지 불안했어. 사실 다른 나가 어떤 나인지 알 수 없었거든. 그런데 과수 씨를 선택하고 나니까 불안이 사라졌어. 희한하지?" 이과수는 그런 것 같다고 말했다. 자기도 비슷하다고. "그리고 지금 우리는 다른 우리를 생각하고 있어. 난 그게 눈에 들어왔고 나는 또 어떤 나로 살아야 하는 것은 아닌지 생각해 봤어. 서로 많이 다르면 안 되잖아……." 잠시 틈을 두곤 하정미가 말했다. "그래서 물어보는 거야. 왜 날 아르헨티나로 불렀어, 과수 씨?"

"왜?"

"응, 왜?"

누군가에게 끌리고 또 누군가의 말에 동의하는 것의 대부분은 마음이 하는 일이었다. 느낌 같은 것 말이다. 인간이 지각하고, 인지하고, 인식하는 감각과 지능 모두를 벗어나거나 합한, 그러므로 그것은 직관이라는 힘이 그런 결정과 말을 하게 했을 터였다. 그리고 이성에게 끌린다는 것은 설명이 불가능한 어떤 현상일 뿐, 그 설명을 하게 된다면 그땐 모든 것이 끝난 나중의 일일 가능성이 컸다. 다만 그때 중요한 것은 진정성에 대한 기억뿐일 터였다.

처음 산하비에르에 오고 두 달 정도가 지나서였을 것이다. 보고 싶어, 하정미. 문자로 그 말을 적어 보내곤 낯이 뜨거웠다. 10여 분 정도가 지난 뒤였다. 하정미가 핸드폰을 해왔다.

"거기 어디에요, 과수 씨?"

"어, 산하비에르. 부에노스아이레스에서 한참 멀어."

"주소 불러 봐요."

이웃 동네 아는 사람 집을 찾아가는 것도 아닌데 주소를 불러 달라니. 하지만 그 말이 무엇을 뜻하는지 굳이 설명을 들을 필요가 있을까. 얼마나 광활한지 가늠조차 하기 힘든 우주와 그 안의 수많은 별들, 하정미의 그 말에는 적어도 그 절반 정도의 서사가 담겨 있다는 것을 이과수는 직관 하나만으로도 알 수 있었다.

"나도 벗어나고 싶었어. 근데 막상 와 보니까 혼자라는 게 힘들었어. 그랑호텔이 여전히 나를 구속하고 있었고 일도 만만치 않았거든. 그간의 내 자유와 아무런 고민없이 살고 싶었던 삶이 송두리째 팽개쳐진 기분이었지. 그걸 누군가와 같이 하면서 얘기하고 싶었어. 혼자는 할 수 없잖아. 아니 나 혼자서는 벗어날 자신이 없었어. 그걸 같이 할 사람이 하정미밖에 생각나지 않았어. 날 도와줄 사람 같았거든."

"그러셨군요, 이과수 씨. 그럼 이건 어때?"

"뭐가?"

"왜 다시 자신을 구속했던 그 속으로 들어가려는 건지. 그렇잖아, 지금이."

이과수는 뻔히 하정미를 봤다. 그 말이 정곡을 찔렀다. 이 물음은 자신이 스스로에게 해 온 질문이기도 했다. 하지만 지금 답하기는 힘들었다. 이과수 자신조차 아직 답이 없었고 어쩌면 답이 없을지도 몰랐다. 그러므로 이 모든 고민은 처음으로 돌아가게 될 수도 있었다. 다만 그게 무엇이든 열려 있다는 것, 그게 그나마 숨을 돌리게 했다.

"사람은 꿈이 달라. 그게 욕심이 되면 안 되는 거지만. 최치영 선생님이란 분도 그래. 그분이 우리 둘의 생각에 어떤 영향을 미칠지, 그걸 생각해야 해. 알지, 과수 씨?"

"알아, 하정미." 커피잔을 입에 가져가며 이과수가 말했다.

"그들의 꿈에 우리의 꿈이 어울리는지, 그리고 그들과 우리가 같은 꿈을 꾸는 사람들인지. 누구와 그 선한 꿈을 꿀 것인지."

"나도 그 무게를 재는 중이야. 결코 가볍게 결정하고 말하지는 않을 거니까 걱정하지 마."

하정미가 이과수에게 입을 맞추곤 말했다.

"사랑해, 과수 씨."

"알아, 하정미."

하정미가 유튜브에 올라온 댓글 볼 게 많다며 쪼르르 자기 방으로 갔다. 이과수는 마시던 커피잔을 들고 자기 방으로 왔다.

하정미는 무슨 생각을 하고 있는 것일까. 하지만 아직 과정이 끝난 게 아니었다. 그 끝이 있는지도 알 수 없었다. 분명한 것은 있었다. 아직 그것이 무엇이든 그들과 다른 무엇, 하정미의 말대로 자신의 선한 꿈과 그 꿈을 꾸는 자신에 대한 믿음, 그거야말로 자유로움의 본질이 아닐까.

이청의 말이 떠올랐다. 탱고 바에서 호텔로 가는 택시 안에서였다. 이청은 자유에 대해 좀 길게 얘기했다. 이과수가 고개를 주억거리자 그가 말했다.

"자유라, 그런데 그 자유가 이과수 씨의 선택 때문에 주어진 자유라면, 그 선택은 무엇으로부터의 해방이라고 생각해요? 그리고 혹 그 자유가 누구에게 억압이 된다면, 아니 불편하거나 불쾌한 것이라면, 그리하여 상대의 자유가 작아진다면 어떡할 거요, 이과수 씨?" 그땐 이청의 그 말에 딱히 뭐라고 말하지 못했다.

이과수는 이청에게 보낼 이메일을 적었다. 그때 그의 말에 대한 답을 적느라고 했는데 막상 이메일을 보내고 나자 생각만 더 깊어진 기분이었다. 그러고 보니 하정미에게 한국에서 사람이 올 거라는 말을 하지 않은 게 또 걸렸다.

†

"사람하고는……." 이청이 혼잣말을 했다. 이메일 내용이 좀 복잡해 보였다. 근래 자신의 심정 같은 것을 적은 것 같았는데, 부에노스아이레스에서 봤을 때 그에게서 본 모습과 같은 느낌이었다.

생각해 보니 이과수와 얘기를 나눈 시간은 길지 않았다. 택시를 타고 호텔로 가는 짧은 시간이 전부였으니까. 자무엘인가 그 사람 얘기하고 숭고와 자유에 대한 얘기를 잠깐 했을 터였다. 숭고란 말을 이과수가 오해한 듯해 얘기가 좀 길어졌던 기억이 났다. 이과수는 오래전 도담삼봉 얘기를 기억하고 있었다. 정도전 상을 보며 한 얘기였다. 그 말을 그렇듯 인상 깊게 기억하고 있을 줄은 몰랐다. 그런데 길에서 밤을 새다니, 잘 곳이 있다고 했는데 아닌 모양이었다. 하긴 마음만 먹으면 잘 곳이 없을 사람이 아니었다. 왠지 이청은 그게 좋아 보였다. 그의 다른 모습을 본 듯해서였다.

그런데 이메일이 좀 집요했다.

별것 아니겠지 하다가도, 그 앞에 선 제가 보였습니다. 거울 속의 저처럼요. 선생님 때문이었습니다. 같이 일하는 태호 선배가 어디다 정신을 두고 다니느냐고 할 정도였지요. 하정미도 그걸 안 모양입니다. 댄서하고 춤춘 얘기를 해 주며 대충 넘어갔는데, 건성으로 듣는 것 같았습니다.

그게 무슨 의미였는지요, 선생님?

그리곤 이과수는 개인의 욕망과 공공성이 어떤 거리를 갖느냐고 물었다. 꽤 직접적이어서 이청은 잠시 고민해야 했다. 욕망과 공공성은 영역이 다를 수 있었고 겹치기도 하기 때문이었다. 철학과 심리 그리고 정치적 이념보다 구체적으로는 일상의 곳곳에서 둘은 혼용되거나 경계가 흐려지기도 했다. 무엇 때문에 묻는지 모르겠지만, 이과수에게 왜 이 질문이 필요한지는 알아야겠다 싶었다.

이메일이 아까보다 진지했다.

…… 어떤 이익과 불이익으로 작용할 것인지, 선생님 말씀이 겹치자 생각이 깊어졌습니다. 다들 한 번은 경험하며 살지 않는지요. 도덕과 윤리 그 사이에서의 혼란을 저 역시 느끼고 있습니다. 자무엘, 아니 제이콥 헨리 쉬프의 신념과 행위가 선생님이 말씀하신 선과 악의 어느 자리를 차지하는지. 또 그게 도덕적인지 윤리적인지. 제게 필요한 게 윤리인지 도덕인지, 이 물음이 제게…….

이청은 이게 무슨 말인가 싶었다. 그걸 이해한 것은 이메일의 뒤를 읽으면서였다.

누군가에게 길을 물은 적이 없습니다. 저에게 길을 알려 준 사람도 없었습니다. 그 길을 선생님께 여쭙고 있습니다. 도덕적인 인간은 가능한지, 윤리적인 인간은 가능한지, 우리는 그걸 지킬 수 있는 사람들인지. 제이콥 헨리 쉬프와 자무엘에 대한 선생님의 생각 역시 듣고 싶습니다. 이 질문은 저를 향한 것입니다. 이런 생각을 했습니다. 제 자유가 누군가에겐 불쾌함이 될 수도 있다는 선생님의 말씀, 그 말이 무겁게 다가왔습니다. 그 때문에 저는…….

바 수르에서였다. 자무엘을 이해할 수 있을 것 같다던 이과수의 말, 지금 이 질문은 그때 그 말과 같은 것이었다. 하지만 이 질문에는 진지함과는 다른 결이 존재했다. 왜 그는 이렇게 목이 마른 것일까, 무엇 때문에, 무슨 일을 겪는 중이기에? 그게 무슨 강박처럼 보였고 한편 절박해 보이기도 했다. 그의 집요함에서 그런 깊이가 느껴졌다. 그날 그의 행동은 간절하다 못해 무슨 고뇌를 뒤집어쓴 실존주의자의 모습과 다르지 않았다. 그 무게가 턱없이 자신의 어깨를 짓누르자 마침내 비명을 지르는 듯도 했다. 홀로 감당할 수 없자 손을 내밀고 동의를 구한 것이었는지도. 그리고 자유, 그는 고백하듯 아니면 동의를 구하듯 이청에게 자유에 대해 말했다. 그게 무슨 선언처럼 들렸다.

이청은 답장을 했다.

이해한 게 맞는지 싶어 적네. 신념이란 것이 실은 주관이나 무지의 소산이라기보다 용기 때문인 경우가 있지. 용기는 폭력의 다른 이름이기도 하고. 그게 세상을 망쳐 오기도 했고. 자무엘이라는 사람, 자네는 그를 안다고 생각했는데 아닌 듯해 그러네. 내 생각이 틀린 것인지. 그 사람이야말로 자네가 믿고 싶은 도덕이나 윤리와는 상관없는 자가 아니냐는 뜻이네. 같은 맥락이네만, 자네의 자유와 신념이…….

나그네 투숙객

나야, 이 대리.

제목이 그랬다. 이렇게 말할 사람은 지배인밖에 없었다. 그가 한층 가까이 느껴졌다. 막상 열어 보니 지배인이 보낸 이메일이 아니었다. 차영한이 쓴 건데 지배인이 시킨 거라고 했다. 괜히 이메일을 열었나 하다가 좀 더 읽다 보니 정신이 번쩍 들었다.

최치영 선생님하고 연락하고 지낸다면서, 이 대리. 그 때문에 제임스가 충격이 커.

그리고 이 얘기는 까맣게 잊고 있던 내용이었다. 이런 게 있었나 싶을 정도로. 그러자 이 얘기를 지배인이 적으라고 한 게 맞나 싶기도 했다.

최치영 선생님이 자료를 보여줬어. 제임스가 강대식의 자식이 아닐 수도 있다고 했다는 문서 말이야. 이 대리가 쓴 것이라며 최치영 선생님이 줬는데, 믿을 수가 없어서 그래. 제임스는 이 대리한테 직접 듣고 싶어 해. 나도 그렇고. 사안이 보통 심각해야지. 이번엔 꼭 답 줘, 이 대리…….

지배인이 이제야 그걸 안 듯했다. 좀 늦은 감이 있지만 사실 쉽게 알 수 있는 얘기가 아니었다. 지금까지 이과수와 최치영 둘만 아는 얘기였으니까. 그런데 어떻게 지배인은 이 파일을 최치영한테 받게 된 것일까? 순서가 거꾸로 된 듯했다. 그리고 그건 우연이었다. 사사를 만들겠다고 마음먹고 나자 챙겨야 할 것들이 한둘이 아니었다. 그 자료도 그 와중에 찾은 것이었다. 그걸 정리해 호텔 PC에 놔둔 건데, 그러므로 이 자료는 지배인이 먼저 발견하는 게 상식이었다.

이 자료를 만드는 데 도움을 준 사람은 최치영이었다. 그런데 왜 최치영은 지배인에게 자료를 준 것일까. 그것도 지금. 지배인이 찾았다면 몰라도 자신이 아니라 이과수를 통해 알았다는 듯 왜곡까지 하면서.

처음에는 긴가민가했다. 얘기 자체가 주는 파급이 작지 않을 것 같았기 때문이었다. 최치영의 얘기를 다 듣고도 실감이 가지 않았고 사실 잘 믿어지지도 않았다. 지배인이 강대식의 핏줄이 아닐 수도 있다니, 어쩌면 최치영이 잘못 알고 한 말이 아닐까. 하도 얘기의 무게가 커 차라리 잊고 지내는 게 낫겠다 싶었다.

이 얘기는 한 남자의 등장으로 시작했다. 그의 존재를 알려 준 사람이 최치영이었다. 최치영은 그를 잘 알았고, 알고 보니 전혀 어울릴 것 같지 않은 둘의 인연은 꽤 오래전부터 이어온 것이었다. 최치영은 그를 오빠뻘 되는 남자라는 말로 표현했다. 그리고 강대식, 최치영 못지않게 그를 잘 아는 사람이 그였다. 최치영은 그 얘기를 하면서 적당한 선과 거리를 뒀고 시종 용의주도했다. 그렇다고 그가 이과수의 질문에 일일이 답할 의무는 없었다. 그 조심성이 더 궁금증을 키웠고, 얘기를 듣다 보니 미심쩍은 게 한둘이 아니었다. 지배인이 강대식의 자식이 아닐지도 모른다는 얘기가 대표적이었다. 최치영이 노골적으로 그 얘기를 하지는 않았지만 논리적으로 그랬다. 일부러 흘리듯 얘기하는 것이 아닐까 했는데 그는 지배인의 개인사뿐 아니라 자신에게도 치부가 될 수도 있는 옛일까지 스스럼없이 들려주었기 때문에 다른 의심을 할 수는 없었다. 그 역시 그와 관련해 떳떳한 사람이라는 소리였다.

“그대로 적어도 될까요, 선생님?” 이과수가 물었다. “가족사이고, 자랑할 일이 아닌 것 같아서요.”

최치영이 손사래를 쳤다.

"기록이란 좋든 싫든 포용할 줄 알아야 하지. 그래야 나중에 누가 보더라도 진실을 알 수 있어."

이과수는 최치영에게 들은 얘기를 일련번호를 달아 적었다. 그가 들려준 얘기 중에는 이런 게 있었다.

1. 오빠뻘이라니? 오빠면 오빠지, 오빠뻘이라는 표현이 모호했다. 그가 찾아와서 직접 대화까지 나눴다는데, 뭉뚱그려 오빠뻘이라는 말이 잘 이해가 가지 않았다. 사촌인지 오촌인지, 외가 쪽이라면서 그것을 명시하지 않다니. 어느 날 갑자기 그가 나타났고, 어느 날 인연을 끊듯 사라졌다고 했다. 최치영이 괜한 말을 한 것 같지는 않았다. 다만 그가 김숙녀 집안의 오빠인지 확신할 수는 없다는 것, 외가라면서 굳이 그처럼 모호한 말로 표현을 한 최치영은 궁금증만 자아냈다. (최치영을 다시 만나는 수밖에 없다. 그는 알고 있을 것이다.)

2. 김숙녀의 지인에 불과한 것일까. 오빠뻘이라는 말의 뉘앙스 때문이다. 그 대목에서 최치영이 입을 닫았다. 임신한 김숙녀가 도망가고 아무도 김숙녀의 행방을 모를 때였기 때문에 그의 방문은 더 의문이 든다.

– 여느 때와 다르게 최치영이 긴장했다. 듣다 보니 아귀가 맞는 얘기였다. 이런 생각이 들었다. 김숙녀가 의병장 김백선의 증손녀가 맞는지, 이거야말로 중요한 문제였다. 추측이지만, 오빠뻘이라는 남자는 강대식의 아킬레스건을 누구보다 잘 아는 사람일 가능성이 컸고, 알게 모르게 강대식의 입김이 작용한 것은 아닌지. 말하자면 상생 같은 것 말이다. 물론 더 알아봐야 할 문제다. 어쩌면 이 얘기에는 보다 복잡한 강대식의 혈연 문제가 끼어 있을 수도 있다. (혹 감추기 위한 것은 아니었을까……, 어쩌면 최치영이 일부러 강대식의 치부를 들고나온 것이 아닌지. 강대식이 거액을 줬다는 얘기는 그 의심을 하게 했다. 이 얘기는 나만 알기로 하자.)

3. 최치영의 말을 믿어도 될까? 너무 나간 듯하다. 지금까지 알고 있던 상식에서

많이 벗어나 있었고, 그럼에도 논리적인 것은 또 뭔가. 그리고 그 말이 사실이라면, 아직 다 확인하지는 않았지만 지배인에게 말할 엄두가 나지 않는다. 구체적인 자료나 증언이 더 있어 줘야 한다. 사실 여부와 관계없이 김숙녀를 거론하는 것만으로도 지배인의 삶이 흔들릴 수 있다. 예민한 부분이다.

4. 강대식의 행동은 일관돼 있다. 꾸준히 항일 을미의병장 김백선 장군 추모회에 후원을 해 왔고 한 해도 거른 적이 없다. 강대식 이후에는 지배인이 그 역할을 해왔다. 추모회 뒤에는 종친회로부터 감사하다는 연락을 받기도 했고. 다만 지배인이 직접 추모회에 간 적이 없다는 사실을 제외하면 특이한 점은 없다. 그 때문에 지배인이 강대식과 김숙녀 사이의 자식이라는 그간 사실에 별도의 의문을 품을 이유도 없을 듯하다. 어쨌거나 이 얘기의 열쇠는 최치영이 가지고 있다. 확실하다. 그가 입을 연다면 그게 진실이다. (이길섭. 오빠뻘 남자라는 사람의 이름이다. 짐작대로 최치영은 그의 이름을 알고 있었다. 강대식과 이길섭 그리고 김숙녀, 그 셋을 다 겪은 사람은 최치영뿐이다. 그 사람 자체가 비밀 덩어리다.)

차영한은 또 이메일을 보내왔다. 답을 달라는 말을 적었는데, 이해는 갔다. 그 충격이 오죽할까. 지배인은 말할 것도 없고 아는 사람이 누가 더 있는지는 몰라도 호텔의 누군가 알게 된다면, 아마 생각조차 하고 싶지 않을 것이었다.

생각해 봐, 이 대리. 무슨 날벼락 같은 소리야. 이게 말이 돼? 누가 봐도 이건 아니잖아. 답 달란 말 잊지 마, 이 대리.

차영한은 지배인이 안 됐다고 했다. 그의 진심이 느껴졌다. 하지만 그 말에는 또 다른 의미가 담겨 있는 것 같다는 생각도 들었다. 씁쓸했다. 그 때문일까, 읽다 보니 이과수는 자기도 모르게 감정 이입이 되고 있었다.

문제는 호텔 주인이야. 생각만 해도 끔찍하지 않아? 지배인은 아직 거기까지는 생각하지 못한 모양인데, 투숙객들이 알면 무슨 일이 벌어질지……. 아무튼 제임스는 이 대리 얘길 듣고 싶어 해. 생각해 봐. 그래야 대책을 세우든 뭘 할 게 아냐. 제임스는 오죽하겠어. 나도 힘들어, 이 대리.

이메일에는 지배인이 강창섭한테 갔다 왔다는 얘기가 적혀 있었다. 강창섭이라면 쳐다보지도 않던 사람이었다. 차영한은 지배인이 강창섭에게 갔다 온 것을 후회하는 것 같더라고 했다. 그렇지 않아도 둘이 남남이나 다름없는 사이인데, 이게 무슨 일인지 모르겠다며 지배인의 상심을 걱정했다.

이과수는 착잡했다. 이 얘기를 해야 하는 것인지, 아니 어디까지 들려주는 게 좋을지 판단이 잘 서지 않았다.

작심하고 최치영을 만난 날이었다. 그도 의도를 알고 약속을 잡아 준 듯했다. 얘기는 자연스레 김숙녀로 이어졌다.

그의 입에서 이길섭이란 이름이 나온 게 그날이었다. 이과수가 묻기도 전이었다. 최치영은 담담했다. 듣다 보니 얘기가 좀 길었고 이런저런 우여곡절들은 영락없는 신파였다. 하긴 삶이란 게 다 신파이기는 했다. 그 통속을 인정해야 삶의 제 모습을 볼 수 있었다. 너저분하고 때론 절박해 질질 짜기도 해야 하는, 그래서인지 최치영의 얘기는 꽤 설득력이 있었고 비로소 진실에 가까워지는 느낌이었다.

"말하자면, 이건 뿌리 얘길세……." 지팡이를 감아쥐며 최치영이 말했다.

이과수는 그날 최치영의 얼굴을 지금도 또렷하게 기억하고 있었다. 담담한 듯한 태도와 다르게 경직된, 이어 그의 입에서 나온 얘기는 예전에는 짐작도 할 수 없었던 내용이었다. 얘기가 거의 끝나 갈 즈음이었다. 참지 못하고 이과수가 물었다.

"그러면, 의병장 김백선 장군 얘기는……?" 최치영이 작게 숨을 내쉬더니 말을 막았다. "굳이 말을 해야 하겠는가?"

아차 싶었다. 그런데 최치영의 얘기 중에는 그간 알고 있던 것과 다른 것들이 있었다. 그의 말이기는 하지만 강대식이 김백선 장군을 내세운 것은 자신 때문이 아니라고 했다. 자기 책임이 아니라는 소리처럼 들렸다. 그 일과 관련해 사람들이 알고 있는 얘기는 소문에 불과하다고. 최치영은 이 얘기를 잘못 풀면 근본이 흔들릴 수 있다며 조심스러워했다. 투숙객들 때문이었다. 최치영은 그 역학을 생각하면 차라리 모르는 체하는 게 모두를 위해 좋은 일일 수 있다고 했다. 그럼에도 자신이 이 얘기를 하는 것은 그때가 언제가 됐든 투숙객들이 이 일을 알게 됐을 때 빠져나갈 구멍 하나는 남겨 둬야 할 것 같기 때문이라고 했다.

"하여튼 기록으로 남겨야 한단 생각은 지금도 같네."

"알겠습니다, 선생님."

"나중에 뭔 지탄을 받더라도 진실을 알릴 근거는 있어야 해. 그래야 피를 덜 흘릴 테고." 최치영은 커피를 달라고 했다. 커피는 입에 대지도 않는 사람이었다. "이왕이면 쓴 걸로 주게."

홀짝홀짝 커피의 반을 비우고 난 최치영이 입을 열었다.

"이길섭, 그 사람하고 얽힌 사람이 둘이야. 강대식하고 나, 이 얘기가 그래……."

이과수는 최치영을 쳐다봤다. 얘기가 길어질 것 같았다.

이과수가 의병장 김백선 장군과 관련해 그간 알지 못하던 얘기를 알게 된 것이 이때였다. 좀 심각했다. 하지만 김숙녀는 자신이 김백선의 후손이라는 것 자체를 몰랐을 가능성이 컸다. 이 일은 처음부터 이길섭에 의해 진행된 일로 보였기 때문이었다. 하지만 이 일은 최치영의 잘잘못하고는 상관이 없었다. 다만 그가 이길섭과 아는 사이였다는 것과 그걸 최치영이 끝까지 지배인에게 말하지 않았다는 것, 그걸 뭐라고 할 수는 없었다. 어쩌면 그 정도는 최치영 개인 사정에서 기인한 것으로 봐도 무방할 것 같았기 때문이었다. 그럼에도 그가 보인 태도에는 어딘가 께름칙한 데가 있었다. 그 대목에서 최치영이 잠시 망설였다.

이과수가 물었다. 최치영이 어떻게 이길섭을 알게 됐는지? 물론 조심스러웠고, 그 말에 최치영이 좀 당황한 듯했는데 그 얘길 하자니 멋쩍었는지 그가 뜸을 들였다.

"하여간, 이길섭은 거기 기도였네……." 의외의 단어였다. 이과수가 쳐다보자 그가 변명하듯 말했다. "강대식이 다니는 룸 말이야. 강대식은 은밀히 사람을 만날 땐 거길 이용했지. 나도 강대식을 따라다녔고."

최치영과 강대식이 다니던 룸살롱은 역삼동에 있었다. 강대식의 지분이 있다는 것으로 봐 규모가 꽤 큰 곳으로 보였다. 실제 그랬다. 지하 2개 층을 룸살롱으로 썼고 지상 17층은 호텔이었다. 알고 보니 건물이 통째 강대식 소유였다. 강대식의 룸살롱은 다용도였다. 수익사업도 사업이지만 정재계와 법조계 인물들을 대접하며 이런저런 정보를 캤고, 한편으로는 자신의 놀이터로 그곳을 이용했다.

"지하가 미로 같아서 사람이 붙지 않으면 나올 수 없는 곳이지."

사장과 마담이 따로 있어 강대식이 룸살롱 일에 직접 관여하지는 않았다고 했다. 그나마 최치영이 마담과 몇몇 관리자급 종업원을 알고 있었을 뿐이었다. 이길섭도 그런 사람 중 하나였다.

최치영 말대로 이길섭과 그의 인연은 그보다 훨씬 이전으로 거슬러 올라갔다. 룸살롱에 이길섭을 기도로 취직시켜 준 사람이 최치영이었기 때문이었다. 최치영은 이천 사람이었다. 가난하게 자라서 그렇지 뿌리가 있는 집안이었다.

"이길섭이 우리 문중 묘 관리인이었네." 최치영이 말했다. "여러 집안 문중 묘 서너 개를 관리해 주는 일로 먹고 살았지. 나중엔 지자체가 운영하는 향토 유적을 관리하는 임시직으로 살았고."

이길섭은 경기도 외곽에 있는 여러 문중의 묘지기였다. 이길섭이 시골 묘지기에서 강남 룸살롱 기도로 일하게 된 것은 그의 이력 때문이었다. 그는 권투선수 출신이었다. 경기를 하다 눈을 다쳐 선수 생활을 접어야 했는데 그의 한쪽 눈은 아예 시력이 없었다. 미들급 유망주였는데 권투선수로 가망이 없자 술꾼이 됐다. 그 체급의 유망주는 드물었다. 그런 그가 한동안 역삼동 일대에서 주먹잡이로 산 적이 있었다.

"인간적으로 불쌍했어. 그런 일 겪어 보지 않은 사람은 그 심정 모르지."

최치영은 이길섭을 동정했다. 술꾼으로 전락한 이길섭은 주먹 자랑도 힘들어지자 고향으로 내려가 동네의 아는 사람 소개로 여러 문중 묘지기를 해주며 살았다. 최치영은 시제 때와 한식 때 혹은 문중 누군가가 죽으면 산에 들르곤 했다. 그럴 때마다 이길섭한테 연락을 했다. 후손이 별로 없는 집안이어서 문중 시제라고 해야 몇 사람 오지 않았다. 이길섭은 그 뒤 지자체 향토 유적지를 관리하는 임시직으로 자리를 옮겼고, 유적지 중에 항일 을미의병장 김백선 장군 묘가 있었다. 하지만 그 일에 싫증을 느낀 이길섭은 최치영에게 서울에 일자리를 알아봐달라는 부탁을 했다.

이길섭은 최치영이라면 깜박 죽었다. 학자라는 말에 최치영을 우러러봤다. 그는 자신이 눈만 멀쩡했다면 올림픽에 나가 동메달 정도는 땄을 거라며 자기 자랑을 했다.

"그러던 차에 룸에서 잡일 할 사람을 구한다는 소리를 들었어. 이길섭이 적격이었지. 힘도 힘이지만 그 사람만큼 충직한 인물도 없었으니까."

엉뚱하지만 최치영이 이길섭에게 룸살롱 기도 자리를 알선하게 된 것은 우연이라고 봐야 했다. 룸살롱 마담은 지나가는 말로 최치영에게 일할 사람이 있으면 소개해 달라고 했는데 그게 기도였다. 마담은 입이 무겁고 충직해야 한다는 조건을 달았다. 강대식을 염두에 둔 말이었다. 그 얘기를 들은 최치영은 이길섭을 떠올렸다. 그는 부정기적으로 이길섭의 주머니를 챙겼고 이길섭은 최치영을 상관처럼 대했다.

최치영은 이길섭을 불러올렸다. 룸살롱에서 일을 시작한 이길섭은 얼마 지나지 않아 마담을 비롯한 주위의 신임을 얻었고, 강대식이 오면 마담은 이길섭을 하인이나 경호원처럼 붙였다. 이길섭은 그 일을 잘 해냈다. 그러자 강대식의 눈에 띄었고 가끔 용돈을 집어주기도 한 모양이었다. 그걸 안 최치영은 이길섭에게 금주령을 내렸다. 술 때문에 망조가 든 사람이 그였다. 이길섭은 최치영의 말을 잘 들었고 그 뒤 술은 입에도 대지도 않았다.

최치영이 말했다. "이길섭이 룸살롱에서 일한 지 두세 달, 아마 그 정도 됐을 거야. 그 사람한테 여자가 생겼어."

"여자요?"

"김숙녀 말이야."

"설마……?" 이과수는 놀랐다. "두 사람이 그런 사이라는 걸 몰랐나요?"

"그땐 그랬지. 나도 나중에 알았으니까."

김숙녀는 강대식의 룸살롱 주방에서 일을 했다. 벌써 서너 해였다. 그 바닥에서 그렇듯 한 곳에서 오래 일하는 사람은 드물었다. 일이 힘들고 궂어 이직률이 높기 때문이었다. 그럼에도 김숙녀가 그곳에서 오래 일을 한 것은 그녀 특유의 성실성과 순종적인 심성 때문이었다. 거기다 김숙녀는 배우지 못했을 뿐 똑똑했다. 최치영 말로는 마담이 김숙녀에게 식자재 구입과 주방 살림을 맡길 정도였다고 했으니까.

어느 날이었다. 강대식의 집에서 일하는 하녀가 몸이 아파 그만두는 일이 있었다. 집안 일과 요리를 같이 하는 사람이었는데 강대식은 마담에게 믿을 만한 사람이 있으면 소개하라고 했다. 강대식은 아는 사람의 소개가 아니면 사람을 쓰지 않는 습성이 있었다. 그걸 알고 있는 마담은 이길섭에게 그 얘기를 했고 이길섭은 먼 데서 사람을 찾을 게 아니라 코 앞에 사람이 있지 않냐며 김숙녀 얘기를 했다. 내키지 않았지만 마담은 김숙녀를 강대식의 하녀로 소개했다. 마음 같아서는 요리도 잘하고 일도 잘하는 김숙녀를 룸살롱에 그대로 두고 싶었지만, 강대식의 마음을 얻어야 하는 마담은 김숙녀를 강대식의 집으로 보내는 게 낫겠다는 생각을 했다.

"서너 달 뒤였을 거야." 최치영이 절레절레 고개를 저으며 말했다.

강대식이 김숙녀를 건드린다는 것을 최치영은 그제야 알았다고 했다. 그걸 안 이길섭이 가만히 있지 않았다. 아니 이길섭은 치밀했다. 그의 입에서 항일 을미의병장 김백선 장군 얘기가 나온 게 그때라고 했다. 이길섭은 어디서 어떻게 알았는지 이미 강대식의 가문 이력과 호텔이 처한 사정을 잘 알고 있었고, 강대식에게 필요한 것이 무엇인지도 알고 있었다. 하긴 강대식 가문의 친일부역 문제와 벽수산장 건은 때만 되면 세상에 얼굴을 내미는 단골 메뉴여서 그걸 모른다는 게 오히려 이상할 터였다.

강대식의 아킬레스건을 정확하게 꿰뚫은 이길섭은 그 뒤 이런저런 요구를 했다. 나중에는 그게 더 노골적이었고 정도도 심했다. 이길섭은 강대식이 김숙녀를 건드려 애를 갖게 한 걸 꼬투리 삼았다. 이길섭이 강대식을 상대로 당당하게 거래를 요구할 수 있었던 게 그 때문이었다. 말이 요구지 협박이나 다름없었다. 게다가 김숙녀가 김백선 장군의 증손녀라는 얘기를 하면서 뒤에는 문중이 있다는 걸 강조했다. 그러면서 이길섭은 시골에 있는 김숙녀에게 강대식의 아이를 낳도록 시켰다. 그렇다고 강요한 것은 아니었다. 김숙녀 역시 아이를 낳고 싶어 했으니까. 강대식이 이길섭의 요구에 굴복하고 나중에는 이길섭에게 거액을 건네지 않을 수 없었던 게 이런 내막이 있어 가능한 것들이었다. 일이 거기까지 벌어지고서야 강대식은 최치영에게 이길섭 얘기를 털어놨다.

"그런데 강대식 이 양반이 자꾸 께름칙해하는 거야. 왜 그러냐고 물어도 말을 안 해. 나중에 그걸 알았네만……."

그리고 한 가지, 강대식은 이 모든 것을 알고 이길섭에게 돈을 줬을 가능성이 크다는 사실이었다. 이것도 나중에 안 것이기는 하지만 김숙녀가 항일 을미의병장 김백선 장군의 외고손이 아니었다는 점에서 최치영도 피해자일 수 있었다.

"이미 엎지른 물이다 싶자 강대식으로선 꿩도 알도 먹는 양면 작전을 쓴 거지. 이길섭하고 이익이 맞아떨어졌으니까."

최치영의 표정이 허탈해 보였다. 그는 평생을 혼자 산 사람이었다. 가족이 없는 그는 이길섭의 복종과 충정을 헌신적이라 여겼고 잘해 줬다. 최치영 같은 사람일수록 의외로 약한 데가 있었다. 막 산 듯한 이길섭도 최치영에게만은 깍듯했다. 그 역시 무식이라는 자신의 약점을 최치영을 우러러보는 것으로 보상받았다. 일종의 복종심리였다.

이길섭의 사망은 김숙녀가 죽고 두어 해 뒤였다. 술병이라고 했다. 최치영은 그의 죽음을 알았지만 누구에게도 말하지 않았다.

"그 친구 장례 때 갔었네. 나 몰라라 할 수 없었지."

"알겠습니다, 선생님."

"무슨 뜻인가?"

"저나 알고 있으면 될 것 같아서요." 최치영이 소파 등받이에 기대더니 넌지시 이과수를 봤다.

"그래야지. 그리고 이건 자네와 나만 알기로 하세. 이길섭하고 김숙녀하고 연인이 아닌가."

이과수는 멀뚱멀뚱 최치영을 봤다. 그의 입에서 크게 날숨 뱉는 소리가 들렸고 그때만 해도 이과수는 그게 뭘 의미하는지 잘 알지 못했다. 이런저런 의문은 있었지만 설마했고 그 뒤론 잊다시피 했다.

"여하간 이 얘긴 다 사실이라고 봐도 돼." 최치영이 물 한 잔을 벌컥 들이켜곤 말했다. 하지만 이과수는 그 모든 것들을 알고도 이후 줄곧 모르는 체한 그의 불순까지 이해할 필요는 없을 것 같다는 생각을 하고 있었다.

†

또 나그네 투숙객이었다. 요즘 이런 투숙객이 부쩍 많았다. 이한별은 찝찝했다. 가끔 별 이유 없이 불쾌감을 주는 투숙객들이 있는데, 이런 고객들이 대개 그랬다.

"칠 층을 지나고 있습니다, 투숙객님." 이한별이 영어로 말하자, 똥짤막하게 생긴 남자가 말했다.

"헤이, 굿 걸."

이한별이 어색하게 웃었다. 성희롱 같았기 때문이었다. 그는 몸집에 비해 키가 작아 땅딸이라든가 벼룩 똥자루 같은 별명을 가지고 있을 사람처럼 보였다.

"미안, 이 친구가 농담을 한 거요."

옆의 남자였다. 선글라스를 쓴 그는 콧수염이 있었는데 원래 수염이 많은 사람 같았다.

호텔 회전문을 들어설 때부터 눈에 띈 사람들이었다. 곧바로 안내 데스크로 성큼성큼 오더니 말을 걸었다. 똥짤막한 남자는 묵직해 보이는 검은 가방을 들고 있었고, 선글라스는 고개를 바짝 세우고 있었다.

"체크인하러 왔소." 선글라스 남자가 말했다.

"성함이 어떻게 되시죠, 투숙객님?"

"이 친구는 해리, 나는 폴이오."

예약자 명단을 확인하고 난 이한별이 말했다. "풀 네임을 말해 주시겠습니까, 투숙객님?"

"난 폴 브라운." 콧수염이 말하다 말고 땅딸이를 봤다. "이봐 해리, 너 성이 뭐야?"

"팜, 해리 팜."

"들었소?" 콧수염이 히죽 웃었다. 해외로 일을 하러 가면서 본명을 쓴 적은 없었다. 자국에서도 마찬가지였다.

"여기 있네요." 이한별이 웃으며 말했다. 3603호와 3609호, 둘은 이틀 묵는 것으로 돼 있었다. 콧수염 백인 남자는 미국 국적일 터였다. 땅딸이는 누가 봐도 인도차이나 출신이었다. 베트남이나 라오스 중 하나일 수 있지만 베트남 쪽일 가능성이 컸다. 성이 그랬다. 그쪽 사람들은 말레이반도 아래쪽하고는 얼굴이 달라 보였는데, 이 사람은 유별나게 살집이 있었고 좋게 말하면 익살스러워 보였다.

땅딸이가 가방을 추스르자, 콧수염이 부산 좀 떨지 말라며 짜증을 냈다. "이봐, 땅딸이. 좀 조신하게 굴 수 없어? 사람들이 쳐다보는 거 안 보여?"

그 소리에 땅딸이가 뭐라고 한마디 했다. 뭣 때문인지 몰라도 그는 뉴욕하고 LA, 시카고 같은 데서 일해도 될 걸 왜 이 먼 한국까지 오게 됐는지 모르겠다며 구시렁거리고 있었다. 해외 출장을 온 사람들인 것 같았다.

땅딸이는 콧수염이 마음에 들지 않았다. 늘 그런 것은 아니지만 이 자식은 잘난

체가 심했다. 잘생긴 걸 두고 뭐라고 하는 게 아니었다. 말투가 그랬다. 땅딸이로서는 일 때문에 굳이 저 자식을 따라 여기까지 올 필요는 없었다. 이 일이 아니더라도 일거리는 많았다. 자신의 전공 때문이었다. 돈을 함부로 쓰고 여자를 밝혀 문제지만, 늘 일이 있어 돈이 궁한 적은 없었다.

"이봐 똥털. 자꾸 구박할 거야?"

"조지라고 부르랬지."

"넌 나한테 땅딸이라고 했잖아. 몽땅 뽑히고 싶어서 그래?" 그 소리에 콧수염이 움찔했다. 그걸 본 땅딸이가 가방을 추스르며 낄낄 웃었다.

조지는 이렇게 잔인한 자식은 처음 보는 듯했다. 여러 번 사람한테 방아쇠를 당기기는 했지만 저 자식처럼 잔인하지는 않았다. 치과기공학을 공부하다 마약에 빠져 학업을 때려치운 땅딸이는 그 기술을 사람을 족치는 데다 썼다. 자격증이 없으니 원하던 직업을 가질 수 없었고, 결국 LA에서 동족과 어울리다 BTK라는 베트남 마피아 조직의 일원이 됐다.

땅딸이의 기술은 쓸모가 많았다. 원하는 데가 많아서인지 그 기술로 번 돈이 꽤 됐고 일도 잘했다. 알고 보면 기술이라고 할 것도 없었다. 그냥 조지는 거였다. 그러면 다 불었다. 일을 하러 갈 때 땅딸이는 저 가방을 들었다. 언제였더라, 콧수염은 그걸 직접 본 적이 있었다. 일을 마치고 돌아오는데 들를 데가 있다며 땅딸이가 같이 가자고 했다. 가욋일이나 다름 없지만 수입이 짭짤하다고 했다. 일리노이에서 인디애나로 넘어가는 중간쯤의 어느 마을이었다. 밤인 데다 산속이라 다시 찾아가라고 해도 갈 수 있을지 의문이었다.

창고 같은 건물에 도착하자 사람들이 있었다. 의뢰인들 같았고 셋 다 두건으로 얼굴을 칭칭 감고 있었다. 환한 핀 조명이 건물 벽을 비추고 있었는데 거기에 사람이 앉아 있었다. 손이 뒤로 묶인 채였다. 얼굴은 이미 핏덩이가 더께 져 꾸덕꾸덕했다. 얘기가 다 됐는지 땅딸이는 의뢰인하고는 말 한마디 하지 않았다. 콧수염에게 구경이나 하라고 하곤 땅딸이가 핏덩이 남자 쪽으로 걸어갔다. 가방에서 주섬주섬 도구들을 꺼내 탁자에 올려놓는데 찰그락찰그락 쇠붙이 부딪히는 소리가 났다. 치과에서 쓰는 도구들이었다.

땅딸이가 알콜 솜으로 남자의 얼굴에 더께 진 피를 닦았다. 꽤 정성을 들이는 것 같았고 실제 남자의 얼굴이 세수라도 한 것처럼 말끔해졌다.

"잠깐이면 돼, 친구." 땅딸이가 말했다. 그 소리에 남자가 몸부림쳤다. 땅딸이가 일을 끝낸 건 그로부터 한 시간 반 정도가 지나서였다.

땅딸이가 사용한 도구는 다양했다. 한 번도 보지 못한 도구도 있었는데 바이스 같이 생긴 스테인리스 금속의 도구였다. 땅딸이는 그걸로 남자의 입을 벌리더니 펜치로 이빨 하나를 쑥 뽑았다. 이어 스트리퍼용 시스제이 플라이어로 남자의 입술을 집더니 콧등과 턱 아래 양쪽으로 벗겨냈다. 두개골이 드러날 정도였다. 그럼에도 신기하게 피 한 방울 나지 않았다. 제법 강심장이라고 생각한 콧수염이지만 차마 볼 수 없었다. 남자의 얼굴이 무슨 가죽 같은 걸 뒤집어쓴 기이한 생명체처럼 보였고, 땅딸이가 손가락으로 남자를 가리키며 낄낄거렸는데 그 자식도 제정신으로 보이지 않았다. 잠시 뒤였다. 남자의 잇몸에다 땅딸이가 주삿바늘을 꽂았다. 남자가 꿈틀거렸다. 그걸 서너 차례 되풀이했고, 남자가 축 늘어졌다.

돌아오는 차 안에서였다. 조지는 이 자식이 다시 보였다. 운전대를 잡은 채 앞만 봤다. 차마 땅딸이의 얼굴을 마주 볼 수가 없었다. 그러다 힐끗 옆의 땅딸이한테 시선이 갔는데 그 때문에 차가 휘청댔다.

"조지, 운전 좀 잘하지 그래." 땅딸이가 콜라 주둥이를 빨며 말했다.

콧수염은 정신이 멍했다. 근 2백 킬로미터를 운전하는 동안 아무런 말도 할 수 없었다. 피곤했는지 땅딸이는 눈을 뜬 채 잠이 들더니 신나게 코를 골았다. 한참 자고 일어난 땅딸이가 히죽 웃었다.

"그 자식 고생 좀 할걸."

"무슨 짓을 한 거야, 땅딸이?"

콧수염이 물었다. 산전수전 다 겪었다고 생각한 콧수염은 자기가 아직 이 자식만큼은 아니구나 싶었다. 남자의 모습도 모습이지만 그가 내는 신음은 도무지 들어 줄 수가 없었다. 사람의 신음이라고는 총을 맞고 윽 혹은 억,하는 소리이거나, 미처 죽지 못해 가릉가릉 거리다 삼십여 분 정도가 지나면 대개 죽었는데 그때 내는 소리는 거의 비슷했다. 그러다 아직 숨이 끊어지지 않았다는 생각이 들면 확인 사살로 고통만은 줄여 줬다. 인도적 차원이었다. 그런데 땅딸이 자식은 아예 목적이 달랐다.

"숨은 쉬게 해줬으니 살아 돌아갔을 거야." 땅딸이가 말했다.

"그러고도 산다고?"

"물론, 하지만 평생 그러고 살아야 할걸."

"그러고라니?"

"말도 못하고 정신도 들락날락하면서."

"무슨 짓을 한 거야, 땅딸이?"

"알고 싶어, 콧수염?" 땅딸이가 하품을 했다.

땅딸이가 남자의 잇몸에다 주사한 약물은 세균이라고 했다. 얼굴과 입안을 헤집고 뇌에 세균을 침투시켜 지각과 의식이 가능한 듯 가능하지 않은 듯 정신을 모호하게 만들었다. 독감에 걸린 것처럼 평생 끙끙 앓아야 했고 그렇다고 죽지는 않는다고 땅딸이가 말했다.

"얼굴이 좀 그렇긴 하지, 조지?"

좀 그런 정도가 아니라 그런 얼굴은 상상조차 해 본 적이 없었다. 듄에 나오는 모래 벌레는 차라리 귀여웠다. 땅딸이가 가방을 뒤적거렸다. 천 달러였다. 선심 쓰듯 백 달러를 더 얹더니 땅딸이가 건넸다.

"뭐야 땅딸이?"

"우린 친구잖아, 조지." 땅딸이가 어른스러워 보였다.

똥짤막한 남자가 또 실실 웃었다. 기분이 나빴지만 이한별은 말하지 않았다. 뭐가 못마땅한지 콧수염은 잔뜩 인상을 쓰고 있었다. 그런데 누가 방 배정을 한 것일까, 둘의 방이 백 오피스 쪽과 너무 근접해 있었다. 투숙객이 굳이 고집하지 않는 한 그쪽으로 방 배정을 하는 경우는 거의 없었다.

허리에서 진동이 느껴졌다. 이한별은 호출기를 꺼내 문자를 봤다. 승강기가 정차할 곳이 추가돼 있었다. 승강기를 출발시키며 이한별이 말했다.

"잠시 후 승강기는 이십 층, 이십칠 층에 정차한 뒤, 삼십육 층에 멈출 예정입니다." 26층, 27층 그리고 36층이었다. 승강기가 멈추자 이한별이 말했다. "삼천육백삼 호는 승강기에서 내려 오른쪽이며, 삼천육백구 호는 왼쪽입니다."

콧수염이 선글라스를 고쳐 썼고 땅딸이가 가방을 추슬렀다.

"투숙객님, 그랑호텔의 여정이 풍요롭고 평화롭기를 기원합니다." 이한별이 승강기 닫힘 단추를 누르는데 땅딸이가 이한별을 향해 혀를 날름댔다.

"장난을 좋아하는 친구요, 이해해 주시오." 콧수염이었다. 이한별이 살짝 웃으며 말했다. "평안한 밤 되세요, 투숙객님들."

땅딸이와 콧수염이 내리고 승강기 문이 닫히는데 땅딸이가 가방을 추스르는지 소리가 들렸다. 철그렁 인지 달그락 인지 무슨 작은 쇠붙이 부딪히는 소리 같기도 하고 유리 부딪히는 소리 같기도 했다. 가방이 무거운지 처졌다. 이한별의 허리춤에서 다시 진동이 느껴졌다. 정확하게 세 번, 지배인이 찾는다는 신호였다.

†

"과수 씨?"

하정미였다. 유튜브에 올릴 영상을 편집하는 중인데 뭐가 잘 안되는 모양이었다. 이메일 답장을 쓰면서 이과수는 무슨 일이냐고 물었다. 최치영이 자꾸 같은 말을 하는 바람에 이 말은 꼭 해야겠다 싶었다. 월 스트리트 얘기를 또 하다니, 일부러 그러는 건가?

"과수 씨, 좀 와 보라니까."

이과수는 이메일을 놔두고 하정미 방으로 건너갔다. 노트북 모니터에 지도가 펼쳐져 있었다.

"또 이메일 하는 거야?" 하정미가 물었다.

"어떻게 알았어?"

"농장 일 끝나면 과수 씨가 하는 게 그거잖아. 뭐라는데?"

"뭐라니?"

"최치영 선생님 이메일이잖아."

"귀신이 따로 없네. 나중에 말할게."

"지금은 왜?"

"내가 날 믿을 수 있어야 신념이 생기지. 그래야 흔들림이 없고. 시간이 필요한 것뿐이야." 그 말에 하정미가 입을 다물었다.

"뭐가 잘 안 되는데?"

“난 지리에는 깜깜이잖아, 과수 씨.” 하정미가 마우스로 지도에다 원을 그렸다. 우루과이강이 보였다. 확대를 하자 강 가운데 삼각주가 있고 집들이 보였다.

“이 선 말이야. 여길 우루과이로 봐야 해, 아르헨티나로 봐야 해? 선이 자꾸 바뀌어서 지도가 잘못된 건지 뭔지 알 수가 없네.” 가끔 그럴 때가 있었다. 지도를 확대하다 보면 선 위치가 바뀔 때가 있었다.

“다른 지도 찾아봤어?”

“정확하게 이 지역 건 없어.”

“서너 번 확대해 보고 제일 많이 나온 쪽으로 해.”

“뭐야, 과수 씨.” 하정미가 웃었다. “그럼 나 간다.” 이과수가 자리에서 일어나는데 하정미가 무슨 말을 하려다 마는 듯했다. 이과수는 모르는 척했다. 자신도 할 얘기가 있기는 했지만 지금은 아니었다. 아직 자신의 물음에 스스로 답을 하지 못하고 있지 않은가. 중요한 것은 자신을 믿을 수 있어야 했다. 그러므로 지금 이 망설임은 우유부단해서가 아니라 불확실한 것에서 온 것이었다.

자기 방으로 온 이과수는 마저 이메일을 적어 나갔다.

문제는 자격입니다, 선생님. 하지만 누구도 그 자격을 스스로 증명할 수는 없습니다. 타인과 소통하면서 혹은 의지하면서 얻어지는 것일 뿐, 그것이 관계란 덕목이 아닌지 생각해 봤습니다. 이런 종류의 일은 이 세계와 살아 있는 생명 모두에게 바치는 경외이자 실천이기도 합니다. 월 스트리트는 필요하지 않습니다, 선생님. 우리도 이젠 선진국이잖습니까…….

나흘인가가 지나고서였다. 금방 답장이 올 줄 알았는데 최치영이 생각보다 늦게 이메일을 보내왔다. 백지우가 보낸 건데 뜻밖의 내용이 들어 있었다.

선생님의 고민이 깊어졌습니다. 저도 그렇고 모두 같은 심정입니다. 선생님은 아직 알리지 말라고 하셨지만, 굳이 그럴 필요가 있을까 싶었습니다. 그런다고 달라질 게 있을 것 같지도 않았고요…….

이과수는 충격을 받았다. 불과 얼마 전 이메일을 받았는데, 믿어지지 않았다. 이메일에서 지배인은 줄곧 자신의 비밀스러운 기획에 대한 열정으로 가득 차 있었다.

저녁을 먹기 전이었다. 하정미에게 그 말을 하자 하정미가 놀라 울먹였다. 그 바람에 둘 다 저녁을 먹지도 못했다. 그래도 거의 하루를 빠뜨리지 않고 얼굴을 보며 부대끼던 사람 아닌가. 좋든 싫든 그런 생활이 한두 해가 아니었다. 이십 대 후반과 삼십 대 초중반을 지난 곳, 가장 중요한 삶의 한 구간을 이과수는 그곳에서 지배인과 살았다고 해도 과언이 아니었다. 호텔에서 생활하는 바람에 지배인과 더 가까워질 수 있었다. 공과 사를 구분하지 않을 때도 많았고 따로 친구들을 만나는 일도 드물었다. 호텔 외의 다른 일에 신경 쓴 적도 없었다.

이과수는 지배인 얼굴을 떠올렸다. 탑햇을 쓰고 연미복을 입은.

의사는 기대하지 않는 것이 좋다고 했습니다. 살아 있는 게 기적이라고 했지요. 투숙객들에게는 아직 비밀로 하고 있습니다. 나중이라도 이걸 어떤 식으로 말해야 하는지, 그게 힘들 뿐입니다. 얼굴을 보는 것도 그렇고…….

백지우는 지배인이 죽은 사람이나 다름없다고 했다. 강창섭처럼, 하지만 지배인에 비하면 강창섭은 양반이라고 했다. 그는 여러 번 그 말을 했다. 어쩌다 그런 일이 생겼는지 자세히 적지는 않았다. 다만, 지금이야말로 큰일이라고. 데이행사 때문이라고 했는데, 최치영은 그 걱정을 하느라 잠을 제대로 자지 못한다고 했다. 최치영뿐 아니라 다들 그 때문에 고민이 이만저만이 아니라고. 이과수는 자기도 모르게 화가 났다. 사람이 그 꼴이 됐다는데 왜 지금 행사 얘기를 하고 있는 것인지.

이과수는 급하게 이메일을 적었다. 다음날이었다. 일이 끝나고 혹시나 해 농장에서 확인했는데 이메일이 와 있었다. 최치영이 직접 보낸 것이었다.

얘기 들었네. 백지우 이 친구가 가려 적은 모양인데, 좋은 얘기가 아니어서 구구절절이 적자니 자기도 부담이 됐던 모양이야. 사안이 사안인 만큼 직접 적네.

이메일 보내기를 잘한 것 같았다. 원하던 답은 아니었지만 최치영은 사안의 부피보다 의미를 더 생각하도록 만들었다. 그 때문에 최치영의 속마음과 호텔의 지금 상황을 이해할 수 있어 도움이 됐다.

이건 알고 가세. 호텔이 여기 오기까지 그 힘이 어디서 왔다고 생각하는가? 자네도 알겠지만, 그랑호텔은 녹록한 데가 아니야. 투숙객들이 그래. 그 험한 세월을 맨몸으로 부닥치며 견뎠고, 모두를 위해서라면 누구 하나 빠지지 않고 희생도 마다하지 않았지. 무서운 얘기 아닌가, 희생…….

이과수도 알고 있었다. 그랑호텔의 주인 강성봉과 강대식, 그들을 거슬러 오르면 강일준이 있었고 이들에게는 공통점이 있었다. 부닥쳐 싸우고 이겨내는 것, 나아가 자기 희생도 마다하지 않으며 미래를 개척해 살아남은 이들이 그 사람들이었다. 물론 자신에게 이익이 있을 때에 한해서였다. 지배인도 그런 일에는 이골이 난 사람이었다. 태생이 그랬고 이후 살아 온 호텔 풍토는 그를 더욱 그쪽으로 데려갔다. 최치영은 그 말을 한 것이었다. 그렇다고 지배인에 대한 그의 생각이 바뀐 것은 아니었다. 지배인이 예전 그의 모습으로 돌아올 수 있을지도 의문이었고, 그걸 잘 알고 있는 그가 이제는 지배인의 존재마저 지우려는 게 아닌지 싶었다.

나라고 제임스의 고난이 고깝지 않을 리 있겠는가. 마음 아픈 걸로 치면야 나도 다를 게 없지. 하지만 제임스도 좌고우면하지 않고 나아가 주길 바랄 거야. 그 사람 성정이면 그러고도 남아. 다 제임스의 뜻이라고 보면 되네.

지배인은 무엇을 위해 그렇듯 혹독하게 자신을 매질하며 산 것일까? 누구를 위해? 뭘 얻자고……? 이과수는 지배인이 측은했다. 더욱이 그의 태생을 생각하면, 그것은 연민에 가까운 것이었다.

현실을 직시하자는 뜻이네. 지금은 빈 그릇을 걱정할 때가 아니라 채워야 할 때야. 수혈도 한 방법이고. 자네 심정은 알지만, 이런 때일수록 냉철한 게 모두를 위해 좋아. 명심하게.

마농

귤 수확 일을 끝내고 사흘인가 지난 뒤였다. 헤이리에 사는 이한일과 이혜숙이 제주를 찾았다. 보름 일정이었다. 이청은 신촌리에 둘의 숙소를 봐줬다. 자기가 묵는 곳에서 걸어 십오 분 거리였다.

이 마을을 알려 준 사람은 마농이었다. 신촌리는 마농의 고향이었고, 그녀가 다니던 초등학교가 근처에 있었다. 마농은 종종 고향을 찾아 머물곤 했는데 그때 마농을 따라와 본 적이 있었다. 그 뒤 이청은 지방에 있고 싶을 땐 예밀리와 신촌리를 번갈아 찾았다. 이번에는 마농의 납골당에 들르고 오랜만에 쉴 겸 찾았는데 마침 귤 수확철이라 일거리가 있었다. 이게 아니어도 이청은 매년 몸 쓰는 일을 했다. 예밀리에서는 곤드레나 포도 농사일을 거들었고 이번 신촌리에서는 귤 농장 일을 했다. 한 달을 아침 8시에 일을 나가 오후 5시에 돌아왔다. 그러면 8만 원을 줬다. 제주의 노지 감귤은 얼 수 있어 일손을 빠르게 움직여야 했는데, 부꾸기가 문제였다. 냉기나 이상 기온 때문에 과일 속과 귤껍질 사이가 들떠 과육이 시들고 귤껍질이 두꺼워지는데, 이 부꾸기 현상을 막기 위해서는 제때 귤을 거둬야 했다. 일이 바쁠 때여서 육지에서도 사람들이 왔고 숙식 제공을 받으며 6만 원을 받았다.

이청이 마농의 죽음을 안 것은 울화랑의 이 대표를 통해서였다.
"미안해요, 선생님." 그녀가 울먹였다. "마농이 연락하지 말랬어요. 하더라도 모든 게 끝난 뒤 하라고요……."

이 대표는 마농이 자신의 마지막 길을 잘 알고 있었다고 했다. 암 치료를 거부한 것도 그 과정의 하나였고, 가는 순간까지 혼자의 삶을 지키려 했다고. 그 때문에 연락하지 못했다고. 무엇보다 마농의 생각을 지켜주고 싶어서 그런 것이었다고.

천주교 신자인 마농은 죽을 때까지 고향 성당의 숙소에서 지냈다. 고향에 갈 적마다 마농은 그 성당을 찾았다. 어릴 때 다니던 성당이었고 마농의 마지막을 같이 해 준 사람이 성당의 베로니카 수녀였다. 마농을 언니처럼 따르던 사람이었다. 그때도 이청은 마농한테 와 보지 못했다. 산문집 때문이었는데, 지나고 보니 그게 속상했다. 울화랑 이 대표한테 소식을 들었을 때 바로 달려왔어야 했는데, 그렇다고 마농의 장례를 볼 수는 없었다. 어차피 모든 게 끝난 뒤였으니까.

책이 출판되자 여기저기서 인터뷰와 대담 그리고 뉴스의 초대 손님으로 나와 달라는 요청이 들어왔다. 출판사의 마케팅 때문에 기자들 연락을 받는 게 일이었다. 핸드폰 번호가 알려지는 바람에 더 그랬다. 다른 때 같으면 응하지 않겠지만 이번에는 사정이 달랐다.

책이 서점에 깔린 다음 날이었다. 떠들썩했다. '그랑호텔', 그 단어 하나만으로도 세간의 주목을 받기에 충분했다. 평소에는 다들 남의 나라처럼 바라보던 곳이 그랑호텔이었다. 그런데 웬 책 한 권 때문에 먼 곳의 그 세계가 어느 날 자신들의 일상 안으로 들어와 있었던 것이다. 반응은 제각각이었다. 새롭다거나 믿을 수 없다는 사람들과 시큰둥해하는 사람들, 그리고 적극적으로 이청의 산문을 비판하는 사람들이 있었다. 그 때문에 자연스레 패가 갈렸는데, 이청을 비판하는 사람과 동조하는 사람, 이들 간에 생긴 진영 간의 다툼은 인터넷과 매체를 통한 논쟁으로 이어졌다. 비판하는 쪽에서는 투숙객에 대한 실체가 없다는 점을 주로 지적했다.

이청은 사람들이 이 현실이 보여주는 현상 자체를 봐 주기를 바랐다. 그랑호텔과 그곳의 투숙객들, 그들의 존재와 그들의 행위가 가져온 실제적 힘, 실체가 따로 있는 것이 아니라 그 힘이 현상이며 현상이 곧 실체가 아니냐는 의미였고 이 책을 그런 시각으로 봐달라고.

이청이 비판 대상으로 삼은 사람들은 제한적이었다. 기업가와 전문직에 종사하는 엘리트라는 사람들, 정치와 사회 문화의 중심에 있는 지식인 혹은 지성인이라고 불리는 사람들과 고위직 공무원들이 그들이었다. 그들의 위상을 의심하고 행위의 정체를 묻는 것이 글의 핵심이었다. 그들의 자만과 은밀함이 초래한 사회적 폭력과 그간 그들이 저지른 오류를 찾아내 상식이란 이름으로 그 책임에 대해 스스로 고백하게 하고 싶었다. 사실 이 질문으로부터 자유로운 사람은 없었다. 이런 일은 어떤 한 분야의 문제가 아니라 사회 각 분야 전체를 아우르는 문화의 문제로 봐야 했기 때문이었다. 이청 자신조차도.

과도하게 주어진 그들에 대한 사회의 보상과 기능은 이미 특권이란 문화로 자리하고 있었다. 하지만 마치 그것이 자신의 소유라는 듯 평생 누리면서도 자신의 자격에 대해서는 의심하지 않았다. 해방 이후 제도적으로 보장한 그 권력을 누구도 회의하거나 거부하지 않았다. 이청은 이런 사람들을 기계적 엘리트라고 불렀다. 문제는 이 사회가 지성인과 전문가를 혼동하고 있다는 점이었다. 원리와 근본에 대한 탐구보다는 정해진 답을 학습해 한 분야의 전문성을 갖는 기계적 탐구자에 대한 대우가 지나치게 컸다. 나아가 실용을 최상의 가치에 두는 무분별함은 담론이나 논쟁을 통한 합의보다는 목적이 분명한 일사불란함을 강조하는 집단적 가치를 추구하도록 해 문화적 저열성을 초래했다. 그 무모함은 사람들을 시대에 뒤처지게 하고 사회를 낮은 수준의 단계로 몰고 가는 기제 역할을 했다. 따라서 개인은 정서적 무기력을, 사회는 집단 허무주의를 갖게 됨으로써 개인의 사고는 단순해져서 선동적이고 자극적인 몇몇 질 낮은 엘리트들의 손아귀에 놓이는 현상이 벌어졌다. 이는 자본주의의 횡행이 파시즘의 속성을 갖는 것과 같은 이치였다. 최악이었다. 하지만 그들을 멈추게 하거나 걸러낼 장치나 도구가 대중에게 없다는 이 현실이 이청은 끔찍했다. 그 중심에 지식인들이 있었다. 그들에게 그 큰 권력과 기득권을 보장하고도 침묵하거나 동조하는, 그런 류의 지식인과 관료는 넘쳤다. 그 무리에게는 자기애만 있을 뿐 순수와 사랑은 없었다. 이 현상의 상징이 그랑호텔이며 그곳에 투숙한 투숙객들이라는 것, 이청은 거기에 초점을 맞췄고 이 주장은 당연히 책을 논란의 중심에 서게 했다.

언론은 한동안 거의 매일 이와 관련한 기사를 쏟아냈다. 상대를 가리지 않고 호객행위를 했고, 조금이라도 대중적 인지도가 있으면 다음 날 대중에게 먹이처럼 던져줬다. 호객행위로 얻어진 말은 부풀려지거나 왜곡되기 일쑤였다. 그러다 어느 순간 언론의 기조가 일정한 흐름을 타기 시작했는데 그간 양비론으로 각 분야의 목소리를 담는 시늉이라도 하던 매체들이 약속이나 한 듯 한 방향으로 움직였다. 유튜브를 비롯한 SNS는 더했다. 목적과 이념성을 노골적으로 드러냈고, 이러다간 자칫 그들이 판 진흙탕에서 같이 뒹굴어야 할 수도 있었다. 언론은 선교하듯 자신들의 기조를 전파했고, 살의마저 드러냈다. 모두 이청의 책을 향하고 있었다. 그나마 일사불란한 그들의 지탄으로부터 방어가 되어 준 것은 이청의 글이 갖는 진정성뿐이었다.

이청은 책 곳곳에다 케빈 슈라이버 교수의 노트를 인용했다. 그의 글을 따라가다 보면 그가 하는 말이 주는 긴장감이 적지 않았다. 질문을 하는 방식 때문이었는데, 그의 글을 인용한 것은 독자가 직접 케빈 슈라이버 교수의 글을 정독해 체감하고 이해할 수 있도록 하자는 생각 때문이었다. 그는 은유를 경계했다. 은유가 눈을 멀게 하고 판단력을 흐리게 한다는 점을 수시로 지적했다. 때로는 모든 설명을 품는 장점이 될 수도 있지만, 은유가 세상을 지배하는 순간 그들은 자신들이 사용할 자유의 크기와 질을 마음대로 정할 수 있었다. 그게 은유의 힘이라면 힘일 수 있었다. 문제는 그 경계를 찾아내는 게 쉽지 않다는 것이었다. 월 스트리트를 말할 때 그는 의식적으로 직접 화법을 썼다. 특히 애버리지니 필름을 말할 때의 그는 단호했다.

> 그들이 도달하고자 한 곳은 종교지만, 정주한 곳은 초라한 현실의 한 귀퉁이였다. 영혼을 보고 싶어 했지만 사랑한 것은 욕망이었으며, 확인한 것은 내세로 가져갈 수 없는 탐욕의 질량뿐. 영혼이 욕망의 동위 원소가 될 수 없다는 것을 안 그들은 뭔가 잘못됐다는 것을 알았고, 자신들이 원하는 것을 얻지 못하자 엘라를 거두었다. -케빈 슈라이버 교수 노트 123쪽.

애버리지니 필름 자체가 목적이자 도구라는 의미였다. 환상과 현실, 케빈 슈라이버 교수는 두 이익을 모두 챙기는 것이 그들의 궁극이라고 봤다. 환상이 은유라면 현실은 환유였다. 이 둘의 혼용은 혼란과 착각을 불렀다. 하지만 사람들은 미처 알지 못했다. 월 스트리트는 철저했고 방식은 같았다. 자무엘이 월 스트리트를 설득한 방식 역시 마찬가지였다. 자무엘의 은유와 환유는 월 스트리트에서 온 것이었고, 우습지만 자신들을 모방한 그를 월 스트리트는 망설이지 않고 따랐다. 돌고 돈 셈이었다.

이청은 케빈 슈라이버 교수가 애버리지니 필름 촬영 현장을 묘사한 대목을 잊기 힘들었다. 그 대목은 필름을 보는 것보다 더 자극적이었고, 글이 주는 상상력은 이미지와는 다른 특별한 감정을 만들어 냈다. 문자의 관념성이 주는 혜택이었고 거기에 영상이 더해지면서 보다 큰 상상이 만들어지고 눈앞에서 보는 듯한 사실감은 더 큰 감정 이입을 불렀다. 이 대목에서 이청은 꽤 긴 시간을 잡아먹어야 했다. 몇 번을 쉬어야 했고, 영상은 차마 끝까지 보지 못했다.

케빈 슈라이버 교수의 심정이 글에서 느껴졌다.

엘라의 눈이 어느 곳을 보고 있었다. 자신의 심장 같았다. 리우진시의 손이 걷어낸 얇은 피부 안에서 엘라의 심장이 뛰고 있었다.

순간 엘라의 눈이 변했다. 입을 크게 벌리더니 검은자위가 눈까풀 속으로 사라졌다. 커다란 눈이 온통 하얬다.

리우진시 할아버지…….

엘라였다. 엘라의 입술이 움직였고, 객석의 사람들은 그걸 알지 못했다. 카메라맨도 까를로스 뻬냐 감독도. 그걸 알아들은 사람은 리우진시뿐이었다. 순간 리우진시의 손이 빠르게 움직였다. 엘라는 더 이상 눈까풀을 떨지 않았다. 월 스트리트 사람들이 웅성거렸고 까를로스 뻬냐 감독이 달려왔다. 객석이 부산스러워지더니 여기저기서 목소리가 들렸다.

죽은 거야, 쟤……? 누군가의 목소리였다.

어이 영감?

다른 누가 리우진시를 불렀다. 이어 사람들이 큰 소리로 다그쳤다.

지금이야, 영감. 물어봐, 어서!

리우진시는 그 소리를 듣지 못했다. 눈은 엘라를 보고 있었고 조금씩 뛰던 엘라의 심장이, 뛰지 않았다. 엘라는 조금 전 숨을 거둔 참이었다. 리우진시의 손이 엘라의 심장을 관통한 뒤였다. 자국이 깔끔해 피부가 하얬다.

엘라의 얼굴은 훼손되지 않았다. 엘라의 입은 말을 하려 한 듯도 하고 아닌 듯도 한 모습이었는데, 리우진시만이 느낌으로 알 뿐이었다.

리우진시의 눈이 허공 어딘가를 보고 있었다. 시선이 안정감이 있었다. 착각일까. 그가 웃고 있었다. 미소였다.

저 영감탱이 눈 좀 봐. 웃고 있잖아.

돈 거 아니야?

물어보라니까 영감. 어서!

리우진시는 움직이지 않았다. 허공을 향한 눈은 그저 허공을 볼 뿐이었다. 경배하듯. 누군가 또 말했다.

노인네가 뭘 본 거 같지 않아?

뭐하는 거지, 저 영감탱이.

저 영감 대사가 뭐였지?

Show me the soul.

그래, Say it!

어이, 감독. 당신이 물어봐. 얘가 맛이 가기 전에. 어서! – 케빈 슈라이버 교수 노트 397쪽.

케빈 슈라이버 교수의 노트에서 이청이 유일하게 위안을 받은 대목이 있었다. 그는 노트 마지막에다 이런 말을 적었다.

월 스트리트는 놀이를 원했다. 그는 알았을 것이다. 사람이란 자기 어깨가 감당할 수 있을 정도의 짐을 짊어질 수 있다는 것을. 그걸 넘으면 영혼이 그 무게를 감당하지 못한다는 것을. 환상을 실천하다니, 자무엘이 실수한 것이다. 자무엘만 그걸 몰랐다. – 케빈 슈라이버 교수 노트 417쪽.

원고 청탁이 들어왔다. 프랑스 주간지 '르앙Le1'이라는 잡지였다. 한글로 칼럼을 쓴 뒤 불문과 교수로 있는 친구에게 번역을 부탁했다. 르앙지 인터넷판에는 한

글과 붙어 두 가지의 글이 게재됐다. 르앙지에 준 글 마지막 줄에다 이청은 이렇게 적었다.

> 부르주아 학자와 평론가들은 대개 약간은 위장한 모습으로 제국주의 옹호자로 등장한다. – 〈제국주의, 자본주의의 최고단계〉, 레닌 저.

그러며 이청은 세계화라는 이름으로 획일화하는 문화와 문화 향유의 척박성을 아도르노의 입을 빌려 같이 비판했다. 이청에게는 다른 매체에서도 청탁이 들어왔는데, '뤼마니테'에 주기로 한 원고는 분량이 길어지면서 롱–폼 저널리즘의 대표 무크지인 '뱅떼앙XXI'에 실렸다. 칼럼이 나가고 나자 다른 나라에서도 인터뷰 요청이 들어왔다. 국적만 다를 뿐 기자들의 질문은 대개 비슷했다.

"어떨지 모르겠습니다만……."

이청은 기자의 말을 막았다. "무슨 말을 하려는지 압니다. 하지만 이젠 좀 다른 걸 보려고 합니다. 그랑호텔이 낳은 사생아들이요. 그 캐릭터들이 곳곳에서 살아가고 있지요. 그랑호텔이 도처에 있듯이요."

이청은 한국 기자들에게도 같은 질문을 받았다. 대답은 같았다. 나아가 이청은 이 이야기를 멈출 생각이 없으며, 확언하건대 이후의 시간이 자신에게는 더욱 길고 지난한 날들이 될 것이라고 말했다. 그 지난함을 생동 삼아 마음도 행동도 이 현실을 따를 각오가 돼 있다는 말도 했다. 이 모두가 우리의 일상과 관련이 있기 때문이라고.

"기자님은 자신을 어떤 개라고 생각해요?" 이청이 물었다. 개,라는 말 때문인지 기자의 눈이 휘둥그레졌다.

"내 말은 워치독인지, 랩독인지, 가드독인지 아니면 슬리핑독인지 묻는 거요. 우린 다 이 개들 중 어느 하나이지 않소."

이한일 이혜숙 부부가 헤이리로 돌아가기 하루 전이었다. 이청은 둘과 봉안당을 찾았다. 봉안당은 황사평에 있었다. 이재수의 난과 방성칠의 난 때 죽은 천주교인들이 이곳에 묻혀 있다고 했다. 제주 시내 외곽이었고 한라산 북쪽 자락이었다.

마농의 봉안당에는 영정 사진도 꽃도 없었다. 납골함뿐이었고 그녀가 원한 것이라고 했다. 알고 보니 마농은 제주도에 내려가기 전 이미 많은 것들을 정리한 상태였다. 동대문에 있는 의류 회사는 직원들에게 우리주로 줘 운영하게 했고, 소장하고 있던 그림은 울화랑의 이 대표에게 처분하게 한 뒤 청소년과 아동들의 치료비로 써달라고 맡겨 놓은 참이었다.

황사평 마을회관 골목으로 들어서는데 돌담 응달에 눈이 쌓여 있었다. 한라산 중턱이면 몰라도 평지 마을에서는 흔한 게 아니었다. 묘역의 봉분에도 눈이 희끗희끗했다. 봉안당 안으로 들어가자 한 무리의 사람들이 있었다.

마농의 봉안함은 안쪽에 있었다. 봉안함 표찰에 눈이 갔다. 올 적마다 그랬다.

부원정 레지나

'요한복음서 6장 40절 : 마지막 날에 내가 그들을 다시 살리리라'

오는 길에 성당에 들렀다. 베로니카 수녀에게 마농한테 들렀다는 얘기와 안부 인사도 할 겸해서였다. 베로니카 수녀가 보이지 않았다. 같은 방을 쓰는 라파엘 수녀에게 물어보니 급한 공무로 아침 일찍 육지에 나갔다고 했다. 베로니카는 모레나 돌아올 거라고 했다. 마트에서 산 주전부리는 라파엘 수녀한테 줬다.

돌아오는 길에 집 근처 올레길에 있는 카페에 들렀다. 산책이나 달리기를 하고 나면 거기서 커피를 마셨다. 이한일과 이혜숙하고도 몇 번 들른 곳이었다.

"조회수가 꽤 되던데, 이청?"

이한일이 말했다. 열흘 전 한 유튜버와 나눈 인터뷰를 말하는 것이었다. 사회 사상과 철학을 주제로 한 채널이었는데, 그 딱딱한 주제를 다루는 유튜버치고는 꽤 많은 구독자가 있었고 레거시 미디어에 비하면 솔직하고 격식이 없어 선택한 것이었다. 서울에서 온 그와 근 세 시간 인터뷰를 했는데 공개된 시간이 2시간여, 거의 모든 얘기를 그대로 콘텐츠에 넣은 셈이었다.

"댓글이 많아요, 이청." 이혜숙이 말했다. "누가 이런 것도 달았던데, 그랑호텔을 걱정하느니 우리 집이나 걱정해야겠다고."

"대출이 많은 사람인 모양인데." 이한일의 말에 이청과 이혜숙이 웃었다.

댓글에는 선망과 자조가 섞인 내용이 있었다. 그랑호텔을 바라보는 대개의 시선이 그런 식이었고 체념을 그렇게 표현한 것이라는 생각이 들었다.

인터뷰 때였다. "어떨지 모르겠습니다만……." 유튜버가 말을 흐렸다. 조심성이 많은 사람 같았다.

"모두의 탓이랄밖에요." 이청이 말했다. "미숙한 누군가가 제도와 사회를 오염시키고 미숙한 대중은 그걸 지지하기도 하지요, 다들 이 생을 처음 살아 보기 때문일 겁니다."

"그렇게 말씀하시면 악플이 장난이 아닐 겁니다, 선생님."

하지만 대중은 항상 옳은지, 집단지성이 가능한지 또 그 질이 어떤지 의심해야 한다고 이청은 말했다. 무엇인가 어긋났을 때는 맥락을 의심해야 하며 맥락은 전체를 의미하며 집단을 이룰수록 옳고 그름을 판단하는 것이 아니라 합리성을 판단한다고. 합리성이란 선이나 악과 관련이 없는 이익의 단위이며 이것이 우리가 질문을 멈출 수 없는 이유라고. 이 질문은 미래가 현재에게 묻는 절박함이 아니겠느냐고 이청은 말했다. 이런 것은 제도에서 찾아지는 것이 아니라 개인의 소양과 양심, 다수의 작은 집단들의 지성 능력이 판단할 문제가 아니겠냐고도 했다.

"우주에는 두 세계가 존재하지요." 이청이 말했다. "자연과 사회. 아시듯 자연은 우주요, 사회는 문명입니다. 이 사이의 부조리를 독해하는 것, 이것이 당 시대인들이 할 일이 아니겠어요. 이런 일에 성역이 있을 리 없지요."

"그게 무엇이라고 생각하시는지요, 선생님?" 몰라서 묻는 게 아니라 답답해서 묻는 것 같았다.

"사랑이오."

"…… 더 난해해지는데요, 선생님……?" 그가 어색하게 웃으며 말했다.

"이런 거요. 우리는 스스로 그랑호텔의 투숙객인지 아닌지 생각해 본 적이 있는지, 그런 자신을 보려 한 적이 있는지. 이 자문과 성찰이 사랑이오."

커피 리필을 해 자리에 와 보니 핸드폰에 알림이 떠 있었다. 이과수에게서 온 것이었다. 그러고 보니 그에게 핸드폰 문자를 받아 본 지도 꽤 된 듯했다.

곧 선생님을 뵐 수 있을 것 같습니다. 하정미하고 인사드리겠습니다.

귀국한다는 소리 같았다. 곧,이라고는 했지만 그게 언제인지는 적혀 있지 않았다. 사진이 첨부되어 있었는데, 배경이 이구아수 폭포였다. 그의 어깨에는 긴코너구리가 매달려 있었고 옆에는 아내 하정미가 있었다. 이과수는 사진 밑에다 아내와 함께한 이구아수 폭포,라고 적고는 어쩌면 마지막으로 본 이구아수가 될지도 모르겠다고 썼다.

이청은 떠오르는 게 있었다. 그게 변주를 하며 머릿속을 스쳤다. 그간 그의 생각과 말이 조목조목 재현되는 듯, 바 수르와 그 뒤 이메일에서 그가 한 말들, 그리고 이청이 이메일을 보내자 그가 보인 반응들, 그것들이 모여 새 모습의 이과수라는 사람을 만들어 내고 있었다. 그는 예전과 다른 사람이었다. 무엇이 변할 때는 미리 신호가 있는 법이었다. 어느 날 갑자기가 아니라, 이런저런 징조와 과정을 거치며 변화는 찾아왔다. 이과수 그가 그랬다.

이청은 천천히 핸드폰을 닫았다.

"꿀단지라도 왔어요?" 이혜숙이 물었다. "그러게. 뭘 그렇게 혼자 슬쩍 웃고 그래." 이한일이 이청 쪽으로 힐끗 눈길을 주며 말했다.

문자 끝에 한 줄이 더 있었다. 따로 이메일로 보낸 게 있으니 읽어 봐 달라는 거였다. 이청은 숙소에 와서 이메일을 읽었다.

부에노스아이레스에서 돌아오고서였을 것이다. 이과수와 주고받은 이메일이 예닐곱 번, 그 뒤 한동안 뜸했고 그러다 오래간만에 이메일을 받은 것이었다. 이메일에는 시가 적혀 있었다.

인터넷에서 찾은 시인데 가슴에 와 닿았습니다. 제목이 '나를 위해 노래를 부른'인데, 무명시인의 시입니다.

나는 매일 그와 아침을 시작한다 조금은 멍한 눈으로 그를 만지면 그는 말없이 몸을 내어 준다 아무렇지 않게 그의 몸을 더듬고 비틀고 심지어 쥐어짜고 꼬집는다 그는 말이 없다 가만히 몸을 내어 줄 뿐 정말 나는 아무렇지 않게 그의 몸을 만진다 그러면 그는 온몸을 비틀고 꺾고 오므라뜨리며 몸 안의 것을 조금씩 밀어내어 준다 그러면 나는 또 아무렇지 않게 그를 입에 넣고 가글을 한 뒤 뱉는다 조금 전 그의 전부였을, 만일 그가 아픔을 느낀다면 누구도 느껴보지 못한 통증일 테다

나는 그가 치약처럼 살았다는 것을 알았다

누구를 위해 치약이었던 적이 있는지……, 시 속의 저 사람은 어떤 사람이기에 치약 같은 삶을 산 것인지, 왜 그토록 힘들게 사는 것인지. 그리고 생각했습니다. 제게 필요한 질문만 하면서 살아온 것은 아니었는지, 제게 필요하지 않은 질문도 하며 살겠습니다.

벌써 수년 전 일이었다. 아마 디트로이트인가 아마 그곳이라고 했던 것 같았다. 기억이 맞는다면 공항이었다. 비행기를 기다리는 중이라고 한 것 같은데, 이과수는 그곳에서 이메일을 적어 보낸 적이 있었다. …… 예전에 여긴 종착지이자 출발지였다. 나라를 잃었을 때 나라를 찾기 위해 떠났고 주린 배를 채우기 위해 가족과 떠났다. 오래전 구식 기차를 타고서. 얼마 후 우리는 다시 구식 기차를 타고 돌아왔다……. 이것도 누군가의 시라고 했다. 시 뒤에다 이과수는 마치 그 옛날 정거장으로 돌아가는 기분이라고 적었다. 예전에 종착지이자 출발지라던……. 그리고 그는 지금 그때 자신이 한 말을 실천하는 중이었다.

마지막 한 줄이 더 있었다.

다시 연락드리겠습니다, 선생님.

이청은 답장을 했다. 길게 적지 않았다. 최치영을 만났다는 말은 하지 않았다.

연극이 끝났다

인왕산 곳곳이 눈이었다. 얼마 전 내린 눈인데 녹지 않은 데가 많았다. 눈이 부셨다. 눈 때문이 아니라 그랑호텔 때문이었다. 지금이 그 시간이었다.

호텔 객실의 유리벽에서 반사된 빛이 이쪽으로 날아오고 있었다. 객실 건물을 가리고 있던 벽수산장이 철거되자 객실 전체가 온전히 드러났고, 유리 재질은 문제를 키웠다. 그 때문에 벽수산장이 철거된 뒤 민원이 더 많아졌다. 해와 유리벽의 각도가 맞아떨어지면서 반사광이 더 강했다. 통인동과 옥인동, 누상동 곳곳과 필운동 일부 지역이 그랬다. 시간에 따라 빛이 반사되는 지역이 달랐는데, 이청의 집은 벽수산장이 있을 때는 빛이 닿지 않는 곳이었다. 이제는 마을 사람들과 돌아가며 빛을 받아야 했고 어떨 때는 경복궁 근정전 마당에서 사진을 찍던 관광객들한테까지 빛이 날아들면서 민원이 번졌다.

"잘 보게, 그랑호텔이 누굴 내려다보고 있는지." 최치영이 한 말이었다. 별생각 없이 듣다가 섬뜩하다는 생각이 들었다.

벽수산장이 사라지자 사람들은 예전과 달리 그랑호텔을 더 자세히 볼 수 있었다. 그랑호텔은 더 당당하게 자기 몸을 드러냈고, 부채꼴의 거대한 유리벽에서 유리성으로 변신한 객실은 인왕산을 광배처럼 두르곤 시내를 내려다봤다. 그 때문에 그랑호텔은 그랑호텔대로 자기 존재를 부각할 수 있게 됐고, 또 사람들은 보다 분명하게 그랑호텔의 존재를 인식할 수 있었다.

얼마 전이었다.

나 최치영일세.

최치영이 문자를 보내왔다.

시간 있으면 좀 보세, 이청 선생.

이청은 거절했다. 당연한 거절이었고 예의를 갖춰 한 거절이어서 미안하지도 않았다. 책 때문일 게 뻔했고, 논쟁이라고 해야 이미 진흙밭이 돼 별 의미 없는 현학만 남발하고 있을 때여서 굳이 만날 이유가 없었다. 그런데 거기서 최치영을 보게 될 줄이야.

그게 우연이 아니었다는 것을 이청은 나중에 알았다. 그보다 모처럼 좋은 연극을 보고 난 감흥이 깨진 듯해 기분이 영 말이 아니었다. 이한기는 최치영이 아끼는 제자였다. 그 때문에 그가 중간에서 다리를 놓은 게 아닌가 싶어 물었는데 아무것도 모르고 있었다.

이한기의 연극을 본 게 서너 번은 되는 것 같았다. 〈정육점 남자들〉은 이청이 좋아하는 작품이었다. 예전에 무대에 올리며 초대한 적이 있는데 무슨 일 때문인지 가지 못했다. 이한기는 그 작품을 십 년 만에 다시 무대에 올리며 이청을 초대했다. 희곡집을 통해 이미 무대를 경험한 적이 있는 이청은 기회다 싶어 초대에 응했다.

이한기의 무대답게 객석은 관객으로 채워져 있었다. 사실 이 작품은 규모로 보면 소품이었지만 그 작은 무대가 주는 울림은 소품하고 거리가 멀었다. 출연자가 단 두 명이었고 무대는 단출했다. 정육점 앞에는 어른이 양팔을 벌려야 안을 수 있는 굵기의 나무 두 그루가 있었고 가게가 서로 마주 보고 있었다. 휑한 무대를 가끔 기차 경적이 채웠다. 정육점 간판 이름이 특이했다. '조제', 다른 하나는 '안과안'이었다.

공연이 얼추 반을 지난 것 같았다.

안과안 : 「날 봐. 이렇게 하라니까, 조제.(안과안이 과장되게 심호흡을 하며 팔을 위 아래로 흔들자 조제가 힐끗거리며 따라 한다) 어때?」

조 제 : 「(심호흡을 하며) 언제까지 숨을 쉬지?」

안과안 : 「사십억 년 후에.」

조 제 : 「삼십억 년 후에?」

안과안 : 「(갑자기 동작을 멈추더니) 난 가야 해, 조제.(자기 가게 쪽으로 가다가 멈춘다)」

조제,는 조씨 성의 형제를 뜻했다. 안과안,은 안씨 성의 형제였고 이 두 형제는 얼굴을 맞대고 정육점을 했다. 같은 업종을 마주 보며 장사를 한다는 설정부터가 재미있었다. 그게 문제였다.

깡마른 체구의 조제 형제는 손님이 뜸하자 그게 안과안 형제의 푸줏간 때문이라며 시비를 걸었고, 안과안 형제는 조제 형제 때문에 자신들의 푸줏간이 힘들어진 것이라며 같이 화를 냈다. 쾌활한 성격의 조제는 좀 낙관적이었고 안과안은 하나하나 따지는 성격이었다. 그럼에도 안과안은 말 많은 조제의 수다를 귀찮아하지 않았다. 그런데 이번에는 사정이 좀 달랐다. 조제가 한소리하자 안과안이 버럭 화를 냈다.

조제가 연필 깎는 칼로 허공에다 긋는 시늉을 했다. 안과안 가게 앞에 있는 아름드리 나무를 베어 버리겠다는 뜻이었다. 그러자 안과안이 수채화용 붓을 들고 조제네 간판을 검은색으로 칠해 버리겠다고 으름장을 놓았고 그 대치는 한참 이어졌다.

그때였다. 이청은 슬며시 웃으며 무대를 보다가 앞줄 저쪽의 한 사람이 눈에 들어왔다. 무대 앞 두 번째 줄에 있는 관객이었는데, 뒷모습인데도 낯이 익었다. 조명의 실루엣에 드러난 백발과 두툼한 목도리, 그였다. 최치영.

무대에서는 예의 촐랑대는 말투로 조제가 안과안에게 면박을 주고 있었다.

조 제 : 「(갑자기 큰 소리로) 침을 뱉으라니까!」

안과안 : 「언제까지 이래야 하지? (무대 오른쪽으로 가기 싫은 듯 겨우 걸어간다)」

조 제 : 「왜 그래? 참아. (기차 소리가 들리자, 허겁지겁 안과안에게 다가가 외친다) 기차가 왔어. 돼지고기를 가져온 거야. 잘 가 안과안, 난 돼지고기를 가

지러 가야겠어. 네덜란드 피그 시티에서 온 냉동 돼지고기야. 이걸 생고기로 팔 거야. 안녕, 안과안!」

안과안 : 「그래 잘 가, 이 돼지고기 오겹살 같은 자식아! (조제가 사라진 쪽을 향해 외친다. 그러다 급하게 조제 쪽으로 뛰어가며) …… 조제 조제, 같이 가!」

화가 누그러진 안과안이 조제에게 고맙다고 인사를 하면서 둘이 화해 분위기를 맞는 장면이었다. 이한기의 목적은 명확했다. 그는 조제와 안과안이 토닥거리며 싸우는 이유를 밝히기 위해서가 아니라 싸우는 과정을 보여 주기 위해 연출한 것이었다.

막이 바뀌자 조제와 안과안이 뒤돌아서 자기 가게의 간판을 보고 있었다. 간판에는 아무것도 적혀 있지 않았다. 지난 막에서 보이던 '조제'와 '안과안'이라는 글씨 대신 하얀 페인트가 잔뜩 칠해져 있을 뿐.

각자 자기 간판을 보고 난 조제와 안과안이 몸을 돌리더니 서로를 향해 천천히 다가갔다. 둘 다 심각했다.

조　제 : 「무슨 생각을 할까 생각 중이야, 안과안.」

안과안 : 「호들갑 떨지 말라니까, 조제.」

조　제 : 「난 잘못한 게 없어. (둘이 돈을 가지고 실랑이하다 떨어뜨리곤 바닥을 본다)」

안과안 : 「(울상을 지으며) 난 잘못한 게 없어.」

조　제 : 「버리라니까.」

안과안 : 「버리는 게 좋겠어, 조제.」

조　제 : 「난 가게가 없어.」

안과안 : 「(갑자기 환희에 차서) 살 것 같은데!)

조　제 : 「(역시 환희에 차) 정말이라니까!」

막이 바뀌고 후반이었다.

조　제 : 「(손가락으로 바닥의 돈을 가리키며) 먹어 봐도 될까?」

안과안 : 「똥인지 된장인지?」

조　제 : 「(갑자기 가게 앞의 나무로 가 가슴에 품으며) 너도 해 봐, 안과안.」

안과안 : 「(자기 가게 앞의 나무로 가 조제처럼 가슴에 안으며) 따뜻해.」

조　제 : 「아까부터 그랬어.」

안과안 : 「난 아까부터 그랬다니까.」

조　제 : 「다행이야.」

안과안 : 「누가 듣겠어, 조제.」

조　제 : 「쉿!」

(이후 한참 동안 침묵)

커튼콜이 끝나고 객석에 불이 들어왔다. 이청은 커튼이 쳐진 무대를 봤다. 그리고 잠시 뒤였다. 뭔가가 느껴졌다. 이청은 본능적으로 그쪽으로 고개를 돌렸다. 최치영이 이청 쪽을 힐끗 돌아보고는 목도리를 추스르고 있었다. 이미 이청을 봐 둔 듯했다.

최치영이 자리에서 일어나자 옆의 남자가 최치영에게 지팡이를 건넸다. 백지우였다. 그러다 최치영과 눈을 마주쳤고 이청이 고개를 까딱해 보이자 최치영이 슬며시 웃었다.

연극이 끝난 로비는 황량할 때가 있었다. 겨울에 특히 그랬다. 그럼에도 로비가 제법 사람들로 붐볐다. 이 겨울에 이한기의 작품을 내건 극장 측의 산술이 틀리지 않은 듯했다. 막 로비로 나왔을 때였다.

"오랜만이네, 이청 선생."

예상했던 대로였다. 이청이 돌아보자 최치영이 이쪽으로 걸어오고 있었다. 그가 손을 내밀었다. 악수까지 거절할 수는 없었다. 백지우가 인사를 했다.

"잘 계셨습니까, 선배님?"

"오랜만이야, 백지우." 이청이 말했다. "네, 선배님." 백지우가 어색하게 웃었다.

"그동안 잘 지내셨는지요?" 이청이 최치영에게 물었다.

"물론이지, 이청 선생. 오래 숙고한 티가 나더군." 최치영이 이청의 어깨에 손을 얹으며 말했다. 산문집을 말하는 거였다.

최치영이 저쪽으로 걸음을 옮겼다. 창가 쪽이었다. 백지우가 이청 옆에 서 있었다. 그쪽으로 가자는 뜻 같았다. 이청이 최치영 쪽으로 가 나란히 섰다.

"나무가 극장하고 한 자궁에서 나온 듯해……." 최치영이 창밖의 나무를 보며 말했다. "오래돼 적당히 크고 미적으로도 비율이 기막혀. 어떤가, 이청 선생?"

"감각이란 게 경험 아니겠습니까. 사람마다 다르고 때에 따라 다르지요."

"그런가, 허허헛." 최치영이 웃었다. 웃음이 멈추는가 싶더니 그의 얼굴이 굳어졌다. "그런데 좀 오해를 한 게 아닌가 싶어. 그랑호텔은 그런 데가 아니야, 이청 선생. 그럴 리도 없고. 소문 때문에 그러는 모양인데, 후회하게 될 걸세. 한 세대가 지나고서야 알곤 놀라는 게 진실이란 놈 아닌가."

"진실도 나름 아니겠습니까, 선배님. 알 만한 사람은 알기도 하고요."

"서넛이 알아 뭘 하겠나. 자기들끼리 위로밖에 더하겠어."

"서넛이라니요, 선배님. 미네르바의 부엉이가 좀 늦기는 해도 결국 안다는 게 중요한 거 아니겠습니까."

"뭐 좋네. 말다툼하자고 온 게 아니니까. 이한기 무대도 보고 오래간만에 사람 구경도 좀 하고. 그런데 영혼이라니, 이청 선생. 아직도 그런 얘기를 하면서 사는가. 영혼과 형식도 그래. 그런 건 없어."

"책을 다 읽고도 그러시는 거라면 실망입니다, 선배님."

"까칠하긴, 더 솔직히 말할까. 이청?"

"편하신 대로 하십시오."

"이성이라, 인간에게 그런 게 있다고 보는가? 스스로 다른 생물과 구별하기 위해 만든 아이디어가 어디 한둘이어야지. 우월은 결핍에서 와. 가진 거라곤 지능뿐이어서 다른 감성은 영 젬병이고. 아, 욕망이 있군. 지능이 욕망을 생산하지. 나머지는 다 치장이야. 자연은 인간을 배려하지 않아. 그래서 인간들이 스스로 자기 살길을 찾는 거고. 자연을 공격하는 습성이 거기서 왔어. 학자들이 이미 검증한 것이기도 하고. 내가 너를, 우리가 당신들을, 이게 질서지. 이건 알고 있게. 21세기는 끝난 게 아니야. 21세기 21세기 하니까 21세기가 먼 옛날이나 미래인 줄 아는데 착각일세. 21세기는 기술의 진보와 시간의 전진을 의미할 뿐, 정신의 진보를 가리키는 게 아니어서 그래. 알지 않은가. 물질이 존재의 시작인 한 그런 일은 불가능하다는 거 말일세. 20세기 인간이 21세기 인간이 되는 일은 벌어지지 않는다, 이 얘기지."

"형이상학자이신 선배님이 그런 말씀을 하시다니요, 지금껏 플라톤주의자를 자처하신 분 아닙니까."

"보여 줄 게 있고 감출 게 있어. 어느 게 진실인지 묻는다면 둘 다라고 말하겠네. 플라톤주의는 유물 아닌가. 이데아라니, 아직도 내가 그런 허망한 것이나 떠들고 다니는 사람으로 보이는가. 뭐 좋네. 이데아든 관념이든, 살면서 관념이 없으면 삶이 누추해지기도 하니까. 삶의 내용이란 게 실은 관념이어서 그래. 쓸데없는 것일수록 진정한 가치를 갖게 하는 게 그 관념이란 놈이지. 하지만 실제 그렇든 아니든 중요하지 않아. 그게 힘으로 다가온다면 그것으로 족하지. 그런 의미에서 관념도 이데아도 물질이지. 그게 진실이네. 그 너머는 생각하거나 상상하지 않아도 돼. 그걸 믿는 것으로 충분하니까. 골치 아픈 거 좋아하는 사람 봤는가. 다들 생각보다 단순하게 살아. 자넨 어떤가, 이청 선생?"

"제 의견이 궁금해 물으시는 것 같지는 않습니다만 주관과 객관, 역지사지는 사람의 재능이 아니겠습니까. 이타성이 강한 집단이 살아남는다더군요. 결국 희생이 집단의 이익을 보장하는 게 생태계 순리라는 것이지요. 사람도 같은 방식으로 생존한다고 들었습니다. 제 얘기가 아니라 과학자들 얘기여서 믿을 만합니다. 그런데 그처럼 이기적이어서 어디 호텔이 오래 가겠습니까, 선배님."

최치영이 흔들리는 듯했다. 창밖을 향하고 있던 그가 이청 쪽으로 몸을 돌렸다.

"자네에게 영혼과 형식이라는 환상을 심어 준 사람이 이 대리 아닌가?" 그의 목소리가 잔뜩 굳어 있었다. 얼굴에는 조금 전의 여유가 사라지고 없었다.

"그 어린 것하고 자네가 어울릴 줄은 몰랐네."

"별걸 다 알고 계시는군요."

"내가 모르는 게 있나. 한데, 자네 같은 사람이 이 대리한테 깜박 속다니. 이해는 해. 다 대중이 아닌가. 이 대중이란 사람들 사유 방식이란 게 좀 그래. 요즘엔 더 그렇지만. 달면 삼키고 쓰면 뱉고, 참을 줄 몰라 사람들이. 버러지도 그 정도는 하지."

"말씀이 심하십니다."

"천만에. 수긍하게 될 걸세, 이청 선생. 가치의 전복과 개인과 집단 이기의 횡행, 듣기엔 개인주의 어쩌고 하며 진보적으로 보이지만 이익과 힘 앞에선 무기력하지. 가치가 전제되지 않는 개인주의는 방종하고 다를 게 없어. 자기 몰입이 과하다 보니 뭉칠 줄 모르고 다들 저밖에 몰라. 그게 주체이고 자아인 줄 알지. 속이 좁아 밴댕이 소갈머리가 된 것도 모르고, 도를 넘은 거야. 왠지 아는가. 정보가 넘쳐 과부하가 걸려 그래. 뭐가 뭔지 듣고도 못 알아먹거든. 도구로 쓰라고 준 랜선을 되레 자기를 속박하는 기구로 써. 게다가 답만 찾다 보니 생각하는 걸 싫어해. 내가 걱정할 일은 아니네만 대중이란 사람들이 다들 그렇게들 살아. 자기 정신 건강 해치는 줄도 모르고. 무엇 때문인지 아는가?"

"제 생각이 듣고 싶으신 게 아니잖습니까?"

"눈치는 여전하군, 이청." 최치영이 피식 웃었다. "욕심이 과하다 보니 착각으로 살아. 있는 사람들은 그런 착각을 하지 않아. 욕망이 다르거든. 복잡계라고 있잖은가. 거기엔 중심이란 게 있어. 투숙객들이 그 사람들이지. 내 생각엔 어쩌면 자넨 이 대리한테 속은 게 아니라 자네의 관념에 속은 게 아닐까 싶네. 자기 꾀에 자기가 넘어간 옛날 꾀돌이 얘기 말일세. 중심을 모르면 그런 일이 생겨. 이건 우리끼리 얘기네만, 솔직히 나는 대중이란 무리가 있어 이 세상이 여전히 살만하다고 생각하고 있어. 먹을 게 거기서 나오거든. 어때, 내가 틀렸는가 이청 선생?"

"코끼리 다리로 코끼리를 보려 하시다니요. 실망입니다, 선배님. 게다가 대중 아닌 사람이 어디 있다고 대중 대중 그러십니까. 이러면 복잡계를 잘못 아신 겁니다. 복잡계에 중심이 어디 있으며 예측할 게 무엇이 있겠습니까. 물론 대중이란 사람들의 심성이 쉽게 절망하고 유혹에 빠지고 먼 계획보다는 당장의 꿀을, 과정보다는 결과를, 좀 자극적이고 눈에 보이는 걸 찾는 입맛을 가진 존재들이기는 하지요. 그래서 정체가 불분명해 보이기도 하고요. 생물이라서 그런 겁니다. 혼돈이자 복잡계의 당사자가 그들이지요. 그런데 이 사람들이 좀 묘합니다. 누군가와 통섭을 해 깨우친 뒤 눈을 뜨기라도 하면 물밀듯 모여 어느새 덩어리가 돼 치받거든요. 그땐 대책이 서지 않으실 겁니다. 그리고, 설령 이과수 대리를 그렇게 보셨더라도 나중에 다른 누군가와 통섭이라도 해 치받으면 어떻게 하시려고 그러십니까, 선배님." 최치영의 눈꺼풀이 떨렸다. "거짓 플라톤주의자들이 저지른 환상과 과오가 선배님 같은 사람들이 한 일이 아닌지 해서요. 그 무모함이 사람 여럿 잡아 왔고요. 저는 이런 사람들을 새디스트라고 부릅니다. 스스로는 마조히스트이고요."

"오늘 얘기가 좀 통하는구먼." 최치영이 일그러진 얼굴로 껄껄 웃었다. "책상머리에서야 무슨 소린들 못하겠나. 작작 좀 하게, 이청. 그리고 집에 가거든 잘 보게. 그랑호텔이 누굴 내려다 보고 있는지. 그 큰 유리성의 빛이 얼마나 강한지. 현실을 아는 데 도움이 될 걸세. 자네 집이 통인동 아닌가. 가세."

최치영이 몸을 돌렸다. 백지우가 이청에게 살짝 고개를 숙여 보이곤 저쪽으로 걸어가는 최치영을 따라 종종걸음을 했다. 최치영과 백지우가 출입문을 절반 정도 남겨 두고 있을 때였다.

"선배님?"

이청이 최치영을 불렀다. 목소리가 컸다. 최치영이 걸음을 멈추곤 이청을 봤다. 이청은 최치영 쪽으로 다가갔다.

"문이 저거 하나인가?" 이청이 백지우에게 물었다. 최치영이 백지우를 봤고, 백지우는 또 무슨 말인가 싶어 영문도 모른 채 고개를 주억거리며 말했다.

"네, 선배님……."

"고맙네, 백지우."

이청이 천천히 최치영 쪽으로 고개를 돌리곤 말했다.

"그런데 수사가 지나치십니다, 선배님. 후배에게 침 뱉듯 놔두고 그렇게 후다닥 가시면 다음에 어떻게 보시려고 그러십니까. 저는 그렇다 해도 그랑호텔 투숙객들이 알면 또 어쩌시려고요. 그리고 저 문은 제가 먼저 나가야지 연극을 보러 온 보람이 있지 않겠습니까. 선배님이 먼저 나가시면 관객들이 저더러 뭐라고 하겠습니까. 그럼 저는 이만."

이청은 최치영 앞을 지나 극장 출입문을 향해 걸었다. 뒤에서 무슨 말이 들릴 줄 알았는데 조용했다. 이청은 걸음을 멈추곤 다시 최치영 쪽을 봤다. 최치영이 백지우와 나란히 이청을 보며 서 있었다. 이청이 말했다.

"안과안이 그런 말을 하더군요. 똥인지 된장인지 먹어 봐야 아느냐고요."

이청이 극장 출입문을 여는데 뒤에서 허엇 엄,하는 소리가 들렸다. 최치영이 내는 소리였다.

시내 쪽을 봤다. 사물의 합창, 그 소리가 몸속을 채웠다. 빛 같기도 했다. 소리이며 작은 물체 같기도 했다. 형체가 있는 것 같더니 이내 보이지 않았다. 무상無常 무아無我라고 하던데……, 이청은 마농을 떠올렸다. 그때 이후 지금처럼 종종 마농 생각이 날 때가 있었다. 온전히 놓아야 할 때를 안 사람. 가야 할 때 기꺼이 갈 줄 안 사람. 그러므로 아무것도 아니며, 아무것도 아니지 않은 사람. 마농의 마지막 얘기를 들려준 사람은 베로니카 수녀였다.

"레지나 자매님은 항암 치료를 원하지 않았어요."

이청이 가만히 고개를 끄덕였다.

"돈이 없는 분이 아니잖아요. 자기 의지로 무소유가 돼 기뻐했죠. 그뿐이 아니에요. 한 인간이 감당하기에는 벅찬 그 고통을 온몸으로 겪은 후 기꺼이 죽음으로 받아들였죠. 자신의 세례명처럼요. 예수께선 사람들의 고통을 자처해 짊어지시고 골고다로 향하셨죠. 십자가를 이고 채찍을 맞으며 가파른 팔백 미터 길을 걸으셨지요. 레지나 자매님이 고통을 받아들이는 모습이 빛으로 환생하는 듯 느껴졌어요. 그 길을 오른 아들 예수처럼요……."

"다 말씀하지 않으셔도 됩니다, 수녀님."

"아니에요……." 베로니카였다. "성모께 오래 기도해 왔지만, 인간이 이토록 숭고한 행위를 할 수 있는 존재라는 걸 이제 안 듯해 부끄러웠어요. 아들 예수 못지않게 인간 역시 고통을 받아들일 줄 아는 존재라는 걸. 나와 내 이웃과 친구와 지인을 비롯한 그 모든 사람이 숭고한 뜻을 품은 존재라는 걸 레지나 자매님이 깨닫게 해줬죠. 자매님이 그랬어요. 우리에게 영혼이 있다고요. 그걸 믿는 게 사랑이라고요."

"같이 하신 거지요, 수녀님……?"

"네……."

베로니카 수녀가 가만히 고개를 끄덕이곤 말했다. "레지나 자매님이 숨을 거두며 우리에게 인사를 했어요. 잘 있어요, 베로니카. 모두에게 사랑을 보내요." 말을 마친 베로니카 수녀가 울었다. "그렇게 아름다운 인사는 처음 봤어요……." 베로니카가 눈물을 흘리며 미소 지었다.

†

"산타페다." 태호 선배의 목소리가 밝았다. 이제야 공항에 도착한 모양이었다. 목소리가 밝은 걸 보니 한숨 돌린 모양이었다.

딸아이는 근 한 달을 병원에 입원해 있었다. 어린아이가 살아 보기도 전에 병마와 사투를 하고 있었다. 그 때문에 태호 선배는 부에노스아이레스에서 사흘을 더 묵어야 했다. 더 있다 오라고 했지만 마음이 급한지 듣지 않았다. 농장 담수 때문에 아직 파종을 하지 못한 데가 있었고 다음 주는 늦을 터였다. 그래도 걱정하지 말라는 이과수의 말을 태호 선배는 건성으로 들었다.

동쪽 농장을 돌았다. 국도 쪽이었다. 그 너머로 파라나강 지류가 있었다. 이과수는 슬며시 웃음이 나왔다. 태호 선배와 수로를 보러 갔다가 헤맨 데가 그곳이었다. 저런 곳에 그렇게 험한 늪이 있었다니. 하지만 지금 여기서 보는 늪은 팜파스 특유의 끝없고 평화로운 평원일 뿐이었다. 느릅나무와 발사나무, 너도파파야나무 그리고 벚나무와 페퍼나무, 구아바 나무들. 얼마 있으면 지구 저 반대편에서 팜파스 평원의 이 나무들과 물을 그리워하게 될는지도 몰랐다. 파라나의 늪과 수로들을. 그러고 보니 눈에 들어오는 모든 게 다 아름다워 보였다.

수로 반대쪽으로 차를 돌릴 때였다. 알림 소리가 들렸다. 이메일이었다. 차를 멈추곤 이메일을 열었다. 최치영한테 온 것이었다.

> 자네 말이 맞았네. 우리가 하면 돼. 제임스는 안됐지만 운명이랄 밖에. 부처가 그랬다지 않은가, 연기라고. 다 얽히고설켜 산다는 소리지. 그걸 몰라 고통스러운 것일 테고. 나머진 자네 뜻대로 해도 되네.

이메일 끝에다 최치영은 그간의 소통으로 이제는 서로 알 때가 되지 않았느냐며 이렇게 한 줄 적었다.

> 이심전심 아닌가. 어떤가, 때가 된 것 같지 않은가?

이과수는 하늘을 봤다. 그런 것 같기도 했다. 핸드폰을 닫으려다 다시 인터넷에 접속을 했다. 이따 집에 가서 답장을 할까 하다가 짧게 이메일을 적어 보냈다.

가서 뵙겠습니다, 선생님. 그리고 연기를 몰라 고통스러운 것이 아니라, 알아서 고통스러운 것이 아닌지요…….

이구아수

"해가 져, 과수 씨."

그사이 저물고 있었다. 이과수는 파라나강 쪽을 봤다. 초원을 따라 나무 사이로 검붉은 그림자가 드리워 있었다. 그 들녘을 트럭이 빠르게 질주했다.

"내가 꿈 얘기했나?" 이과수가 물었다.

"무슨 꿈?"

"무지개 폭포 얘기."

"아니 처음 듣는데."

이상했다. 하정미에게 그 얘기를 하지 않았다는 게……, 나무와 폭포와 하늘이 무지개로 덮인 그 아열대숲을. 어쩌면 먼 미래의 희망이나 바람 같은 것을 꿈에서 미리 본 듯한 그 풍경은 다른 세계를 알리는 예지몽 같았다. 꿈과 환상 그리고 희망, 실은 그 경계가 뚜렷했던 건 아니었다. 그래서 더 오래 기억나는 것인지 몰랐다. 파타고니아와 팜파스 그리고 이구아수의 아열대가 한 곳에서 공존하는 듯한 그 꿈을 몸이 기억하고 있었다.

"그런 꿈을 꿨어, 과수 씨?" 신기하다는 듯 하정미가 물었다.

"응, 잊히지를 않네."

"별거 아닌 거 같은데 생생해, 과수 씨."

이과수는 더 그랬다. 그때처럼 지금도. 그게 꿈이든 환상이든 상관없이 이제 그 예지몽은 가슴 저 안에서 하나의 생명처럼 자라 감각 기관으로 존재하고 있었다. 한국으로 돌아가기로 한 것도 그 생명력의 지시 없이는 불가능했을 터였다. 때론 불분명한 무엇이 그리고 우연처럼 하찮은 것들이 중요한 미래를 결정하기도 하니까. 거기에 비하면 이과수는 꽤 괜찮은 이유를 가지고 있는 셈이었다. 그게 아니었으면 아직도 오지에서 이방인으로 남아 서성이고 있을지도 몰랐다. 이과수는 용케 무지개 숲과 폭포를 따라 길을 찾을 수 있었고, 예지몽 덕이었다.

"다시 여기 올 일 없겠지?" 하정미가 차창 밖을 보며 말했다.

"글쎄……."

무슨 대답이 그러냐는 듯 하정미가 이과수를 봤다.

"앞일은 모르잖아." 말은 그렇게 했지만 이 길을 다시 올 날이 또 있을까. 그러기는 힘들었다. 아르헨티나 그리고 산하비에르, 게다가 이구아수는 먼 곳이었다. 태호 선배도 그런 말을 했다.

"마지막이다 생각하고 제수씨하고 갔다 와."

태호 선배는 마지막,이라는 말에 힘을 줬다. 그 말에 책임이라도 지겠다는 듯 태호 선배는 2박으로 방을 잡았다. 1박이면 된다는 이과수의 말에 하루를 줄였는데, 처음 가는 곳도 아니어서 이구아수 한 곳에서 이틀을 묵을 것까지는 없었다. 거기다 그란 멜리아 이구아수 호텔은 싼 곳이 아니었다.

"하루라도 맘 편하게 쉰 적 없잖아."

그렇기는 했다. 그걸 아는 태호 선배가 고맙게 느껴졌다. 휴일이 있었지만 휴일과 근무가 섞여 일이 휴식이고 휴식이 일이었다. 그간 단 하루도 바쁘지 않은 날이 없었고 하정미가 오고도 그 생활은 달라지지 않았다. 그렇다고 무슨 목적이 있는 것이 아니었다. 주어진 그 시간을 부닥치듯 산 것 외에는. 일 자체가 그렇게 돌아갔고 그 때문에 이런저런 생각을 할 틈조차 없었다. 하루하루가 도구이자 목적의 연속이었으니까.

"서너 번 갔었지?" 태호 선배가 물었다.

이구아수에는 세 번 간 적이 있었다. 처음 산하비에르에 왔을 때 태호 선배가 데리고 간 게 한 번, 그리고 하정미가 왔을 때였다. 나머지 한 번은 부에노스아이레스에서 손님이 와 가이드 겸 간 적이 있었다. 세 번 모두 멀고 먼 이국을 갔다 온 듯 멀었다는 것, 그리고 매번 아름다웠으며 꿈에서 본 무지개 폭포가 이구아수인지도 모른다는 생각을 했다.

얼마를 달렸을까. 다섯 시간을 넘게 달렸는데 이제 갓 산타페 주를 벗어나고 있었다. 이구아수는 아직 멀리 있었다. 늦게 출발한 탓이었다. 농장 일이 바쁘기도 했지만 갑자기 농장을 그만두겠다는 직원과 상담을 해야 했다. 그만두더라도 새 직원이 올 때까지는 시기를 늦춰야 했고 나름대로 사정이 있었던 직원을 설득해야 했다.

이과수는 살짝 감속 페달을 밟아 속도를 줄였다. 트럭의 계기판이 100킬로미터를 훌쩍 넘었고, 불쑥 나타난 들짐승이 국도를 건너고 있었다. 너구리와 고라니, 가끔 날랜 삵이 보였다. 그럴 적마다 이과수는 반사적으로 제동을 해야 했다.

잠시 쉬느라 차를 세웠을 때였다. 차도와 갓길 비스듬히 걸친 트럭의 전조등이 저쪽 들판을 향해 기다랗게 빛을 비추고 있었다. 소변을 보는데 불빛이 보였다. 짐승의 눈이었다. 전조등 빛을 받은 눈이 별 같았다. 고라니였다. 그런데 좀 이상했다. 고라니가 달아나지 않고 서성대며 바닥과 이쪽을 번갈아 보고 있었다. 차 문을 여는데 하정미가 말했다.

"과수 씨, 손전등 있어?"

하정미도 고라니를 본 모양이었다. 의자 뒤에 있는 손전등을 꺼냈다. 농장에서 밤에 일을 봐야 할 때 쓰는 거여서 크고 밝았다.

"로드 킬 같아, 과수 씨." 하정미가 손전등을 받아 들며 말했다.

"그러게, 고라니가 도망을 안 가네."

로드킬은 흔했다. 농장을 지나는 국도에서 고라니와 멧돼지, 삵 같은 들짐승의 시신을 치운 적이 한두 번이 아니었다. 어떤 짐승은 어찌나 거칠게 받혔는지 허리가 접힌 것도 있었다.

하정미가 앞에서 잰걸음을 했다. 손전등이 있어 시야는 넉넉했다. 가까이 가자 고라니의 울음이 커졌다. 삼십여 미터 정도 걸었을까, 하정미가 걸음을 멈추었다.

"재야, 과수 씨."

손전등이 비춘 한쪽에 짐승이 누워 있었다. 어미가 거리를 둔 채 더 극성스레 웩

웩거리며 울었다. 다가가 손전등을 비추자 누운 고라니가 보였다. 새끼였다. 별 움직임이 없어 죽었다고 생각했는데 아직 숨이 붙어 있는 듯 몸이 미세하게 움직였다.

"얘 살아 있어, 과수 씨!"

하정미가 고라니를 안더니 입에 대고 호흡을 했다. 다급했다. 한동안 쉬지 않고 숨을 불어놓고 난 뒤였다. 하정미가 호흡을 멈추고 고라니 등을 쓰다듬으며 어깨를 들썩였다. 그새 고라니가 죽은 모양이었다. 그걸 아는지 어미가 더 극성스레 울었다.

이과수는 하정미를 일으켜 세운 뒤 고라니의 코에 손등을 가져갔다. 아무것도 느껴지지 않았다. 어미와 새끼가 국도를 건너다 새끼 혼자 사고를 당한 거였다. 어미는 채 죽지 않은 새끼와 간신히 여기까지 왔을 테고 그러다 새끼가 죽음을 맞은 것이었다.

잠시 뒤였다. 울음을 멈춘 하정미가 말했다.

"삽 있지, 과수 씨?" 이과수가 삽을 가져오자 새끼를 가슴에 안고 있던 하정미가 받아 채더니 땅을 파기 시작했다.

"내가 할게." 이과수가 말했다.

이과수가 땅을 파는 동안 하정미는 새끼 얼굴에 볼을 비볐다. 저쪽에서는 쉬지 않고 어미 고라니가 울었다. 웩, 웩웩웩 웩, 제 새끼가 죽었는데 할 수 있는 게 우는 것뿐이었다. 아마 어미가 죽었어도 새끼가 할 수 있는 것이라고는 웩웩웩 소리쳐 우는 것뿐일 터였다. 사람도 다르지 않았다. 자식의 죽음 앞에서, 부모의 죽음 앞에서 할 수 있는 것이 가련한 통곡뿐이었다.

얼마를 팠을까. 새끼라고는 해도 고라니였고, 사체를 온전히 묻기 위해선 꽤 넉넉한 무덤이 필요했다.

"이 정도면 된 거 같은데."

이과수가 이마의 땀을 훔치며 말했다. 파 놓고 보니 구덩이가 제법 커 새끼 고라니가 다리를 펴도 될 듯했다. 하정미한테 고라니를 받아 눕히곤 흙을 뿌렸다.

"불쌍해서 어떡해, 과수 씨……."

"마지막 삽이야."

흙을 뿌리며 이과수가 말했다. 작은 봉분이 만들어졌고 하정미가 무덤에 손을 얹었다. 하정미가 합장을 하며 뭐라고 말했다. 스페인어였다. 잠시 뒤 하정미가 울고 있는 어미를 향해 말했다.

"니 새끼 내가 저승까지 데려다줄게. 걱정하지 말고 가. 가서 건강하게 살아……."

하정미가 또 울었다. 그걸 보고 있자니 착잡했다. 생명 있는 수많은 동식물의 삶과 죽음, 그리고 이 고라니 새끼의 죽음을 봐야 하는 어미, 이 어미의 마음은 어떤 모양일까. 그 어떤 힘이 자식의 죽음을 목격한 어미의 나머지 생을 살아가게 하는 것일까……?

평원이 어둠이었다. 푸르스름한 하늘이 평지에 공지선을 만들었다. 들녘 곳곳의 드문 불빛이 등대처럼 보였다. 하정미는 생수로 목을 축였다. 이제 좀 진정이 된 모양이었다.

"쟤도 영혼이 있을까……." 이과수가 혼잣말을 했다.

"그럼." 하정미의 목이 좀 쉰 듯했다. "숲에도 영혼이 있다잖아."

그런 것 같기도 했다. 그날 파라나강 지류에서 만난 크고 작은 숲들, 그곳의 나무와 풀이 들려준 소리가 그런 느낌이었다.

"풀하고 나무하고 이슬이 다 그래. 고라니는 더할걸." 하정미가 말했다.

"왜?"

"피 때문이야. 피는 영혼의 표시거든."

"나무하고 풀은 피가 없잖아."

"그런데 왜 정령이 있느냐 거지?" 이과수는 그렇다고 했다. "영혼은 색이 없어. 뭐든 될 수 있는 존재, 그래서 색이 없는 거야. 그게 순수한 영혼이고. 그런데 동물은 그렇지 않아. 그래서 영혼이 있다는 걸 증명해야 해. 그래서 피가 붉은 거야."

"정말 그래?"

"응."

"처음 듣는데?"

이과수는 트럭의 속도를 높였다. 갈 길이 멀었다. 이러다가는 호텔 숙박비만 날리는 게 아닌지 싶었다. 가속을 하는데 하정미가 말했다.

"이거 진짜야, 과수 씨."

"뭐가?"
"있는 듯 없는 듯, 중요한 건 있다는 걸 믿는 것이 아니라 있다는 걸 존중하는 게 중요해. 그걸 명확하게 하려고 하면 진실이 가려져. 무채색은 그런 뜻이야. 있음은 숫자 0과 같은 의미거든."
이과수는 힐끗 하정미를 봤다.
"뭐하는 거죠, 이과수 씨? 앞을 보셔야지요."
속도가 또 100킬로미터를 넘고 있었다. 이과수는 살짝 제동한 뒤 그 속도를 유지했다. 슬며시 미소가 나왔다. 하정미한테서 그 얘기를 듣다니. 이승과 저승의 경계가 없다는 김학수 정위의 말, 그 비슷한 얘기를 하정미의 목소리로 듣고나니 더 현실감이 느껴졌다.
최치영의 말도 이 의미가 아니었을까. 그가 물었다. 자네는 어떤가?라고. 자네 안에 무엇이 있는지 궁금하지 않으냐고. 한 몸이면서 한 몸이 아닌 존재, 그러므로 어느 곳으로도 기울지 않아 영원할 수 있다고. 그게 영혼이며 투숙객들도 실은 그걸 궁금해한 것이었다고.
이과수는 혼란스러웠다. 그 많은 질문과 답, 자신을 향한 것이며 그 대답을 듣기 위해 인내한 그 시간이 되돌아와 다시 묻고 있었다. 그들이 누구인지……? 제이콥 헨리 쉬프와 자무엘, 나아가 제이콥 쉬프와 지배인 제임스 김, 이들 역시 이 질문에서 자유로워서는 안 되는 사람들이었다. 하지만 그들이 이 질문에 자기 답을 가지고 있었는지는 알 수 없었다. 혹 그들의 행위가 자신의 물음에 대한 답이라고 해도 그것은 그들의 것일 뿐, 이과수가 자신에게 궁금해한 것과는 다른 류였다. 물론 지금의 이 영감이 그들에게서 왔다는 것까지 부정할 수는 없겠지만 사실 그 때문에 더 많은 질문이 필요했고 답 역시 필요했다. 그렇지 않고서는 한 걸음도 내디딜 수 없었다. 그리고 그것이 무엇이든, 그들의 목적과 행위는 모두 같은 곳을 가리키고 있었고 그 색은 하정미가 말한 무채색이 아니라 유채색이었다. 치명적이었다. 그들 역시 그 시대의 세속을 벗어나지는 못한 사람들이었고, 그런 면에서 그들 그리 비범한 사람들이라고 할 수 없었다. 자무엘이야말로 월 스트리트의 세시풍속에 충실한 월 스트리트의 충복이자 파괴자가 아니었을까. 존재의 사유에 대한 그의 진정성을 인정한다 해도, 그의 엉뚱한 욕망과 결핍이 그 일의 시작이었고 그도 자신의 결핍과 욕망을 지키기 위해 영혼을 포집하려 한 그 시대 다른 인간들과 하등 다르지 않은 존재에 불과한 것이었다. 생각이 거기에 이르자 이과수는 숨이 막혔다.

트럭이 숲을 지나고 있었다. 평원에서 온전히 숲을 지나야 하는 경우는 흔하지 않았다. 사바나처럼 군데군데 자란 나무와 그 주변의 덩굴이 길가에 작은 숲을 만들었다. 막 숲을 벗어났을 때였다.

"나 생각 많았어." 이과수가 말했다. 그 말에 하정미가 가만히 손을 잡았다. "알아. 과수 씨 가벼운 사람 아니잖아."

무슨 뜻일까? 하정미는 종종 말 대신 몸짓으로 의사 표시를 했다. 그렇다고 그 단순한 고갯짓만으로 뜻을 알기는 힘들었다. 더군다나 이 순간 돌아와 쏟아지는 이 질문은 의외로 머릿속을 복잡하게 만들어 놓고 있었다.

"영혼은 있어." 이과수가 말했다.

하정미가 빤히 이과수를 봤다. "무슨 말을 하고 싶어?"

"생명은 물질이고, 그래서 고독한 거야. 태고 이후 인간은 그 고백을 해 왔어." 본능처럼……, 사실 그건 본능이 아니라 욕망이었다. 불안을 물리치고 자유를 얻으려는 갈증은 대개 욕구가 아니라 욕망으로 드러났다. 보다 근원에 도달해 자유로워지려는 의지의 전진들, 좀 거창해 보일 수 있지만 불안과 구원은 때와 장소를 가리지 않았다. 이 시대 역시 여전히 불안하며 예감대로 구원 같은 것은 존재하지 않았다.

"어떻게 생각해?" 이과수가 물었다.

하정미는 가만히 앞을 보고 있었다. 말이 없었다. 전조등이 비춘 아스팔트 길이 중앙선을 따라 이어졌고 끝이 보이지 않았다. 어둠 때문일 수 있고 인간의 눈이 미처 보지 못한 것일 수도 있었다. 하지만 그것이 무엇이든 그 길이 존재한다는 것, 그 존재가 이 길을 가게 하고 있었다. 잠깐 침묵이 흘렀다.

"조용하네, 하정미?"

"기가 막혀서 그래요, 이과수 씨."

"그 정도야?"

"과수 씨가 뭣 때문에 그러는지 아니까."

하긴 하정미는 알고 있을 거였다. 이과수가 미처 하지 않은 말과 고민을, 최치영이나 이청과 나눈 그 긴 대화들을. 눈치가 워낙 빠삭한 사람이었다.

사실 일부러 그런 면도 있었다. 그걸 하정미가 어떻게 받아들일지, 아니 이건 하정미와는 상관없는 얘기일 수 있었다. 아무리 부부지만 각자의 믿음이 있고 관심 영역이 다른 것도 있으니까. 자무엘 같은 사람이 거기에 속했다. 하정미는 자무엘을 몰랐다. 이과수로서는 자무엘을 말하지 않고서는 자신의 고민을 설명하기 힘들었다. 그렇다고 막상 자무엘 얘기를 하자니 내키지 않았다. 야누스 같은, 아니 어쩌면 자무엘이야말로 노골적으로 영혼을 농락한 파괴자일 수 있기 때문이었다. 그 참담한 결론은 혼돈을 가져왔고 그 뒤 고민이 더 깊어졌다. 이 고민은 자신의 짐이며 고독한 니체처럼 혼자 찾아야 할 답이었다.

"얘기 하나 해 줄까, 과수 씨?" 이과수가 고개를 끄덕였다. "예전에 운문사에 간 적이 있어."

"답사하러?"

"아니 템플스테이 하러. 거기서 법문을 들었는데 스님이 논어에 나오는 말이라면서 화이부동和而不同 얘기를 했어. 그게 무척 와닿았어. 서로 섞여 있지만 같지 않다는 뜻인데, 그래야 세상이 곧게 선대. 그러면서 스님이 화쟁和諍 얘기를 했어. 논쟁은 보다 나은 곳에 도달하기 위한 단계라는 거야. 모순이나 대립 같은 게 다 화쟁 안에 있다는 거지."

"화합한다, 그런 뜻이잖아."

"아니. 그냥 화합한다는 게 아니라 대립 없이 화가 없다는 뜻이야. 대립이 있어야 논쟁이 가능하고 그걸 통해 근원에 다가갈 수 있다는 거지. 그런 뒤 불이不二, 다르지 않다는 것을 안다는 거야. 진리 말이야. 모순과 대립은 화쟁의 힘이자 평화야."

"평화라……."

"그게 생명이랬어. 그 힘으로 화엄 세상을 만드는 거지. 근데, 과수 씨?" 이과수는 하정미를 봤다. "우리가 사는데 꼭 영혼이 있어야 하는 걸까?" 꼭이라니, 세상에 그런 게 얼마나 있을까……. "그런 거 없어도 우리끼리 도우면서 살면 좋을 거 같아서. 자꾸 다른 데 의지하면 핑계가 생기고 고집이 생기거든. 그게 또 불안을 만들고 그래서 또 다른 걸 가지려고 하잖아. 미래를 원하면서 미래에 우리가 갇히는 거지. 안 그럴 거 같아, 과수 씨?"

"뭐 알 것 같기도 하고."

"곰곰이 생각해 봐. 세상 안에서 사물과 우리가 따로 있는 게 아니야. 각 각이면서 같이 있는 거지. 내가 세상에 맞추기도 하지만 세상이 나에게 맞추기도 해."

"세상이 나한테 맞춰? 그게 가능해……?"

"그럼. 길바닥의 돌이 나한테 아무것도 아닌 게 아니야. 돌이 나한테 어떤 식으로든 영향을 줘. 우리가 그걸 자각하지 못한 것뿐이야. 아니 우월감 때문에 돌이란 존재 자체를 무시해. 그런 생각은 자신을 가두고 세상을 좁게 보게 해. 소유란 게 실은 그런 데서 오는 거거든. 좁은 시야와 생각, 그때부터 자기 것만 소중히 생각하게 되고 고독과 외로움을 느끼기 시작해. 그게 자라면 고칠 수 없는 병이 돼. 사실 혼자 있는 것도 혼자 있지 않은 것도 아닌데. 그런데도 거기에 집착하고. 그러면 성격 버린다니까, 과수 씨." 이과수가 웃었다. "정말이야. 자기 거 받아들이지 않으면 화내고 그러거든. 사실 그게 자기 것을 고집하면서 생기는 고독과 외로움이야. 그게 다 소유욕에서 오는 거고. 지식이나 지혜, 심지어 영혼까지. 불안이 다 그런 데서 오는 거지 뭐."

"소유는 본능이야, 하정미."

"들어볼래, 과수 씨? 누군가가 자기가 가지고 있는 것을 영원히 소유할 수 있다고 생각한다고 생각해 봐. 그런데 그건 불가능하잖아. 다 변해. 내 마음이 변하고 소유한 그것도 변하고. 그러면 그걸 소유라고 할 수 있겠어? 소유의 참은 잠깐의 어떤 상태란 소리야. 공유 같은 거지. 그걸 인정하지 않으면 또 소유하려고 하고 그게 반복돼. 그러면서 사람이 피폐해져."

이과수는 무슨 말인가 하려다 그만두었다. 다만, 언젠가 하정미에게 말한 것처럼 이 불안의 정체는 무엇이며 무엇으로 소멸할 수 있는지, 아니 나는 내 생명의 소멸을 어떤 눈으로 바라봐야 하는 것인지. 그리고 자신이 아는 한 그랑호텔과 투숙객들의 불안 역시 그 질문이 던지는 고뇌와 염려에서 온 것들이었다. 그들 역시 작은 인간에 불과하지 않은가. 그리고 지금 이과수는 불안했다. 산하비에르를 떠나 살아야 할 한국에서의 삶 때문이 아니었다. 그것은 시공과 상관이 없는 곳에서 조금씩 다가오더니 어느새 옆에 와 서 있었다. 그것이 어디에서 왔든, 지금이든 미래든 아니 그것은 과거에서 온 것인지 몰랐다. 어쩌면 불쾌함이 전파한 외로움이거나 고독이 변한 이물질인지도.

무슨 말을 하다가였을까. "그럼 누가 우릴 구해 줘?" 이과수가 불쑥 물었다.

"과수 씨 참 집요하다. 구해 주긴 누가 구해줘. 아까 얘기했잖아."

"내 말은 무엇으로 우릴 구할 거냐고?"

"그런 거 없다니까. 답 같은 거. 답이 있는 게 아니라 과정이 있어. 그걸 만끽하면 돼. 무엇으로 그걸 소중하게 받아들일 것인지. 이청 선생님이 그랬잖아. 숭고야말로 인간 스스로 서로를 존중하게 하는 힘이라고. 그게 우리를 인간으로 부르게 하고 평화롭게 한다고."

숭고…… 그 말, 물론 이과수도 기억하고 있었다. 오래전 도담삼봉에서 이청이 길게 그 얘기를 했었다. 탱고 바 수르에서도 그렇고. 하지만 그게 무엇이든, 지금 영혼을 사유하는 자신의 생각이 그리 달라질 것 같지는 않았다. 다만, 이청의 말처럼 인간의 모습을 한 숭고, 비로소 영혼과 숭고가 서로 도구이자 목적이 되는, 그리고 어쩌면 하정미가 말한 이 둘의 화쟁이 마침내 인간이라는 큰 그림으로 결연할 수 있는 유일한 통로일는지 몰랐다. 부서질 줄 아는 숭고, 이청의 그 숭고는 어디서 오는 것일까?

"부숴, 과수 씨." 하정미가 말했다. 이과수는 하정미를 힐끗 보곤 다시 앞을 봤다. 하정미가 다시 말했다.

"자기가 중요하다고 생각하는 것부터."

"그리고?"

"그리고 같은 건 없어. 바라는 게 많으면 어깨가 자꾸 무거워져서 자기가 자기를 짓누르게 돼. 그러면 사는 게 지저분해져. 미래라든가 불안 뭐 이런 얘기를 그래서 하게 되는 거야. 대신 그걸 부수면 자유로워져. 그걸 아는 게 사는 거야. 답이 아니라 사는 것, 진행형 말이야. 그리고 끝이 있다는 것 역시 아는 것, 그게 사는 힘이야."

자신을 부수는 힘은 어디에서 오는 것일까? 그걸 부술 정도의 힘이라면 절대적이거나 자신을 배반할 정도로 강한 어떤 것이어야 하지 않을까. 아니 자신을 부수지는 못할망정 자신을 힘들게 하는 어느 것 하나 정도는 부술 수 있어야 하지 않을까.

"과수 씨, 이거 알아?"

기다란 트럭 한 대가 앞 유리를 전조등으로 훑곤 쏜살같이 지나쳤다. 차가 다 흔들릴 정도였다.

"과수 씨가 자꾸 무슨 초월적인 힘 같은 얘기를 해서 그러는데, 마치 그게 엄청난 힘을 가졌다는 듯이. 하지만 그 힘은 어떤 중심 같은 데서 오는 게 아니라 경계에서 와. 그래서 이유를 딱히 몰라. 하지만 그게 정상이야. 이청 선생님 말씀이 그거야. 기억 안 나? 중심에서 보면 주변이 보이지만 경계에 서면 다른 중심과 주변까지 보인다잖아. 그런데 왜 과수 씨는 자꾸 뭘 넘어가겠다고 그래. 그렇게 힘이 좋아?" 이과수가 웃었다. 빵 터졌다는 듯. "김학수 정위인가 그 사람이 그랬다면서, 이승과 저승은 경계가 없다고. 그게 경계의 참모습이고 힘이야. 자꾸 확실한 걸 찾으려고 하니까 문제가 되는 거야. 그런 건 없는데 말야. 불확실한 것이 곧 힘인데. 그걸 인정하는 게 참이고. 내 말이 틀린 거 같아?"

하정미는 기억하고 있었다. 김학수 정위, 그가 말한 이승과 저승의 사이와 사이, 그 틈과 틈을 유유히 흐르는 유일한 것은 영혼이었다. 그 무게와 질량이 모든 힘과 상상의 근원이었고. 그 생각만으로도 이과수는 자유로워진 느낌이었다. 도담삼봉에서였다. 이청이 말했다.

"사람과 사람이 어울리면 숭고가 생기지. 삼봉이 서로 어울려 숭고를 보여 주었듯이……." 맞는 말 같았다. 인간에 대한 존중과 평등은 숭고라는 이름에서 왔다. 그러므로 숭고는 인간 존엄에 대한 근원을 설명할 수 있는 알리바이 같은 것이기도 했다.

얼마 전이었다. 이청이 보내준 이메일에 이런 내용이 있었다.

> 혼란은 폐허를 부르지만 혼돈은 생명을 머금지. 경계가 주는 혼돈의 참가치가 그것이네. 여러 가치가 평행을 이루는 새 질서가 실은 거기서 오거든. 그게 평화고. 하나의 규율이 질서를 의미하던 시대는 지나지 않았는가. 그러고 보니 나도 꽤 살고 싶은 모양이야…….

그러며 이청은 숭고와 경계는 같은 것이라고 했다. 경계의 힘은 아무런 개념과 성격을 갖지 않는 데서 오는 것이라고.

“경계는 전부를 보게 해, 과수 씨.” 하정미가 말했다. “색불이공공불이색色不異空空不異色, 색즉시공공즉시색色卽是空空卽是色. 알지, 과수 씨?”

“알아, 하정미.”

그러고 보니 자신의 고민이 하정미와 그렇게 많이 다르지 않다는 느낌이었다. 진작 이런 얘기를 했어야 하지 않았을까.

자무엘 때문이었다. 그의 영향은 컸다. 한때 그는 혼란과 혼돈 그 자체였다. 어쩌면 자무엘은 영혼을 봤을지도 모른다는 생각을 한 적이 있었다. 착각이었다. 고작 누군가의 죽음과 실패를 기록한 잔혹한 영상이 있었을 뿐인데, 그것을 고증하듯 증명한 사람이 케빈 슈라이버 교수였고 그의 글은 온통 자무엘에 대한 비난과 우려뿐이었다. 하지만 상관없었다. 이젠 모두 사라진 무지개일 뿐이며 자무엘은 구원을 원한 것이 아니라 욕망을 수습하기 바빴고 그것을 안 이과수는 그를 접을 수 있었다. 그리고 이 시대의 이 많은 사람들이 그와 같은 길을 찾아 목을 매는 이 현실, 그 삶의 현장을 목격해야 하는 지금이 야속할 뿐이었다. 이곳의 모든 불평등과 차별이 그때 그의 욕망이 빚은 나비효과가 아니었을까. 세상의 모든 차별과 불평등을 스스로 혹은 서로 도우며 만들어 놓고 불평하는 이 시대의 아이러니. 지금의 모든 욕망은 그때 그들의 욕망이 기획한 유산이었고 그들을 모방한 무분별이 빚은 탐욕이었다. 그 때문에 이과수는 요즘 사람의 거의가 인지부조화에 시달리는 별난 인류처럼 보였다. 그리고 제이콥 헨리 쉬프든 자무엘이든, 그 둘은 어차피 자신과 상관없는 타인의 체험에 불과할 터였다. 누군가의 경험이 자신의 체험이 될 수는 없었다. 그리고 경계……, 이과수는 불확실한 것이 힘이라는 하정미의 말이 어느 때보다 와 닿았다.

이과수는 숨이 좀 트이는 듯했다. 어렴풋이나마 길을 찾을 수 있었고 잘만 하면 해법을 알 수도 있을 것 같았다. 하지만 예전에 그들이 간 길과는 다른, 하여 자신은 그때의 그들보다 도덕적으로 나은 인간이기를 바랐다. 똑같이 영혼을 갈구하고 포집하려 하는 이 땅의 지구인이기는 하지만 목적이 도구가 되고 도구가 목적이 되는, 이과수는 스스로 그 원칙을 확신할 수 있어야 했다. 그게 시작이었다. 그리고 영혼은 그리 먼 곳에 있는 게 아닐 수도 있었다. 아니 왜 영혼이 필요하다는 생각을 하게 됐는지, 이과수는 그것도 알 수 있을 것 같았다. 그러자 평화가 찾아왔다.

눈이 부셨다. 여러 대의 차량 전조등이 앞 유리를 환하게 비추곤 지나쳤다. 트레일러와 트럭 그리고 승용차, 가끔 상향등을 끄지 않은 채 지나치는 운전자들이 있었다. 그 빛이 공전하는 별의 궤적처럼 뒤에서 멀어졌다. 그새 꽤 달린 것 같았다.

"과수 씨?"

"왜요, 하정미 씨……?" 무슨 말을 하려나 보다 했는데 말이 없었다. 이과수는 옆을 봤다. 하정미는 뭔가 생각에 잠겨 있는 듯했다.

"무슨 생각 하는……?" 말을 마치기 전이었다. 하정미가 와락 이과수를 안더니 입맞춤을 했다. 그 바람에 하마터면 핸들을 엉뚱한 데로 꺾을 뻔했다. 이과수는 하정미의 얼굴 너머를 보며 속도를 줄였다. 국도 가장자리에 차를 멈출 때까지 하정미는 입맞춤을 멈추지 않았다. 이과수는 하정미를 안았다.

얼마 전이었던 것 같다. 그 얘기를 이과수는 이청에게 보낸 이메일에서도 했다.

…… 놓치지 않을 겁니다. 우리가 물질을 압도하는 순간, 우리는 평등하며 인간다워질 수 있는 것입니다. 고독과 외로움을 씻는 이 여정, 영혼이 그 불안을 씻어줄 것입니다. 지금이 그때라는 생각을 했습니다. 경외스럽지 않습니까, 선생님.

트레일러의 경적음이 길게 울렸다. 상대 운전자가 앞 유리로 본 모양이었다.

"이제 가도 되지?"

하정미가 고개를 끄덕이며 큰 소리로 웃었다. 트럭을 출발시키려는데 연달아 트레일러 세 대가 달음박질하듯 지나쳤다. 차가 흔들렸다.

"갑자기 무슨 필을 받은 거야?"

"이 길이 나한테 힘을 주네."

"그랬군, 이 길이……."

트럭이 출발하자 하정미가 창을 내렸다. 이과수는 속도를 높였다. 달리는 들판이 온통 깜깜했다. 어쩌다 불빛이 보일 뿐, 공지선은 지평선이 전부였고 그래서 하늘과 땅의 경계가 보다 분명하게 보였다.

"과수 씨?" 이과수는 하정미를 봤다. "다 같이 살아, 우리."

"그럼, 그래야지."
"그걸 믿어야 해, 과수 씨. 그게 욕망을 순수하게 해 줘."
창 저 너머에서 바람이 들어왔다. 어둠이 자신의 존재를 이쪽으로 보내고 있었다. 하도 깊고 넓어 그 어둠이 잘 보이지 않았다.
"어둠이 바다 같아……."
하정미가 혼자 말했다. 아니 바다가 어둠이고 어둠이 바다 같았다. 바람이 그 둘을 섞었다. 그러자 어둠이 더 또렷하게 눈에 들어왔다. 거길 향해 하정미가 외쳤다. "잘 있어, 이구아수. 이젠 안녕이야!" 이구아수까지는 아직 3백 30킬로미터가 남아 있었다.

†

귀국 얼마 전이었다. 이메일이 왔는데 브래디가 보내온 것이었다. 뜻밖이었다. 브래디라니? 거의 잊고 산 사람이었다. 이메일에는 최치영 얘기가 적혀 있었다. 그가 최치영과 연락을 하고 있는 줄은 몰랐다. 그러고 보니 최치영의 손이 닿지 않은 데가 없는 것 같았다.

브래디입니다. 귀국 축하합니다, 이 선생님.

왜 브래디와 연락을 한 것일까? 아니 왜 최치영은 이과수의 개인 근황까지 알려준 것일까. 그와는 연락이 끊긴 지 오래였고, 굳이 연락할 일이 없었다. 단양 일 이후 쭉 그래왔고, 사실 좋은 일로 만난 사람이 아니지 않은가. 다만 그땐 서로 정서가 통해 소통을 했던 사람이라는 것. 아마 그의 호의가 아니었으면 파일은 구경도 하지 못했을 거였다. 하지만 그마저 각자의 이익을 위한 선행이었을 뿐, 막다른 골목에서 손 한번 잡아 준 경험 하나로 인연을 잇기에는 어딘가 부족한 상대였다. 서로 살자고 한 일이었고 그런 일은 대개 좋은 기억으로 남기 어려웠다.
브래디는 로이 얘기를 했다. 브래디하고 로이가 아는 사이였나? 자무엘을 사이에 두고 맨해튼에 있기는 했지만 브래디는 로이를 몰랐다. 브래디는 7만 달러 얘기를 했다. 그 얘기를 할 줄은 몰랐다.

로이는 도망자 신세입니다. 옐로스톤 어딘가에서 숨어 지낸다는 소문이 있는데, 와이오밍인지 아이다호 쪽인지는 모르겠어요. 사실 그 사람은 할리우드하고는 상관없는 사람이거든요. 이쪽에서 그를 알게 된 건 한스 화이트 때문입니다. 자무엘도 그렇고요. 그의 죽음을 두고는 할리우드에서도 말이 많았어요. 다들 한 방 맞은 기분들이라고 했으니까요. 한스 화이트와의 관계 때문에 더 그런 듯했습니다. 이 얘기는 좀 망설여지는데, 끔찍해서 그렇습니다. 자무엘의 이마에 압정으로 포스트잇을 붙여놨다고 했습니다. '$70,000'. 이게 무슨 뜻인지 혹 아는 게 있습니까?

그 얘기, 이과수는 기억하고 있었다. 예전에 호텔 데이행사에서 처음 인터뷰 필름을 상영할 때 거기에 등장한 로이가 한 말이었다. 그때는 그 말을 잘 이해하지 못했었다. 로이가 그렇게 심각한 투로 말하는 것도 납득이 가지 않았고. 월 스트리트가 그걸 문제 삼은 것은 액수 때문이 아니었다. 적인지 동지인지, 계산이 분명한지 아닌지 그들에게는 그게 중요했다.

브래디에게 답장을 했다. 귀국 날짜를 말하자 그가 놀랐다. 귀국한다는 얘기는 알고 있었지만 이렇게 빨리하는 줄은 몰랐다고 했다. 그는 한국 얘기를 했다.

한국은 가고 싶은 곳입니다. 엄두를 내지 못한 것뿐, 나도 아내도 원래 가려던 곳이었으니까요. 막상 돌아갈까 하다가도 뭘 해 먹고 살아야 할지 걱정이었는데, 그게 여전히 발목을 잡고 있습니다.

브래디의 이메일을 받고서였다. 생각나는 사람이 있었다. 데이브. 사실 이과수가 궁금해 한 사람은 브래디가 아니라 데이브였다. 한스 화이트, 아니 제이콥 쉬프의 죽음을 알고 있는 이과수로서는 데이브의 처지가 보다 환하게 눈에 그려졌다. 안타까웠다. 거기다 훔치듯 파일을 가지고 온 그때의 일은 여태 짐으로 남아 있었다. 데이브하고 연락은 세 번, 그중 한 번은 문자로 소식을 들었고 세 번째 이후로는 아예 연락을 할 수 없었다. 줄리아 모텔도 데이브의 핸드폰도 다 없는 번호였으니까.

처음 연락했을 때였다. 데이브는 아무 반응이 없었다. 옛날에 준 핸드폰 번호가 아니었고 어쩌면 데이브가 기억하지 못하는 게 아닌가 싶어 이과수는 자세히 문자를 적어 보냈다. 데이브가 반응을 보인 건 두 번째 연락을 했을 때였다. 핸드폰을 받는 대신 데이브는 문자를 보내왔다.

난 알고 있어. 코리안 니가 아빠를 죽였어. 지옥으로나 꺼져버려!

그리고 참, 브래디의 이메일에는 이런 내용이 있었다. 최치영이 한 말이라고 했다.

최치영 선생님이 그러시더군요. 말을 옮기는 것 같아 좀 그랬는데, 칭찬이어서 고민할 필요가 없겠다 싶었습니다.

'백지우는 이익을 좇지만 이과수 이 친구는 명분을 좇지. 이익을 좇는 사람은 부릴 수는 있어도 일을 맡길 수는 없지. 그게 이과수와 백지우의 차이네. 브래디 자네도 알고 있으라고 적네.'

무슨 말인가 했는데 뒤를 읽어 보고서야 비로소 이해가 갔습니다. 그리고 이 얘기는…….

에필로그

1

공항 저쪽에 있던 붉은 해가 보이지 않았다. 영종도 서쪽 하늘 나지막이 노을이 자국처럼 남아 있었다. 석양이 사라진 하늘을 지상의 불빛들이 채웠다. 입국장을 나와 택시 승강장에 도착하기까지 삼십여 분, 인천공항 2청사 특유의 조형 공간이 안정감을 줬다. 곡선의 힘이었다.

"나 갈 게, 과수 씨." 택시에 오르며 하정미가 말했다.

이과수는 하정미를 곧장 아파트로 가게 했다. 세 달 전, 산하비에르에 있을 때 하정미의 삼촌한테 부탁해 얻은 곳이었다. 예전에 잠시 머물던 오피스텔과 가까웠다. 하정미의 삼촌이 사진을 보내왔는데 발코니에서 본 경관이 괜찮았다. 호수공원이 내다보였고 아침저녁으로 운동하기에 좋다며 하정미가 마음에 들어 했다.

"과수 씨?"

택시 문을 닫으려는데 하정미가 이과수 쪽으로 몸을 돌렸다. 한쪽 발은 땅을 딛고 있었다. 무슨 일이냐는 듯 하정미를 봤다.

"갈애渴愛라고 했어. 괴로움도 즐거움도 죽기를 원하는 것도 죽기를 원하지 않는 것도 다 갈애래. 알지, 과수 씨?"

"알아, 하정미."

하정미는 여러 번 이 말을 했다. 이 말을 해 주고 싶어 목이 말랐다는 듯. 산하비에르에서도 그렇고 가깝게는 12시간 동안 태평양을 건너는 중에도 하정미는 또 그 말을 했다. 그럴 적마다 이과수는 같은 대답을 했다. 알아, 하정미. 하지만 어쩌면 하정미의 갈애로 얽힌 수렁 역시 숭고라는 도움의 손 없이는 빠져나오는 게 불가능할 수 있었다. 부서질 줄 아는 영혼, 그 영묘 말이다. 숭고는 영혼의 힘이 주는 선물이었다.

귀국을 앞두고서였다. 이것저것 짐 정리를 하면서 마리아나에게 갖다 줄 옷과 물건들을 챙기며 하정미가 말했다.

"때를 잘 맞춘 것 같아, 과수 씨."

"운이 좋은 거지." 이과수가 말했다. 짧다면 짧고 길다면 긴 이국 생활이었다.

"다시 돌아간다는 게 쉬운 일이 아니거든."

"왜?" 의자에 등을 기대며 이과수가 물었다.

"한곳에 오래 머물면 떠나기 힘들어져." 이과수는 다시 왜? 라는 표정을 지었다. 짐을 정리하느라 목이 마른 지 물 한 모금을 마시곤 하정미가 말했다.

"거기서부턴 운명이야."

부에노스아이레스에서 JFK 공항까지 근 11시간을 나는 동안 하정미는 별말이 없었다. 아마 그간의 산하비에르를 생각하며 감회에 젖은 건지 몰랐다. JFK 공항에서 환승을 하느라 기다리고 있을 때였다.

"사는 게 뭔지…… 그치, 과수 씨?"

"무슨 뜻이야?"

"돌아오기로 하고 간 거지만 막상 닥치니까 지난 삶을 반복하는 것 같아서."

"반복이 아니라 새로 사는 거야."

"낯설면 어쩌지……?"

하정미답지 않아 보였다. 하지만 알 것도 같았다. 감정의 번거로움과 기복을 하정미 역시 벗지 못한 듯했으니까. 다시 시작해야 하는 삶일 수도 있는 이 과정이 까다롭게 느껴진 것인지도. 이과수도 다르지 않았다. 이런 일에는 언제나 낯섦이라는 정서가 끼어 있었다. 더군다나 그랑호텔에서의 삶이라니, 그간 숙고해 내린 결정이라고는 해도 막연한 두려움이 없지 않았다. 두려움이라기보다 불확실성이었다. 세상에 확실한 것은 없었다. 하정미의 말대로 그건 힘이었다. 그런 삶에 미래라는 것이 존재하다니, 숙명이었다. 그 체념이 위안을 주고 있었다. 하여 묵묵히 부닥치며 가는 것. 어디서인가 이런 걸 읽은 기억이 났다. 아무리 기이하고 터무니없는 것일지라도 벌어질 확률이 0이 아닌 이상 반드시 일어난다고. 최치영도 비슷한 말을 한 적이 있었다.

귀국을 환영하네. 나머지는 양 여사에게 들어 알고 있네. 세상에 없을 만한 일은 없다지 않는가. 우리가 할 수 없는 일은 없다는 뜻이지. 벌어지지 않을 일도 없고. 앞으로 자네와 할 일이 그리 다르지 않다는 얘기야.

시간이 다 돼 대한항공으로 갈아탈 때였다. 게이트를 지나 비행기에 타기 위해 탑승교를 걷다가 하정미가 걸음을 멈추더니 물었다.

"저거 코리안에어 맞지, 과수 씨?" 하정미가 유리 너머로 보이는 여객기를 가리키며 물었다. 몰라서 묻는 게 아니었다.

"그러네."

"가자!" 하정미가 과장되게 걸음을 내디디며 큰 소리로 말했다. 씩씩했다. 그리고 아마 그게 유튜브에 올릴 영상을 편집할 때였을 것이다. 하정미가 물었다.

"이거 어때, 과수 씨?"

모니터를 보니 시가 적혀 있었다. "새벽이 주제인데 어떤지 봐." 업로드할 영상의 새벽 장면에 자막으로 넣을 거라고 했다.

밤이
새벽을 나눠 주네, 내게 말을 거네
일어나 서서
가라고 하네

"언제 시를 다 썼어?"

"AI한테 써 달라고 한 거야." 알고 보니 음악도 그랬다.

"이게 가능해?"

"20세기 사피엔스 씨가 21세기 호모 데우스 님을 어떻게 알겠어. 근데 어떡하지?"

"뭘?"

"21세기가 이미 시작이어서. 근데, 과수 씨? 말할 때 되지 않았어?"

얼굴이 진지했다. 그렇지 않아도 오늘 낼 말하려던 참이었다. 그때를 하정미가 안 모양이었다. 이과수는 의자를 하정미 쪽으로 향했다.

"이청 선생님이 그랬어. 나보고 질문이 잘못된 것 같다고."

"선생님도 알아?"

"최치영 선생님하고 연락하는 건 모르고, 그냥 내가 궁금하고 그런 거 자문도 구하고 그랬어."

"뭐라셨는데?"

"기본적으로는 나하고 다르지는 않은 것 같았어. 그런데 내 말을 잘못 이해하신 게 있어."

"과수 씨가 잘못 설명을 한 거지. 그런 거 이해 못 하시고 그러실 분 아니잖아."

이청의 말대로라면 욕망이라는 게 의도적이든 아니든 나쁜 것도 좋은 것도 아니었다. 그 말을 이과수는 생각하고 또 생각했다. 이메일에서였다. 도덕과 윤리를 묻는 질문에 이청은 자신의 질문을 스스로 의심할 줄 알아야 한다면서 이렇게 적었다. 이과수가 적은 신념이라는 말에 대해서도 이청은 호의적이지 않았다.

> 도덕과 윤리는 외부에 있는 게 아니네. 자신을 빠뜨린 질문은 방기이자 도피여서 그러네. 도덕과 윤리를 묻기 위해서는 먼저 양심이 무엇인지 물어야 해. 양심은 외부가 아니라 내부가 준 소양 아닌가. 신념은 이 질문이 포함돼 있을 때 가치를 보장받을 수 있지. 비록 남은 몰라도 자신은 알기 때문이지.

이청은 신념이란 말 자체를 못마땅해했다. 단호했다.

이건 알고 가지. 그들이 무슨 이유를 대든 욕망을 곡해해 신념으로 삼는 어리석음을 경계하는 것은 우리 몫이네. 그 경계를 늦추지 않아야 자유로울 수 있지. 사랑, 모두가 갖는 결핍 아닌가. 욕망과 결핍의 출발이자 종착지 말이네. 도덕적 선과 부도덕, 악을 구별하는 데 절대적 기준 같은 것은 없네. 혼란과 불안이 거기서 오지. 거기서 오는 무기력이 내게는 지옥이네.

이청의 이메일 내용을 얘기하자 하정미가 말했다.

"그걸 왜 이제 얘기해, 과수 씨?"

"지금 얘기하잖아. 자, 됐지?" 하정미가 고개를 끄덕였다. 이과수는 그걸 긍정의 뜻으로 알아들었다.

"나한테 왔을 때처럼 믿어줘, 하정미."

"내가 왜 과수 씨하고 같이 하는지 알아?" 하정미의 눈이 반짝 빛이 났다. "과수 씨는 그 사람들하고 다르잖아."

이과수가 고개를 끄덕이며 말했다. "알아, 하정미……." 그리곤 자신의 행위는 감정과 개인의 이익을 위한 신념이 아니며 오로지 선을 향한 소신이자 행위라는 것과 그간의 숱한 자문과 고민 뒤에 어렵게 얻은 소중한 답이라고 말했다. 얘기를 듣고 난 하정미가 말했다.

"다 좋은데, 순수해야 해. 알지, 과수 씨?"

"알아, 하정미."

방에 와 보니 핸드폰에 이메일 알림이 떠 있었다. 이청이 보낸 것이었다. 귀국할 거라고 이메일을 보냈는데 그 답장인 듯했다. 읽어 보니 속이 꽉 찬 것처럼 문장 사이 행간이 촘촘했다.

2

한강이 보였다. 이 야경을 본 지가 언제인지, 까마득하다는 생각이 들었다. 한

강을 따라 도로가 많이 막혔다. 양쪽이 다 그랬다. 택시가 시내로 들어가자 차들이 아예 옴짝달싹하지 않았다. 어떤 구간에서는 꼬리를 물고 차들이 끼어 있는 것처럼 보였다.

거리의 높고 낮은 빌딩과 집들, 한국 특유의 도시 풍경이 눈에 들어왔다. 도시는 이곳이 산하비에르나 부에노스아이레스가 아니라는 걸 실감 나게 보여 주고 있었다. 낯설었다.

저 멀리 그랑호텔이 보였다. 부채꼴로 펼치듯 우뚝 선 호텔 풍경이 한눈에 들어왔다. 빛이 환했다. 사진으로 보기는 했지만 그랑호텔의 밤 풍경은 먹먹한 기분이 들게 했다. 작은 감동과 어쩔 수 없는 흥분, 그런데 벽수산장이 없는 그랑호텔이라니. 그러고 보니 그 낯섦이 낯섦으로 느껴지지 않았다. 그것은 새로움이었다. 신기한 것은 벽수산장이 사라진 그랑호텔 풍경이 전혀 훼손돼 보이지 않는다는 것이었다. 우뚝 솟은 38층 유리벽은 그랑호텔의 위용을 더 두드러지게 했고 권위적인 풍광 역시 손상된 게 전혀 없었다. 벽수산장이 오히려 그랑호텔의 본 모습을 가려온 것이 아닌지, 치솟듯 밝은 객실의 불빛들 때문에 그런 것 같았다. 그보다 여전히 그 자리에서 굳건하게 자신의 침대를 지키고 있을 투숙객들, 이과수는 그 존재감이 준 자장을 몸 전체로 느끼고 있었다.

택시는 호텔 현관 앞에다 이과수를 내려놓았다. 낯익은 얼굴들이 있었다. 이구민과 장진수, 그 옆에 양민순이 서 있었다. 다들 미소를 짓고 있었다.

"어서 오게."

이구민이 앞으로 나오며 말했다. 그가 두 손으로 이과수의 손을 꼭 잡았다.

"잘 왔네." 장진수였다. 그가 세차게 손을 잡고 흔들었다.

"여전하시네요, 두 분 다." 이과수가 말했다. 차영한이 보이지 않았다. 짐작한 대로였다.

"어서 와, 이 실장."

양민순이 다가와 포옹을 했다. 이과수를 가장 반긴 사람은 양민순이었다. 양민순이 이과수의 귀에 대고 속삭였다.

"보고 싶었어, 이 대리. 아니 미안, 이 실장."

최치영이 사람을 보내겠다고 했을 때 얼마나 놀랐는지. 그 사람이 양민순이리라고는 상상도 하지 못했다. 하정미가 알까 싶었고, 어차피 만날 사람이라면 부에노스아이레스가 좋을 것 같았다. 하정미에게는 적당히 둘러댔다.

양민순이 묵는 호텔에서였다. 저녁을 먹고 호텔 라운지로 자리를 옮겼다. 양민순과 단둘이 마주한 건 그때가 처음이었다. 그랑호텔 데이행사 때와 이후 위원회 모임 때문에 두어 번 본 적이 있는데, 그때는 다 같이 한 공적인 자리였다. 양민순과 개인적인 통화는 한국을 떠나기 바로 전, 그때가 처음이자 마지막이었다. 이과수가 한 연락이었다.

"제 말씀대로 하세요, 여사님." 이과수가 말했다. 그 짧은 말의 의미를 양민순은 영리하게 금방 알아들었다.

"고마워요, 이 대리님." 이과수가 끊으려 하자 양민순이 물었다. "더 해줄 말 없어요, 과수 씨?" 과수 씨라니, 느낌이 묘했다.

"아뇨, 이게 다입니다."

"난 할 말 있는데."

"말씀하시지요, 여사님."

"나보고 절터로 오라고 했을 때, 이 대리가 나보고 반성하라고 했잖아요. 그 말한 거 용서해 줄게." 그러곤 양민순이 웃었다. 이과수도 웃었다.

양민순은 이과수한테 얻은 게 많았다. 이과수 때문에 양민순은 파일을 얻을 수 있었고 또 버릴 수 있었다.

와인잔을 기울이며 양민순이 살짝 웃었다. 라운지 창밖으로 토레 모누멘탈 시계탑의 야경이 내려다보였다. 따뜻하고 소담했다. 조명 때문이었다. 데면데면할 수도 있는 양민순이 생각보다 그리 서먹하게 느껴지지 않았다. 그땐 몰랐는데 몇 마디 주고받다 보니 양민순은 묘한 매력이 있었다. 중년의 나이에도 세련된 여성 간부 같은 모습이었다. 목소리가 차분했고 쪽 찐 머리에 단색 양장 때문에 더 그런 것 같았다.

"선생님은 저 사는 데를 어떻게 아신 거지요?" 와인 한 잔을 마시고 난 이과수가 물었다.

"선생님한테 뭐라 하지 마, 과수 씨. 내가 안 거니까."

와인잔을 기울이며 양민순이 말했다. 이과수는 양민순을 봤다. 주소를 알아낸 사람이 양민순이었다고? 하긴 양민순은 전혀 예상하지 못한 일로 사람들을 놀라게 하곤 했다. 등장부터가 그랬으니까. 그리고 지금, 이 먼 부에노스아이레스에 나타나 다시금 이과수를 놀라게 하는 중이었다. 알고 보니 양민순의 부에노스아이레스행은 그녀 자신의 제안이었고 최치영은 양민순의 말에 동의한 것뿐이었다.

"그게 궁금했어, 과수 씨?"

양민순이 깔깔 웃으며 물었다. 이과수는 그렇다고 했다. 그러나 정작 이과수가 궁금한 것은 다른 데 있었다. 굳이 이 먼 곳을 왜 자기 돈을 써 가며 오려고 했는지. 무슨 얘기가 됐든, 그 정도는 최치영하고 이메일로도 할 수 있는 일들이 아니었을까. 그걸 안듯 양민순이 이과수의 잔에 와인을 따르며 물었다.

"알고 싶지, 과수 씨?"

와인잔을 손으로 감으며 이과수가 고개를 끄덕였다. 양민순은 와인 마니아라고 했다. 아르헨티나 루티니 와인을 잘 알았고 집에서도 수시로 마신다고.

양민순이 와인잔을 매만지며 이과수를 봤다. 예상했다고 해야 할까. 그렇기는 해도 막상 양민순한테 그 얘기를 듣자 불가해한 이야기를 듣는 기분이었다.

"그 얘기를 하자고 여기까지 오시다니요."

"이런 얘기를 이메일로 할 순 없잖아. 안 그래, 과수 씨?" 양민순이 웃었다. 그러면서 사람은 얼굴을 봐야 마음을 알 수 있는 거라고 했다. 관상 같은 걸 보자는 게 아니라 얼굴을 보고 얘기를 나누게 되면 이야기하지 않은, 혹은 이야기하고 싶은 이면의 생각을 볼 수 있게 된다고. 그건 태도에 관한 것이며 진실과 통하는 것이라고.

"거짓말을 안 하게 된다, 이 얘긴가요?"

"서로를 존중하게 되지." 그러며 양민순은 이메일 따위로는 무슨 말은 못 하겠냐고 했다. 그건 대화가 아니라 통보가 아니냐고. 결국 결정은 사람 얼굴이 하는 것이며 중요한 일일수록 더 그렇다고 했다. 양민순은 최치영하고 호텔 얘기를 했다. 말이 끝나길 기다렸다 이과수가 말했다.

"거절하겠다면요?"

와인잔을 가만히 말아쥐며 양민순이 웃었다. "영혼을 믿어, 과수 씨?" 그 얘기를 할 거라고는 생각하지 못했다. "우리 같은 사람은 그렇다고 쳐, 그런데 왜 그 사람들한테 영혼이 있어야 하지?"

이과수가 와인잔을 빙그르 돌리곤 말했다.

"돈도 지식도, 권력도 명예도 없는 사람들 아닙니까. 힘이 삶의 질을 지배하는 세계에서 그 사람들도 믿는 데가 좀 있어야 할 것 같아서요."

"믿어? 뭘?"

"고독과 외로움으로부터 스스로를 달래고, 패배감을 보상해 줄 뭔가를 말입니다. 돈과 지식과 권력이 없어도 사람 대접받으며 살 수 있는, 그러므로 그들 역시 가진 사람 못지않은 삶의 질을 보장받을 힘. 그리고 이건 요즘 세대들 얘기이긴 합니다만."

"걔네들이 왜?"

"이 친구들한테 필요한 건 새 세상입니다. 전 세대가 자기 욕망만 챙기려 들면 얘네들은 어쩌라는 겁니까."

양민순이 큰 소리로 웃었다. 주변 사람들이 이쪽을 봤다. 아랑곳하지 않았다. 웃음을 멈추곤 양민순이 물었다.

"과수 씨 꽤 낭만적인 사람이네. 그게 영혼이다, 그래 과수 씨?" 무슨 대답을 듣자고 한 말이 아니었다. 이과수는 대답 대신 와인 한 모금을 홀짝였다.

"별걸 다 신경 쓰면서 사네. 과수 씨 혁명 전사 같잖아." 양민순이 다시 웃었다. 이과수가 정색해 말했다.

"과찬이세요, 여사님. 혁명도 힘이 있어야 할 수 있지 않겠습니까. 인간이란 존재의 품격을 나누고 챙기자는 의미지 다른 뜻은 없습니다. 그래야 차별이 없고 서로 존중하며 살 수 있지 않겠습니까. 평등과 평화 말입니다."

양민순의 표정이 굳어졌다. 연거푸 와인 두 잔을 마신 양민순이 빤히 이과수를 보며 말했다. 이과수 얘기는 신경 쓰지 않는다는 듯.

"착해서 보기는 좋은데 과수 씨, 이건 알아 둬. 영혼 그런 거 아무나 갖는 거 아니야. 무슨 말인지 알아?" 이과수가 쳐다보자 양민순이 양팔을 벌리며 말했다.

"더 말해 줘야 해?" 좀 과장돼 보였다. 잠시 뒤 양민순이 머리를 매만지더니 살짝 웃었다. 좀 취한 것 같았다.

"내가 와인은 좋아하는데 많이는 못 마셔. 알콜에 좀 약하거든."

양민순이 마신 와인은 14프로 레드와인 서너 잔이었다. 양민순이 손등으로 턱밑을 고이곤 말했다.

"딱 여기까지가 좋아. 알딸딸하잖아."

양민순이 말을 돌리고 있었다. 짐짓 기대했는데, 양민순은 그 얘기는 하지 않을 모양이었다. 그럼에도 이과수가 굳이 묻지 않은 건 자칫 논쟁이 될까 싶어서였다. 논쟁할 일이 아니었다. 논쟁으로 설득당할 사람도 아니었고, 실은 그럴 일도 아니었다. 이과수도 마찬가지였다.

양민순은 아버지 얘기를 했다. 요즘 건강이 좋아져 100세를 바라봐도 될 것 같다고. 백지우가 만져온 회고록이 끝나면 아버지를 모시고 출판 기념회를 할 거라고. 그 자리에 꼭 아버지를 모실 거라고. 그리고 양민순은 여행 얘기를 했다. 이과수는 차라리 잘됐다 싶었다. 여기까지 왔는데 더 무슨 말이 필요할까. 말은 그렇게 했지만 어차피 자신도 양민순도 이 얘기의 끝을 알고 있지 않은가. 양민순은 여행 얘기를 하면서 한국에서는 따뜻한 곳이 남쪽인데 여기는 추운 곳이더라며 그게 재밌다고 했다. 그러면서 보디가드와 파타고니아 쪽으로 갈 거라고 했다. 부에노스아이레스는 그냥 도시일 뿐, 여행은 초원과 설산이 있는 남쪽이 좋을 것 같다고. 양민순은 아무도 없는 파타고니아 관목 숲에서 꽃과 설산을 볼 거라고 했다.

"세상 끝이 거기라면서, 과수 씨?" 양민순이 짐짓 물었다. 얼굴이 발그레했다.

"저도 아직 못 가 봤습니다."

"가서 무법자가 돼 보고 싶어."

"지금도 충분히 무법자이십니다, 양 여사님."

시간이 다 된 느낌이었다. 실은 더 할 얘기가 없었다. 양민순하고는 그리 친분이 있거나 얘기를 나눠 본 사이가 아니어서 분위기상 길게 시간을 갖기에는 부담스러운 데가 있었다. 양민순은 그런 것 같지 않은 듯했지만 피차 이 만남은 업무가 아니었던가. 양민순은 이과수의 마음을 확인하고 싶었을 테고 최치영과 그걸 공유하고 싶었겠지. 말하자면 지금 양민순은 자신의 임무를 수행했고 완수도 한 셈이었다. 그게 양민순의 일이라면, 또 이과수가 할 일이라면 더는 할 일이 남아 있을 리 없었다.

이과수는 양민순이 와준 게 오히려 잘된 일이다 싶었다. 보다 확실한 태도를 정할 수 있었고, 그래야 서로 믿을 수 있을 테니까. 병에는 마지막 잔을 채울 정도의 와인이 남아 있었다.

"이건 과수 씨한테 줄게."

양민순이 이과수 앞에 놓인 잔에 와인을 따랐다. 양민순이 와인 병을 내려놓으며 말했다. "무법자가 되려면 뭐가 있어야 하는 줄 알아, 과수 씨?"

"권총인가요?"

양민순이 고개를 저었다. "자격이야, 권총을 가질 자격." 그제야 이과수는 조금 전 양민순이 한 말을 이해할 수 있었다.

"뿌리란 게 그래. 더 말해 줘야 해……?"

양민순이 왔다 간 뒤였다. 지배인이 이메일을 보내왔다. 공교롭게 양민순이 부에노스아이레스에 왔다 간 직후였고 지배인은 농담인지 진담인지 이런 말을 적었다.

…… 문제가 있어, 이 대리. 내 옆이 다 적이야. 헛산 거지. 몸이 망가졌다고 정신도 그렇다고 생각하면 오산이야. 이바다 감독하고는 순조로워. 다들 그걸 몰라. 이 대리도 알다시피 이 일은 비밀스러워야 맛이 나거든. 자무엘하고 월 스트리트가 그랬듯, 데이행사 때까지는 숨길 생각이야. 아마 최치영 선생도 그렇고 다들 놀랄 거야. 투숙객들이야 말할 것도 없고. 장담해, 이 대리.

지배인이 최치영한테 무슨 얘기를 들은 게 아닌가 싶었다. 지배인은 이메일 끝에다 추신,이라고 쓰곤 한 줄 더 적었다.

그런데 이 대리, 왜 자꾸 최치영한테 붙어먹는 거니. 말해, 이 자식아!

3

호텔 입구 회전문을 지날 때였다. 바람이 이과수를 따라 들어왔다. 여름이라고 하기에는 어중간한, 그래서인지 저녁 바람이 아직 선선했다.

로비에 들어서자 최치영이 서 있는 게 보였다. 백지우가 옆에서 이과수를 맞았다.

"어서 오게, 이과수 실장." 최치영이 환하게 웃으며 포옹을 했다.

“여전히 건강하십니다, 선생님.” 이과수가 깍듯이 고개를 숙이며 말했다. “물론이네. 자넬 이렇듯 힘껏 안을 정도로.”

“저 백지우입니다.”

“반갑습니다, 백 선생님.” 이과수는 한 번 더 백지우를 쳐다봤다. 백지우와는 잘 아는 사이가 아니었다. 그나마 산하비에르에 있으면서 최치영과 소통을 하느라 이메일로 가까워진 게 전부였다.

“이따 봐, 이 실장. 와인 한잔 하게.” 양민순이 볼 일이 있다며 저쪽으로 가며 말했다.

“이쪽이야, 이 실장.” 이구민이었다. 그가 이과수와 최치영을 승강기로 안내했다. 이과수와 최치영이 승강기에 오르자 이구민과 백지우, 장진수가 뒤를 따랐다. 이구민이 38층 버튼을 눌렀다.

“제임스 방이 여기네.” 최치영이 38층 버튼을 가리키며 말했다. 벽수산장이 있을 때는 그곳 맨 위 3층을 지배인 방으로 썼었다.

승강기가 멈추었다. 38층이었다. 최치영이 내리자 다들 따라 내렸다. 걸음을 빨리한 이구민이 최치영 앞에서 길잡이를 했다. 이구민이 멈춘 곳은 승강기에서 내려 왼쪽 모퉁이를 돌아 복도 중간쯤이었다.

이구민이 문을 열고 들어서자 여직원이 인사를 했다. 비서실 직원인 듯했다. 저쪽 정면으로 문이 보였다. 지배인 방이었다. 인사를 하고 난 여직원이 재빨리 그쪽으로 가 문고리를 돌렸다. 이과수는 침착하자고 마음먹었다.

방 안으로 들어서자마자였다. 이과수는 자기도 모르게 숨을 멈췄다. 냄새가 코를 찔렀는데 말로 표현하기 힘들 정도였다. 방 안에 고여 있던 공기가 한꺼번에 흘러나와 그런 모양인데 무척 탁했고 도무지 냄새의 정체를 알기 힘들었다. 매캐한 군내 같기도 한. 그러고 보니 소변기 같은 데 쌓인 나프탈렌 냄새와 지린내가 섞인 듯도 했다. 방은 넓었다. 소파가 있었고 그 뒤에 게임용 의자보다 더 큰 사무용 의자, 앞에는 커다란 사각 책상이 있었다. 책상 위에는 넓적한 접시 서너 개가 놓여 있었고 그 외에는 아무것도 없었다. 흔한 노트북이나 A4 종이 쪼가리도. 접시에는 먹다만 음식이 남아 있었다. 양고기와 빵 부스러기 그리고 말라비틀어진 면류. 버번 병은 비어 있었다. 의자는 돌려져 등만 보였는데 그 너머에서 소리가 들렸다. 그리 크지 않아 무슨 소리인가 했는데 코 고는 소리였다.

"이 실장이 왔네, 제임스."

최치영이 말했다. 그러고 보니 최치영도 그렇고 모두 손으로 코를 막거나 숨을 참는 듯했다.

"옛날 이 대리 말이야, 제임스." 장진수가 코맹맹이 소리로 말했다.

코 고는 소리가 좀 더 커졌다. 나프탈렌하고 지린내만 있는 줄 알았는데 무슨 쓰레기 냄새 같은 것도 섞여 있었다. 분리수거를 하지 않아 음식물이 부패한 듯한. 그러고 보니 책상 밑 양탄자에 떨어진 음식물에서 나는 냄새 같았다.

"음……." 이과수는 목을 가다듬었다. 그리고 나지막하게 말했다.

"저 왔습니다."

대답이 없었다. "접니다, 이 대리요." 코 고는 소리뿐, 지배인은 미동도 하지 않았다.

최치영이 이과수 쪽으로 몸을 돌렸다. 이과수의 어깨에 손을 얹으며 그가 말했다.

"그랑호텔 투숙객들의 미래가 이 실장한테 달렸어. 제임스 시대는 갔어. 어쩌겠나, 팔자인데."

최치영이 이과수의 어깨에서 손을 떼곤 문 쪽으로 걸어갔다. 백지우가 이과수에게 인사를 하고는 따라갔다. 최치영이 문을 열다 말고 말했다.

"이따 술 한 잔 하세. 축배는 들어야지."

"준비하겠습니다, 선생님." 이구민이었다.

"그리고 이 실장?" 최치영이 이과수 쪽으로 비스듬히 고개를 돌렸다. 이과수는 최치영을 봤다.

"제임스 문제가 뭔지 아는가?" 대답을 듣기 위한 게 아니었다. "지가 자기를 몰라. 그러면 있어 보이기는 해도 실속이 없어." 누구랄 것 없이 다 들으라는 듯, 최치영이 다시 말했다.

"검이불루儉而不陋 화이불치華而不侈라고 했어. 김부식이 한성 백제의 도성을 적은 글이지. 검소하되 누추하지 않으며 화려하지만 사치스럽지 않다, 검소한지 사치스러운지 구분하기 힘들다는 뜻이야. 제임스가 그걸 몰라. 대놓고 티를 내면 누가 알아줄 것 같은가, 그러니까 파리가 꼬이지."

그리곤 최치영은 아무리 중요한 것이라도 때가 있고 그때를 맞춰야 쓸모가 있는 것이라고 했다. 그게 아니면 아무것도 아니라고. 그렇게 얘기를 해 줬는데 제임스가 듣지 않아 탈이 생긴 거라고.

"살아야 뭘 해도 할 것 아닌가."

그 말이 유독 귀에 와 박혔다. 다시 무슨 말인가 하려는 듯하더니 최치영이 머리 뒤로 손을 흔들곤 문을 열었다. 최치영이 나간 문을 향해 장진수와 이구민이 꾸벅 고개를 숙였다. 이념가이기를 마다하고 형이상학자이기를 자처한 사람. 어떤 이념이든 그에게는 아무런 걸림이 없었다. 이념이 이념을 넘는 순간 최치영은 뭐든 꿈꿀 수 있었고 자기 것으로 만들 수도 있었다. 그의 선택은 무한마저 넘어섰다. 논리적으로도 아무 하자가 없었다. 형이상학자였으므로. 그 자체로 논리적이며 모순일 수 없으므로. 언제였더라, 최치영이 보낸 이메일에 이런 말이 있었다.

제임스가 놓친 게 있어. 아직도 환상을 진짜로 봐. 다 농담이었다는 데도 이 친구가 믿지를 않아. 난 잘도 구분이 가던데.

최치영의 파안대소하는 얼굴이 떠올랐다. 물론 그가 웃었는지는 알 수 없었다. 이메일에는 이청 얘기가 있었다.

이청을 만났네.

뿐밖이었다.

그 친구 여간 골치가 아니야. 목소리가 커지면 다 그렇게 되는 모양이야. 책이 생각과 달리 오래 가. 그래서 말이네만, 사람은 자신을 알아야 해. 이게 사는 법이지. 잊지 말게.

귀국을 준비하느라 짐을 정리하다 AI가 시를 썼다는 말이 생각이 나 하정미에게 물었다. 하정미는 AI를 잘도 써먹었다.

"AI가 그랑호텔의 미래 같은 것도 알려줄까?"
"뭐든 물어봐, 과수 씨."
하정미는 될 수 있으면 자세히 질문을 하라고 했다. 그래야 대답이 구체적일 거라고. 이과수는 노트북을 열었다. 하정미가 알려 준 웹에 접속해 질문을 적었다. 하정미의 계정으로 들어간 거였다. 몇 가지 단서를 붙여 AI에게 물었다. 서너 번 반복해 질문을 했고 그때마다 답변 내용이 조금씩 달랐다.

그랑호텔을 아시나요?

그랑호텔은 유럽 중요 도시에 있는 5성급 호텔입니다. 특유의 인테리어는 투숙객들의 호기심과 욕망, 기호의 충족에 기여하고 있으며 투숙객들의 직업은 사업가와 예술가, 정치인, 사상가 등 다양합니다. 쇼펜하우어와 프랑크푸르트 학파의 일원인 테오도어 아도르노와 막스 호르크하이머, 레오 뢰벤탈, 헤르베르트 마르쿠제와 발터 벤야민, 에리히 프롬 그리고 화가 살바도르 달리와 클로드 모네, 기업인 J · P 모건과 카네기, 정치인 중에는 윈스턴 처칠과 존 F. 케네디…….

AI는 한국의 그랑호텔을 힐튼 그룹의 그랑호텔과 착각을 하고 있었다. 다시 자세히 질문을 넣자 이번에는 다른 답이 나왔다. 아까보다는 질문의 의도를 정확하게 파악한 듯했고, 특히 그랑호텔의 고객 관리와 투숙객들에 대해 관리자가 갖추어야 할 자세를 묻는 질문에는 꽤 긴 답을 내놨다.

한국의 그랑호텔은 몇 가지 주요 특징을 가지고 있습니다. 이 호텔은 전통적으로 프라이빗private 시스템을 고수하고 있으며, 이는 다른 호텔에서는 찾기 힘든 사례입니다. 투숙객들은 각별한 지위와 권리를 누리는 것으로 유명하며 세습적 요소가 강한 이들의 권력과 부는 자타가 인정하는 부자이자 엘리트들입니다. 이 전통은 19세기와 20세기에 이르는 한국의 역사와 관련이 있으며, 그랑호텔의 부와 권력을 상징하는 건축물로 벽수산장이 있습니다. 최근에는 시인 이청이 그랑호텔에 대한 책을 써 대중에게 보다 깊이 있는 정보를 제공했으며, 그랑호텔을 가리켜 썩으면서 썩지 않는 나무에 비교했는데 이 말은 사회적 논쟁을 불렀고 여전히 논란 중입니다. 참고로 private는 '특권'이나 '영광'을 뜻하는 privilege와 '박탈하다', '빼앗다'라는 의미의 deprive와 어원을 같이 하고 있습니다. '개인 변소'라는 뜻을 가진 라틴어 privatus가 어원이며, 옛 로마 사회에서는 신분을 구별할 때 공무원이나 군인이 아닌 시민을 뜻하는 말로 쓰였습니다.

그랑호텔 투숙객들의 미래를 묻는 질문에 대한 답입니다.

앞의 질문을 읽고 호텔 관리자의 입장에서 투숙객들을 어떻게 관리할 것인지를 묻는 것으로 이해했습니다. 혹 귀하가 그랑호텔 관리자에 해당한다면 군중의 의미를 주의 깊게 살필 것을 권합니다. 주목할 만한 인물로 사회심리학자 구스타프 르 봉 Gustave Le Bon을 소개합니다. 그는 자신의 저서 〈군중심리〉에서 인간의 사회적 심리를 '군중 효과'라는 용어로 설명하면서 대중과 군중의 차이를 엄격하게 구분했습니다. 대중은 복잡하지만 군중은 단순한 말에도 감동하는 경향이 있다는 사실에 주목했으며, 군중은 자신들의 소망과 다른 결과에 대해 이유를 따지거나 궁금해하지 않는다는 점을 장점으로 꼽았습니다. 이 사례는 사회인지심리학자들에 의해 충분히 검증된 바 있으며, 연구 성과에서 볼 수 있듯 군중에게는 지성적 사고와 행동양식이 개입할 여지가 없다고 보는 것이 합당할 것입니다. 지식인이든 일반인이든 군중 속에서는 그 어떤 차이나 분별이 드러나지 않는다는 점 역시 이미 학자들의 연구를 통해 증명된 바 있습니다. 군중은 폭력성을 갖지만 복종을 미덕으로 하는 순종적 성향은 이들을 어떻게 관리해야 하는지 고민하는 귀하에게 시사하는 바가 크다는 점 알려드립니다. 여기에 성공적으로 접근한다면 그랑호텔의 투숙객들을 관리하는 일이 전혀 어려운 업무가 아니라는 사실을 알게 될 것입니다.

마지막 문장을 읽고 나서였다. 이과수는 이청의 이메일을 떠올렸다. 귀국하면 찾아뵙겠다는 얘기를 시와 함께 보내고 난 얼마 뒤였다. 산하비에르에서 보내는 마지막 이메일이다 생각하고 적었고, 이젠 좀 분명한 생각을 말하는 게 도리일 듯싶어 쓴 이메일이었다.

…… 저는 다릅니다, 선생님. 제이콥 헨리 쉬프의 종교적 갈증이나 다분히 월 스트리트적인 자무엘 선생의 욕망은 더 이상 제 관심사가 아닙니다. 제 선택은 사람에게서 온 것입니다.

소박한 인본주의, 순수 말입니다. 결핍은 개별적으로 오지만 불확실성은 시공을 초월하지 않습니까. 그 때문에 인간세라는 이름으로 혹은 자본세라는 이름으로 지금 우리 자신의 정체와 욕망을 목격할 수 있었으니까요. 그러므로 인간의 모습을 한 숭고, 선생님이 예전에 하신 그 말씀이 제게 힘을 줬습니다. 영혼의 쓸모, 그 숭고는 사람의 모습을 한 영혼을 확인하는 것으로 증명할 수 있을 것입니다. 영혼을 가진 인간, 그때 비로소 우리는 숭고하며 서로 존중의 눈으로 바라볼 수 있을 것입니다. 인간이 인간 자체로 존중받고 자긍심을 갖는 것, 영혼의 존재가 그 평등과 평화를 가능하게 해 줄 것입니다. 그 존재를 증명하는 게 제가 할 일입니다.

다음 날이었다. 이청이 이메일을 보내왔다. 마치 연필로 꾹꾹 눌러쓴 듯한 문장이었다.

태양과 지구, 달은 늘 그 자리에 있지. 그 성실함이 나를 이 자리에 있게 하고 동시대인으로 살 자격을 준 것이고. 일상과 영혼, 둘은 얽혀 따로 떨어뜨릴 수 없는 존재지. 일상이 영혼이고 영혼이 생이듯. 같이 사는 것이네. 듣게, 영혼은 답을 위한 게 아니라 생을 향한 질문이네. 그때 비로소 자신의 존재를 알게 되지. 신념의 후원자가 양심이라는 것! 자, 어떤가? 언제든 오게, 난 이 자리에 있겠네.

최치영이 나가고 나서였다.

"선생님 말씀 명심해, 이 실장." 장진수가 말했다. 이과수는 장진수를 봤다.

"그랑호텔 투숙객의 미래가 이 실장 어깨에 달렸어. 정말이야, 이 실장." 이구민이었다. 이과수는 고개를 주억거렸다. 그런데, 그랑호텔 투숙객들의 미래가 자신에게 달려 있다니……?

"좀 있다 이바다 감독이 올 거야. 아 그리고 브래디, 그 친구 알지, 이 실장?" 이과수는 그렇다고 했다. "자넬 보고 싶어 해. 다음 달에 들어오기로 했어."
"브래디가요……?" 브래디의 이메일에 귀국 얘기는 없었다.
"모르고 있었구나. 우리 일에 도움이 될 거라며 선생님이 불렀어."
하긴 이 얘기를 한 사람이 이과수 자신이었다. 이 일이 우리 일이라며 단호하게 말한 사람이. 호기심과 열정, 그 순수를 가지고 있다면 그가 누가 됐든 상관없다고. 그리고 이제 우리가 그 일을 해야 한다고. 제이콥 헨리 쉬프가 꿈꾸고 자무엘이 실천한, 최치영이 제이콥 헨리 쉬프가 되고 이과수 자신이 자무엘이 되고, 백지우가 케빈 슈라이버가 되어 준다면 하지 못할 게 무엇이 있겠느냐고. 덜컥 말하고 보니 두려움이 없지 않았다. 그리고 찾아온 불안, 짐작은 했지만 작지 않았다.
이과수는 의자 등받이 쪽을 봤다. 등받이 너머에 지배인이 있었다. 지배인은 깊이 잠든 듯했다. 냉동 서랍에서 기약 없이 잠을 자야 하는 냉동 인간처럼. 어쩌면 조금 뒤 냉동 서랍에서 나온 지배인이 어슬렁거리며 이과수를 노려보고 있을지도. 투명인간처럼. 그러므로 등받이 너머의 저 사람은 강철민이거나 김철민, 아니 제임스의 아바타일지 몰랐다.
"늘 저렇게 잠만 잡니까?" 이과수가 물었다.
"일부러 약을 주기도 해." 장진수였다. "그게 나아, 깨면 골치만 아프지 뭐." 이구민이 옆에서 거들었다.
"왜요?"
"먹을 것만 찾아."
"미친놈들 때문이지 뭐." 장진수가 혀를 찼다.
"미친놈이라니요?"
"미국에서 온 치들인데, 도대체 뭔 짓을 한 건지……."
이과수는 지배인을 봤다. 삐딱한 자세의 머리가 의자 목받이 너머로 보였다. 그러고 보니 탑햇을 쓰고 있었다. 하도 까부라져 몰랐는데, 코를 골거나 숨을 쉴 적마다 탑햇이 위아래로 움직였다. 이게 무엇을 의미하는지, 이과수는 알고 있었다. 지배인의 재현이 재탕이 아니라 재현을 의미한다는 것도, 그랑호텔 투숙객들 중 그 누구도 뿌리 없는 제임스 김을 받아줄 생각이 없다는 것도 이과수는 알고 있었다. 환상을 믿은 마지막 인간, 이과수는 불현듯 그가 보고 싶어졌다. 가만히 의자 뒤로 다가

갔다. 등받이 너머에서 숨소리가 들렸다. "저 왔습니다, 지배인님……, 이 대리요."
조용했다. 이과수는 의자 등받이로 손을 뻗었다. 그리고 천천히 의자를 돌렸다.

작가의 말

우리의 욕망이 어떤 역사를 썼는지,
어디로 가고 있는지?

욕망의 윤리를 '양심의 힘'으로 묻고 싶었다

'그랑호텔'은 자본주의 체제가 낳은 물질적 풍요를 상징하는 단어다. 이 체제에 동승한 사람들이 '투숙객들'인 셈이다. '그랑호텔의 투숙객들'이란 제목은 헝가리의 문학이론가이자 사상가인 지외르지 루카치의 저서『소설의 이론』서문에서 빌려왔다. 제목은 문학이론서 같지만 소설을 재료로 사회학을 탐구한 책에 가깝다.

루카치의 투숙객은 지식인들을 말한다. 구체적으로 프랑크푸르트 학파이며, 그 학파의 테오도어 아도르노를 비판하기 위해 사용한 말이 '심연의 그랑호텔의 투숙객들'이란 관용적 표현이다. 그렇다고 루카치가 아도르노를 비판했듯 그 자신은 그랑호텔의 투숙객이 아니었느냐면 그렇지 않다. 나아가 이 세상에 이 두 지식인만이 그랑호텔의 투숙객들이냐고 묻는다면 그것도 아니다. 이 시대 어느 누구도(지식인이든 아니든) 그랑호텔의 투숙객이 아닌 사람은 없다. 자본주의라는 시스템에 동승한 이상 그랑호텔을 꿈꾸는 것은 당연한 일일 수 있기 때문이다. 다만, '정도'의 차이가 있을 뿐이다. 무엇인가에 대해 가치를 정할 때는 늘 '정도'가 문제가 된다. '정도'가 범법자와 준법자를 가른다. 혹 범법자가 되더라도 도덕적 지탄에서는 자유로울 수 있는 묘한 가치의 기준이 이 '정도'다.

2004년 12월, 시사월간지 〈피플〉에 쓴 칼럼인데 제목이 '그랑호텔의 투숙객들'이었다. 소설『그랑호텔의 투숙객들』을 구상한 것이 20년 전 그 해였다. 그때의 생각을 이 소설에서 표현하려고 애썼고, 그 문제의식이 그대로 소설 속으로 옮겨져 문학이라는 형식으로 형상화됐다. 생각과 말과 행동에는 뇌과학이 주는 선험성 외에 사회적 훈련이 포함된다. 나 역시 그 경로를 밟았고 그 영향이 이처럼 오래도록 한 주제에 몰입하는 사람으로 만들었을 터다.

핫플레이스라 불리는 성수동에서 일한 적이 있다. 영세사업자와 중소기업이 몰려 있는 블루칼라들의 터전, 그땐 나 같은 사람을 '공돌이'라고 불렀다. 그때 기억 중 하나는 좀 아리다. 같이 일하던 아이 중에 중학교를 채 마치지 못하고 일을 하러 온 15살 남자아이가 있었다. 그 애가 입는 옷은 늘 같았다. 자주색 추리닝이었고 두 개의 흰 줄이 있었다. 햇살이 좋은 월급날이었다. 그 애가 아버지가 왔다며 공장 문 앞으로 달려갔다. 손에는 월급 봉투가 들려 있었다. 알고 보니 아빠가 노름꾼이었다. 월급날이면 공장 문으로 아빠,하며 월급봉투를 들고 반갑게 달려가던 그 애 생각이 난다.

집안의 경제 사정이 학력과 직결되는 일은 흔하다. 요즘은 대학을 나왔는지 아닌지가 중요한 게 아니라 어느 대학을 나왔는지가 중요하다. 그 역할을 부모의 경제력이 좌우한다. 좋은 대학이 일생을 좌우할지도 모른다는 현실은 공포에 가깝다. 그때 공장에서 평생 그 일을 하며 살아야 할지도 모른다는 내 두려움이 이와 비슷한 것이 아닐까.

이런 현실은 내 젊은 시절뿐 아니라 어느 시대 건 모든 인류의 문제였을 터다. 그리스 시대나 고려 무신정권 때나 안동 권씨 시절이나 7, 8, 90년대를 지나 21세기에 이르러 생성형 AI 때문에 직업의 소멸을 걱정해야 하는 이 시대에도 마찬가지다. 시대를 초월하는 이 적폐의 근저에는 자본과 욕망이라는 이데올로기가 자리하고 있다. 이 두 원소가 생각과 삶의 질을 결정하며, 여기에는 좋고 나쁨이나 정의와 불의 같은 가치는 존재하지 않는다. 이때의 경험이 훗날 루카치의 서문을 읽으며 단단히 꽂히게 된 이유의 하나가 됐을 터다. 물론 젊은 시절 나와 같이 일한 그때 그 사람들이 아니라 그 체제를 가능하게 한 사람들, 루카치 역시 그들을 지목했다.

루카치의 서문을 깊게 읽은 이유는 또 있다. 그가 말한 자본주의의 속성이 소유였기 때문이다. 소유의 대상이 물질일 수도 있고 권력일 수도 있고 명예나 학문일 수도 있다. 소유의 정도에 따라 기득권이라는 사회적 정체성이 생기고 그걸 배경으로 타인과 관계를 맺는다. 이 정체성은 특권의식으로 또는 실제 특권을 부여하는 사회적 제도를 통해 기득권으로 인정받는다. 소유의 정도는 '차별'과 '차이'라는 관념을 만들어 내고, 사회화를 통해 집단적 삶의 형태로 나타나기도 하는데 이것이 문화일 터다.

우리나라는 OECD 국가 중에서도 좀 유별나다. 세계 여러 기관의 조사에서 돈이 최고라고 매년 같은 대답을 하는 사람들이 사는 나라다. 사정은 있겠지만, 바람직하다고 볼 수는 없다. 돈이 가장 소중하다니. 섬뜩하다. 인간 존재와 존엄, 나아가 다른 OECD 국가 사람들이 가장 소중하게 여긴다는 '가족'조차 돈 아래 있다는 소리이기 때문이다.

자본주의는 인간에게 욕망을 품게 하고 욕망은 자본주의에 숙주한다. 인간은 소유하기 위해 자본주의를 만든 것인지 모른다. 그만큼 둘은 보다 존재론적인 대상들이다.

나는 이 소설을 통해 기성세대의 생각과 욕망을 보여 주려고 했다. 이 시대를 만든 사람들이 5, 6, 7, 80대들이다, 이들은 자신의 삶을 위해 또 그 무언가를 위해 열심히 살았고 지금 이 사회를 만든 당사자들이다. 기성세대가 그들이며 이들은 현직에서 또는 은퇴자로 살며 이 사회를 움직인다. 이들 중에는 주류라는 사람들이 있는데, 엘리트라 불리는 전문직 종사자들과 고위 공무원, 부자 그리고 지식인이 그 사람들이다. 이들은 자기네끼리 서클을 이루며 우정과 동지애를 발휘한다. 이 사회가 여전히 자신들이 살아온 방식으로 유지되기를 바라고 학연 · 지연 · 혈연이란 연좌제를 통해 전승되기를 바란다. 자신들이 쌓은 물질적 부를 내세로 가져갔으면 하는가 하면, 실제 그 욕망을 성취하기 위해 기상천외한 아이디어를 주고받는다. 이들이 그랑호텔의 투숙객들이다.

자신들이 이룬 물질적 풍요를 내세로 가져가기를 꿈꾼다는 소설의 설정은 다분히 허구적이지만 현실에서는 오히려 팩트에 가깝다. 나는 이들이 추구하는 욕망의 극단적인 모습을 MZ세대가 읽어주기를 바랐다. 그래야 지금 자신들이 살고 있는 이 사회가 어떻게 만들어졌는지. 무엇을 고민하고 분노하고 저항해 바꿀 수 있는지 알 수 있을 것이란 생각이다. 물론 그랑호텔의 투숙객들은 자신들의 욕망과 달리 자신들의 부를 내세로 가져가지 못할 것이다. 하지만 그들의 욕망을 학습한 또 다른 투숙객들이 전 세대가 이루지 못한 욕망을 사냥하기 위해 길거리로 나서는 불온을 멈추지 않을 것이다.

개인적으로 이 소설을 쓰는 동안 큰일을 겪었다. 한국 현대사의 변곡점인 6 · 25 전쟁의 중심에서 사셨던 아버지, 아버지는 내게 역사를 사유하게 했다. 아버지의 죽음이 있고 2년 뒤에는 어머니가 돌아가셨다. 어머니의 죽음은 아버지와는 상실의 느낌이 많이 다르다. 오로지 나를 위해 무조건적인 사랑을 준 지구상의 단 한 사람, 어머니는 그런 존재였다. 그 상실이 주는 슬픔이 남은 생을 짓누른다. 이 두 분의 존재, 아버지라는 역사와 지극히 사적인 어머니의 사랑, 이 두 힘이 생각하고 쓰게 한다.

존경하는 작가가 누구냐고 묻는다면 딱히 생각나는 사람이 없다. 어찌 보면, 내게는 꽤 자연스러운 현상이다. 누구를 존경하고 흠모한 기억이 잘 나지 않는다. 다 존경하고 흠모한 것도 같다. 그러면서 부닥치고 깨지면서 혼자 가고 혼자 선택하고 혼자 걸어온 기억들뿐이다. 어쩌면 지금의 나로 늙어가게 하는 것이 세상의 모든 것들이지 않았을까. 하지만 타인은 나라는 사람을 아주 단순하게 기억한다. 때문에 '타인은 지옥'이라고 한 사르트르를 일찍이 공감한 적이 있다. 출처는 물론 기억도 잘 나지 않는 많은 것들로부터 영향을 받았고, 딱히 이런 사람이라고 할 고정된 자아나 정체성도 갖고 있지 않다. 나는 이게 정상이라고 생각한다. 이 세상에 한 가지로 규정되는 사람이 어디 있을까. 화만 내는 사람, 웃기만 하는 사람, 먹기만 하는 사람을 상상할 수 있을까.

소설의 좋은 점은 많다. 복잡하고 얽히고설킨, 그래서 고통스럽고 달콤하고 애매하고 뭐가 뭔지 잘 모를 수도 있는 것들을 한 곳에 담을 수 있다. 산문처럼 구구절절하게 또 시처럼 함축해 적을 수도 있고, 등장인물을 소설이라는 현실 안에 살게 해 세계를 규명해 볼 수도 있다. 이 형식은 타인을 이해하는 데 도움이 된다. 이것이 서사다. 밀란 쿤데라는 이것을 '실존'이란 말로 불렀고, 지외르지 루카치는 '영혼'이라고 불렀다. 나는 이걸 판타지라고 부른다.

『그랑호텔의 투숙객들』은 마술적 리얼리즘 소설이다. 가상의 공간이자 실재일 수도 있는 '그랑호텔'이라는 공간에 인물들을 살게 해 생각하고 행동하고 다투게 했기 때문이다. 하여 나는 우리의 욕망이 어떤 역사를 써 왔는지, 어디로 우리의 욕망이 가고 있는지, 그 욕망의 저력에 대한 도덕성과 윤리를 '양심의 힘'으로 묻고 싶었다. 인간이 인간다울 수 있는 최후의 보루는 양심이다.

소설 『그랑호텔의 투숙객들』은 삶이 준 고민에 대한 내 말소리다. 내 고민의 전부는 부조리에서 왔다. 삶은 어차피 부조리와 다퉈야 하는 고단함의 연속이지 않은가. 당 시대와 부딪히며 살아야 하는 개인들의 삶, 모르긴 해도 숨을 다할 때까지의 내 모습이다. 이런 삶의 장점도 있다. 고통과 기쁨을 고뇌하며 사랑하는 법을 배울 수 있어서이다. 삶은 사랑을 배우는 시공간이며 인간의 가장 큰 결핍은 언제나 사랑이 아닌가. 주는 법도 받는 법도 미숙한. 늙어 가면서 배울 게 많아져 탈이기는 한데, 나는 그 사랑을 소설 속에서 시인 이청을 통해 이렇게 말했다.

> "이런 거요. 우리는 스스로 그랑호텔의 투숙객인지 아닌지 생각해 본 적이 있는지, 그런 자신을 보려고 한 적이 있는지. 이 자문과 성찰이 사랑이오."

삶은 개인적이지만 통사적이다. 역사라는 큰 흐름을 지키는 당 시대 사회와 개인의 삶이 결코 분리되지 않기 때문이다. 내 삶도 그 속에서 울고 웃는다. 그런 의미에서 아버지와 어머니는 내 삶일 수밖에 없다. 온몸으로 산 두 분의 삶이 모두 통사적이었기 때문이다. 그 혜택을 고스란히 받으며 나도 울고 웃었다. 그러고 보니 두 사람에게 나는 멘티였다. 이 나이가 돼 비로소 알다니, 여전히 미숙하다.

이 책은 내게 특별하다. 처음 펴낸 소설이기도 하지만 직접 출판을 하면서 신세 진 사람이 많다. 텀블벅이라는 펀딩 사이트를 통해 낯모르는 사람들이 책 하나만을 보고 흔쾌히 후원해 주었고, 지인과 건너 건너의 사람들이 후원을 해주었다. 건너 건너라고는 하지만 모르는 사람들이 있다. 그분들에게 부디 좋은 소설로 기억되기를 소망한다. 그리고 가족, 가내수공업 같은 소규모 출판사이다 보니 가까운 사람들의 고생이 많다. 이럴 때가 난감하다. 고맙다고 말하려니 쑥스럽고, 알아주겠거니 하자니 주변머리 없는 인간 같고. 사랑도 이런 짝사랑이 없다.

2025년 1월 하우개에서

송복남

『그랑호텔의 투숙객들』 출판에 힘이 되어 주신 분들

ㄱ

경아 님
김남규 님
김상록 님
김소연 님
김승엽 님
김용일 님
김우양 님
김충교 님

ㄴ

나진택 님
노정남 님

ㄷ

닭벼슬 님
두더지 님

ㄹ

로똥맘 님

ㅁ

무나미 님
민영미 님

ㅂ

박상희 님
박현경 님

ㅅ

서쌍용 님
손동불 님
송원석 님
심화식 님

ㅇ

안상옥 님
올리비아 님
유경희 님
예선 님
이상우 님
이영항 님
이은경 님
이은만 님
이인규 님
이전행 님
인디안 님
인영 님
임성은 님

ㅈ

장민경 님
정윤서 님
정향숙 님
조원행 님
지경호 님

ㅊ

채희대 님
최봉훈 님
최희숙 님
추월만실(김형주) 님

ㅋ

코르시카 님

ㅍ

피플 님

ㅎ

한기일 님

• 이 외에도 도움을 주신 분들이 있으나 후원자님의 의사에 따라 밝히지 않았습니다.